BOUQUINS

COLLECTION DIRIGÉE PAR

GUY SCHOELLER

PIERRE SOUVESTRE ET MARCEL ALLAIN

FANTÔMAS

*

ÉDITION PRÉSENTÉE ET ÉTABLIE
PAR FRANCIS LACASSIN

ROBERT LAFFONT

Chacune des œuvres publiées dans « Bouquins » est reproduite dans son intégralité. Notre texte demeure toujours fidèle à la dernière édition revue par l'auteur.

ISBN : 2-221-05224-2

PRÉFACE

Fantômas
ou
L'Énéide des temps modernes

I. — L'OPÉRA DE TREIZE SOUS

> *Allongeant son ombre immense*
> *Sur le monde et sur Paris*
> *Quel est ce spectre aux yeux gris*
> *Qui surgit dans le silence ?*
> *Fantômas serait-ce toi*
> *Qui te dresses sur les toits ?*

Ces vers de Robert Desnos [1] fixent pour l'éternité une image célèbre mais devenue rare. Un poignard dans la main droite, le visage blême, hagard, masqué d'un loup noir et surmonté d'un haut-de-forme, un homme en frac enjambe les toits de Paris dans une foulée élégante.

Sous cette couverture, la première d'une série de trente-deux volumes, inaugurée le 1er février 1911, Pierre Souvestre (1874-1914) et Marcel Allain (1885-1969), lâchent sur « le monde et sur Paris » le criminel qui va donner le frisson à une époque qui jusque-là avait beaucoup ri. En attendant que la guerre lui apprenne à pleurer...

Avec cette saga en trente-deux chants — auquel Marcel Allain, seul, en ajouta onze de plus — c'est la nuit qui s'entrouvre pour déverser un cortège de monstres et fantasmes, de figures touchantes et de brutes repoussantes que mène dans un tourbillon le Maître de l'effroi, le Tortionnaire, l'Empereur du crime, l'Insaisissable : Fantômas !

Perfides magiciennes de *L'Énéide* et de *L'Odyssée*, mauvais génies des contes orientaux, enchanteurs capricieux des romans de la Table Ronde, ogres voraces et fées vindicatives, apaches du Paris mystérieux d'Eugène Sue, il les dépasse tous. Par sa démesure, dans la cruauté, l'invention ou l'humour.

Le bandit vêtu et masqué de soie noire peuple la nuit, les mille et une nuits de la Belle Époque d'un effrayant ballet et de funestes prodiges. Il fait saigner les murs d'un appartement bourgeois, ou chanter les fontaines

---

1. *La Complainte de Fantômas*. Musique de Kurt Weill, 1933.

de la place de la Concorde sous lesquelles il détient un roi prisonnier. Il lance à travers Paris un fiacre nocturne promu à de pestilentielles besognes et dont le cocher n'est autre qu'un cadavre. Il promène sous les eaux de la Seine d'étonnantes et poétiques lueurs. A son appel des spectres repoussent leurs pierres tombales et se lèvent dans le cimetière de Clichy ; d'autres marchent — comme jadis le Christ — sur les eaux de la rivière à Valmondois. Il vole l'or du dôme des Invalides, pille les caves de la Banque de France et bombarde le Casino de Monte-Carlo où il a perdu au jeu. Il fait tomber une pluie de sang et de diamants sur des fidèles se rendant à la messe. Il escamote les trains et les rames de métro en pleine course.

Lorsqu'il lance la foudre sur ses adversaires — le policier Juve ou le jeune Fandor, journaliste à *La Capitale* — c'est avec un luxe olympien. Pour noyer Juve — et accessoirement Paris — il fait sauter les réservoirs d'eau de Montmartre (on les a reconstruits depuis...). Pour empêcher le policier de débarquer à ses trousses, il propage la peste sur tout un paquebot.

Cruel certes, mais riche aussi de ce qu'on n'appelle pas encore l'humour noir. Il garnit de vitriol les vaporisateurs à parfum des Galeries Lafayette, et de lames de rasoir toutes les chaussures du rayon. Il enferme Fandor, endormi, dans la grande boule de verre pendue à la façade du Moulin-Rouge. Ou, excédé par l'insistance du journaliste à coller à lui, il l'expédie dans une caisse en direction de l'Afrique du Sud.

La seule erreur de Fantômas. Car là-bas, oubliée, perdue par le Tortionnaire vit sa fille, la troublante et belle Hélène qui éprouvera pour Fandor un amour rapidement partagé, et pour toujours. Est-elle vraiment sa fille ? Tous les documents relatifs à la naissance sont enfermés dans un vieux crâne au teint d'ivoire mêlé à ceux d'un ossuaire. Mais un crâne méchant dont les dents empoisonnées ont mordu à mort (grâce à un astucieux ressort) tous ceux qui ont tenté de lui arracher ses secrets.

Oui, troublante Hélène, à l'amour mal placé ; comme Lady Beltham, la compagne du monstre, elle est écartelée entre la fidélité et l'horreur. Leur chagrin et leur repentir viennent compliquer un peu plus l'interminable duel qui oppose ou réunit des adversaires inusables.

Fantômas, c'est la règle du jeu, est immortel et insaisissable. Lorsqu'on le guillotine, il se substitue un acteur grimé qui trépassera à sa place. C'est pour donner le change qu'il se fait pendre à Londres où, sous le nom de Tom Bob, il dirige toute la police d'Angleterre... pour mieux se traquer lui-même !

Juve lui aussi, en dépit de résurrections moins fracassantes, est indestructible. Tous les rapports entre ces deux représentants du Bien et du Mal ne sont que des variations sur ce thème unique : Fantômas tue Juve qui n'est pas mort mais tue Fantômas, lequel se venge en enlevant Fandor ou en retardant son mariage. Une ronde continue que perturbe parfois une révélation inattendue : comme ce cri de Fantômas, englouti dans le naufrage du *Gigantic* à la fin du 32e volume : « Juve, tu n'as jamais pu me tuer, parce que tu es mon frère ! »

Cette confession faite par Fantômas lors d'une de ses morts innombrables devait compliquer un peu, mais pas trop, la tâche de Marcel

Allain lorsque, onze ans plus tard, il reprit la série interrompue par la mort de Souvestre et par la guerre de 1914-1918. Et la ronde repartit, rythmée par la chute des cadavres.

La réaction du public fut sans équivoque. Les tirages de *Fantômas,* et ses traductions, ont failli défier la Bible : Fantômas contre Dieu ! Un succès que le cinéma amplifia grâce aux cinq films de Louis Feuillade (1913-1914), qui fixèrent le mythe en le visualisant de façon poétique.

Non, il n'est pas dérisoire de parler de poésie, à propos de ce roman à quatre sous, ou plutôt à treize sous : le prix d'un volume étant de 65 centimes.

Fantômas était destiné — et il y a réussi — à faire saigner ou vibrer le « cœur populaire ». Mais il a fasciné — et cela a laissé Marcel Allain rêveur, jusqu'à son dernier jour — l'intelligence... Une composition invertébrée, des gags invraisemblables, une action obéissant à une logique non euclidienne, une imagination divagante et insolente, un style oral gouailleur et redondant (les auteurs, trop pressés pour écrire, dictaient et se relisaient sur épreuves).

Malgré, ou à cause de ces défauts, Fantômas a reçu la caution, l'admiration d'écrivains vénérables. Ceux-là mêmes qui aujourd'hui encore bénéficient d'éditions de luxe, savantes ou — consécration! — abrégées et annotées à l'usage des écoles.

Le premier, Guillaume Apollinaire célébra dans *Le Mercure de France* du 26 juillet 1914 « cet extraordinaire roman, plein de vie et d'imagination, écrit n'importe comment mais avec beaucoup de pittoresque... Fantômas est au point de vue imaginatif une des œuvres les plus riches qui existent ».

Mais un mois plut tôt, le 15 juin 1914, la revue d'Apollinaire, *Soirées de Paris*, avait consacré au Monstre de l'effroi un poème signé Blaise Cendrars. Cendrars qui devait définir Fantômas comme « l'Énéide des temps modernes ». Mais Cendrars fut battu par Max Jacob qui, appelant en vain la création d'une « Société des Amis de Fantômas », lui consacra trois poèmes dès 1917. Jean Cocteau, qui cite Fantômas dès 1931 dans *Opium,* l'évoque dans *Léone* à propos des fontaines chantantes de la place de la Concorde :

> *C'est là que Fantômas roi de dix-neuf-cent onze*
> *Garde un roi prisonnier sous l'ondine de bronze.*

N'oublions pas la statistique des meurtres, vols et tentatives d'assassinat de Fantômas dressée par Raymond Queneau en 1950 dans *Bâtons, Chiffres et Lettres*. Ni la très belle *Complainte de Fantômas*, par Robert Desnos, interprétée par une chorale que dirigeait Antonin Artaud, sur une musique de Kurt Weill, à Radio-Paris en 1933.

Complainte dont Guillaume Hanoteau fit à son tour une adaptation dramatique pour le Cabaret *La Rose rouge* en 1951.

Mais l'hommage le plus inattendu, on le trouvera en 1933, sous la plume d'André Malraux, dans *La Condition humaine*, par l'intermédiaire du baron de Clappique.

Souvestre et Allain ne sont plus mais Fantômas est éternel. Il est entré dans ce panthéon qui confond les mythes issus de la réalité et ceux issus de l'imagination ; et où Barbe Bleue, Zorro et Frankenstein côtoient Mandrin, Jessie James et Landru.

Pour mesurer son éternité, on ne peut que citer la préface de Gilbert Sigaux à la réédition de la série *Fantômas* au Cercle du Bibliophile en 1970 :

« Peut-être un jour ne comprendra-t-on plus cette longue carrière d'un nom, d'une ombre et d'une œuvre. Mais il suffira que quelques pages soient lues par un poète et qu'il prenne sa plume pour dire : "Tu n'étais pas mort, mais seulement endormi ; et nous venons pour te réveiller ; toute ta troupe est prête ; les acteurs connaissent leurs rôles, et le rideau va se lever et Paris va trembler..." Alors, pour la dixième fois, un éditeur s'écriera : "Mais... si nous reprenions *Fantômas* ?" Et celui qui est "toujours quelqu'un, parfois deux personnes, jamais lui-même" (dit Juve dans le tome III) se dressera, méconnaissable peut-être, sûrement invaincu, tel que l'imaginèrent Pierre Souvestre et Marcel Allain un jour d'hiver en 1910. »

II. — DANS L'ANTRE DE FANTÔMAS

Entre la mort d'un cycliste et l'arrestation d'un berger sadique, le journal télévisé m'a appris, un soir d'août 1969, la fin d'une amitié de neuf ans avec celui que nous étions quelques-uns à appeler « papa Fantômas ».

Pour d'autres, il était simplement Marcel Allain, dernier survivant de la grande lignée des feuilletonistes, le créateur de l'un des héros les plus célèbres de la littérature populaire, le Géant du crime, le Maître de l'effroi, le Tortionnaire, l'Impitoyable : Fantômas !...

A ma première rencontre avec Marcel Allain entre l'automne et l'hiver 1960, Fantômas se trouvait au creux de la vague. A défaut de l'enfer que lui méritaient ses forfaits, il subissait le purgatoire de l'oubli dont son cinquantième anniversaire allait le libérer au mois de février de l'année suivante.

En ces temps d'absence et d'indifférence, nous étions au contraire très préoccupés, Raymond Bellour et moi, par le projet — non le désir — d'un film de court métrage, *Fantômas 1900*, à réaliser à partir d'extraits des *Fantômas* tournés par Feuillade en 1913 et d'un montage de bandes d'actualités de la même époque. Rêve accueilli par la méfiance ou l'indifférence des producteurs, mais suffisant pour forcer la porte de Marcel Allain.

Il habitait aux confins d'une banlieue morose, à Andrésy, au fond d'une « Impasse de la Gare » rigoureusement inconnue des autochtones, une maison écartée qu'ils appelaient la « Villa Fantômas » et dont le nom véritable était « Eden-Roc ». Pas moins.

On y accédait par un chemin escarpé. Bordé d'un côté par de hauts murs protégeant des habitants misanthropes, il longeait de l'autre une voie ferrée très en contrebas et prête au passage de qui sait quels trains perdus ou fous, promis à des catastrophes... Bientôt, le chemin s'arrêtait devant un portail de bois. Par ses ouvertures, on devinait, trahie par ses toits pointus, une maison grise se dérobant derrière des arbres. Une sonnette résonnait au loin, comme un signal d'alarme. Le gravier crissait sous les pas. Une immense porte s'ouvrait sur un couloir où la pénombre rendait la marche hésitante. Hurriel, un caniche aveugle — dont le poil avait disparu par plaques sous l'effet de brûlures — en profitait pour se livrer à un examen insistant.

Une lueur perçait les ténèbres : poussée par une main invisible, une porte démasquait un impressionnant cabinet de travail tout en longueur. Murs tapissés de livres jusqu'à un plafond élevé et percés de deux portes-fenêtres terminées en arceaux. Elles éclairaient, plutôt mal, l'immense pièce ornée en son centre d'une table-bureau surchargée d'un fouillis d'où jaillissait un charmant vieillard à la poignée de main énergique et à l'accueil chaleureux. On s'asseyait, aspiré traîtreusement par un fauteuil de cuir affaissé et bas qui vous livrait sans défense à l'amitié de la pauvre petite aveugle, enfin rassurée. Les dernières années, un molosse l'avait remplacée. Un berger allemand, qui, alerté par la sonnette, grondait et secouait le portail avec fureur et fracas jusqu'à ce que son maître vînt l'apaiser : « Fantômas, tais-toi, laisse-le, c'est un ami. » L'animal obéissait, revêche, soupçonneux, mal convaincu. Tandis que crissait le gravier, on avait malgré soi quelque appréhension à la pensée du fauteuil traître et bas, mais Fantômas-chien n'était pas admis dans son voisinage.

Dans un angle de la bibliothèque, accrochée deux mètres au-dessus du sol, une silhouette en papier grandeur nature de Fantômas en collant noir, cagoule et bottes souples, les bras croisés. A ses côtés, posée en permanence, une échelle témoin de l'insistance avec laquelle des générations de photographes se repaissaient d'un même cliché réunissant le romancier et son personnage, comme pour les comparer.

Ils ne se ressemblaient guère. Il l'avait fait grand et mince ; froid, cruel, impénétrable et parlant peu, si ce n'est pour menacer ; ravi de faire peur. Marcel Allain était carré, petit — d'une petitesse accentuée par des pantalons aux jambes trop larges —, chaleureux, souriant ; et un causeur qu'aucun sujet ne rebutait.

Des cheveux blancs, lissés sur le haut du crâne, effrangés sur la nuque, encadraient un visage dont les rides, comme celles des pommes, inspiraient confiance. Le regard, très mobile, avait gardé sa jeunesse, il en jouait savamment. Pour séduire, l'œil se faisait tour à tour rêveur, mélancolique, attentif, complice. Parfois, la paupière un moment le voilait. C'était un de ses meilleurs effets. A peine avait-on le temps de le croire recueilli ou distrait qu'un éclair jaillissait de l'orbite, et la bouche lâchait un trait d'esprit féroce. La victime était le plus souvent un des cinéastes ayant maltraité son œuvre, ou l'un de ses innombrables éditeurs qu'il dépeignait de façon balzacienne, tel Lucien de Rubempré cherchant à vendre *L'Archer de Charles IX*. Son humour était d'une férocité digne de Fantômas.

Quand venait le coup de la paupière tombante — un signal — je me préparais à savourer quelque exécution capitale. Il lui arrivait de se prendre lui-même pour victime en citant les lettres de lecteurs malicieux. Une dame lui avait démontré — par l'addition de la durée des aventures ou des temps morts les séparant — que Jérôme Fandor et Hélène étaient centenaires.

D'autres lui signalaient des bourdes et pataquès qui le ravissaient. Il aimait particulièrement « elle était morte, elle ne bougeait plus » mais refusait la paternité de « on entendait marcher dans le tuyau de gaz » que lui avait attribuée le caricaturiste Simons. Selon lui, cette formule appartenait à Léon Sazie, le père de Zigomar.

C'était en toute modestie et sans la moindre prétention littéraire qu'il jugeait Fantômas et l'ensemble de son œuvre. Certes flatté qu'Apollinaire et Cendrars dès 1914, Max Jacob dès 1919 — et plus tard : Desnos ou Cocteau — lui aient consacré des éloges ou des poèmes, il était encore plus ravi d'avoir amusé — « Je ne suis qu'un amuseur » — des centaines de milliers de lecteurs de condition modeste.

L'admiration enthousiaste des Surréalistes le surprenait un peu moins ; elle était liée aux films de Louis Feuillade dont il disait, excédé par d'autres metteurs en scène infidèles : « C'est le seul cinéaste ayant su raconter une histoire telle que ses auteurs l'avaient inventée ». Il y avait dans *Fantômas* un défi insolent aux tabous esthétiques et sociaux, une démystification grinçante, une constante référence à ce qu'André Breton appela l'humour noir, un affleurement du fantastique jusque dans le quotidien dont il apercevait la parenté avec les préoccupations surréalistes. Et surtout, le hasard objectif cher à André Breton, ordonnateur de quiproquos et malentendus, avait compté pour beaucoup dans le succès d'un personnage composé avec autant de désinvolture qu'un « cadavre exquis » !

Hasard complice et présent dès 1907, année où il ménage à Marcel Allain, sur un quai du chemin de fer de ceinture, la rencontre qui déclenchera la genèse aboutissant en 1911 à Fantômas.

Au début de ce processus, il est âgé de vingt-deux ans. Né le 15 septembre 1885 à Paris — 23, quai aux Fleurs —, Pascal Marie Edmond Marcel Allain est le fils d'un avocat qui cumule le doctorat en droit et le doctorat en médecine. Enfance calme, compensée par les traditionnels désirs d'évasion. Il ressent de bonne heure une passion de la mer et de la navigation qu'il conservera jusque sur ses derniers jours. Il s'accusait alors de quelques fugues en mer sur un canot. L'une d'elles aurait nécessité, pour son sauvetage, l'intervention de deux bateaux britanniques.

Études secondaires au lycée Janson de Sailly, rue de la Pompe, terminées en 1903 par le baccalauréat ès lettres. Si l'on en croit Marcel Allain, il se serait ensuite inscrit à la faculté de droit, puis, après avoir présenté avec succès le doctorat en droit, au barreau de Paris. Il a souvent déclaré que, revêtu de sa robe d'avocat, il avait réussi à s'introduire dans la cellule occupée à la prison de la Santé par la célèbre femme apache Casque d'Or. Ceci, en vue d'obtenir d'elle une interview pour *Le Petit Parisien*.

Par malheur, les archives de la faculté de droit et du barreau de Paris — très précises quant à Pierre Souvestre — n'ont conservé aucune trace de Marcel Allain... Prié de s'en expliquer, il m'a répondu, avec une inaltérable assurance :

« J'ai plaidé une fois au tribunal, remplaçant un avocat malade. Il s'agissait d'un cocher de fiacre qui avait renversé un passant ; je l'ai très bien défendu : il a obtenu le maximum ! Il m'a d'ailleurs donné, comme honoraires, un cigare splendide, terriblement long, que je n'ai jamais pu arriver à allumer. En revanche, j'ai naturellement plaidé de nombreuses fois, en référé, en tant que clerc.

« Je n'ai jamais été officiellement inscrit à l'ordre des avocats : mon père, vieux juriste, connaissait trop bien la chanson [?] Il avait exigé, bien que ce soit défendu, que je devienne clerc d'avoué dès le premier jour où j'ai commencé mon droit. Je suis donc entré comme clerc à l'étude Ploch, j'y ai été troisième et deuxième clerc, puis j'ai changé d'étude et j'ai été chez maître Alain (aucune parenté avec moi, le nom ne s'écrit pas de même), où je suis devenu premier clerc puis maître clerc. Après quoi, j'ai quitté le Palais, séduit par le journalisme et, pour tout dire, fichu à la porte par mon père [1]... »

Il s'était présenté au grand quotidien Le Petit Parisien où pour l'éconduire, un sous-ordre l'avait défié d'obtenir une interview de Casque d'Or, séparée des journalistes par murailles et barreaux. Marcel Allain prétend y être parvenu en vertu d'une formule de « permis de communiquer » substituée sur la table d'un juge d'instruction pendant qu'il bavardait avec lui, et grâce à sa robe d'avocat (ou d'avoué). Peine perdue. Le rédacteur en chef ne voulant pas croire à la réussite du subterfuge ni à la vérité des propos rapportés.

Le candidat journaliste éconduit eut plus de chance avec Léon Lafage, rédacteur en chef du mensuel Nos Loisirs, le supplément magazine du Petit Parisien. Au sommaire du numéro de juin 1906, figure le premier texte publié par Marcel Allain, La Vengeance du marin, sa seule contribution à ce magazine jusqu'au 12 juillet 1914 (à moins qu'il n'ait usé de pseudonymes) et seul résultat, semble-t-il, de toutes les tentatives journalistiques accomplies avant la rencontre avec Pierre Souvestre.

Au temps où il est encore clerc d'avoué, Marcel Allain a fait la demi-connaissance, dans le chemin de fer de ceinture, d'une jeune femme, Mariette Lemoine. Il ignore son nom, mais échange des saluts polis avec elle depuis qu'un jour il lui a cédé son siège. Frappée par l'air bouleversé de l'ex-maître clerc, le matin où son père l'a mis à la porte, les vivres coupés, elle s'enhardit à lui adresser la parole. Il lui confie sa détresse : elle l'apaise aussitôt. Son mari, Achille Lemoine, photographe au Verascope Richard, est l'ami d'un homme de lettres et journaliste, Pierre Souvestre, qui a besoin d'un secrétaire.

III. — PIERRE SOUVESTRE : UNE PERSONNALITÉ PARISIENNE

Bonapartiste et mondain, introduit dans une foule de journaux, surchargé d'honneurs, d'activités et de travaux, bien qu'à peine âgé de trente-trois ans, Pierre Wilhelm Daniel Souvestre est né le 1er juin 1874, au château de Keraval, à Plomelin (Finistère). Petit-neveu de l'écrivain breton Émile Souvestre, il est fils de préfet. Son père a donné sa démission

---

1. Lettre à l'auteur, en date du 31 juillet 1965. Marcel Allain est mort vingt-cinq jours après l'avoir envoyée.

pour s'installer à Paris, avenue Mozart, où Pierre passe une partie de son enfance.

Après des études secondaires, également accomplies au lycée Janson de Sailly, Pierre Souvestre entre à la faculté de droit et obtient le diplôme de licence le 20 septembre 1894. Il s'inscrit au barreau de Paris, du 7 novembre 1894 au 1er mars 1898, puis du 14 janvier 1904 au 12 décembre 1905. Mais ses activités littéraires et mondaines n'ont pas dû lui laisser beaucoup de temps pour plaider.

Il commence par publier à compte d'auteur, sous le pseudonyme de Pierre de Breiz, deux petits volumes destinés à l'introduire dans le monde des lettres. L'un rassemble des contes et nouvelles, *Pêle-mêle* (1894), l'autre des poèmes *En badinant* (1895).

Cette formalité accomplie, il affronte le journalisme en 1895 et 1896 comme secrétaire de rédaction du *Monde diplomatique*. Emploi (derrière lequel on devine la main de l'ancien préfet) dans un hebdomadaire calme et composé. Ses seize pages non illustrées se consacrent à la revue de la presse étrangère et aux « câbles de nos colonies » ; aux déplacements de personnalités françaises à l'étranger ; à l'analyse des discours des cardinaux devant la Curie romaine, et des allocutions d'ouverture des parlements étrangers. Pas de place ni d'opportunité pour la prose du jeune secrétaire. Dans le même temps, l'avocat met sa connaissance du Palais au service du *Petit Caporal*, sous forme de chroniques judiciaires.

Ses collaborations se démocratisent et se diversifient en 1897 : informateur à l'agence Havas, chroniqueur au *Courrier national*, et en 1898 : rédacteur au quotidien *La Presse*. Pendant cette période, les journaux accueillent quelques-unes de ses nouvelles : *Babylas Hervier, Mes Fous, Les Malheurs de Madame Rambaud*.

En mars 1898 : entracte pour permettre à l'homme d'affaires de se manifester. Abandonnant le Palais et les salles de rédaction, Pierre Souvestre part pour l'Angleterre où il séjournera jusqu'au début de 1900. Il va y chercher fortune en créant, à Liverpool, une entreprise digne des temps modernes : un garage automobile.

Exil marqué par la rencontre d'Henriette Kitsler. Elle sera jusqu'à la mort de Souvestre, en 1914, sa compagne. Et, au-delà : la maîtresse de Fantômas, ayant servi de modèle à Lady Beltham... Le garagiste de Liverpool est aussi délégué de l'Automobile-Club de France. A ce titre, il organise des courses automobiles destinées à prouver les mérites des machines qu'il propose aux Anglais modernes et dynamiques. Manifestations sportives dont il rend compte, en qualité de correspondant de l'agence Havas-Informations.

Revenu en France, Pierre Souvestre entame une longue collaboration au quotidien *L'Auto* (ancêtre de l'actuel *Équipe*) que dirige Henri Desgranges, le fondateur du Tour de France cycliste. Il publie, en 1901, un *Dictionnaire franco-anglais des termes techniques de l'automobile*. De 1901 à 1904, il donne des contes et nouvelles : au *Supplément du Petit Journal*, au *Soir*, à *Ruy Blas*. Il fait jouer une revue d'actualité : *Parfilons ! Parfilons...* au cabaret d'Eugénie Buffet, en 1902.

Ses articles et reportages paraissent en 1902, dans *La Revue hebdomadaire* et *Les Débats* de Montréal. En 1903, dans *La Vie illustrée*.

La même année il fournit, sous le pseudonyme de Kéraval, une « chronique dramatique et sportive bi-mensuelle » à *La Chronique de France* et publie un volume de *Silhouettes sportives*, nouvelles sur l'automobile et les sports.

Infatigable, il ne cesse d'ajouter des titres de journaux à son tableau de chasse ou plutôt à son emploi du temps. En 1904 : les quotidiens *La Liberté* et, à nouveau, *La Presse* ; en 1905 : *Le Siècle*. Chargé par *Le Soleil* des « Soirées parisiennes », il poursuivra cette rubrique à partir de 1907 dans les colonnes de *Comœdia*, quotidien du spectacle que vient de fonder Desgranges.

Carrière littéraire bouillonnante, doublée d'une activité plus lucrative ; au moins en espérance. Souvestre paraît avoir possédé, à son retour d'Angleterre, un cabinet d'assurances au 27, rue de Longchamp. Activité délaissée à partir du 1er janvier 1904 pour une seconde inscription au barreau. Celle-ci suivie, après le 12 décembre 1905, par l'exploitation d'un garage : la « Compagnie automobile » située au 179, avenue Victor-Hugo.

Fringale d'activité déployée jusque dans la vie mondaine, Souvestre entassait à plaisir les charges honorifiques. Membre de l'Association de la presse judiciaire depuis 1895 ; de l'Association des journalistes parisiens depuis 1904 ; co-fondateur de l'Association des journalistes sportifs en 1905, et syndic de celle-ci depuis 1908. Délégué général pour la France du VIe Salon automobile d'Anvers (section des véhicules industriels) en 1908. Il appartient, depuis 1909, au Comité français des expositions à l'Étranger. A ce titre, il participe à l'organisation des Expositions de Bruxelles (1909), de Buenos Aires (1901), de Turin (1911), de Gand (1912).

Comme journaliste ou organisateur, il suit une foule d'épreuves sportives automobiles trop nombreuses pour être énumérées. Des photographies le montrent en voiture découverte, revêtu de la traditionnelle pelisse et coiffé d'une casquette à pont, assis aux côtés de son « mécanicien » Maurice Gillat ; sur la banquette arrière, trône Marcel Allain.

Tant de dévouement au service de l'intérêt général et du sport méritait bien d'être récompensé par une panoplie de médailles. « Ah ! les décorations !, se souvient Marcel Allain, c'était le grand faible de Pierre, il les aurait voulues toutes... »

Si l'on en croit celles arborées sur sa tenue de soirée, Souvestre est officier du Nicham Iftokar (1897), chevalier de l'ordre d'Alphonse XII (1905), officier d'Académie (1906), chevalier du Mérite agricole (1906), diplômé de la Mutualité (1909), officier de l'Instruction publique (1911). Seule sa mort prématurée l'a empêché de recevoir la Légion d'honneur.

Bref, lorsque Mariette Lemoine lui amène Marcel Allain, Pierre Souvestre est ce qu'on appelle une personnalité parisienne. Doué d'un physique très agréable, malgré une légère claudication de la jambe droite (conséquence d'une tuberculose osseuse), il a derrière lui une œuvre appréciable, au moins par le volume. Devant lui : un bel avenir ; autour de lui : des relations...

Auteur d'une volumineuse et passionnante *Histoire de l'Automobile* publiée par Dunod, et « Couronnée par l'Académie des Sports, 1er Prix », il a fondé chez cet éditeur, le 25 novembre 1906, *Le Poids lourd*, revue mensuelle de la locomotion automobile industrielle et des transports en commun. Son fondateur en deviendra l'éditeur-propriétaire le 10 novembre 1909. Mais, dès l'origine, la rédaction est installée au 1, rue Tardieu (18e), au-dessus de l'appartement occupé par Souvestre au quatrième étage.

Le « cinquième » devient le domaine du jeune Marcel Allain. La nuit, son gîte, et dans la journée : un lieu de travail partagé avec le chef de publicité : le « petit Théodore [1] ». Avant de l'engager officiellement comme secrétaire de rédaction du *Poids lourd*, Souvestre l'a mis à l'épreuve avec la rédaction d'un article sur les mérites d'un nouveau modèle de camion : le Darracq-Serpollet. Allain n'est pas un familier de l'automobile (encore que la préfecture de Rouen lui ait délivré le « brevet de capacité de conduite » en 1904, avec le numéro 7) ; mais l'imagination le fait triompher de l'épreuve. L'expérience venue, il publiera aux très sérieuses éditions Payot un manuel pratique : *L'Auto, comment s'en servir, son entretien* ; honoré d'une préface du directeur du *Poids lourd*. Il aurait été facile de préciser la date d'entrée en fonctions de Marcel Allain si la Bibliothèque nationale avait conservé *Le Poids lourd* dès l'origine ; sa collection ne commence qu'en 1909. Fantômas est passé par là... La table des matières de l'année 1908 permet de retrouver la signature de Marcel Allain dès le numéro de janvier : « L'Organisation d'un service de poids lourds ». Suivent : « Ce qu'il faut penser de la suspension Granieri », « L'Automobilisme et l'armée », « Un perfectionnement du Ducasble », etc. L'engagement par Souvestre doit se situer après le 26 juillet 1907. A cette date, Allain est définitivement exempté de ses obligations militaires ; le certificat de réforme indique comme profession : clerc d'avoué.

En dehors du *Poids lourd*, Marcel Allain sert surtout de nègre à son directeur. Par goût de la chasse au contrat et de la séduction mondaine appliquée aux affaires, celui-ci se consacrera aux « public relations » de leur association. Allain rédige d'abord la plupart des chroniques fournies par Souvestre à *Comœdia* et à *L'Auto* avant d'être appelé à signer en titre dans ce dernier journal. Le seul ouvrage de son patron auquel il n'ait pas mis la main, de 1907 à 1914, est le roman humoristique : *Jojo, 1er Roi de l'Air* (1910).

La preuve de ses mérites étant faite, Allain est admis à co-signer les ouvrages importants à partir de 1909. Entre autres : *Le sol tremble !...* drame en 1 acte et 2 tableaux tiré d'une nouvelle de Souvestre : *Pianto*. Pièce inspirée par les récents tremblements de terre en Sicile ; et la première des quatre ou cinq que les deux hommes produiront ensemble. Représentée dans un théâtre de quartier : le *Little Palace*, à partir du 21 janvier, elle marque la seconde apparition de la signature Pierre Souvestre et Marcel Allain.

La première s'est produite dans *L'Auto*, du 11 janvier au 31 mars, au bas des feuilletons d'un « grand roman sportif et policier » : *Le Rour*.

---

1. Sa publication suspendue en août 1914, *Le Poids lourd* a reparu en juin 1922 avec pour directeur : Alfred Théodore, et pour rédacteur en chef (jusqu'au 1er janvier 1927) : Marcel Allain.

Titre bizarre et canularesque, digne des circonstances qui ont vu naître et paraître le roman.

IV. — LE ROUR : PROLOGUE À FANTÔMAS

Si l'on en croit Marcel Allain, *Le Rour* aurait été commandé à ses auteurs uniquement pour combler le vide laissé dans les colonnes de *L'Auto* par la résiliation d'un important contrat publicitaire. Important à faire rêver n'importe quel directeur de journal ! Puisqu'il aurait occupé à lui seul un cinquième de page pendant quatre-vingts jours !

Le rôle de ce roman n'était peut-être pas de remplacer mais plutôt de remplir une fonction publicitaire... clandestine ou, comme on dit pudiquement : rédactionnelle, à la gloire de l'automobile en général et des pneumatiques Ducasble en particulier...

Son titre même est emprunté au bruit produit par un moteur d'automobile au ralenti. Pour justifier ce titre accrocheur et mystérieux, les deux complices ne manquèrent pas d'esprit. Vingt ans avant Lovecraft, ils inventèrent un livre sacré imaginaire auquel ils prétendaient emprunter la citation suivante en guise de prologue :

> *... Au quinzième jour de la lune, Tchar Kavartin se lava la tête et il avait jeûné ; alors de l'Occident vint l'orage des sept siècles, qui montre aux rois les trésors de l'essence avant que les rois n'aillent auprès de Vichnou. (...)*
>
> *Et Tchar Kavartin ayant rejeté son manteau sur son épaule et mis le genou à terre, souffla dans ses mains et dit :*
>
> *Le trésor du Rour est le Trésor, et l'homme par le Rour peut faire l'homme. Alors l'homme est heureux ; ce qui naît du Rour ne périt point...*

(Raya tch'er rol pa,
L. XVI des Prophètes)

Après quoi, les lecteurs du *Rour* n'entendront plus parler de celui-ci ni de Tchar Kavartin ! Au moment de la parution du roman en librairie [1] un « Prière d'insérer, avec les remerciements des auteurs » définissait leur roman comme suit :

« ... le récit troublant d'un drame mystérieux, singulier : c'est l'émotionnante chasse à l'homme, la lutte acharnée contre les secrets non encore dévoilés de la science ultra-moderne.

« *Le Rour* est, en outre, l'angoissante épopée d'un jeune sportsman lancé à la recherche de sa fiancée disparue. *Le Rour* est enfin la consécration de l'habileté professionnelle d'un juge d'instruction dont la subtilité remarquable excelle à dénouer les intrigues les plus embrouillées et à découvrir les crimes les plus audacieux. »

Ce roman, furieusement « kitsch » et paré de tous les charmes que nous reconnaissons à la Belle Époque, utilise déjà les recettes qui assureront le succès de *Fantômas*. Sous le signe de l'humour noir, c'est un mariage entre

---

1. Quoique publiée en volume, en mai 1909, par la librairie de l'Auto, *Le Rour* n'a pas été conservé par la Bibliothèque nationale ni par aucune bibliothèque publique.

le mélodrame et le baroque, entre l'univers des larmes et celui des fées, entre le rire et la cruauté, entre le mystère et la science, entre le réalisme et l'absurde. Mais s'ils ont rajeuni ou rafraîchi les accessoires du vieux roman-feuilleton, Souvestre et Allain n'en dédaignent pas les ficelles éprouvées.

L'usurier, le banquier, le hobereau, le maître de forges cruels et cupides, toujours prêts à attenter à la vertu des vierges malheureuses ou sans défense..., tous ont fait place à un criminel omnipotent (car doué de connaissances scientifiques) ; mais invisible et omniprésent. Par un usage génial des masques et postiches, il dissimule sa personnalité ténébreuse derrière un visage amical et familier à ses victimes. Du mauvais riche « qui a le bras long », on est passé à l'ange du mal, au malfaiteur génial. Mais comme ses prédécesseurs, celui-ci dispute l'amour d'une belle victime, Élisabeth de Saint-Edoc, à un jeune homme plus que courageux : sportif, et champion du bien.

Pour arracher le roman populaire au statisme lacrymal dans lequel il stagne, les auteurs ont donné à l'intrigue du *Rour* comme à celle de *Fantômas* une structure dynamique : la poursuite. Dans celle-ci, Yves d'Arzan-Tregoff est aidé par l'un de ces êtres disgraciés ou frustrés qui, de *Notre-Dame de Paris* aux *Mystères de Paris*, ont fait le sacrifice de leur amour pour l'héroïne. Ce Quasimodo est ici un homme-singe, Gurgurah, dont l'odorat et l'agilité se révéleront performants.

Attitude caractéristique à Souvestre et Allain, il est mis à la disposition des adversaires les moyens d'action les plus modernes. Leurs romans sont autant d'hymnes à la civilisation mécanique et à la vitesse. Dans *Fantômas*, la tour Eiffel, le métro, l'avion, le sous-marin, et dans sa dernière aventure : la fusée.

Dans *Le Rour*, le nouveau Prince Charmant utilise pour se déplacer le cheval vapeur. Il maîtrise l'invention ultra-récente réservée aux grands bourgeois et aux grands voleurs comme Arsène Lupin : une automobile équipée de pneumatiques Ducasble... Le criminel mystérieux en utilise une, aussi. Mais il dispose, en plus, de la maîtrise de l'air, ayant le pouvoir de voler. Poussant à l'extrême avec humour le symbolisme naïf de l'ange du mal, les auteurs lui ont donné des ailes. Leur usage enveloppe de mystère la rapidité et l'invisibilité de ses déplacements.

Mais ailes artificielles. Mi-homme, mi-vampire, le bandit fonctionne comme une automobile, à l'aide de batteries et d'accumulateurs. Très avertis de la susceptibilité cartésienne du public, Souvestre et Allain ne manquent jamais de donner aux prodiges qui l'ont stupéfié une explication pseudo-scientifique ou relevant d'une certaine logique poétique. Le secret de leur réussite est dans l'humour et l'habileté qui ménagent la rencontre d'une réalité quotidienne et familière au lecteur avec l'Invraisemblable, l'Incroyable, l'Impossible que seule la puissance géniale du bandit peut faire admettre.

Esquisse de Fantômas, le criminel du *Rour* affronte un personnage qui sera plus tard chargé du dossier Fantômas : le juge d'instruction Germain Fuselier. *Le Rour* voit Fuselier se conduire plus en détective qu'en magistrat : le tandem Fuselier-Yves d'Arzan Trégoff préfigure le tandem Juve-Fandor. Réapparu deux ans plus tard, dans la série *Fantômas*, Fuselier est muté au Palais de Paris, mais confiné dans un travail de bureau ; il a délégué sa personnalité investigatrice et héroïque à l'inspecteur Juve.

Attaché au parquet de Quimper, à ses débuts, Germain Fuselier opère en Bretagne, où se déroulent les mystérieux événements du *Rour*. Situation géographique qui explique l'absence de Fantômas par l'absence de Paris : décor dont le Maître du crime est inséparable.

Par son imagination délirante et burlesque, par son originalité, *Le Rour* séduit les lecteurs de *L'Auto*... Et aussi ceux du quotidien concurrent *Le Vélo* ; son directeur s'en émeut et propose aux deux compères d'écrire un roman pour ce journal. Accepter, c'est risquer la rupture avec Henri Desgranges, leur employeur à *L'Auto*, mais aussi à *Comœdia*. Ils proposent donc au directeur du *Vélo* de lui livrer deux ou trois fois par semaine une parodie, non signée, des feuilletons du *Rour*. Intitulée *Le Four*, la parodie plaît encore plus que l'original. Le directeur de *L'Auto*, ignorant de la supercherie, le déplore et recommande à Souvestre et Allain d'imiter l'invention et l'esprit de l'auteur du *Four*.

Mais satisfait du tapage publicitaire que *Le Rour* a procuré à *L'Auto*, Desgranges demande à ses auteurs de confectionner deux romans policiers de plus. Le premier, *L'Empreinte*, paraît du 2 janvier au 25 février 1910 dans *L'Auto*. Le second : *La Royalda*, « grand roman théâtral et policier », est publié du 14 juillet au 25 septembre 1910 par *Comœdia*.

Le Rour célébrait l'automobile et les pneumatiques Ducasble ; *La Royalda* remplit le même rôle à l'égard du théâtre. Entièrement situé dans le petit monde de la scène, du foyer des artistes à leurs alcôves, peuplé de comédiennes, admirateurs, critiques, auteurs, le roman a pour héroïne l'actrice Colette Simpar dite « La Royalda ». Il préfigure ce qu'on appelle aujourd'hui le photo-roman.

Grâce à la complicité d'Achille Lemoine et du Verascope Richard, le texte est truffé de nombreuses photographies au lieu des quelques dessins traditionnels. Pas de simples portraits : des scènes à l'action parfois intense. Tous les amis des auteurs ont contribué à cette farce innovatrice. Mariette Lemoine pose dans le rôle de la concierge épouvantée. La Royalda emprunte son visage comme il se doit à Henriette Kitsler. Souvestre et Allain, eux-mêmes affublés de barbes et de moustaches, jouent deux auteurs dramatiques dont les représentations sont sabotées par des crimes.

Les deux romans mettent en scène, pour la première fois, l'inspecteur Juve et le jeune journaliste Fandor qui n'ont pas encore trouvé leur formidable adversaire. Mais son entrée est proche. Le goût de Souvestre et Allain pour la mystification et le sensationnel va la précipiter.

Précédant la parution de *L'Empreinte*, « roman de reportage policier », des placards fracassants annonçaient que MM. Souvestre et Allain avaient découvert un grave scandale et s'apprêtaient à le dévoiler aux lecteurs de *L'Auto*. Puis une échéance — celle du premier feuilleton — est fixée à la révélation. Et le ton des placards se dramatise à mesure qu'elle approche. Les deux complices relancent le suspense avec un « encadré » précisant qu'ils parleront coûte que coûte, prêts à résister à toutes les pressions qui les menacent.

Croyant deviner sous cette noble assurance une invite à « négocier », un personnage énervé et mécontent se précipite chez Henri Desgranges. C'était Maurice Bunau-Varilla, le redoutable directeur du *Matin*, le plus important des quotidiens parisiens. Un journal célèbre pour ses campagnes et polémiques violentes pour ou contre le roi des Belges, le lait, l'eau, l'absinthe, la céruse, la chartreuse, l'impôt sur le revenu, le nettoyage des postes, etc. Elles ont attiré à son directeur — que taquine d'ailleurs l'ambition politique — des ennemis féroces, attentifs à sa moindre défaillance. L'année précédente, un de ses anciens collaborateurs, F.I. Mouthon, a révélé dans un pamphlet : *Du bluff au chantage*, les dessous de certaines campagnes du *Matin*. Depuis, Bunau-Varilla reste sur la défensive.

En quoi se sent-il concerné par les placards fracassants et ambigus de *L'Auto* ? A cause des critiques que certains sportifs formulent tout bas contre une course automobile récemment organisée par *Le Matin* : elle aurait compté plus d'arrivants que de partants...

Bref, Bunau-Varilla ne perd pas de temps à accabler le directeur d'un journal qu'il soupçonne de vouloir le faire chanter. En homme habitué à traiter avec efficacité les situations désagréables, il demande seulement : « Combien ? » La question fait sourire le père du Tour de France ; il prie son visiteur de « s'entendre » avec ses deux collaborateurs.

Le directeur du *Matin* est ravi d'apprendre de leur bouche que leurs annonces comminatoires avaient pour seul but de préparer le lancement d'un roman policier. Il les félicite de leur imagination et de leur sens de la publicité. Et, pour faire oublier ses soupçons et sa colère, il leur promet de recommander à l'éditeur Arthème Fayard de publier *L'Empreinte* en librairie.

Fayard publie dans sa célèbre collection « Livre populaire » à 65 centimes les romans que Michel Zévaco écrit d'abord en feuilleton pour *Le Matin*. Ils voisinent avec les œuvres des anciens maîtres du roman populaire : Xavier de Montépin, Charles Mérouvel, Émile Gaboriau, Eugène Chavette, Pierre Decourcelle. A côté de ces « classiques », Fayard souhaite attirer de plus jeunes talents.

V. — ENTRÉE (PAR EFFRACTION) DE FANTÔMAS

Deux mois après la publication de *L'Empreinte* dans *l'Auto*, le 29 avril 1910, Fayard conclut avec Pierre Souvestre seul [1] un contrat bizarre mais propre à faire rêver bien des débutants :

« Par les présentes, M. Pierre Souvestre vend et cède à M. Fayard, qui accepte, aux conditions énumérées ci-après le droit exclusif d'éditer et de vendre sous toutes formes et tous formats, illustrés ou non, une série de

---

1. Un second contrat, conclu entre Souvestre et Allain, réservait à celui-ci « cinq cents francs de fixe à chaque remise de manuscrit accepté par Fayard et la moitié des droits éventuels pouvant être acquis par ces volumes en tirage ou retirage, tant qu'il s'agira de la collection primitive ». Pour tous les autres travaux, Allain recevait donc une part de 7/20 contre 13/20 à Souvestre. La part d'Allain devait être portée à 7^{1/2}/20 à partir du 1er janvier 1913 et à 8/20 à partir du 1er janvier 1916.

romans policiers qu'il doit écrire spécialement pour M. Fayard et dont tous les épisodes seront reliés par des personnages principaux qui devront figurer dans chacun d'eux.

« Ces romans seront publiés par M. Fayard sous la forme de volumes du prix de soixante-cinq centimes, paraissant mensuellement, comprenant de quinze à dix-huit mille lignes, et formant chacun un tout complet, de façon à pouvoir être lus aussi bien séparément qu'à la suite les uns des autres.

« M. Pierre Souvestre s'engage à écrire jusqu'à vingt-quatre de ces volumes, mais M. Fayard ne s'engage quant à présent que pour la publication de cinq volumes, se réservant suivant le succès obtenu soit d'arrêter, soit de continuer, et dans ce cas de fixer le nombre des volumes à faire.

« Comme droits d'auteur, M. Pierre Souvestre recevra de M. Fayard une somme de deux mille francs par volume à soixante-cinq centimes et pour un tirage à cinquante mille exemplaires net, soit cinquante-cinq mille avec les passes d'usage.

« Si le tirage dépasse cinquante mille exemplaires net, M. Pierre Souvestre touchera trois centimes par exemplaire tiré au-dessus de ce chiffre, déduction faite de la passe et cela au fur et à mesure des tirages.

« En cas de retard pour n'importe quelle cause que ce soit M. Fayard pourra continuer l'ouvrage par un auteur de son choix, sans être tenu à aucune indemnité vis-à-vis de M. Pierre Souvestre qui, naturellement, perdrait tous ses droits sur les volumes non écrits par lui. »

Contrat alléchant et bizarre : il ne contient pas les titres des volumes ; mais le fait est courant chez les éditeurs de littérature populaire. Si *L'Empreinte* fournit une certaine idée de la personnalité du héros, aucun nom n'est retenu pour celui-ci. Or, le titre ou le nom du héros comptent pour beaucoup auprès de la clientèle.

Quelques jours plus tard, les deux auteurs se dirigent vers les bureaux de Fayard, rue du Saint-Gothard, avec le plan détaillé de deux des trois volumes exigés d'avance par l'éditeur. Le troisième volume est déjà écrit ; ce sera *L'Empreinte*, rebaptisé après de légers remaniements : *Le Mort qui tue*. Ils doivent également révéler à leur éditeur le nom du héros, mais ils n'ont trouvé qu'une appellation un peu vague : Le Fantôme. Dans le métro avant d'arriver à leur destination, Mouton-Duvernet, Marcel Allain est pris d'une inspiration. « Si nous l'appelions : Fantômus », propose-t-il. Souvestre le note à tout hasard dans son carnet.

Le hasard complice les accompagnait. Par quelques cahots habiles, il déforme l'écriture de Souvestre. Lorsque Fayard demandera : « Avez-vous trouvé un nom ? », Souvestre lui tend sans rien dire son carnet pour ne pas influencer sa réaction. Et l'éditeur déchiffre : « Fantômas ! mais c'est excellent ! »

Qui oserait le contredire ?

Restait à trouver une illustration saisissante pour la couverture du premier volume. Aucun des projets présentés n'étant assez percutant, Fayard suggère alors de fouiller dans le carton rempli d'affiches publicitaires, qu'un dessinateur éconduit a laissé dans son bureau. Marcel

Allain y déniche un projet d'affiche concernant les « Pilules Pink pour personnes pâles ».

Elle représente un homme masqué en habit de soirée qui enjambe les toits de Paris ; sa main droite laisse échapper dans le ciel une traînée de pilules. Une idée à creuser, mais dont l'auteur a omis de laisser ses nom et adresse. Il ne s'est jamais fait connaître depuis la naissance du mythe à l'imagerie duquel il a contribué malgré lui. Voici comment :

« Puisque vous tenez à cette affiche, propose Fayard, il n'y a qu'à effacer la traînée de pilules, remplacer la boîte par un poignard, et ça fera l'affaire... » Ainsi est née, selon l'expression de Robert Desnos, une image classique de l'onirologie parisienne. Elle n'a cessé d'inspirer illustrateurs et peintres. L'un d'eux, Magritte, s'est borné à la reproduire en remplaçant le poignard par une rose.

Fayard avait reconnu dans *L'Empreinte* le produit d'une imagination capable de rivaliser avec Gaston Leroux, l'auteur le plus inspiré de la nouvelle génération de romanciers populaires. Leroux vient juste de publier aux éditions Pierre Lafitte un ouvrage promis à un bel avenir et dont la France qui rêve, déjà, se délecte : *Le Fantôme de l'Opéra*.

L'Empreinte doit son attrait à l'action d'un criminel mystérieux qui signe ses crimes avec les empreintes d'un mort... grâce à des gants de peau humaine. Trouvaille digne de figurer dans un roman de Gaston Leroux. Il finira par l'utiliser, en 1913, dans *Chéri-Bibi :* « Pas les mains ! Pas les mains ! » Il imaginera, également, un homme-singe — criminel, et non plus secourable — dans *Balaoo* (1912). En revanche, l'immense lustre que Fantômas fait tomber en 1911 sur les clients des Nouvelles-Galeries, dans *Le Fiacre de la Nuit,* a été emprunté à son confrère *Le Fantôme de l'Opéra*. Celui-ci l'avait écrasé, un an plus tôt, sur une brave concierge assise au parterre.

Lorsque Fayard propose à Souvestre et Allain de prolonger en une série de volumes les aventures du criminel mystérieux qui sévissait dans *l'Empreinte,* tous les trois devaient voir miroiter les gros tirages de Gaston Leroux. Marcel Allain ne lisait jamais ni roman policier, ni roman populaire. En classant sa bibliothèque et ses papiers après sa mort, j'ai cependant découvert, en édition originale, les deux premiers volumes des aventures d'*Arsène Lupin* et *Le Fantôme de l'Opéra*. Ce dernier, relié, revêtu de l'ex-libris de Marcel Allain, avec la couverture illustrée conservée : elle montre le héros, porteur de l'habit de soirée, du loup noir et du chapeau de haute forme arborés plus tard par Fantômas pour enjamber Paris en une image célèbre.

A ce détail près, et à part une certaine homonymie phonétique, Fantômas ne doit rien au *Fantôme de l'Opéra* si ce n'est son goût des ténèbres et des habitations souterraines. Avec Arsène Lupin, criminel secourable et scrupuleux, Fantômas n'a guère en commun qu'une virtuosité dans la métamorphose et une élégance lui permettant d'usurper avec conviction une identité royale.

A la vérité, l'imagination de Souvestre-Allain ne pouvait faire autrement que d'interférer avec celle de Leroux. Branchés sur la même longueur d'onde, tous les trois aux écoutes de l'inconscient collectif, ils partagent un fantastique burlesque, absurde, surréalisant qui puise sa force non dans le surnaturel mais dans les ambiguïtés, les altérations ou perversions de la réalité.

Bien des événements bizarres de la réalité se retrouvent, enrichis par l'alchimie de l'imagination, dans l'un des épisodes de la saga de Fantômas. Exemple : dans l'épisode X, *La Main coupée*, Fantômas — dissimulé sous l'identité du commandant d'un cuirassé russe mouillé à Monte-Carlo — menace de bombarder le casino s'il ne lui rembourse pas ses pertes. Une menace réellement proférée au début du siècle, mais par un officier anglais. Dans l'épisode XXXII, Fantômas trouve une mort (provisoire) dans le naufrage du *Gigantic* inspiré, bien sûr, par celui du *Titanic*.

Marcel Allain m'a souvent répété que Souvestre et lui découpaient dans les journaux tout ce qui avait trait à des événements ou faits divers bizarres, puis le fourraient dans une chemise intitulée « L'armoire aux trucs ». Ils y puisaient ensuite des idées, au moment de composer ce qu'ils appelaient le plan — nous dirions synopsis — d'un volume de la série Fantômas. Cette chemise, Marcel Allain l'avait perdue depuis de longues années. Je la croyais un peu mythique.

Eh bien, non. En février 1970, dans le garage d'Andrésy, tout au fond d'un grand coffre en bois, sous de vieux pneus et des phares d'auto cassés, j'ai retrouvé un dossier cartonné fatigué dont l'étiquette à l'écriture pâlie portait l'inscription « L'armoire aux trucs ». Il était bourré de coupures de journaux jaunies souvent revêtues d'annotations indiquant le volume où ils avaient été utilisés.

D'autres emprunts plus savoureux ont été faits à la réalité. Souvestre et Allain travaillaient vite : un volume de plus de quatre cents pages à fournir chaque mois. Ils avaient peu de temps pour mettre de la chair sur les innombrables personnages dont ils avaient besoin. Aussi empruntaient-ils à des amis ou connaissances un comportement, des goûts, des habitudes qu'ils prêtaient à des silhouettes de fiction aussitôt douées d'une épaisseur humaine étonnante.

Dégueulasse et Fumier provenaient de deux mécanos du garage où Souvestre remisait sa voiture, Jean, le valet de Juve, était Maurice Gillat, le chauffeur de Souvestre. Backelfelder recopiait l'Américain Ozanne, ami d'Allain. Bouzille devait beaucoup à un clochard que Souvestre père hébergeait dans ses remises en hiver. Lady Beltham s'inspirait d'Henriette Kitsler « à cause de son port de reine ». Hélène Gurn, fille de Fantômas, avait été suggérée par une certaine Lucienne, jeune femme sportive et la compagne de Marcel Allain avant 1914. Rien d'étonnant si celui-ci a fourni Fandor, et si Souvestre a prêté à Juve son comportement, son adresse : 1, rue Tardieu, et jusqu'à sa table de travail, souvent décrite au cours de la série.

La confection de chaque volume obéissait à une technique originale et féconde dont Marcel Allain usera jusqu'à son dernier roman. Elle débutait par une conférence tenue chez Souvestre ; celui-ci à son bureau, Allain en face de lui sur un canapé. Conclave de trois jours : le temps de choisir un sujet et des gags, de mettre au point un plan détaillé et rigoureux, réparti en chapitres. Ils les tiraient au sort, quitte à faire des échanges. Pour reconnaître leurs contributions respectives, ils conviennent d'utiliser au début de chaque chapitre, l'un l'expression néanmoins, l'autre toutefois. Règle qui ne semble pas avoir été appliquée de façon rigoureuse.

Cela fait, ils se séparent. Et, chacun de leur côté, hantés par la date à respecter, ils improvisent et dictent directement au dictaphone. Le contenu des rouleaux de cire, aussitôt transcrit par des dactylos, est envoyé à l'imprimerie sans que les auteurs aient pu se relire.

Durée de la dictée : une semaine pour chacun. Deux journées consacrées à la correction des épreuves permettaient d'éliminer quelques fautes de syntaxe trop choquantes... et de prendre connaissance de leur texte. Au total, trois semaines de travail pour un volume de 420 pages composé en caractères microscopiques.

Méthode proche de l'écriture automatique des surréalistes. Elle explique les répétitions et incantations, la composition invertébrée, les interjections, les pataquès, le style oral et antilittéraire, l'emphase du ton, la fièvre du récit : tous les défauts qui en font le charme à nos yeux.

La suite est connue. Le premier volume, sorti le 15 février 1911, produit sur le public de la Belle Époque un véritable électrochoc. Il lui proposait toute une mythologie nouvelle, hantée par des dieux déconcertants et cruels, avides de sacrifices sanglants et nombreux, érigeant en culte la poursuite et l'effroi. « *Fantômas*, c'est *L'Énéide* des temps modernes », devait écrire Blaise Cendrars dans la revue d'Apollinaire *Les Soirées de Paris*.

La série dépasse les cinq volumes promis par Fayard et les vingt-quatre auxquels il condamnait Souvestre en cas de succès. Au rythme d'un par mois, il en parut trente-deux jusqu'en septembre 1913. S'y ajoutent douze volumes écrits par Marcel Allain seul de 1926 à 1963. Le tirage total des trente-deux premiers en France et à l'étranger dépasse à ce jour des millions d'exemplaires.

Le mythe s'est propagé avec une ampleur que seule la lecture de la presse de l'époque permet de mesurer. Tout journaliste étincelant se doit d'insérer sous n'importe quel prétexte le nom de Fantômas dans ses chroniques. Un juriste en renom intitule une étude de jurisprudence sur les hommes-sandwiches *Le Mur vivant* et fait allusion au mur qui saigne dans l'épisode du *Policier apache*. Un spirituel billettiste, vitupérant le mauvais état des routes en Turquie, conclut : « Qu'a-t-on fait des crédits affectés à leur entretien ? Fantômas... »

Le cinéma se devait de contribuer à la popularité de Fantômas. Le 1er février 1913, la société Gaumont en acquiert les droits d'adaptation pour la somme de huit mille francs et une redevance de « 3 centimes par mètre, à partir de la cent vingt-sixième copie ». Contrat qui mérite des commentaires. Les films Gaumont n'adaptent jamais des œuvres littéraires, si célèbres soient-elles. Pour Léon Gaumont, c'est une affaire d'économies ; et pour son directeur artistique Louis Feuillade, un principe. Apôtre du scénario original, il a pour devise : « A art nouveau, auteurs nouveaux. »

Une exception à des principes aussi solides ne pouvait être consentie qu'en faveur d'une œuvre... exceptionnelle. Feuillade s'étant mis au travail à peine le contrat signé, le premier film de la série sort dès le 1er mai 1913. La guerre intervenue l'année suivante ne lui permet d'adapter que cinq

volumes. En 1913 : *Fantômas, Juve contre Fantômas, Le Mort qui tue* ;
en 1914 : *Fantômas contre Fantômas* (d'après *Le Policier apache*), *Le
Faux Magistrat* (d'après *Le Magistrat cambrioleur*). Ils deviendront des
classiques du cinéma. A la vue de René Navarre, leur interprète, des
attroupements se produisent sur les boulevards, ou dans les cafés.

Le succès apporte quelquefois l'aisance, il exige souvent l'effort. Fayard
a mis à jour un filon en la personne de Souvestre et Allain, et il entend
en accélérer l'exploitation pour profiter d'une conjoncture favorable.
Avant même que la série *Fantômas* s'achève, en juillet 1913, il a lancé au
mois d'octobre précédent, sous la signature des mêmes auteurs, la série
Naz-en-l'Air. Quinze romans qualifiés de « patriotiques » et non
« d'espionnage » : leur héros étant français, il ne peut mériter le
qualificatif injurieux d'espion, réservé à l'adversaire étranger. Sur la fin
de la série *Naz-en-l'Air*, démarre en novembre 1913 la série *Titi le Moblot*,
cinq romans historico-patriotiques à l'intrigue située pendant la guerre de
1870-1871 : décidément la revanche est proche...

A cette production s'ajoutent *Gigolo*, publié en feuilleton dans le
quotidien *Le Journal* ; *Qui tua ?*, paru sous la même forme dans *Touche
à tout*, magazine mensuel des éditions Fayard ; *Darthula*, autre roman-
feuilleton ; et deux pièces de théâtre : *Naz-en-l'Air* et *Gigolo*, tirées des
romans de même titre.

Malgré la capacité de travail de Souvestre et Allain et la fécondité
de leur technique de composition, il est douteux qu'ils aient eu le temps
de produire à eux seuls cette avalanche de romans. Leur signature a dû
servir de raison sociale à un atelier en vogue, où ont travaillé plusieurs
nègres.

Il est peu probable que ceux-ci aient collaboré aux trois grandes séries.
Mais ils ont certainement peiné sur les romans secondaires. Par exemple :
Qui tua ?, d'une incroyable médiocrité, ne contient pas la moindre trace
de l'humour, de l'invention, ou du style caractéristique de Souvestre et
Allain. L'examen de leur correspondance m'a permis d'identifier trois de
leurs tâcherons.

Les adaptations théâtrales de *Naz-en-l'Air* et *Gigolo* sont entièrement
sorties de la plume d'Emmanuel Clot. Je n'ai pu fixer de façon précise
la part prise par Edmond Mery-Picart à *Darthula*. Il semble qu'il ait eu
pour mission de développer jusqu'aux dimensions du roman une idée
originale de Souvestre : l'aventure d'une femme surgie de la ville
engloutie : Ys, cité légendaire chère aux Bretons. Dans une lettre de 1914,
Souvestre cite également, sans équivoque sur son emploi, un certain
Armanville ; je n'ai pu identifier les œuvres de sa confection. Peut-être
le roman intitulé *Une Garce* que les deux auteurs n'ont pas réussi à placer.
Remanié et réduit de moitié par Marcel Allain, il a paru seulement après
la guerre sous sa seule signature et sous le titre : *L'Enjôleuse*.

Le triomphe de *Fantômas* à l'écran a fait éclore de nombreux projets
cinématographiques. En 1913, et encore en 1915, « Les Grands Films
populaires Georges Lordier » annonçaient deux films, adaptés par René
Blanchin, de la série *Naz-en-l'Air* ; ils n'ont jamais vu le jour. La guerre
a empêché la réalisation d'un contrat de juin 1914 cédant à la société
Éclair les droits d'adaptation cinématographique de cinq romans signés

Souvestre-Allain : *Le Mystère du Rour, La Royalda, Gigolo, Qui tua ?* et l'inédit : *Une Garce.*

A ce moment-là Souvestre est déjà mort. Il a succombé le 26 février à ce qu'on appelait la grippe espagnole ; en réalité une congestion pulmonaire. Il avait moins de quarante et un ans. *Comœdia* du lendemain annonçait ainsi son décès :

« Il fut un habitué des coulisses parisiennes. Il y promenait son air étonné et timide et on le traitait vite en camarade, tant il était cordial et modeste. Il fut chargé, lors de la création de *Comœdia*, de la rédaction des Soirées en compagnie de Davin de Champclos. On n'a pas oublié les articles alertes et spirituels que le monde de la scène lui inspira. Malheureusement, sa santé le contraignit à abandonner son feuilleton anecdotique. Pierre Souvestre, d'ailleurs, fut surtout un imaginatif. Ses nouvelles, animées par d'imprévus coups de théâtre, avaient déjà prouvé à nos lecteurs les dons exceptionnels de celui qui devait concevoir les séries désormais fameuses des *Fantômas* et des *Naz-en-l'Air.* »

La dernière lettre écrite par Souvestre, le 14 février 1914, est adressée à Marcel Allain qui séjournait à Saint-Calais (Sarthe). Il fait le point de leurs projets.

« J'ai porté le plan de *Revoltoso* à *Nos Loisirs*[1] qui doivent nous donner une réponse d'ici une quinzaine de jours. [...] J'ai vu également les Offenstadt qui ne sont pas très emballés sur l'idée des « Crimes Célèbres » mais plutôt sur un grand roman à l'allure patriotique. Une sorte de suite de *Titi le Moblot* leur conviendrait parfaitement. Ils attendent le plus tôt possible le plan général et un ou deux chapitres. Ils lanceraient la chose soit maintenant, c'est-à-dire dans trois mois, soit au mois d'octobre si nous ne sommes pas prêts auparavant. »

Selon une lettre antérieure de Souvestre aux éditions Fayard, celles-ci avaient en lecture un roman historique (ou synopsis de roman) intitulé *Le Chevalier Panache.* Un roman de ce titre a paru après la guerre chez Tallandier sous la seule signature de Marcel Allain. Celui-ci a également rédigé et signé seul[2] *Revoltoso* dont le « plan » avait été accepté par *Nos Loisirs.*

VI. — APRÈS LE DÉLUGE...

Classé service auxiliaire — conducteur d'automobile — pendant la guerre, Allain n'a pu se résoudre à interrompre son activité littéraire. Dès 1915, Fayard lui édite une série de fascicules : *Zizi le tueur de boches.* En 1916, il publie des contes et chroniques dans le quotidien illustré *Excelsior.* A partir de 1917, comme la plupart des romanciers populaires, il prend part à la vogue du film à épisodes qui prolonge à l'écran le roman-feuilleton. Il raconte dans *Le Petit Journal*, au fur et à mesure de leur

---

1. Le magazine édité par *Le Petit Parisien.*
2. En raison de difficultés soulevées par la liquidation de la succession de Pierre Souvestre.

diffusion, les épisodes de nombreux *serials* en particulier ceux de Pearl White.

A l'activité de romancier, il joint celle de secrétaire de rédaction au *Petit Journal* de 1919 à 1921. Ensuite, des reportages pour *Excelsior* et *L'Intransigeant*. En 1926, il épouse Henriette Kitsler, légataire et ancienne compagne de Souvestre, et se fixe avec elle à Saint-Germain-en-Laye.

Le 22 février 1927, il ouvre dans cette ville, en association avec sa tante, un garage qu'il exploitera personnellement jusqu'en 1932 ; il en conservera la propriété jusqu'en 1938. Autour de 1937, il consacre beaucoup de temps à préparer la fondation d'une agence de presse qui ne parviendra pas à naître. Elle aurait eu pour but la diffusion, auprès des quotidiens français, de romans-feuilletons écrits en exclusivité par divers auteurs ; entre autres H.J. Magog et le promoteur lui-même. Les capitaux devaient être fournis par les Éditions des Loisirs qui publiaient Marcel Allain à cette époque.

Édité depuis 1938 par Georges Ventillard, il a critiqué avec tant d'obstination la diffusion de ses productions que celui-ci lui offre, en décembre 1940, un poste d'inspecteur des ventes. Il l'occupera jusqu'en 1942, effectuant ses tournées en train et en motocyclette en raison de la pénurie d'essence.

Aux années de Saint-Germain-en-Laye, correspond la partie la plus prolifique de sa carrière de romancier. L'aisance et quelques croisières à bord de ses yachts successifs (*Fantômas I, Fantômas II*) ne l'incitent pas à l'oisiveté. Il se consacre surtout à des séries : *Femmes de proie* (1921, cinq volumes), *Les Parias de l'amour* (1923, six volumes), *Les Cris de la Misère humaine* (1924-1925, douze volumes), *Les Nouvelles Aventures de Fantômas* (1926, cinq volumes), *Tigris* (1928-1930, vingt-cinq volumes), *Fatala* (1930-1931, vingt-deux volumes), *Miss Téria* (1931-1932, douze volumes), *Dix Heures d'angoisse* (1932-1933, douze volumes), *Ferôcias* (vingt fascicules, 1933). Troisième série *Fantômas* (1934-1935, trois volumes), *Les Drames ignorés* (1936-1937, six volumes), *David Dare* (1938-1940, douze volumes), *Casse-Cœur* (1950, quatre volumes), *Le Commissaire Boulard* (1956-1957, douze volumes). Et d'innombrables romans en un seul volume, ou parus uniquement dans les journaux.

Près de quatre cents titres, au total. Peu d'entre eux étaient conservés dans sa bibliothèque ; et il avait perdu depuis longtemps le manuscrit des feuilletons, oubliant même le titre des journaux où ils avaient paru. Un jeu convenu entre nous consistait à lui rappeler ceux que je découvrais de temps à autre dans les collections de journaux de la Bibliothèque nationale. Il manifestait alors la joie d'une mère retrouvant un enfant perdu depuis des années.

Il n'était pas le seul à avoir oublié une partie de son œuvre. Aucun de ses personnages ultérieurs n'a connu le succès du plus grand d'entre eux. Oubli souvent injuste. Aussi, comme il advint à Maurice Leblanc avec Arsène Lupin, à Conan Doyle avec Sherlock Holmes, Fantômas est devenu peu à peu son ennemi intime. C'était à ses yeux un canular à tiroirs enfanté dans la joie, ni Souvestre ni lui ne l'avaient pris au sérieux. Encore moins pour un chef-d'œuvre. Marcel Allain s'affligeait par contre qu'aucun éditeur n'ait mis à profit l'année napoléonienne pour rééditer *Une qui l'aima*, histoire d'une maîtresse de l'Empereur.

Il tenait particulièrement à *L'Heure d'aimer*, roman psychologique lié au souvenir de sa femme et, par-dessus tout, aux *Cris de la Misère humaine*. Cette fresque sociale aux couleurs violentes lui avait attiré une menace d'excommunication de l'Église. Il s'en était peu soucié mais cette éventualité avait mis sa mère au désespoir... Avant de rédiger l'un des épisodes situé en milieu ferroviaire, il s'était — dit-il — engagé sous un faux nom, comme graisseur sur une locomotive. Il avait conservé de cette expérience un souvenir précis du fonctionnement des signaux ferroviaires et le sentiment de graves injustices sociales, dénoncées avec feu dans *Les Cris*.

Cette liste de titres à sauver, sa modestie l'avait faite courte. Ses admirateurs lui en ajoutent d'autres. *Le Rour*, bien sûr. Et des œuvres plus inattendues : les petites brochures publiées entre 1940 et 1943 dans *Œil de Faucon*, collection réservée — bien à tort — à la jeunesse. Parmi les romans de format adulte : *Sur la piste* (1939), poignant récit du Grand Nord, digne de figurer aux côtés de James-Oliver Curwood et de Jack London. *Les Femmes Pièges*, où apparaît déjà la figure mythologique du « Vieux », étonnerait les amateurs de romans d'espionnage. L'atmosphère très moderne de ce roman, écrit en 1958, n'exclut pas les retournements dramatiques du roman populaire.

Dans la veine policière, quelques romans isolés ont échappé à ses admirateurs malgré leur originalité. *L'Homme qui se rencontra* (1942) pousse le paradoxe jusqu'à l'absurde pour aboutir à un dénouement... d'une logique irréprochable. *Monsieur Personne* (1936), élégante aventure d'un gentilhomme cambrioleur auquel Jules Berry prêta ses traits dans un film de Christian-Jaque. Film exhumé avec succès par la Télévision française en 1971.

Et, le plus élaboré de tous par la construction dramatique, le plus attachant par la pression amoureuse qui ne peut percer le mystère : *Madame Satan*. Livre dont il a particulièrement soigné l'écriture. Peut-être pour montrer qu'un romancier populaire, lorsqu'il cesse d'écrire au galop, est tout simplement un romancier. *Madame Satan* est sorti en février 1934 dans « Les Rapaces », une série satellite de la célèbre collection « Le Masque ». Pour éviter une confusion avec un film américain de même titre présenté quelques jours plus tôt à Paris, l'éditeur l'avait rebaptisé *Une femme tragique*.

VII. — L'ESCLAVE DE FANTÔMAS

Madame Satan est l'exemple type des méfaits provoqués par *Fantômas*... ou par son succès envahissant. Succès qui laissait Marcel Allain — il était probablement le seul — insensible. Il n'avait pas relu les *Fantômas* depuis plus de quarante ans. La mention « texte définitif revu par Marcel Allain » est une astuce d'éditeur pour faire accepter les coupures imposées par de nouvelles normes commerciales.

Un jour, il m'a confié : « Lorsque des journalistes ou des lecteurs érudits me collent sur des détails oubliés, eh bien, je leur réponds (paupière tombante) : Ça doit être un chapitre dicté par Souvestre ! » Et il riait...

D'autres fois, il s'abandonnait à l'amertume : « Toute ma vie, j'ai subi la même scie. Chaque fois que je présentais à un éditeur ou à un producteur de films un roman ou un scénario, il me répondait invariablement : Donnez-moi plutôt un nouveau *Fantômas*... Ah ! ce Fantômas, il m'ennuie !... Il me tuera !... » Un peu honteux de son ingratitude, il se radoucissait aussitôt (paupière tombante) : « Oui, mais en attendant, il m'a fait vivre ! »

Belle démonstration du rôle créateur joué dans la littérature populaire par la demande : elle incite l'offre à s'adapter à ses exigences ! Chaque résurrection de Fantômas (au prix d'une explication ingénieuse) est due à l'insistance d'un éditeur. Au début, Marcel Allain a essayé de résister. Alors, on lui forçait la main.

Un exemple ? En 1922, lors d'un long séjour à New York, il propose à l'éditeur Brentano's un roman, *The Yellow Document* dont le héros plongeait Berlin dans la terreur. Réponse — pas encore classique — : « Donnez-nous plutôt, etc. » Or, pour lui, Allain, Fantômas s'est anéanti avec Souvestre. Le désir de se rendre agréable à l'éditeur lui fait tout de même ajouter une phrase : elle permet à un policier d'appeler son adversaire « le Fantômas de Berlin »... Elle permettra aussi de rebaptiser le livre, à l'insu de l'auteur, *Fantômas of Berlin*. Ce faux, à usage du public américain, porte la série à quarante-cinq titres.

Chaque mort de Fantômas, à la fois apocalyptique et ambiguë, contient donc le présage d'une résurrection, l'art du romancier consistant à en varier les circonstances. Dans le dernier épisode, publié en 1963, cette situation familière débouchait sur l'espoir d'une épopée cosmique. Une fusée s'apprête à partir pour la Lune et Juve démasque soudain Fantômas au pied de l'échelle d'accès. Ils luttent tandis que, dans une gerbe de flammes et de fumée, la fusée s'élance. On retrouve un cadavre carbonisé. Lequel des deux ? Ou un autre ?

Lorsqu'on demandait à Marcel Allain si, comme Conan Doyle coupable de meurtre à l'égard de Sherlock Holmes, il n'avait pas songé à une liquidation définitive de son bourreau de héros, il s'écriait avec une allégresse non feinte : « Oh, oui, je le tuerai. Mais après moi ! Je laisserai dans mon coffre un roman qui le fera disparaître de façon définitive. Ce sera la fin de Fantômas. » Un peu de mélancolie lui faisait ajouter « ... et la fin de Marcel Allain... La fin de l'aventure commune. »

Il avait dans ses livres si souvent disposé de la vie des autres qu'il négligeait le terme fixé à la sienne. Il pensait que la mort l'avait oublié et qu'elle était son amie. Cela l'entraînait à de terribles imprudences — ou, si l'on préfère, à d'étonnantes prouesses physiques auxquelles ni ses proches, ni ses amis ne pouvaient le faire renoncer.

En septembre 1967, je l'ai vu accomplir, à 82 ans, l'exploit suivant : Départ un matin à l'aube, au volant de sa Mercedes, pour Bruxelles. Arrivée en fin de matinée. Enregistrement d'un épisode du feuilleton *Fantômas* pour la Radio belge. Départ à 20 heures de Bruxelles. Arrivée — toujours au volant et après un voyage de nuit — à 8 heures du matin à Cerisy-La-Salle en Normandie. Le temps de changer de chemise et il a participé à la « Journée Marcel Allain » que nous organisions Jean Tortel, Noël Arnaud et moi. A 18 heures, il s'en retournait pour Andrésy. Il en repartait, à l'aube de la même nuit, à nouveau pour Bruxelles et toujours au volant.

Débordant de projets comme un jeune homme, bouillonnant d'enthousiasme et d'idées, il ne se résignait pas à voir son esprit habiter un corps de vieillard. Au printemps dernier, il avait surmonté de graves troubles cardiaques dont il se remettait trop lentement à son gré. A ses yeux : simple accident de parcours. Le 10 août, soit quinze jours avant sa mort, il m'écrivait :

« Seriez-vous libre le 5 septembre pour m'accompagner à Genève ? Je dois déjeuner ce jour-là avec le directeur d'Édito-Service et sa fondée de pouvoirs qui je viens de signer un contrat de réédition de mes 22 premiers *Fantômas* et option pour les 21 derniers à paraître en Suisse sous forme de Livre-Club [1]. Hélas, il me faut ajouter : voyage éclair et inconfortable. Départ vers 3 heures du matin — déjeuner — et probablement retour la nuit suivante. Ma santé est mauvaise. Ma famille souhaite que j'aie un compagnon de route. Mais je ne suis pas en danger immédiat et mes docteurs m'autorisent tous les deux à conduire. C'est la marche et les escaliers qui me sont défendus. »

Je lui ai donné un accord chaleureux — mais non exempt d'inquiétude — dans l'attente de ce voyage qui n'eut jamais lieu. Comme s'il était satisfait d'avoir mis ses affaires en ordre et assuré la postérité de son œuvre, Marcel Allain semblait se préparer à un autre voyage. Il s'était mis à lire le gros ouvrage en trois volumes de Camille Flammarion *La Mort et son mystère*. C'est sur le troisième tome, *Après la mort*, dont il poursuivait la lecture, qu'un matin de bonne heure il s'est effondré sous l'effet d'une congestion cérébrale.

Il est mort deux jours plus tard, le 25 août 1969, sans avoir repris connaissance. Frappé en traître, comme par son infernal personnage et ennemi intime. Il croyait avoir le temps d'en finir de façon définitive avec Fantômas. Mais, une fois de plus, Fantômas l'a emporté sur Marcel Allain.

Francis LACASSIN

---

1. Cette édition, présentée et annotée par Gilbert Sigaux, a paru de juin 1970 à juillet 1973 au Cercle du Bibliophile.

LE TRAIN PERDU

I

L'homme qui guettait

Il était à peu près huit heures du soir, et, sur les eaux de la Marne visible de la terrasse du restaurant *Verjus*, un brouillard épais commençait à régner, à peine percé par le clignotement des petites lanternes attachées encore à la proue des canots tout préparés pour les amateurs de promenades nocturnes.

A droite, la masse sombre des berges profilait de vagues contours impénétrables à la vue ; à gauche, dans le ciel, il y avait un rougeoiement perpétuel, comme un reflet d'incendie, qui marquait avec certitude l'emplacement des boulevards, de Paris, de la capitale.

Verjus, en comparaison, apparaissait noyé dans l'ombre. En fait, il y avait peu de lumière dans le bal-guinguette et, seuls sur la terrasse, attablés devant des tables boiteuses, se trouvaient une dizaine d'individus occupés à faire ripaille, causant entre eux, chantant par moments, criant à d'autres, et passant de la plus franche amitié aux plus furieuses querelles, en l'espace d'un instant.

Tout le jour, dans le bal, les violons avaient grincé. Les couples avaient tourbillonné, les rires, les chants, avaient fait brouhaha.

Mais, avec le soir, le silence s'était installé au bord du fleuve et les éclats de voix des dîneurs attardés semblaient presque sacrilèges parmi la paix tranquille, soudain descendue sur ces lieux.

Il est vrai que ce sentiment de profanation était fort étranger aux dîneurs dont la gaieté, au contraire, s'exaltait de minute en minute.

— Hé Beaumôme ! appelait un vieillard à l'extraordinaire barbe blanche, qui n'était autre que Bouzille... qu'est-ce que l'on se cale dans les joues, maintenant ?...

Beaumôme, assis en face de Bouzille, et qui tenait son bras passé derrière le cou de Marie Legall, devenue sa maîtresse depuis quelque temps, se redressait pour foudroyer l'ancien chemineau d'un regard.

— Dis donc, mon petit, faisait-il, tu manques d'usage... c'est pas à moi de choisir la pâtée, c'est au marié de faire sa noce...

Il y avait, là-dessus, grands éclats de rire ; on battait des mains et Bouzille avait beaucoup de peine à rétablir le silence.

— D'abord, déclarait le bonhomme, je ne suis pas encore marié... ça, c'est des choses qui arriveront peut-être, mais qui ne sont pas encore arrivées... et puis, enfin, comme c'est pas moi qui raque...

Bouzille aurait continué, mais la Toulouche, la Toulouche qui sortait de la centrale, et qui tâchait toujours de se faire épouser par Bouzille, lui coupait la parole, d'autorité.

— Ça, mon homme, faisait-elle, c'est rudement appuyé, ce que tu lances là !... et comment que c'est pas toi qui raques... T'as déjà rien dans ta bourse, si c'est encore que tu devais payer, t'aurais plus qu'à faire faillite...

Et impérative, la Toulouche continuait :

— D'abord, y a pas que nous qui se marions... y a Œil-de-Bœuf et Bec-de-Gaz, qui sont tout juste bons pour la chose !...

Il y avait, cette fois, des éclats de rire encore plus violents, des battements de mains encore plus enthousiastes.

Ça ! c'était une chose indiscutable et que tout le monde connaissait. Œil-de-Bœuf et Bec-de-Gaz, les deux inséparables, étaient pris depuis quelque temps d'une fougueuse passion pour Adèle. Nul ne savait au juste de qui la jeune femme était la maîtresse, il apparaissait même qu'elle était peut-être la maîtresse à tous deux, et qu'ils s'entendaient à merveille pour faire ménage à trois, mais il paraissait, en revanche, certain que cette extraordinaire entente se concluerait par un mariage.

Beaumôme, d'ailleurs, notait la chose d'une phrase lapidaire :

— Le conjungo, quoi, déclarait-il, c'est une véritable épidémie... Bouzille qui épouse la Toulouche, Œil-de-Bœuf et Bec-de-Gaz qui épousent Adèle, mince alors !... y a de quoi vous flanquer le trac !... ça me donnerait envie de plaquer Marie Legall tout de suite, rapport à la frousse que j'ai d'en faire un jour ma légitime !...

Mais, en même temps que Beaumôme parlait, il serrait plus tendrement contre lui Marie Legall, s'amusant à frôler son oreille du bout de ses moustaches copieusement poissées par tous les petits verres qu'il avait lichés dans la journée.

Il y avait, d'ailleurs, des choses sérieuses à discuter. Du mastroquet voisin, Verjus lui-même, le patron en personne de l'établissement, qui avait fini par prendre son nom, débouchait.

C'était un gros homme aux cheveux perpétuellement tondus ras, au triple menton, aux épaules puissantes, aux bras musclés, qui marchait toujours à la façon d'une cane, tant son ventre énorme, rebondi, le gênait.

— Amène-toi ! hurla Œil-de-Bœuf, viens-t'en voir, tôlier de malheur !... Qu'est-ce que tu nous fiches par l'estomac, maintenant ?...

Sans se presser, car il eût été bien incapable de courir, Verjus s'approcha de ses clients.

— Et alors, la compagnie, commençait-il, ça boulotte-t-y le boulotage ?...

Verjus n'avait jamais trouvé, dans toute sa vie, que cet à-peu-près de jeu de mots ; il en était très fier, et le plaçait à toutes occasions.

La « compagnie », cependant, n'ayant pas ri, Verjus continuait :

— Des fois, comme ça, vous n'êtes pas mieux sur la terrasse, près de l'eau, que dans la salle ?... J'avais pas raison ?...

— Ta gueule ! coupa court Beaumôme, tes raisons, c'est des raisons qui n'en sont pas !...

Et la Toulouche, en même temps, d'une voix vindicative, protestait :

— Toi ma vieille, tu nous la paieras... Personne dans la tôle que tu nous as dit ? Et tu nous as envoyés au bain, près de la flotte !... une chose mauvaise pour les rhumatismes, on verra voir à voir tout à l'heure de quoi qu'il en retourne !...

Mais Verjus, à ces mots, haussait les épaules, prenait un sourire aimable, qui découvrait son ratelier, formidable, impressionnant, le ratelier d'un molosse.

— Ma jolie, répondait-il en toisant la Toulouche, sauf ton respect... tu parles comme une toupie... Rien à faire pour m'embêter quand je veux pas... Voilà !... et d'une ! A l'intérieur ?... vous m'embêtez, ça ne me plaît pas !... je vous ai flanqués sur l'impériale !... restez-y...

Mais, se radoucissant, il proposait :

— Ça va-t-y d'un petit salé avec des pommes autour ?

Adèle fit la grimace :

— Encore du cochon, disait-elle, ça n'est pas distingué !

Œil-de-Bœuf, naturellement, voulut renchérir.

— Il faudrait quelque chose de délicat, disait-il, Verjus, tu devrais voir qu'il y a des dames... donne-nous des douceurs... t'as pas du roquefort par hasard ?

Verjus en avait justement, il répondit :

— Et du fameux encore ! Il y a tant de vers dedans qu'on croirait presque bouffer de la viande... Vous m'en direz des nouvelles !...

Il pivotait sur ses talons, revenait avec le fromage terriblement décomposé.

— Ça ! disait-il, les connaisseurs, ils s'en feraient des pâtés...

Mais Bouzille n'était pas de cet avis.

— Jamais de la vie ! remarquait-il, les connaisseurs, moi, j'en suis, j'ai été négociant et même négociant en fromages... Faut pas me la faire !...

Hélas ! on ne l'écoutait pas. La Toulouche s'était emparée de la main de Verjus, et la tapotait amicalement :

— Dis voir, demandait-elle, pourquoi tu nous as pas voulus dans la tôle ? Y a donc de l'eau dans le gaz chez toi ?...

La Toulouche, en parlant, roulait des yeux langoureux, s'efforçait de se faire séduisante.

C'était peut-être imprudent devant son fiancé Bouzille ; c'était en tous cas inutile devant Verjus, homme parfaitement incorruptible et comme il le disait lui-même, « insensible aux beautés du sexe ».

— Rien à faire, répondait le patron, je ne te renseignerai pas, ma jolie... Vous me gêniez dans la tôle voilà et voilà !...

Sur cette réponse énigmatique, Verjus qui avait en effet refusé de servir la bande dans l'un des salons de son établissement, et avait imposé le dîner en plein air, s'éloignait.

La Toulouche, s'accoudant sur la toile cirée graisseuse de la table, commençait d'un ton confidentiel :

— Pour ce qui est de mon sentiment, moi les copains, y a pas nécessité à ce que je la boucle... Eh bien ! le Verjus il est en train de faire des saletés... Si c'est qu'il ne nous a pas voulus dans la salle, c'est rapport à un mecton qui se trouve au premier...

Elle tendait la tête, montrait d'un geste le mastroquet, noyé d'ombre, mais à la façade duquel filtrait au premier étage une mince raie de lumière.

— Là-haut, disait la vieille femme, y a un bonhomme en noir... je ne sais pas qui c'est, mais je me doute que c'est quelqu'un de la haute...

Tout bas, elle ajouta, penchée vers Beaumôme :

— Ou de la préfectance...

On attaquait le roquefort cependant, et encore que le dîner fût commencé depuis longtemps, des brèches formidables étaient faites à l'épais morceau de fromage.

— Fameux ! disait Adèle, qui parlait la bouche pleine, moi ça me parfume... ça me dégringole dans le ventre, ça me remonte dans le nez, ça me saoule !...

Et Marie Legall elle-même approuvait :

— C'est rien bon, on en mange pas de pareil chez les bourgeois...

Marie Legall, en effet, pour avoir été bonne, prétendait connaître à fond toutes les coutumes de la bourgeoisie, toutes les habitudes de ceux qu'elle appelait, comme ses deux amants : « les repus [1] ».

Œil-de-Bœuf et Bec-de-Gaz, cependant, avaient entendu la réflexion de la Toulouche.

Tandis que les femmes échangeaient des phrases admiratives, à propos du fromage, les deux apaches, eux, se regardaient d'un air inquiet :

— T'entends, Bec, la Toulouche parle de la Préfectance ?

— Oui mon vieux Œil !... même que ça me coupe l'appétit !...

Beaumôme, lui, s'était levé. Il avait posé sa main sur l'épaule de la Toulouche, et se penchant à l'oreille de la vieille femme :

— Hein, c'est ton avis, déclarait-il, ça sent mauvais ?... quand un tôlier comme Verjus refuse des clients comme nous, c'est toujours rapport à des histoires... Comment qu'il est le type du premier ? tu l'as vu ?

— Non, répondit la Toulouche, je l'ai seulement entr'aperçu...

— Et lui, il t'a zyeutée ?

— Pas tout à l'heure, mais maintenant.

Beaumôme eut un haut-le-corps.

— Maintenant ? qu'est-ce que tu dis ?

— J'dis comme ça qu'on nous guette...

La Toulouche parlait entre ses dents, évitait de hausser la voix, et cela intriguait Bouzille.

— Alors, quoi, déclarait le chemineau, si c'est que je dois être cocu avant d'être marié, faut le dire... Beaumôme, t'as pas fini de dire des fadeurs à ma promise...

Bouzille voulait se mêler à la conversation, mais Beaumôme le repoussait d'une bourrade.

— Ah, la ferme ! grondait l'apache, mêle-toi de ta sauce, tu ne comprendrais pas !...

Et Beaumôme appelait :

---

1. Voir dans la série « Fantômas » : *La Livrée du crime.*

— Œil-de-Bœuf ! Bec-de-Gaz ! vous entendez ce qu'elle jase la mère ? Y a la rousse là-haut...

Œil-de-Bœuf et Bec-de-Gaz avaient parfaitement entendu les affirmations de la Toulouche.

— Ça fout les foies ! constata Œil-de-Bœuf.

Bec-de-Gaz repoussait sa chaise.

— Si on les mettait ?...

Mais Beaumôme n'était pas homme à vouloir battre en retraite sans être renseigné.

— Un bon truc pour se faire chauffer, railla-t-il, à peine qu'on aura passé le pont, la main au collet et vivement... Non, très peu !... j'ai les pieds nickelés pour la chose ; et d'abord, faut savoir.

Beaumôme tapa du poing sur la table appelant :

— Verjus ! eh Verjus !...

Le patron du bistro apparut, s'appuyant au bord de sa porte.

— Quoi qu'il y a à c't'heure ? Vous avez pas fini de gueuler comme ça.

— Radine voir.

Verjus s'avançait :

— Et alors ? interrogea-t-il, après le roquefort qu'est-ce que ça sera ?

Mais il s'agissait bien de commande.

Un malaise planait sur la bande, et ce n'était pas de froid seulement, que les apaches frissonnaient.

— Verjus, mon poteau, commençait Beaumôme, faut tâcher d'être clair et explicite... dis-nous la chose : t'as pas voulu de nous dans la tôle, rapport au pante que tu sers au premier étage. Qui c'est ce type-là ?

Verjus haussa les épaules.

— Je ne sais pas.

— Vrai ? tu ne l'as jamais vu ?

— Jamais.

Il y eut un silence, puis Beaumôme interrogea :

— C'est de la rousse hein ? un type qui nous surveille ?

Verjus se tut.

Cette fois, l'émoi était à son comble, parmi les dîneurs. Adèle tira Œil-de-Bœuf par la manche :

— Faut s'en aller, mon homme...

Mais Œil-de-Bœuf hésitait.

La pierreuse, alors, s'adressait à Bec-de-Gaz :

— Dis, mon homme, on se tire des pattes ?

Bec-de-Gaz tremblait tout comme Œil-de-Bœuf.

— On fera ce que les autres feront, disait-il.

Et il questionnait Beaumôme :

— Alors quoi, est-ce qu'on bouffe encore ? ou est-ce qu'on se tire ?...

Beaumôme, sur un clin d'œil de la Toulouche, se retournait vers Verjus :

— Dis donc, tôlier de malheur, si c'est que tu touches au Quai de l'Horloge, faudrait voir à nous prévenir. Et comment qu'on te ferait ton affaire, tu sais !...

Il y avait une menace dans les paroles de l'apache, mais Verjus s'en souciait infiniment peu.

— Oh ça va bien ! déclarait le patron, pas la peine de vouloir me la faire à l'oseille !... d'abord, et d'une, je ne touche pas. Plus souvent moi, que je voudrais avoir à faire avec la préfectance... et puis, pour ce qui est du type de là-haut, eh bien, je vous l'ai dit, je ne sais pas qui c'est... il est arrivé avant vous, il m'a dit comme ça : « Patron, tu me serviras en haut, et pour ce qui est des types qui vont s'amener, tu les planteras dans ton jardin... » J'en sais pas plus...

Verjus paraissait être sincère, peut-être en effet, ne savait-il rien de plus que ce qu'il disait, mais cela était déjà suffisant, largement significatif.

La Toulouche résuma la situation :

— En somme, c'est un roussin, derrière les volets, il doit nous zyeuter, si on se calte sur la droite, il nous pincera après le pont ; si on se trotte par la gauche, il nous acculera contre la flotte... On va être faits, ça y est !...

Et devenue soudain très pâle, la Toulouche prenait Bouzille par le cou.

— Tiens, vrai, mon homme, c'est du malheur tout de même qu'on soye jamais tranquille, ce soir j'étais rudement amoureuse...

On n'écoutait pas la Toulouche ; cependant Bouzille seul était peut-être touché de cette déclaration.

Chacun frissonnait, chacun s'inquiétait :

La situation, au demeurant, était tragique ; tous les copains s'étaient amenés chez Verjus, histoire de bouffer à loisir, et voilà qu'ils avaient été filés !... Parbleu ! chacun avait bien sur la conscience une petite histoire déplaisante, chacun pouvait, à juste titre, redouter d'aller faire connaissance avec les curieux de la balançoire du boulevard du Palais...

Chacun murmurait :

— Vrai, on ne peut pas être tranquille, la Toulouche avait raison à la fin, ce n'était plus possible !...

Après la crainte, la colère s'emparait de tous.

— Des fois, commença Beaumôme, si vous êtes tous de mon avis, on va aller le trouver le pante de là-haut..., on va lui offrir un verre..., et s'il est tout seul, ma foi, et si c'est qu'il ne marche pas droit...

Un regard jeté vers la Marne dont les eaux troubles coulaient à petit bruit, tout contre la terrasse, complétait la pensée de l'apache.

Qu'est-ce que c'était après tout, qu'un cadavre de plus ?... Œil-de-Bœuf, Bec-de-Gaz et Beaumôme étaient bien capables de se défendre et ce n'était assurément ni Bouzille, ni la Toulouche, ni Marie Legall, ni Adèle, qui jaspineraient par la suite !

Verjus toutefois s'impatientait :

— Alors c'est quoi que vous mangez ?

— La ferme ! ordonna Beaumôme.

Et debout, l'apache insistait :

— On y va ?

— On y va, répondit Œil-de-Bœuf... après tout, vaut mieux savoir.

Les trois hommes avaient tiré leur lingue, les éclairs d'acier reluisaient dans la nuit noire ; ils se dirigèrent, suivis de Verjus, vers la maison du mastroquet.

— Où c'est que vous allez ? clama le patron.

Verjus, brusquement, s'était élancé en avant, et, malgré son obésité, les avait devancés.

Les bras étendus, il semblait vouloir arrêter ceux qui désiraient franchir sa porte.

— J'vous ai dit comme ça qu'il fallait pas entrer...

Mais Beaumôme fronçait déjà le sourcil :

— Ouste la place ! on va inviter ton pante !... y a pas d'offense !

Or, juste à cet instant, la voix de Marie Legall appela :

— Hé Beaumôme !...

Beaumôme, naturellement, se retourna :

Or, l'apache voyait alors un spectacle véritablement surprenant :

A moins de dix pas de lui, un homme vêtu de noir s'en allait, à grands pas, vers la rivière !... d'où venait-il ? comment était-il sorti de la maison ? où se dirigeait-il ? Il était impossible de le deviner.

— Flûte ! jura simplement Beaumôme, cette fois on est refait !... Évidemment c'est la rafle !... Le type d'en haut a des copains en bas !

Beaumôme, en parlant, interrogeait Verjus du regard.

Il y avait de la colère en lui et le patron, tout habitué qu'il fût à sa détestable clientèle, ne put s'empêcher de frissonner :

— Sale affaire ! grommela-t-il, qu'est-ce qu'ils vont me passer si jamais ?...

Tout haut, Verjus annonça :

— Beaumôme, mon vieux, si c'est que t'es saoul faut le dire !... de la rafle, où c'est que tu vois de la rafle ?... Y a jamais eu et y aura jamais de rafle chez moi... le zig que tu vois, c'est le bonhomme de là-haut !...

La déclaration était étrange, Œil-de-Bœuf lui-même, malgré son intelligence lente, protesta :

— Le bonhomme de là-haut, et comment qu'y serait descendu ?...

— Par la fenêtre. Pendant que vous faisiez les mariolles, il dégringolait, le long du lierre...

C'était plus surprenant encore, cela devenait tout à fait inquiétant !

D'un bond, Beaumôme sauta sur le tenancier, il appuyait la pointe de son eustache sur la gorge du bonhomme.

— Réponds, ou je te saigne, crapule ! qui c'est ce type ?...

— Je ne sais pas, répéta Verjus, qui ne tressaillait pas, qui était habitué à ces façons violentes.

— Où va-t-il ?

— Vous le voyez bien, vers la flotte...

C'était exact en effet ! L'inconnu évitant le groupe des femmes, demeurées sous la sauvegarde de Bouzille, avait traversé la terrasse : il s'approchait de la rivière, il détachait un canot, sautait dedans, le bruit sourd des rames frappant l'eau résonnait presque immédiatement.

— Maladie ! hurla Beaumôme, voilà qu'il se trotte... Ah, mais faudrait pas !...

Beaumôme lâchait Verjus, entraînait d'un geste Œil-de-Bœuf et Bec-de-Gaz :

— Pas de blague, les copains ! s'agit de se dégrouiller et de regarder où le pante s'en va...

Beaumôme courait à son tour vers la berge. Derrière lui, tous se précipitèrent :

— En barque ! ordonnait l'apache.

Il maintenait contre la rive une grande embarcation, où les femmes affolées, préférant toutes les aventures à l'effroi de demeurer seules, se jetaient derrière lui :

— Prenez des rames, Œil et Bec... et en avant du bout de bois !...

Les lanternes étaient éteintes, en un clin d'œil ; il fallait quelques secondes à peine pour que la frêle embarcation quittât la rive.

Le brouillard était tombé cependant, de plus en plus épais, on se voyait à peine d'un bout de la barque à l'autre, et la Marne roulant des flots d'encre apparaissait ténébreuse, pleine de mystère, meurtrière même.

— Sûr qu'on va se noyer ! clama Marie Legall...

Une gifle la fit taire.

— Boucle donc, nom de Dieu ! faut savoir où est le type...

Œil-de-Bœuf, Bec-de-Gaz et Beaumôme avaient, à cet instant, de farouches figures. Depuis qu'ils étaient arrivés chez Verjus, la peur les avait tenus haletants, ils ignoraient quel était l'homme qui semblait s'être embusqué dans les chambres de Verjus pour surveiller le dîner. Ils ignoraient ce qu'il voulait, mais un pressentiment secret les avertissait que l'affaire était grave, et que l'inconnu ne s'était point trouvé là par hasard !

— Si c'est un roussin, souffla encore Œil-de-Bœuf, on le fiche à l'eau !

— Et comment ! approuva Beaumôme, qui ajoutait : Souque ferme, ma vieille !

Dans la nuit, la barque continua d'avancer au hasard ; on ne voyait rien, absolument rien dans l'épaisseur du brouillard ; les apaches pouvaient seulement se guider au bruit que faisait l'inconnu ramant devant eux, s'enfuyant, semblait-il, en remontant le courant.

— Gouverne à droite !

— Non, marche à gauche...

— A droite, salop !

Ils se disputaient à voix basse, ne sachant plus où aller.

— Si on est près de la rive, haleta Beaumôme, qui avait le front en sueur, j'parie qu'on va se faire cueillir : ça doit être plein de roussins !...

Toujours, la crainte de la police les courbait. Les femmes se taisaient, les hommes aux avirons geignaient ; il n'y avait guère que Bouzille qui, à genoux au fond du bateau, laissant tremper ses mains dans l'eau froide, par manière de distraction, gardait son sang-froid.

— Avance ! avance !...

Au moment même où Beaumôme donnait cet ordre, du sein de la nuit, une voix parut surgir, une voix nette, impérieuse, autoritaire.

— Doucement mes enfants... gouvernez un peu sur la droite !... rangez les rames... halte !

A cet instant, à moins de trois mètres de la barque où étaient les apaches, sur le fleuve noir, dans le brouillard noir, une autre embarcation apparaissait, semblant surgir là, du lit du fleuve, comme une apparition fantastique.

A bord de cette barque, il n'y avait qu'un homme, il se tenait debout, il était vêtu de noir et, les bras croisés, semblait fixer ceux qui s'approchaient.

D'abord, les apaches, glacés d'effroi, ne pouvaient apercevoir son visage.

— Bon Dieu ! jurait Beaumôme sourdement, ça y est ! on est pris... c'est le type !...

Et il ne venait même pas à l'idée d'Œil-de-Bœuf et de Bec-de-Gaz qu'une lutte était possible !

Puis, la barque avançait encore de quelques mètres, frôlait l'autre bateau... la silhouette noire se précisait, devenait plus distincte et les apaches alors apercevaient le visage, le visage de l'inconnu, qui était masqué d'une cagoule !...

D'une même voix, d'une voix qui tremblait encore de peur, et qui cependant avouait un immense espoir, tous alors crièrent un nom, le nom de leur ami, un nom tragique, un nom d'effroi, un nom de meurtre aussi !

— Fantômas !...

II

Au restaurant chic

— Fantômas !...

D'une même voix, d'un même ton, les sinistres compagnons qui venaient de faire bombance chez Verjus avaient hurlé ce nom lugubre. Ils le hurlaient d'ailleurs avec soulagement, avec bonheur, avec joie !

Ils avaient craint depuis quelques instants d'être poursuivis par la police, ils s'étaient cru guettés, épiés, par les inspecteurs de la Sûreté, et désormais, ils se sentaient tranquillisés en s'apercevant que celui qui leur avait causé de si intenses frayeurs était tout bonnement Fantômas leur Maître, et comme ils le pensaient au même moment, leur ami !...

Les cris dont ils accueillaient sa venue retentissaient cependant sur la Marne éveillant au loin de sourds échos.

Tandis qu'Œil-de-Bœuf, Bec-de-Gaz et Beaumôme se dressaient dans leur barque, Fantômas, lui, toujours debout dans la sienne, haussait les épaules avec impatience.

— La paix ! commençait-il par ordonner rudement, croyez-vous donc qu'il soit nécessaire d'informer les habitants à dix lieues alentour que je suis ici !... En vérité je vous retrouve toujours aussi stupides et aussi imbéciles !

L'apostrophe était brutale, Bec-de-Gaz, Œil-de-Bœuf et Beaumôme ne s'en formalisaient point cependant !...

— Bon Dieu, patron !... se contentait de répliquer Beaumôme, on peut te dire que tu nous as flanqué joliment les foies. Nous v'là tous comme deux ronds de frites !... alors c'est toi qui dînais là-haut ?... C'est toi qui étais chez Verjus ?... C'est toi qui nous as empêchés !...

— La paix ! répéta Fantômas.

Et, s'étant tu quelques instants, il ordonnait :

— Rangez votre barque contre la mienne, taisez-vous et écoutez-moi. Je ne suis pas ici pour répondre à vos questions et par conséquent...

Il parlait d'une voix de commandement nette, ferme, en homme qui est habitué à ce que ses moindres ordres soient religieusement écoutés :

— Patron, commença Bouzille, qui jusqu'alors n'avait soufflé mot, on n'est pas là pour te poser des questions c'est entendu !... mais tout de même tu nous diras bien d'où tu viens et comment ça se fait qu'on te retrouve ici...

— Bouzille, tais-toi.

D'un geste, Fantômas imposait encore silence au vieux chemineau, puis il s'asseyait dans sa barque, il manœuvrait de telle sorte que son bachot finissait par frôler celui des apaches.

— Les femmes, ordonna Fantômas, allez toutes à l'arrière... Toi, Beaumôme, toi Œil-de-Bœuf et toi Bec-de-Gaz venez ici à l'avant, j'ai à vous causer.

Fantômas tirait de sa poche un revolver qu'il posait sur ses genoux avec un sourire féroce ; il s'apprêtait à prendre la parole lorsque Bouzille interrompait :

— Et moi, Fantômas, où faut-il que j'aille ? Je ne suis pourtant pas une femme ? et cependant tu ne m'appelles pas à l'avant...

Pour toute réponse Fantômas haussait les épaules :

— Mes amis..., commençait-il.

Mais il était encore interrompu ; cette fois c'était la mère Toulouche qui protestait :

— Écoute, Fantômas, déclarait la vieille receleuse, c'est pas gentil ce que tu fais... il faut que j'aille à l'arrière, moi ? Vrai, t'as donc plus confiance en moi ?...

Fantômas, cette fois encore, avait un sourire indéfinissable :

— La Toulouche, disait-il, je te permets de rester à l'avant.

Sur cet ordre, Fantômas s'accoudait au bord de sa barque qui penchait fortement sur les flots et, promenant son regard froid au reflet métallique sur les individus qui l'écoutaient, lentement, le Maître de l'effroi demandait :

— D'abord, vous autres, que savez-vous ?... que croyez-vous ?...

La question était simple, pourtant elle surprenait la bande :

— Sur quoi nous interroges-tu ? demandait Beaumôme. Qu'est-ce que nous devons savoir ? Explique-toi, Fantômas...

Le bandit haussa les épaules encore, cependant qu'une moue de dédain crispait son visage :

— Soit, je vais m'expliquer ! Que pensez-vous que je sois devenu ? Qu'imaginez-vous que j'aie fait, depuis que nous avons travaillé ensemble ?...

Œil-de-Bœuf fut le premier à répondre.

— Oh ! ça c'est pas malin..., commençait l'apache d'une voix où perçait une réelle moquerie, parbleu ! t'as essayé de chauffer la galette à l'oncle Baraban, c'était dans tous les journaux, même on a vu ces jours-ci que tu t'étais fait proprement rouler, Fantômas !... Juve t'a eu, t'a foutu dedans !...

Des lèvres de Fantômas, un mot passa, sifflant, qui cingla Œil-de-Bœuf en plein visage :

— Tu n'es qu'un imbécile ! un idiot !

Fantômas se retournait vers Beaumôme.

— Et toi qu'as-tu cru ?

— Rien..., avoua Beaumôme, ou du moins je crois comme Œil-de-Bœuf que, sauf ton respect, patron, tu t'es proprement fait rouler. Ça n'a pas marché la combine ?

— Imbécile ! répéta Fantômas.

Il se tournait maintenant vers Bec-de-Gaz, il interrogeait encore :

— Et toi ? que crois-tu ?...

Bec-de-Gaz tremblait.

— Je ne crois... rien... patron..., je voudrais savoir pourquoi tu viens de poser ton rigolo sur tes genoux ? J'aime pas voir ces machines-là dans tes mains...

Fantômas cette fois sourit.

— Imbécile et couard !... dit-il, allons, Bec-de-Gaz, tu vaux tes compagnons !...

Fantômas à ce moment se levait, par-dessus sa barque il se penchait au point de frapper sur l'épaule de la mère Toulouche.

— Et toi qu'as-tu cru ?

La Toulouche n'hésita pas.

— Moi, déclarait la vieille mégère, je n'ai pas compris grand-chose à tous ces trucs, seulement il me semble que ça n'est peut-être pas fini ; en somme, toi, tu cours, pas pris... donc libre de te venger !

— La Toulouche, interrompit Fantômas, tu as vraiment plus d'esprit que tous ces idiots-là !

Fantômas s'était redressé.

Il se rejetait au fond de sa barque, d'un geste impératif il imposait silence à ses compagnons.

— La paix ! où sommes-nous ?

— On dégringole dans le courant, remarqua Bouzille, et comme les fleuves ça se jette à la mer...

Bouzille n'acheva pas ; Fantômas brusquement s'était redressé.

— Mes amis, commençait-il, je suis venu ici pour vous voir et pour vous embaucher, j'ai du travail à vous donner.

Cette déclaration sensationnelle soulevait naturellement une vive émotion.

Fantômas continuait alors, sans paraître s'apercevoir de l'attention qu'on lui prêtait :

— Je vous dois cependant des explications... Avant de nous occuper de l'avenir, il faut que je vous fasse comprendre le passé, donc, que savez-vous exactement de l'affaire de l'oncle Baraban [1] ?

Beaumôme qui tenait à rétablir sa réputation d'intelligence, fort compromise, se dépêcha de répondre.

— On sait, Fantômas, que Juve est en ce moment tout près de Bordeaux et qu'il vient de poisser, ou tout comme, les Ricard. Ça se raconte du moins.

Fantômas, à ce moment, tirait sa montre de sa poche.

---

1. Voir dans la série « Fantômas » : *L'Assassinat de Lady Beltham*, *La Guêpe rouge* et *Les Souliers du mort*.

— Il est minuit, déclarait-il, dans quatre fois vingt-quatre heures Juve sera mort et les Ricard seront libres...

Il avait parlé avec son autorité coutumière, un grand silence suivait ses affirmations.

Ah çà ! que voulait-il dire le Maître de l'effroi ? Quelle ténébreuse machination avait-il ourdie ?

Fantômas interrompit les réflexions de ses complices.

— Juve est en effet près de Bordeaux, disait-il, et il est exact qu'il s'y retrouve en compagnie des Ricard...

Puis, il changeait de ton et, d'une voix triomphante, il ajoutait :

— Mais s'il est là c'est que j'ai voulu qu'il y soit. Si les Ricard sont à ses côtés, c'est que je les ai envoyés volontairement près de Juve, pauvres imbéciles que vous faites !... faut-il donc que je vous explique comment j'ai organisé la capture des Ricard. Dois-je donc vous répéter que rien n'arrive dans les affaires qui m'intéressent sans mon ordre ou sans ma permission... Juve a pris les Ricard !... Ah ! la bonne plaisanterie en vérité ! Les Ricard se sont fait prendre, et se sont fait prendre parce que je leur avais ordonné. Voilà ce que pas un de vous n'a osé deviner !...

Fantômas éclatait de rire ; les apaches terrifiés se jetèrent de furtifs coups d'œil.

Était-ce bien réel ce qu'affirmait Fantômas ? Était-il exact comme il le prétendait qu'en arrêtant les Ricard, Juve fût tombé dans un piège ? Le subtil policier après avoir démasqué le faux oncle Baraban s'était-il fait prendre dans un traquenard tendu par le Maître de l'effroi ?...

Bec-de-Gaz timidement demanda :

— Et alors ? patron, Juve, tu te prépares à lui casser la figure ?...

Fantômas haussa les épaules.

— Juve est un condamné à mort, murmurait-il lentement ; il y a longtemps que j'ai rendu la sentence le concernant, je m'apprête tout simplement à exécuter mon arrêt.

Et, lentement, très lentement, d'une voix basse qui pourtant sonnait étrangement dans la nuit, sur le fleuve tout couvert de l'ouate d'un brouillard épais, Fantômas détachait ces syllabes tragiques :

— Juve est à Bordeaux, parce que j'ai voulu qu'il aille à Bordeaux, il a arrêté les Ricard, parce que j'ai voulu qu'il les arrête, il mourra parce que je veux qu'il meure !...

Puis, brusquement, il changeait de ton et poussait un de ces éclats de rire sardoniques dont les accents glaçaient d'effroi tous ceux qui les entendaient :

— Mais il ne s'agit pas de cela, reprenait-il, la mort de Juve est peu de chose et, en tout cas, n'intéresse que moi... nous en avons assez parlé. Mes amis, je suis ici pour vous procurer du travail...

Fantômas fit une pause, puis continua ;

— Je vous annonce du sang, je vous promets de l'or...

Or, à cet instant, un choc violent ébranlait les bachots.

Depuis que Fantômas était apparu aux apaches, les barques allaient à la dérive ; en effet, un pont venait de se dresser brusquement dans la nuit et, ne le voyant pas, les sinistres bateliers avaient donné de l'avant dans l'un des piliers, un heurt s'était produit, fendant la proue de l'un des fragiles esquifs.

— Nous sommes perdus ! clamait Bec-de-Gaz.

— Bougre de bougre ! jura Œil-de-Bœuf.

Dans la nuit, on entendit un clapotement puis, par deux fois, un bruit sourd.

A bord des deux barques, un remue-ménage se faisait, tragique, éperdu...

— A l'aide ! hurla Bouzille.

— Rame ! criait Beaumôme.

Un coup d'aviron redressa la barque prête à chavirer. Les femmes, Adèle, Marie Legall, la Toulouche n'étaient point encore revenues de leur stupéfaction que l'esquif, pris par le courant, franchissait le pont, s'éloignait.

— Cent dieux ! j'ai eu peur, remarquait Beaumôme.

En parlant, la sinistre crapule se retournait.

— Fantômas ! commençait-il.

Mais à ce moment, Beaumôme s'interrompait net.

— Ah ça ! nom d'un chien ! où est Fantômas ?

La barque voguait seule à l'aventure des roulis de la Marne ; il n'y avait plus d'autre barque visible, le bachot de Fantômas semblait s'être évanoui.

Or, Beaumôme n'était pas revenu de sa stupéfaction, que des cris s'élevaient à côté de lui.

— Bec-de-Gaz ! appela Adèle.

— Œil-de-Bœuf ! hurla la Toulouche.

Les deux apaches n'étaient plus à bord de l'embarcation.

— Cré nom de d'là ! jura encore Beaumôme, j'ai entendu tomber deux corps, ils se seront foutus à l'eau. Allez !... il faut les retrouver.

Il avait bondi aux avirons, Bouzille, à l'arrière, godillait.

Le frêle bateau remonta le courant au hasard, cependant que les femmes suaient de peur, l'embarcation repassait l'arche du pont où l'accident semblait s'être produit.

— Ohé ! ohé ! hurla Beaumôme.

Mais rien ne répondait à son appel.

C'était le silence profond, impénétrable, inviolable du fleuve coulant au sein de la nuit sous son manteau de brouillard...

— Ohé ! ohé ! cria encore Beaumôme.

Il perçut à peine, très au lointain, la réponse d'un écho.

— Nom d'un chien ! jurait alors le sinistre individu. Fantômas, Œil-de-Bœuf et Bec-de-Gaz se seraient donc noyés ! ah ! saloperie de sort !...

La barque errait à l'aventure.

Beaumôme gratta une allumette, alluma un lampion.

— Ils nous verront peut-être, si c'est qu'ils flottent quelque part !...

Mais, comme la lanterne répandait une rouge lueur sur le fond de l'embarcation, la Toulouche qui tremblait de tous ses membres, effarée, poussait un cri.

— Là là ! regardez... une lettre !

La Toulouche ne se trompait pas, planté contre le bord de la barque un poignard apparaissait transperçant une enveloppe blanche.

Beaumôme arracha l'arme, déplia le papier, et, aux reflets de la lanterne, dans l'auréole tragique que lui faisait le brouillard, Beaumôme lut d'une voix qui tremblait :

J'emmène avec moi Œil-de-Bœuf et Bec-de-Gaz, j'ai besoin de leurs services. Soyez tous les soirs, à huit heures, chez Verjus, vous recevrez bientôt de mes nouvelles, je vous le répète, je vous promets du sang et de l'or.

Beaumôme brandissait cette étrange missive.

— C'est signé « Fantômas », hurlait-il, c'est Fantômas qui a poussé notre barque sur l'arche du pont, c'est lui qui a chopé Œil-de-Bœuf et Bec-de-Gaz sans qu'ils aient seulement eu le temps de dire « ouf », et il promet du sang et de l'or, ah ! nom de Dieu ! quel type ! Vive Fantômas !...

Les femmes et Bouzille même répétèrent ;

— Vive Fantômas !

L'exclamation lugubre et formidable, dans la nuit, monta, partit, se répercuta au lointain !...

Le lendemain soir, à sept heures et demie, d'un taxi-auto de luxe deux personnages vêtus de somptueuse façon, sinon avec élégance, d'habits noirs de bonne coupe, descendaient devant la porte de l'élégant établissement situé rue Royale et que l'on désigne dans le Tout Paris sous le nom de *Scott's restaurant* :

— Mon vieux, disait l'un d'eux parlant très bas à l'oreille de l'autre, rappelle-toi ce que t'a dit le patron ; quinze sous de pourboire paraît que ça vaut ça !...

Le second personnage toisait son ami d'un air dédaigneux.

— Je sais les usages, ma vieille, ripostait-il en s'appuyant de façon dédaigneuse sur l'épaule d'un groom accouru, la casquette à la main pour ouvrir la portière du fiacre. Je sais les usages, rappelle-toi plutôt comme j'ai épaté la galerie jadis à la *Maison d'Or*.

En parlant, l'individu était descendu du fiacre, il payait le cocher fort généreusement sans doute car celui-ci remerciait avec éloquence, gratifiait le groom d'un pourboire, et, prenant son ami par le bras, se dirigeait vers l'entrée du restaurant.

— Là-dessus, recommandait-il, en assujettissant d'une main un peu nerveuse peut-être le huit-reflets qu'il portait très en arrière suivant la mode, là-dessus, mon vieux, tâche de le boucler et de visser ferme. Le patron l'a dit, l'un est *english* ; l'autre un type de l'Autriche et il y aura des Argentins, des rastas, des types de la haute.

Ce curieux personnage parlait bas toujours, son ami lui répondait du même ton.

— T'occupe pas, t'occupe pas... ma vieille, et comment qu'on est un peu là pour les retrouver puisqu'on a la photo du pante.

Bras dessus, bras dessous les deux dîneurs franchissaient la porte d'entrée et, parvenus au hall tandis que des chasseurs s'empressaient à les guider, ils échangeaient des regards sournois et admiratifs.

— Ça jute un peu, ma vieille !...

— Oui, ça reflète !

Ils paraissaient tous deux plongés dans une admiration profonde en apercevant la salle trop luxueuse, trop douce, trop éclairée du *fashionable* restaurant.

Un maître d'hôtel cependant accourait :

— Ces messieurs ont retenu une table ?...

— Non ! plus souvent...

Brusquement, le personnage qui venait de répondre se mordait les lèvres.

— C'est-à-dire, reprenait-il d'un ton correct, que nous n'avons point téléphoné.

En parlant, il louchait vers son compagnon, semblant fort inquiet de sa tenue.

L'autre vint à son secours.

— Mettez-nous dans une salle gaie, qu'on puisse rigo... s'amuser enfin !...

Le maître d'hôtel habitué aux façons des snobs et, sachant fort bien que des dîneurs n'acceptent jamais en général la table qu'on leur offre, suivait ces clients pensant à tout autre chose qu'à épier leur conversation.

— Ces messieurs veulent aller dans le petit ou le grand salon ?...

Le premier personnage devança son ami.

— On va se fourrer dans l'autre, répondait-il.

Il ignorait évidemment si la salle qu'il traversait était connue sous le nom de grand ou de petit salon.

Aussi bien, tout en suivant le maître d'hôtel les deux dîneurs, qui, machinalement, avaient mis leurs mains dans leurs poches, et traînaient les pieds, considéraient curieusement les tables déjà occupées.

— Pas de gibier ici, commença l'un.

— Voyons voir l'autre salon, ripostait le second.

Ils passèrent, toujours accompagnés du maître d'hôtel, dans une nouvelle salle ; mais à peine, cette fois, les deux personnages étaient-ils arrivés près des tables des dîneurs, que leur hésitation cessait.

— Hep ! garçon, disait l'un d'eux au maître d'hôtel outré d'une appellation si familière, on va se mettre dans le coin !...

Tous deux gagnaient en effet une petite table coquettement servie qui faisait l'angle de la grande salle du *Scott's restaurant*. Ils s'y glissaient, jetaient un coup d'œil sur le menu et, d'un ton blasé, le plus osé des deux commandait :

— Préparez-nous quelque chose de bon, de bien, et d'un peu... chic. On en a assez de faire des menus. C'est toujours la même chose !

A cet instant, le maître d'hôtel s'inclinait :

— Ces messieurs veulent-ils consulter la carte des vins ?

Les deux amis, à cette proposition, échangeaient un regard navré.

— De l'eau de Vichy, commandaient-ils.

Le maître d'hôtel salua plus bas.

— A coup sûr, pensait le digne homme, ces individus sont communs et vulgaires d'aspect ; mais ils témoignent d'une formidable indifférence, d'un toupet bien assuré. Ce sont sans doute de riches commerçants ou encore des gens du commun qui ont gagné aux courses...

Le maître d'hôtel pivotait sur ses talons, fier de la confiance qu'on venait de lui témoigner en s'en remettant à lui pour la confection d'un menu, et avertissant les garçons.

— Au deux, vous servirez : hors-d'œuvre, homard à l'Américaine, cailles sur canapé, riz de veau à l'oseille, fromage, dessert...

Après un temps, le maître d'hôtel ajoutait :

— Vous ferez saler la note, ce doit être des estomacs fatigués, il n'y a pas à se gêner.

L'homme riait, allait au-devant d'autres dîneurs.

Or, tandis qu'ainsi le maître d'hôtel du *Scott's restaurant* pensait deviner la qualité des deux dîneurs qu'il venait d'installer, ceux-ci échangeaient des coups d'œil satisfaits.

— Crois-tu que je l'ai la manière, ma vieille ! Crois-tu que j'y ai dit ce qu'il fallait y dire au ventre blanc ?

Le second convive souffla très bas :

— Fais donc pas ton malin, Œil-de-Bœuf, t'as bien besoin de crâner, ma foi ! c'est Fantômas qui t'a fait la leçon, et t'as tout juste jacté comme un perroquet.

A quoi Œil-de-Bœuf, car c'était bien Œil-de-Bœuf, répondait :

— Bec-de-Gaz, tu me dégoûtes, je saurais bien me conduire tout seul, dans le grand monde, si c'est des fois, ça me semblerait bath d'y fréquenter ! et puis d'abord, Fantômas c'est pas chic ce qu'il a fait là, que de nous envoyer ici en nous empêchant de licher quoi que ce soit hors de l'eau de Vichy. Rapport, paraît-il, qu'il a peur qu'on se saoule.

Il y avait infiniment de chagrin dans la voix d'Œil-de-Bœuf qui, bien que très intimidé, inspectait alentour les tables déjà servies où de séduisantes bouteilles, précautionneusement couchées dans de petits paniers d'osier, retenaient malgré lui son regard.

Ce n'était point toutefois, évidemment, pour le seul plaisir de payer aux deux apaches un fin dîner, que Fantômas avait expédié Œil-de-Bœuf et Bec-de-Gaz au *Scott's restaurant*.

Les deux inséparables devaient avoir des instructions fort précises, fort nettes, fort sévères.

Bec-de-Gaz les rappela à son compagnon :

— C'est pas tout ça, ma vieille, faisait-il, en se servant avec ses doigts, d'un air de suprême dédain, des ronds de saucisson harmonieusement disposés sur un plateau de hors-d'œuvre. C'est pas tout ça, la ferme !... tâchons voir à buriner... v'la les pantes.

Bec-de-Gaz, d'un geste, venait d'attirer l'attention d'Œil-de-Bœuf : il montrait, s'avançant vers une table, trois jeunes gens suivis de deux jeunes femmes fort empanachées et à l'allure très élégante.

— Crois-tu qu'on a eu la veine, continuait Bec-de-Gaz, juste quand on s'amène en peinards, on voit les gonzes et les gonzesses qui retenaient leur table, ce qui fait qu'on a pu choper la voisine... allez, ferme, ma vieille, v'là la comédie qui commence !...

Œil-de-Bœuf approuvait :

— Oui, mastiquons, bougeons pas et en avant les esgourdes !...

Ils ne devaient plus, ni l'un ni l'autre, dire un mot.

A la table voisine, cependant, cette table qu'ils se félicitaient d'avoir tout près d'eux, des élégants et des élégantes s'installaient.

— *Mio caro !* vous prenez la présidence entre nous deux ?...

— Mais jamais de la vie, ma petite belle...

— Et pourquoi cela, mon bon ?

— La présidence vous revient de droit.

Devant les garçons respectueusement figés à distance, devant le maître d'hôtel qui s'empressait en de prolongées courbettes, les dîneurs faisaient des grâces pour se placer.

Cela durait quelques instants, puis, enfin, les sièges étaient répartis.

Sur la banquette, une jeune femme très brune rejetait en arrière, d'un mouvement lent et gracieux, une longue écharpe de soie.

Elle avait, à sa droite, un mince jeune homme au visage glabre, outrageusement poudré, dont les mains s'ornaient de bagues. Lui-même avait à sa droite une autre jeune femme très blonde celle-là, fort mince, coiffée à la vierge et possédant les plus beaux yeux du monde.

Sur des chaises, de l'autre côté de la table, en face d'eux, se trouvaient deux autres jeunes gens, l'un, d'un blond ardent, l'autre au teint olivâtre, aux cheveux pommadés et, surtout, remarquable par le mouchoir violet qui dépassait de sa manchette de prétentieuse façon.

Longuement, minutieusement, tous étudiaient le menu puis, enfin, les commandes faites, les verres emplis, recommençaient à causer.

— Bonté du ciel ! disait l'une des jeunes femmes, quand on pense qu'il y a des gens qui trouvent l'existence assommante, c'est désespérant... Ils n'aiment donc pas les bons vins, ceux-là ?...

On riait à l'exclamation ; puis, le jeune homme qui semblait présider la bande, ainsi qu'on l'y avait invité, remarquait d'une voix qui trahissait un léger accent étranger :

— Mille dieux ! je suis de votre avis, ma chère, avec un bon verre à la main, l'existence m'est toujours douce !...

— Et le verre une fois fini ?

— Mon cher, quand mon verre est plein, je le vide, et quand il est vide je me plains.

On riait encore, puis le jeune blond, d'un accent fortement anglais, interrogeait :

— En vérité, vous êtes si buveur vraiment ?... Mais ce sera pour vous chose grandement triste alors, que venir avec moi dans le triste Angleterre !

— Ce qui est beaucoup plus triste pour moi, ripostait en plaisantant le jeune homme, c'est que je vais être obligé de quitter la très belle que j'adore.

Et il coulait un regard de feu vers la jeune femme blonde qui se trouvait à côté de lui.

— Prince Vladimir, déclarait l'élégante, vous auriez un moyen d'empêcher cela... Emmenez-moi.

— Où ? A Londres ?

— Certainement.

Celui qui venait d'être appelé « prince Vladimir » se levait et, son verre plein jusqu'au bord, saluait la jeune femme.

— Je lève ma coupe, disait-il, en l'honneur de cette excellente idée... Assurément je vous emmène si vous le voulez, qu'en dites-vous, Harrysson ?

Le jeune homme blond, l'Anglais, souriait fièrement.

— Je ne sais pas en vérité si la chose est possible... nous sommes, prince Vladimir, en passe de devenir ambassadeurs, et la mission secrète...

Il allait continuer, mais son voisin lui coupait la parole.

— Au fait c'est vrai ; comme cela tous les deux, Harrysson et Vladimir, vous quittez la fête parisienne pour la gloire d'une mission d'État ? De quoi s'agit-il ?

Le prince Vladimir fronçait à ce moment les sourcils.

— Il s'agit d'une corvée, confessait-il, d'une corvée qui me fait sentir plus vivement encore l'ennui qu'il y a pour moi à être le propre cousin de Frédéric-Christian II, roi de Hesse-Weimar.

Il parlait d'un ton maussade ; sa voisine de gauche lui frappa sur l'épaule en riant :

— C'est cela !... plaignez-vous donc, être cousin de roi, mon cher, c'est flatteur ! mettre sur ses cartes *prince Vladimir*, c'est agréable !...

— Non, c'est ennuyeux, ripostait le jeune homme, et la meilleure preuve, ma mie, c'est que cela me vaut de retourner dès demain à Glotzbourg et de filer de Glotzbourg à Londres, en compagnie de Harrysson, délégué du gouvernement anglais.

Or, à ces derniers mots, les deux jeunes femmes se récriaient :

— Comment, prince, vous partez demain ?

— Oh ! mais ce n'est pas sérieux... de quoi s'agit-il donc ?...

Le prince Vladimir, tendrement, passait ses bras derrière les épaules des deux jeunes femmes qu'il semblait affectionner également.

— Chut ! disait-il..., mission secrète. Mystère d'État... D'abord vous avez tort de dire que je pars demain, prononcez « nous partons » car on vous emmène, n'est-ce pas, Harrysson ?

— Suivant votre volonté, répondit flegmatiquement l'Anglais qui, pour sa part, s'occupait peu des femmes et remplissait copieusement son verre qu'il vidait de minute en minute.

Le prince Vladimir reprit :

— Le plus affligeant de l'histoire, c'est d'ailleurs la mission dont je suis chargé... Figurez-vous que mon cousin le roi S.M. Frédéric-Christian II vient d'acheter une île du Pacifique appartenant à la Couronne anglaise.

Il était interrompu par les bravos des deux femmes :

— Acheter une île, oh, épatant !

— Combien ça se paye-t-il une île ?...

Le prince Vladimir eut deux sourires pour ses voisines.

— L'île en question a été payée 5 millions... les 5 millions seront versés à notre excellent ami Harrysson, envoyé du gouvernement anglais, et je suis chargé, moi, d'accompagner Harrysson jusqu'en Angleterre pour présenter les compliments de Hesse-Weimar à S.M. le roi.

Il avait à peine fini de parler que ses deux voisines applaudissaient encore :

— Bigre ! vous allez voyager avec 5 millions en poche, dites donc, c'est intéressant cela... et combien de temps resterez-vous à Londres ?

— Le temps de goûter au whisky de l'endroit, et de renouer connaissance avec les bars confortables...

A ce moment, le sommelier changeait les vins, quelques instants les jeunes gens parlaient de choses et d'autres, du dernier tuyau pour les courses du lendemain, de la mode nouvelle lancée par un couturier fameux.

L'esprit des femmes toutefois était ailleurs, la blonde voisine du prince Vladimir interrogeait encore :

— Mais, prince, c'est réel que vous partez demain pour Glotzbourg ?...

— Très réel.

— Et quand vous mettrez-vous en route pour Londres ?...

— Après-demain, tout simplement.

Le prince Vladimir, à ce moment, tournait la tête et jetait un regard dédaigneux à deux convives voisins de lui qui n'étaient autres qu'Œil-de-Bœuf et Bec-de-Gaz.

— Que diable, remarquait le prince, je ne sache pas que l'on permette de fumer la pipe ici ?...

Avec une inconscience parfaite, en effet, Bec-de-Gaz venait de tirer une bouffarde. Par bonheur, l'apache entendait la réflexion faite, sa pipe disparaissait dans sa poche. Mais en même temps qu'il cachait son savoureux brûle-gueule, Bec-de-Gaz donnait du coude à Œil-de-Bœuf.

— Dis donc, on sait ce qu'on voulait savoir, si on se caltait maintenant ? J'en ai marre de l'endroit...

Un quart d'heure plus tard, Œil-de-Bœuf et Bec-de-Gaz ayant soldé leur addition et laissé un royal pourboire, quittaient le restaurant.

Derrière la Madeleine, une voiture de maître stationnait, les deux apaches la rejoignaient, ils montaient en se hâtant.

— Eh bien ? interrogeait la voix rude d'un homme vêtu de noir qui se dissimulait dans le fond du coupé... Eh bien ?...

Bec-de-Gaz répondit le premier :

— Ça colle, patron, on sait le montant du pèze... l'heure du départ. Ah ! mince de peu ! on n'a pas perdu son temps !...

Puis il ajoutait grognon :

— Seulement, l'eau de Vichy, ça ne me vaut rien ; si qu'au sortir des grands restaurants tu nous menais chez un bistro, licher un coup d'confortable !

III

Fantômas s'amuse

La foule habituelle qui s'agite à la gare du Nord, à l'heure du départ des trains de grandes lignes, était encore plus considérable ce matin-là qu'à l'ordinaire.

Le rapide de Londres était en retard, il aurait dû partir déjà depuis vingt minutes, et cependant rien, sur les quais, ne semblait annoncer que son départ fût imminent. Les longs wagons à couloir étaient bondés de voyageurs, et les fourgons à bagages regorgeaient de malles jaunes, et de grosses valises en cuir, qui caractérisent le touriste anglais.

Des jeunes femmes blondes aux grandes dents allaient et venaient affairées, interrogeant anxieusement les employés qui, sans s'arrêter, leur répondaient des choses vagues, levant les bras au ciel, comme des gens excédés.

Le bureau du sous-chef de gare était pris d'assaut, cependant que, par ailleurs, on se bousculait le long du mur de la salle d'attente des premières classes où des dépêches étaient affichées.

Une vieille anglaise à cheveux blancs avait pris par le bras un inspecteur de la compagnie et l'interrogeait :

— Aoh ! demandait-elle, est-ce que le bateau il passe le « chenal » ?

L'employé répondait, haussant les épaules :

— Je ne peux pas vous le promettre, madame, mais tout porte à croire que la traversée s'effectuera...

Un groupe de touristes qui arrivaient, encombrés de paquets et d'enfants, et s'étonnaient de voir ce mouvement inaccoutumé, tout en se réjouissant d'apprendre qu'ils n'avaient pas manqué le train, questionnaient à leur tour deux contrôleurs :

— Est-ce que la mer est si mauvaise, demandaient-ils, qu'on ne peut pas traverser pour l'Angleterre ?...

D'un ton lassé, comme un homme qui répète la même chose pour la centième fois, celui des contrôleurs qui était le plus galonné rétorquait :

— Ce n'est pas la mer qui empêche de traverser, assurément elle est houleuse, mais pas très dure, non, cela tient à la grève...

— A la grève ? quelle grève ? interrogeait l'un des touristes.

Et dès lors, on expliquait à cet homme, qu'entouraient aussitôt une nuée de ses semblables, avides de nouvelles fraîches, qu'une grève venait d'éclater depuis la veille au soir, dans le personnel des inscrits maritimes.

Les marins refusaient de partir, demandant au préalable une augmentation de salaire ; depuis l'aube, leurs délégués discutaient avec ceux des compagnies. On espérait qu'une entente allait avoir lieu, mais rien n'était encore définitif. Un Anglais proféra :

— Si les marins français ne veulent pas faire leur devoir, on n'a qu'à s'adresser aux matelots de l'Angleterre et faire venir, à Calais, un navire de chez nous.

L'employé du chemin de fer lui répondait du tac au tac :

— Il s'agit, monsieur, d'une grève internationale, les Anglais fraternisent avec nos compatriotes... et tenez, même, les plus acharnés ce sont les Belges... ainsi nous savons que depuis hier, et c'est même là la seule nouvelle officielle que nous possédons, le service d'Ostende n'est plus assuré...

L'homme ajoutait :

— Cette nuit, la traversée s'est effectuée par Anvers, d'où des retards considérables...

Cependant, des coups de sifflets retentissaient, et des appels des employés informaient les voyageurs que, dans quelques instants, on allait partir à tout hasard pour Calais. Et ce fut une ruée formidable vers le train archi-bondé.

Parmi les voyageurs qui s'empressaient pour s'introduire dans un wagon de deuxième classe, se trouvaient trois personnages aux allures modestes, aux tenues décentes, mais dont les physionomies auraient paru étranges et peu recommandables à quiconque les aurait examinés. Ils discutaient entre eux à voix basse.

C'étaient deux hommes et une femme ; à la femme, l'un des hommes disait :

— Grouille-toi donc, Adèle, hisse ta viande dans le fourbi... tu vois bien que le train va se débiner.

Mais la femme haussait les épaules, et, sans se presser, ripostait :

— Ta gueule, Bec-de-Gaz, on a le temps... c'est malheureux ! les hommes ça croit toujours qu'on va rater le tortillard...

C'était Bec-de-Gaz en effet, qui discutait avec Adèle ; le grand apache dédaigna de répondre et, se tournant vers son compagnon de route :

— Passe-moi une cibiche, fit-il, je m'en vas griller ça dans le couloir en attendant qu'on s'installe...

Le compagnon de Bec-de-Gaz n'était autre que Beaumôme. Le trio s'installait, non sans peine, dans le wagon encombré. Les deux hommes et la femme se touchaient du coude, ricanant de leurs compagnons de route, imaginant mille plaisanteries d'un goût douteux sur les silhouettes des Anglais, qui s'écrasaient dans les compartiments.

— Penses-tu, faisait Adèle en regardant les filles d'Albion, qu'elles sont fadées comme mocherie, ces gonzesses-là !

Mais Beaumôme n'était pas absolument de son avis et il déclara timidement :

— Y en a qui sont girondes.

Ce qui lui valut un regard méprisant d'Adèle, et aussi de Bec-de-Gaz qui ne contredisait jamais sa maîtresse, afin d'avoir toujours la paix.

Les trois amis, tout à coup, s'arrêtèrent court de parler, ils murmurèrent en même temps, cependant qu'ils regardaient sur le trottoir quelqu'un qui passait :

— Le patron ! v'là Fantômas, et comment qu'il est bien fringué aujourd'hui !

Les complices du bandit avaient à peine le temps d'apercevoir leur maître, le Génie du crime !

Celui-ci, en effet, sautait dans le train, montait dans un wagon de première, au moment où le convoi se mettait en route.

Fantômas prenait le train, encore tout courroucé. Les événements, semblait-il, depuis le matin même, s'étaient ligués contre lui, et tout le programme qu'il avait élaboré menaçait en un instant de s'anéantir, par le seul fait de cette grève qu'il qualifiait de stupide, pour cette seule raison qu'elle le contrariait. Fantômas, en effet, avait appris, une heure auparavant, que le service des bateaux d'Ostende à Douvres ne fonctionnait plus. Et il s'était dit :

— Que va devenir cet imbécile d'Œil-de-Bœuf, et comment va-t-il s'en tirer ?...

Œil-de-Bœuf, en effet, avait reçu comme instructions, de Fantômas, d'aller à Ostende attendre l'arrivée de Harrysson et du prince Vladimir que devait amener le train de Hesse-Weimar. Une fois ces voyageurs identifiés, Œil-de-Bœuf devait s'embarquer avec eux, à destination de Douvres, et s'efforcer de savoir où ils dissimulaient, l'un ou l'autre, la somme considérable que le prince Vladimir était chargé de remettre, au nom de son gouvernement, à l'envoyé spécial d'Angleterre : M. Harrysson.

Or, voici qu'il survenait un contretemps, qui allait complètement modifier la situation. Fantômas, toutefois, s'était rapidement renseigné et il apprenait que les trains à destination d'Ostende étaient désormais dirigés sur Anvers. Aussi n'hésitait-il pas à envoyer à Œil-de-Bœuf un télégramme urgent, ainsi conçu :

Quitte Ostende, va Anvers, où tu retrouveras clients.

Et il signait : *Commercial Express*, ce qui voulait dire : Fantômas, pour ceux qui étaient au courant du code privé élaboré par le bandit et ses complices.

Fantômas, toutefois, au moment où il montait dans le train, après avoir lancé cette dépêche, était encore furieux.

— Les imbéciles ! grommelait-il, en pensant aux grévistes, ils sont capables de faire rater toute ma combinaison !...

Le bandit, non sans peine, finissait par trouver une place disponible dans l'un des wagons de première, placé tout à fait en tête du train. Il s'y installait, se plongeait dans la lecture d'un journal, sans se préoccuper de ses voisins, sans jeter le moindre coup d'œil sur la banlieue parisienne, que le train, accentuant peu à peu son allure, traversait à grand fracas pour gagner la campagne.

Fantômas avait pour compagnons de route des étrangers qui baragouinaient un français imagé, mélangé d'espagnol.

C'étaient deux hommes fort élégants, au teint bronzé, et une femme, jeune, jolie, très brune. Celle-ci, un instant, s'approcha de Fantômas, d'une voix veloutée, elle interrogea :

— Cela vous dérange-t-il, monsieur, que j'ouvre la fenêtre ?...

Et elle ajoutait, poussant un profond soupir qui enflait sa poitrine faite au moule :

— Il fait si chaud ici...

D'un regard bienveillant, Fantômas considéra son interlocutrice ; il la trouvait charmante, un sourire aimable erra sur ses lèvres fines :

— Comme il vous plaira, madame, déclara-t-il, cependant qu'il s'inclinait avec une grâce parfaite devant la jolie femme.

Celle-ci lui répondit d'un coup d'œil engageant et Fantômas, machinalement, regarda les compagnons de la voyageuse.

Ceux-ci étaient plongés un instant auparavant, de même que Fantômas l'avait été, dans la lecture de journaux, mais ils avaient rejeté les feuilles sur les coussins de la voiture, et semblaient fort disposés à engager la conversation.

On échangea quelques paroles banales, la jeune femme, soudain, poussa un petit cri :

— Et mon sac ?... fit-elle, qu'est devenu mon sac ?

Elle s'adressait à l'un de ses compagnons.

— Leone, demanda-t-elle, l'avez-vous vu ?

Le personnage ainsi interpellé se leva avec empressement, remua des paquets, fouilla sous un amoncellement de cache-poussière, il haussa les épaules et, se tournant vers Fantômas, il murmura :

— Concepcion est toujours comme cela !...

Il se reprenait pour dire :

— Concepcion c'est ma sœur, monsieur, mais elle à une tête de linotte et ne sait jamais ce qu'elle fait de ses affaires... Je suis, moi, Leone Rodriguez.

Cependant, l'autre compagnon de la jeune étrangère cherchait, à son tour, l'objet perdu.

— Concepcion, poursuivit le frère de la jolie femme, a déjà perdu, comme cela, un collier de 50 000 francs, quand nous allions à Buenos Aires, pour prendre le bateau d'Europe...

Fantômas, pour dire quelque chose, interrogeait :

— Madame est brésilienne, sans doute, et vous aussi, messieurs ?...

Mais le frère de Concepcion Rodriguez protestait d'un geste violent :

— Argentin, monsieur, nous sommes de la République Argentine, qu'il ne faut pas confondre avec le Brésil...

Fantômas esquissait un geste poli et vague, qui s'arrêtait court.

La jeune Argentine, qui monologuait sans interruption, venait de proférer :

— C'est extraordinaire ! impossible de le retrouver... pourtant je l'avais à côté de moi il n'y a pas une minute...

Or, elle avait ajouté :

— Ce serait à jurer que Fantômas me l'a dérobé !...

Et, au même moment, elle poussait un nouveau cri, de joie cette fois.

— Voilà mon sac !

Elle le retrouvait en effet, glissé sous le coussin, elle le brandissait triomphalement.

Fantômas avait souri !

Cette entrée en matière l'amusait infiniment, ainsi c'était une pure coïncidence, et voici qu'on parlait de lui, une jeune et jolie femme prononçait son nom, sans se douter un seul instant qu'elle se trouvait précisément en face du célèbre bandit dont la popularité était véritablement mondiale.

C'était Fantômas d'ailleurs, qui, par habitude presque instinctive, avait dérobé le sac de la jeune Argentine, l'avait expertement inventorié, puis restitué, estimant qu'il ne contenait aucun objet de valeur digne d'être conservé.

Lorsqu'on arrivait à Amiens, c'est-à-dire une heure et quart après le départ, les quatre personnages étaient au mieux. Une conversation vive et animée rompait agréablement les longueurs du trajet, les Argentins s'étaient fait connaître, fournissant force détails sur eux-mêmes.

C'est ainsi que Fantômas savait être en présence de Leone Rodriguez, riche marchand de bestiaux en Argentine, qui, depuis trois mois, voyageait pour son plaisir en Europe, avec sa sœur Concepcion, laquelle allait bientôt épouser le señor Bolivas, leur compagnon de voyage, homme politique de l'Amérique du Sud, et futur président de la République Argentine.

Les Argentins, avec force détails, avaient raconté tout le plaisir qu'ils avaient éprouvé à visiter Paris.

Or, chose curieuse, Fantômas qui, jusqu'alors, n'avait prêté qu'une oreille distraite à leur récit, s'y intéressait vivement, lorsqu'il apprenait que ces riches étrangers avaient été des familiers du *Scott's Restaurant*, et que, deux nuits auparavant, ils y avaient fait un délicieux souper en compagnie d'un homme charmant, le prince Vladimir, qu'ils allaient rejoindre à Londres, pour visiter avec lui le pays de Galles et les lacs d'Écosse.

— Que le monde est petit, pensait Fantômas, et comme on se retrouve !

Déjà le sinistre bandit échafaudait dans son esprit une nouvelle combinaison, il allait s'agir de dépouiller, lorsqu'ils seraient en Angleterre, ces riches étrangers qui, vraisemblablement, n'y rencontreraient pas le prince Vladimir déjà condamné à mort, sans rémission par Fantômas.

Le bandit fut interrompu dans ses réflexions, au moment où le train sortait du tunnel d'Amiens. De sa voix douce et harmonieuse, Concepcion Rodriguez l'interrogeait :

— Et vous, monsieur, demandait-elle, avec une simplicité naïve, comment vous appelez-vous ?

Une idée folle germa dans le cerveau du bandit.

Après tout, ne pouvait-il pas s'amuser un peu pour se distraire, et n'était-il pas piquant d'intriguer quelque peu ces richissimes Américains ?

Fixant hardiment dans les yeux Concepcion Rodriguez qui rougissait en le regardant, le Génie du crime proféra simplement :

— Vous m'avez nommé tout à l'heure, madame, je suis Fantômas !...

Cette déclaration était accueillie par un général éclat de rire.

— Oh ! c'est charmant ! proférait l'Argentine, comme vous avez de l'esprit, monsieur !

Et, accentuant la plaisanterie, elle questionnait finement :

— C'est donc ça que, tout à l'heure, je ne retrouvais pas mon sac ?...

— Mais parfaitement, affirmait le bandit, d'une façon imperturbable.

Les Argentins approuvaient avec des sourires aimables.

Bolivas déclara :

— L'odyssée de ce Fantômas est véritablement extraordinaire... et encore qu'il s'agisse d'un criminel, on ne peut s'empêcher d'avoir pour sa subtilité et son audace une réelle admiration.

Flegmatiquement, Fantômas s'inclinait.

Rodriguez intervint :

— Cela n'empêche, fit-il, qu'on en parle à son aise, lorsqu'on est certain d'en être éloigné...

— En êtes-vous si sûr que cela ? demanda Fantômas.

Concepcion riait :

— Mais oui, monsieur, fit-elle, vous ne lisez donc pas les journaux ?

— Non, déclara le bandit.

— Eh bien, poursuivit la jeune femme, les journaux nous informent que le célèbre criminel est actuellement traqué par le policier Juve, dans le sud de la France, et que, d'un moment à l'autre, il va être appréhendé.

Fantômas haussa les épaules :

— Il ne faut pas toujours croire les journaux, déclara-t-il, ils exagèrent souvent, inventent parfois...

Et le bandit ajoutait :

— Je crois savoir, moi, que Fantômas a pris une tout autre direction... et que d'ici peu, il fera parler de lui, dans le pays où vous vous rendez précisément en ce moment...

L'interlocuteur des Argentins semblait si net, si affirmatif, que ceux-ci se regardèrent : soudain Rodriguez proféra, s'adressant à Fantômas :

— J'y suis, je sais qui vous êtes, monsieur...

Le bandit souriait :

— Je vous l'ai déjà dit : Fantômas !...

Mais l'Argentin secouait la tête :

— Non pas, mais Juve, peut-être... ou alors, Jérôme Fandor !

Cette fois, Fantômas se laissait aller à une douce hilarité :

— Comme il vous plaira, fit-il simplement.

Cependant, un employé du wagon-restaurant passait, invitant les voyageurs à venir déjeuner.

Les trois Argentins quittèrent leur compagnon de route :

— Nous nous retrouverons à Calais, déclarait Concepcion, en tendant sa main gantée à Fantômas. Et celui-ci y déposait un baiser respectueux en murmurant d'un air énigmatique :

— Peut-être...

Lorsque le train arrivait à Calais, et que les Argentins venaient reprendre leurs valises, ils ne revoyaient plus leur charmant compagnon, mais si à ce moment ils avaient ouvert leurs bagages, peut-être auraient-ils compris que cet homme leur avait dit la vérité en déclarant qu'il était Fantômas !

Les objets de valeur qu'ils possédaient dans leurs valises avaient, en effet, été subtilisés.

Bien que ce fût un bateau à turbine, on était fortement secoué sur le *King-Edward*. La mer était houleuse et une foule considérable était secouée sur l'important paquebot qui, après de nombreuses discussions de l'équipage, avait fini par quitter Calais pour gagner Douvres.

Fantômas était à bord, mais nul de ceux qui l'avaient vu dans le train n'aurait pu le reconnaître. Il avait quitté les premières classes, pour gagner l'entrepont des secondes ; il avait changé ses vêtements élégants contre de vieux habits ; sur sa lèvre rasée, il avait fixé une épaisse moustache qui modifiait complètement sa physionomie.

Fantômas, appuyé sur le bastingage, considérait la mer glauque qui moutonnait ; de gros embruns venaient parfois fouetter son visage énergique, mais le bandit n'y prêtait aucune attention. Non loin de lui se tenait Bec-de-Gaz, qui chancelait à chaque coup de roulis ; quant à Beaumôme, il était affalé sur un paquet de cordages, à côté d'Adèle, tous les deux étaient blêmes, ils subissaient les affreuses tortures du mal de mer...

En vain, Bec-de-Gaz avait-il essayé de les guérir en leur faisant boire du vulnéraire, les malheureux avaient l'estomac en capilotade.

Fantômas, insensible à l'état de la mer, au fur et à mesure qu'on se rapprochait des côtes anglaises, donnait à ses complices ses dernières instructions.

Impitoyable aux souffrances de Beaumôme, il le secouait par l'épaule :

— As-tu bien compris, imbécile ? grognait-il, je veux que tu exécutes mes ordres en tous points lorsque tu seras à Douvres... si par malheur tu te trompais, et qu'il y ait de ta faute, tu t'en repentirais !

Entre deux hoquets Beaumôme, plus vert que l'onde dans laquelle fonçait le steamer, hochait la tête en balbutiant ;

— Compris, patron, mais nom de Dieu ! mille fois n'importe quoi... que vingt minutes de plus sur cette sacrée balançoire... comment que ça vous sort les tripes et les boyaux !...

Adèle gémissait, effondrée sur le pont :

— Malheur de malheur ! et comment qu'on ne m'aura plus jamais dans ce truc-là, j'aime mieux faire un détour et revenir à Pantruche par le chemin de fer, que passer sur la mare aux harengs... ah zut ! alors, très peu de la balade en mer !...

Fantômas la considérait avec dédain, haussait les épaules, puis, se tournait vers Bec-de-Gaz qui, s'il avait à lutter contre les coups de tangage et le roulis, conservait au moins de l'équilibre dans l'estomac.

— Tu sais aussi ton rôle, je pense ? demandait-il. Tâche de l'exécuter proprement ; sitôt arrivé, retape Adèle pour qu'elle tienne debout et attention ! le compartiment qui vous est réservé dans le train porte le numéro 367, vous êtes M. et Mme Durand...

Fantômas considérait des pieds à la tête le grand apache dégingandé :

— Tâche d'avoir l'air d'un bourgeois, fit-il, et pas d'un arsouille... resserre la cravate... peigne-toi les cheveux, boutonne ton gilet.

Tout en titubant, Bec-de-Gaz obéissait.

Enfin, un coup de sifflet retentit, qui fit bondir Beaumôme sur ses pieds :

— C'est-y qu'on est arrivé ?... interrogea-t-il.

Le jeune apache poussait un soupir de satisfaction, en se redressant il avait aperçu les jetées du port de Douvres, entre lesquelles s'introduisait le *King-Edward*.

On avait arrêté les machines et, désormais, l'élégant steamer s'avançait lentement sur les ondes calmes de l'avant-port. On entendit des sonneries diverses, correspondant à des ordres, puis, après quelques mouvements de marche avant et arrière, le bateau s'immobilisa le long de la grande jetée de pierre construite pour opposer un obstacle aux tempêtes de l'ouest.

Un train, aux wagons rouges, stationnait sur la jetée, les voyageurs s'y précipitaient pour la plupart échevelés et blafards, et Fantômas, qui tardait à descendre, eut un ironique sourire en voyant ses trois premiers compagnons de voyage, la jeune femme et les Argentins qui faisaient piètre figure gagner, eux aussi, la terre ferme.

Fantômas les suivait des yeux jusqu'au bureau de douane :

— C'est là, pensait-il avec satisfaction, qu'ils vont sans doute ouvrir leurs valises et s'apercevoir de ce qui leur manque !...

Mais les douaniers anglais sont confiants, ils n'exigeaient aucune vérification, et les Argentins passaient devant eux, n'ayant pas encore ouvert leurs sacs.

Fantômas, d'ailleurs, cessait de s'occuper d'eux. A son tour, il gagnait le train et, lorsque celui-ci traversait les quais pour pénétrer dans la ville de Douvres, le bandit, par la portière, voyait au nombre des gens restés sur le port ses trois complices.

— Tout va bien ! pensa-t-il.

Fantômas s'installait alors satisfait dans son compartiment, se carrait dans un angle et fermait les yeux.

IV

Triple guet-apens

Il était neuf heures du soir environ, Beaumôme, qui parlait l'anglais à merveille, s'approcha d'un employé du port.

— Le service de Belgique est-il annoncé ?...

— Oui, monsieur, répondit l'homme, le bateau belge doit être ici dans une demi-heure, il arrive d'Anvers au lieu d'Ostende... c'est à cause de la grève, il paraît que celle-ci menace même de s'étendre.

L'homme allait engager la conversation, Beaumôme lui tourna le dos, et s'en fut précipitamment.

Une demi-heure après, l'apache revenait sur la jetée ; il eût été impossible à quiconque le connaissait de l'identifier. Beaumôme, en effet, se confondait avec la foule des porteurs en uniforme qui attendaient, au pied des passerelles posées sur la jetée, le moment de s'élancer dans la malle arrivant de Belgique.

L'industrie des porteurs est, en effet, fructueuse, ce qui détermine l'éclosion d'un personnel considérable, qu'il a fallu pour ainsi dire enrégimenter. Les porteurs accrédités, au port de Douvres, ont une sorte d'uniforme constitué par une vareuse bleu sombre, et une casquette ornée d'un numéro de cuivre.

Beaumôme portait cette tenue.

Que méditait-il donc ?

Un sifflement rauque avait retenti au lointain ; sur la mer, on voyait osciller deux lumières qui grossissaient rapidement. Puis, une masse sombre se profila entre les deux jetées, en même temps qu'une agitation soudaine naissait sur le quai.

C'était le bateau belge qui entrait dans le port de Douvres et, dès lors, au milieu du silence, des interjections brèves retentirent.

Avec un porte-voix, le maître du port indiquait au capitaine du bateau l'endroit où il devait accoster ; le steamer, encore tout trempé des embruns qu'il avait reçus, au cours de sa traversée, obéissait désormais docilement et venait se ranger lentement à l'endroit fixé.

On ne percevait que le battement doux et régulier des hélices qui tournaient à petite vitesse, et auquel correspondait, comme une réponse, le halètement rauque de la locomotive vert pomme qui allait, dans quelques instants, remorquant son train rouge, emmener à Londres les passagers du bateau belge.

Une première passerelle, sitôt l'arrimage du navire effectué, fut jetée sur le pont du steamer. Et dès lors, une nuée de porteurs s'y précipitait.

Parmi les premiers se trouvait Beaumôme qui ne pouvait réprimer les battements de son cœur, au moment où il mettait le pied sur le pont du navire.

— Pourvu, pensait-il, que ce truc-là ne foute pas le camp et ne retourne pas dans la mer... j'ai assez nourri les poissons cet après-midi, pour ne pas recommencer ce soir...

Mais Beaumôme n'avait rien à craindre, le pont du navire, qu'éclairait
désormais, d'une lueur blafarde, un projecteur électrique, fixé au haut du
grand mât, ne bronchait pas plus qu'à la terre ferme.

Cependant, aux voyageurs ahuris, encore tout étourdis par la rude
traversée qu'ils venaient de subir, les porteurs faisaient leurs offres de
service.

C'était à qui obtiendrait une valise, un sac à charger sur ses épaules,
et à transporter jusqu'au train, dans l'espoir d'obtenir un léger pourboire.

Contrairement à ceux qui avaient l'air d'être ses collègues, Beaumôme
faisait deux ou trois fois semblant de ne pas comprendre les indications
de passagers qui lui signalaient des valises à prendre. Beaumôme, en effet,
voulait bien porter un colis, mais il devait le choisir, ce colis !

— C'était, lui avait dit Fantômas, une certaine valise grise, fermée par
deux courroies noires ; entre les poignées, était une serrure en argent
guilloché, et cette valise appartenait à deux hommes, dont Fantômas avait
fait la description à son complice...

Or, Fantômas lui avait décrit, d'une part le prince Vladimir, délégué
de Hesse-Weimar, de l'autre, Harrysson, délégué anglais.

Depuis quelques instants déjà Beaumôme, posté tout près de la
passerelle par laquelle les voyageurs quittaient le steamer, les dévisageait
les uns après les autres. Or, c'était en vain, il n'apercevait point les gens
qu'il devait rencontrer, et dont il fallait à toute force prendre les bagages.

Beaumôme rageait :

— Pourvu que je ne me sois pas gouré, pensait-il, qu'est-ce que
Fantômas me passerait...

La plupart des passagers avaient quitté le steamer, Beaumôme n'avait
pas remarqué encore parmi eux quelqu'un qui répondît au signalement
que lui avait donné son maître.

Tout d'un coup cependant, son visage s'éclaira, l'apache tressaillit.

— Nom de nom ! fit-il, en v'là sûrement un...

Beaumôme pensait cela, en dévisageant un grand et robuste personnage
au teint brique, vêtu d'un complet à carreaux marron, chaussé de bottines
jaunes, et qui répondait au signalement de Harrysson.

Cette homme portait sans difficulté une valise grise serrée par deux
courroies noires.

Beaumôme se précipita.

— Porteur ? proposa-t-il.

Et sans attendre la réponse, il arrachait la valise des mains de l'homme
stupéfié. Puis il courait devant lui :

— Par ici, monsieur, lui disait-il, dans le plus parfait anglais.

L'homme interloqué, tout d'abord, s'était laissé faire. Et dès lors, il
emboîtait le pas à Beaumôme.

Le jeune apache était tout heureux de ce qu'il venait de faire.

— Je suis bon, pensa-t-il.

Et désormais, il se demandait comment il allait se débarrasser de son
client, lorsque celui-ci, qui naturellement ne soupçonnait rien des
machiavéliques intentions de son porteur improvisé, lui en fournit
l'occasion.

Le voyageur lui disait :

— Placez-moi ma valise dans un wagon de première, vous viendrez me retrouver au buffet pour me dire le numéro du compartiment.

— *All right, mylord* ! s'écria Beaumôme tout joyeux.

Et il s'esquivait aussitôt, suivant le train à contrevoie, tandis que son client, nullement méfiant, allait au buffet, prendre une tasse de thé.

Bien entendu, Beaumôme ne déposait pas la valise dans un compartiment du train, mais s'enfuyait à toutes jambes et gagnait, en passant pardessus une barrière, le côté de la jetée opposé au port, celui qui donnait sur la grève.

Il faisait nuit noire et Beaumôme était sûr de n'être point dérangé à cette heure tardive sur cet embryon de plage déserte, que le vent d'ouest balayait avec violence et au bord de laquelle venaient mourir de courtes vagues minces comme des lèvres.

Le bandit, avec des gestes brutaux, faisait sauter la serrure de la valise. Il plongeait ses mains noires à l'intérieur, en saccageait le contenu, jetait sur le sable des vêtements, du linge, un nécessaire de toilette.

— Zut ! grommela-t-il, il n'y a rien...

Beaumôme cependant se rassurait :

— Après tout, il n'est pas prouvé que Harrysson ait mis dans sa valise la galette que veut Fantômas... peut-être il la porte sur lui, et dès lors ça n'est plus mon blot de la barboter !...

Un scrupule lui venait cependant :

— Est-ce bien le sac de Harrysson que j'ai pris ? comment se fait-il que cet Angliche était tout seul et que je n'ai pas vu, à côté de lui, le citoyen prince Vladimir ?...

Dans la valise où il fouillait encore fiévreusement, Beaumôme découvrait une pile de mouchoirs, il fit craquer une allumette et, à la lueur vacillante de la flamme, lut une initiale, toujours la même, répétée sur le linge : G.

— Ça y est, déclara Beaumôme en lâchant les mouchoirs, ça y est, je me suis foutu dedans...

Le jeune bandit toutefois se creusait la cervelle et se demandait ce qu'il allait faire pour rattraper son erreur.

Avec une audace sans pareille, il revint en courant dans la direction de la jetée, mais au moment où il franchissait la barrière du chemin de fer, il poussa un juron de colère :

— Zut ! grogna-t-il, tout est foutu, voilà le tortillard qui se débine...

Comme un long ver tortueux et silencieux, le train, en effet, quittait la jetée pour s'enfoncer dans la gare de Douvres, distante de cinq cents mètres à peine.

A la petite station déserte, le rapide marquait un instant l'arrêt, avant de foncer dans la nuit noire, et de parcourir à toute allure les 175 milles qui le séparaient encore de Londres.

La voix claironnante des employés cria à deux ou trois reprises :

— *Dover-town... London !... only...*

Puis un coup de sifflet retentissait, et le lourd convoi s'ébranlait lentement.

Une portière cependant avait claqué, se refermant sur deux individus qui, un instant, avaient couru affolés le long du train. C'était les deux seuls voyageurs qui attendaient à la gare de Douvres-ville le passage du train correspondant avec le bateau d'Anvers. Rapidement, ils avaient examiné les numéros des voitures, puis s'étaient précipités dans le compartiment 367, d'un wagon de première classe, sur la vitre duquel figurait une étiquette où on lisait : *Réservé. M. Durand.*

Le train roulait. Bec-de-Gaz et Adèle, car c'étaient eux, venaient de s'installer dans ce compartiment ou, pour mieux dire, de se laisser tomber sur la banquette.

— Ouf ! proféra le grand apache, ça y est, nous y sommes ! mais tout de même, on ne moisit pas dans les gares, j'ai bien cru qu'on allait rater le frère.

Adèle interrogeait :

— On n'a pas fini avec le turbin ?... es-tu bien sûr qu'ils sont à côté de nous ?

D'un air satisfait, Bec-de-Gaz hochait la tête :

— Et comment ! fit-il, j'ai zyeuté ça en une seconde ; on n'a pas ses quinquets dans la poche... le compartiment tout noir à côté de nous, et dans lequel ils roupillent déjà sans doute, c'est celui réservé au prince Vladimir et à Harrysson, le 366...

Cependant, l'apache fronçait le sourcil.

— L'embêtant, poursuivit-il, c'est qu'on est dans un vieux wagon, y a pas de couloir pour circuler, et voir ce qui se passe à côté...

— C'est vrai, reconnut Adèle qui interrogea d'un air désolé :

— Comment va-t-on faire ?

Mais Bec-de-Gaz, souriant toujours d'un air très satisfait de lui-même, pour toute réponse, sortait de sa poche une longue mèche d'acier :

— C'est pas malin, fit-il, on va percer un trou dans la cloison, puis on leur soufflera le machin-chouette par l'orifice, que je m'en vais faire...

Il se disposait à percer un trou dans la paroi du wagon, Adèle l'en empêcha.

— Nous avons deux heures devant nous, dit-elle, attends un peu pour être sûr qu'ils sont endormis...

— C'est juste, reconnut Bec-de-Gaz.

Dès lors, l'apache et sa maîtresse demeuraient pendant près de vingt minutes aux écoutes, les oreilles collées à la cloison ; ils ne percevaient aucun bruit dans le compartiment voisin.

— Sûr qu'ils roupillent, proféra enfin Adèle.

Et dès lors, Bec-de-Gaz, s'emparant de son foret, creusa un trou tout en haut de la cloison, presque au niveau du toit du wagon.

Cela fait, l'apache et sa maîtresse se livraient à une besogne étrange ; Adèle extrayait d'une poche de son grand manteau une sorte de vaporisateur, muni d'une poire à pression, elle passa l'objet à Bec-de-Gaz.

— Voilà le chloroforme, fit-elle.

L'apache prit le vaporisateur, en introduisit le tuyau métallique dans le trou qu'il venait de faire dans la cloison, et d'une façon rythmée, régulière, pressa la poire.

Il mit environ une demi-heure à vider le flacon ; lorsque cela fut fait, il regarda Adèle et lui recommanda :

— Écoute...

Les deux apaches, dès lors, prêtèrent l'oreille ; du compartiment voisin dans lequel ils venaient d'insuffler tout un flacon de chloroforme, on ne percevait aucun bruit. Adèle se frotta les mains, un sourire de contentement éclaircit son visage.

— Sûr qu'ils roupillent comme des bienheureux ! fit-elle.

Et elle ajoutait, l'air ravi :

— Comment qu'on va être au pèze désormais, si le coup réussit !...

Mais Bec-de-Gaz devenait grave :

— Le plus dur est à faire, fit-il, il s'agit maintenant de passer dans leur compartiment sans se foutre les quatre fers en l'air sur la voie et de vider leurs poches...

Les deux apaches baissèrent la vitre, penchèrent la tête au dehors, le train marchait à toute vitesse.

— Bougre ! fit Adèle en pâlissant, c'est dangereux !

Mais Bec-de-Gaz regarda son amie :

— Fantômas, dit-il, a tout prévu, il m'a dit que vers 10 h 20 le train ralentirait, pour traverser une bifurcation qu'on appelle je crois Tunbridge. Il est 10 h 15, tenons-nous prêts, dès qu'il ralentira, nous ouvrons la portière, nous passons à côté.

— Ça colle, fit Adèle décidée.

Et les deux apaches attendirent.

Au bout de cinq minutes, le train en effet, après avoir sifflé, ralentissait ; à un moment donné, à contre-voie une portière s'ouvrait, deux êtres, un homme et une femme, Bec-de-Gaz et Adèle, cramponnés à la main courante, passaient sans trop de difficultés de leur compartiment dans le compartiment voisin dont ils refermaient précautionneusement la portière ; leur périlleuse tentative réussissait, ils étaient désormais dans le compartiment obscur, saturé de chloroforme, où devaient être endormis d'un sommeil quasi cataleptique Harrysson et le prince Vladimir, contre lesquels Fantômas déployait tant d'audacieuse ingéniosité.

Le train de Douvres allait entrer en gare de Victoria dans dix minutes !

Sur le quai, le long duquel devait se ranger le convoi amenant les passagers au bateau d'Anvers, un certain mouvement naissait. Les inévitables porteurs se groupaient, dans l'attente des malles à décharger, et l'on percevait le bruit de plus en plus bruyant des taxis-automobiles qui venaient prendre la file, cependant que de lourds omnibus de gare se rangeaient d'un autre côté du trottoir.

A un moment donné, un superbe véhicule éclairé par des phares étincelants fit irruption sous les voûtes vitrées et sonores de la gare. C'était une grande automobile, une limousine, surmontée d'un drapeau des ambulances.

De l'intérieur de la voiture, un homme descendit, qui se dirigea aussitôt vers l'un des sous-chefs de gare, de service à l'arrivée du train.

— Pardon, monsieur, lui dit-il, je suis médecin, j'arrive avec cette voiture d'ambulance, pour prendre deux voyageurs qu'on me signale comme très souffrants, ils sont dans un compartiment de première classe, numéro 366. Pourriez-vous me dire à quel endroit s'arrêtera ce wagon, afin que je fasse ranger mon automobile aussi près que possible ?

Le sous-chef de gare consultait un calepin, où la disposition des wagons du train était consignée. Il renseigna favorablement son interlocuteur ; la voiture automobile prenait place au premier tiers du quai, sur les instructions de l'employé de Victoria.

Dès lors, le médecin se rapprochait de son chauffeur, et lui murmurait à l'oreille, parlant français cette fois :

— Attention à cavaler vivement, sitôt qu'on aura chargé les colis !...

L'homme qui parlait ainsi n'était autre que Fantômas.

Décidément le bandit avait tout prévu pour s'emparer du prince Vladimir et de son compagnon Harrysson.

Non seulement il avait lancé à leurs trousses Œil-de-Bœuf à Anvers, mais il avait prévu que Beaumôme pourrait dérober leurs valises au débarquement du bateau à Douvres, en outre, il avait chargé Bec-de-Gaz et Adèle de les chloroformer pendant le trajet, et de les voler en cours de route...

Désormais, Fantômas, n'ayant rien négligé, avait imaginé de venir les capturer à la sortie du train, au moment où ils seraient encore sous l'influence du chloroforme, pour les emmener dans un repaire où il disposerait d'eux à volonté.

Tout était combiné de la sorte, tout devait réussir, Fantômas cependant eut un serrement de cœur lorsqu'un coup de sifflet strident annonça l'entrée en gare du train venant de Douvres.

Qu'allait-il trouver à la descente de ce train ? que s'était-il passé depuis Anvers ?

Fantômas ne le savait pas, mais il avait confiance en l'habileté et en le dévouement de ses complices ; il avait bon espoir !...

Payons d'audace, se dit-il, au moment où le train s'immobilisait, et, retenant quatre porteurs, à qui il donnait à chacun une poignée de shillings, il leur dit :

— Prenez-moi vivement les deux malades qui sont dans le compartiment 366, et déposez-les dans la voiture d'ambulance, je ne veux pas que la foule s'assemble autour d'eux, vous comprenez combien ce serait déplaisant ?...

Stimulés par le pourboire généreux, les hommes promettaient d'agir vivement. Le train était à peine arrêté que, du compartiment désigné par Fantômas, les quatre employés extrayaient deux personnes qu'ils transportaient dans l'ambulance.

Fantômas faisait signe au conducteur de la voiture, celle-ci démarrait aussitôt, tandis que Fantômas, le revolver au poing, montait à l'intérieur de la limousine.

Mais à peine y était-il, qu'il poussait un juron de colère :

— Ah ! fichtre de nom d'un chien !

Les deux individus que l'on avait mis dans le compartiment, il les reconnaissait avec stupéfaction et colère, c'étaient Bec-de-Gaz et Adèle.

— Les imbéciles ! grommelait Fantômas, qu'est-ce que cela signifie ?...

Et il les secouait avec fureur !

Mais le bandit n'en pouvait rien tirer. Bec-de-Gaz gémissait des choses inintelligibles, son grand corps demeurant étendu, secoué par l'automobile qui bondissait sur le pavé.

Quant à Adèle, blafarde, elle paraissait morte, tant elle était profondément endormie.

Fantômas, en vain, leur frappait dans les mains, les secouait de toutes ses forces, il était impossible de les réveiller...

Une heure après, Fantômas fulminant de colère se trouvait, avec ces deux épaves somnolentes, dans la petite salle basse d'une maison déserte des faubourgs de Londres ; le bandit était seul avec eux et il leur avait administré de puissants réactifs.

Mais, tandis qu'Adèle ne se réveillait que très lentement, en proie à des douleurs effroyables, à de terribles nausées, Bec-de-Gaz, lui, parvenait à rassembler ses esprits.

Fantômas d'ailleurs, pour le ramener plus promptement à la connaissance des choses, avait administré quelques claques magistrales à sa face osseuse et blême d'ordinaire où le sang montait par plaques désormais.

— Imbécile ! crétin ! triple gourde ! hurla Fantômas, en invectivant Bec-de-Gaz, au moment où celui-ci paraissait comprendre, qu'avez-vous donc fait ? que s'est-il passé ?

Se comprimant la tête entre ses deux mains décharnées, Bec-de-Gaz bégaya :

— Sais pas... comprends rien... On a fait comme tu as dit, foutu le chloroforme dans le wagon à côté, puis comme on n'entendait plus rien, on a supposé que les pantes roupillaient... alors, on s'est amené en douce, tous les deux, Adèle et mezigue et puis, voilà...

— Voilà quoi ? fit Fantômas, et le prince Vladimir ? et Harrysson ?

— Ma foi, répliqua Bec-de-Gaz après une effroyable nausée, qui lui tordait tout le corps, ni vu ni connu, faut croire qu'ils n'étaient pas là, puis toujours est-il qu'on s'est senti comme pochards l'un et l'autre, on a voulu se débiner, ouvrir la fenêtre, oui, je t'en fiche... le sommeil s'est amené et puis voilà !

— Et puis voilà ! répétait Fantômas en considérant avec dégoût et mépris le grand Bec-de-Gaz, et l'infortunée Adèle qui se tordait sur le plancher en proie aux fâcheuses conséquences du chloroforme... on n'a pas idée de crétins pareils ! Dire, jurait-il en serrant les poings, qu'ils étaient quatre et qu'ils n'ont rien pu faire !...

Fantômas, cependant, avait une lueur d'espoir.

Après tout, du moment que le compartiment retenu par Vladimir et Harrysson était vide, c'est qu'évidemment les envoyés spéciaux de Hesse-Weimar et d'Angleterre avaient été retenus quelque part en cours de route, pour un motif encore inconnu de Fantômas.

Peut-être Beaumôme avait-il pu réussir à les voler à Douvres ? peut-être même au préalable, Œil-de-Bœuf avait-il pu, dès Anvers, intervenir utilement ?

Comme il réfléchissait à cela et reprenait peu à peu espoir, car Fantômas savait être optimiste à ses heures, un violent coup de sonnette retentit soudain dans le silence de la sombre demeure dont le bandit avait fait son repaire.

Fantômas tressaillit, arma son revolver, courut à la porte.

— Qu'est-ce que c'est ? demanda-t-il sans ouvrir.

Une voix, jeune et claire, lui répondit de l'extérieur.

— *Telegram, sir...*

Intrigué, le bandit entrebâillait la porte, prit l'enveloppe jaune où était inscrit un nom fantaisiste sous lequel le bandit avait loué son appartement, et, par prudence, aussitôt, il se verrouilla.

Fantômas rentrait alors dans la salle éclairée, où se trouvaient toujours Adèle et Bec-de-Gaz.

Déchirant le pointillé il lut la dépêche. Il faut croire qu'elle contenait un renseignement grave et terrible même, pour le bandit, car celui-ci devint livide.

— Ah, par exemple, c'est le comble ! suffoqua-t-il.

Et machinalement il s'essuyait le front, où perlaient de grosses gouttes de sueur froide. Fantômas, nerveusement, déchira la dépêche.

Puis, les bras croisés, il arpentait la salle en maugréant.

— Que faire ?

Il s'arrêta net.

— Parbleu ! s'écria-t-il, partir tout de suite ; gagner la Belgique à l'instant...

Mais à ce moment, ses yeux s'arrêtaient sur une table, où se trouvait déployée l'édition spéciale d'un journal du soir et Fantômas, machinalement, lut cette grosse manchette :

La grève générale des Inscrits Maritimes est déclarée ; demain l'Angleterre sera isolée du Continent...

V

L'arrestation d'Hélène

Tandis que ces événements se déroulaient en Angleterre et que des nouvelles peu rassurantes se répandaient de tous côtés, au sujet de la grève des marins, tandis que Fantômas, après avoir merveilleusement combiné le vol et l'agression des deux victimes désignées à sa rapacité, s'était retrouvé à Londres avec ses complices, sans que ni les uns ni les autres n'aient pu réussir, de l'autre côté de la mer du Nord, à Anvers, des événements non moins étranges se produisaient.

Le bateau que Beaumôme avait attendu à son arrivée à Douvres, et qui venait d'Anvers, avait en réalité quitté ce port vers trois heures de l'après-midi, et il n'était arrivé à Douvres qu'à neuf heures du soir.

C'était d'ailleurs le dernier navire qui quittait Anvers, car, sitôt après son départ, la grève se généralisait et devenait absolue, aussi bien pour les équipages des navires faisant des petites traversées que pour ceux des grands transports, de l'Amérique du Sud et de l'Afrique.

L'aspect des quais d'Anvers prenait une tournure singulière, inaccoutumée, mais originale, pittoresque aussi.

Le long des quais qui bordent les bassins et les ondes tranquilles de l'Escaut, c'était un amoncellement de ballots et de marchandises qui débordaient des docks et des magasins, jusque sur la chaussée.

Les eaux du fleuve étaient encombrées de navires de toutes sortes et aussi loin que s'étendait l'horizon, on voyait des cheminées et des mâts de vaisseaux.

Sur les quais, des hommes, matelots, chauffeurs, mécaniciens, se réunissaient en groupes mystérieux et compacts. Les cabarets étaient bondés, on buvait à l'intérieur, au premier étage, sur le trottoir ; le lambic, le faro et aussi les alcools de toutes sortes coulaient à pleins bords des barriques et des bouteilles, humectant les lèvres, surexcitant les esprits.

De temps en temps passait une patrouille de sergents de ville ou de soldats, les militaires s'avançaient lentement, le fusil à la bretelle, écartant de la main, avec un bon conseil jovial, ceux qui encombraient le chemin.

Mais ils ne paraissaient pas autrement disposés à pourchasser ces grévistes tranquilles en somme, qui, s'ils refusaient de travailler, ne se livraient à aucune déprédation, demeuraient absolument calmes, nullement agressifs.

L'agitation régnait par ailleurs, dans les bureaux des grandes compagnies de navigation, là c'étaient des cris, des lamentations, des scènes de colère et de désespoir. Chaque fois qu'un train venant de l'Europe centrale amenait, dans la gare d'Anvers, une foule de voyageurs désireux de s'embarquer, et que ceux-ci apprenaient que l'on ne partait point, c'était le même concert d'imprécations et de gémissements qui se percevait.

Le bureau de la Compagnie des bateaux qui font ordinairement le service d'Ostende à Douvres et que l'on avait, depuis la veille au soir, transféré à Anvers, était particulièrement assailli.

— Comment se fait-il, disait un jeune homme, qui le prenait de très haut, à un vieil employé dissimulé derrière un guichet, qu'un bateau soit parti pour l'Angleterre, voici une heure, et qu'il n'en parte plus désormais ?...

Le vieil employé, qui n'avait pas à apprécier le mobile des choses et des actes administratifs, se contentait de répondre, hochant la tête mélancoliquement, derrière son guichet :

— Sais-tu, monsieur, pour une fois que ça arrive comme cela, un bateau s'en va et puis le suivant ne part pas, va t'en expliquer comment ça se fait, demande-le aux grévistes...

Le jeune homme haussait les épaules, en fait, il n'avait pas eu de chance. Depuis qu'il était arrivé en Belgique, venant du centre de l'Europe, ce voyageur avait vu son train se diriger d'abord vers Ostende, puis rebrousser chemin, retourner à Bruxelles, et repartir ensuite à Anvers.

En cours de route, on l'avait assuré qu'il trouverait un bateau pour l'Angleterre : or, il y avait une heure que ce bateau était parti et le voyageur apprenait avec mécontentement que la grève était désormais généralisée, et qu'il fallait attendre, mais combien de temps ?

Malgré l'impassibilité de l'employé qu'il questionnait, le jeune homme insistait :

— Je suis, dit-il, le prince Vladimir, envoyé spécial de Sa Majesté le roi de Hesse-Weimar, j'ai une mission officielle à remplir, il faut à toute force que l'on me fasse passer en Angleterre, moi et mon distingué compagnon ici présent, sir James Harrysson, délégué du gourvernement anglais.

Le prince Vladimir, car c'était bien lui, en effet, avait fait cette déclaration d'une voix forte, et la foule qui encombrait le bureau s'était respectueusement écartée et considérait avec respect les deux grands personnages qui voulaient que l'on fasse ce qu'ils demandaient. Seul le vieil employé, derrière son guichet, ne se laissait pas éblouir.

— Godfordom ! s'écria-t-il, en allumant une énorme pipe, Votre Altesse ne pourra, pour une fois, faire ce qu'elle veut... Sais-tu que si vous allez trouver les hommes du port et leur demander de vous conduire, ils ne vont rien vouloir savoir...

Le prince Vladimir haussait les épaules rageusement :

— Ce sont des brutes, articula-t-il.

Et, sortant du bureau de la Compagnie, accompagné de sir James Harrysson qui, flegmatiquement, n'avait pas dit une parole, il retournait se mêler à la foule des curieux et des grévistes qui encombraient les rues d'Anvers.

Les deux hommes erraient ainsi quelques instants, gênés, bousculés. De temps à autre, sur leur passage, des clameurs s'élevaient ; des femmes se plaignaient avec des cris de pintades des malheurs qui leur survenaient et James Harrysson, qui cependant n'était pas prodigue de paroles, articula à l'oreille de son compagnon :

— Je crois que les grèves servent surtout aux pick-pockets, voilà à peine une heure que nous sommes arrivés dans cette ville où règne le plus grand désordre et la plus tumultueuse animation, or, j'entends tout autour de nous des gens se plaindre qu'ils ont perdu leur porte-monnaie, qu'on leur a volé quelque chose.

James Harrysson s'interrompait, son compagnon ne l'écoutait plus !

Vladimir, brusquement, venait d'obliquer à sa droite et, faisant signe à l'Anglais de le suivre, il emboîtait le pas délibérément à une jeune femme dont l'élégante tournure et la silhouette gracieuse faisaient contraste avec la simplicité et la banalité des toilettes des femmes qui s'empressaient sur les interminables quais d'Anvers.

— Venez, criait Vladimir à Harrysson.

La jeune personne que les deux élégants personnages suivaient ne s'en apercevait évidemment pas. Elle se dépêchait, marchant aussi vite que le lui permettait sa robe entravée à la mode, et, après avoir hésité à deux ou trois reprises, elle pénétra dans les bureaux d'une compagnie de navigation, dont les salles étaient moins encombrées que les autres.

Cette compagnie, en effet, n'assurait que les voyages pour le sud de l'Afrique. La jeune femme s'approcha d'un bureau fort élégant et, s'adressant à l'employé, elle l'interrogea d'une voix haletante d'émotion, encore qu'elle s'efforçât de paraître calme :

— Est-il vrai, monsieur, demanda-t-elle, que le *Président-Kruger* ne part pas aujourd'hui ?

L'employé lui souriait et, avec un accent légèrement tudesque, il articula d'un ton ironique :

— Ni aujourd'hui, ni demain... Il était prêt à s'en aller avant-hier, puis les chauffeurs ont déserté leur poste, les machines sont éteintes, il faudra au moins quarante-huit heures, une fois la grève achevée, pour le mettre en état de partir.

La voyageuse réprimait un tressaillement :

— Mon Dieu ! balbutia-t-elle, quelle malchance !

Puis après avoir soupiré, elle reprit :

— Je vous en prie, monsieur, je vous en supplie, indiquez-moi un autre moyen de me rendre au Natal... j'ai absolument besoin d'y partir...

Mais l'employé, goguenard, se mettait à rire :

— Le chemin de fer à travers l'Afrique, mademoiselle, n'est pas encore construit, à moins de vous rendre là-bas en aéroplane, je ne vois pas le moyen de transport que vous pourriez adopter...

— Alors, que faire ? que faire ? articula la voyageuse que ce contre-temps paraissait désoler.

— Attendre, fit narquoisement l'employé qui haussait les épaules.

On entendait passer, sur le quai voisin, à ce moment-là, toute une troupe de gens. Il pouvait être six heures du soir et, au calme relatif de l'après-midi, succédait une animation déterminée par les nombreuses libations que les grévistes avaient faites dans les estaminets de la ville.

L'employé remarqua :

— Comme vous voyez, mademoiselle, ils n'ont pas l'air d'être bien disposés à reprendre le travail, tout au contraire, ça c'est des gens qui vont faire la noce toute la nuit.

— Mon Dieu ! monsieur, poursuivit la voyageuse, que me conseillez-vous ?

Cette dernière, tout en causant, avait posé sur une tablette qui la séparait de l'employé son sac à main, et l'avait entrouvert pour y chercher le billet de passage qu'elle possédait déjà, mais qui ne lui servait à rien.

L'employé avait jeté un coup d'œil indiscret sur le contenu de ce petit sac et, en souriant, il proféra, baissant cependant le ton de sa voix :

— Je vous conseille d'abord, mademoiselle, de dissimuler avec un peu plus de prudence l'objet que vous portez dans votre sac...

La jeune fille rougit : l'employé, en effet, lui désignait la crosse d'un mignon revolver que la voyageuse avait placé dans son réticule, à côté d'un mouchoir et de quelques lettres enveloppées d'une faveur rose.

Paternellement, l'employé ajoutait, cependant que la jeune fille fermait son sac :

— Vous pourriez avoir des ennuis, si l'on vous trouvait avec cette arme interdite par la loi, en Belgique... surtout qu'en ce moment, M. le bourgmestre ne plaisante pas... on a même affiché ce matin un arrêté de la ville, défendant le port des armes à toute personne qui n'est pas militaire, ou membre de la garde civile. Or, ajoutait-il, en clignant de l'œil pour souligner sa plaisanterie, je ne crois pas que vous soyez de la garde civile...

En hâte, la jeune fille avait refermé son sac qu'elle reprenait machinalement, puis quittait le bureau, la tête basse, préoccupée.

Le prince Vladimir cependant, en dépit des efforts de Harrysson pour l'arracher à son poste d'observation, était resté à l'entrée de ce bureau et quiconque l'eût observé en ce moment aurait vu que la physionomie, joviale et joyeuse en apparence, du prince de Hesse-Weimar, s'était complètement modifiée, son regard devenait dur tandis qu'il suivait de loin le dialogue intervenu entre la voyageuse qui voulait à toute force partir pour le Natal et l'employé qui, flegmatiquement, lui opposait le cas de force majeure, l'empêchant d'embarquer.

Cependant que la jeune fille, soucieuse, quittait le bureau, le prince lui emboîta le pas, suivi à quelque distance par James Harrysson.

L'Anglais était fort ennuyé de l'attitude de son compagnon, il n'aimait pas les foules, et trouvait ridicule de s'occuper des femmes, un jour où il y avait beaucoup mieux à faire, du plus important aussi.

James Harrysson aurait voulu rentrer en Angleterre, quitte à fréter un bateau pour lui tout seul. Sur les quais encombrés, il perdait Vladimir ; dès lors, l'Anglais n'hésita plus, il retourna délibérément au *Palace-Hôtel* et, s'installant dans la grande véranda du caravansérail, il se mit à y lire les dernières dépêches des journaux.

Au bout d'une demi-heure, le prince Vladimir le rejoignait.

— Eh bien, lâcheur, fit-il, vous voilà donc ?

— C'est à vous qu'il faut demander cela, fit l'Anglais, moi, je suis rentré directement.

Vladimir souriait, d'un air important :

— Non pas... j'ai suivi cette jolie personne que nous avons rencontrée tout à l'heure et je lui ai fait la conversation.

Harrysson paraissait peu désireux d'avoir des confidences ; par politesse, il demanda cependant :

— Et alors ?

— Eh bien, fit Vladimir, je crois que nous n'allons pas nous ennuyer ce soir... il se peut qu'elle vienne dîner avec nous, je l'ai informée que nous serions à table dans une demi-heure, à *L'Esturgeon*.

Si Harrysson était un homme flegmatique, il avait un défaut : il était éminemment gourmand, et l'Anglais, qui avait beaucoup couru le monde, connaissait merveilleusement la réputation de ce célèbre restaurant d'Anvers, où l'on peut se procurer en toutes saisons les poissons les plus savoureux comme aussi les gibiers les plus délicats.

L'idée de dîner à *L'Esturgeon* lui souriait donc agréablement.

Il quitta le fauteuil d'osier dans lequel il s'était nonchalamment étendu, et déclara :

— Le temps d'aller mettre mon smoking, mon cher, et je suis à vous...

Vladimir montait également dans sa chambre, et il procédait à une rapide toilette.

Qu'y avait-il de vrai, dans le rendez-vous avec la jolie femme annoncé par Vladimir ?

Absolument rien !

Non seulement celle-ci n'avait rien promis au prince de Hesse-Weimar, mais encore le prince ne l'avait pas même abordée dans la rue.

Au sortir du bureau de la Compagnie de navigation, la voyageuse, fendant péniblement la foule, avait suivi les quais, pour regagner l'*Hôtel de Brabant* où elle était descendue. Un incident désagréable s'était même produit alors qu'elle regagnait son domicile. Elle avait été prise dans une bagarre, quelque peu bousculée, puis soudain elle s'était aperçue que son sac à main avait disparu, elle poussait un cri, se plaignait à haute voix, quelques braves gens s'empressaient autour d'elle.

— Que vous est-il arrivé ? qu'avez-vous, mademoiselle ?...

— Mon sac, balbutiait la jeune fille devenue toute pâle, on m'a dérobé mon sac.

Un agent de police intervint :

— Ah ! mademoiselle, fit-il, on n'entend parler que de vols en ce moment, dans toute cette racaille, c'est rempli de malfaiteurs, savez-vous...

Puis sortant un carnet de sa poche, il interrogeait :

— Donnez-moi votre nom, pour une fois, que je sache à qui rendre cet objet si par hasard on le retrouve.

La jeune fille hésitait un instant puis, devenant toute rouge, elle articula :

— Vous le porterez à l'*Hôtel de Brabant*.

L'agent hésitait :

— Mais à qui ?

Après une nouvelle hésitation, la jeune femme ajouta :

— Je m'appelle Hélène, mettez miss Hélène, tout simplement...

Puis aussitôt, elle s'enfuyait, se mêlait à la foule, regagnait son hôtel.

Hélène ! miss Hélène !

Qui donc, à l'énoncé de ce simple prénom, aurait pu, dans cette brave ville d'Anvers, bouleversée par la grève, soupçonner la véritable personnalité de celle qui le portait !

Hélène ! miss Hélène, n'était autre, en effet, que la tragique et célèbre fille de Fantômas !

Par suite de quels événements, de quelles extraordinaires circonstances, la fiancée de Jérôme Fandor se trouvait-elle en Belgique, si désireuse de partir pour le Natal, si ennuyée à l'idée que le navire qui devait l'emmener en Afrique du Sud, le *Président-Kruger*, était immobilisé, sur les flots tranquilles de l'Escaut.

Il y avait de cela trois semaines environ, une scène de carnage effroyablement tragique qui s'était déroulée dans une villa de Ville-d'Avray, avait tout d'abord rapproché Hélène de son terrible père, puis séparé la jeune fille du journaliste Jérôme Fandor qui la faisait échapper à la police, facilitant involontairement en même temps l'évasion du Génie du crime [1] !

Depuis lors, la jeune fille avait vécu une existence perpétuellement troublée, sans cesse angoissée. Des incidents nouveaux étaient survenus qui l'avaient mise sur la piste d'une découverte formidable, concernant sa personnalité.

Elle avait été si troublée, si émue, que toute autre préoccupation avait dès lors fui son esprit et qu'elle ne songeait plus qu'à une chose : connaître exactement le mystère dont elle venait d'entrevoir un instant l'extraordinaire solution !

Pendant trois semaines environ, elle avait erré dans divers points de France et de Belgique, télégraphiant en Afrique, recherchant des gens un peu partout, et continuant à tenir Fandor au courant de ses divers

---

1. Voir dans la série « Fantômas » : *La Guêpe rouge*.

déplacements. A ce moment, le journaliste était fort occupé avec Juve des incidents singuliers qui survenaient à la famille Ricard, à l'oncle Baraban, et qui devaient s'achever par le démasquage de Fernand Ricard, incriminé d'avoir voulu duper tout le monde, dans le but de réussir une formidable escroquerie, mais auquel Fantômas, en intervenant, avait fait le plus grand tort [1] !

Hélène, enfin, ayant recueilli les renseignements qui, sans doute, lui étaient utiles, venait de se décider depuis quarante-huit heures à partir pour le Natal.

Se trouvant à Bruxelles, elle y avait pris un billet qui lui réservait une cabine de première à bord du *Président-Kruger*, où elle devait prendre place pour se rendre en Afrique du Sud.

Or, voici qu'en arrivant à Anvers, elle avait appris comme tout le monde la déclaration de grève, et se trouvait ainsi immobilisée dans le grand port belge.

La jeune fille était descendue à l'*Hôtel de Brabant*, tout à l'extrémité des quais ; c'était un hôtel de modeste apparence, et de parfaite bonne tenue. Il était immense et rempli de voyageurs qui attendaient comme Hélène le moment de partir pour les directions les plus diverses.

La jeune fille, rentrée chez elle à sept heures du soir, se faisait servir un frugal repas dans sa chambre, et réfléchissait à son avenir.

Elle était désespérée de voir ainsi son départ retardé et elle n'osait prévenir le journaliste Fandor de sa présence à Anvers, de peur que cette dépêche ne tombât entre les mains de la police française, qui n'aurait certainement pas manqué de venir la chercher ; Hélène, en effet, n'avait pas oublié l'attitude singulière et compromettante qu'elle avait eue lors du carnage de Ville-d'Avray, et se doutait bien que les agents de la Sûreté, Juve lui-même, n'hésiteraient pas un seul instant à l'arrêter, si par hasard ils parvenaient à découvrir sa retraite.

La jeune fille était si absorbée dans ses réflexions, qu'elle touchait à peine au repas qu'on lui avait fait servir et elle avait même complètement oublié la perte de son sac à main, elle était peu préoccupée évidemment par le léger dommage que lui occasionnait la disparition de son sac, et du mignon revolver qu'il contenait.

A neuf heures du soir, Hélène, qui n'avait aucune envie de dormir, entendit crier une édition spéciale des journaux, sur les quais. Ceux-ci étaient presque déserts, les grévistes, après avoir fait beaucoup de bruit dans la journée, étaient allés se reposer.

La jeune fille décidait de sortir pour respirer un instant en paix ; instinctivement, elle avait l'intention de se diriger vers le bassin où était amarré le *Président-Kruger*. En dépit de tout, elle nourrissait un espoir :

Si seulement, songeait-elle, cette grève était terminée, si seulement le bateau se préparait à partir ?

La jeune fille quitta l'hôtel et s'avança d'un pas paisible vers les docks, aussi silencieux désormais qu'ils avaient été bruyants dans l'après-midi.

---

1. Voir dans la série « Fantômas » : *Les Souliers du mort*.

— Eh bien, mon cher, articulait James Harrysson d'un air ironique, cependant qu'il achevait une coupe de champagne, je crois que votre jeune personne ne viendra pas nous retrouver ce soir ?

Le prince Vladimir levait son verre, le choquait à celui de son compagnon :

— Il est évident, fit-il, qu'elle est bien en retard, mais cela n'a aucune importance, avec les femmes, il ne faut pas être pressé...

James Harrysson souriait :

— Sans doute, sans doute, fit-il, néanmoins votre invitée dépasse un peu la mesure, voilà deux heures qu'elle devrait être là, et nous avons joliment bien fait de nous mettre à table sans elle... sans quoi ces anguilles à la Tartare auraient été calcinées.

— C'est vrai, reconnut Vladimir, peut-être apparaîtra-t-elle tout à l'heure...

— Non..., fit nettement James Harrysson qui ajoutait en souriant, mais en hésitant un peu aussi : elle m'a l'air de nous avoir posé... posé... comment disent-ils cela à Paris ?

Vladimir précisa :

— Posé un lapin, parfaitement... eh bien que voulez-vous, tant pis, nous continuerons à boire et à manger seuls...

Les deux hommes étaient en tête à tête dans un cabinet particulier du restaurant de *L'Esturgeon*.

Un troisième couvert figurait à la table qu'ils occupaient, mais il était inoccupé. Vladimir, cependant, paraissait se préoccuper fort peu de l'absence de cette femme qu'il avait soi-disant invitée car, en fait, le prince ne s'était nullement adressé à la jeune fille remarquée par lui et qui n'était autre qu'Hélène.

Pourquoi donc avait-il inventé de toutes pièces ce mensonge et prétexté ce rendez-vous à *L'Esturgeon* ?

Était-ce pour décider James Harrysson à y venir dîner avec lui ?

Était-ce dans l'espoir que, peut-être en ce lieu de plaisir élégant, chic et fréquenté par toutes sortes de gens, il pourrait faire quelque rencontre féminine, lui permettant, ou leur permettant de passer agréablement la soirée ?

Le prince Vladimir, évidemment, ne communiquait pas à son compagnon ses intentions à ce sujet, et en fait, tous deux dînaient seuls.

Lorsqu'ils eurent allumé des cigares, et commencé à fumer, nonchalamment installés sur les divans du cabinet particulier, le prince Vladimir, après un court silence, déclara d'un air sérieux :

— Mon cher Harrysson, je n'ai pas besoin de vous rappeler ici le motif du voyage que nous poursuivons tous les deux depuis hier ? J'ai pour mission de vous régler, au nom de mon gouvernement, une somme de 5 millions que je possède là sur moi, en billets de banque...

Ce préambule avait immédiatement rappelé James Harrysson à son devoir et l'Anglais, qui rêvassait en souriant, redevint en un instant flegmatique et sérieux.

— C'est exact, déclara-t-il, et ce règlement, vous devez l'effectuer sitôt que nous toucherons le sol de l'Angleterre.

— D'accord, fit Vladimir, mais, étant donné le cas de force majeure qui se présente, je suis bien empêché de vous payer en terre britannique puisqu'il nous est impossible d'y parvenir...

— Et alors ? interrogea Harrysson.

— Alors, fit Vladimir, voilà : je ne vous cache pas que je suis attendu à Paris après-demain et que je tiens essentiellement à m'y trouver ; d'autre part, nous sommes peut-être échoués ici, pour des jours, des semaines... et le règlement doit être effectué théoriquement demain... si vous n'étiez pas payé demain, les intérêts courraient à mon compte, à partir de cette date...

— Évidemment, reconnut Harrysson, qui interrogeait : Mais où voulez-vous en venir ?

— C'est bien simple, s'écria Vladimir, je peux vous payer, Harrysson, vous payer tout de suite, après quoi je prendrai congé de vous, et, vous abandonnant à votre triste sort, je quitterai Anvers pour Paris.

— Ce n'est pas très aimable, grommela l'Anglais qui, cependant, ne pouvait s'empêcher de reconnaître que la proposition de son compagnon se justifiait dans une certaine mesure.

Il observa cependant :

— Vous savez, prince, qu'aux termes de l'entente, les 5 millions doivent m'être réglés en billets de banque anglais...

C'était là le dernier argument de Harrysson, pour conserver Vladimir comme compagnon de route, jusqu'à son retour en Angleterre... Mais le prince avait tout prévu et, pour toute réponse, il sortait de sa poche deux portefeuilles qu'il déposait sur la table, où s'amoncelaient les bouteilles de vins fins et de liqueurs.

— J'ai changé les billets de Hesse-Weimar en bank-notes anglais, déclara-t-il, et si vous voulez me faire plaisir, mon cher Harrysson, nous en finirons tout de suite.

— Après tout, reconnut l'Anglais, je ne vois pas pourquoi je n'accepterais pas votre proposition...

Un silence passait, pendant lequel on n'entendait que le froissement doux et soyeux des billets de banque parcheminés que comptait d'abord le prince Vladimir, que recomptait ensuite sir James Harrysson.

Puis, lorsque la liasse de bank-notes fut passée des portefeuilles de l'envoyé de Hesse-Weimar dans ceux de l'envoyé d'Angleterre, James Harrysson tendit à Vladimir un document scellé d'un cachet rouge :

— Voilà, dit-il, le reçu tel que la teneur en a été élaborée par la diplomatie de nos gouvernements respectifs...

Le prince Vladimir prenait le papier. Il le lut attentivement et le mit dans sa poche.

— C'est parfait, déclara-t-il, mon cher Harrysson, je vous remercie vivement d'avoir bien voulu accepter ce règlement anticipé, cela va me permettre de gagner Paris dès demain et je souhaite vivement que cette grève s'achève vite pour que vous puissiez, vous-même, gagner l'Angleterre !

Les deux hommes se levaient, se considéraient un peu cérémonieusement, puis, comme s'ils avaient eu un auditoire autour d'eux pour enregistrer leurs paroles, ils choquaient leurs verres, à deux reprises après avoir successivement proféré :

— A la santé de Sa Majesté le roi de Hesse-Weimar !

— A la santé de Sa Majesté le roi d'Angleterre !

Quelques instants après, les deux convives procédaient à une opération beaucoup plus prosaïque, ils réglaient l'addition de leur dîner et lorsque, après un assaut de générosité, ce fut le prince Vladimir qui obtint de garder les dépenses à sa charge, il proféra, tapant sur l'épaule de son compagnon :

— Maintenant, si vous m'en croyez, mon cher, nous allons rentrer à pied à l'hôtel, pour respirer un peu ?

Harrysson acceptait.

— Cela facilitera, dit-il, notre digestion.

Il était environ neuf heures et demie et les deux importants personnages s'acheminaient le long des quais.

Ils constataient, comme quelques instants auparavant l'avait constaté Hélène, que les interminables docks encombrés de marchandises étaient aussi déserts, aussi calmes, qu'ils avaient été encombrés et bruyants au cours de l'après-midi.

— Ces grévistes, observait James Harrysson, sont d'autant plus redoutables pour un gouvernement que ce sont des gens sérieux qui savent ce qu'ils veulent... ils ne font point de tapage, ne se livrent à aucune excentricité... lorsqu'ils crient, c'est qu'ils revendiquent quelque chose, et lorsqu'ils ont fait connaître leurs revendications, ils vont paisiblement se coucher et attendre qu'on leur apporte la réponse...

Vladimir écoutait d'une oreille distraite ; le prince de Hesse-Weimar semblait prendre un vif plaisir à zigzaguer sous les vastes halls où s'amoncelaient des ballots de marchandises de toutes sortes. Attirant avec lui Harrysson, il se perdait volontiers au milieu de balles de coton, de caisses en claires-voies doublées de zinc, de grandes lattes de fer, de montagnes de pierres et de grès.

Ils arrivèrent ainsi sur les bords d'un bassin, dont les eaux noires communiquaient avec l'Escaut.

A ce moment, la fille de Fantômas, qui, tout en réfléchissant à son sort, s'était laissé machinalement guider par ses pas, dans la direction du bassin où était amarré le *Président-Kruger*, revenait lentement dans la direction de l'*Hôtel de Brabant*. La jeune fille était soucieuse, préoccupée ; elle avait vu l'immense ville flottante, complètement silencieuse, endormie. Le géant des mers semblait mort, inerte, tout n'était autour de lui que silence.

Et Hélène, désespérée, se disait :

— Quand partirai-je pour le Natal ?...

Elle marchait ainsi le long des quais bordant l'Escaut, elle se trouvait à quelques mètres du fleuve, à un moment donné, elle fit un crochet.

— Ne me suis-je pas égarée ?... se demandait-elle.

Et un léger trouble, une émotion secrète, envahissaient son cœur, elle avait cru entendre chuchoter autour d'elle, elle avait regardé, scrutant la pénombre qui régnait, et n'avait rien vu.

Puis, soudain, le bruit sourd de quelque chose qui tombe à l'eau l'avait fait tressaillir.

— Quelque marchandise, pensa-t-elle, quelque caisse, qui aura glissé dans le fleuve.

Elle s'efforçait de se rassurer, néanmoins, elle s'éloignait du bord de l'eau, se rapprochait de la chaussée pavée où se trouvaient quelques rares passants, de distance en distance.

La jeune fille fit encore une vingtaine de mètres, lorsqu'elle s'arrêta net.

— Oh ! cette fois, murmura-t-elle, je ne me trompe pas.

Une petite détonation venait de retentir, trouant le silence de la nuit, c'était comme un coup de revolver, un coup sec...

— Mon Dieu ! pensa Hélène, que ces docks déserts et encombrés sont donc impressionnants !...

Elle pressa le pas, hésitante, rebroussa chemin.

— Je voudrais savoir, cependant..., pensa-t-elle.

Mais à ce moment, la jeune fille aperçut la silhouette de deux agents de police qui, traversant la chaussée, se rapprochaient des quais, semblant se diriger dans la direction de ce qu'Hélène prenait pour un coup de revolver.

Le jeune fille hésitait un instant ; son instinct de femme pitoyable lui disait qu'elle devrait peut-être intervenir, mais la malheureuse se souvenait aussi qu'elle était elle-même suspecte, proscrite, et que son devoir était de se dissimuler.

Hélène rentrait à l'hôtel, une heure après, elle s'endormait d'un sommeil lourd, la nuit passa...

A l'aube, il pouvait être six heures du matin, des coups violents furent frappés à la porte de la chambre occupée par la fille de Fantômas ; elle se levait en sursaut, passait un peignoir, allait ouvrir.

— Que me veut-on ? demanda-t-elle.

Elle recula, surprise, stupéfaite ; dans le couloir, se trouvait une foule de gens, le personnel de l'hôtel, puis un jeune homme en redingote noire, qu'accompagnait un agent de police.

Ce jeune homme s'avança délibérément, entra dans la chambre de la jeune fille, et considéra le désordre très féminin qui y régnait, d'un rapide coup d'œil.

Hélène, cependant, allait protester contre cette incorrecte irruption, lorsque le personnage qui avait suivi l'agent de police sortit de sa poche un revolver :

— Mademoiselle, demanda-t-il, reconnaissez-vous cette arme ?

Hélène jeta les yeux dessus :

— Mais oui, s'écria-t-elle, c'est le revolver qu'on m'a volé, hier après-midi.

— Ah ! ah ! fit le jeune homme en redingote noire, qui ajoutait :

— Dès lors, tout va bien...

Puis, s'avançant d'un pas vers Hélène, il déclara :

— Je suis le commissaire de police du quartier sud d'Anvers, et je vous mets en état d'arrestation.

Hélène, abasourdie, s'écroulait sur un fauteuil.

— Que dites-vous, monsieur ? balbutia-t-elle.

— Je dis, précisa le fonctionnaire, qu'au nom de la loi, je vous arrête !

Puis, se tournant vers l'agent de police, auquel était venu se joindre l'un de ses collègues, il leur ordonna :

— Emparez-vous de cette femme !

VI

Qui trahir ?

— Dois-je retenir pour ces messieurs une place dans la voiture ?...

— Non, mademoiselle, ce n'est pas la peine.

— Monsieur veut-il que je fasse monter le garçon pour descendre la valise ?...

— Inutile encore.

— Alors, ces messieurs n'ont plus besoin de moi ?...

— Non, mademoiselle, nous n'avons plus besoin de vous.

La camériste adressait un sourire à Juve, une révérence à Fandor et se retirait.

Les deux amis demeuraient seuls dans leur chambre d'hôtel. Juve, accroupi sur un paquet de couvertures qu'il bouclait, Fandor debout au milieu de la pièce, les bras ballants, l'attitude indécise et chagrine.

Un instant, tandis que les pas de la femme de chambre s'éloignaient au long du couloir, un silence durait.

Brusquement, Fandor le rompit et, s'élançant vers son ami :

— Juve !

— Quoi, Fandor ?

— Juve, vous ne trouvez pas que je suis un mufle ?...

Juve, flegmatiquement, continua de boucler ses couvertures ; il répondit en haussant les épaules :

— Alors, ça te reprend ?

— Oui, confessa Fandor, ça me reprend. Je me dégoûte !...

— Tu ne l'aimes donc plus ?...

Ce fut à Fandor de se taire, et ce silence était si bien une réponse que Juve éclata de rire.

— Là, tu vois bien, concluait-il. Mais, supposons autre chose, Fandor ; tu te traites de mufle, parce que tu pars, si tu restais, qu'est-ce que tu serais ?

— Un autre mufle, riposta Fandor en levant les bras au ciel avec accablement.

Cette réponse était assurément prévue, car Juve ne s'en étonnait point.

— Parfaitement, disait-il, tu as raison, or, mufle pour mufle, mon petit, il vaut mieux l'être vis-à-vis de moi que vis-à-vis d'elle...

Juve avait recommencé à reprendre le paquet de couvertures qui l'absorbait ; furtivement il reniflait, ce qui était une manière chez lui de cacher son émotion, puis, ayant pris un masque de gaieté, il se relevait, marchait à Fandor, lui frappait sur l'épaule.

— Allons, triple brute que tu fais, ne te désespère pas. Veux-tu mon avis, Fandor ?

Fandor secoua la tête.

— Non, ripostait-il, vous ne direz pas la vérité...

— Si, rétorqua Juve.

Et le policier, debout devant son ami, le doigt en l'air, énonçait gravement :

— Mérite l'épithète de mufle, l'individu qui commet une muflerie. Voilà. Or, toi, Fandor, tu commettrais la pire des mufleries en n'allant pas au secours d'Hélène. D'autre part, toi, Fandor, encore, tu ne commets aucune muflerie en quittant pour quelque temps ton vieil ami Juve qui ne court vraiment aucun danger ici.

Fandor, cette fois, ne répondait pas. Son front soucieux se barrait d'un pli profond, il grimaçait, il toussait, allumait une cigarette.

— Que faire, Juve ?

— Mais t'en aller, sacré nom d'un chien ! Il ne va pas falloir, j'imagine, que je te sorte à coups de pied dans le derrière et que je te conduise menottes aux mains jusqu'au bateau ?...

Juve plaisantait ; pourtant un peu de mélancolie passait dans sa voix cependant qu'il ajoutait :

— Vois-tu, mon petit Fandor, les vieux barbons comme moi n'ont pas le droit d'embêter les jeunes gens comme toi. Ils ne doivent surtout pas se mettre au travers de leurs amours, à peine, ma foi, de ne rien empêcher du tout et tout simplement se faire détester. Allons, viens.

Juve prenait le volumineux paquet de couvertures qu'il avait si artistement serré dans ses courroies, se coiffait de son chapeau, répétait en imitant le ton d'un croquemitaine :

— Veux-tu venir, sale gosse ?...

Fandor, alors, se décidait. Sur une chaise, une valise était toute prête, gonflée, pleine à craquer. Fandor la prit comme s'il se fût agi d'un paquet de plumes...

— Soit, allons !...

— Il dit cela comme un condamné à mort !

— Juve, je suis un mufle !

— Bon, ça te reprend ?

Depuis trois jours, une scène extraordinaire, dont le dénouement approchait, se jouait au *Terminus* de Bordeaux où Juve et Fandor, filant chacun séparément l'un des deux époux Ricard, avaient fini par se rejoindre, arrêter les héritiers du soi-disant oncle Baraban et découvrir enfin le nœud d'une intrigue passablement compliquée.

Juve avait, en somme, pactisé avec les Ricard : sachant que les deux époux s'étaient associés avec Fantômas, sachant que le bandit avait promis de leur donner un prochain rendez-vous, Juve avait offert à ceux-ci une liberté provisoire en échange d'une indication [1].

— J'arrangerai vos affaires, avait dit le policier, si vous me faites retrouver Fantômas.

Épouvantés par la menace d'une arrestation possible, les Ricard, traîtres après avoir été lâches, s'étaient hâtés d'accepter le compromis que leur faisait espérer Juve. Le policier les avait alors bouclés dans l'hôtel, enfermés à double tour dans leur chambre, et, depuis trois jours, Juve attendait les événements.

Si Juve cependant était bien persuadé que les Ricard lui serviraient à

---

1. Voir dans la série « Fantômas » : *Les Souliers du mort*.

retrouver l'insaisissable Fantômas, auquel il voulait livrer une suprême bataille, Fandor, dès l'instant même de la capture des Ricard, avait paru beaucoup moins certain de la chose.

— Juve, avait alors dit le journaliste, vous vous flanquez le doigt dans l'œil jusqu'au troisième dessous. Les Ricard se fichent de vous quand ils vous disent que Fantômas leur a donné rendez-vous et se fichent encore plus de vous lorsqu'ils affirment qu'il est tout simplement convenu avec le bandit que celui-ci leur parlera ici à l'hôtel...

Une discussion naturellement s'était alors produite entre les deux hommes. Fandor accusant de mensonge les Ricard, Juve soutenant qu'ils disaient la vérité.

Et soudain, le policier, au plus fort de cette dispute, était demeuré muet, se mordant les lèvres pour ne point éclater de rire.

— Ah ça ! Fandor, tonnait Juve brusquement, est-ce que, par hasard, ce ne serait pas toi qui te ficherais de moi ? Tu désires que j'arrête sans répit ni trêve les Ricard, c'est, j'imagine, tout simplement pour pouvoir courir après Hélène, après ta fiancée ?...

Fandor avait rougi, mais s'était tu.

En profond psychologue qu'il était, en effet, Juve venait de découvrir, de préciser le véritable sentiment de Jérôme Fandor.

Le journaliste, depuis qu'il était à Bordeaux, depuis que l'affaire Ricard était solutionnée, était, en effet, pris d'une hâte fébrile, d'une impatience folle de courir après Hélène.

Il imaginait la jeune fille vouée aux pires dangers au Natal, il se disait qu'il était fort possible que Fantômas allât la rejoindre et surtout, surtout, il se rendait compte qu'il aimait Hélène à ce point qu'une absence de la malheureuse fille de Fantômas lui était une véritable torture.

Devant cet état d'esprit, dont il se rendait parfaitement compte, Juve n'hésitait pas davantage.

Doucement, il persuadait au jeune homme qu'il n'avait plus besoin de lui, que sa présence en France était absolument inutile et superflue. Juve possédait quelques économies, il les mettait à la disposition du journaliste, et, sans même prévenir Fandor, allait prendre un billet de passage pour Le Cap.

— Va-t-en, tonnait Juve, ton devoir t'appelle auprès d'Hélène. Tu l'aimes, tu dois la protéger. Mon devoir, moi, me retient en France... la partie n'est point finie et Fantômas n'a fait que l'interrompre... je ne peux pas m'absenter, mais toi, rien ne doit t'arrêter.

Fandor avait dit non, puis oui, passé par de terribles malaises moraux ; Juve, de force, le conduisait vers le bateau.

— Va-t-en donc, animal ! sacristi ! elle serait contente, Hélène, si elle voyait la tête que tu fais au moment où tu pars vers elle !

Mais Fandor secouait la tête.

— Hélène me comprendrait, disait-il, elle sait l'affection que j'ai pour vous et partagerait l'inquiétude que j'éprouve à vous laisser ici, Juve, tout seul, exposé aux coups de Fantômas.

Juve cependant, précédant Fandor, était sorti de l'hôtel, se hâtait vers les quais d'embarquement.

— Tu es un idiot, répétait-il à son ami, je ne cours pas de danger, les

Ricard sont des crétins, et comme, après tout, il est bien possible qu'ils m'aient menti et qu'ils n'aient jamais de nouvelles de Fantômas, je ne vois pas pourquoi...

— Juve, promettez-moi que vous serez prudent.

— Mais oui, mais oui, bien entendu.

Arrêtés à l'extrémité de la passerelle que Fandor allait franchir pour sauter à bord du bateau, qui allait l'emporter vers la lointaine Afrique, les deux amis, pris d'une émotion qu'ils ne songeaient plus ni l'un ni l'autre à dissimuler, échangèrent une étreinte.

— Va, Fandor, disait Juve d'une voix tremblante, et ne t'inquiète pas.

— Juve ! Juve ! au moindre danger, câblez-moi de revenir.

— Mais c'est entendu.

Ils auraient peut-être prolongé éternellement cette minute d'adieu, car ces deux hommes, depuis des années, faisaient ensemble la guerre au plus monstrueux criminel, frôlaient ensemble la mort, s'aimaient d'une de ces affections viriles si profondes, si tenaces, qu'elles semblent avoir leurs racines en plein cœur, lorsqu'un matelot d'équipage s'approchait.

— Faites excuse, mais c'est l'heure, faudrait voir à embarquer ou sans cela...

Juve, d'une bourrade, poussa Fandor sur la passerelle.

— Allez, au revoir, petit... Bon voyage ! Si tu l'embrasses, embrasse-la de ma part, ce sera plus convenable...

Une dernière fois, le policier plaisantait, puis il pivotait sur ses talons, évitant le regard trouble que Fandor attachait sur lui.

— Allons, adieu ! à bientôt !...

A grands pas, Juve quittait le quai d'embarquement, gagnait l'extrémité de la jetée.

— Tout à l'heure, pensait-il, le bateau qui emporte Fandor va passer à quelques mètres de moi ; à ce moment, d'un cri, je rappellerais Fandor si je le voulais... puis le navire s'éloignera toujours sans cesse, sans répit, mettant la barrière infranchissable de la distance entre moi et lui.

Brusquement, Juve serra les poings.

— Allons, je suis un sot, murmurait-il, le petit va vers l'amour, et moi, je vais retourner au combat. Tout cela c'est très bien !...

La grande âme qu'était Juve se ressaisissait déjà !...

Tandis que le policier et Fandor se séparaient ainsi, en proie à la plus douloureuse des émotions, à l'hôtel, les Ricard, toujours prisonniers du policier, toujours enfermés à double tour dans leur chambre, discutaient âprement en proie à de terribles préoccupations.

— Je te dis, affirmait Alice, qu'il faut à toute force obéir à Juve...

— Et moi, insistait farouchement Fernand Ricard, je te répète que peut-être nous allons manquer la fortune.

Mais cet argument n'avait plus, auprès d'Alice Ricard, la force de persuasion qu'il possédait jadis.

— La fortune !... faisait la jeune femme, ah ! s'il faut l'acquérir par des moyens comme ceux-là !... j'aime encore mieux rester pauvre toute ma vie !

— Mais nous n'aurions peut-être rien à faire...

— Je tremblerai ensuite, sans répit ni trêve.

— Alice, tu es folle !

— Fernand, je ne te comprends pas !

Les deux époux, assis l'un en face de l'autre, demeuraient immobiles quelques instants, puis Fernand Ricard se levait, bondissait vers un guéridon d'acajou placé au centre de la pièce, s'y saisissait d'une lettre qu'il brandissait devant les yeux de sa femme.

— Enfin, lis, répétait-il, lis ce que Fantômas nous écrit. Bon sang ! c'est impressionnant tout de même !

Et comme Alice Ricard secouait la tête, obstinée, son mari, à haute voix lui relisait la lettre qu'il tenait à la main.

Vous m'avez fidèlement servi, vous êtes à Bordeaux, à l'hôtel que je vous avais indiqué et vous êtes venus dans les conditions que je vous avais prescrites. C'est fort bien, je vous en félicite.

Vous avez tenu vos promesses, je tiendrai donc les miennes, soyez ce soir à huit heures dans la forêt d'Arcachon, près de l'étang du Chevreau, au pied des trois gros arbres qui se dressent là... j'y serai... j'y serai pour faire votre fortune.

Ayant lu cela, Fernand Ricard disait triomphalement :

— Et ! regarde, Alice, c'est signé : « Fantômas ! »

L'ancien courtier en vin, l'extraordinaire escroc qu'était Fernand Ricard, puisque, somme toute, les histoires de l'oncle Baraban avaient leur origine dans une tentative d'escroquerie, répétait encore plein d'enthousiasme :

— C'est signé : « Fantômas ! » Fantômas nous dit : « Venez et votre fortune sera faite. » Sapristi, Alice, pourquoi ne veux-tu pas lui obéir ? N'est-ce pas le maître de tous, de tout ?... N'avons-nous pas tout à gagner ?

— Ou tout à perdre, interrompait la jeune femme ; d'abord, Fernand, nous ne sommes pas libres ; pour aller à ce rendez-vous sans prévenir Juve, il faudrait que nous nous évadions d'ici.

— Oh ! c'est bien difficile !...

— Non, c'est facile, mais cela ne suffirait pas... Il faudrait encore que nous oubliions les propres paroles de Juve.

Maussade, Fernand Ricard, à ces mots, se jetait sur son lit, haussant les épaules, maugréant :

— Juve ! Juve ! tu n'as que le nom de cet imbécile à la bouche ! Il t'a ensorcelée !

— Il nous a dit, continuait Alice Ricard froidement : « Trahissez Fantômas, et je vous promets d'arranger vos affaires. Essayez au contraire de me trahir, et je vous jure que, moi vivant, vous n'aurez jamais un instant de tranquillité. »

Alice Ricard achevait :

— Or, j'en ai assez des aventures, moi ; j'en ai assez de toujours craindre la police, la justice, le bagne et l'échafaud.

Fernand Ricard, cependant, ne répondait pas ; il gardait un front soucieux, il n'était point de l'avis de sa femme.

Alice Ricard alors se fit calme :

— Écoute, mon chéri, disait-elle, je ne te comprends pas ; hier encore, tu me disais : « Dieu ! que j'ai hâte que Fantômas nous écrive comme il l'a promis ! Sitôt sa lettre reçue, nous prévenons Juve, nous l'aidons à rencontrer le Maître de l'effroi, et puis... »

— Eh ! interrompit Fernand Ricard, hier, je n'avais pas lu cette lettre. Je ne peux plus tenir le même langage, maintenant que je sais que Fantômas nous offre la fortune. D'abord, tu dis que tu mourras de peur si tu trahis Juve ; serais-tu beaucoup plus rassurée si tu trahissais Fantômas ? Crois-tu, Alice, que ce misérable ne se vengera pas ?

— Non, puisqu'il sera pris, riposta la jeune femme.

Mais, à cette réponse, Fernand Ricard éclatait de rire.

— Oh ! il sera pris, disait-il, c'est à savoir, personne ne peut se vanter d'arrêter à heure fixe Fantômas ; il y a dix ans que Juve court après lui, et par conséquent...

— Je t'en prie, Fernand...

Le Maître de l'épouvante, en assignant à ceux qui avaient été ses victimes et dont il voulait faire ses complices un mystérieux rendez-vous, avait en quelque sorte jeté la discorde dans le ménage.

Séduit par l'appât de la fortune, Fernand Ricard était tout prêt à oublier les promesses faites à Juve. Tout au contraire, Alice Ricard, encore tremblante à la pensée d'une arrestation définitive et officielle, n'avait qu'une idée : donner satisfaction à Juve et s'enfuir, s'enfuir très loin [1].

Longtemps, les deux époux discutèrent.

Mais c'était, à la fin, Alice qui finissait par triompher de son mari.

Trahir Juve était chose si grave que Fernand Ricard se laissait convaincre, en dépit de ses raisonnements, avec une certaine satisfaction.

— Fais ce que tu voudras, déclarait-il, lassé par les prières de sa femme.

A ce moment précis, la porte de la chambre s'ouvrait ; Juve, qui rentrait du port, apparaissait.

— Bonjour ! disait le policier.

Alice Ricard, très pâle, courut au-devant de lui.

— Bonjour ! faisait-elle.

La jeune femme allait ajouter quelques mots, trahir son secret, lorsque Juve la devança.

— Que vous dit Fantômas ?... demanda le policier d'un ton froid et calme, et parlant en toute assurance.

Juve, cependant, n'avait point fini d'articuler sa question que Fernand Ricard bondissait au-devant de lui.

— Ah ! ça, interrogeait-il, vous savez donc ?...

— Que Fantômas vous a écrit ? Oui, sans doute. J'ai vu ce matin, en partant, une lettre glissée sous votre porte : comme nul, hormis le bandit, ne peut connaître votre adresse ici, je n'ai pas eu à hésiter longtemps pour deviner que c'était votre correspondant.

— Vous n'êtes pas venu nous voir tout de suite..., protestait Alice Ricard.

— Non, répondait tristement Juve, j'avais de puissantes raisons pour ne pas vouloir que l'on sache que j'allais à nouveau combattre Fantômas.

Juve, en disant cela, songeait à Fandor, au jeune homme que le bateau emmenait de toute la puissance de ses machines, à son ami si cher et qui, pour une fois, n'allait pas être son compagnon de lutte.

---

1. Voir dans la série « Fantômas » : *Les Souliers du mort.*

Mais Juve déjà se ressaisissait.

— Où est cette lettre ? interrogeait-il.

Alice Ricard, qui l'avait cachée dans sa poitrine, la tendit.

— Monsieur Juve, nous tenons nos promesses.

— Oui, je tiendrai les miennes.

Juve parcourait lentement les quelques lignes tracées par Fantômas. Quand il avait fini sa lecture, il repliait posément le papier qu'il glissait dans son portefeuille, puis, s'asseyant, froidement, autoritairement, avec cette impeccable clarté qui était la caractéristique de son esprit, donnait ses ordres.

— Voici ce qu'il faut faire, commençait Juve : vous irez, vous, Alice Ricard, au rendez-vous de Fantômas.

— Mais Fernand viendra avec moi, je suppose ?

Juve, du geste, fit signe à la jeune femme de se taire.

— Non, déclarait-il, Fernand Ricard restera avec moi, il me servira d'otage.

Et comme la jeune femme tremblait, Juve continuait posément :

— Madame, je vous offre la liberté, et Fantômas vous offre la fortune, je ne veux point courir le risque des hésitations que vous pouvez avoir. Inutile d'ailleurs de me prier ou de me supplier, mes décisions sont irrévocables.

Et, cette déclaration faite, Juve continuait d'un ton presque indifférent :

— Alice Ricard, vous vous rendrez auprès de Fantômas, vous lui direz que votre mari, souffrant, blessé, a dû se réfugier dans un pavillon de chasse situé à quelque distance de l'étang, vous ajouterez que Fernand Ricard désire voir Fantômas pour une communication urgente ; bref, vous ferez en sorte, et votre esprit féminin vous facilitera la tâche, de conduire Fantômas dans ce pavillon de chasse.

— Mais, monsieur Juve...

Le policier déjà s'était relevé.

— Il n'y a pas de mais..., madame, disait-il d'une voix qui tremblait un peu, quand on lutte contre un monstre comme Fantômas, tous les moyens sont bons, toutes les ruses sont excusables. Entre Fantômas et moi, il y a la guerre : il ne me ménagerait pas, je ne le ménagerai point.

— Mais, monsieur, si Fantômas s'apercevait...

— Taisez-vous, hurla Juve, vous n'avez pas à parler. Je vous disais qu'il y avait guerre entre Fantômas et moi, j'ajouterai que vous êtes en quelque sorte mes espions. Les espions doivent se taire et obéir.

Juve se calmait pourtant, et c'est d'une voix un peu plus douce qu'il achevait de donner ses ordres :

— Vous attirerez Fantômas au pavillon ; dans ce pavillon, je me trouverai, moi, madame, et votre mari. Nous allons d'ailleurs y partir tout de suite ; sitôt Fantômas pris, vous serez libres : je vous embarquerai moi-même pour quelque pays étranger.

Ce même jour, à huit heures du soir, de furtives lumières passaient dans les pièces abandonnées d'un pavillon de chasse ordinairement désert et situé en plein cœur de la forêt d'Arcachon, à trois kilomètres à peine de l'étang du Chevreau.

Juve, dans la journée, y était arrivé, accompagné de Fernand Ricard et d'Alice Ricard.

Juve avait dûment stylé la jeune femme, et, maintenant, il la poussait vers le rendez-vous.

— Madame, disait Juve, allez rejoindre Fantômas ; je vais vous attendre ici.

Puis, comme il voyait Alice trembler de tous ses membres, le policier reprenait :

— Soyez d'ailleurs sans inquiétude ; assurément, le bandit ne vous veut point de mal, et vous auriez tort d'avoir la moindre émotion.

La nuit était mauvaise cependant ; le vent sifflait dans les branches dénudées des pins et l'odeur de la résine, âpre et violente, prenait étrangement à la gorge ; il faisait noir enfin terriblement par cette nuit sans lune, dans cette forêt sombre, à peine pénétrable aux rayons du soleil.

— Allez, madame ! répétait Juve, qui semblait pris d'une anxiété folle, allez !... et ramenez Fantômas le plus vite possible.

Alice Ricard baissait la tête, faisait mine de s'éloigner. Juve la rappelait.

— Vous vous souvenez bien de nos conventions ? demandait-il. Je me tiendrai, moi, dans la chambre de droite, votre mari sera dans la chambre de gauche, c'est dans la chambre de gauche que vous devez introduire Fantômas, et pendant qu'il causera avec vous, je me jetterai sur lui à l'improviste...

Juve tenait à la main un revolver, il le tendait à la jeune femme.

— Cette arme est chargée et, ajoutait-il, le cas échéant, elle peut vous être utile. Allez madame.

Alice Ricard, frissonnante, blême, secoua la tête, refusa le revolver qu'on lui tendait et, lentement, lentement, s'éloigna du pavillon de chasse, marchant dans la direction de l'étang du Chevreau.

VII

Un drame d'amour ?...

Une demi-heure après avoir quitté Juve, Alice Ricard parvenait épuisée, plus d'émotion que de fatigue, à l'étang du Chevreau.

Le lieu était sinistre, désert ; la jeune femme, en apercevant la surface miroitante des eaux, s'arrêta net, si angoissée qu'il lui semblait que son cœur allait cesser de battre dans sa poitrine.

Alice Ricard, à ce moment, pensait juste le contraire de ce qu'elle avait dit, le matin même, à son mari.

— Il faut trahir Fantômas, avait affirmé Alice Ricard... il faut le trahir, pour servir Juve, c'est le plus prudent, c'est le plus sûr.

Hélas ! allait-elle bien avoir la force de lutter contre le monstre, d'essayer de le duper ?

Il lui apparaissait, soudain, que la forêt était immense, sans bornes, sans limites, qu'elle y était seule, qu'aucun secours n'était à espérer et que, si

Fantômas par hasard soupçonnait le piège qu'elle venait lui tendre, sa vengeance serait implacable, terrible, abominable.

Frissonnante, Alice Ricard s'arrêtait à la lisière du bois ; devant elle, la mare étendait ses flots tranquilles, des grenouilles coassaient, des oiseaux de nuit dérangés volaient lourdement de branche en branche, et ces faibles bruits semblaient faire plus pesant, plus redoutable, le silence de la nuit.

D'un coup d'œil, Alice Ricard examina les alentours de la mare. « Je serai, avait écrit Fantômas, au pied des trois gros arbres qui se trouvent au bout de l'étang. »

Elle cherchait ces trois gros arbres. Certes, l'endroit était bien choisi pour le terrible rendez-vous qui devait s'y dérouler.

Sous les pieds de la jeune femme, les aiguilles de pins formaient un tapis épais, assourdissant les pas, ayant quelque chose de traître et de lugubre dans la façon dont il glissait, semblant parsemé de pièges, de trappes, d'embûches de toute nature.

Le bois de pins était aussi plus noir, plus obscur que n'importe quel autre bois. Les branchages partaient à ras de terre, s'emmêlaient les uns aux autres et la couleur sombre des feuillages faisait plus noirs les fourrés noirs.

— Je suis perdue ! pensa Alice Ricard.

Elle levait en même temps des yeux hagards vers la voûte céleste, cherchant une clarté, rêvant de la lueur falote d'une étoile.

Au-dessus de l'étang, les grandes branches des pins gigantesques formaient un plafond continu, ne laissant nulle part la possibilité d'apercevoir le ciel.

Alice Ricard crut étouffer. Il lui parut que l'air devenait brûlant, irrespirable, qu'un incendie embrasait sa poitrine ; elle eût voulu crier et, pourtant, une contraction nerveuse lui paralysait la gorge, serrait son gosier comme s'il eût été pris dans un étau.

Puis brusquement, tout s'effaçait. Tout ce qu'il y avait de démoniaque, d'hallucinant dans la vision de ce paysage lugubre, disparaissait.

Alice Ricard songeait :

— Il faut que je serve Juve, il faut que je lui livre Fantômas, là seulement est le salut, pour Fernand et pour moi...

Jusqu'alors elle avait regardé sans voir, mais désormais sa volonté lui permettait de dompter son émotion. A coup sûr elle ne s'était pas trompée de route, c'était bien l'étang du Chevreau qu'elle avait devant elle, et les trois grands arbres, trois chênes poussés là par hasard, qui se trouvaient à quelque distance sur le bord des eaux boueuses, étaient assurément les trois arbres qu'avait désignés Fantômas.

Alice Ricard, qui s'était arrêtée, machinalement, reprit sa marche. Elle fouillait des yeux les moindres broussailles. Ses oreilles cherchaient à recueillir les plus faibles bruits ; mais non, elle ne voyait personne, il n'y avait personne.

L'épouse du courtier en vins eut une folle espérance.

— Peut-être Fantômas n'a-t-il pas pu venir ? peut-être n'est-il pas là ?...

Elle atteignait le pied des trois chênes, elle s'arrêta encore, elle chercha de tous côtés.

La nuit, plus impénétrable que jamais, arrêtait ses regards.

Alors elle eut un éclat de rire de folle ; des larmes perlaient à ses yeux, elle riait cependant, et c'était d'une voix saccadée, étrange, qu'elle appelait :

— Fantômas ! Fantômas !

Mais il n'y avait même pas d'écho dans le bois sinistre. Il apparaissait que la voix ne portait pas, que les broussailles environnantes l'étouffaient, l'assourdissaient. Alice Ricard eut la sensation étrange que ses paroles s'engloutissaient dans l'étang, qu'elles tombaient à l'infini, que c'était une chose vaine d'appeler, que nul ne l'entendait, ne pourrait l'entendre, et qu'il n'était qu'une seule voix qui pût faire vacarme en pareil lieu à pareille heure, la voix muette et mystérieuse du silence !

Et c'était au moment où son angoisse atteignait son maximum, au moment où, perdant l'esprit, elle se demandait si ce n'était point la folie qui battait à ses tempes, qu'un appel résonnait tout près d'elle :

— Enfin vous voilà ! vingt dieux ! l'exactitude ne sera jamais l'apanage des femmes... allons, approchez !...

A cet instant, Alice Ricard, les bras tendus en avant, les yeux exorbités, tournait sur elle-même, fouillant l'ombre, prise d'un immense besoin de voir, de savoir.

Qui lui parlait ? Oh ! parbleu, elle n'avait pas besoin d'y réfléchir longtemps pour le deviner. C'était... C'était assurément Fantômas !... c'était le misérable bandit, l'épouvantable Maître de l'effroi, le sanguinaire Roi du crime, celui-là qu'elle venait voir en ce lieu !...

Alice Ricard cependant, au plus fort de son émotion, ne distinguait rien. Il lui semblait que tout tournait autour d'elle ; un brouillard épais en même temps s'appesantissait sur ses yeux.

La jeune femme bégaya de plus en plus affolée :

— Qui est là ?... qui me parle ?... où êtes-vous ?

Railleuse, la voix reprit :

— Ne faites point la folle et ne soyez pas si sotte... allons, approchez... je suis en face de vous...

Et, en face d'elle en effet, se détachant en noir sur les eaux noires du lac, Alice Ricard aperçut la silhouette de l'homme aux cent visages !...

Fantômas était bien comme il l'avait dit, devant elle, moulé dans son maillot noir, ganté de noir, le loup noir au visage, impassible, immobile ; silhouette de mort, silhouette impressionnante, qui eût donné froid au cœur le plus intrépide.

Alice Ricard, en apercevant le Maître de l'effroi, tombait presque à genoux, c'était en se traînant qu'elle s'avançait vers lui.

— Fantômas ! Fantômas ! bégaya la jeune femme, qui ne savait même plus ce qu'elle disait au juste, Fantômas, je suis venue seule... mon mari...

A cet instant, on eût dit qu'un coup de foudre frappait brusquement Fantômas.

De dessous son loup noir, à la hauteur de ses yeux, deux rayons de feu partaient, qui trouaient la nuit, frappaient en plein visage la malheureuse Alice Ricard !

Quelle était encore cette mise en scène ? Quel truc avait inventé Fantômas ?

Sans doute, sous son masque, il avait caché deux fines ampoules électriques, qu'il venait d'allumer à l'improviste.

C'était en tout cas affolant. Ces yeux jetant des éclairs, ces traits de feu partant de cette silhouette de nuit, apparaissaient sataniques, comme des flammes issues d'un enfer affreux !...

En même temps, Fantômas, jusqu'alors immobile, se départissait de son impassibilité.

Il avançait, lui aussi, d'un pas vers Alice Ricard, il posait sa main nerveuse sur l'épaule de la malheureuse jeune femme, qu'il renversait d'une secousse sur le sol.

— Alice Ricard, ordonnait le bandit, tais-toi, ne parle pas... je sais tout ce que tu veux me dire, je sais que Fernand Ricard est au pavillon de chasse avec Juve, je sais que tu es venue ici pour me trahir, je sais que tu dois me conduire dans un piège...

Il faisait une pause, semblait mesurer l'angoisse où se trouvait Alice Ricard, puis lentement, d'un ton froid, avec une indifférence souveraine, il articulait encore :

— Mais je sais surtout, Alice Ricard, que tu vas mourir...

Or, à ces derniers mots, ces mots que le Maître de l'effroi prononçait dédaigneusement, Alice Ricard, qui semblait déjà privée de sentiment, se redressait brusquement.

— Grâce ! pitié ! hurlait la jeune femme... Fantômas ! tu ne peux pas savoir tout cela...

— Si..., répondait lentement le bandit, tu ne devrais pas ignorer qu'il n'est rien ici-bas que je ne sache...

Fantômas avait un éclat de rire infernal.

— Je suis partout, disait-il, j'entends tout, la nuit est ma complice, le soir est mon ami, quand je veux, j'entre dans les chambres closes, quand il me plaît, j'entends à travers les murailles et, si bon me semble, je franchis les distances les plus incalculables, je suis partout, je vois tout...

Et, dans un dernier éclat de rire, Fantômas ajoutait :

— Je suis la Mort et il n'est point de lieu et point de temps où la mort ne soit pas !...

Alice Ricard, cependant, gémissait encore :

— Maître, maître, ne me tue pas..., je suis ta fidèle servante, sans doute, tu as pu apprendre que Juve voulait te tendre un piège, mais pourquoi veux-tu croire que nous avons accepté, mon mari et moi, de l'aider ?

— Tu es venue pour me livrer, interrompit Fantômas.

— Maître, j'ai dupé Juve, je suis venue pour te sauver...

— Je n'ai pas besoin que l'on me sauve...

— Maître, laisse-moi la vie, je me dévouerai pour toi...

Fantômas eut encore un éclat de rire :

— Allons ! faisait-il, ne parle plus, repens-toi, les eaux du lac vont être ton linceul, et demain, ce soir peut-être, Fernand Ricard dormira près de toi, du même sommeil éternel qui va s'appesantir sur tes paupières...

Il maniait, l'Effroyable Roi de l'épouvante, avec une suprême habileté, les paroles d'horreur et les ironies cinglantes.

— Oh ! reprenait-il, si tu veux savoir exactement quel genre de mort je t'ai réservé, je n'ai nul motif pour te le cacher, j'ai décidé, d'ailleurs, de te choisir une mort assez douce... Je vais t'ouvrir les veines, t'attacher une pierre aux pieds et, tranquillement, te jeter dans ces eaux noires... ton sang, qui est le sang d'une traîtresse, s'épuisera, fuira tes veines, et ta bouche, qui voulait oser un mensonge devant moi, noiera ses derniers râles dans la boue, dans la fange de l'étang... Allons, prépare-toi...

Il avait encore avancé d'un pas, il posait le pied sur la tête de la jeune femme, il lui écrasait le front dans la poussière.

— Je n'ai qu'un regret, disait Fantômas ; c'est que jamais l'on ne pourra savoir pourquoi je t'ai tuée... j'aimerais pourtant que la Renommée répète à tous les échos qu'on ne rêve pas impunément de me trahir !...

Or, à cet instant, comme Fantômas, encore une fois, éclatait de rire, voulant marquer, par une gaieté que les circonstances rendaient abominablement tragique, l'indifférence qu'il éprouvait à l'égard de la malheureuse dont il préparait la mort, Alice Ricard secouée, eût-on cru, par une convulsion d'effroi, échappait à son étreinte, s'agenouillait, joignait les mains et, se traînant vers Fantômas, s'agrippant à ses genoux, le suppliait :

— Grâce ! grâce, maître, laisse-moi la vie, laisse-moi aller... je te jure que je tuerai Juve...

— Vie pour vie ! répondait Fantômas, qui semblait soudain réfléchir... Vraiment, tu as trouvé le mot qu'il fallait pour m'intéresser.

Il haussait les épaules, dédaigneux, il continuait :

— Mais tuer Juve n'est pas facile, Alice Ricard, il y a quelque dix ans que je rêve la mort de ce policier de génie, si je peux échapper à ses coups, il sait échapper à ma haine, crois-tu donc que toi ?...

— Juve n'a aucune raison de se méfier de moi, clamait Alice Ricard, Juve s'imagine que je vais revenir avec vous, pour vous livrer à lui, il est sans défiance, j'entrerai dans sa chambre, je le poignarderai, dis, Maître, tu me feras grâce !...

Il parut que Fantômas hésitait :

— Et qui me garantira, demandait soudain le bandit, que tes offres sont sincères ?... qu'au contraire, tu ne me trahiras pas à nouveau !

Alice Ricard se tordit les mains, dans un geste désespéré :

— Maître, je ne sais pas, mais tu dois me croire, est-ce que maintenant je pourrais jamais tenter de te trahir ?... Est-ce que par la peur tu ne viens pas de faire de moi ta chose, ton esclave ?...

Et elle ajoutait encore, mettant dans ces horribles mots tout son espoir :

— Ah ! je tuerai Juve, je te le jure, je le tuerai, je piétinerai son cadavre, je déchirerai sa gorge, je transpercerai son cœur, il mourra, mais je vivrai !...

Fantômas, cependant, réfléchissait toujours.

Les bras croisés, le front baissé, considérant Alice Ricard qui se traînait à genoux à ses pieds, le bandit paraissait méditer profondément.

— Une femme qui se venge, murmurait-il enfin, c'est déjà grave, mais une femme qui veut racheter sa vie, c'est mieux, ma foi, qui sait ?...

Fantômas, brusquement, sortit de l'immobilité où il était tombé. Une fois encore, sa main s'abattit sur l'épaule d'Alice Ricard.

— Lève-toi, ordonnait-il, que Juve meure et toi et ton mari vous vivrez !...

Puis, comme Alice Ricard, à cette parole d'espérance, voulait crier un remerciement, Fantômas d'un geste lui imposait silence :

— Tais-toi, disait-il, tu ne connais pas encore mes conditions ; j'accepte que tu assassines Juve, j'accepte ce compromis, vie pour vie !... mais je n'accepte pas que cela... voici donc ce que je te propose : tu vas me guider vers le pavillon de chasse, je m'arrangerai pour en faire sortir ton mari, Fernand Ricard... quand il sera en mes mains, quand l'otage de Juve sera devenu mon otage, tu iras, toi, trouver le policier ; si tu peux tuer Juve, Fernand Ricard et toi, vous serez libres... si au contraire ta main tremble, si tu ne sais point viser au cœur, ton mari mourra cette nuit même et toi, tu mourras demain, car avant la nuit prochaine, je saurai te faire expier tes lâchetés...

Fantômas se drapait dans un sombre manteau noir qu'il avait négligemment jeté sur la branche basse d'un sapin. Il commandait :

— Allons !

Et, tenant par le bras Alice Ricard qui marchait comme une automate, il l'entraîna dans la direction du pavillon de chasse dont il connaissait évidemment fort bien le chemin, ayant dû le jour même espionner Juve, alors que le policier était venu s'y installer en compagnie des époux Ricard.

Fantômas, à cet instant, sous le loup noir qui masquait toujours ses traits, continuait à ricaner !

Alice Ricard, elle, blême à faire croire que la mort déjà l'avait marquée de son sceau, semblait incapable de réfléchir, incapable de vivre ; c'était une machine, un être sans volonté, sans force que Fantômas allait employer pour assassiner Juve !

Il fallut longtemps aux deux errants de nuit pour gagner le pavillon de chasse ; Fantômas enfin arrêta Alice Ricard qui, à ses côtés, marchait tête basse, sans rien voir.

— C'est là ! disait le bandit.

En face d'eux, en effet, la masure délabrée se dressait.

— Où est la chambre de Juve ? interrogea Fantômas.

Alice Ricard répéta textuellement les propres paroles du policier.

— Juve se tient dans la chambre de droite, mon mari dans la chambre de gauche.

— Fort bien !

Fantômas, tranquillement, tirait de sa poche un poignard aiguisé qu'il remettait à Alice Ricard.

— Il faut frapper au cœur, disait-il, les coups nets sont les meilleurs... Tenez cette arme comme ceci...

Sans manifester la moindre émotion, Fantômas tendait le poignard à Alice Ricard, lui donnait une sinistre leçon de crime.

Tel était d'ailleurs l'étrange ascendant que le Maître de l'effroi possédait sur ceux qu'il employait, qu'Alice Ricard, à cet instant, ne songeait nullement qu'étant armée elle pouvait tenter une lutte, se jeter sur Fantômas, appeler son mari, appeler Juve, essayer de se délivrer de l'abominable cauchemar qu'elle vivait !

Alice Ricard était véritablement le bras que l'on arme. Fantômas lui disait d'aller tuer, elle irait tuer, sans discuter ses ordres, sans peut-être se rendre compte du sang qu'il allait lui falloir verser !...

Les événements, d'ailleurs, se précipitaient.

Fantômas semblait avoir hâte d'en finir. Il ne devait pas, évidemment, beaucoup espérer de l'intervention d'Alice Ricard, et pourtant, à la réflexion, il devait lui apparaître que si, à la dernière minute, un effroi ne paralysait pas la jeune femme, c'en était fait de Juve, il allait être poignardé !

— Pas un bruit, pas un mot ! ordonnait le Roi de la nuit.

Fantômas, à ce moment, s'approchait lentement du pavillon de chasse ; il avait griffonné quelques mots sur une page de son carnet, roulé le papier en boule ; il interrogea encore :

— Votre mari est dans quelle chambre ?...

— Dans la chambre de gauche.

— Bien.

Et, de dessous ses vêtements, Fantômas tirait une sarbacane. Il glissait le papier roulé dans le mince tube et, regardant Alice Ricard interdite :

— Vous ne comprenez pas ?

— Non, j'ai peur... j'ai peur !

Fantômas haussa les épaules, et répliqua :

— A l'aide de cette sarbacane, je vais envoyer ce message à votre mari... Je le prie de venir tout de suite... descendre du premier étage en passant par la fenêtre est un jeu, grâce au lierre qui garnit la façade !... Fernand Ricard une fois dehors, une fois en ma possession, vous, Alice, vous entrerez de l'autre côté, par le perron, vous monterez à la chambre de Juve ; vous le surprendrez... vous le tuerez...

Fantômas, un instant, se mordait les lèvres, préoccupé.

— Au fait, demandait-il, qu'était-il convenu ? Juve nous attendait ?...

— Oui, Juve nous attendait... mais il était convenu qu'il se coucherait tout habillé pour que rien ne pût vous permettre d'éventer le piège.

— L'imbécile ! grogna Fantômas.

Le Maître de l'effroi, cependant, reprenait d'une voix douce :

— En ce cas, Alice Ricard, les choses sont fort simples : vous entrerez dans la chambre de Juve en vous nommant ; vous courrez jusqu'à son lit, il s'imaginera que vous avez un récit à lui faire ; jamais Juve ne pensera à se méfier de vous... levez le bras, vous frapperez.

Alice Ricard affirma :

— Je frapperai...

Les derniers préparatifs étaient faits d'ailleurs, Fantômas, par le moyen de sa sarbacane, envoyait habilement, à travers le volet clos de la chambre de gauche, le message qu'il avait préparé.

Puis, la boulette étant tombée à l'intérieur de la pièce, rapidement, le Maître de l'effroi se rejetait vers les massifs touffus, entraînant Alice Ricard par le bras :

— Vous irez vers la maison, quand je vous le dirai...

Des minutes passaient, longues comme des siècles ; enfin la fenêtre de gauche s'ouvrit, l'ombre noire d'un homme apparut, qui enjambait l'appui de la fenêtre, étreignait le lierre, commençait à descendre.

Fantômas se tourna vers Alice Ricard :

— Il est temps, commanda-t-il, allez...

Et, docilement, la jeune femme se précipita vers la maison.

A cet instant, Fantômas préparait un lasso, prêt à s'emparer par surprise de Fernand Ricard, au moment où celui-ci, ayant atteint le sol, se dirigerait de son côté.

Alice Ricard, envoyée de mort, marcha vers le pavillon de chasse, le plus vite qu'elle put. Elle avait si peur depuis le commencement de la nuit qu'elle finissait par ne plus se rendre compte de son effroi.

L'angoisse était en elle, si profonde, si instinctive, qu'elle perdait en réalité tout contrôle de ses actes.

Véritable somnambule, la jeune femme, sans un regard pour l'homme qu'elle devinait être son mari, lequel continuait à descendre en s'agrippant au lierre, tournait autour de la maison.

Elle atteignit le perron, franchit les marches, traversa sur la pointe des pieds le vestibule, grimpa l'escalier accédant au premier étage.

Devant la porte de la chambre, où Juve devait veiller, escomptant une victoire définitive contre Fantômas, Alice Ricard s'arrêta.

Elle serrait à ce moment, d'une étreinte folle, son poignard dans sa main :

— Il faut que je le tue, murmura la jeune femme, il faut que je le tue... et s'il meurt, je vivrai !...

Une rage la prenait d'ailleurs, une rage folle, contre Juve !

C'était, après tout, la faute du policier si elle devait se débattre dans les terribles aventures qui étaient les siennes, c'était lui qui avait élucidé les affaires de l'oncle Baraban, lui qui, en démasquant Fantômas, avait avivé la colère du Monstre !

Et Alice Ricard oubliait quelle terrible part de responsabilité elle et son mari pouvaient avoir dans les événements tragiques de la nuit !

— Je le tuerai, râla-t-elle encore...

La jeune femme ouvrit la porte, elle l'ouvrit doucement, avec une habileté infernale ; elle se sentait très calme d'ailleurs, maintenant ; seulement, devant les yeux, elle avait un brouillard rouge, comme une buée sanglante, cependant qu'à la gorge la brûlure d'une soif intense, la torture d'une fièvre, la lancinait.

La porte ouverte, Alice Ricard vit la chambre noire, écouta, n'entendit que le silence.

— Mon Dieu ! pensa la complice de Fantômas, Juve n'est-il donc pas là ?

Elle avança d'un pas, et, soudain, dans un fauteuil, assis, tranquille, dormant, sans doute, épuisé de fatigue, car il ne bougeait point, elle devina plutôt qu'elle ne vit celui qu'elle allait tuer, Juve !

Alice Ricard, alors, n'hésita plus.

C'était en une seconde que le meurtre horrible, le meurtre abominable s'accomplissait.

Alice Ricard levait le bras, le poignard effilé scintilla dans la nuit, elle courait jusqu'au policier immobile, elle abaissait son arme, elle frappait !

Et l'horreur de ce qui se passait alors la grisa !...

Atteint en plein cœur, l'homme avait une suprême convulsion ; un jet de sang rouge et tiède giclait au visage de la meurtrière, il en montait une odeur fade, écœurante, grisante aussi...

Alice Ricard n'entendit même pas le râle abominable qui s'échappait des lèvres du moribond. Acharnée à son crime, elle leva encore son poignard et, folle, perdant conscience, ivre, démoniaque, dix fois, vingt fois, cent fois peut-être, elle frappa ce corps pantelant, insouciante du sang qui s'attachait à ses mains, qui poissait jusqu'à son visage.

L'odeur de la mort crispait ses nerfs, elle ne savait plus ce qu'elle faisait, et ce qu'elle faisait dépassait en cruauté les plus inconcevables abominations !...

Déjà sa victime ne râlait plus ! La tête penchée sur la poitrine, morte sans doute, elle demeurait immobile !...

Alice Ricard continuait à frapper, elle frappait au hasard, à la nuque, sur le crâne, dans la poitrine...

Brusquement, la lame de son poignard se cassa sur un os, puis la jeune femme recula, il lui apparut qu'on marchait dans le couloir.

Alice Ricard, alors, leva ses bras en l'air comme une furie, hurla un cri suprême :

— Fantômas ! Fantômas ! venez... Juve est mort !

La porte de la chambre s'ouvrit, dans l'auréole d'une lanterne, la face pâle de Juve apparut :

Alice Ricard, de saisissement, demeurait alors immobile une seconde, puis elle reculait comme affolée :

— Juve ! Juve ! bégayait la jeune femme, mais ce n'est donc pas lui que j'ai tué ?...

Elle tourna la tête, pour fuir l'apparition fantastique du policier.

Juve, car c'était bien Juve qui venait d'entrer dans la pièce, dirigeait lentement vers les coins d'ombre les rayons de sa lanterne.

La lumière frappa brusquement le corps inondé de sang qui gisait sur un fauteuil.

Deux cris d'horreur, alors, retentirent dans le silence de la pièce :

— Malheureuse, qu'avez-vous fait ? hurlait Juve.

Alice Ricard, en s'écroulant sur le sol, hurlait :

— Fernand !... c'est mon mari que j'ai tué... c'est Fernand que j'ai poignardé !

Puis, comme à cet instant Juve se penchait sur le cadavre, affolé, un bruit sourd, le bruit d'un corps qui tombe, retentit.

Alice Ricard, folle de désespoir, venait de ramasser les tronçons de son poignard, elle s'était enfoncé l'arme en plein cœur.

Dans la nuit, longtemps, ce fut alors l'interminable et douloureuse plainte d'un râle d'agonisant !

Alice Ricard ne devait mourir qu'au petit jour, sans avoir repris connaissance !

Le lendemain soir, fort tard dans la nuit, deux personnages causaient à voix basse dans le tragique pavillon de chasse où la mort, par deux fois, venait de passer.

L'un de ces personnages était M. Havard, l'autre, Juve, et pour une fois c'était M. Havard qui consolait Juve.

Le chef de la Sûreté demandé d'urgence par son sous-ordre, au moyen d'une dépêche qu'il avait tout juste reçue à cinq heures du matin, avait en effet trouvé Juve à Bordeaux, littéralement affolé, littéralement anéanti.

Le policier, qui, tant de fois cependant, s'était trouvé mêlé à de sinistres histoires, à de lugubres aventures, ne cachait point à son chef son état d'esprit.

— Monsieur Havard, disait Juve en entraînant le chef de la Sûreté vers une rapide automobile qu'il avait louée pour gagner plus vite Arcachon, monsieur Havard, je suis presque un assassin... Ce qui s'est passé est de ma faute !...

Et, comme M. Havard considérait Juve avec surprise, l'ami de Fandor expliquait :

— J'avais envoyé Alice Ricard vers Fantômas, je demeurais, moi, au pavillon de chasse, en compagnie de Fernand Ricard qui me tenait lieu d'otage... et naturellement, monsieur Havard...

Mais le chef de la Sûreté, à ce moment, interrompait le policier :

— Ah ça ! faisait-il, quelle imprudence ! Comment, vous faisiez venir Fantômas et vous serviez, pour l'attirer dans un piège, d'une femme qui était un peu sa complice ?... mais sapristi ! Juve, vous couriez le risque de vous faire assassiner sans seulement pouvoir vous défendre...

Or, Juve secouait lentement la tête :

— Hélas ! confessait-il, c'est au contraire parce que j'ai été prudent qu'un malheur est arrivé... tenez, monsieur Havard, voici toute l'explication... du drame : Alice Ricard, une fois partie, je me suis dit qu'il fallait me méfier d'une trahison possible de sa part... Si Alice Ricard complote quelque chose avec Fantômas, pensais-je, son premier mouvement en rentrant au pavillon de chasse sera d'entrer dans la chambre de son mari... Donc, monsieur Havard, je changeai de chambre avec Fernand Ricard...

— Je ne comprends pas, interrompit le chef de la Sûreté.

— C'est pourtant simple, reprenait Juve... J'avais dit à Alice Ricard : « Je serai dans la chambre de droite et votre mari sera dans celle de gauche. » Bon ! je me suis arrangé pour que ce soit tout juste l'opposé... Fernand Ricard a été à droite, et moi à gauche...

— Ce qui fait ? demandait M. Havard.

— Ce qui fait, continua Juve, que l'abominable méprise s'est produite ; de plus il y a autre chose.

— Quoi donc ?

— Comme je craignais une intervention de la part de Fernand Ricard au moment de l'arrestation de Fantômas, j'avais attaché et bâillonné ce malheureux sur sa chaise ; il a dû voir rentrer sa femme, deviner ses intentions, et ne pas pouvoir même lui crier : « Ne frappe pas, c'est moi qui suis là ! »

La voix de Juve sombrait dans un sanglot, M. Havard questionnait encore :

— Mais vous, Juve, où étiez-vous ?

— Moi, ripostait le policier, moi... ah ! c'est de cela que je ne me console pas... je me sauvais, monsieur Havard, j'étais loin de tout danger ; figurez-vous qu'au beau milieu de la nuit j'ai vu tomber dans ma chambre un billet, évidemment destiné à Fernand Ricard... Il émanait de Fantômas ; on devait l'avoir jeté avec une sarbacane ; il disait : « Venez d'urgence, j'ai besoin de vous, je suis avec votre femme. »

— Et alors ?

— Et alors, j'ai pensé que Fantômas attendant Fernand Ricard ne se méfierait point de l'homme qui l'approcherait, c'était une occasion unique pour m'emparer de lui... J'ai suivi les instructions du billet ; je me suis laissé glisser le long du lierre qui tapisse la muraille...

— Et c'est pendant ce temps-là...

— Oui, reprenait Juve à voix basse... c'est à ce moment-là qu'Alice Ricard, entrant dans la chambre, où elle pensait me trouver, a tué son mari, au lieu de me tuer... j'ai entendu le râle, je suis remonté aussi vite que je l'ai pu ; hélas ! je suis venu trop tard et je n'ai pas même été bon à empêcher que cette malheureuse femme ne se suicidât !...

Juve parlait d'un ton désespéré ; il fut stupéfait d'entendre ricaner M. Havard :

— Ma foi ! déclarait avec sa brusque franchise le chef de la Sûreté, voulez-vous que je vous dise la vérité, Juve ?... eh bien, sur ma parole, je trouve que c'est bigrement de la chance que les choses se soient ainsi passées... Les Ricard d'abord ne sont pas intéressants, la femme et le mari valaient tout juste la corde pour les pendre et le fond de ma pensée est qu'il est bigrement heureux, je le répète que vous ayez changé de place avec Fernand Ricard...

Juve, cependant, ne paraissait pas convaincu.

L'intégrité du policier se révoltait à la pensée qu'un autre était mort un peu par sa faute... qu'allait-il se passer d'ailleurs ? quel scandale n'allait-il pas jaillir de ces tragiques événements ?

M. Havard, tranquillement, continuait :

— Ceci dit, j'ajoute, mon cher Juve, que nous allons nous dépêcher de classer l'affaire... personne, sauf vous et moi, ne connaît la vérité, inutile d'émotionner l'opinion... Une histoire de suicide, un drame d'amour expliquera tout...

Et, comme Juve considérait son chef avec surprise, M. Havard changeant de ton, parlant sérieusement, ajoutait :

— Juve, suivez mes conseils, je ne vous les donne point à la légère... vous n'avez pas le droit de vous laisser détourner de vos occupations professionnelles par des soucis administratifs, des enquêtes qui n'aboutiraient évidemment qu'à vous faire mettre hors de cause... Juve, mon cher Juve, vous ne lisez plus les journaux depuis quelques jours, je pense ?...

— Ma foi non, avoua Juve...

— Eh bien, il se passe des choses tragiques et j'imagine que l'on va avoir besoin de vous...

— Où donc ? interrogea le policier.

— A Anvers...

— A Anvers, pourquoi ?

— Parce qu'à Anvers, la fille de Fantômas vient de tuer...

En entendant ces mots, une sueur froide perlait au front de Juve !

VIII

Interrogatoire et confrontation

Cependant que Juve se débattait ainsi au milieu d'événements extraordinaires dans le midi de la France, Hélène, arrêtée depuis quarante-huit heures à Anvers, demeurait rigoureusement au secret dans la prison municipale où elle avait été incarcérée...

La fille de Fantômas, surprise à son réveil par l'intervention inattendue du commissaire de police accompagné de deux agents, n'avait pas pu comprendre les motifs qui déterminaient la rigoureuse décision du magistrat.

Au surplus, celui-ci n'était porteur que d'un mandat d'amener qu'il exécutait sans en connaître les véritables motifs. On lui avait dit de mener en prison la personne qui se reconnaîtrait propriétaire d'un revolver qu'on lui confiait, et Hélène, ayant avoué spontanément, lors du premier interrogatoire du commissaire de police qui lui présentait le revolver, que cette arme lui appartenait, qu'elle lui avait été dérobée quelques heures auparavant, le magistrat avait aussitôt exécuté sa mission sans chercher à savoir quels étaient les mobiles qui la déterminaient...

On avait autorisé Hélène à s'habiller en hâte ; puis, sous les huées du personnel de l'hôtel assemblé, elle avait traversé les couloirs, descendu l'escalier de l'immeuble, encadrée de deux agents, on l'avait fait monter en voiture et, à travers les rues étroites et populeuses de la ville, elle avait gagné la prison.

Dans la cellule où on l'enfermait, Hélène, encore tout étourdie par cette rapide succession d'événements, avait peu à peu réagi contre le désespoir qui l'envahissait, puis, avec cette force de caractère qu'elle possédait, elle s'était demandé quelle pouvait bien être la cause exacte de son emprisonnement.

Hélas ! la jeune fille ne tardait à se former une opinion.

Assurément, depuis plusieurs semaines déjà, les autorités de la police française devaient la rechercher pour la fameuse affaire de Ville-d'Avray dans laquelle, afin de sauver son père, elle s'était donné toutes les apparences d'une coupable [1].

Il était certain qu'elle avait été rattrapée par des policiers lancés à sa suite, qu'elle subissait, là, le préjudice terrible de la grève des marins qui l'empêchait de partir comme elle le voulait pour le Natal, et que désormais sa personnalité étant identifiée, on allait d'un moment à l'autre la faire reconduire à Paris.

Hélène était si convaincue que tel était le motif de son arrestation que lorsqu'on vint la chercher dans l'après-midi du jour où elle avait été incarcérée, elle éprouva une violente surprise en s'apercevant qu'on la conduisait, non pas à la gare, mais bien au palais de justice.

---

1. Voir dans la série « Fantômas » : *L'Assassinat de Lady Beltham*, *La Guêpe rouge* et *Les Souliers du mort*.

Les gardes qui l'amenaient lui déclarèrent :
— Monsieur le procureur du roi va vous interroger.

Et en fait on introduisait la jeune fille dans un cabinet somptueux où, derrière un bureau d'acajou verni, se tenait un homme grave, à l'allure distinguée. Il pouvait avoir une soixantaine d'années environ, il était sec, mince, et portait sur les joues de longs favoris blancs.

C'était une des personnalités les plus notoires de la magistrature belge que ce Boornaetts, procureur du roi près le tribunal d'Anvers.

Le magistrat considérait d'abord la jeune fille d'un regard inquisiteur et perçant : il semblait étonné, surpris même, de voir en face de lui une personne dont l'attitude correcte, mais hautaine, dont l'air énergique et doux à la fois, ne ressemblait en rien aux physionomies des criminels et des voleurs, qui, d'ordinaire, défilaient devant lui.

Hélène, malgré sa situation, inspirait le plus profond respect.

D'une voix douce, en homme du monde qu'il était, M. Boornaetts désignait un siège à la jeune fille. Celle-ci y prenait place sans grand bruit.

Elle pensait :
— Tout à l'heure, cet homme va me dire : « Vous êtes la fille de Fantômas », et, si je m'avise de nier, il introduira dans ce cabinet quelque agent de la Sûreté français, peut-être Juve lui-même, qui, dès lors, ne manquera pas de me démentir.

Hélène, en fait, était décidée, résignée à son sort. Au surplus, que lui importait après tout !... il fallait bien qu'un jour ou l'autre on s'expliquât. Mieux valait tout de suite que plus tard. La malheureuse, seule depuis quelque temps, isolée, perdue dans la tourmente des événements qui se multipliaient autour d'elle, traversait en effet une période de défaillance et, si le magistrat savait en profiter, il avait devant lui une prévenue qui se livrait à lui, sans volonté, sans ressort...

M. Boornaetts toutefois, déclarait lentement :
— Je vais vous entendre, mademoiselle, en présence de M. Van Midelick, le juge d'instruction, savez-vous, qui a été désigné pour s'occuper de l'effroyable affaire dans laquelle vous êtes inculpée...

Le magistrat appuyait sur un timbre, donnait un ordre à un huissier qui se présentait. Quelques instants après, le juge annoncé faisait son entrée dans le cabinet du procureur du roi et adressait à ce haut personnage ses plus déférentes salutations.

M. Van Midelick était tout l'opposé du procureur, c'était un juge à la face débonnaire, au visage replet, et qui devait être facilement impressionnable, qui devait passer sans difficulté par des alternatives de gaieté et de colère aussi fréquentes qu'imprévues. En outre, il était bavard :

— Ah ! ah ! déclara-t-il, tout en respirant comme un soufflet de forge, car ce gros homme venait de gravir deux étages en courant, ah ! ah ! voici notre coupable !

Et, de ses yeux pétillants, il regardait Hélène, proférant à mi-voix :
— Quel dommage ! est-ce possible qu'une aussi charmante personne soit capable d'un crime aussi lâche ?...

Hélène, successivement, regardait les deux personnages, s'attendant à chaque instant à une question précise qui la mettrait dans l'obligation de répondre avec la même netteté.

M. Boornaetts, cependant, prenait la parole :

— Mademoiselle, interrogea-t-il, savez-vous pour quel motif vous vous trouvez en notre présence ?...

Par prudence, Hélène répondait :

— Non, monsieur.

Le procureur ne bronchait pas, cependant que le juge levait les bras au ciel, murmurant :

— Est-ce possible de dissimuler de la sorte !

Mais M. Boornaetts, toujours impassible, reprit :

— Je vais vous l'apprendre, mademoiselle. Hier soir, un crime a été commis vers les neuf heures et demie... deux hommes ont été assassinés, l'un d'eux précipité dans l'Escaut et entraîné par les flots du fleuve. Nous le supposons du moins, car son cadavre n'est pas encore retrouvé. Quant à l'autre, il a été frappé d'une balle au cœur et tué instantanément, son corps est resté sur la berge... Des agents sont accourus au bruit de la détonation et l'on ne put que constater la mort de l'une des victimes et la disparition de l'autre. Toutefois, par un hasard miraculeux, il leur fut facile d'identifier aussitôt la personnalité du coupable, et cela, grâce au revolver abandonné, pour une fois, sur le lieu du crime par l'assassin... L'un des agents, en effet, qui se trouvait sur les quais au moment où le coup de feu retentissait, avait, l'après-midi même, reçu une plainte au sujet d'un sac volé dans lequel se trouvait un revolver.

Ce sac, rapporté une heure après au poste de police, ne contenait plus l'arme dont la description, toutefois, était donnée par l'employé d'une compagnie de navigation, mis fortuitement au courant de l'affaire, et qui disait avoir vu cette arme entre les mains d'une personne, d'une voyageuse dont il donnait le signalement. Il nous fut donc facile, ajoutait le procureur, d'arriver, pendant les enquêtes de la nuit, à découvrir que le revolver avec lequel le crime a été commis n'est autre que le revolver que vous avez reconnu comme vous appartenant. Je prévois votre objection, et vous nous direz que précisément on vous a volé cette arme pour assassiner avec, ce à quoi je vous répondrai que, malheureusement pour votre argumentation, les agents qui sont accourus sur les lieux du crime vous ont nettement vue vous enfuir de ce lieu même, au moment où ils arrivaient.

Nous vous conseillons donc, dans votre propre intérêt, de faire en notre présence, à M. le juge d'instruction et à moi, les aveux les plus complets et de nous indiquer les raisons pour lesquelles vous avez accompli un acte si abominable.

Avec la plus grande attention, Hélène avait écouté le petit discours du magistrat auquel elle commençait par ne rien comprendre, puis, peu à peu, la lumière se faisait dans son esprit.

Ainsi, on la soupçonnait d'avoir assassiné deux hommes qu'elle ne connaissait, d'ailleurs, en aucune façon, et dont on n'avait pas jugé à propos de lui faire connaître les noms. Il apparaissait que le crime avait été commis avec son propre revolver, ce qui ne l'étonnait pas outre mesure, l'arme lui ayant été dérobée quelques heures avant le crime.

Il y avait, en outre, une fâcheuse coïncidence pour elle, c'est qu'en effet elle s'était trouvée, bien fortuitement, d'ailleurs, à proximité du lieu où se commettait le crime, car elle avait en effet entendu la détonation dont parlait le procureur et elle avait bien vu aussi les deux agents qui, l'ayant aperçue également, la prenaient pour l'assassin.

Hélène ne s'émotionnait pas autrement de cette terrible accusation qui pesait désormais sur elle, elle avait confiance en sa bonne étoile et, se croyant certaine de pouvoir s'innocenter rapidement, la jeune fille se contentait de hausser les épaules, de secouer la tête.

Elle articula avec une énergie irrévérencieuse :

— Monsieur le procureur du roi, c'est tout un roman que vous imaginez là ; je ne suis pour rien dans le crime dont vous me parlez et j'ignore ce dont même il s'agit.

M. Van Midelick, à ces derniers mots, avait bondi hors du fauteuil, où il était installé.

— Mon Dieu ! s'écriait-il, savez-vous, pour une fois, que c'est extraordinaire. Une inculpée qui se permet de contredire M. le procureur du roi.

Et son visage se congestionnait à la pensée d'une semblable incorrection.

M. Boornaetts, cependant, ne s'indignait pas, et, sans tenir compte des dénégations de la jeune fille, il poursuivit :

— En attendant, mademoiselle, que nous entrions dans les détails de l'affaire, je vous prie de me faire connaître votre identité, nom, prénoms, domicile, nationalité...

Hélène devint toute pâle.

C'était là l'instant critique qu'elle redoutait !

Oh ! la jeune fille ne voulait pas, ne pourrait jamais avouer qu'elle avait Fantômas pour père !...

Non, elle ne se ferait pas connaître ; et simplement, mais nettement, elle articula :

— J'ai dit, à l'*Hôtel de Brabant*, où je suis descendue, que je m'appelais miss Hélène, je ne donnerai pas de plus amples renseignements...

— Pourquoi ? demanda le procureur.

— Parce que, répondit Hélène, cela m'est impossible.

A sa grande surprise, le magistrat ne parut pas autrement étonné, il se pencha du côté du juge et murmura à son oreille ces mots que put entendre la prévenue :

— Je m'en doutais, mon cher, cette affaire est singulière, étrange, depuis le commencement jusqu'à la fin, et nous allons de mystère en mystère, savez-vous ?...

Puis, sans insister autrement, le procureur du roi avait appuyé sur un timbre, deux gardes se présentaient.

— Reconduisez la prévenue en prison ! ordonna-t-il.

Il était environ huit heures du soir, le silence s'était fait dans la grande prison municipale d'Anvers ; dans son cachot, Hélène, perplexe, réfléchissait.

La jeune fille ne tenait pas en place, après avoir été abattue, troublée, elle se sentait désormais pleine d'énergie.

— On ne sait pas, se répétait-elle sans cesse, que je suis la fille de Fantômas, et je suis inculpée d'un crime dont je suis innocente, rien n'est donc perdu, j'arriverai bien à m'en aller d'ici. Mais comment faire ?...

Les yeux d'Hélène s'humectaient de larmes lorsqu'elle songeait aux lourdes portes et aux hautes murailles qu'elle avait dû franchir entre deux gardiens avant de parvenir à sa cellule où elle était si rigoureusement enfermée.

Une demi-heure encore passait, lorsque des pas lourds se firent entendre dans le couloir, une clé grinça dans la serrure, la porte du cachot d'Hélène s'ouvrit.

Un geôlier galonné, qui portait une lanterne, lui ordonna :

— Venez !

La jeune fille, intriguée, le suivait. Le gardien s'était joint au chef pour encadrer la prisonnière à qui il faisait traverser les cours de la prison puis le greffe.

Elle sortait dans la rue, une voiture stationnait sur le trottoir, les geôliers firent monter Hélène, non sans lui avoir au préalable passé les menottes.

— Serais-je découverte ? se demandait la jeune fille qui se sentait blêmir et dont l'appréhension croissait au fur et à mesure qu'elle s'apercevait que le véhicule qui l'emportait ne se dirigeait point vers le palais de justice mais vers une destination inconnue.

Hélène s'ancrait de plus en plus dans cette supposition.

— On sait, pensait-elle, que je suis la fille de Fantômas, on va me renvoyer à Paris, on me conduit à la gare.

Hélène se trompait !

C'était dans une direction opposée qu'on l'emmenait. Au bout de vingt minutes, le fiacre s'arrêta, et, lorsque Hélène en descendit, elle se trouva sur les quais au milieu des docks. On lui fit franchir un cordon d'agents de police, et dès lors elle arriva tout à proximité du fleuve au milieu de personnages graves coiffés de chapeaux hauts de forme, sanglés dans des redingotes. Elle reconnut le procureur du roi et le juge d'instruction.

— Que me veulent-ils ? se demandait la jeune fille.

Elle ne tardait pas à le savoir.

M. Boornaetts se rapprochait d'elle, et, de sa voix grave et autoritaire, il proféra :

— Nous allons procéder à la reconstitution du drame tel qu'il s'est produit. Une fois encore, mademoiselle, je vous adjure de dire la vérité, pour une fois.

Sur un signe du procureur, Hélène fit quelques pas en avant, trébuchant au milieu des cordages amoncelés sur les quais, se heurtant à des balles de coton qui se dressaient de part et d'autre comme des murs ouatés, épais, infranchissables.

L'endroit était sinistre ; le cœur de la jeune fille se serra et, tout d'un coup, elle poussa un cri épouvantable. A ses pieds, brusquement, elle apercevait le corps d'un homme étendu, il avait un visage livide, les lèvres noires, les yeux révulsés, cependant qu'une longue traînée de sang, qui tachait son vêtement à la hauteur du cœur, y rougissait le linge de sa chemise et de son col, venait se perdre autour des oreilles et du cou.

— Ah ! mon Dieu ! proféra Hélène, qui reculait d'un pas.

Et désormais, ses yeux agrandis par l'horreur considéraient le cadavre. Quel était donc cet homme ?

Il paraissait élégant, distingué, il avait le teint, malgré la pâleur cadavérique, assez bronzé comme par le soleil et les cheveux d'un châtain clair tirant sur le blond.

La jeune fille cherchait en vain à reconnaître ce mort sans comprendre d'ailleurs pourquoi on le lui faisait voir. Un instant elle balbutia :

— J'ai vu ce monsieur, ce malheureux, quelque part. Il n'y a pas longtemps, je ne saurais dire où exactement...

Le procureur du roi se rapprochait d'elle et, d'une voix qu'il voulait rendre douce, insinuante, il suggéra :

— Je m'en vais raviver vos souvenirs, mademoiselle... vous avez dû rencontrer ce monsieur hier après-midi, au moment où vous sortiez du bureau de la Compagnie de navigation dans lequel vous étiez allée vous enquérir du départ du paquebot pour le Natal.

— C'est vrai ! déclara Hélène en fixant alternativement le procureur et le mort, c'est vrai, c'est là que j'ai vu ce monsieur quelques instants avant qu'on ne me dérobe mon sac dans lequel était le revolver.

Le juge d'instruction s'était rapproché, lui aussi :

— Vous reconnaissez donc l'avoir assassiné ? interrogea-t-il à brûle-pourpoint.

Mais Hélène indignée protestait, elle hurla d'une voix vibrante :

— Je ne sais pas ce que vous voulez dire, monsieur, jamais je n'ai tué personne, je suis innocente...

Le procureur du roi intervenait :

— Monsieur Van Midelick, déclarait-il sévèrement, une reconstitution du crime doit être faite par moi et non par vous... Laissez-moi parler, vous interrogerez la coupable dans votre cabinet...

Et le procureur se tournant vers Hélène ajoutait :

— Le malheureux qui gît à vos pieds, mademoiselle, est un homme étranger, sir Harrysson, envoyé spécial du gouvernement anglais pour remplir une mission de confiance. Il devait rapporter en Angleterre une somme de 5 millions que lui paya hier soir le prince Vladimir, représentant de la Hesse-Weimar, ainsi qu'il résulte de ce reçu que nous avons trouvé à côté du cadavre de la victime.

— Eh bien ? fit Hélène, que puis-je y faire ?

— Oh ! déclara le procureur, cessez donc ce système de défense et dites-nous ce qui s'est passé...

La jeune fille courbait la tête, elle balbutia :

— Je ne sais pas, monsieur...

— Eh bien, fit le procureur qui, peu à peu, s'animait ; je m'en vais vous le dire, moi. Vous êtes évidemment une personne dont l'audace égale la témérité. Vous êtes une criminelle habile aussi, et voici ce que vous avez fait : tout d'abord, sachant que ces deux personnages, le prince Vladimir et sir Harrysson, étaient porteurs d'une somme de 5 millions, vous avez décidé de les dépouiller de cette somme. Pour vous créer un alibi, vous avez déclaré d'abord que votre revolver était perdu, vous avez même déposé une plainte à ce sujet, après quoi vous êtes venue sur le quai hier soir à neuf heures et demie dans l'espoir que ces deux personnages y viendraient également, vraisemblablement vous leur aviez donné rendez-vous. En effet, au cours du dîner qu'ils ont pris ensemble au restaurant de *L'Esturgeon*, ils ont parlé d'une femme qu'ils attendaient.

— Eh !... monsieur, interrompit Hélène.

— Taisez-vous, ordonna le procureur, et je continue : Vous avez attendu ces malheureux ici même... vous avez d'abord frappé sir Harrysson d'un coup de revolver. Il est probable qu'à ce moment-là, il était seul... Vous avez fouillé ses poches ainsi qu'il résulte de l'état dans lequel on a trouvé ses vêtements après sa mort. Vous l'avez dépouillé des billets de banque contenus dans son portefeuille que nous avons retrouvé vide. Après quoi, lorsque le prince Vladimir est survenu, soit sans se douter de rien, soit pour porter secours à son ami, vous vous êtes arrangée pour le précipiter dans le fleuve ; il a dû y avoir une lutte entre votre victime et vous, puisqu'on a trouvé également sur le lieu du crime le smoking du prince et son chapeau. Dans le smoking était le reçu que je viens de vous montrer.

— Ah ça ! monsieur, déclara Hélène abasourdie, ce que vous inventez là c'est de la folie pure, je ne connais pas ces messieurs ; d'ailleurs, jamais au grand jamais, je n'aurais pu commettre un semblable crime, raisonnez donc, voyons... je ne suis qu'une femme et une femme contre deux hommes...

Le procureur souriait.

— Je vous attendais là, fit-il, pour vous prendre à votre propre piège. Oh ! non. Il est bien évident que ce double assassinat, vous ne l'avez pas commis seule... il est bien évident aussi que, pour accomplir ce crime, longuement prémédité, j'en suis sûr, il vous a fallu des complices. Eh bien ! mademoiselle, maintenant que vous voici en présence du cadavre de l'une de vos victimes, repentez-vous, je vous en conjure, dites-nous la vérité et, sur la tête de ce mort qui demande justice, jurez-nous de nous livrer le nom de ceux qui, avec vous, ont accompli ce sinistre forfait.

Et le magistrat ajoutait à voix basse, estimant que c'était là son meilleur argument :

— Les juges vous tiendront compte de votre repentir et de vos aveux.

Le procureur du roi en était pour son éloquence. Hélène n'avoua rien, Hélène niait avec énergie.

Une heure après, les magistrats, dégoûtés de leur insuccès, la faisaient reconduire à la prison.

IX

Audacieuse évasion

— Il faut que je sorte... il faut que je sorte à tout prix !...

Telle était l'unique pensée que nourrissait Hélène depuis les quarante-huit heures qu'elle vivait, angoissantes et terribles, dans la sombre prison municipale d'Anvers où elle avait été enfermée.

Après la confrontation tragique de la jeune fille et du mort, celle-ci avait été reconduite à son cachot, puis, le lendemain, elle comparaissait devant le juge d'instruction ; c'était alors, entre elle et le débonnaire Van Midelick, qui, souvent, se montrait irascible, une lutte de tous les instants.

Le juge était acharné à l'accuser, la jeune fille ardente à se défendre, et cependant, parfois, elle était distraite, car, tout en écoutant le magistrat, elle ébauchait dans son cerveau un plan extraordinaire de fuite, d'évasion.

Au cours de son instruction, qui avait lieu dans la matinée, Hélène avait remarqué un petit fait, insignifiant en apparence, mais qui lui donnait une idée.

Quelqu'un était venu trouver le juge, de la part du procureur, pour lui demander de signer un ordre de libération relatif à une prévenue quelconque dont l'innocence avait été découverte, et le magistrat, sur une simple feuille de papier à l'en-tête de son cabinet de juge d'instruction, avait griffonné quelques mots.

— Remettez en liberté la prisonnière de la cellule 45.

Et le juge avait dit à l'envoyé du procureur :

— Il suffira de remettre ce papier au greffe de la prison pour que la détenue soit aussitôt relâchée.

Lorsque Hélène avait été reconduite, à l'heure du déjeuner, dans sa cellule, elle emportait un dossier rédigé de la main même du magistrat instructeur.

C'était la procédure d'accusation que lui confiait M. Van Midelick afin qu'elle pût l'étudier à son aise et relever point par point les arguments qui lui déplaisaient pour les réfuter de son mieux.

Hélène, sans prendre un instant pour son repas, avait commencé à lire ce grimoire lorsque, soudain, elle s'arrêtait ; ses yeux brillaient d'un éclat extraordinaire, la jeune fille s'était dit :

— J'ai trouvé et, d'ici ce soir, je serai hors de cette prison...

Que méditait-elle donc ? Quel était l'audacieux procédé d'évasion auquel elle venait de s'arrêter ?...

Hélène appelait un gardien et, le plus calmement du monde, lui demandait :

— Ai-je le droit d'avoir de quoi écrire ? Je voudrais préparer ma défense.

Rien, dans le règlement de la prison, n'interdisait ce privilège aux prévenus, et le gardien obtempéra au désir de la jeune fille. Quelques instants après, elle était en possession d'une plume, d'une bouteille d'encre et de feuilles de papier blanc.

Alors Hélène se livrait à une besogne étrange.

Le dossier du juge ouvert à côté d'elle, elle s'efforçait d'imiter l'écriture de Van Midelick. Pendant une bonne demi-heure, la jeune fille s'y appliquait ; elle était adroite, experte, désireuse aussi de réussir. A un moment donné, un sourire de contentement erra sur ses lèvres pâlies, elle murmura :

— Je crois que ça y est... que je suis presque sauvée.

Elle venait de tracer quelques lignes sur une feuille de papier. Quiconque les aurait comparées aux lignes écrites par le juge sur son grimoire aurait certainement affirmé qu'elles étaient dues à la même main.

Hélène avait merveilleusement imité l'écriture du magistrat.

Or sur la feuille de papier, la jeune fille avait écrit :

Prière à M. le Directeur de la prison de mettre immédiatement en liberté la prisonnière de la cellule 14, dont l'innocence a été reconnue.

Et Hélène, qui avait eu la chance de trouver en bas du grimoire la signature de Van Midelick, s'était si bien appliquée à la décalquer que le magistrat lui-même n'aurait peut-être pas pu discerner la vraie de la fausse.

La jeune fille glissait alors ce document précieux pour elle entre les feuilles de papier blanc dont elle constituait une sorte de dossier qu'elle adjoignait à l'acte d'accusation confié à elle par le magistrat.

Très calme dès lors, Hélène attendit l'heure à laquelle on viendrait la chercher pour sa comparution de l'après-midi devant le juge instructeur.

— Si je puis, pensait-elle, mettre le cachet du juge sur cette feuille de papier, je suis sauvée !...

On venait la chercher, on la conduisait au palais de justice.

— Eh bien ! lui demanda M. Van Midelick, avez-vous lu mon acte d'accusation ? êtes-vous disposée à faire des aveux ?...

Hélène, en femme perspicace qu'elle était, avait, dès sa première rencontre avec le juge d'instruction, percé à jour le caractère de cet homme. Elle s'était rendu compte qu'il était naturellement doux, conciliant et débonnaire si l'on était d'accord avec lui, mais pour peu que l'on s'avisât de le contrarier, il se mettait dans des colères inexprimables et les manifestait par des gestes désordonnés, des mouvements de fou.

— Je vais l'exaspérer, pensait Hélène au moment où le juge lui posait cette question.

Dès lors, en extraordinaire comédienne qu'elle savait être à l'occasion, la fille de Fantômas commençait à mettre à exécution la dernière partie de son projet.

Calmement, s'énervant ensuite, elle déclara :

— J'ai lu votre réquisitoire, monsieur le magistrat, avec le plus grand respect et la plus minutieuse attention... Sans doute cette œuvre est remarquable par l'enchevêtrement minutieux de sa logique vigoureuse, mais permettez-moi de vous faire observer, cependant, que votre accusation ne tient pas debout.

— Pas debout ! *Godfordom* ! qu'est-ce que vous dites ? cria le juge si abasourdi d'une telle audace qu'il n'osait en croire ses oreilles...

— Je dis, précisa Hélène nettement, que votre histoire ne tient pas debout. C'est un tissu de sornettes invraisemblables, et de ragots de concierge qui n'auront aucune valeur devant les magistrats sérieux. Vous n'avez rien, absolument rien qui vous permette de maintenir votre accusation contre moi : tout au contraire, elle m'innocente et démontre votre maladresse.

Hélène s'était levée, faisant de grands gestes, elle s'était approchée du bureau du magistrat, elle avait replié l'acte d'accusation, mais en ayant soin de mettre, sur la première page, la fausse lettre qu'elle avait rédigée. Dès lors, la jeune fille, qui s'animait de plus en plus, prenait sur le bureau du magistrat toutes sortes d'objets dont elle frappait les dossiers comme pour mieux scander, souligner ses affirmations. C'était un presse-papier qu'elle lançait sur la table, puis ensuite un gros livre, il semblait qu'elle choisissait au hasard, il n'en était rien. A un moment donné, elle s'emparait du cachet, du fameux cachet du magistrat, que ses yeux avaient découvert dans le désordre du bureau, puis, au milieu d'une phrase grandiloquente de protestations indignées, elle assenait un violent coup de ce cachet sur le document rédigé par elle-même et dans lequel elle ordonnait au directeur de la prison de la mettre en liberté.

Cela s'était fait si rapidement que Van Midelick ne s'apercevait absolument de rien.

Sa grosse figure débonnaire, aux proclamations violentes d'Hélène, était devenue écarlate, puis violette.

Le magistrat n'avait pas l'habitude de se trouver en présence d'accusée aussi énergique et aussi peu respectueuse de lui-même. Évidemment, c'était une femme qu'il avait en face de lui, et Van Midelick savait qu'il lui devait des égards ; mais, néanmoins, c'était tout de même une prévenue, une accusée, une criminelle, et il fallait mettre le holà à son attitude.

— Gardes ! hurla-t-il, maintenez cette femme, pour une fois, savez-vous !

Hélène, cependant, d'un geste brusque, repoussait les deux hommes qui s'étaient approchés d'elle :

— Ne me touchez pas ! hurla-t-elle, je ne fais rien. Mais je me défends, voilà tout...

Les gardiens, interdits par l'attitude énergique et farouche de la jeune fille, n'osaient lui faire violence. Quant au magistrat, il était si en colère qu'il suffoquait presque et ne parvenait pas à articuler une seule parole ; lorsque enfin ses lèvres purent balbutier quelques mots, il questionna, fixant Hélène dans les yeux :

— Ah ça ! qui êtes-vous donc pour avoir une telle audace ?...

Le magistrat s'était levé, mais, à ce moment, Hélène se décidait à tenter l'impossible :

Il fallait créer un incident extraordinaire, elle articula nettement, les bras croisés dans une attitude de défi et de dédain suprême :

— Qui je suis ?... la fille de Fantômas !...

Ce nom sinistre retentissait comme un glas et Van Midelick, abasourdi, fou de colère et de rage, avait un geste si spontanément violent qu'il s'écroulait sur son bureau et renversait tous les dossiers qui venaient s'étaler sur le sol [1].

— Qu'on l'emmène, hurlait-il, qu'on l'emmène, elle est folle !...

Et il retombait dans un fauteuil, haletant, redoutant la congestion.

A cet instant même, une scène bizarre se passait dans son bureau ; Hélène, abandonnant son attitude extraordinaire, se transforma soudain en une petite personne humble et soumise.

Les gardes s'étaient jetés à terre pour ramasser les dossiers du magistrat et la jeune fille faisait de même, ramassant les papiers épars, désireuse semblait-il de se faire pardonner son attitude. En fait, Hélène faisait là preuve d'une merveilleuse présence d'esprit.

Parmi les paperasses qui étaient tombées par terre, elle avait remarqué

---

1. Voir dans la série « Fantômas » : *La Fille de Fantômas.*

des enveloppes imprimées portant comme suscription la direction de la prison.

Et si elle mettait une hâte fébrile à les ramasser pour les remettre au bureau du juge, elle avait soin d'en subtiliser une dans laquelle elle glissait subrepticement la fausse lettre rédigée par ses soins que peut-être elle allait pouvoir utiliser.

Le désordre était vite réparé, Hélène avait repris le dossier qui lui appartenait, elle s'était assise sur une chaise et les yeux baissés avec une attitude repentante elle balbutia :

— Monsieur le juge, je vous demande pardon, j'ai eu en effet un mouvement de folie et si vous voulez bien ne pas m'en punir, demain matin, je vous dirai toute la vérité.

Van Midelick, qui avait repris peu à peu son assurance et son souffle, la considérait désormais avec des yeux stupéfaits et le magistrat sincèrement se demandait :

— Cette femme relève-t-elle de mon service ou bien de celui du docteur des aliénés ?...

La déclaration d'Hélène toutefois lui faisait plaisir et, renonçant à lui reprocher son attitude de l'instant précédent, il lui déclarait :

— Qu'il soit donc fait comme vous le désirez, je vais vous faire reconduire en prison, nous reprendrons demain votre interrogatoire.

Hélène, dans le couloir du palais de justice, attendait l'instant de repartir pour la prison entre les gardes.

On était allé chercher une voiture ; lorsque le véhicule fut arrivé, la jeune fille quitta le palais de justice ; mais au moment où elle s'introduisait dans le fiacre qui l'attendait elle jeta bien volontairement sur le trottoir de la rue une enveloppe fermée.

Ses gardiens l'observaient minutieusement, et, tandis que l'un d'eux avait ramassé cette enveloppe, l'autre, serrant le bras de la jeune fille, lui demanda :

— Qu'est-ce que vous lancez là ?...

Affectant un suprême dédain et d'un ton admirablement calme, Hélène déclara :

— Ce magistrat, ce monsieur Van Midelick, me prend-il donc pour une domestique, et suis-je chargée de porter au directeur de la prison ses communications ?

— Qu'est-ce que vous voulez dire ? demandait le garde.

Mais son collègue expliquait en lui montrant l'enveloppe jetée sur le trottoir par la jeune fille :

— Ça ! c'est une lettre, dit-il, de M. le juge à M. le directeur. Elle a dû se glisser dans les papiers de la prisonnière, c'est bien heureux que nous l'ayons aperçue !

L'homme mettait la lettre dans sa poche et glissait à son camarade :

— J'irai la porter à M. le directeur sitôt que nous serons arrivés...

Certes, à ce moment, les deux braves gardiens ne se doutaient guère de la satisfaction anxieuse où se trouvait Hélène !

La jeune fille reprenant le procédé du célèbre bandit Altmayer avait, en effet, imaginé ce subterfuge de jeter ostensiblement sur le trottoir l'enveloppe dans laquelle elle avait introduit sa fausse lettre ordonnant sa libération.

Il fallait que ce document parvînt au directeur de la prison par l'intermédiaire d'un garde et non point par son intermédiaire. Les choses allaient donc pour le mieux.

Lorsqu'on reconduisit Hélène dans son cachot, la jeune fille sentit son cœur battre à tout rompre dans sa poitrine.

Allait-elle réussir ?

Sans doute, tout était merveilleusement combiné, mais les plans les mieux échafaudés s'écroulent quelquefois sous le moindre incident.

Que le directeur de la prison ait des doutes, qu'il s'avise de téléphoner au magistrat instructeur, et dès lors, elle était perdue !

Hélène avait toutefois pris une terrible résolution.

— Je mourrai, s'était-elle dit, cette nuit même, si, d'ici une heure, je ne suis pas hors de cette prison !...

Il s'écoulait vingt minutes environ, puis, dans le silence du couloir, des pas retentirent.

Hélène manqua défaillir, elle avait l'impression nette, le pressentiment que son sort allait se décider.

En effet, une clé grinça dans la serrure de sa cellule, la porte s'ouvrit. Un geôlier se présenta et considéra la jeune fille sans mot dire.

— Que me veut-on ? interrogea celle-ci, en s'efforçant d'affermir le ton de sa voix.

Le geôlier simplement répliqua :

— Passez devant.

Blafarde, sentant son cœur battre à se rompre, Hélène obéit.

Il n'y avait pas d'autres gardiens dans le couloir que l'homme qui était venu la chercher et cela lui donna bon espoir.

Tandis qu'elle descendait l'escalier, elle faillit tomber à plusieurs reprises tant ses jambes se dérobaient sous elle, le gardien s'en aperçut et, d'une voix qu'il faisait un peu plus douce qu'à son ordinaire, il murmura :

— Faut pas être émue comme ça, mademoiselle, sais-tu que tu vas être libre !

Hélène s'arrêta, la respiration lui manquait, elle ne put rien répondre, mais l'éclat de ses yeux disait toute sa pensée.

Ainsi donc son plan réussissait ! son stratagème avait triomphé, elle en doutait encore comme elle entrait au greffe où il lui fallait donner une signature, ce qu'elle faisait en tremblant, elle en doutait toujours lorsqu'elle passait devant la conciergerie de la prison et remettait au geôlier en chef son bulletin de sortie et ce fut seulement lorsqu'elle se retrouva sur le trottoir dans la rue déserte et obscure que la jeune fille ne douta plus !...

Libre !... elle était libre !... Elle s'arrêta un instant, s'appuya au mur de la sombre demeure dans laquelle elle avait été prisonnière, soupira profondément puis, tout d'un coup, au mépris de toute prudence, comme si ses jambes se détendaient, mues par un ressort, elle se mit à courir, à courir droit devant elle, éperdument !...

X

Le train mystérieux

Hélène triomphait, mais ce triomphe devait être de courte durée !

Après avoir couru éperdument, et s'être éloignée aussi vite que possible de la sinistre prison dans laquelle elle venait de passer deux nuits et deux journées affreuses, la fille de Fantômas était parvenue tout à l'extrémité de la ville et désormais, avec des allures de folle, elle errait dans les faubourgs populeux où la foule grouillait plus encore qu'à l'ordinaire, eu égard à la grève des marins qui contraignait au chômage toute une catégorie de gens employés en temps ordinaire aux travaux du port.

Hélène, toutefois, se sentait plus à l'aise au milieu de ces gens simples et paisibles que du côté élégant de la ville où elle aurait vivement craint d'être reconnue !

Après avoir, sans trembler, exécuté le plan extraordinaire qu'elle avait combiné, après avoir fait preuve d'un sang-froid digne d'un bandit de haute envergure, digne de Fantômas lui-même, la malheureuse jeune fille subissait les effets d'une réaction violente et sa poitrine était secouée par les sanglots.

Hélène, d'ailleurs, se rendait parfaitement compte qu'elle n'en avait pas fini avec les aventures fâcheuses et qu'il convenait d'aviser au plus vite si elle ne voulait pas être reprise ! Il était bien certain, en effet, que le subterfuge qu'elle avait employé pour s'enfuir ne tarderait pas à être découvert et que, d'ici fort peu de temps, on lancerait toute la police belge à ses trousses.

Il fallait tout d'abord quitter le pays, s'efforcer de gagner une autre contrée, aller surtout le plus loin possible, ou alors se dissimuler de telle sorte que nul ne pût soupçonner sa présence dans l'endroit où elle se trouverait !

Hélène avait suffisamment vécu une existence d'aventures pour savoir que ceux qui s'en vont au loin ne sont pas ceux qui se trouvent le plus certainement en sécurité, et que, si le premier mouvement d'un malfaiteur, ou simplement, comme c'était son cas, d'un innocent poursuivi, est de s'enfuir, le second, et le meilleur peut-être, consiste à rester à l'endroit même où l'on se trouve, alors que les gens vous recherchent dans toutes sortes d'autres directions !

La jeune fille savait que, dans des circonstances semblables à celles où elle se trouvait, il faut tout particulièrement se méfier des gares de chemin de fer, des bureaux d'octroi, des frontières. La police, routinière dans tous les pays, fait toujours garder scrupuleusement ces passages, et les malfaiteurs, routiniers aussi, s'y font prendre le plus souvent.

Toutefois, Hélène se demandait quel serait dès lors pour elle le moyen, sinon de s'enfuir, du moins de disparaître.

Lorsqu'elle avait eu son altercation avec le juge d'instruction, afin de mieux abasourdir cet excellent Van Midelick, elle avait cru devoir lui jeter à la face qu'elle était la fille de Fantômas.

Or, si à ce moment le magistrat en avait douté, ce qui était probable, s'il avait pris cette déclaration spontanée pour une bravade de femme exaltée, il était vraisemblable que, désormais, s'il était au courant de l'évasion de la jeune fille, il était tout disposé à croire qu'elle avait dit vrai, qu'elle était bien la digne descendante du génial et extraordinaire Roi du crime.

Hélène, tout en réfléchissant, s'était mise à marcher d'un pas plus assuré et désormais elle interrogeait du regard les petites maisonnettes de briques qui bordaient, de part et d'autre, une grande rue de faubourg qu'elle suivait depuis près d'un quart d'heure.

Avec le crépuscule, le ciel s'était assombri et il s'était également chargé de nuages et de larges gouttes d'eau commençaient à annoncer une pluie d'orage.

Bientôt, la rafale se fit plus violente, et, au fur et à mesure que les gens qui flânaient dans la rue se mettaient à l'abri, les ruisseaux s'emplissaient d'une eau noire et bouillonnante, les immondices de la chaussée étaient balayés par une douche d'eau froide, tombant rude et violente comme de la grêle.

Hélène s'était réfugiée sous une porte, avec une foule de gens qu'elle dévisageait attentivement ; elle était au milieu d'ouvriers aux faces énergiques, au parler rude, mais qui avaient l'air de braves gens. Il y avait avec eux des femmes, des enfants, et la jeune fille remarqua que, malgré sa tenue qui n'avait rien de celle d'une ouvrière, elle n'attirait pas trop l'attention.

Lorsque la pluie fut achevée, Hélène se décidait à interroger ; elle demandait à l'un de ses voisins :

— Savez-vous, monsieur, s'il y a une auberge dans le voisinage, où je pourrais m'installer ?

Et elle ajoutait comme pour s'excuser :

— Je ne connais pas très bien la ville, j'arrive d'Allemagne.

L'homme la considéra longuement, puis, d'une voix tranchante, qu'alourdissait son accent flamand, il répondit :

— Ma foi, il y a bien par ici des estaminets où l'on loge à la nuit, mais je crois bien que cela ne ferait pas votre affaire, vous feriez mieux de prendre le tramway qui vous ramènera dans le centre, du côté du port, où vous trouverez, ma petite demoiselle, un logement plus à votre convenance.

Hélène, soudain effrayée par cette suggestion, quittait la voûte de l'immeuble sous lequel elle s'était abritée et partait dans la direction opposée à celle qu'on venait de lui indiquer. Pour rien au monde, elle ne serait rentrée dans l'intérieur de la ville.

Désormais, d'un pas précipité, elle suivait la grande artère du faubourg et s'apercevait que, peu à peu, elle gagnait la campagne, une campagne inquiétante, sombre, aride, désolée, semée de cheminées d'usines, bordée de grands murs noirs.

Comme elle hésitait un instant à un carrefour, deux matelots l'abordèrent et l'un des hommes effrontément lui proposait :

— Viens-tu profiter avec nous ? On est riche ce soir, on va bien dîner.

Hélène tournait les talons, se sauvait, s'enfonçait encore plus dans la nuit.

La jeune fille marchait ainsi pendant une bonne heure, peut-être plus.

Pataugeant dans la boue, trempée, car la pluie avait recommencé à tomber et Hélène n'avait pas trouvé d'endroit pour se mettre à l'abri, elle s'était complètement égarée et ne savait désormais plus dans quelle direction il convenait de diriger ses pas.

La jeune fille mourait de faim, était transie de froid, et, à deux ou trois reprises, elle s'était sentie défaillir, car depuis quarante-huit heures qu'on l'avait conduite en prison, c'était à peine si elle avait pris quelques instants de repos.

Hélène parvint enfin à la porte d'un jardinet qui entourait une maison isolée.

— Je vais leur demander quelque chose, songeait-elle, un morceau de pain, un verre d'eau, et si ce sont de braves gens, ils m'accorderont l'hospitalité dans leur grange.

Elle sonnait timidement, des aboiements furieux lui répondirent. Un chien énorme sortit d'une niche et courut jusqu'à la grille, à l'extérieur de laquelle se trouvait la fille de Fantômas [1].

Au bout de quelques instants, une fenêtre de la maison s'entrebâilla, laissant passer un filet de lumière, puis une voix éraillée d'homme questionna :

— Qui va là ? Que veut-on ?...

La jeune fille balbutia une plainte.

— Une femme égarée, répondit-elle, qui voudrait vous demander...

Mais Hélène n'achevait pas. La voix qui avait interrogé répliquait par un sourd juron, puis la fenêtre se refermait.

— Mon Dieu ! mon Dieu ! pensait Hélène désespérée, que vais-je devenir ?

Elle ne s'attardait cependant pas, elle continuait son chemin.

A un moment donné, la jeune fille se rendit compte qu'elle franchissait la barrière d'un passage à niveau. Puis, à ses pieds, elle vit briller les rails luisants d'une voie de chemin de fer. Au lointain, à sa droite, brillaient des lumières multicolores, cependant qu'elle percevait de temps en temps de rauques sifflements.

Hélène se rendit compte qu'elle ne devait pas être éloignée d'une gare. Et, au lieu de traverser les voies, profitant de l'obscurité comme de l'inattention du garde-barrière, elle se mit à les suivre pendant près d'un kilomètre.

A en juger par le dédoublement des rails, la jeune fille se rendait compte que la gare dont elle approchait était des plus importantes. Désormais, elle longeait des files entières de wagons de voyageurs comme de marchandises et un instant elle eut l'idée de monter dans une de ces voitures, mais elle y renonça.

— Si je m'installe là, se disait-elle, je tomberai endormie, comme morte, harassée de sommeil, et dès lors qu'adviendra-t-il lorsque je me réveillerai, je me ferai surprendre, découvrir... Non, non, cela n'est pas possible !...

Une idée nouvelle germa dans son esprit :

---

1. Voir dans la série « Fantômas » : *La Fille de Fantômas*.

— Il faut à toute force fuir, pensait-elle, aller le plus loin possible d'Anvers !...

Et Hélène songeait que peut-être il lui faudrait avoir l'audace de gagner une station et d'y prendre un billet pour une destination aussi lointaine que possible. Elle s'arrêtait à ce projet et, peu à peu, se rapprochait des lumières.

Elle apercevait un grand hall, y voyait des trains arrêtés, des gens allant et venant sur les trottoirs.

Toutefois, la fille de Fantômas, au moment de mettre à exécution son projet, y renonça.

A la lueur d'une lampe électrique qui projetait une lueur blafarde sur les voies au milieu desquelles elle errait, la jeune fille se regarda ; elle était dans un état lamentable avec ses vêtements détrempés, couverts de boue ; non ! décidément, il lui était impossible de passer inaperçue au milieu des voyageurs !

Et, de plus, Hélène évoquait l'image inquiétante des gendarmes, stationnant près des salles d'attente, et dévisageant les voyageurs se rendant sur les quais.

On la remarquerait, c'était certain, et dès lors, qu'adviendrait-il, surtout si son signalement était déjà donné ?

Hélène, qui était presque arrivée à cette gare, rebroussa chemin.

La jeune fille marchait péniblement sur le ballast, ses pieds étaient endoloris, ses membres ankylosés, elle trébuchait à chaque pas, se demandant si elle aurait la force de continuer longtemps ainsi.

A un moment donné, elle fit un bond de côté. En face d'elle, en effet, surgissaient deux lanternes qui s'avançaient lentement, puis un coup de sifflet avait retenti, déchirant l'air, et Hélène s'était rendu compte que, dans un instant, si elle ne lui laissait la place, elle serait face à face avec une locomotive.

A peine s'était-elle écartée que la lourde machine passait lentement.

La jeune fille vit défiler devant elle un train lourd et obscur. Il était composé de wagons uniformes, de wagons à couloir, évidemment, car il n'y avait pas de portières sur les côtés des voitures, mais simplement des escaliers à chacune des extrémités des wagons.

Le train allait fort lentement, semblait complètement vide, tant il était silencieux.

Une idée folle germa dans le cerveau de la fille de Fantômas.

Elle n'avait même pas le temps d'y réfléchir qu'elle l'exécutait. Hélène, rassemblant toute son énergie, courait quelques mètres à côté du train, dont l'allure était extrêmement ralentie, puis, s'agrippant aux mains courantes de cuivre, elle se hissait sur l'escalier d'un wagon.

La jeune fille montait les marches manquant deux ou trois fois de retomber en arrière, puis elle parvenait à s'asseoir sur les degrés et dès lors, elle reprit son souffle, respira profondément.

Elle était si lasse, si fatiguée, qu'elle crut qu'elle allait rester là, malgré elle.

A peine s'était-elle installée sur cet escalier de wagon qu'elle le regrettait. Ce qu'elle venait de faire était le plus insensé de tout et assurément, d'un instant à l'autre, quelqu'un s'apercevrait de sa présence, un voyageur, un employé, on lui demanderait d'où elle venait, ce qu'elle voulait, on ne tarderait pas à déclarer sa présence suspecte et à la livrer à la police à la première station. Hélène résolvait de s'en aller mais hélas ! le train avait accéléré son allure ; désormais, toute tentative de descente était rendue impossible par la vitesse du convoi.

Le froid saisissait la jeune fille, des escarbilles de charbon l'aveuglaient ; Hélène prit une résolution suprême.

— Il faut en finir, dit-elle.

Et, au lieu de s'efforcer de descendre, elle remonta les deux marches sur lesquelles elle était assise, poussa la porte de communication qui conduisait de la voie aux couloirs et pénétra dans le wagon.

La jeune fille demeurait quelques instants immobile, prêtant l'oreille. Il régnait dans cette voiture une chaleur douce et aussi le silence le plus complet. Les couloirs étaient éclairés aux deux extrémités par de petites lampes électriques voilées d'un rideau bleu qui donnaient juste assez de lumière pour que l'on puisse avancer dans le couloir sans se heurter aux parois.

Tous les compartiments de la voiture, dont les portes à coulisse donnaient sur le couloir, étaient rigoureusement clos. Quant aux couloirs, ils étaient encombrés de valises, de paquets, ce qui démontrait à la jeune fille qu'elle n'était pas dans un train vide, mais bien dans un convoi de voyageurs qui, assurément, à en juger par la nature des wagons, n'était pas un train de banlieue ou un omnibus desservant la région, mais vraisemblablement un train de grande ligne, peut-être un de ces services internationaux comme il en est qui traversent la Belgique, allant en Hollande, en France, en Allemagne.

Ayant fait ces constatations, Hélène reprenait espoir.

— Si seulement, se disait-elle, je découvre un compartiment dans lequel je puisse m'installer, j'ai bien des chances pour que l'on ne vienne pas me déranger avant demain matin.

La jeune fille, l'œil collé à la vitre du wagon donnant sur la voie, constatait, non sans une extrême satisfaction, que le train, à moyenne allure, traversait une gare assez vaste sans s'y arrêter.

Elle en concluait qu'elle était évidemment dans un train de grande ligne qui, peut-être, allait la conduire hors des atteintes de la police belge.

Le train s'était enfoncé désormais dans la campagne. Il roulait dans la nuit et son allure monotone donnait confiance à la jeune fille.

Les divers wagons du train étaient réunis par des soufflets de communication ; Hélène s'avançant prudemment passa d'une voiture à l'autre, avant de chercher à s'installer elle voulait faire connaissance avec l'asile improvisé qu'elle avait adopté.

Mais soudain, au moment où elle s'avançait dans une nouvelle voiture, la jeune fille réprima un mouvement d'émotion et, s'aplatissant le long de la cloison dans un angle obscur, elle demeura immobile pour laisser passage à quelqu'un qui s'avançait.

Ses yeux s'étaient habitués à l'obscurité, Hélène aperçut, venant vers elle, deux êtres de petite taille, deux enfants sans doute qui, se tenant par la main, avançaient lentement, s'appuyant aux parois du couloir pour n'être point renversés par les secousses du train...

— Des enfants, pensa la jeune fille, j'aime mieux cela... peut-être pourront-ils me renseigner.

Et comme ce jeune couple, car il s'agissait d'un petit garçon et d'une fillette, s'approchait d'Hélène, celle-ci se pencha vers eux et commença d'une voix douce qu'elle faisait aussi aimable que possible :

— Dites-moi, mes petits...

Mais la jeune fille s'arrêtait net, étouffait un cri de surprise et d'inquiétude.

En se penchant, elle avait vu le visage des deux êtres qu'elle comptait interroger ; or le petit garçon avait une face vieillotte, une épaisse moustache sur la lèvre supérieure, la fillette était bâtie comme une femme, c'était un couple de nains.

Ceux-ci, d'ailleurs, paraissaient fort interloqués de l'apparition de la jeune fille ; ils balbutièrent quelques mots dans une langue qu'Hélène ne comprenait pas, puis, se serrant l'un contre l'autre, ils disparurent dans le couloir, non sans avoir fait devant la fille de Fantômas, profondément surprise, de solennelles salutations.

Hélène demeurait quelques instants immobile à l'entrée du couloir où elle se trouvait.

— Drôle de rencontre ! pensait-elle, mais après tout il n'y a pas lieu de s'en émotionner...

La jeune fille s'avança non sans hésiter. Elle venait de remarquer qu'à l'autre bout du wagon filtrait de la lumière par la porte entrebâillée d'un compartiment et elle s'en approcha.

Indiscrètement, la jeune fille jeta un regard rapide à l'intérieur, et à nouveau elle fut stupéfaite.

Remplissant presque entièrement ce compartiment, composé d'une couchette comme il s'en trouve dans les wagons-lits, était un homme à demi dévêtu. Cet homme était énorme, si grand et si gros qu'il remplissait le petit compartiment de toute sa taille et de son épaisseur.

Il avait une face hébétée, boursouflée, de grosses gouttes de sueur perlaient à son front ; cet homme fumait béatement un cigare et l'on ne pouvait se rendre compte s'il était debout, assis ou couché, tant il était flasque, gras, énorme, tant les formes de son corps se perdaient dans les plis flottants d'un gigantesque pyjama.

Il avait aperçu Hélène et la considérait d'un air interdit. Tout d'abord la jeune fille s'était reculée d'un mouvement brusque, mais elle ne voulait pas avoir l'air de remarquer l'extraordinaire corpulence de ce voyageur qui, vraisemblablement, ne devait pas aimer à ce que l'on eût à son sujet des étonnements semblables.

Hélène, d'ailleurs, s'enhardissait et elle interrogea :

— Pourriez-vous me dire, monsieur... ?

La jeune fille s'arrêtait ! qu'allait-elle demander ? elle n'y avait pas réfléchi et soudain elle se rendait compte que la question qui spontanément lui venait aux lèvres allait être de nature à déterminer des soupçons chez ce voyageur.

Hélène, en effet, était sur le point de lui dire :

— Où allons-nous ?... où va ce train ?...

Or elle se rendait compte qu'il était invraisemblable, si elle voulait passer pour une voyageuse ordinaire, qu'elle eût à poser semblable question.

Heureusement Hélène était une femme de ressource, la nécessité d'agir surexcitait son esprit, elle trouva ce qu'il fallait dire et, après cette légère hésitation qui passait inaperçue, elle demanda d'un air fort calme :

— Pourriez-vous me dire, monsieur, quel doit être le prochain arrêt ?

Cette question si naturelle parut surprendre étonnamment le gros homme. Il soupira, tira une large bouffée de son cigare et, cependant, après quelques secondes qui parurent des siècles à Hélène, il répondit simplement ceci :

— Tirlemont !

Hélène l'avait remercié, puis elle s'enfuyait. Tirlemont ? qu'est-ce que cela signifiait ?...

La jeune fille avait vaguement ouï parler d'une ville portant ce nom et qui devait se trouver assez loin d'Anvers, en Belgique cependant. Mais pourquoi Tirlemont ? pourquoi ce train devait-il s'arrêter dans cette localité ? et pourquoi cela semblait-il si naturel à ce gros homme qui l'avait répondu à Hélène avec étonnement comme si tous les voyageurs du wagon avaient dû savoir que le prochain arrêt était Tirlemont ?

Remettant à plus tard le soin d'élucider ce petit mystère, Hélène continuait à remonter toute la longueur du convoi, passant d'un wagon à l'autre.

Elle parvint dans une voiture dont un compartiment était ouvert et, avec une précipitation bien naturelle qu'inspirait son extrême fatigue, elle se jeta sur la banquette de ce compartiment et s'endormit.

Combien de temps la jeune fille resta-t-elle là ?

Deux heures ! peut-être plus longtemps sans doute ; lorsque soudain elle fut arrachée à sa somnolence par un éclat de rire strident.

Elle regarda autour d'elle, surprise, effrayée, et ne vit rien. Le jour cependant commençait à poindre, un jour gris très pâle qui naissait péniblement, éprouvant mille difficultés à percer le ciel chargé de brume.

Hélène cependant se demandait si elle venait d'être le jouet d'une hallucination ou si réellement elle avait entendu rire, lorsqu'un nouvel éclat de rire sardonique et railleur parvint à son oreille.

La jeune fille épouvantée se redressa ; elle était étendue sur une sorte de banquette dans un compartiment à trois places seulement et qui avait pour vis-à-vis une cloison.

Or, en considérant cette cloison, de derrière laquelle paraissait venir cet éclat de rire, Hélène poussa un cri perçant.

Au haut de cette cloison, presque sous la toiture du wagon, était pratiquée une petite lucarne qui permettait de voir ce qui se passait dans le compartiment voisin.

Or, dans cette lucarne, s'encadrait un visage extraordinaire qu'Hélène dut considérer à plusieurs reprises avant de pouvoir le définir, puis, lorsqu'elle y parvint, elle recula épouvantée, gagna le couloir du wagon et s'enfuit en titubant jusqu'à l'extrémité opposée.

L'être qui avait ri en regardant Hélène par la lucarne était un être bizarre, extraordinaire : en effet, il avait une tête de chien toute couverte de longs poils pendants, et cette tête de chien avait une face humaine.

La malheureuse fille de Fantômas était abasourdie, épouvantée, elle ne comprenait pas ; était-elle le jouet d'un cauchemar ? Était-elle devenue folle ? Depuis la veille au soir, depuis qu'elle était entrée dans ce train mystérieux qui roulait en silence à petite allure et sans s'arrêter dans la nuit, elle avait successivement vu des êtres et des choses si bizarres qu'elle ne pouvait en croire ses yeux ni ses oreilles.

D'abord les deux nains, puis l'homme énorme et enfin l'être qui venait de la réveiller par son cri strident, l'être au regard humain, à la face d'homme et cependant à la figure de chien.

Hélène, en outre, se sentait de plus en plus exténuée, sa tête pesait d'un poids incommensurable sur ses épaules ; la jeune fille se rendait compte que si elle ne dormait pas immédiatement à tout prix dans un endroit où elle pourrait se dissimuler, elle allait tomber dans ce couloir et y défaillir, perdre connaissance.

Faisant un effort surhumain, Hélène passait encore dans un autre wagon, et dès lors elle se trouvait, non plus dans une voiture de voyageurs, mais dans un compartiment très vaste, assurément réservé aux marchandises ; il y avait là, non seulement des malles et des sacs de toutes sortes, mais encore d'énormes paquets de linge entassés jusqu'au haut du wagon, puis de lourdes toiles roulées les unes sur les autres ; Hélène se glissa entre deux ballots et à peine était-elle installée que le sommeil, sévissant durement, s'appesantissait sur ses paupières.

La fille de Fantômas ne pouvait lutter plus longtemps, elle était terrassée par la fatigue ; au milieu des bagages, gisant inerte sur des paquets de linge, la fille de Fantômas s'endormit profondément, indifférente à tout, ignorant où elle était, sans se douter de l'endroit où le train dans lequel elle se trouvait allait désormais la conduire.

XI

Le cirque Barzum

Lorsque Hélène s'éveilla, il lui fut d'abord impossible de faire le moindre mouvement ; elle était effroyablement courbaturée, ses membres lui faisaient l'impression d'être brisés, il lui semblait qu'elle sortait d'un sommeil lourd, profond, interminable aussi.

La jeune fille, qui avait ouvert les yeux, ne voyait absolument rien ; il faisait nuit noire dans l'endroit où elle se trouvait et qu'elle ne parvenait pas à identifier.

Peu à peu, cependant, la mémoire lui revint. Et la fille de Fantômas se souvint qu'elle était venue — il y avait de cela combien de temps, elle ne pouvait le dire — s'installer, ou plutôt se laisser choir au milieu de colis nombreux et plus ou moins mœlleux qui étaient entassés dans un wagon à bagages, placé à l'extrémité d'un train, dans lequel elle était montée, aux environs d'Anvers, et où elle avait passé un début de nuit si étrange et si bizarre, par suite des rencontres qu'elle avait faites dans ce train.

Hélène, avant de remuer, prêta l'oreille ; on ne percevait pas le moindre bruit.

Après avoir fait effort, pour rendre de la souplesse à ses membres courbaturés, la jeune fille parvint à s'extraire de l'endroit où elle était enfoncée.

Elle était tombée morte de sommeil, au milieu de ballots de linge, tout à côté de grandes malles de cuir et d'osier. Une petite lampe en veilleuse brûlait au plafond de ce wagon.

Hélène soudain frissonna, ses vêtements étaient glacés ; ils avaient été trempés la veille par la pluie et n'avaient pas encore séché.

Ils étaient également dans un état lamentable, déchirés, couverts de boue.

Hélène, s'étant approchée de l'extrémité du wagon à bagages qui communiquait avec la première voiture de voyageurs par un soufflet, se rendit compte qu'il devait encore faire nuit dehors.

Et dès lors, la jeune fille, s'étant endormie à l'aube, comprit qu'elle avait été certainement terrassée par le sommeil pendant toute la journée.

Elle essaya de comprendre ce qui se passait, de savoir où elle se trouvait. Prudemment, car elle redoutait d'être aperçue, Hélène entrebâilla une portière qui donnait sur l'escalier extérieur du wagon et, malgré la nuit, se rendit compte qu'on était en pleine campagne, sur une sorte de voie de garage à côté de laquelle se trouvaient d'autres lignes ferrées.

Le train avait stoppé et, hormis la petite lumière allumée dans le wagon à bagages, toutes les lampes des voitures à couloir étaient rigoureusement éteintes.

Cependant qu'elle s'interrogeait, cherchant à comprendre, la jeune fille se sentit à nouveau très froid aux épaules et à la poitrine.

Elle éprouvait aussi une extrême sensation de gêne avec ses vêtements humides et raidis, qui se plaquaient sur son corps souple.

Instinctivement, la jeune fille rentra dans le wagon à bagages.

— Si je pouvais trouver, pensait-elle, quelques vêtements, quelques habits pour me changer.

Elle nourrissait en même temps cette idée, cet espoir que si elle pouvait trouver de quoi faire une nouvelle toilette, cela lui faciliterait sa fuite et rendrait sa recherche par les policiers belges plus compliquée.

Hélène défaisait un des grands paquets de linge sur lesquels elle avait dormi.

Elle ne put s'empêcher de pousser un cri de joie ; ces paquets contenaient des vêtements, toutefois, c'étaient des vêtements d'homme. Hélène, minutieusement, les examina. Ses yeux, accoutumés à la faible lumière du véhicule, lui permettaient de découvrir une sorte de complet de couleur sombre, qui vraisemblablement devait convenir à sa taille.

La fille de Fantômas avait trop souvent autrefois porté des vêtements d'homme pour être gênée à l'idée de revêtir semblable déguisement. Et, dépouillant sa robe trempée de boue, arrachant le corsage qui lui collait à la poitrine, Hélène, en un clin d'œil, transforma sa silhouette.

Malgré les préoccupations qui hantaient son esprit, la jeune fille ne put s'empêcher de sourire en se considérant.

— De quoi donc ai-je l'air ? se demandait-elle, on dirait que je viens de revêtir un uniforme ?

Et de fait, la jeune fille avait une étrange tournure !

Elle portait désormais une sorte de pantalon avec, aux pieds, des basanes de cuir comme une culotte de militaire. Le vêtement était vert sombre, avec un filet rouge sur la couture extérieure, et le veston très ample qu'elle avait revêtu était de même couleur, orné de boutons de cuivre.

La jeune fille avait rassemblé son opulente chevelure, la relevant au-dessus de la tête avec une sorte de casquette en cuir assez épais.

— Il n'y a pas à dire, songeait-elle, c'est un vêtement de soldat ou alors quelque livrée...

Mais elle se réjouissait d'être ainsi déguisée et Hélène s'imaginait que dès lors, il lui serait plus facile de passer inaperçue, de s'enfuir.

Elle ne craindrait point même de rencontrer des gendarmes, de frôler des policiers, ceux-ci ne feraient point attention à elle.

En admettant que son évasion de la prison d'Anvers ait été découverte, ce qui était fort probable, les policiers auraient pour instruction de rechercher une femme, et non point un homme.

Hélène, qui reprenait courage, quittait le wagon à bagages, dans lequel elle avait fait cette bizarre toilette, puis elle s'avançait précautionneusement dans les couloirs du long train vide.

Vide ? Assurément oui.

La jeune fille, par deux fois, le parcourut d'un bout à l'autre, la seconde avec beaucoup plus d'assurance que la première. Elle avait acquis la certitude que tous les voyageurs l'avaient quitté, et dès lors, Hélène s'imaginait que le convoi était arrivé au terme de son voyage et qu'on venait de le garer sur une voie de dégagement.

Un instant, Hélène se demanda si elle n'avait pas rêvé, si les étranges visions de la nuit précédente n'étaient point le résultat d'hallucinations dues à son cerveau fatigué.

Avait-elle réellement vu ces deux nains auxquels elle faisait peur ? puis cet homme énorme qui occupait tout un compartiment et fumait un cigare, puis, enfin, ce visage extraordinaire d'un personnage qui l'avait contemplée en riant, dont le regard était humain, et la face, cependant, couverte de poils comme celle d'un chien ?

Tout cela paraissait si invraisemblable qu'Hélène, lorsqu'elle y réfléchissait, doutait d'elle-même.

Puis elle se demanda aussi où elle pouvait bien se trouver. Si le train dans lequel elle était montée la veille au soir, vers dix heures, avait roulé toute la nuit, puis tout le jour, on devait être fort loin d'Anvers, peut-être même avait-on quitté la Belgique.

A cette idée, Hélène soupirait joyeusement, se rassurant de plus en plus.

Elle se sentait plus en sécurité, hors du pays où elle avait été arrêtée, sous cette effroyable inculpation d'avoir assassiné deux hommes, qu'elle ne connaissait pas.

Hélène y songeait désormais, et pour la première fois, peut-être, à ces deux hommes.

Tant d'aventures lui étaient survenues, depuis son arrestation, qu'elle n'avait pas eu le temps matériel de faire un retour sur elle-même et de se demander par suite de quelles circonstances on lui avait d'abord dérobé son revolver, et ensuite on l'avait accusée de ce double assassinat.

De tout ce qui s'était passé Hélène ne retenait qu'une chose : c'est que la physionomie du mort qu'on lui avait montré, gisant inerte et blafard sur les quais d'Anvers, ne lui était pas inconnue.

Elle avait vu cet homme, quelques heures avant son décès ; il était accompagné d'un autre personnage à la figure intelligente, mais redoutable ; la physionomie de ce dernier avait frappé également Hélène ; puis, au cours de ses interrogatoires successifs, elle apprenait les noms des deux personnages qu'on déclarait être ses victimes, et les retenait.

Il s'agissait, avaient dit les magistrats, de deux très grands seigneurs : sir James Harrysson, et le prince Vladimir de Hesse-Weimar.

Tous deux étaient-ils donc morts ? et depuis l'heure où l'on avait confronté la fille de Fantômas avec le cadavre de Harrysson, la police avait-elle découvert celui de Vladimir, que l'on supposait tombé dans les eaux noires de l'Escaut ?

Malgré elle, Hélène se préoccupait de ce mystère ! Elle se disait bien qu'elle ne devait d'y être mêlée que par le fait du hasard, d'une coïncidence toute fortuite, et cependant, malgré tout, elle avait des doutes ; la malheureuse fille se demandait si, dans cette histoire extraordinaire, dont elle ne s'était échappée qu'au prix des plus terribles difficultés, il ne fallait pas voir l'intervention toujours cruelle, mystérieuse et redoutable aussi, du funeste auteur de ses jours, du terrible Génie du crime, de Fantômas.

Hélène, brusquement, chassa toutes ces pensées de son esprit.

— Il faut, murmura-t-elle à mi-voix, parer au plus pressé, et demeurer ici une minute de plus serait de la dernière imprudence. Fuyons !...

Hélène quittait le train, elle sautait de la dernière marche de l'escalier sur le ballast de la voie, et se disposait hardiment à traverser la ligne large et redoutable de tous les rails qui scintillaient dans la demi-clarté de la lune.

A quelque distance d'elle, soudain, retentit un bruit de tonnerre, puis un train, qui semblait emporter avec lui l'incendie, passa lancé à toute allure.

Hélène avait à peine eu cette vision et fait quelques pas pour s'éloigner du train qu'elle poussait un cri de surprise et ne pouvait dissimuler son dépit.

Brusquement, surgissaient autour d'elle, roulant sur les voies ferrées, de grandes voitures, traînées par des chevaux, au cou desquels pendaient de joyeux grelots. Ces voitures s'arrêtaient tout à côté d'Hélène, une quantité de gens de toutes sortes en descendaient qui, avec des airs affairés, et en baragouinant toutes sortes de langues, paraissaient vouloir remonter au plus vite dans le compartiment du train, jusqu'alors désert et que la jeune fille venait d'abandonner.

Tout d'un coup, les wagons s'illuminèrent, au contact d'un commutateur électrique, et Hélène, dans la lueur que projetaient les lampes, à l'extérieur des voitures, put apercevoir quelques-unes des silhouettes des gens qui venaient d'arriver.

Il y avait là des hommes, des femmes, certaines de ces dernières étaient enveloppées dans des sortes de grandes pèlerines, fardées, coiffées avec recherche.

L'une d'elles avait un diadème superbe, de pierres fausses et de clinquants. Absolument hébétée et figée sur place par la surprise, Hélène demeurait au milieu de cette foule, sans cesse grossissante, qui, chose curieuse, semblait ne prêter aucune attention à la présence de la jeune fille travestie en homme.

Mais l'étonnement de cette dernière devait s'accroître encore : tout d'un coup, dépassant de sa haute stature les plus grandes personnes de la foule, surgissait un être énorme, aux allures indolentes, qui tenait entre les lèvres larges et grasses de sa figure joufflue un gros cigare.

Hélène poussa un cri :

— L'homme d'hier soir, le géant, qui m'a dit que le prochain arrêt du train avait lieu à Tirlemont !

Les yeux hagards, le visage contracté, Hélène considéra cet homme qu'elle reconnaissait à n'en pas douter.

Ainsi donc, elle n'avait pas rêvé ! Il y avait bien eu la nuit précédente des gens dans ce train extraordinaire, et tous ces voyageurs qui avaient abandonné leurs wagons y reprenaient désormais leurs places, avec empressement.

Qu'est-ce que tout cela signifiait ? Quels étaient ces gens ? Où était-on ? Qu'allait-il advenir ? Hélène, un instant, eut l'impression nette qu'elle était folle.

Puis, tout d'un coup, elle fut arrachée à cette torpeur morale. Quelqu'un venait de la secouer par le bras, elle bondit en arrière ; la personne qui l'avait ainsi appréhendée poursuivait cependant son chemin, sans paraître remarquer autrement l'attitude soudainement épouvantée de la jeune fille, vêtue en homme.

C'était un individu petit, robuste, qui trottinait en trébuchant dans les traverses des rails. Passant près d'Hélène, alors qu'il lui pinçait le bras, il avait dit dans un anglais vulgaire :

— Allons, dépêche-toi, inutile de rester à bâiller... il est déjà fort tard, faut finir le service...

Or, Hélène avait compris qu'on la prenait pour quelqu'un d'autre, et sa stupéfaction s'accroissait encore, lorsqu'elle considérait son interlocuteur, en s'apercevant que celui-ci portait comme elle un vêtement de même coupe et de même couleur, une culotte et une veste vert sombre, avec un filet rouge au pantalon et des boutons de cuivre au veston.

— Ah çà ! se demanda la jeune fille, où donc suis-je tombée ?...

Mais elle n'eut pas le temps d'approfondir la question qu'elle se posait à elle-même.

Une clameur retentissait derrière elle, cependant que l'on percevait le claquement d'une chambrière, puis ce fut une poussée d'hommes et de femmes qui, quittant les voitures attelées, coururent en désordre jusqu'au train illuminé qui stationnait sur la voie de garage.

Des cris, cependant, s'élevaient ; Hélène perçut que l'on disait, toujours en anglais :

— Prince de Galles s'est échappé !

Et, en même temps, Hélène était amenée à comprendre, à savoir qui pouvait bien être ce Prince de Galles ; le galop d'un cheval retentissait derrière elle, et les sabots ferrés de la bête faisaient jaillir des éclairs des rails d'acier contre lesquels ils se heurtaient ; un cheval superbe galopait libre et joyeux sur les voies, il lançait des ruades, à toute volée, piaffait, hennissait, se cabrait.

Des hommes s'étaient déployés sur les lignes de chemin de fer, poussant par moments des exclamations de terreur et, de temps à autre, sur ces lignes fréquentées assurément, passaient des trains lancés à toute allure.

Soudain, Hélène fut poussée en avant.

— Cours donc ! lui criait quelqu'un.

Et elle courut sans savoir.

La jeune fille, à ce moment-là, était entourée d'une dizaine d'hommes portant, comme celui qui l'avait interpellée la première fois, le costume vert sombre, l'uniforme dont elle-même était revêtue.

Puis il y eut une reculade, une bousculade en arrière, un gémissement de douleur retentit, un homme venait de s'écrouler, frappé en pleine poitrine par une ruade du cheval, au moment où il s'apprêtait à le prendre par la crinière.

C'était une bête superbe, toute noire, aux formes robustes, aux membres musclés, une écume blanche coulait de ses lèvres, l'animal soufflait, ses yeux étincelaient et Hélène ne pouvait s'empêcher de contempler avec ravissement cette surprenante et diabolique apparition.

Que venait faire ce cheval échappé sur ces voies de chemin de fer, au milieu de cette foule hétéroclite d'hommes et de femmes aux allures les plus invraisemblables, aux attitudes des moins compréhensibles ?

Mais Hélène n'avait pas le temps de réfléchir longtemps.

Tandis que certains hommes s'empressaient et emportaient le blessé qui râlait, d'autres reprenaient la poursuite, s'efforçaient de cerner le cheval ou essayaient de le calmer en l'appelant, c'était en vain ! La bête, qui trébuchait sur les rails, glissait parfois, s'écorchant les genoux, semblait de plus en plus affolée.

Soudain, l'un des hommes lança vers Hélène, qui était à proximité de la bête, une longue corde terminée par un nœud coulant et il ordonnait à la jeune fille stupéfaite qui, machinalement, ramassait le cordage :

— A toi, tâche de ne pas le manquer.

Cela tombait à merveille, et l'homme qui donnait cet ordre ne se doutait assurément pas de la personnalité de la personne qu'il chargeait de l'exécuter.

Hélène avait l'habitude du lasso, elle comprit en un instant ce qu'il convenait de faire en l'espace d'une seconde ; elle rassemblait en ses mains fines, délicates, mais expertes, le long cordage, lui imprimait un balancement rythmé, puis, visant le cheval à l'encolure, elle réussissait à lui passer le nœud coulant.

Et alors, la jeune fille s'arc-boutait à l'autre extrémité de la corde, cependant que la bête, un instant interdite, tombait à genoux, puis se redressait en bondissant.

D'autres hommes, d'ailleurs, étaient survenus, qui s'agrippaient à la corde, et la défense du cheval était si violente qu'ils roulaient les uns par-dessous les autres, dans un désordre insensé, une bousculade inouïe.

Alors, à ce moment, on vit une chose extraordinaire !

Le plus petit, le plus svelte des personnages vêtus de vert sombre courait le long de la corde, tendue entre le cheval et les hommes. Cet être, avec une agilité surprenante, se rapprochait de la bête en furie qui, par moments étranglée par le nœud coulant qui la serrait à la gorge, poussait de rauques gémissements.

Cet être extraordinaire, c'était Hélène !

La jeune fille, d'un bond, saisissant le moment propice, sautait à califourchon sur le dos du cheval, et dès lors, sans bride, sans mors, sans rien pour se faire obéir, elle l'obligeait cependant à demeurer tranquille, lui transmettant sa volonté un peu par la force des genoux.

Le cheval rua deux ou trois fois, se cabra d'une façon effrayante ; les hommes, stupéfaits et fatigués aussi, avaient lâché la corde ; la jeune fille profitait d'un moment où la bête pointait, pour s'agripper à la crinière et pour ramener d'un geste vif dans ses mains le cordage qui se terminait par le nœud coulant.

Malgré la terrible défense de la bête, cet admirable cavalier n'était pas désarçonné. Et dès lors, après un instant de silence, les bravos éclatèrent dans la foule des gens qui, de la voie ou du train, considéraient cet incomparable spectacle.

Et tout d'un coup des cris d'épouvante retentirent ; Hélène avait beaucoup de peine assurément à se maintenir sur cette bête aux allures de forcené, et il lui était difficile de la diriger là où elle le voulait, or le cheval, dompté désormais, demeurait immobile, tremblant sur ses jambes comme hypnotisé.

Il était entre deux rails sur une voie, et ses yeux grands ouverts considéraient désormais avec une insistance stupide deux points lumineux qui s'avançaient vers lui.

Or, Hélène entendit qu'on lui criait :

— Allez-vous-en, retirez-vous ! un train arrive !...

La jeune fille, en effet, se rendait compte qu'à deux cents mètres devant elle, à peine, le bolide lumineux qui s'approchait n'était autre qu'une locomotive lancée à toute allure.

Il fallait à toute force bouger de là, ou alors sauter à bas du cheval. Au moment où la jeune fille allait le faire, au moment où elle parvenait, d'un violent coup de talon asséné dans les flancs de la bête, à lui faire faire un brusque écart à droite, un autre cri s'éleva de la foule, plus terrible, plus angoissant encore que le précédent, et Hélène entendit :

— Un autre train dans l'autre sens !

Elle se retourna à demi.

La jeune fille sentit sa dernière heure venue ; le cheval, terrifié par le bruit croissant des convois qui s'approchaient lancés à toute allure, se refusait à obéir, à faire un seul mouvement ; il n'y avait plus de retraite possible, semblait-il, les trains dans une seconde allaient se croiser, l'un ou l'autre allait broyer irréductiblement le cavalier et sa monture.

Hélène rassembla toute son énergie, elle se souvint des préceptes qu'elle avait jadis acquis dans les plaines du Transvaal pour commander aux chevaux indomptés, elle faisait un suprême effort, le cheval enfin obéissant bondissait des quatre pieds, sautait hors de la voie, il était temps, les deux trains l'effleuraient, ils se croisaient à toute allure, puis disparaissaient dans la nuit [1].

---

1. Voir dans la série « Fantômas » : *La Guêpe rouge*.

Et dès lors, la bête était calmée. Prince de Galles, trempé de sueur et tremblant, obéissait à la moindre pression des jambes de son cavalier. Et Hélène, lentement, les bras croisés sur sa poitrine, ramena le cheval au milieu d'une foule enthousiaste qui l'acclamait.

Des palefreniers se précipitèrent, passèrent une bride à la bête, l'entravaient aux jambes, cependant que la jeune fille, lestement, sautait à terre.

Quelqu'un courut à elle, lui prit les mains, c'était le petit homme trapu qui, quelques minutes auparavant, lui avait pincé le bras, une admiration intense était peinte sur le visage de cet homme et il articula :

— Bravo ! ce que tu as fait est superbe !

Puis, il s'arrêta court ; Hélène se trouvait placée à ce moment dans la projection directe d'une lampe électrique, on pouvait détailler son visage, voir ses traits, et l'homme, frappé de stupeur, la considéra quelques secondes, puis il interrogea :

— Qui donc es-tu ? Qui êtes-vous ?

Hélène en descendant de cheval avait perdu sa casquette et les superbes cheveux d'or fauve qui constituaient une des beautés les plus troublantes de la jeune fille s'étaient répandus dénoués sur ses épaules, la foule abasourdie désormais la contemplait. L'extraordinaire cavalier était une femme !

Ces événements s'étaient passés si vite, ils s'étaient déroulés avec une rapidité si intense qu'Hélène avait à peine eu conscience de ce qu'elle faisait ! Si elle y avait réfléchi un instant, elle aurait vite compris que son idée de bondir sur ce cheval, et de le dompter, était parfaitement inopportune, voire insensée.

Mais en agissant comme elle avait agi, elle avait simplement obéi à son instinct de fille pleine d'audace et de courage !

Or, voici que désormais, elle se trouvait entourée d'une foule de gens qu'elle ne connaissait point, et qui la considéraient à la fois avec surprise et respect.

Tout autour d'elle, se trouvaient, non seulement les individus vêtus comme elle, du complet vert sombre, mais encore le grand géant dont la masse énorme surplombait de moitié le reste de la foule, mais encore à ses pieds se trouvaient deux petits êtres qui trépignaient joyeusement en applaudissant dans leurs mains minuscules, les nains de la veille au soir !

Tout d'un coup, Hélène se sentit enlevée, portée en triomphe, elle se vit, en un instant, au-dessus d'une vague mouvante d'épaules et de bras, et on la conduisait au train, superbement illuminé, cependant que les voix proféraient :

— M. Barzum ! il faut la conduire à M. Barzum !...

Haletante, suffocante, et prête à défaillir tant elle était étourdie, la jeune fille se trouva soudain installée dans l'un des wagons du train.

De plus en plus, sa raison chavirait ; au tumulte des instants précédents succédait un silence glacial, plus impressionnant encore. Hélène avait été poussée littéralement dans ce vaste compartiment, et, demeurée sur le seuil de la porte, haletante encore, toute tremblante d'émotion, la jeune fille considérait de ses yeux abasourdis l'endroit où elle se trouvait.

Le wagon était aménagé comme le bureau d'un homme d'affaires, ou d'un personnage important ; les murs étaient tapissés d'étoffes sombres ; sous ses pieds, Hélène sentait s'écraser un tapis moelleux.

Quelques fauteuils de cuir garnissaient la pièce, au milieu de laquelle se trouvait un grand bureau, puis, dans un angle, un paravent sur lequel figuraient des personnages chinois de grandeur naturelle, qui semblaient narquoisement avec leur air simiesque considérer la jeune fille.

L'éclairage était assuré par un plafond lumineux, qui répandait, dans la pièce, une lueur douce et vivace. Hélène était seule, elle attendit quelques instants ; désormais aucun bruit ne venait de l'extérieur et la jeune fille se laissa choir sur une chaise, attendant, écoutant son cœur battre.

Un coup de sifflet soudain retentit, puis elle eut l'impression que le train lentement se mettait en marche.

De plus en plus, la jeune fille vivait un rêve absolument extraordinaire, incompréhensible ; brusquement, comme mue par un ressort, elle se leva, une petite porte en face d'elle, au fond du cabinet, venait de s'ouvrir.

Quelqu'un entra !

C'était un homme, d'une cinquantaine d'années environ, à la haute et puissante stature ; il était vêtu d'un complet noir, élégant, de bonne coupe, portait des chaussures vernies, ses doigts n'avaient qu'une bague, mais à cette bague brillait un superbe solitaire.

La moustache rasée, il portait un long bouc au menton et deux petits favoris roux qui descendaient un peu en dessous de ses oreilles.

Sa chevelure grisonnante était assez épaisse et bouclée. L'homme arborait une paire de lunettes d'or, qui dissimulaient son regard et atténuaient dans une certaine mesure la froideur naturelle de ses yeux bleu-gris d'acier.

Ce personnage s'avança lentement et considéra la jeune fille dont la poitrine haletait, sous sa veste sombre.

Hélène n'osait interroger ce personnage qui gravement vint s'asseoir devant son bureau, puis fit à la jeune fille signe de s'approcher de lui.

Hélène obéissait ; l'homme la regarda encore quelques instants en silence, enfin il lui demanda, s'adressant à elle dans un français correct quelque peu corsé par un accent américain très caractéristique :

— Quelle nationalité ?

A tout hasard, Hélène répondit :

— Française.

— Bien, fit l'homme, qui ajoutait :

— Mes compliments ! Vous avez merveilleusement dompté tout à l'heure ce cheval, que mes hommes parviennent difficilement à maîtriser en temps ordinaire, il appartenait, ajouta-t-il, à Miss Dona Bella, la première écuyère de mon cirque, qui vient de me quitter hier à la suite d'une discussion... Je regrette vivement son départ, mais moins cependant depuis que je vous connais...

Hélène était abasourdie de ce préambule, mais, chose curieuse, en présence de cet homme si correct et si froid, qui la dévisageait sans aucune discrétion, à travers ses lunettes, elle ne se sentait aucunement gênée.

Et puis, n'avait-on pas prononcé, devant elle, un nom populaire entre tous, et qui lui ouvrait toutes sortes d'horizons : Barzum !

Hardiment, la jeune fille interrogea :

— Monsieur, voulez-vous me dire où je suis ? qui vous êtes ?

Imperceptiblement son interlocuteur souriait.

— En vous voyant revêtue, mademoiselle, fit-il non sans une certaine ironie, de l'uniforme de mes valets d'écurie, j'imaginais que vous apparteniez à mon personnel...

— Monsieur, balbutia Hélène, je vous prie de m'excuser, mais c'est involontairement que j'ai pris ce vêtement... je suis une malheureuse...

L'homme l'interrompit d'un geste de la main :

— Vous êtes, déclara-t-il, un cavalier de premier ordre, une merveilleuse écuyère, et cela me suffit à moi, le directeur de ce cirque Barzum, à moi Barzum lui-même.

— Barzum ! s'écria Hélène.

Et désormais, la jeune fille considérait, de ses yeux agrandis de surprise, le célèbre personnage qui venait de lui faire connaître son identité !

Ainsi, le hasard des circonstances et les plus folles coïncidences faisaient qu'Hélène se trouvait dans le train spécial bien connu de la troupe du cirque Barzum et qu'elle était, à ce moment précis, en tête à tête avec l'impresario le plus célèbre du monde, et qui, sans cesse, promenait sur les deux hémisphères tout ce que le monde du sport hippique, de l'acrobatie et des banquistes internationaux comporte de virtuoses émérites et de vedettes !

Et c'était Barzum lui-même, Barzum qui lui décernait de semblables compliments !

Soudain, la jeune fille blêmit... qu'allait-il résulter de cet entretien ? Si elle était provisoirement sauvée, n'était-elle pas aussi prisonnière dans ce train qui désormais filait à toute vapeur, vers une destination inconnue ?...

Hélène ne savait même pas où elle se trouvait, si l'on était en Belgique, en France, en Allemagne ou ailleurs.

Qu'allait-il advenir d'elle ? Que déciderait ce Barzum lorsqu'il saurait son identité ?

La jeune fille, haletante, attendait la suite de cette conversation. Elle se rassurait, toutefois, aux premiers mots que prononçait le populaire impresario.

— Il y a peut-être, mademoiselle, fit-il, des mystères dans votre arrivée ici... je ne veux pas les connaître, peu m'importe et je vous offre ceci : à dater de ce soir, et si la répétition que je vous demanderai à titre d'essai complémentaire demain matin est satisfaisante, vous ferez partie de ma troupe. Je vous engage aux appointements de 3 000 dollars par mois, vous me signerez un contrat d'un an... est-ce accepté ?... La seule chose que j'exige de vous, c'est de l'assiduité et aussi une tenue des plus correctes... vous vous trouverez ici avec des artistes qui sont d'honnêtes gens !...

— Monsieur, protesta Hélène dont le front rougissait à l'idée des suppositions que formait évidemment M. Barzum, je me suis toujours respectée moi-même et ne permettrai pas que quiconque...

— Je vous crois, mademoiselle, fit-il ; ma longue habitude des êtres humains me permet de les juger à première vue ; je ne sais qui vous êtes, et je veux ignorer les circonstances qui vous ont amenée à venir chercher un asile chez moi, je vous répète que cet asile est inviolable pour les honnêtes gens !... sommes-nous d'accord ?

Il n'y avait pas lieu de refuser, c'était une solution inespérée qui s'offrait à Hélène de dépister la police belge. Hélène n'hésitait pas, elle répondit nettement :

— Je suis prête à signer, monsieur.

— Bien, fit Barzum.

Il rédigeait quelques lignes de grande et large écriture sur une feuille de papier, il la tendait à Hélène.

— Voulez-vous signer ? demanda-t-il.

La jeune fille allait s'exécuter, elle hésita, rougit.

Hélas, pouvait-elle mettre son nom sur ce document ? S'agissait-il de révéler sa personnalité ?

Elle interrogea :

— Comment me baptisez-vous désormais ?

Simplement, Barzum répondit, après avoir réfléchi un instant :

— Signez du nom d'un de vos plus glorieux ancêtres, signez le nom de la célèbre écuyère... Mogador !

XII

Mademoiselle Mogador, écuyère de haute école

Le sort en était jetée, Hélène faisait partie du personnel haute école.

La chose décidée la veille au soir, au cours du bizarre entretien qu'avait eu la jeune fille avec le célèbre impresario, s'était confirmée dès le lendemain matin par une sorte d'examen professionnel, qu'un maître de manège faisait passer à la fille de Fantômas, sous l'œil attentif de Barzum lui-même.

Ce dernier avait été enthousiasmé de la maestria avec laquelle sa nouvelle pensionnaire était rompue aux exercices hippiques. Lorsqu'elle avait eu fini, Barzum lui avait dit :

— Ce n'est là qu'un commencement, d'ici quelque temps, lorsque vous connaîtrez bien les mouvements du cirque, vous vous mettrez à la voltige...

Puis, il avait ajouté, parlant plus bas à l'oreille de l'écuyère :

— Et je vous doublerai vos appointements...

Hélène, encore tout abasourdie des événements extraordinaires qui se succédaient pour elle, avait tristement souri aux dernières paroles de Barzum.

Peu lui importait, en effet, d'être ou non enrichie par les appointements que faisait miroiter à ses yeux le grand impresario ! Ce qu'elle voulait, ce qui faisait qu'elle avait accepté un engagement dans ce cirque, c'était de passer inaperçue et pour détourner complètement les soupçons de la police belge qui, assurément, ne viendrait pas la chercher dans cette troupe d'artistes venus des quatre coins du monde, et où il fallait faire preuve d'un réel savoir-faire.

En outre, la jeune fille entrevoyait, dans ce rôle qu'elle allait jouer, la possibilité de dissimuler ses traits et de transformer son visage. Ne pouvait-elle pas porter une perruque brune, et donner à son teint un aspect tout différent de celui qu'il possédait ?...

La matinée avait été fort occupée, Barzum avait conduit la jeune fille au tailleur du cirque et celui-ci, rapidement, avec une habileté d'homme habitué à ces sortes de travaux, lui ajustait dans les délais les plus rapides une amazone de drap noir qui moulait à merveille ses formes gracieuses et délicates.

Dès lors, la jeune fille avait été libre, il était environ onze heures du matin et jusqu'à huit heures du soir elle n'avait rien à faire sauf à s'intéresser aux préparatifs que la troupe des employés poursuivait activement.

On avait servi à déjeuner à Hélène, dans un wagon-restaurant où se réunissaient les artistes de la troupe, les étoiles, les vedettes.

Encore que fort timide et rougissante, Hélène avait été très rapidement mise à l'aise, au milieu de ces gens, par leur cordialité affectueuse et familière.

Si la jeune fille avait été dans un autre état d'esprit, elle aurait trouvé, dans ce milieu, matière à observations curieuses et pittoresques.

Le cirque Barzum était composé des êtres les plus hétéroclites et provenant des régions du monde les plus lointaines !

Il y avait là des acrobates, des gymnastes élégants et jolis garçons, nés en Hongrie ou en Bohême, puis des athlètes russes, des clowns anglais, des cavaliers venus de l'Amérique du Sud, des jongleurs chinois, des équilibristes japonais.

Et puis aussi, ce que chez Barzum on appelait « les phénomènes », c'est-à-dire les pauvres êtres disgraciés de la nature qui faisaient un gagne-pain de leurs infirmités.

Hélène, en face d'elle, avait vu à la table de ce wagon-restaurant un homme qui ne paraissait présenter aucune particularité spéciale, il était taciturne, et goulu.

La jeune fille s'était enquise, auprès de son voisin, de la profession de ce personnage et on lui avait répondu :

— C'est l'homme-caoutchouc, regardez comme sa peau est flasque, il peut, en tirant sur sa joue, l'allonger, l'écarter à cinquante centimètres de son crâne.

Hélène avait pour voisins, juchés sur de hauts tabourets, le couple de nains qu'elle avait aperçu la première fois qu'elle s'introduisait dans le train de Barzum.

Tous deux étaient inlassablement bavards et péroraient sans cesse, mais d'une voix si faible, si imperceptible, que c'est à peine si on les entendait. Puis la jeune fille avait été frappée par la présence au bout de la table d'un homme très brun, au visage basané, au regard perçant. C'était un véritable athlète, on l'appelait Gérard ; il avait pour profession d'être dompteur de fauves.

La jeune fille avait considéré cet homme avec une attention toute particulière ; ne lui avait-on pas dit qu'il était originaire de la colonie du Cap ? Ce qui faisait songer Hélène à ses origines, au lointain pays dans lequel s'étaient écoulées ses premières années, au lendemain de la guerre du Transvaal[1].

On s'était montré cordial et affectueux avec la nouvelle venue ; par discrétion, nul ne s'était avisé de l'interroger sur son passé, sur les motifs qui l'avaient décidée à s'engager dans la troupe après le haut fait sportif, aussi superbe qu'inattendu, qu'elle avait réalisé la veille en maîtrisant l'indomptable cheval échappé au palefrenier, alors qu'elle-même, pour un motif mystérieux que l'on ne comprenait pas, était revêtue de l'uniforme des garçons d'écurie. Nul ne cherchait à savoir qui elle était. M. Barzum, en la présentant à sa troupe, avait simplement dit :

— Mlle Mogador, que voici, remplace désormais miss Dona Bella, qui ne fait plus partie du cirque...

Et nul n'avait sourcillé, en apprenant que la belle inconnue portait le nom d'une célèbre écuyère qui aurait pu être son arrière-grand-mère.

La Mogador !

Hélène s'habituait peu à peu à répondre à ce nom. On l'avait installée dans un des wagons du train, un petit compartiment lui était réservé, et le secrétaire de Barzum, M. Charley, était venu, quelques instants après son installation, lui apporter divers objets, dont elle pouvait avoir besoin : une boîte de maquillage, des cravaches, des éperons ; une femme de chambre était venue fournir du linge à la jeune fille.

C'était un rêve, un rêve merveilleux, insensé qu'elle vivait ; si curieuse était sa nouvelle existence, qu'Hélène en oubliait presque les tragiques incidents des derniers jours !

Le train stationnait un peu à l'écart dans la grande gare des marchandises de la ville de Tirlemont. Ce nom revenait à l'esprit d'Hélène, c'était le nom de la ville que lui avait indiqué, quarante-huit heures auparavant, l'homme énorme aperçu tassé dans son compartiment fumant un cigare.

Elle n'avait pas compris tout d'abord, maintenant elle savait et elle savait aussi que son interlocuteur de la première heure se glorifiait de ce fait qu'il était l'homme le plus gros du monde et le plus lourd aussi.

Vers deux heures de l'après-midi, deux autres grands convois arrivèrent et se rangèrent sur des voies parallèles, à côté du train où se trouvait Hélène. Les petits nains, qui s'étaient pris d'affection pour elle, ne la quittaient point et, tout heureux d'être écoutés, ils expliquaient :

— Ce sont les marchandises qui arrivent, ainsi que les tentes que l'on va dresser pour la représentation.

Hélène apprenait ainsi que l'équipe de Barzum se composait en réalité de trois trains : deux pour le matériel et celui dans lequel elle se trouvait. Ce dernier était composé de six wagons, trois d'entre eux réservés aux artistes de marque, à M. Barzum et à ses bureaux, trois autres ainsi répartis : le premier constituant le logement des palefreniers en chef, des écuyers et de Gérard le belluaire, les deux autres contenant des chevaux de luxe, des fauves et l'administration du cirque.

A côté des chevaux dressés pour la haute école, la voltige et le pas espagnol, se trouvaient un couple de tigres, deux panthères et deux lions.

---

1. Voir dans la série « Fantômas » : *La Fille de Fantômas.*

Les trains de matériel étaient à peine arrivés qu'une multitude de manœuvres en descendaient, puis, après avoir débarqué les chariots montés sur des plates-formes, les chargeaient de toiles et de piquets et attelaient les mules ; le tout s'en allait dans un ordre déterminé à l'avance à mille cinq cents mètres environ de la gare dans une vaste plaine, où, d'ici quelques heures, allait être édifié le cirque Barzum.

Et c'était ainsi, pendant tout le jour, un défilé ininterrompu de voitures surchargées des choses les plus bizarres, auxquelles s'intéressait prodigieusement la jeune fille qui, jusqu'alors, n'avait jamais assisté à un pareil spectacle.

Le chemin qui conduisait de la gare à l'endroit où devait s'élever le cirque était un véritable bourbier ; il avait plu la veille et les lourds chariots, en passant continuellement sur cette route, l'avaient désagrégée.

Et, dès lors, on assistait à un spectacle aussi inattendu qu'original : c'était celui des éléphants qui, merveilleusement domestiqués, aidaient, de toute la force de leurs trompes robustes, à faire avancer les véhicules embourbés dans la route et que les chevaux étaient impuissants à bouger.

— Se peut-il, se demandait sans cesse Hélène, que tout cela soit prêt pour ce soir ?...

Mais ses guides, les petits nains qui, pendant deux heures, avaient trotté avec elle, aux alentours des trains Barzum, la rassuraient :

— Soyez tranquille, Mogador, disaient-ils, l'organisation du cirque Barzum est la plus merveilleuse du monde.

Et, en proférant ces paroles, ils se redressaient sur leurs petits talons, prenaient des airs suffisants et convaincus, comme s'ils avaient leur part dans la gloire d'organisateur que remportait, chaque jour de représentation, le célèbre impresario.

On dîna rapidement vers six heures et demie ; après quoi, se conformant aux instructions d'un régisseur, Hélène montait dans une voiture qui la conduisait, avec quelques autres artistes, au cirque lui-même.

— Ne vous occupez de rien, lui avait-on dit, vous trouverez votre loge dans les coulisses.

Et la jeune fille, de plus en plus abasourdie, était arrivée, après mille cinq cents mètres parcourus dans une campagne obscure, sur une vaste place tout illuminée par des projecteurs électriques, au milieu de laquelle se dressait un monument gigantesque, tout de toiles et de planches, susceptible, lui avait-on dit, de contenir quinze mille spectateurs.

A huit heures et demie précises, les portes du cirque Barzum s'ouvrirent au public.

C'était un véritable peuple qui était venu assister à l'unique représentation que la gigantesque entreprise allait donner à Tirlemont.

De nombreuses personnes étaient venues de Bruxelles, de Liège, en automobile, et tout le pays, à dix lieues à la ronde, avait tenu à ne pas manquer cette sensationnelle représentation.

Les premiers qui pénétrèrent sous la tente immense, que des hommes habiles et expérimentés avaient dressée dans l'espace d'un après-midi, commencèrent d'abord par longer un couloir dans lequel, de distance en distance, se trouvaient des estrades occupées par les phénomènes.

Il y avait là l'homme caoutchouc, la femme tatouée, l'enfant sans bras ni jambes ; on faisait cercle autour de Jojo, l'homme chien, être disgracié de la nature ressemblant à la fois à un être humain et à un animal au regard intelligent sans doute, mais au visage couvert de poils comme un caniche et qui excellait, lorsqu'on lui donnait un morceau de sucre, à désigner du premier coup d'œil « la plus jolie personne de la société ».

A côté de l'homme le plus gros du monde figurait l'homme-squelette, si maigre que lorsque l'on regardait par transparence sa poitrine, qu'éclairait par derrière une grosse lampe électrique, on pouvait lui compter les côtes. Le bonisseur chargé de le présenter à la foule affirmait que le diamètre de chacune de ses cuisses ne dépassait pas celui d'un dollar ou d'une pièce de cinq francs.

Puis, il y avait les deux nains, les amis d'Hélène, princes, disait-on, d'une principauté disparue, du centre des Balkans, qui avaient d'excellentes manières, que l'on pouvait inviter dans tous les salons et qui parlaient plusieurs langues.

On exhibait aussi la sultane du Congo, une personne au teint hâlé, au visage pourvu d'une barbe opulente.

Puis, lorsque les phénomènes avaient suffisamment défrayé l'attention du public, celui-ci se rendait aux places numérotées, et, dès lors, découvrait une arène extraordinaire par ses dimensions et le nombre de choses que l'on y voyait. C'était un véritable hippodrome en forme d'ellipse, long de deux cents mètres environ, au milieu duquel se trouvaient trois cirques placés de distance en distance.

Au-dessus se trouvaient suspendus des barres fixes, des trapèzes, des échelles monumentales, des planches inclinées, aux usages intrigants.

Un orchestre tonitruait tout au bout de la salle à l'opposé de l'entrée des artistes, et le spectacle commençait par une course en char, qui se déroulait dans la grande piste de l'hippodrome, tandis que, dans chacun des trois cirques, des acrobates se livraient à des cascades les plus hardies, les plus merveilleuses, et qu'une troupe de Japonais, perchés dans les combles du cirque, faisaient de périlleux équilibres.

Une grosse boule bleue vint, qui monta le long d'une sorte d'escalier en colimaçon et finit par s'ouvrir, parvenue au sommet de l'escalier, à quatre mètres de hauteur, montrant aux spectateurs abasourdis une délicieuse jeune fille, dont les cheveux blonds épars ressortaient merveilleusement sur un maillot gris clair.

Puis ce fut, une fois la piste débarrassée des chars, l'arrivée de grandes cages aux solides barreaux de fer. Des lions rugissaient à l'intérieur, cependant qu'un ours affublé d'une coiffure de soldat courait autour de la piste, traînant une petite voiture dans laquelle se trouvait le belluaire, vêtu d'un complet collant, d'un dolman à brandebourgs rouges.

Le programme disait qu'il s'appelait Gérard ; c'était en effet l'homme du Cap qu'Hélène avait remarqué.

Les premières loges des spectateurs étaient bondées d'une foule élégante ; de claires toilettes se mêlaient à des habits noirs, car, bien que l'on fût à la campagne, il était élégant, distingué, de venir à ce cirque en tenue de soirée.

La plus haute aristocratie belge s'était donné ce soir-là rendez-vous chez Barzum et naturellement, le monde de la galanterie n'avait pas manqué cette bonne aubaine de venir à la représentation, s'y créer de nouvelles relations.

Deux demi-mondaines causaient :

— Sais-tu, pour une fois, Clémentine, fit l'une qui depuis quelques instants regardait derrière elle à travers son face-à-main, que ce jeune homme qui va et vient a l'air de vouloir profiter avec...

Sa compagne, une grosse blonde, qui transpirait perpétuellement, encore que la température ne fût guère élevée, secoua sa masse de graisse et balbutia :

— Ma foi, Philomène, moi je ne demande pas mieux, car voilà déjà plus de deux jours que mon entreteneur est retourné en Hollande...

Dès lors, les deux femmes multiplièrent les œillades engageantes et visaient nettement un jeune homme à la mise élégante, à la tournure distinguée qui, depuis quelques instants déjà, rôdait autour d'elles.

Le galant s'en aperçut, n'hésita point, et avec une aisance parfaite, pénétra dans la loge :

— Bonsoir, fit-il aux deux femmes, et ça va toujours depuis avant-hier ?...

Il leur serrait les mains, comme s'il avait affaire à de vieilles connaissances. Les demi-mondaines se regardèrent interloquées, Clémentine interrogea Philomène :

— Le connais-tu donc, pour une fois ?

Mais Philomène répliquait :

— Ça est une drôle de chose, car moi je ne l'ai jamais vu.

Mais le nouveau venu, qui entendait ces mots, riait bruyamment, il riait d'ailleurs d'un air contraint, les lèvres contractées.

— Comment, vous ne m'avez jamais vu ? criait-il, à très haute voix, comme pour être entendu de son voisinage... pourtant nous avons soupé ensemble au boulevard Anspach, deux ou trois fois la semaine dernière... vous savez bien mon nom, le baron Léopold.

Pour être polie, Clémentine répliqua :

— Ah oui, pour une fois, je me souviens !

Mais on voyait, à son air embarrassé, qu'elle n'avait aucunement présent à la mémoire le souvenir qu'évoquait son interlocuteur.

Celui-ci, familièrement, s'était installé entre les deux jeunes femmes, il avait fait venir des fleurs et, dès lors, parlant toujours à haute voix, comme pour les autres, il racontait sa vie, heure par heure, pour ainsi dire, semblant tenir extrêmement à ce que chacun sût qu'il venait de Spa, qu'il avait été ensuite à Ostende, qu'il était revenu passer huit jours à Bruxelles, qu'il s'appelait le baron Léopold et que particulièrement, depuis quatre jours, il se partageait entre Liège et Tirlemont.

Philomène se penchait à l'oreille de Clémentine et naïvement murmura :

— Pourquoi est-ce qu'il nous dit tout cela, le baron Léopold ? Il ferait mieux, pour une fois, de nous proposer d'aller souper en sortant du cirque, je ne sais pas comment nous allons faire, s'il ne nous invite pas...

Clémentine, plus audacieuse que son amie, tournait la conversation sur cette importante question :

— Pour ce qui est de manger..., commença-t-elle.

Mais elle s'arrêta net, car elle se rendait compte que le baron Léopold ne l'écoutait pas. Il s'était brusquement dressé et, bousculant quelque peu les jeunes femmes, se penchait par-dessus le bord de la loge, il regardait, les yeux écarquillés, le spectacle qui se déroulait désormais dans celui des cirques qui occupait le milieu de la piste.

On venait d'amener un cheval superbe, que montait une gracieuse amazone, à la tenue aussi classique que correcte, au corps moulé dans une grande robe de drap noir, à la tête coiffée d'un brillant huit-reflets.

C'était Hélène ! Le programme portait au numéro 12 :

Mlle Mogador, écuyère de haute école

Le baron Léopold, qui jusqu'alors avait insupportablement bavardé, ne proférait plus une parole.

Mais il était devenu très pâle, ses mains qui tenaient sa lorgnette, obstinément rivée à ses yeux, tremblaient.

Tant que dura l'exercice, le baron Léopold ne s'arracha pas un seul instant à cette contemplation.

Et son attitude était si indiscrète, si nettement explicable, assurément le baron était séduit par les charmes de l'écuyère, que les deux demi-mondaines s'en mordaient les lèvres de dépit.

— Je crois, déclara Clémentine, qui ne manquait pas de bon sens, que si quelqu'un soupe avec le baron ce soir, ce ne sera pas moi...

— Ni moi non plus, déclara Philomène, en dissimulant un soupir, derrière son éventail.

Clémentine, toutefois, en bonne grosse Flamande qu'elle était, avait de la suite dans les idées, de l'entêtement aussi, et lorsque l'écuyère, qu'acclamait une foule enthousiaste, eut achevé son dernier tour de première question, elle tira le baron Léopold par sa manche, puis interrogea :

— Alors, pour ce qui est de manger...

Une fois encore, elle devait s'arrêter, cette fois le baron Léopold la quittait, elle et sa compagne, il sortit de la loge, se perdant dans le promenoir.

Et les deux femmes se regardèrent consternées :

— Sais-tu, pour une fois, dit Philomène à Clémentine, que je crois que nous sommes refaites.

Et elle ajoutait douloureusement :

— Le baron ne veut pas profiter avec...

Le baron Léopold, cependant, en proie à une émotion considérable semblait-il, suivait à grande allure le promenoir encombré de spectateurs. Il parvint à l'extrémité de la piste, à l'entrée des coulisses où se tenait un grand colosse, revêtu comme un suisse de cathédrale.

— On ne passe pas, fit l'homme.

Mais le baron Léopold savait comment il fallait parler à ces cerbères et, tout en continuant à avancer, il glissait une pièce d'or dans la main de l'homme, ajoutant à haute voix :

— Je suis le baron Léopold et l'on m'attend du côté des écuries...

Le colosse faisait le salut militaire, hochait la tête d'un air entendu, comme s'il comprenait quelque chose ; en fait, il ne retenait que ceci : c'est qu'il venait de gagner dix francs et qu'il les conserverait sans danger, aucun des inspecteurs supérieurs n'étant à proximité pour le voir.

Celui qui s'était nommé baron Léopold, cependant, s'avançait d'un pas décidé, dans le dédale immense que constituaient les coulisses du cirque.

Si la tente qui recouvrait la piste des spectateurs était immense, de dimensions jusqu'alors ignorées de tous, la surface recouverte par les coulisses, les écuries, la ménagerie des fauves, était plus vaste encore.

L'aspect, toutefois, en était moins élégant, mais plus curieux assurément. Le baron Léopold s'adressait à un clown qui passait :

— La loge des écuyères ? demandait-il.

Le pitre se lança dans des explications confuses, dans un américain nasillard qu'heureusement le baron comprenait à peu près !

— Traversez la première tente, lui avait-il dit, tournez autour de la deuxième, puis vous trouverez les stalles de chevaux, plus loin sont les loges des cavaliers et des écuyères...

Le baron, remerciant d'un geste rapide, suivait les indications qui lui étaient données ; il traversait une foule nombreuse de gens accroupis sur le sol, devant de petites malles ouvertes, dont ils extrayaient des costumes multicolores, des fards aux teintes criardes et dures, un bout de miroir était fixé par des pointes au couvercle des malles, les gens s'y miraient non sans peine, pour « se faire leurs têtes »...

Par terre il y avait de la paille, et, sous cette paille, surgissait de temps à autre une eau noire et nauséabonde ; la loge des figurants, des clowns, des augustes, dans laquelle se trouvait à ce moment le baron Léopold, ne comportait point de plancher, elle était à même la terre battue, et celle-ci, toute détrempée par la pluie de la veille, constituait un véritable cloaque.

Rien n'était pitoyable et pittoresque à la fois comme de voir ces pauvres clowns aux visages enfarinés s'essayant à faire des grimaces comiques, cependant que leurs chaussures de toile se remplissaient d'eau, et que leurs grandes culottes multicolores se mouchetaient de taches de boue.

Le baron Léopold traversa hâtivement cette tente effarante, et d'un comique lugubre. Il voulut passer dans la tente voisine ; des clameurs aigres s'élevèrent et il recula, durement repoussé : le baron Léopold avait failli entrer dans la loge commune des figurantes, et la pudeur de toutes ces Américaines, de toutes ces Russes, de toutes ces Australiennes se révoltait et se manifestait par des cris de pintades effarouchées.

Le baron Léopold n'insistait pas ; au surplus, ce n'était pas une figurante qu'il recherchait. Il perçut à sa droite des piaffements de chevaux, et, soulevant une grosse toile, passa, en se glissant par-dessous, dans une tente voisine.

Les explications fournies par le clown ne lui servaient pas à grand-chose, le visiteur s'était perdu dans le dédale immense des coulisses de Barzum. Et il commençait à s'inquiéter des suites de son escapade.

Tandis qu'en effet le spectacle dans la salle se déroulait avec un ordre rigoureux et précis, c'était, semblait-il, du côté des coulisses, la confusion la plus absolue. On criait à tue-tête, des ordres retentissaient de toutes parts, soudain une lampe s'éteignait, un pan de mur en toile s'écroulait, on entendait des jurons de palefreniers.

C'est que, tandis que se poursuivait la représentation, au fur et à mesure que la chose devenait possible, les manœuvres démontaient les installations qui n'étaient plus nécessaires.

A trois heures du matin, en effet, le train de Barzum devait partir, tentes repliées, artistes ramenés à la gare ; il n'y avait pas un instant à perdre...

Au bout de dix minutes, cependant, le baron Léopold parvint aux écuries ; à deux ou trois reprises, il faillit être heurté, renversé par les chevaux qu'au grand trot les palefreniers conduisaient hors du cirque pour les ramener aux wagons-écuries.

A l'un des hommes qui semblait diriger les autres, Léopold, hardiment, demanda :

— Mlle Mogador, je vous prie ?... il faut absolument que je lui parle...

— Ma foi, fit l'interpellé, vous tombez bien, la voici justement qui s'en va... elle rentre au train... dépêchez-vous si vous voulez la voir.

Cependant que le cœur battait au baron Léopold de cette aubaine inespérée, il apercevait, en effet, l'écuyère qui, retroussant sa longue jupe noire, marchait avec précaution, évitant les flaques de boue qui saturaient le sol.

Hélène retournait, en effet, à la voiture qui devait la reconduire au train ; elle sortait à peine du cirque et venait de franchir la dernière toile, lorsque, sur la route, quelqu'un l'aborda :

— Mademoiselle !

— Monsieur !

La jeune fille se retournait, interloquée de cette apparition et de l'appel impératif qui lui avait été adressé.

La jeune fille pâlissait, son cœur avait battu plus fort au moment de cette interpellation, sans cesse la crainte hantait son esprit, n'était-on pas toujours en Belgique, ne pouvait-elle pas être reconnue, arrêtée d'un moment à l'autre ?...

Or, elle regarda son interlocuteur avec stupéfaction. Celui-ci cependant, le baron Léopold, ne perdait point de temps et nettement il articula :

— Je me présente à vous, mademoiselle ; baron Léopold, parent du roi des Belges... grosse fortune, bon garçon et comme vous pouvez le voir, pas trop mal tourné...

Et après un instant l'individu ajoutait se rapprochant audacieusement d'Hélène, dont il cherchait à prendre la main :

— C'est entendu, n'est-ce pas, je vous enlève, nous souperons ensemble ce soir ?...

La jeune fille était si interloquée qu'elle ne savait que répondre et s'il convenait ou non de se fâcher, elle considérait, à la lueur d'une lampe électrique suspendue au-dessus d'elle, cet homme qui lui parlait si cavalièrement et, chose étrange, il lui semblait que, sans le connaître, elle le reconnaissait cependant.

Où donc avait-elle vu ces yeux froids et perçants ? cette face glabre, plate et osseuse, et aussi ces cheveux drôlement plantés, mais dont la teinte imprécise la surprenait au plus haut point ?

Et puis il y avait aussi le timbre de cette voix et, chose extraordinaire, sans pouvoir préciser ni l'endroit, ni les circonstances dans lesquels elle avait vu cet homme, Hélène, avec plus d'intensité que précédemment encore, songeait à son extraordinaire aventure survenue quarante-huit heures auparavant, à son arrestation à Anvers, au crime dont elle avait été accusée !

Sa pensée vagabondait, mais brusquement la jeune fille rougit de colère.

Le personnage qui s'était présenté sous le nom du baron Léopold lui avait pris la taille et, audacieusement, approchant son visage du sien, avait effleuré de ses lèvres ses cheveux.

Le sang hautain d'Hélène ne fit qu'un tour, la jeune fille bondit en arrière.

— Monsieur ! cria-t-elle indignée.

Puis, le geste était plus rapide que sa pensée, et de sa cravache elle cinglait le visage du grossier baron.

Un homme avait surgi du fond du cirque qui regardait cette scène. Imperturbable, les bras croisés, il eut un sourire ironique en voyant la façon dont l'écuyère recevait le jeune homme ; ce personnage c'était Gérard, le dompteur de lions, l'homme né au Natal !...

Il était deux heures du matin, le train de Barzum allait partir, tout le cirque, désormais, personnages, artistes, figurants, tentes aussi, était rentré dans les voitures qui leur étaient respectivement attribuées.

Le chef palefrenier qui venait de vérifier l'embarquement des derniers chevaux montait lui-même dans le train, au moment où sifflait la locomotive, lorsque quelqu'un le tira par la manche.

Il se retourna.

Le chef palefrenier était en face d'un jeune homme fort élégamment mis, coiffé d'un chapeau haut de forme, vêtu d'un costume de soirée.

A cet employé abasourdi, l'élégant demanda :

— Vous n'avez pas besoin d'un palefrenier dans la troupe ?

— Non, monsieur, fit l'homme.

— Ni d'un garçon d'écurie ?

— Non, monsieur.

Le train sifflait et commençait à s'ébranler, le chef palefrenier sauta dans la voiture, mais sur les marches de l'escalier, qui se trouvait à l'extrémité du wagon, le jeune homme en habit avait sauté lui aussi et il insistait, glissant un billet de banque dans la main de l'employé.

— Je vous assure, fit-il, que vous avez *besoin* d'un *aide* et qu'il *faut* absolument l'embaucher.

Il avait une façon si singulière et si persuasive de dire cela que le chef palefrenier demeurait interdit ; il se décida toutefois à répondre affirmativement, lorsqu'il vit le jeune homme en habit fouiller encore sa poche et en sortir cette fois une liasse de billets, en disant :

— Voilà pour servir les appointements de votre nouvel employé.

Le chef palefrenier s'assurait que nul ne le voyait faire, il empocha l'argent, cependant qu'il questionnait à voix basse :

— Et quel est-il cet employé ?

— Moi, fit le jeune homme, qui ajoutait :

— Je suis le baron Léopold, vous m'appellerez Léopold tout court...

Le chef palefrenier le dévisageait.

— Une histoire de femme, hein ? demanda-t-il.

— Parbleu ! fit le baron.

Et dès lors, le chef palefrenier respira, il aimait mieux cela qu'autre chose ; avec les histoires de femmes, le chef palefrenier, qui avait l'habitude, savait que cela ne durait jamais longtemps. Il connaissait les artistes du cirque Barzum, savait que tous étaient des gens honnêtes, que la plupart des femmes étaient mariées, ou alors, désireuses de le devenir, il eut un ironique sourire pour cet audacieux baron, lequel s'imaginait sans doute qu'il n'avait qu'à se présenter pour réussir la conquête d'une des artistes de la maison !

Le chef palefrenier déclara :

— Je m'en vais vous installer dans l'une des cabines disponibles, on verra demain à vous donner un uniforme...

Quelques instants après, le baron Léopold était seul dans un petit compartiment du train où se trouvait une couchette fort bien aménagée, il se frottait les mains :

— De mieux en mieux, pensait-il, tout s'arrange et la jolie fille d'Anvers...

Le baron n'achevait pas sa pensée, un coup sec venait d'être frappé à sa porte, il alla ouvrir. Quelqu'un se tenait dans le couloir, un homme à la haute stature, au teint très brun, à la moustache épaisse.

A peine le baron l'eut-il aperçu, que cet homme s'avançant lui déclara à voix basse, d'un ton sec, net, autoritaire :

— Écoutez-moi bien, monsieur, si jamais vous vous permettez la moindre incorrection à l'égard de Mlle Mogador, vous aurez affaire à moi, ainsi qu'à mes amis.

— Ah bah ! fit le baron qui regardait interloqué cet individu.

Il interrogea cependant, essayant de sourire :

— Et vos amis qui sont-ils ?

L'homme répondait très tranquillement :

— Ce sont les lions, les tigres et les panthères, je suis Gérard le dompteur !

C'était Gérard en effet, il s'inclinait, puis disparaissait dans l'ombre du couloir, laissant le baron Léopold interdit.

XIII

Juve à Anvers

— Pour une fois, monsieur Juve, savez-vous, je suis vraiment heureux de vous entendre parler... Ça est une question si délicate, en vérité, que ça n'est pas trop de vous entendre en disserter...

Le procureur du roi du tribunal d'Anvers recevait Juve dans son cabinet et, confortablement assis dans un large coupe-papier, caressant d'un geste machinal de son long coupe-papier d'ivoire ses favoris blancs soigneusement taillés, adressait à toute minute à Juve d'obligeants sourires et de courtois petits saluts.

A vrai dire, cependant, le procureur du roi était fort étonné par l'attitude de Juve.

Le magistrat belge, en effet, était le calme et le flegme personnifiés. Il ne s'agitait jamais et s'émotionnait le moins possible. Or, devant lui, Juve allait et venait, incapable de rester en place, tapant du pied, se mordant les lèvres, poussant de minute en minute de sourdes exclamations.

Mais comment Juve était-il à Anvers ? Comment se trouvait-il dans le cabinet du procureur du roi ?

Juve avait éprouvé un horrible chagrin lorsque à Bordeaux, par le fait d'une méprise tragique, Alice Ricard avait tué son mari, puis s'était tuée elle-même. L'intègre policier s'était alors, en quelque sorte, accusé d'imprudence, accusé de légèreté et, dans le secret de sa conscience, s'était jugé responsable de la mort de ces deux individus [1].

M. Havard mandé d'urgence avait, par bonheur, réconforté le policier. Moins délicat assurément que Juve, plus rompu encore, s'il était possible, aux terribles risques du métier de police, plus indifférent à ces risques à coup sûr, car il ne les affrontait pas personnellement et n'éprouvait pas l'ardeur, l'angoisse du chasseur pistant directement un gibier dangereux, M. Havard n'avait vu dans les événements de Bordeaux qu'une seule évidence :

— C'est bougrement heureux, s'était-il contenté de dire à Juve, que vous ayez changé de place avec Fernand Ricard.

Et il ajoutait cynique :

— Car enfin, il vaut cent fois mieux que Fernand et Alice soient enterrés six pieds sous terre et que vous, mon vieux Juve, vous soyez prêt à reprendre la lutte.

M. Havard avait étouffé l'affaire, avait, violentant Juve, passant outre aux scrupules du policier, établi pour l'opinion publique que la mort des Ricard était imputable à un drame d'amour.

Puis, toutes les formalités terminées, cette affaire étant définitivement classée, M. Havard avait convoqué Juve dans son cabinet, et, en quelques mots rapides et précis, l'avait mis au fait des mystérieuses affaires d'Anvers.

— Qu'est-ce que vous pensez de tout cela ? demandait-il, est-ce qu'il n'y a pas là-dedans à redouter une intervention de Fantômas ?...

Juve à ce moment, à vrai dire, ne pensait rien des affaires d'Anvers !

Il avait besoin de réfléchir longuement, minutieusement, pour arriver à se convaincre qu'il était en réalité possible que Fantômas, dont on prononçait déjà le nom, ait pu être à Anvers pour y tuer l'ambassadeur de la Hesse-Weimar, l'envoyé de l'Angleterre, et revenir à temps à Bordeaux, pour y tenir son rôle tragique près du pavillon de chasse.

Juve, après avoir enquêté discrètement et enquêté comme il savait le faire, sans bouger de Paris, sans quitter son cabinet, simplement en étudiant les notes de police qu'on lui faisait tenir, en était arrivé à se passionner pour ce qu'il appelait déjà : « Le mystère d'Anvers ».

C'était au beau milieu de l'étude qu'il faisait des incidents qui s'étaient déroulés en Belgique qu'on lui avait remis certain matin une dépêche émanant de la Sûreté bruxelloise, où il était dit ceci :

_____

1. Voir dans la série « Fantômas » : *Les Souliers du mort*.

S'il vous est possible de vous déplacer, venez d'urgence à Anvers, voyez
M. le procureur du roi, il serait heureux de converser avec vous, et de vous
charger d'enquêtes officieuses.

La dépêche faisait mention d'offres séduisantes au point de vue
pécuniaire, mais à cela, Juve ne prêtait guère attention :

— Oh ! oh ! disait seulement le policier qui, la dépêche lue, se hâtait
de préparer sa valise, oh ! oh ! je crois que je vais avoir de la bonne
besogne...

Il était le soir même à Anvers, le lendemain matin, le procureur du roi
le recevait.

Juve, malheureusement, ne devait pas tirer grands renseignements de
la visite qu'il faisait au distingué magistrat.

Le procureur du roi, à Anvers, devait se contenter de citer les faits à
Juve, de rapporter à nouveau une version officielle.

Il était incapable d'induire quoi que ce soit des événements dont il avait
été témoin, et l'hypothèse qu'il formulait, il l'avait tout bonnement puisée
dans la lecture des journaux.

— Voyez-vous pour une fois, disait-il à Juve, les affaires se résument
à ceci :

« M. Harrysson, l'envoyé de l'Angleterre, a été tué... Ça c'est sûr ! et
il apparaît aussi probable que l'assassin qui l'a tué lui a dérobé l'argent
qu'il portait... Mais on n'en sait pas davantage... M. Harrysson, voyez-
vous, était en compagnie du prince Vladimir envoyé de la Hesse-Weimar,
or, le prince Vladimir, ça c'est aussi certain, on n'en a pas de nouvelles...

— Hum ! toussa Juve à cet endroit.

— On n'en a pas de nouvelles, continuait impassible le procureur du
roi, parce qu'il est très probable qu'il est mort... mort assassiné et peut-
être bien que son cadavre a été jeté dans le port, savez-vous ?

Juve, à cela, ne répondait ni oui ni non...

— Pardon, interrogeait-il, mais la police belge, si j'en crois les
journaux, avait opéré une arrestation ?

— Oui, répliquait le procureur, et ça c'est la chose terrible,
indiscutablement... Nous avons arrêté une fille, elle nous avait semblé
suspecte et il apparaît qu'elle devait bien être pour quelque chose dans
l'assassinat, puisqu'elle a trouvé moyen de s'en aller, de sortir de la prison,
avec une ténacité, une ardeur et une ingéniosité, qui sont, pour une fois,
admirables !...

— En effet, remarquait Juve.

Mais, à cet instant, le policier s'arrêtait net, immobile au centre du
cabinet du procureur du roi.

— Cette jeune fille, demandait-il, quelle était son identité ? comment
était-elle ?

Le procureur du roi, toujours calme, répondit avec un sourire :

— Ça c'était une jolie fille, *godfordom* ! une très jolie fille, il n'y en
a pas beaucoup comme cela à Anvers.

— Mais son nom ?

— Elle n'a point voulu le dire...

— Je le pense bien, mais vous l'avez cherché...

— Oui, sans succès.

— Enfin, la fiche de l'anthropométrie ?

— On n'a pas eu le temps de mesurer la prisonnière.

Juve tapa du pied :

— Les journaux pourtant on dit...

— Les journaux, pour une fois, monsieur Juve, ils ont dit une chose très raisonnable, cela est venu à cause de certains indices et de certains détails, enfin les journaux, monsieur Juve, sur un racontar de M. Van Midelick, le juge d'instruction, ont prétendu qu'il devait s'agir de la fille de Fantômas !...

Une fois encore, Juve, sur sa route, entendait nommer l'infernal bandit !

Certes, depuis qu'il étudiait le mystère d'Anvers, Juve avait bien souvent eu l'occasion de penser à Fantômas, il n'ignorait point, les journaux l'avaient soutenu, que la prisonnière devait être la fille de Fantômas ! Mais de cela, bien entendu, Juve ne s'était pas inquiété, puisqu'il savait par les propres paroles de Fandor que la fille de Fantômas ne pouvait être à Anvers, et qu'en réalité, elle s'était embarquée à Bordeaux, à destination du Natal, où précisément Fandor était en train de la rechercher.

Pourtant, en entendant le procureur du roi émettre l'hypothèse que la jeune fille qui s'était si habilement évadée devait être la fille de Fantômas, Juve sentait un frisson le secouer.

La fille de Fantômas ! Non parbleu ! il était impossible qu'elle ait pris part à ce crime, mais était-il en revanche impossible que Fantômas, lui, y ait tenu un rôle tragique ?

Brusquement, Juve interrogea :

— Cette jeune fille n'est et ne pouvait être qu'un complice ; il faut donc chercher ailleurs le véritable coupable !... M. le procureur du roi, je suppose que vous avez fait draguer le port, que l'on a recherché de tous côtés le cadavre du prince Vladimir ?...

— Certes, affirmait le procureur du roi, on a dragué partout, fouillé partout, perquisitionné partout... le cadavre est resté introuvable.

— C'est fâcheux ! murmura Juve.

Puis, le policier relevait la tête, prenait une chaise et, s'asseyant tout contre le bureau du procureur du roi, nerveusement encore, demandait :

— Vous avez, certainement, M. le procureur, fait des enquêtes sur la personnalité de ce prince Vladimir ? qui est-il au juste ? au moral ? au physique ?

Le procureur du roi, à ces questions, s'effarait.

— Non, avouait-il, on ne s'est guère occupé de ce prince Vladimir !... Lui, c'est une victime et par conséquent...

— Hum ! c'est une victime, interrompit Juve.

Et brusquement, le policier précisa :

— M. le procureur du roi, deux hommes portaient une grosse somme, Harrysson et Vladimir, Harrysson est tué, l'argent disparaît, on ne retrouve pas Vladimir... qu'est-ce qu'il faut penser ?...

A cet instant, la sueur perla au front du procureur du roi.

— Mais c'est abominable ! clamait-il, vous pensez donc que le prince Vladimir aurait pu profiter avec l'argent volé ? Ça c'est une chose impossible, savez-vous...

Mais, à ces dénégations, Juve se contentait de hausser les épaules.

Le procureur du roi s'effarait de plus en plus.

— Soupçonner le prince Vladimir ? Ah ! mon Dieu ! c'est abominable, c'est justement une chose à causer un scandale !...

— Qu'est-ce que cela fait ? interrogea Juve.

La tranquillité du policier achevait alors de dérouter l'excellent magistrat.

Soupçonner un prince de crime, puis de vol lui apparaissait inimaginable ! mais demander ensuite tranquillement quelle importance cela pouvait avoir, vraiment cela passait tous ses rêves, tous ses cauchemars, toutes ses suppositions les plus folles !

— Monsieur Juve, monsieur Juve, clama le magistrat...

Sous le coup de l'émotion, le procureur du roi se levait. Il venait d'une démarche hésitante jusqu'auprès de Juve qui, maintenant, au contraire, demeurait immobile, assis.

— Monsieur Juve, clama-t-il, la Sûreté a témoigné le désir de vous appeler ici en consultation parce que vous êtes l'homme qui connaissez le mieux au monde les affaires de Fantômas et parce que la Sûreté d'ici pensait que Fantômas...

— Oui, interrompit Juve... alors ?...

— Alors, continuait le procureur du roi, voilà ! Je suis chargé de vous dire ceci : Monsieur Juve, il faut tirer cette affaire au clair, l'honneur de la Belgique le veut, nous devons pouvoir établir qui a osé assassiner, sur le territoire belge, un envoyé de Hesse-Weimar, accompagné d'un envoyé anglais !

Juve souriait finement ; il interrompit encore :

— Admettons vos paroles, monsieur le procureur, et ne les discutons pas... ai-je carte blanche pour les recherches ?

— Assurément.

— Je ne serai point désavoué ?

Le procureur du roi, au comble de l'émotion, s'épongea le front encore :

— Non, sans doute, murmurait-il... vous ne serez pas désavoué, mais enfin... ah ! c'est abominable !... il ne faudrait pas... que ce soit le prince Vladimir... un propre cousin de Frédéric-Christian II.

Juve n'en écoutait pas davantage :

— Monsieur le procureur, interrompait-il sans la moindre vergogne, je vous remercie des renseignements que vous m'avez donnés, je vais tranquillement enquêter dans Anvers, et j'espère que d'ici quatre ou cinq jours je pourrai revenir vous voir, et vous apporter des renseignements intéressants...

Juve saluait, allait se retirer, mais le procureur du roi, que ces façons abasourdissaient, le retenait par la main :

— Monsieur Juve, voulez-vous que je vous fasse accréditer de notre police ? on pourrait aussi vous donner quelques agents sous vos ordres... enfin, on pourrait faire annoncer dans les journaux.

— Fichtre ! répondait Juve avec précipitation, par pitié ne faites rien de tout cela...

Et comme le procureur du roi le regardait avec des yeux ronds, de plus en plus étonné, Juve répliquait :

— Je tiens essentiellement à ne pas être accrédité... à n'avoir aucun inspecteur sous mes ordres, à agir seul, à rester ici inconnu...

Juve saluait d'un signe de tête :

— Monsieur le procureur, je suis votre serviteur...

Puis, laissant là le magistrat qui ne trouvait pas un mot à répondre, il descendait, il regagnait le grand boulevard longeant le palais de justice.

Juve s'en alla, rêveur, préoccupé, fort anxieux aussi le long des rues d'Anvers.

— L'affaire est étrange, se disait le policier, je ne sais point pourquoi, mais j'imagine qu'il y a du Fantômas là-dedans... d'autre part, ce Vladimir ne me dit rien qui vaille et quant à la jeune fille...

Les idées de Juve, à vrai dire, n'étaient point fort nettes en ce moment ; pourtant, ayant accéléré sa marche et réfléchi profondément, il parvenait à résumer ses sentiments au moment même où il atteignait l'hôtel où il était descendu.

— L'habileté et l'importance du crime, estimait Juve, font songer à Fantômas, les circonstances du crime font soupçonner le prince Vladimir, l'ingéniosité extrême qu'a déployée la jeune fille que l'on arrêta et qui réussit à s'enfuir est troublante encore et ferait croire...

Mais Juve, à ce moment, s'interrompit.

Un chasseur, tout galonné, s'avançait au-devant de lui :

— Monsieur est bien M. Raoul ?

— Oui, répondit Juve qui avait donné ce nom.

— En ce cas, voici une dépêche pour monsieur.

Juve se saisit du télégramme, fit sauter la bande ; il venait de la Sûreté parisienne et avait été expédié au nom choisi par Juve, grâce aux bons offices de M. Havard. Ce télégramme était en langage chiffré ; Juve ne mit pas longtemps cependant à le traduire :

Rendez-vous de toute urgence à Glotzbourg, où Frédéric-Christian II vous réclame personnellement.

Juve n'avait pas lu ce texte, qu'il fronçait les sourcils, se mordait les lèvres.

— Oh ! Oh ! monologuait bientôt le policier, Frédéric-Christian II me réclame, c'est inquiétant...

Et le policier, par la pensée, revoyait le jeune roi qu'il avait si intimement connu lors de son séjour à Paris, au moment de l'affaire que la presse avait si opportunément nommée : « L'affaire des Fontaines Chantantes », et dans laquelle Fantômas avait joué un rôle si terriblement tragique [1] !

— Oh ! oh ! continuait Juve, Frédéric-Christian II m'appelle ; est-ce que par hasard Fantômas ?...

Puis, le policier haussait les épaules, et se gourmandait lui-même :

— Voyons, voyons... je ne suis qu'un imbécile !... il s'agit évidemment de l'affaire d'Anvers et très évidemment, Frédéric-Christian II désire m'entretenir de cet assassinat, désire savoir si réellement Vladimir, qui est son propre cousin et son envoyé officiel, a été tué, si réellement il est victime dans cette sinistre aventure !

---

1. Voir dans la série « Fantômas » : *Un roi prisonnier de Fantômas.*

Juve plia son télégramme, l'enferma soigneusement dans son portefeuille, puis appela :

— Chasseur, donnez-moi l'indicateur.

Et avec un soupir, Juve ajoutait :

— Décidément, il est écrit que cette affaire-là me fera voyager...

XIV

Les obsèques de Vladimir

En habit noir, en culotte de soie, en grand costume d'apparat enfin, Juve, deux jours plus tard, était introduit dans le cabinet particulier du roi de Hesse-Weimar, au palais de Glotzbourg. Juve à ce moment faisait une piteuse mine ; il jetait des regards étranges de tous côtés, il murmurait tout bas :

— Enfin, qu'est-ce que cela veut dire ?... qu'est-ce que cela signifie ?... Juve pouvait, à bon droit, être étonné.

A peine avait-il débarqué, en effet, le matin même, dans la capitale de Hesse-Weimar, à peine avait-il couru chez un tailleur pour s'y procurer l'indispensable habit de cérémonie, nécessaire aux audiences royales, que Juve avait dû remarquer l'agitation extrême où était la petite ville.

Dans les rues, une foule nombreuse s'agitait, des carrosses de la cour passaient à tout moment, les cloches des cathédrales et des églises bourdonnaient de lugubres battements.

Que se passait-il ?

Juve l'avait appris par son tailleur qui parlait heureusement le français.

— Oh, monsieur ! avait déclaré le fournisseur, c'est une chose abominable, on enterre aujourd'hui le prince Vladimir, le propre cousin de Sa Majesté Frédéric-Christian.

Juve, à cet instant, avait pensé crier de stupéfaction.

Il avait été sur le point de questionner longuement le tailleur, puis, il s'était tu brusquement.

— On enterre le prince Vladimir, s'était dit Juve, donc on a retrouvé son cadavre... donc...

Et subitement il avait fait silence, affectant une indifférence profonde à l'égard de la cérémonie qui se préparait pour le matin même.

Juve, cependant, dès le moment où il apprenait l'enterrement de Vladimir, se sentait tenaillé par une ardente curiosité.

Le policier, en effet, pendant tout son voyage, avait minutieusement réfléchi aux affaires d'Anvers. Repassant dans sa mémoire les détails qu'il avait recueillis, Juve en était arrivé à considérer qu'il était plus que probable que Fantômas n'avait rien à voir avec l'assassinat commis sur la personne d'Harrysson.

En revanche, Juve n'hésitait pas à considérer qu'il était quelqu'un de gravement compromis dans cette mort et que ce quelqu'un était précisément le prince Vladimir.

Juve faisait, pour en arriver à une telle conclusion, un raisonnement fort simple :

— Il y a quelqu'un de tué, se disait-il, quelqu'un qui avait beaucoup d'argent sur lui, ce quelqu'un, c'est Harrysson ; Harrysson était en compagnie du prince Vladimir, le prince Vladimir a disparu, l'argent a disparu aussi... fichtre de bon sang ! il est bien vraisemblable que l'argent et l'homme ont disparu ensemble, l'un portant l'autre...

Tout le raisonnement de Juve s'étayait donc par le fait qu'on n'avait point retrouvé le cadavre du prince Vladimir. Or, voici qu'en arrivant à Glotzbourg, Juve apprenait précisément qu'on enterrait le prince Vladimir.

Le cadavre avait donc été retrouvé ? Il fallait donc abandonner les conclusions si péniblement arrêtées ?...

Juve réfléchissait encore, lorsque la porte du cabinet royal s'ouvrait, un huissier annonçait à haute voix :

— Sa Majesté le roi !

A ce moment, Juve se courba en deux, il n'ignorait point les façons protocolaires, connaissait l'étiquette des cours ; il fut profondément touché de la façon dont l'accueillait le roi de Hesse-Weimar.

— Bonjour, Juve ! disait familièrement le monarque, vous êtes gentil de vous être si vite rendu à mon appel. Au surplus je savais bien qu'en escomptant votre dévouement, je ne me trompais point !...

— Votre Majesté est trop bonne, répliqua Juve, Votre Majesté sait quelle puissante et respectueuse sympathie m'attire...

— Je sais... je sais... Juve, pas de compliments...

Le roi de Hesse-Weimar désignait un fauteuil à Juve et lentement déclarait :

— Juve, j'ai à vous parler sérieusement, laissons l'étiquette de côté, oubliez que je suis roi, souvenez-vous que vous êtes mon ami... je vous ai demandé de venir, pour vous prier de me rendre un service.

— Que Votre Majesté daigne parler, répliqua Juve, elle sait que je suis à ses ordres.

Mais à cette réponse, Frédéric-Christian II tapait du pied :

— Non, disait-il, ce ne sont pas des ordres que j'ai à vous donner... ce sont des prières, je vous le répète...

Et d'un ton de voix qui changeait brusquement, qui trahissait soudain une émotion grandissante, Frédéric-Christian II continuait :

— Juve, vous savez ce qui se passe... vous connaissez la ténébreuse affaire d'Anvers ?

— Oui, répliqua Juve, je connais ces tristes événements...

— Vous savez, reprit Frédéric-Christian, que sir Harrysson, envoyé de la cour d'Angleterre, porteur d'une grosse somme payée par mon gouvernement, et accompagné de mon propre cousin le prince Vladimir, a été assassiné et dépouillé ?

— Je le sais...

— Vous savez enfin, Juve, que l'on n'a point retrouvé le cadavre de mon malheureux cousin, probablement assassiné en même temps que sir Harrysson ?

Or, à ces mots, Juve bondissait littéralement de son fauteuil, il oubliait

presque toute étiquette, il se permettait d'interroger la royale personne de
Frédéric-Christian II.

— Que dites-vous ? s'écriait Juve... on n'a pas retrouvé le cadavre du
prince Vladimir ?... Allons donc !... Mais puisque aujourd'hui même,
Glotzbourg est en deuil... puisqu'enfin, c'est ce matin qu'on enterre le
prince...

Et Juve montrait dans les jardins royaux, que l'on apercevait à travers
la fenêtre ouverte, des draperies de deuil, toute une décoration sinistre et
lugubre.

— On a retrouvé le prince, protestait Juve, puisqu'on l'enterre...

Or, en entendant le policier, Frédéric-Christian II, accablé, se laissait
tomber sur un fauteuil...

— Juve, disait-il, vous ne savez point... vous ignorez encore peut-être
ce qu'il y a d'horriblement grave dans l'affaire d'Anvers. Juve, écoutez-
moi... Je vais remettre entre vos mains, non seulement mon honneur, non
seulement l'honneur du prince Vladimir, mais encore l'honneur de la
Hesse-Weimar tout entière...

Le roi parlait avec une telle émotion, semblait si bouleversé que Juve,
à son tour, fut ému.

— Que Votre Majesté daigne s'expliquer, demandait-il... Je n'ai pas
besoin, j'espère, de répéter à Votre Majesté que je lui suis profondément
dévoué, et que je ferai tout au monde...

Juve allait continuer à parler, il s'arrêtait en voyant une larme briller
sous les paupières du prince.

— Juve, déclarait lentement Frédéric-Christian II, l'aventure est
terrible... Voici pourquoi je vous ai fait demander :

Le roi semblait avoir peine à parler, il s'exprimait lentement ; les mots
devaient lui coûter horriblement.

— Juve, on n'a point retrouvé le cadavre du prince Vladimir... et
comme on n'a point retrouvé ce cadavre, on chuchote, les autorités
anglaises, les autorités belges, mon peuple aussi, chuchotent que le prince
Vladimir n'est pas mort...

A cette déclaration, Juve se mordait les lèvres, devinant presque ce
qu'allait ajouter Frédéric-Christian.

— Il n'y a pas loin, en effet, continuait le roi de Hesse-Weimar, d'un
chuchotement à une médisance... ce que l'on n'ose point dire à haute voix
est toujours vil... Juve, voici ce que l'Angleterre laisse entendre, ce que
la Belgique est prête à croire, ce que mon peuple soupçonne ! Vladimir,
le prince Vladimir, mon propre cousin, l'envoyé officiel de la Hesse-
Weimar, mon ambassadeur, aurait tué sir Harrysson, dépouillé celui-ci
et se serait enfui...

Tout bas, le roi de Hesse-Weimar ajoutait :

— C'est infâme !

Or, aux paroles du monarque, Juve avait pâli. Il ne comprenait pas très
bien comment tout cela était possible, puisque enfin on enterrait le prince
Vladimir, mais il commençait à se douter qu'il allait apprendre de
dramatiques événements.

— Juve, reprenait le roi, vous comprenez bien la situation ; l'Angleterre
accuse Vladimir d'avoir tué sir Harrysson, et de l'avoir volé. Cette

accusation n'est pas encore officielle mais, de minute en minute, je redoute qu'elle ne le devienne... Si Vladimir était réellement coupable, Juve, ce serait d'abord pour moi l'obligation stricte de rembourser à l'Angleterre les fonds volés... mais cela c'est peu de chose ! Juve, comprenez-vous bien que si mon cousin était, comme on ose le prétendre, un assassin, un voleur, je serais, moi, et mon pays serait avec moi, déshonoré !

Un sanglot se devinait dans les paroles du roi.

Il était blême, la sueur perlait à son front, pourtant il fit un effort. Brusquement Frédéric-Christian se leva :

— Juve, j'ai voulu répondre, déclarait le prince, aux accusations perfides et calomnieuses que l'on ose... Juve, j'ai décidé moi-même que le prince Vladimir devait être considéré comme mort, et j'ai voulu qu'en conséquence on lui fît ce matin un enterrement officiel... Hélas ! Juve, c'est un enterrement fictif, hélas ! si je puis imposer à la cour un deuil de quinze jours, je suis incapable de convaincre les esprits rebelles... Juve, l'enterrement de ce matin, le catafalque dressé en l'honneur du mort dont nous ne pouvons retrouver le corps, c'est un défi que je lance... c'est une réponse aux accusations malveillantes, ce n'est point un argument...

Et d'une voix si basse que Juve l'entendait à peine, Frédéric-Christian ajoutait :

— Je suis un honnête homme, Juve, je veux la lumière pleine et entière... Certes, je crois que le prince Vladimir a péri assassiné comme a été assassiné son compagnon de route, sir Harrysson, mais enfin, je voudrais une certitude... Juve, je ne connais que vous comme policier habile, je n'ai confiance qu'en vous, il faut que vous retrouviez le prince Vladimir, mort ou vif, il faut que vous sachiez tous les détails de la terrible affaire d'Anvers.

Juve, d'une voix très basse, répondit simplement :

— Votre Majesté a ma parole d'honneur que je n'aurai de cesse ni de répit avant d'avoir découvert la vérité, toute la vérité.

Dans le cabinet royal, un silence alors s'éternisa.

Le roi paraissait abîmé dans de profondes réflexions ; Juve, de son côté, continuait à se mordre les lèvres avec une furie grandissante.

Frédéric-Christian, le premier, parut retrouver quelque sang-froid.

— Juve, demandait-il, d'une voix qu'il raffermissait par un suprême effort de volonté, avez-vous besoin de renseignements ? Voulez-vous obtenir des détails, des éclaircissements ?...

— Je serais heureux d'apprendre de Votre Majesté qui est au juste le prince Vladimir. Votre Majesté me permet-elle de lui poser quelques questions ?

— Ah ! parlez donc, Juve... oubliez le protocole...

— Votre Majesté voudrait-elle me dire quelle est exactement sa parenté avec le prince Vladimir ?

— Le prince est mon cousin ; c'est le fils de l'archiduc Juan North.

— Le fils de Juan North !

Juve avait encore blêmi davantage.

Juan North !

Oh ! parbleu ! il connaissait, le monde entier connaissait ce nom ! Juan North, n'était-ce pas cet archiduc qui, brusquement, un beau jour, avait disparu de la cour de Hesse-Weimar, renonçant à ses titres, à ses prérogatives, à sa fortune, quittant sa famille, son pays, ses charges, laissant croire à sa mort, se retirant du monde ?

N'était-ce pas ce Juan North qui, après un scandale invraisemblable, s'était en quelque sorte transformé en un personnage légendaire ?

Les uns soutenaient qu'il avait réellement péri au cours d'un naufrage, d'autres prétendaient qu'il vivait dans les pampas désertes de l'Amérique du Sud !

Et le prince Vladimir était son fils !

Oh ! vraiment, la rencontre était extraordinaire, inquiétante aussi.

Juve interrogea encore :

— Votre Majesté excusera ma surprise, et Votre Majesté me dira si le prince Vladimir était véritablement un homme sérieux, honorable, respectable ?...

Or, à cette question, Frédéric-Christian II rougissait violemment.

— Juve, je vous dois la vérité, je ne vous la cacherai pas : le prince Vladimir ne méritait aucune sympathie : c'est un joueur, c'est un homme léger... capable de tout...

Juve, à cela, ne répondait pas.

En lui-même, le policier admirait la superbe honnêteté de Frédéric-Christian II. Le roi de Hesse-Weimar, comme il le disait, redoutait par-dessus tout que son cousin indigne fût le véritable assassin de sir Harrysson.

Il avait cependant la force d'âme de renseigner Juve exactement, il n'hésitait pas à lui dire :

— J'ai peur qu'il ait tué... je le crois capable d'un forfait semblable !...

— Votre Majesté, répliqua Juve lentement, me permettra de prendre congé d'elle ; je vais immédiatement enquêter, j'enquêterai avec le plus de discrétion possible, tout le mystère désirable ; je reviendrai voir Votre Majesté dès que je connaîtrai la vérité, toute la vérité !

Trois jours plus tard, dans son cabinet de travail, à Paris, Juve, perplexe, réfléchissait, le front entre ses mains.

Depuis qu'il avait été reçu par Frédéric-Christian II, à Glotzbourg, Juve avait encore longuement, minutieusement réfléchi.

Il n'avait rien trouvé de certain, il n'avait que des présomptions, il n'osait formuler que des hypothèses.

Juve était demeuré quelques heures à Glotzbourg, il avait assisté aux funérailles du prince Vladimir, s'était renseigné sur la personnalité morale du disparu, puis enfin était revenu à Paris.

Juve, à cet instant, se demandait ce qu'il convenait de faire.

Les renseignements qu'il avait obtenus un peu de tous côtés l'avaient facilement convaincu que le prince Vladimir était, en somme, un garçon peu recommandable. On le représentait généralement comme un fêtard, un noceur, l'un de ces hauts seigneurs qui semblent vouloir prendre à tâche de déshonorer leurs proches, en se traînant d'orgies en orgies.

Juve, dans ces conditions, inclinait de plus en plus à penser que le prince Vladimir devait être le véritable coupable, et si le policier hésitait encore, c'est qu'il lui semblait dur, pénible de s'évertuer à acquérir sur ce point une certitude rigoureuse, une certitude qui sans doute plongerait Frédéric-Christian II dans un effroyable désespoir.

Juve était toutefois trop énergique pour s'arrêter longtemps à de telles questions sentimentales.

— J'ai promis la vérité, murmurait le policier, je la dois à Frédéric-Christian.

Juve se releva, sonna son valet de chambre :

— Jean, commandait-il, préparez ma valise, je retourne ce soir à Anvers.

Or, Jean n'était pas parti depuis quelques secondes qu'il venait à nouveau retrouver Juve, tendant un télégramme.

Juve prit connaissance de la dépêche, se passa la main sur le front, d'un geste las, puis regardant son domestique :

— Jean, ordonnait-il à nouveau, préparez toujours ma valise, je ne vais plus à Anvers, je vais... ailleurs... en Belgique...

Et, comme le vieux serviteur, sans marquer le moindre étonnement, s'éloignait à nouveau, Juve, lentement, relut la nouvelle dépêche qu'il venait de recevoir.

Cette dépêche disait :

Si vous êtes libre, venez de toute urgence, rejoindre mon train spécial... Je viens d'être victime de terribles et extraordinaires aventures, j'ai besoin de vous pour les élucider, je vous offre somme considérable, à titre d'indication, je vous signale que je pense malgré moi au bandit Fantômas...

Suivait le nom d'une petite ville de la frontière du Luxembourg.

La dépêche portait, comme signature, un nom fameux :

Barzum, impresario !

Que s'était-il donc passé dans le train de Barzum ?... Pourquoi le grand impresario faisait-il ainsi appel au subtil policier ?...

XV

Une « jolie surprise »

— Entrez. Qu'est-ce que vous voulez ?

Charley, secrétaire particulier de Barzum, travaillait dans le compartiment qui lui était réservé, et, maussade, au moment où il étudiait une proposition venant d'une ménagerie de Hambourg, répondait à un coup timidement frappé à sa porte.

On entrebâillait discrètement le battant. La tenture était soulevée à peine, une tête extraordinaire s'offrit à la vue du secrétaire.

Quel était le personnage qui venait déranger Charley ?

Si quelque étranger au cirque de Barzum l'eût aperçu, il eût été pour le moins fort interloqué !

Le visage qui s'avançait, en effet, rougissant, timide, n'aurait pu permettre de deviner à quel sexe appartenait son possesseur.

Sous une chevelure abondante, une chevelure de femme à n'en pas douter, le front apparaissait très pur, les yeux très grands, très doux, mais en revanche, dominant les lèvres d'un dessin fort délicat, une moustache extraordinaire, taillée à la façon de Guillaume, empereur d'Allemagne, prêtait un air masculin à la physionomie, air qui s'accentuait encore par la présence d'une barbe noire, bien fournie, et taillée à la mousquetaire.

— Qu'est-ce que vous me voulez ? demandait Charley, qui est là ?

Une voix fluette répondait :

— C'est moi, monsieur, moi, la femme à barbe.

Il s'agissait, en effet, de l'extraordinaire personne, orgueil du cirque, qui bien que femme possédait une barbe, une moustache à rendre jaloux tous les tambours-majors de tous les régiments du monde.

Charley, agacé d'être dérangé dans son travail, dissimula à peine sa mauvaise humeur :

— Allons, entrez ! commandait-il. Qu'est-ce qu'il y a pour votre service ? vous savez bien qu'à cette heure-ci, je ne reçois pas...

La femme à barbe, malgré ses apparences viriles, devait en réalité être d'un caractère très timide, car elle rougissait fortement cependant que, se glissant dans la pièce, elle s'avançait vers le secrétaire.

— Vous m'excuserez, monsieur, protestait la délicate créature, qui, n'eût été son extraordinaire barbe, eût évidemment pu passer pour une fort jolie fille, mais j'avais absolument besoin de vous parler...

— A quel sujet ? qu'est-ce qu'il y a ?

Charley était de plus en plus maussade et désagréable. Il ne s'était même pas levé pour recevoir l'arrivante, il gardait son porte-plume entre les doigts, voulant marquer ainsi qu'il espérait bien que l'entretien serait de courte durée.

La femme à barbe cependant, quoique rougissant de plus en plus, ne paraissait nullement décidée à se retirer.

— Monsieur Charley, commençait-elle, tout en frisant d'un geste machinal le bout de sa moustache, c'était d'ordinaire ce mouvement qui lui valait le plus d'applaudissements à l'heure des représentations, monsieur Charley, je viens vous trouver pour déposer entre vos mains une plainte.

— Une plainte ? pourquoi ? contre qui ?

— Je ne sais pas contre qui, monsieur Charley, mais je sais bien pourquoi, on m'a volé ce matin dans ma loge le collier que je porte d'ordinaire, mon grand collier d'or...

La femme à barbe allait donner d'autres détails, continuer à renseigner le secrétaire, lorsque M. Charley lui coupait la parole, d'un juron.

— Encore ! faisait-il, ah ça ! Dieu me damne !... vous vous donnez tous le mot !... depuis hier, voilà la quatrième plainte que je reçois. Voilà quatre jours d'ailleurs que tout le personnel parle de vol, ça devient agaçant à la fin !...

Charley, cette fois, avait reposé son porte-plume sur son bureau et se croisait les bras, il fixait la femme à barbe d'un air soupçonneux.

— Voyons, demandait-il bientôt, expliquez-vous, donnez-moi des détails. Qu'est-ce qui s'est passé au juste ?...

La femme à barbe était de plus en plus intimidée :

— Mais je ne sais pas, monsieur, protestait-elle bientôt, je ne peux pas vous dire ce qui s'est passé, si je me doutais de la personne qui m'a volé, je vous le dirais tout de suite, bien entendu, mais justement, je n'y comprends rien.

— Où était votre collier ?

— Posé sur la tablette de mon compartiment, près de ma brosse à moustache et de mon peigne à barbe, là où je le mets toujours.

— Et alors ?

— Et alors, c'est tout, monsieur. Que voulez-vous que je vous dise ? Quand j'ai fait ma toilette ce matin, mon collier était là, j'en suis sûre, je me suis absentée quelques secondes, le temps d'aller dire bonjour à l'homme tatoué et à la femme-serpent, puis, quand je suis revenue, j'ai vu tout de suite que mon collier avait disparu.

— Qui était entré dans vote loge ?

— Dame, je ne le sais pas.

Le secrétaire de Barzum se leva rageusement, repoussant d'un coup de pied son fauteuil de bureau.

— C'est assommant, à la fin, murmurait-il ; madame Éléonore, si je ne vous connaissais pas depuis longtemps, je m'imaginerais que vous vous amusez à me faire une plaisanterie... Hier déjà, précisément, la troisième voltigeuse est venue me raconter qu'on lui avait subtilisé une broche. Ah ça ! nom d'un chien ! nous nous connaissons tous, pourtant, dans le cirque ! Nous savons bien qu'il n'y a, parmi nous, que des gens honnêtes et, par conséquent...

A ce moment précis, une sonnerie carillonna dans le bureau de M. Charley.

— Bon, le patron, maintenant, déclara le secrétaire. Ah ! zut à la fin ! on ne peut pas être tranquille !...

Charley revenait précipitamment vers son bureau, rangeait des papiers, cherchait des lettres, classait des dossiers.

— Écoutez, madame Éléonore, déclarait-il enfin, M. Barzum m'appelle... je ne peux donc pas vous recevoir plus longtemps ; mais comptez sur moi, je vais faire part au patron de tous ces incidents et, ma foi, j'espère bien...

Charley ne pouvait même point finir sa phrase. Plus impérative encore, une sonnerie retentissait, prolongée.

— Le patron s'impatiente, maintenant... Ah`! quel métier !... J'irai vous voir à votre loge, lançait Charley à la femme à barbe. J'irai vous voir tout à l'heure.

Il repoussait la jeune femme hors de son cabinet de travail, fermait sa porte, longeait le couloir du wagon, entrait dans le propre cabinet de travail de Barzum, du directeur lui-même.

A peine Charley, d'ailleurs, avait-il entrouvert cette porte, qu'une exclamation furieuse l'accueillait :

— Eh bien ! demandait froidement Barzum, il est nécessaire que je sonne deux fois pour que vous vous décidiez à venir ?...

Charley, qui était habitué aux manières brusques de son patron, ne se troublait nullement.

— Vous m'excuserez, monsieur, dit-il, je n'ai pu répondre à votre premier appel parce que j'étais occupé avec la femme à barbe.

— Que voulait-elle ?

— Elle déposait une plainte, monsieur Barzum.

— A quel sujet ?

— Au sujet d'un vol.

Charley avait répondu nettement, mais avec un peu d'impatience.

L'impresario témoigna, lui, immédiatement d'une colère furieuse.

— Au sujet d'un vol ? faisait-il la voix sifflante, le geste sec. Ah ça ! mais c'est à croire, en vérité, que mon train devient un repaire de bandits. Depuis huit jours, chaque fois que je vous vois, Charley, vous m'annoncez qu'un vol a été commis. Il faudrait aviser à la fin. Je vous avais prescrit une enquête.

— En effet, monsieur, répondit le secrétaire, et cette enquête je l'ai faite.

— Quelle a été sa conclusion ?

Un fin sourire passa sur les lèvres de Charley. Il considérait à ce moment son impassible patron, lissant d'un geste élégant au suprême degré ses courts favoris roux.

— Monsieur, ripostait Charley, mon enquête a eu le sort de toutes les enquêtes, elle n'a point donné de résultats certains.

A cette réponse, pour une fois, l'impresario perdait un peu de son calme :

— C'est toujours la même chose en effet, disait-il, ici il n'y a jamais moyen de savoir. Voyons, oui ou non, avez-vous un soupçon ? Savez-vous qui vole les artistes ?

— Je sais, répondait nettement Charley, que les vols semblent coïncider avec l'entrée dans votre cirque, monsieur, d'un certain palefrenier récemment engagé...

— Son nom ?

— Il s'appelle Léopold.

Le visage de Barzum, un instant contracté par le dépit, reprenait immédiatement son calme :

— Vous mettrez ce soir cet homme à la porte, ordonnait-il. Je ne veux plus que des incidents pareils puissent se produire.

Et, cette affaire réglée, Barzum interrogeait, changeant de sujet :

— Avez-vous eu une réponse de Hambourg ? Combien vous font-ils les trois lions dont je vous ai parlé ?

Charley pour répondre s'empressa de fouiller dans ses papiers, cherchant la lettre du marchand de bêtes féroces.

A la même heure, et tandis que Charley expédiait en compagnie de son patron Barzum les affaires courantes de la troupe, le palefrenier Léopold dont le sort venait d'être réglé sans qu'il s'en doutât, certes ! longeait le couloir du train et, venant de l'écurie des chevaux de haute école, se rapprochait des autres artistes et cherchait le compartiment 27 qu'il savait être affecté à la jolie écuyère dont il était de plus en plus épris.

Le palefrenier Léopold, ou plus exactement, le baron Léopold, puisque aussi bien l'homme chic et le palefrenier ne faisaient qu'un, arrivait rapidement à s'orienter.

Pourtant, parvenu devant la loge de l'écuyère, il semblait qu'il éprouvait une véritable hésitation, il ne savait s'il devait se risquer à entrer chez la jeune femme.

— Ma foi, nous verrons bien, murmura celui qui passait aux yeux de tous pour un garçon d'écurie.

Le baron Léopold frappa discrètement à la porte, entendit une jolie voix lui répondre :

— Entrez.

Délibérément, il pénétra dans l'étroite cabine qui servait de loge à la fille de Fantômas.

A peine, par exemple, le baron Léopold avait-il franchi le seuil de sa cabine, qu'il perdait beaucoup de son assurance goguenarde.

Devant lui, en effet, se dressait la fine silhouette d'Hélène et Hélène le considérait avec une fixité dédaigneuse, un air hautain qui n'avait rien de bien encourageant.

— Mademoiselle... Madame..., commença le baron Léopold, vous pardonnerez à la hardiesse, à l'audace extrême dont je fais preuve en venant vous déranger, mais sans doute...

La fille de Fantômas interrompit brutalement :

— Que me voulez-vous ?

La loge d'Hélène était naturellement, ainsi que toutes les loges ménagées dans le train spécial, fort étroite, infiniment petite. Elle était meublée sommairement d'un grand canapé qui, la nuit, se transformait en lit, d'une étroite table de toilette et aussi de malles volumineuses, de ces malles à tiroirs si commodes, dans lesquelles étaient rangés sans doute les amazones et les habits nécessaires aux représentations.

Hélène qui probablement lisait, au moment où Léopold avait frappé à sa porte, s'était redressée d'un brusque mouvement en voyant l'arrivant.

Ses fins sourcils se fronçaient déjà, une moue faisait son visage dur et méchant, sa main droite avait machinalement pris, accrochée à la muraille, une cravache.

— Madame, continua le palefrenier, qui malgré l'accueil qu'on lui réservait semblait, retrouver un peu de son sang-froid, je n'oserais vous dire tout de suite, en peu de mots, le motif de ma venue. J'oserais au contraire vous faire un aveu : vous n'avez jamais été si belle que ce matin...

Le baron Léopold venait de réciter son madrigal avec une assurance parfaite.

Il perdit un peu de son sang-froid en entendant la réponse d'Hélène. La fille de Fantômas, en effet, n'avait point même tressailli en entendant le compliment du jeune homme. Sans quitter sa parfaite immobilité, sans que son visage exprimât la moindre émotion, la jeune fille seulement répondit :

— Monsieur, si vous êtes venu pour m'adresser des fadeurs, c'est complètement inutile, votre présence ici m'importune, je vous prie de vous retirer.

Mais, en vérité, la fille de Fantômas avait à faire à un garçon têtu et obstiné.

Encore qu'il eût reçu un congé formel, le baron Léopold ne se troublait point.

— Madame, disait-il, je sais par expérience qu'il est difficile de plaire à celles qui, comme vous, sont des reines de beauté. Mais on m'a appris dans ma jeunesse qu'« à vaincre sans péril, on triomphe sans gloire ». Ne me chassez donc pas. Souffrez, je vous en prie, que je vous importune encore, j'ai de graves révélations à vous faire.

Hélène interrompit le baron par une brève exclamation :

— Vous n'avez rien à me dire, affirmait-elle, et sans vous connaître, je devine assez qui vous êtes, pour ne point vouloir écouter plus longtemps...

— Vous êtes charmante, ripostait avec emphase, interrompant la jeune fille, le baron Léopold. Vous êtes charmante et vous faites preuve d'une audace qui franchement m'étonne. Pourtant vous vous trompez, mademoiselle... madame...

— Vous pouvez dire mademoiselle.

— Vous ne savez pas qui je suis...

— Si, monsieur, vous êtes un fat.

— Vous auriez pu dire que j'étais avant tout votre admirateur ; mais il ne s'agit point de cela. Laissez-moi me présenter. Savez-vous, mademoiselle, que je me suis engagé dans ce cirque en qualité de palefrenier seulement pour avoir le bonheur de pouvoir vous entretenir ?... Savez-vous qu'en réalité, loin d'être un garçon d'écurie, je me nomme le baron...

A ces mots, la fille de Fantômas éclatait de rire :

— Vous êtes, disait-elle, le baron Léopold. En effet, je le sais, vous oubliez qu'il y a deux jours j'ai eu le plaisir de répondre à vos outrageantes paroles en vous cinglant de ma cravache. Je vous savais déjà une âme outrecuidante, monsieur, en vous apercevant ce matin, engagé parmi le personnel du cirque, j'ai pu me convaincre que vous étiez aussi porté...

— Mademoiselle, dites : fort amoureux.

Or, à ce moment, mal inspiré, le baron Léopold voulait avancer d'un pas vers la jeune fille, il prétendait sans doute effleurer sa main d'un baiser, il n'en eut pas le temps. A peine tentait-il d'avancer qu'Hélène levait sa cravache, se tenait prête à frapper.

— Sortez, monsieur, ordonnait-elle, je ne permets à personne de se dire amoureux de moi. Votre insistance est déplacée, je regrette vraiment que vous ne le compreniez point ; mais je vous affirme que je suis prête à tout pour vous le faire entendre. Allons, sortez, monsieur.

La cravache haute, la fille de Fantômas marchait vers le faux palefrenier.

Le baron Léopold qui, sans doute, n'avait point l'habitude de voir ainsi repousser ses hommages voulut tenter un dernier effort :

— Mademoiselle, faisait-il sans reculer d'un pas, et en toisant à son tour la fille de Fantômas, vous vous méprenez étrangement si vous croyez me faire sortir en me menaçant de votre cravache ; je suis de ceux qui ne s'en vont pas devant les coups, mais il y a mieux ; allons, un instant de patience, écoutez-moi, je suis riche, voulez-vous me permettre de rompre votre contrat avec l'administration de ce cirque ? Voulez-vous me laisser vous offrir plus que l'aisance ? Tous les plaisirs de la fortune, voulez-vous...

— Monsieur, interrompit Hélène, comprenez-moi bien. Je vous en prie, ou vous allez sortir et disparaître de ma loge, ou je prends ce revolver que vous voyez à portée de ma main et je tire en l'air pour appeler au secours. J'imagine que l'administration du cirque se fera un plaisir de me débarrasser de vous et de vos assiduités.

Hélène semblait si menaçante qu'en vérité Léopold commençait à prendre peur.

— Caramba ! murmurait le faux palefrenier, comme vous y allez, ma jolie fille ! et quels airs impérieux vous savez prendre ! allons ! cela va bien ! Je n'insiste pas plus, aujourd'hui, puisqu'il paraît que vous avez vos nerfs, mais cependant je vous engage à réfléchir, demandez-vous si vous ne seriez pas mieux inspirée en acceptant mes propositions qu'en les refusant et demandez-vous surtout si je ne vais point m'amuser à vous donner une idée de ma puissance en me vengeant de votre amant...

Le baron Léopold, tout en parlant, avait reculé jusqu'à la porte de la loge. A ces derniers mots, Hélène bondissait vers lui :

— Que voulez-vous dire ? demandait la jeune fille d'une voix sifflante. De qui prétendez-vous vous venger ?... Comment osez-vous insinuer que j'ai un amant ?

Le baron Léopold haussa les épaules, ouvrit la porte, sortit :

— Votre amant, grommela-t-il tout bas, je lui ménagerai ce soir une jolie surprise.

Et, poussant un éclat de rire, laissant Hélène furieuse et surtout terrifiée, le baron Léopold en courant, s'échappait.

L'extraordinaire individu ne devait d'ailleurs pas aller très loin. Comme il se glissait en effet du côté des wagons servant d'écurie, il rencontrait le secrétaire de Barzum, M. Charley, qui précisément sortait des écuries en compagnie du palefrenier en chef.

— Léopold, hop là ! mon garçon...

Le baron accourut dans la direction du chef palefrenier qui l'appelait.

— Vous me demandez ?...

Ce fut Charley qui lui répondit :

— Mon ami, déclarait le secrétaire de Barzum, vous allez immédiatement faire un baluchon de vos hardes, puis vous passerez à la caisse où l'on réglera vos comptes suivant les ordres que j'ai donnés. Dorénavant, M. Barzum prétend se passer de vos services.

En entendant cette sentence irrévocable, le faux palefrenier devenait cramoisi :

— Ah çà ! demandait-il, on me chasse ? On me renvoie ?

— Oui, répliqua froidement M. Charley.

— Qu'ai-je donc fait ?

M. Charley parut hésiter :

— Je ne tiens pas à vous le dire, répondait-il.

— Mais je tiens à le savoir, moi.

M. Charley se pencha vers le faux palefrenier :

— Vous avez volé, soufflait-il à voix basse.

Et, sans laisser le temps au baron Léopold de protester, Charley, pivotant sur ses talons, sortait des écuries, regagnait son cabinet de travail où un volumineux courrier l'attendait.

Ce même jour, à huit heures du soir à peu près, alors que, succédant aux artistes, le personnel du train se rendait vers le wagon-restaurant pour y dîner amplement, un cri effroyable retentissait vers le bout du train dans la direction des wagons réservés au dompteur Gérard et plus loin aux cages de ses terribles bêtes féroces.

Le cri qui résonnait alors était en vérité effroyable, était aussi surhumain, impossible à identifier.

Hélène, qui sommeillait dans son wagon, très fatiguée par la répétition qu'elle venait de faire au manège du cirque, d'un difficile exercice, l'entendait en frissonnant et, glacée d'effroi, avait à peine la force de se redresser, de se lever, de courir à la porte de sa loge :

— Qu'est-ce qu'il y a ? qui appelle ?...

A cette heure, le train était désert, tous les artistes en général, le repas fini, étant sortis des wagons surchauffés pour aller un peu prendre l'air en se promenant aux alentours.

Nul ne répondait donc à Hélène. La voix de la jeune fille résonnait dans le compartiment désert et sonore, on avait éteint l'électricité, Hélène d'abord ne vit rien, pensa qu'elle s'était trompée :

— Ah ça ! se demandait la fille de Fantômas, j'ai le cauchemar tout éveillée maintenant ? et pourtant j'aurais juré...

Elle n'avait pas même le temps d'achever. Lui coupant la parole, un vacarme terrible retentissait tout voisin de là assurément.

Quel était ce vacarme ? Qui l'occasionnait ? Que signifiait-il ?

Oh ! Hélène n'avait guère besoin de réfléchir longtemps pour répondre à toutes ces questions qui lui venaient à l'esprit.

— Mon Dieu ! pensa la jeune fille, on dirait qu'une des panthères s'est échappée de sa cage.

Hélène alors n'écoutait que son courage. Elle se jetait en avant, elle suivait l'étroit couloir qui courait tout au long du train, longeant les compartiments, sautant d'un wagon à l'autre, par des soufflets de toile.

— A coup sûr, gémissait la jeune fille, l'une des panthères s'est échappée ; ah ! je parie que le belluaire n'est pas là !

Moins de trois minutes après, Hélène atteignait l'avant-dernier wagon du train spécial.

Hélas ! à ce moment la jeune fille pâlissait effroyablement, s'arrêtant net, n'osant plus risquer un mouvement, frappée de stupeur devant l'horrible spectacle qu'elle apercevait.

Le dernier wagon, dans lequel se trouvaient précisément les cages des bêtes féroces servant aux exercices des dompteurs, était brillamment illuminé. Il ne fallait qu'une seconde à Hélène pour en embrasser toute l'étendue du regard.

Ce que vit alors la fille de Fantômas était horrible.

L'une des cages était ouverte et vide. De cette cage, une panthère était sortie, s'était échappée. C'était elle que la jeune fille avait entendu rugir, c'était elle qu'Hélène apercevait maintenant, elle avançait à petits pas, d'une démarche souple, assurée, le corps tout secoué de frissons de volupté, retroussant ses babines, soufflant bruyamment et fixant de ses prunelles de feu un homme, un personnage dont Hélène ne voyait pas le visage et qui gisait sur le sol, immobile, étendu, cherchant évidemment à faire le mort et à échapper par cette ruse suprême à l'attaque du félin.

Cette scène, cette scène horrible, qui certainement allait se terminer par un bond du fauve, sautant à la gorge de l'homme renversé, Hélène la voyait comme dans un rêve.

Elle avait déjà admiré le soir, pendant les exercices, la panthère qui se trouvait ainsi en liberté.

Elle savait que c'était une bête énorme, pleine de vigueur, féroce au-delà de toute expression, et d'autant plus dangereuse qu'il y avait très peu de temps qu'elle avait été capturée, vendue à une ménagerie de Hambourg qui l'avait elle-même cédée au cirque Barzum.

Hélène, un instant, contempla l'animal, songea qu'après avoir terrassé l'homme, le félin, sans doute, allait lui sauter à la poitrine, elle pensa à fuir et, brusquement, éclata de rire.

D'autres, à la place de la jeune fille, se fussent évanouies.

D'autres eussent hurlé de peur ! Comment donc Hélène pouvait-elle trouver la force de rire ?

Il arrivait tout simplement qu'Hélène, à cet instant, se souvenait de l'aventureuse vie qu'elle avait vécue dans les plaines du Natal [1].

Loin de s'enfuir, loin de reculer devant la bête féroce qui, l'entendant rire, s'était arrêtée, avait levé la tête, fixait maintenant la jeune fille, tout en ramassant son corps souple, prêt à bondir, Hélène avançait.

La fille de Fantômas, à cet instant, prenait un visage dur, sévère, impassible.

Si la panthère la regardait avec une fixité affolante, Hélène considérait la panthère sans la moindre peur, eût-on cru, et plutôt à la façon dont un dompteur ose regarder les fauves qu'il mate.

Mais qu'allait donc risquer Hélène ?

Que pensait-elle donc tenter ?

La jeune fille, d'un pas résolu, avançait toujours. Elle atteignit le corps de l'homme qui gisait toujours immobile sur le sol, plus livide qu'un mort ; elle enjamba ce corps, elle fonça droit jusqu'au fauve.

Il y eut, entre la fille de Fantômas et la panthère, quatre mètres, trois mètres, deux mètres.

La douce fiancée de Fandor était maintenant si près du félin que celui-ci, d'un coup de griffe, eût pu la déchirer, la frapper sans recours.

Le félin pourtant ne bougea point.

D'abord il rugissait formidablement...

D'abord, on aurait cru qu'il allait s'élancer en avant, mais non !

Simplement, Hélène, à cet instant, se baissait vers la bête féroce...

La fille de Fantômas tentait alors une ruse suprême...

Après avoir paralysé les mouvements de la panthère par la seule force de son regard, Hélène achevait de mette la bête en déroute.

La fille de Fantômas avançait vers l'animal sa main blanche et fine. Elle fermait le pouce, le médius et l'annulaire, elle tendait au contraire en avant l'index et l'auriculaire.

---

1. Voir dans la série « Fantômas » : *Le Fiacre de nuit.*

Hélène tentait de réaliser ce que les dompteurs appellent « le coup de la fourchette ».

Ces deux doigts braqués en avant menaçaient les yeux de la bête féroce... et la panthère avait peur, la panthère reculait devant ces deux doigts braqués...

De rauques rugissements s'échappaient de sa gorge, sa queue fouaillait ses flancs, la bave moussait à ses lèvres, mais elle reculait, elle reculait devant la menace de ces deux doigts qui semblaient vouloir lui crever les prunelles.

Hélène, pas à pas, repoussa la bête fauve ; cela dura peut-être cinq minutes, mais il arriva qu'enfin la jeune fille, chassant le félin devant elle, l'obligea à rentrer dans sa cage.

A bout de forces alors, Hélène fermait la porte ouverte, peut-être par accident, peut-être par malveillance...

Or, à peine le loquet avait-il glissé dans sa gâche, à peine la cage était-elle close, qu'Hélène, défaillante, pensait s'évanouir.

Derrière elle, l'homme étendu sur le sol, l'homme qui avait frôlé la mort de si près, car, pris à l'improviste, il n'aurait pu se défendre, l'homme qu'Hélène venait de sauver, se précipitait vers elle, la serrait dans ses bras, il balbutiait des mots inintelligibles.

Quel était cet homme ?

C'était Gérard le dompteur...

Que disait-il ?

Hélène avait tout juste le temps de l'entendre.

Gérard disait tout bas .

— Merci Teddy !...

Teddy ! il venait de prononcer ce nom, Teddy, que jadis, au Transvaal, portait Hélène ! La connaissait-il donc ? l'avait-il connue là-bas ?...

Mais, à ce moment, à bout de forces, la fille de Fantômas défaillait.

Une demi-heure plus tard, Hélène, encore évanouie, reposait étendue dans la cabine de Gérard, où avec d'extrêmes précautions le dompteur avait transporté la jeune fille qui avait perdu connaissance dans ses bras.

Gérard paraissait inquiet, nerveux ; il se penchait vers le fin visage de la fille de Fantômas, il le regardait avec un soin extrême :

— Sapristi, murmurait enfin le belluaire, elle ne reprend pas ses sens, je crois qu'il faudrait lui faire respirer des sels et je n'en ai pas. A cette heure-ci le médecin de service a certainement quitté le train, puisqu'il n'y a pas d'exercice.

Brusquement, Gérard prit une décision.

— Assurément, la femme à barbe doit avoir des sels sur sa table de toilette, elle ne m'en voudra pas si je les lui emprunte...

Le dompteur sortait de sa cabine, laissant un instant seule celle qui venait de le sauver...

La laissait-il seule cependant ?

A peine Gérard avait-il quitté son compartiment que, du toit du wagon, du toit qui dominait la cage des bêtes féroces, cette cage que Gérard pourtant avait soigneusement fermée, un homme se laissait descendre.

Quel était cet inconnu ?

Nul n'eût aperçu son visage, car il prenait grand soin de baisser la tête, et de maintenir haut relevé le collet de son manteau...

Ce personnage, profitant de l'absence du dompteur, se glissa chez lui et, sans même jeter un regard à la jeune fille étendue sur la couchette, s'agenouillait sur le sol.

L'homme alors, l'homme mystérieux, tirait de sa poche un portefeuille ; il en sortait des billets de banque qui semblaient maculés de sang, et, précautionneusement, évitant de faire du bruit, il les glissait derrière une armoire où le belluaire enfermait ses vêtements.

Lorsque Gérard, quelques minutes après, revenait porteur d'un flacon de sels auprès d'Hélène évanouie, il ne pouvait certainement pas se douter qu'un redoutable inconnu s'était glissé chez lui et qu'il avait caché dans sa propre cabine des billets de banque qui, peut-être en raison du sang qui les couvrait, pouvaient constituer des pièces terriblement compromettantes.

... Quel avait été dans l'aventure de la panthère et dans ce dernier événement le rôle joué par le baron Léopold, l'amoureux éconduit qui avait menacé l'« amant d'Hélène » d'une jolie surprise ?

XVI

Le baron Léopold

Le dompteur avait couru vite, il haletait, mais il tenait en main le précieux petit flacon à bouchon d'émeri évidemment rempli de sels.

— Pauvre petite ! murmurait-il, en soulevant la tête d'Hélène et en lui faisant respirer les vapeurs âcres des parfums revivifiants. J'espère surtout que je ne serai point la cause d'un plus horrible malheur !...

Gérard s'inquiétait de voir la jeune fille demeurer si longtemps évanouie. Il avait doucement retiré les épingles d'écaille qui maintenaient son chignon et la lourde chevelure d'Hélène s'était déroulée sur la blancheur des oreillers.

— J'appellerais bien le médecin, pensa Gérard, mais il n'est peut-être pas nécessaire de parler de ces aventures à un bavard de son espèce...

Lentement, le dompteur ajoutait :

— J'ai peut-être même été imprudent en avertissant de l'incident le secrétaire du patron.

Et, en articulant ces mots, Gérard considérait pensivement le pur visage d'Hélène, de cette Hélène qui était la fille de Fantômas, dont la fine et délicate beauté s'auréolait d'un tel nom si redoutable, si terrifiant.

Lentement alors, Gérard appelait tout bas, avec une inexprimable émotion :

— Hélène ! Teddy ! mon pauvre Teddy !...

Il parut qu'à ce nom, Hélène entrouvrait faiblement les yeux.

Or, tandis que dans son wagon le dompteur Gérard s'occupait à soigner

Hélène, cette Hélène qu'il connaissait puisqu'il l'avait appelée Teddy, du nom que la jeune fille portait au cours de son aventureuse enfance dans les plaines du Natal, une sonnerie impérative carillonnait dans le cabinet de Charley, secrétaire particulier de Barzum.

Le jeune homme n'était point chez lui, il venait tout juste de rencontrer dans le couloir du train le dompteur Gérard et d'apprendre de lui la terrifiante aventure de la panthère échappée.

Charley à cet instant se mordait les moustaches, marchait à pas précipités, paraissait fort inquiet. Il entendit la sonnerie de Barzum et pesta :

— Ah ! nom d'un chien ! voilà le patron qui carillonne, pas moyen d'être tranquille une seconde ; ici on ne s'appartient jamais, Barzum voudrait toujours qu'on soit à sa disposition.

En parlant, Charley qui, malgré ses airs et ses façons brusques, affectionnait fort son patron, hâtait sa marche vers le cabinet directorial. Il entrait en prenant un visage souriant ; mais l'inévitable question, la question rageuse par excellence, l'accueillait :

— Eh bien ! que faisiez-vous ? Voici quatre minutes que je vous appelle...

Charley tint tête à l'orage.

— Monsieur, déclarait le secrétaire, j'ai cru qu'il était préférable de vous faire attendre et d'éviter un accident.

— Un accident ? que voulez-vous dire ?

— Je veux dire qu'une catastrophe a failli se produire, monsieur.

Barzum se leva, très pâle :

— Ah ça ! que me chantez-vous là ? Le train est sur une voie de garage et par conséquent...

— Il ne s'agit pas du train, monsieur, il s'agit de la panthère récemment arrivée et qui s'était échappée.

Charley n'ajouta pas un mot, car au même moment, tremblant de fureur, pâle de colère, Barzum assénait sur son bureau un formidable coup de poing.

— Dieu me damne ! hurlait-il, qu'est-ce que vous m'apprenez ? Une panthère s'était échappée, ah ça ! que signifie ?... Où était Gérard ?

— Gérard était en grand danger d'être mangé vif.

— Donnez-moi des détails.

Barzum avait de violentes colères, qui, par bonheur, ne duraient que quelques secondes. Ce génial impresario possédait une telle maîtrise sur lui-même qu'il matait toujours ses nerfs, au moment opportun, demeurait toujours prêt à agir, et à agir dans le sens utile.

— Expliquez-moi ce qui s'est passé, demandait-il encore. Franchement, le désordre s'installe ici, je ne veux pas de cela, s'il faut que j'avise, j'aviserai.

Sa voix était redevenue sévère, tranchante, impérative. Charley, avec un grand calme, expliqua l'aventure.

— Je ne sais la chose, disait-il, que de Gérard lui-même. Il paraît que le malheureux dompteur était en train de sommeiller dans sa cabine lorsqu'il entendit le carillon d'alarme que déclenchent les cages lorsqu'elles s'ouvrent. Naturellement, en entendant cette sonnerie, Gérard imagina d'abord qu'un de ses aides s'occupait à apporter tardivement la pâture aux bêtes. Il n'en était rien, puisqu'à peine avait-il ouvert la porte de sa loge Gérard se trouvait nez à nez avec la panthère sortie du wagon qui s'avançait lentement dans le couloir du train.

— Qui avait ouvert la cage ? interrompit Barzum.

— Monsieur, répliqua Charley avec un grand calme, c'est précisément ce qu'il faudrait savoir et qu'on ne sait pas.

Charley faisait en quelques mots rapides la fin du récit de l'attentat, il disait le rôle miraculeux joué par Hélène et comment l'écuyère, avec un sang-froid extraordinaire, une habileté invraisemblable, était arrivée, en effrayant la panthère, à la faire reculer, à la repousser dans sa cage.

— Il faudra que nous doublions les appointements de cette femme, concluait brutalement Barzum. Et il faudra aussi que l'on sache par suite de quelle négligence coupable la cage a pu être ouverte. En tout cas, voici assez de temps perdu, il est dix heures et demie, travaillons...

Barzum se jetait dans un fauteuil, son secrétaire s'asseyait à une petite table qui lui était réservée ; les deux hommes s'absorbèrent dans l'élaboration d'un programme véritablement sensationnel.

Au beau milieu de la discussion, cependant, et tandis que Charley était tout occupé à régler la place d'un divertissement de clowns, Barzum interrogeait :

— Le palefrenier, ce Léopold, vous l'avez mis à la porte, Charley ?...

— Hein ? quoi ?...

Le secrétaire avait évidemment l'esprit moins net, la pensée moins lucide que son patron. Charley ne possédait pas, comme Barzum, l'art précieux, au suprême degré, de pouvoir suivre dix affaires à la fois. Occupé à son programme, il oubliait tout le reste, et il fallait que Barzum précisât sa pensée :

— Je vous demande, répétait le patron, si l'on a réellement mis à la porte le palefrenier Léopold qui nous a semblé, à vous et à moi, devoir être le coupable des petits vols qui se multiplient depuis quelque temps ?

Charley comprenait cette fois.

— Monsieur, j'ai moi-même congédié cet homme.

— Mais... est-il parti ?

— Dame ! je pense, monsieur.

— Vous n'en êtes donc pas certain ?

— Je ne l'ai pas vu partir de mes yeux, monsieur.

Barzum haussait les épaules.

— Naturellement, faisait-il d'un ton las. Quand on vous charge de quelque chose vous vous dépêchez de repasser la consigne à un autre ; de la sorte, je ne puis jamais réprimander... personne. Savez-vous ce que je me demande, Charley, c'est précisément cette chose : le palefrenier Léopold s'entendait-il bien avec le dompteur Gérard ?...

Charley eut un geste de doute.

— Ma foi, je ne sais pas, avouait-il, peut-être, sans doute..., pourquoi ?...

— Parce que, mon ami, la cage des panthères ne s'est pas ouverte toute seule et il y a gros à parier que celui qui l'a ouverte voulait se venger de Gérard... Enfin laissons. Travaillons, nous verrons cela plus tard.

Dans le wagon-cabinet de travail, la dictée reprenait en effet, Barzum maintenant décidait avec son secrétaire de prochains achats de bêtes féroces qu'il comptait précisément aller effectuer, d'ici peu, à Hambourg.

Le train, à cette heure, était plongé dans un profond silence ; tous les artistes avaient profité de la liberté dont ils disposaient pour aller dans les environs. Et, tandis que Gérard soignait Hélène dans son compartiment, tandis que Barzum et Charley travaillaient, tandis que, dans une loge, le géant cherchait vainement une position qui pût lui permettre d'étendre son long corps fatigué, et se résignait à aller, au risque d'une amende, car la chose lui était interdite, s'étendre de tout son long dans le couloir du train, un homme s'éloignait à grands pas de la gare de marchandises où stationnait le convoi.

Quel était cet homme ? tout simplement le baron-palefrenier Léopold.

Léopold, en effet, avait bien été congédié le matin même suivant les ordres de Charley par le chef palefrenier ; mais il ne s'était point soucié d'abandonner le train.

Le baron, d'abord, était fort épris de la jolie écuyère qui avait cependant si dédaigneusement repoussé ses multiples avances. Ensuite, il se rendait fort bien compte que sa situation n'avait rien de très plaisant. Pour tenir son rôle, le baron Léopold, devenu palefrenier par amour, s'était accoutré de vêtements plus que modestes, il n'avait pas davantage gardé d'argent sur lui, escomptant évidemment demeurer un certain temps dans le train et avoir toute latitude pour faire venir au fur et à mesure de ses besoins des fonds en rapport avec les événements.

Or, brusquement, voilà qu'on le congédiait. Il lui avait été payé, à la caisse, la rétribution de ses services, une très modeste somme de trente-deux francs et ce n'était point avec cette menue monnaie que le baron pouvait s'habiller à neuf et regagner son habitation habituelle, d'autant que le train avait fait du chemin depuis son départ de Tirlemont.

Que faire ?

Tout le jour, le baron Léopold avait dû errer, caché dans le train ; la caravane énorme de Barzum, le nombreux et bizarre personnel qui logeait dans le convoi lui avaient rendu très facile une telle dissimulation. L'heure arrivait toutefois où il devait prendre un parti.

On était d'ailleurs arrêté non loin de Spa.

A dix heures et demie du soir, le baron Léopold sautait tranquillement du dernier des wagons, franchissait la voie ferrée, sortait de la gare de marchandises et gagnait la grand-route.

Le baron était furieux :

— On me chasse, murmurait-il, très bien ! je me vengerai. Et quant à cette petite imbécile, cette péronnelle, j'imagine bien qu'un jour ou l'autre il faudra que ce soit elle qui me supplie !...

Sur la grand-route, l'amoureux évincé d'Hélène s'orienta.

— A quelle distance suis-je de Spa ? pensait-il, cinq ou six kilomètres tout au plus ! Eh bien, allons à Spa. C'est bien le diable si je ne trouve pas là-bas à gagner quelques louis à la roulette...

Les cinq ou six kilomètres, toutefois, que le baron Léopold croyait avoir à franchir pour gagner Spa, devaient s'ajouter à quelques autres, car en réalité, bien qu'il marchât vite, le baron n'arrivait au casino fameux qu'à une heure très avancée de la nuit.

— Oh ! oh ! pensait le jeune homme, atteignant enfin les jardins somptueux qui entourent la maison de jeux et contemplant non sans plaisir la file d'équipages de somptueuses automobiles qui stationnaient le long des trottoirs. Oh ! oh ! mais voilà une difficulté à laquelle je n'avais point songé. Habillé comme je le suis, on va certainement me refuser l'entrée du casino ! Allons, ma situation est tout à fait plaisante !...

L'homme du monde se trouvait sous les habits du palefrenier, le baron Léopold eut en quelques secondes la notion nette de la fâcheuse situation où son imprudence l'avais mis.

— Comment tout cela va-t-il finir ? pensait-il.

Il longeait à cet instant un grand trottoir éclairé par de superbes lampadaires électriques qui entouraient le casino et contre lequel étaient rangées de merveilleuses automobiles.

— Où vais-je aller ? pensait le baron Léopold. Je ne sais pas même si, en flânant ici, je ne risque point de me faire arrêter pour vagabondage ou mendicité. C'est charmant !

Juste à cet instant, et comme ses réflexions devenaient moins joyeuses, car en vérité le baron Léopold se trouvait en fâcheuse posture, une voix le hélait :

— Hep ! l'homme là-bas, oui vous, l'homme au gilet bleu !...

L'indication du gilet bleu ne pouvait laisser aucun doute !

C'était un chauffeur d'automobile à la tenue correcte et prétentieuse, l'un de ces domestiques vêtu d'une riche livrée, coiffé d'une imposante casquette surchargée de cuivres.

Le baron Léopold qui n'avait point l'habitude qu'on lui parlât sur un ton familier et qui, pendant les quelques jours passés au cirque, n'avait pu se faire à l'idée d'être traité comme un inférieur, répondit sèchement :

— Qu'est-ce que vous me voulez ?

— Avance... quoi, on ne te mangera pas !...

Le chauffeur qui interpellait le faux palefrenier était évidemment un Parisien ; son accent et ses façons trahissaient son origine faubourienne et parisiens aussi devaient être les autres chauffeurs qui l'entouraient, car tous se mettaient à plaisanter :

— A-t-il l'air gourde l'individu ! bon Dieu, quelle espèce d'empoté !...

— Regarde voir, j'te parie que c'est un vide-crottin.

— Avance !... répétait le chauffeur.

Le baron Léopold, par curiosité, avançait :

— Qu'est-ce que tu fiches là ? commençait alors le chauffeur. Tu promènes tes guêtres ?

A cette question, faite sur un ton de familière protection, le baron Léopold balançait un instant entre l'envie de se jeter sur ce domestique et de l'étrangler ou encore froidement de lui dire :

— Mon ami, quel est votre patron ? je lui écrirai demain pour le prier de mettre à la porte un individu aussi insolent que vous...

Mais heureusement le baron Léopold se contenait :

— Après tout, pensait-il, cet homme ne sait pas qui je suis et ne peut pas le savoir... En ce moment je ne paie pas de mine et voici bien une fois de plus la preuve que, contrairement au proverbe, l'habit fait le moine.

Le baron Léopold baissa la tête et répondit imitant autant qu'il le pouvait l'accent d'un ouvrier :

— Oui, monsieur, je me promène... je prends le frais.

— Veux-tu gagner cent sous ?

Le sang empourprait le front du baron.

On lui offrait de gagner cent sous !

Mais quoi ! que pouvait-il dire ?... n'était-il pas intéressant d'ailleurs de les gagner ces cent sous ?... et puis... et puis...

Brusquement le baron fit signe.

— Sûr que je gagnerais bien cent sous, qu'est-ce qu'il faut faire ?

— Oh ! pas grand-chose ; ça ne t'écrasera pas le poil que tu m'as l'air d'avoir dans la main... allons, viens ! Tu vois ces voitures, les trois là-bas, la grosse bleue qui est la mienne, et les deux rouges, eh bien, tu vas les garder... tu empêcheras qu'on y touche pendant que nous allons boire un verre.

— Et vous me donnerez cent sous ?

— Oui, on te donnera cent sous... Ah ! au fait, si jamais les patrons se rappliquaient, tu irais nous chercher, n'est-ce pas ?... On est chez le bistro là-bas, au coin... Pour ta gouverne, d'abord, voilà des renseignements : ma patronne, elle a un manteau du soir tout rouge, et par-dessus encore elle se fiche une fourrure blanche ; une hermine quoi... Quant à eux...

Le chauffeur montra les deux mécaniciens, ses amis, qui allaient venir boire avec lui au mastroquet voisin, mais ceux-ci interrompaient du geste :

— Oh ! avec eux, il n'y a pas de pet !... disait l'un, nos patrons ne cavalent jamais avant la fermeture des salons... comme ça ferme sur le coup de six heures du matin, on a encore le temps de se revoir !...

Ces arrangements arrêtés, ces recommandations faites, les trois chauffeurs s'éloignèrent bras dessus, bras dessous, cependant qu'avec un sourire ironique, lentement, le baron Léopold, devenu gardien de voitures, se promenait de long en large, surveillant les automobiles confiées à sa garde.

Assurément la situation du gentilhomme était originale !

Tout autre que le baron Léopold, même, se fût peut-être affolé de se voir réduit à exercer un si pitoyable métier !

Le baron Léopold, lui, après avoir été profondément vexé, commençait tout bonnement à rire de l'aventure :

— Quelle invraisemblable histoire ! pensait-il, et quel succès j'aurais au Cercle si jamais j'y reparaissais en racontant comment j'ai pu ainsi gagner cent sous devant le casino de Spa où j'ai tant de fois perdu des billets de mille !...

Philosophe, le baron Léopold montait dès lors sa garde sans trop grommeler, sans trop fulminer contre le sort :

— Je suis ici par ma faute, disait-il d'ailleurs, et je ne puis m'en prendre qu'à moi de ce qui m'arrive.

Puis, après avoir longtemps marché sur le trottoir, le baron commençait à examiner les voitures confiées à sa protection.

— Ma foi ! pensait bientôt le gentilhomme, ces bagnoles-là ne sont pas trop mal... la bleue surtout... bonne marque... joli châssis... carrosserie confortable... vraiment, quand je serai redevenu riche, quand je n'aurai plus besoin de gagner cent sous en servant d'ouvreur de portières, je pourrai me payer une voiture comme celle-là... Elle est encore mieux que la mienne !...

Tournant autour de l'automobile, le baron Léopold eut la curiosité de lire un nom gravé sur une plaque de cuivre.

— Il serait tout à fait amusant, pensait-il, que je sois précisément chargé de garder une voiture appartenant à un de mes amis.

Au reflet du lampadaire électrique, le baron déchiffra une inscription gravée en lettres gothiques :

Princesse Sonia Damidoff

Or, le baron n'avait pas lu ce nom, le nom de la propriétaire de la voiture, qu'il éclatait de rire.

— Ah ! cela, par exemple ! murmurait-il, c'est vraiment trop amusant... voici que cette voiture est celle de la princesse Sonia Damidoff... mais sapristi ! dans le train tout le monde disait que la princesse Sonia Damidoff était la maîtresse de Barzum !

Un instant après, très bas et un éclair mauvais dans les yeux, le baron Léopold ajoutait :

— Oh ! oh ! est-ce que par hasard je vais pouvoir me venger tout de suite ?...

Brusquement, il parut que le mystérieux baron prenait une décision ; il se rapprochait de l'automobile et escaladait le marchepied, sautait sur le siège, s'asseyait au volant.

— Avec cette voiture, murmurait le baron Léopold, et la provision d'essence qu'il y a, je me fais fort d'être en moins de quatre heures rentré chez moi.

Il allait mettre en route, voler la voiture, lorsque à l'instant, et comme il s'absorbait, les yeux fixes, à méditer un plan infernal, une main gantée s'appuyait sur son bras.

— Vite, Henri, disait une jolie voix, ramenez-nous au train et vivement, nous sommes pressés...

Une portière claquait ; le baron Léopold, ahuri, se redressait sur son siège et devait réfléchir quelques instants pour deviner la vérité.

— Allons bon ! pensait l'ex-palefrenier, voilà que la princesse Sonia m'a pris pour son chauffeur... voilà qu'elle est arrivée sans que je l'entende, voilà qu'elle est dans sa voiture, ah sapristi !...

Il était trop tard pour fuir, pour tenter de voler l'automobile, le baron Léopold sauta sur le sol, prêt à ouvrir la portière.

— Je vais la prévenir de l'erreur et chercher le mécanicien, pensait-il. Mais au même moment il tressaillait de surprise.

En regardant à l'intérieur de la voiture, le baron Léopold venait de s'apercevoir que la jolie princesse Sonia Damidoff n'était point seule.

A côté d'elle, sur les coussins somptueux de la limousine, un homme avait pris place, qui semblait amoureusement deviser avec elle, un homme que le faux baron reconnut immédiatement, un homme qui était Barzum.

— Bourgre de nom d'un chien ! pensa l'ancien palefrenier, voici tout ce que je pouvais souhaiter de mieux...

Quelle idée infernale germait alors dans la pensée de l'extraordinaire aventurier, de l'homme vraiment peu recommandable que paraissait être le baron Léopold ?

Rapidement, le jeune homme profitait de la préoccupation où se trouvaient Sonia Damidoff et Barzum ; il courait à l'avant de la voiture, tournait la manivelle, mettait en marche, empoignait le volant, et en conducteur expérimenté qu'il était démarrait rapidement.

— Oh ! oh ! grommelait l'individu redevenu souriant et paraissant fort amusé de la tournure prise par les événements ! oh ! oh ! je crois que cette fois je tiens ma vengeance...

Expertement pilotée, car le baron Léopold, qui adorait l'automobile, connaissait fort bien la conduite des voitures, la limousine sortait rapidement des faubourgs de Spa, gagnait la grand-route.

— Décidément, murmurait bientôt le faux chauffeur, décidément il ne faut jurer de rien... J'ai quitté le train tout à l'heure à pied et voici qu'en ce moment j'y reviens en automobile... il est vrai que je ne suis à bord qu'en qualité de domestique... Bah ! cela importe peu, les rôles vont changer tout à l'heure !...

Quelques instants plus tard, comme les derniers faubourgs de Spa étaient dépassés, comme la route devenait nettement déserte et solitaire, il était tout près de minuit et demi, le baron Léopold murmurait :

— Voilà l'instant, voilà le moment !...

Qu'avait-il donc décidé ?

Lentement, le conducteur effectua une manœuvre inquiétante. Tenant toujours le volant d'une main, il fouillait dans la poche de son pantalon, en tirait un objet brillant qu'il posait sur ses genoux ; cela fait, un rapide coup de frein bloquait la voiture dans un cahot... un coup de volant faisait effectuer une terrible embardée au véhicule, puis, c'était l'arrêt. Le baron Léopold fut à terre en une seconde.

De l'intérieur de la limousine, un cri, un cri de peur, avait retenti, poussé par Sonia Damidoff ; il était suivi d'une brève question posée à travers la portière ouverte par Barzum.

— Ah ça ! qu'est-ce qui se passe ?... qu'est-ce qu'il y a ?... vous êtes fou ?...

Le faux chauffeur, à cet instant, s'avançait lentement vers la portière de la voiture. Lorsque le baron Léopold était tout contre cette portière, il tendait brusquement le bras dans la direction de Barzum :

— Pas un geste, pas un mot, pas un cri, ordonnait-il, ou je vous fais sauter la cervelle !...

Dans sa main, il tenait un revolver, le revolver qu'une seconde avant il avait mis dans sa poche ; il le braquait sur Barzum.

La surprise de l'impresario était naturellement, à cet instant, formidable.

— Ah ça !... commençait-il...

Mais le baron Léopold ne lui laissait pas le temps d'achever.

— Silence ! ordonnait-il, et taisez-vous aussi, madame... voici. Ne cherchez pas à savoir qui je suis... peu vous importe, obéissez-moi, c'est l'essentiel, vous allez tous les deux descendre sur la route, et tous les deux vous hâter de disparaître, vous êtes à sept ou huit kilomètres de votre train, cela peut se faire à pied, je l'ai fait, faites-le, madame, vous vous appuierez à son bras, pour moi, bonsoir ! J'ai besoin de votre voiture, je la prends, vous comprendrez un jour ce qui vous est arrivé... et pourquoi cela vous est arrivé...

Léopold, à cet instant, ne craignait point d'être reconnu. La route était noire, encastrée d'arbres, il n'y avait point de lune, et la projection des phares de la voiture, aveuglante, éblouissante de lumière, ne l'atteignait point.

Ni Barzum ni Sonia Damidoff ne pouvaient donc apercevoir ses traits. Lui, au contraire, discernait parfaitement leur visage, un plafonnier était, en effet, à l'intérieur de la limousine, il éclairait le gracieux visage de Sonia Damidoff actuellement contracté par une peur affreuse ; il éclairait encore les traits énergiques de Barzum qui semblait, lui, plus stupéfié qu'effrayé.

— Dépêchez-vous, ordonnait le baron Léopold... descendez.

Il appuyait cette injonction d'un mouvement de son revolver.

L'impresario Barzum parut alors prendre un parti.

— Vous n'êtes pas galant, disait-il lentement, on n'attaque pas une femme, mais puisque vous êtes le plus fort, il faut s'incliner.

Barzum se levait, il allait descendre de voiture.

— Allons, hâtez-vous, répéta le baron Léopold.

— Je me hâte...

Barzum, en effet, semblait se dépêcher.

— Ma chère Sonia..., commençait-il.

Mais, à l'improviste, alors certes que le baron Léopold y songeait le moins, la scène changeait brusquement.

Plus vif que l'éclair, d'un coup de poing formidable Barzum, qui semblait descendre de voiture, s'était rapproché de son agresseur, il atteignait le baron Léopold en plein visage.

— Imbécile ! disait-il en même temps.

Puis, dans la nuit, une lutte rapide, violente, effroyable avait lieu, des cris plaintifs trouèrent le silence :

— Grâce ! pitié ! ne me tuez pas !...

Sonia Damidoff, défaillante, pensait mourir d'effroi à l'intérieur de la voiture, lorsque, dans le calme de la nuit, la voix de Barzum s'élevait à nouveau :

— Ma chère Sonia, disait l'impresario, cet imbécile avait compté sans son maître !...

Un éclat de rire retentissait, Barzum ajoutait encore :

— Je l'ai proprement étourdi, et je crois qu'il sera quelque temps maintenant sans oser faire le méchant. Tenez, passez-moi donc la courroie qui attache la roue de secours, elle va me servir à le ligoter.

Il y eut encore quelques instants un remue-ménage sur la route, Sonia Damidoff reprenait à peine ses sens que Barzum revenait vers elle, époussetant d'une chiquenaude la poussière qui souillait le revers de son habit.

— Ne vous inquiétez pas, disait l'impresario, le bonhomme est hors d'état de nuire... Vous n'avez pas eu trop peur ?

D'une voix tremblante, Sonia Damidoff répondait :

— J'ai pensé mourir d'effroi !

— J'en suis au regret, ma chère amie. Je n'aurais jamais imaginé une aventure semblable...

Et, quelques minutes après, tranquillement, Barzum, qui venait avec une si grande habileté de réduire à néant les projets du malheureux baron Léopold, continuait :

— Je vais prendre le volant, je vais vous reconduire jusqu'au train, vous m'y attendrez dans les appartements, et j'irai moi-même remettre avec la voiture cet individu, ce bandit de grand-route, aux mains de la police. Inutile, n'est-ce pas, de raconter l'aventure...

Barzum, qui paraissait de plus en plus impassible, se baissait sur la route, soulevait sans effort apparent le corps ligoté du malheureux baron.

— Là ! disait-il, je vais le jeter sur le toit de la limousine, j'espère qu'il ne tombera pas, et ma foi, s'il tombe, et s'il se tue, ce ne sera pas grand dommage !

Dix minutes plus tard, conduite par Barzum lui-même, la voiture s'arrêtait à l'entrée de la gare de marchandises et l'impresario faisait descendre Sonia Damidoff.

— Voici le train, disait-il en montrant le convoi stationnant sur une voie de garage ; il me faut dix minutes pour en finir avec cet individu, dans dix minutes je vous rejoins...

Galamment, Barzum accompagnait Sonia jusqu'à la porte de son wagon, il prenait la main de la jeune femme, répétait :

— A tout à l'heure !

Sonia Damidoff, en gagnant les appartements particuliers de Barzum, entendait alors celui-ci retourner près de l'automobile ; bientôt la voiture démarrait, Barzum, comme il l'avait dit, conduisait Léopold au bureau de police voisin.

XVII

La folie de Barzum

Cette même nuit, au moment de l'attaque de l'automobile par le baron Léopold, Charley dormait profondément dans l'étroit compartiment, qui lui servait de chambre à coucher, et rêvait même aux choses les plus agréables.

Charley imaginait, sous l'empire du rêve, que Barzum l'appelait, l'augmentait de 150 francs par mois et, en récompense de ses bons et loyaux services, lui accordait trois mois de congés payés.

Il faisait horriblement chaud dans le petit compartiment, l'atmosphère difficilement renouvelée à travers la vitre baissée était presque irrespirable ; le secrétaire particulier de Barzum sommeillait, insensible à tout ce qui l'entourait.

Brusquement, cependant, alors que son rêve déroulait de capricieuses aventures, alors qu'après avoir été en face de Barzum il inventait un pays merveilleux où il se promenait tout seul et pouvait engager, à des prix fabuleux de bon marché, les phénomènes les plus intéressants et les plus surprenants, Charley s'éveillait en sursaut.

Il semblait au secrétaire particulier du grand impresario que l'on frappait à sa porte. Charley s'assit sur son séant, se frotta les yeux, prêta l'oreille.

Certes, il ne pouvait hésiter longtemps, et longtemps se demander si l'on heurtait à sa porte.

On ne faisait pas, en effet, que de heurter à petits coups ; littéralement on tambourinait contre le battant de bois, c'étaient des coups de poing et des coups de pied qui se succédaient, éveillant les échos endormis, cependant qu'une voix de temps en temps hurlait :

— Ah ça ! êtes-vous là, nom d'un chien ? ouvrez donc, ouvrez donc, c'est moi !...

Charley dormait si profondément, était ce que l'on est convenu d'appeler « abruti de sommeil », que tout d'abord, il ne comprenait point ce qui lui arrivait. Le secrétaire particulier de Barzum avait ainsi grand-peine à rassembler ses idées.

D'une main qui était molle, il cherchait à tâtons le commutateur de l'électricité puis, ayant fait la lumière, tout ébloui, se frottant les yeux, debout, en chemise de nuit au milieu de sa cabine, il écoutait encore.

De l'autre côté de la porte, avec fièvre semblait-il, on tambourinait toujours.

— Ouvrez donc, Charley... Ouvrez, j'ai besoin de vous parler.

Charley, à cet instant, commença à comprendre ce qui arrivait.

— C'est Barzum, se disait-il, assurément c'est Barzum qui frappe.

Et, entraîné par la routine de ses sentiments, Charley maugréait :

— Voilà maintenant que je ne peux pas dormir tranquille... Voilà qu'il me réveille à des heures indues, ah ! zut alors !... le jour, à la rigueur, je veux bien être à sa disposition, mais la nuit... la nuit m'appartient...

Il ouvrait cependant, il tirait d'une main encore hésitante le verrou qui fermait sa porte.

— Qu'est-ce que vous voulez ? c'est vous, patron ?...

La porte se fût ouverte sous l'impulsion brutale d'une bourrasque, d'une trombe, d'un coup de vent, que le mouvement n'eût pas été plus brusque.

Charley avait à peine tiré le verrou qu'il était bousculé par un homme, qui n'était autre d'ailleurs que Barzum, qui se précipitait dans sa chambre.

Charley était maintenant tout à fait éveillé. La torpeur qui demeurait en son esprit n'empêchait donc point qu'il remarquât la face pâle, blême même, de son patron.

— Qu'est-ce que vous voulez ?... qu'est-ce qu'il y a ?... demandait-il.

Barzum, d'un coup de pied, avait claqué la porte, il posait ses deux mains sur les épaules de Charley, il dardait sur lui deux yeux dont le regard avait quelque chose de fiévreux, de hagard.

— Vous êtes réveillé ? interrogeait Barzum... vous m'entendez ? vous me comprenez ?

A ce moment, Charley imagina brusquement que l'impresario était devenu fou.

Une peur prenait le jeune homme, une angoisse le faisait trembler.

Était-il vraiment possible que la démence se fût emparée du génial impresario ?

Mentalement, Charley se répondit par l'affirmative ; il n'était pas possible que Barzum, sans cela, parût à ce point énervé, à ce point surexcité, lui qui d'ordinaire apparaissait toujours flegmatique, calme au point de porter sur les nerfs à ceux qui, comme lui, ne possédaient point la rare qualité de se maîtriser.

— Oui, je suis réveillé, bien sûr, répondit Charley, vous le voyez bien, patron... mais pourquoi cette question ?... qu'est-ce qu'il y a ?

Charley sentit que les ongles de Barzum s'incrustaient dans sa chair, griffaient son épaule.

— Non, Dieu me damne ! hurlait Barzum, vous n'êtes pas assez réveillé... vous dormez encore... eh ! sapristi, faites un effort...

Charley sentit qu'on le secouait d'importance, Barzum l'envoyait d'une poussée tomber sur son lit.

— Attendez, disait l'impresario, je vais vous tirer du sommeil, moi... Et le malheureux Charley n'avait pas eu le temps d'ouvrir la bouche, d'articuler un mot que Barzum, qui semblait en proie véritablement à une excitation stupéfiante, remplissait une cuvette d'eau froide et la jetait à la tête de son secrétaire.

— Là, disait Barzum triomphant, vous ne dormez plus, j'imagine ?...

Charley ne dormait pas, en effet. Après la brusque douche qu'il venait de recevoir de son patron, il était aussi éveillé que possible, et furieux comme il ne l'avait jamais été.

— Ah ça ! commença le jeune homme, qu'est-ce qui vous prend ?... vous en avez des façons, bon Dieu !... Puisque je vous dis que je suis éveillé, c'est que je suis éveillé...

Le jeune homme s'était relevé, il voulait, au plus fort de sa colère, bousculer Barzum et prendre une serviette pour s'éponger, lorsque son patron l'arrêtait au passage en l'empoignant par le bras.

— Mon petit, disait Barzum, ne vous fâchez pas, d'abord cette douche vous sera payée à part et en plus de vos appointements, ensuite, j'ai besoin que vous soyez parfaitement maître de vous, capable de m'entendre et de me répondre.

La patience, à ce moment, manquait au malheureux Charley.

A son tour il s'agrippait à Barzum, il secouait son patron de belle importance.

— Vous, déclarait Charley, vous commencez à m'embêter, on n'agit pas comme cela, à la fin... une.. deux... trois... dites-moi ce que vous voulez ou fichez le camp !

Or, il semblait que la colère de Charley faisait réellement plaisir à Barzum. Un sourire passait sur les lèvres de l'impresario, cependant qu'il s'esclaffait :

— Là ! très bien ! vous vous fâchez, donc vous êtes réveillé... vous êtes furieux, donc vous êtes lucide... vous m'entendez, Charley ?...

— Oui, zut ! quoi ?

— Regardez-moi...

— Eh bien, je vous regarde...

— C'est bien moi qui suis devant vous, n'est-ce pas ?

La question était incompréhensible, Charley, d'émotion, de surprise, demeura muet.

Mais Barzum répétait déjà :

— Vous me reconnaissez, hein, sapristi ?... C'est bien moi, Barzum ? votre patron, le patron du cirque ? vous êtes certain que c'est bien moi qui suis là ?

— Mais sans doute... pourquoi me demandez-vous cela ?...

— Pour rien, répliqua nerveusement Barzum.

L'impresario se promenait pendant quelques minutes de long en large, puis revenait vers son secrétaire, de plus en plus stupéfait.

— Charley ! appela Barzum, prouvez-moi que vous êtes bien réveillé !

Et comme Charley considérait de plus en plus avec effroi Barzum, celui-ci ajoutait :

— Oh ! je vous en prie, ne me regardez pas avec ces yeux-là, si vous saviez, mon ami, comme j'ai peur en ce moment, et comme j'ai besoin précisément de vous voir en possession de votre sang-froid...

Mais n'achevant pas sa phrase, l'impresario se calmait.

— Allons ! disait-il, mon cher Charley, asseyez-vous à votre bureau... là, très bien ! prenez cette plume ; vous êtes prêt à écrire, hein ?...

— Oui, riposta le secrétaire, qui, très sérieusement alarmé, commençait à regretter, à part lui, qu'il n'y ait point dans les wagons de sonnette d'alarme.

— Eh bien, reprenait Barzum, trempez votre plume dans l'encre, prenez cette feuille de papier, écrivez-moi ce que je vais vous demander.

— Mais quoi, patron ?

— Cela, cette chose simple : Qu'est-ce que vous avez fait ce soir ?...

Charley, qui pensait avoir affaire à un fou, qui supposait que Barzum, surmené par la fatigue, était victime d'une crise de démence, Charley, qui s'apprêtait déjà à tremper sa plume dans l'encrier, sursautait à la question posée :

— Patron, disait le jeune secrétaire, calmez-vous, je vous en supplie... vous me faites peur... voyons, répondez-moi... Il se passe assurément quelque chose d'extraordinaire...

A ces mots, Barzum haussait les épaules :

— C'est cela, disait-il avec accablement, vous aussi, vous allez me croire fou.

Puis, une colère subite semblait s'emparer de lui :

— Mais nom d'un chien ! disait-il à la fin, je ne suis pas fou pourtant... j'ai toute ma raison... tonnerre de mille millions !...

Il s'interrompait, redevenait calme :

— Charley, écrivez-moi ce que vous avez fait ce soir.

— Patron, vous le savez aussi bien que moi, puisque...

— Écrivez, écrivez..., tonna Barzum.

Charley comprit qu'il fallait obéir.

— Pauvre diable, pensa-t-il, dire que les cerveaux les plus puissants sont appelés à sombrer de la sorte...

Charley, cependant, savait qu'il convient de donner toujours satisfaction aux fous.

Il ne voulut point courir le risque d'énerver plus encore son patron.

— J'écris, commença-t-il.

Et il écrivit en effet cette phrase qui résumait à merveille sa soirée :

Je me suis rendu auprès de vous, monsieur Barzum, à dix heures et demie, ou onze heures moins le quart, j'ai travaillé avec vous jusqu'à minuit un quart, puis j'ai été me coucher.

Ces mots écrits, Charley tendait la feuille sur laquelle il les avait rédigés à Barzum.

Or, Barzum n'avait pas jeté les yeux sur les lignes inscrites par son secrétaire, qu'un véritable hurlement lui échappait :

Barzum, le front en sueur, les pommettes enflammées, les yeux brillants de fièvre, trépignait littéralement sur place.

— Nom de Dieu, de nom de Dieu ! hurlait l'impresario, j'étais sûr de ce que vous alliez écrire... parbleu, c'est certain cela... nous avons travaillé toute la soirée ensemble... vous m'avez quitté à minuit, je ne suis pas fou...

Et, comme il voyait Charley le regarder avec inquiétude, Barzum déclarait tout d'une traite :

— Et pourtant... si, je suis fou... je suis tout ce qu'il y a de plus fou... et vous aussi vous êtes fou, Charley... c'est incontestable, c'est certain, car je n'ai pas travaillé avec vous, je n'étais pas ici ce soir, non... non, je n'étais pas dans le train...

Et Barzum éclatait de rire ; et avant que Charley ait pu faire un mouvement, il sautait sur la porte de la cabine, l'ouvrait, sortait, Charley entendait que, de l'extérieur, son patron fermait à clef la serrure.

Que s'était-il donc passé ? pourquoi Barzum venait-il d'avoir avec son secrétaire cette scène étrange ?... quelle était l'explication de ces bizarres paroles ? était-il réellement fou, ainsi que le supposait de plus en plus le malheureux Charley ? et aussi, comment se faisait-il surtout que le secrétaire ait ainsi déclaré avoir travaillé jusqu'à minuit et quart avec Barzum, puisque l'impresario, à une heure du matin, se trouvait en compagnie de sa maîtresse dans l'auto conduite par le baron Léopold qui les avait si astucieusement attaqués ?

Lorsque Sonia Damidoff, raccompagnée par Barzum, avait regagné le train, pour y attendre son amant, tandis que celui-ci conduisait à la gendarmerie voisine l'extraordinaire Léopold, qu'il n'avait d'ailleurs pas encore reconnu comme étant le palefrenier de son cirque, la jeune femme, obéissant aux prescriptions qui lui avaient été données, s'était empressée de se rendre dans les appartements particuliers du directeur du cirque.

Sonia Damidoff était en effet la maîtresse de Barzum, mais cette liaison, bien que connue, bien que peu cachée, n'avait en somme rien d'officiel.

L'élégante Russe qui, au cours de sa vie mouvementée, s'était trouvée mêlée à tant d'aventures, ne tenait évidemment pas à afficher l'inclination très vive qu'elle éprouvait pour l'Américain, directeur du plus important cirque du monde entier [1].

Barzum, de son côté, soucieux de sa renommée d'homme sérieux, indifférent à toutes les questions ne touchant point son travail, ne tenait pas davantage à ce que sa liaison fût connue.

Dans ces conditions, il était tout naturel que, lorsque Sonia Damidoff venait au train rejoindre son amant, elle y vînt dans des conditions de discrétion et de mystère destinées à empêcher autant que possible tout scandale...

Parvenue dans les appartements de Barzum, Sonia Damidoff se hâtait de dépouiller la grande mante de soie rouge frangée d'or qu'elle avait jetée sur ses épaules ; elle défaisait enfin l'aigrette piquée dans sa coiffure, puis,

---

1. Voir dans la série « Fantômas » : *L'Arrestation de Fantômas* et *Le Magistrat cambrioleur*.

sans se presser, faisait glisser de ses doigts les bagues précieuses qu'elle y portait, un peu trop nombreuses peut-être, en Slave aimant trop les bijoux.

Il y avait quelques minutes à peine que Sonia Damidoff se trouvait seule ainsi, dans les appartements de Barzum, lorsqu'une porte s'ouvrait, une voix demandait :

— Comment, c'est vous, ma chère amie ?... Vous ici ?... quelle bonne surprise !

Sonia Damidoff se retournait naturellement, et paraissait plutôt stupéfaite en apercevant Barzum.

Pourquoi Barzum qui l'avait quittée quelques instants auparavant, en lui enjoignant de se rendre là où elle était, parlait-il de surprise, au moment où il la trouvait au rendez-vous ?...

Sonia Damidoff comprit que l'impresario voulait plaisanter, et répondit elle-même sur un ton badin :

— Mon cher ami, disait la jeune femme, cette surprise, qui n'en est à vrai dire pas une, ne vaudra jamais celle que nous avons éprouvée tout à l'heure, je tiens même à vous présenter toutes mes félicitations.

Sonia Damidoff fut interrompue par la voix calme et nette de l'impresario :

— Pardon, disait Barzum, mais je ne comprends pas très bien... quelle surprise avez-vous eue tout à l'heure ?

La question était en vérité extraordinaire, et Sonia Damidoff, cette fois, éclata de rire :

— Vraiment, disait-elle, vous êtes le plus original de tous les originaux... dois-je vous rappeler, mon cher ami, qu'il y a quelques instants, nous avons failli, bel et bien...

— Nous avons failli ?... répétait Barzum...

Et l'impresario, tout en parlant, considérait son amie avec une certaine inquiétude, qu'il ne pensait même pas à dissimuler.

— Sans doute, continuait Sonia Damidoff, nous avons failli, vous et moi, être victimes de la plus extraordinaire des agressions... sans votre vaillance, mon cher Barzum, j'imagine que ma voiture aurait été volée et que le misérable qui nous menaçait...

— Pardon, interrompit encore Barzum, mais vraiment je ne vous comprends pas du tout, ma chère amie... de quoi diable parlez-vous ?... à quoi faites-vous allusion ?

Barzum, à cet instant, faisait preuve d'une telle bonne foi, semblait si peu en train de plaisanter que Sonia Damidoff, à son tour, s'en étonna.

— Mais, vous le savez bien, j'imagine..., ripostait un peu nerveusement la jolie Russe, vous n'avez pourtant pas pu oublier l'incident qui a marqué notre retour du casino de Spa...

A cet instant, brusquement, Sonia Damidoff s'interrompait. Une telle stupéfaction, un tel émoi semblait passer sur le visage de Barzum qu'elle demeurait saisie d'effroi, pressentant un mystère, ne sachant encore lequel et pourtant, déjà glacée d'épouvante.

Barzum, d'ailleurs, laissait peu de temps à la jeune femme pour réfléchir. Il avançait vers elle, il lui prenait les mains, très lentement il demandait :

— Voyons, ma chère Sonia, ma jolie Sonia, cessez de plaisanter, soyez sérieuse... que me chantez-vous là ?...

Sonia Damidoff, à cet instant, se dégageait brusquement de l'étreinte de l'impresario.

— A mon tour de vous dire : cessez de plaisanter, râlait-elle, vous finiriez par me faire peur à la fin... voyons, vous savez bien qu'en revenant de Spa, nous avons été victimes...

— Nous ?... protesta Barzum... vous dites : « nous avons été victimes ».

— Oui, nous : vous et moi...

Lentement alors, mais d'une façon catégorique, Barzum déclarait :

— Ma chère Sonia, je vous prie de cesser ce jeu, il devient pénible à la fin... Nous n'avons jamais été victimes de quoi que ce soit, pour la bonne raison que je n'étais pas à Spa, que je ne vous accompagnais pas, et que par conséquent...

Le tonnerre fût tombé dans la pièce, ou encore la lune se fût détachée du ciel, pour rouler aux pieds de Sonia Damidoff, que la jeune femme assurément n'eût pas été plus surprise qu'en entendant les paroles de Barzum :

— Vous êtes fou ! clamait-elle, soudain apeurée et se jetant en arrière, fuyant devant Barzum, vous savez bien, voyons, que vous êtes venu me prendre au casino à onze heures, que nous avons passé la soirée ensemble, qu'en revenant en automobile nous avons été attaqués, et qu'enfin...

Si Sonia Damidoff à cet instant était fort émotionnée, Barzum ne l'était pas moins !

— Sonia ! appelait-il, voyons... vous n'êtes pas souffrante, ma chère amie ? Vous ne vous amusez pas non plus à me causer de l'effroi... je vous le répète, je n'ai jamais été à Spa ce soir...

L'affirmation était nette, catégorique, le ton dont parlait Barzum, sa pâleur même, témoignaient qu'il ne raillait point. Sonia Damidoff devint pâle, à faire craindre une défaillance.

— C'est inconcevable ! murmurait la jeune femme, vous étiez à Spa et vous prétendez que vous n'y étiez pas ?...

Tout bas, Sonia Damidoff ajoutait :

— Oh ! j'ai peur, j'ai peur !...

Barzum, heureusement, se dominait encore :

— Nous ne comprenons pas, disait-il, nous sommes victimes d'un malentendu... d'une confusion, vous avez cru m'apercevoir dans les salons, mais en réalité, ce n'était pas moi... quelqu'un qui me ressemble peut-être ?...

— Je vous ai parlé ! hurla Sonia Damidoff, vous m'avez répondu... vous m'avez même dit : « Je viens vous chercher... », nous sommes partis ensemble... nous avons été attaqués ensemble, c'est vous qui avez vaincu et ligoté le misérable bandit qui prétendait nous dépouiller... vous m'avez reconduite jusqu'ici...

Sonia allait ajouter d'autres détails, accumuler d'autres précisions, lorsque Barzum, perdant enfin patience, et gagné cette fois par l'émotion de Sonia Damidoff, éclatait :

— Mais cela est impossible ! vous rêvez... c'est vous qui êtes folle, je ne suis pas parti d'ici, je n'ai pas bougé de la soirée, j'ai travaillé tout le temps avec Charley...

Ils étaient, à cet instant, tous les deux debout, l'un devant l'autre, se considérant avec des yeux affolés.

Sonia Damidoff était bien certaine d'être revenue avec Barzum ; Barzum, d'autre part, avait bien la persuasion d'avoir passé toute la soirée en compagnie de Charley. Qui d'entre eux tâchait de tromper l'autre ?...

— Sonia ! Sonia ! supplia encore Barzum, dites-moi que vous voulez rire.

Mais à cette interrogation Sonia Damidoff blêmissait encore davantage.

— N'avancez pas, criait la jeune femme, n'avancez pas où j'appelle, vous êtes fou, vous me faites peur...

La scène tournait au tragique, Barzum, encore qu'il fût violemment impressionné, voulut éviter un scandale.

— Soit ! disait-il, avec une nervosité qu'il ne cherchait même plus à dissimuler, je vais vous convaincre de mensonge bien facilement, Sonia, je n'ai pour cela qu'à invoquer le témoignage de Charley.

L'impresario à ce moment attendait une seconde, il espérait que Sonia Damidoff allait enfin reconnaître qu'elle plaisantait, il supposait que la jeune femme allait l'empêcher d'aller déranger Charley.

Il n'en était rien cependant ! tout au contraire, à la proposition que lui faisait Barzum, Sonia Damidoff applaudissait :

— Très bien, déclarait-elle, allez demander à Charley si vraiment vous avez passé la soirée avec lui...

Il s'écoulait un quart d'heure, pendant lequel Barzum réveillait Charley, obtenait de lui la confirmation écrite de ce qu'il avait soutenu, puis Barzum revenait trouver Sonia.

— Tenez, disait-il, lisez cela...

Sonia avait à peine jeté les yeux sur le papier qu'elle devait s'asseoir, tant elle se sentait faible, tant un vertige la prenait.

— Écoutez, Barzum, déclarait-elle, je vous jure pourtant que je ne vous mens pas... vous étiez à onze heures à Spa...

— Non, j'étais ici, rétorqua l'impresario, brandissant son papier.

Sonia, d'abord, ne répondait pas, puis d'une voix lente, hésitante, elle se décidait enfin à faire à son amant le récit détaillé, minutieux de sa soirée.

La jolie Russe contait par le détail les aventures qui avaient marqué le retour en automobile et suivait sur le visage de Barzum les impressions extraordinaires que ce récit y faisait naître...

— Est-ce qu'il me trompe ? pensait Sonia, est-ce qu'il se joue de moi ?...

Barzum n'était point loin de se faire de semblables réflexions !...

— On dirait un récit inventé à plaisir, pensait-il, et pourtant Sonia a l'air sincère...

Brusquement, l'impresario se leva.

— Assez, disait-il, franchement je finirai par croire que nous avons tous les deux le cauchemar... Nous avons tous les deux besoin de repos, ma chère amie, car, je veux le croire, nous sommes de bonne foi l'un et l'autre.

Barzum, en disant ces mots, guidait sa maîtresse vers ses appartements et la jeune femme, fort troublée, machinalement, se laissait conduire, sans ajouter un mot.

Quelques instants plus tard, assis devant son bureau, Barzum réfléchissait profondément.

Le célèbre impresario semblait vraiment fort inquiet. Tout en feuilletant nerveusement quelques papiers épars sur sa table de travail, il murmurait :

— Je suis certain, et mon secrétaire me l'a du reste affirmé, que je ne suis pas sorti du train, de toute la soirée... or, Sonia de son côté est, j'en suis maintenant convaincu, de bonne foi, lorsqu'elle me déclare avoir fait le trajet de Spa en automobile avec moi... toute cette attaque dont elle me dit avoir été victime me paraît néanmoins extraordinaire... je crois que, dans tout cela, il faut voir l'intervention d'un ou plusieurs personnages, dont j'ignore le but et les intentions...

Barzum, quelques instants, demeurait immobile, puis soudain, il se promenait de long en large, dans son cabinet de travail, sa pensée s'éloignait un peu de ce dernier fait extraordinaire : le retour de sa maîtresse en automobile, avec un individu qui avait pris sa personnalité à lui, Barzum, et l'attaque de la voiture par un bandit de grand chemin, déguisé en chauffeur...

L'impresario se reportait quelques jours en arrière, il lui revenait à l'esprit une multitude de petits faits auxquels, jusqu'à présent, il n'avait prêté qu'une très médiocre attention.

Son secrétaire, Charley, lui avait signalé, à maintes reprises, divers vols, diverses disparitions d'objets précieux, de bijoux, dans les loges de ses artistes.

La femme à barbe, l'homme tatoué, la femme-serpent, d'autres encore avaient porté plainte contre un mystérieux inconnu qui leur dérobait diverses choses, avec une habileté si grande que nul dans le train n'avait jamais pu le surprendre !...

Barzum, malgré lui, faisait un rapprochement avec ces vols, cette petite envergure et l'audacieuse aventure dont Sonia Damidoff venait d'être le soir même la victime !...

Peut-être le grand impresario avait-il tort, peut-être aurait-il dû hésiter à faire établir un parallèle entre le mystérieux Barzum, de Spa, et le vulgaire cambrioleur de ses artistes ?...

Soudain, l'Américain eut l'impression que, près de lui, se trouvait quelqu'un, il se retourna brusquement et aperçut sa maîtresse, debout dans l'encadrement de la porte de communication, réunissant son bureau à la chambre.

— Sonia, ma chère, fit doucement l'impresario, vous n'êtes donc pas couchée ?...

La princesse était fort pâle, elle semblait fort émue, et ses beaux yeux troubles et fuyants paraissaient remplis de terreur. Elle s'approcha de son amant, et doucement, avec sa voix harmonieuse et chantante de Slave raffinée, elle murmura :

— Mon ami, j'ai été un peu brusque tout à l'heure avec vous... je vous demande pardon.... mais j'ai eu si peur, en vous entendant m'assurer que vous n'êtes pas venu me chercher ce soir à Spa, que j'ai perdu la tête...

— Ce n'est rien, ma chère Sonia, ne parlons plus de cela, du reste, il n'y a rien de grave dans toute cette histoire, croyez-moi... et j'espère bien que dès demain matin, je pourrai éclaircir cet imbroglio...

La jolie princesse secouait la tête, d'un air incrédule :

— Je ne crois pas, fit-elle, il me semble que nous vivons depuis quelques jours dans une atmosphère effrayante... vous rappelez-vous, mon ami, toutes ces histoires de vols, dans le train... et puis vraiment, quelle audace a eue le mystérieux individu de cette soirée... croyez-moi, il s'agit de quelque chose d'effroyable, d'un être audacieux, infernal... peut-être qui sait ?... j'ai si peur...

Les dernières paroles de la princesse sombraient dans une émotion grandissante. La jolie femme semblait profondément troublée, émue, effrayée...

Ah ! c'est qu'une pensée qu'elle n'osait formuler, tant elle lui paraissait terrible et formidablement horrible, lui venait à l'esprit !

Elle était encore jeune, la belle princesse russe !

Elle n'avait pas de très longues années derrière elle, et cependant !... Que d'événements, que d'aventures n'avaient-ils pas traversé son existence ? N'avait-elle pas été, il y avait de cela dix ans, en prise avec des événements terribles, n'avait-elle pas même eu dans sa vie une silhouette, un souvenir rapide sans doute, mais combien éternel et inoubliable ?

La princesse Sonia Damidoff avait été un jour la maîtresse de Fantômas !

Et, malgré elle, à cette heure, où elle se trouvait angoissée, par l'effrayant problème de ce faux Barzum qui avait fait avec elle la route de Spa en automobile, la jolie femme prononçait, murmurait plutôt un nom, un effroyable nom :

— Fantômas !... On dirait qu'il y a du Fantômas là-dedans !

Barzum avait entendu... Il sourit un peu ironiquement et répondit :

— Ma chérie, vous exagérez... tout de même, permettez-moi de vous dire que vos craintes sont un peu excessives... nous avons affaire à un mauvais plaisant, à un malfaiteur sans doute, mais que viendrait faire un bandit aussi formidable que Fantômas, dans cette affaire ?

L'impresario ne se doutait naturellement pas que sa maîtresse avait connu le sinistre bandit, il ignorait tout, ou à peu près tout de l'existence antérieure de son amie, il l'aimait profondément, et ne voulait rien savoir d'elle, sinon qu'elle était grande dame et très belle.

Sonia Damidoff, cependant, avait pâli. Elle eut presque un mouvement brusque pour répondre à son amant :

— Je vous en prie, ne plaisantez pas... tout cela est très grave... j'ai peur... il faut penser à tout... et je ne serai tranquille que lorsque tout sera expliqué... mon ami, faites-moi un plaisir, dès demain, envoyez prévenir la police... Il faut être prudents...

Barzum, à ces derniers mots, fronça les sourcils :

— Ma chère Sonia, fit-il un peu froidement, vous devriez savoir que je déteste que l'on s'occupe de moi et que je ne tiens nullement à mettre personne au courant de ce qui se passe dans mes affaires... Or, en prévenant la police, je m'expose à une multitude d'ennuis, d'enquêtes, toutes choses dont j'ai profondément horreur...

Sonia Damidoff comprenait, au ton de son amant, que sa volonté était inébranlable, Barzum avait un caractère un peu spécial, très autoritaire et tout ce qui était officiel, administratif, l'horripilait, lui déplaisait au plus haut point.

La princesse réfléchit un instant, puis doucement suggéra :

— Je comprends très bien, mon ami, votre désir de ne pas immiscer chez vous des gens qui n'arriveraient peut-être à rien... Mais enfin, ne croyez-vous pas que peut-être, en s'adressant à une agence privée... comme cela se fait fréquemment en Amérique, à des détectives amateurs... ?

— Mais, ma chère amie, les policiers, en général, sont des idiots qui sont incapables de découvrir quoi que ce soit... je vous assure que je m'arrangerai bien moi-même pour éclaircir ce mystère...

Sonia Damidoff, en femme subtile, comprit qu'il ne fallait pas trop insister, elle insinua seulement :

— Je le crois aussi, mon cher, mais vous savez vous-même comme vos affaires vous occupent en ce moment, vous devez même partir en voyage... vous êtes très fatigué, très pris par votre cirque... quel dommage que nous ne soyons pas en France !...

La princesse avait prononcé ces derniers mots avec une nuance de regret qui n'échappait pas à Barzum. Il demanda en souriant :

— Pourquoi, ma chère Sonia, voudriez-vous être en France ?

— Parce que, fit soudain la princesse, nous pourrions appeler un policier célèbre et, qui plus est, absolument discret et habile...

— Ah ! et qui donc ?

— Juve.

Barzum ne répondit pas, mais il se recueillit un instant, et subitement déclara :

— Sonia, vous avez décidément raison, nous ne sommes pas en France, c'est vrai, mais je suis riche et je vais envoyer immédiatement un télégramme à ce policier...

Le célèbre impresario était un homme de décision. Sitôt cette idée émise, il prit son stylographe et traça de sa large écriture la dépêche que Juve devait recevoir à son retour de Glotzbourg, alors qu'il était déjà fort troublé par la mission de confiance dont l'avait investi Frédéric-Christian II, en le chargeant de retrouver le prince Vladimir mort ou vif.

XVIII

Impresario et policier

M. Barzum, désireux d'en finir une fois pour toutes, et d'avoir l'éclaircissement du mystère au milieu duquel il se débattait, avait donc télégraphié, sur les conseils de sa maîtresse, au policier si justement réputé, à l'homme le plus notoirement connu qui fût susceptible d'apporter la lumière en de semblables ténèbres, et de déterminer quelle pouvait être exactement la part de chacun dans des aventures aussi ahurissantes que celles qui venaient de se produire et dont M. Barzum était, semblait-il, bien malgré lui, le héros !...

Deux jours après, M. Barzum pénétra dans son cabinet de travail qui était attenant à sa chambre à coucher, à neuf heures exactement. Le train roulait depuis déjà quelques heures et se dirigeait, à petite allure, vers la frontière du Luxembourg qu'il allait franchir pour pénétrer en Allemagne. Il venait de quitter une station. Il repartait. C'était le matin, un soleil clair et joyeux brillait au dehors, cependant qu'une brume légère s'estompait sur les vallées et les prés que l'on traversait.

M. Barzum, toutefois, ne prêtait aucune attention au paysage qui se déroulait devant les vitres de son compartiment. Au surplus, le grand impresario était quelque peu blasé, lui qui en avait vu tant et tant !

— Personne n'est venu me demander ? interrogea-t-il.

— Personne, monsieur le directeur.

— C'est bien, fit Barzum, qui, d'un geste hautain, congédiait le domestique.

A nouveau, M. Barzum regarda sa montre :

— Neuf heures dix-neuf..., constata-t-il.

Puis il poussa un léger soupir.

— Les gens qui sont en retard ne me disent rien qui vaille et l'estime dans laquelle je tenais ce policier se diminue d'autant de points qu'il s'écoule de minutes entre le moment où je lui donnais rendez-vous, et celui où il se présentera devant moi....

M. Barzum, en effet, confiant dans sa fortune immense, et dans les richesses qu'il possédait, avait pour habitude d'être obéi et ne concevait point que, sous un prétexte quelconque, n'importe lequel, on pût ne pas exécuter ses désirs qui étaient des ordres.

Or, dans une dépêche répondant à l'acceptation de Juve de venir le trouver, il avait dit au policier :

Soyez-là mercredi, à neuf heures quinze du matin.

Or, comme le constatait M. Barzum, il était neuf heures dix-neuf.

— By Jo ! jurait l'impresario en considérant sur son bureau une pile de lettres qui l'attendait, on voit bien que je n'ai pas ouvert mon courrier depuis hier soir...

Il allait appeler son secrétaire, mais se ravisait :

— Bah ! fit-il, j'aurai aussi vite fait en dépouillant ce courrier moi-même.

Et il ouvrait les enveloppes, parcourait rapidement les épîtres de toutes sortes qui lui étaient adressées.

Une proposition faite par un marchand de fauves de Hambourg retint quelques instants son attention.

— Il va falloir, articula M. Barzum, que je touche deux mots de cette affaire-là à Gérard.

Le directeur du cirque décrochait son appareil téléphonique, proférait deux ou trois « allô », mais n'obtenait pas de réponse :

— Je suis bête ! murmura-t-il, la communication est restée dans ma chambre à coucher, c'est pourquoi je n'obtiens pas de réponse à ce poste...

M. Barzum quittait son bureau, passait dans la pièce voisine et de là téléphonait à l'extrémité du train, conférant quelques instants, avec le fameux Gérard, au sujet de la proposition qui lui était faite.

L'impresario revenait ensuite dans son cabinet de travail et continuait à dépouiller son courrier, lorsque soudain, il poussa une exclamation :

— Ah ça ! voilà qui n'est pas ordinaire, et j'aurais juré que ce paravent était tout à l'heure à ma droite...

Or, Barzum fixait, à ce moment, d'un regard stupéfait, son paravent chinois, orné de personnages aux faces simiesques de grandeur naturelle, et ce paravent se trouvait à gauche du bureau occupé par l'impresario.

— Je l'aurais juré, répétait-il, grommelant entre ses dents, puis il haussa les épaules et conclut :

— Je me serai trompé !

Pendant quelques instants, le directeur du cirque demeurait absorbé, classant avec un ordre méthodique les lettres qu'il parcourait rapidement, annotant chacune d'elles au crayon bleu, de façon à pouvoir renseigner son secrétaire, et lui expliquer les réponses qu'il devrait faire, lorsqu'il fut encore interrompu dans ses travaux.

Une voix douce et claire venait de retentir, quelqu'un l'appelait sur un ton de familiarité cordiale, qui n'eût permis aucune équivoque. Sonia Damidoff, sa maîtresse, l'interpellait de la pièce voisine :

— J'ai besoin de vous, mon cher, disait la jolie femme.

Et Barzum, galant, quittait encore son bureau, pour aller retrouver la princesse.

Il restait avec elle quelques instants, et, lorsqu'il revint, Barzum s'arrêta sur le seuil de sa porte, absolument abasourdi :

— Ah ! By Jo ! s'écria-t-il, voilà qui devient de plus en plus extraordinaire, suis-je halluciné, deviens-je fou ?...

M. Barzum avait de quoi être stupéfié, en effet. Le fameux paravent dont il venait, quelques instants au préalable, de constater la présence à sa gauche, était désormais à sa droite. Le meuble avait repris son emplacement primitif, mais cela n'était pas pour rassurer l'impresario :

— C'est trop fort ! grogna-t-il, il y a quelqu'un qui se moque de moi... ou alors j'ai complètement perdu la raison, et je ne sais plus ce que je vois ni ce que je fais...

L'impresario se donnait quelques tapes sur la poitrine, se pinçait les doigts pour bien s'assurer qu'il était éveillé, puis, après un instant d'hésitation, il s'approcha lentement du paravent, et le considéra.

Les personnages grandeur naturelle qui ornaient cet accessoire élégant de son cabinet de travail semblaient le considérer avec un air narquois et M. Barzum, qui n'était pas la patience même, eut un instant l'idée de décocher un violent coup de poing en plein dans la figure de la gracieuse petite geisha qui l'observait de ses yeux bridés, le corps à demi replié sous une large parasol.

Mais Barzum ne fit point ce geste, il eut honte, haussa les épaules, vint s'asseoir à son bureau.

— C'est stupide ! grommela-t-il.

Et il essaya de travailler, mais il était distrait et son regard, machinalement, involontairement, était sans cesse attiré du côté du paravent.

A un moment donné, il lui sembla que le Chinois qui pêchait à la ligne, d'une main, tandis que de l'autre il tenait gracieusement un éventail, souriait en le regardant.

— C'est idiot ! c'est idiot ! hurla M. Barzum, qui, cette fois, jetant son crayon bleu avec un geste nerveux, sur son sous-main en cuir mordoré, courut au paravent, et regarda les personnages face à face.

Or, il n'y avait pas à en douter, l'impresario s'en convainquit rapidement, c'étaient bien des personnages de tapisserie. Et s'ils avaient l'air de s'agiter par moments, cela était dû, sans aucun doute, aux oscillations que le mouvement du train transmettait aux meubles, dont l'équilibre semblait plutôt instable.

Et pourtant, il y avait là quelque chose d'extraordinaire ; assurément ce paravent avait bougé, mieux même il avait été, quittant sa place habituelle à la droite du bureau, s'installer à gauche, puis il était revenu à droite.

M. Barzum en fit le tour. Il passa par derrière, précautionneusement, comme quelqu'un qui s'attend à une découverte inquiétante et surnaturelle, il ne vit rien, il n'y avait personne.

Toutefois, lorsque M. Barzum eut fait le tour complet du paravent, lorsqu'il fut revenu face à son bureau, malgré son flegme et son habitude de ne s'étonner de rien, il ne put s'empêcher de pousser un cri de surprise, car, à sa place, dans son fauteuil directorial, les coudes posés sur le bureau et jouant négligemment avec le crayon bleu que M. Barzum venait de lâcher une demi-minute auparavant, se trouvait un homme, un homme que l'impresario ne connaissait pas, un homme qui souriait narquoisement.

M. Barzum blêmit. Quel était l'audacieux qui se permettait une semblable plaisanterie ?

L'impresario se sentait de fort méchante humeur et il allait gourmander d'importance cet audacieux mal éduqué, lorsque celui-ci d'une voix grave et nette, bien timbrée, qui modulait les mots, sur un ton de légère ironie, prit la parole avant que l'impresario ne fût intervenu :

— M. Barzum, déclara l'inconnu, voulez-vous me permettre un conseil ?... une personnalité telle que la vôtre doit toujours être aux aguets et se méfier de l'imprévu... or, j'estime qu'il est d'une imprudence absolue de votre part de conserver dans votre cabinet de travail un meuble aussi dangereux qu'un paravent.

— Pardon, fit M. Barzum, mais...

— Laissez-moi finir, interrompit l'inconnu... Je disais donc qu'un homme d'affaires comme vous doit éviter d'avoir des paravents dans son cabinet de travail... voulez-vous savoir pourquoi ?...

Et comme M. Barzum allait placer un mot, son bizarre interlocuteur l'en empêcha encore :

— Ce sera votre tour, lorsque j'aurai fini, dit-il... en attendant, voici ce que je pense du paravent... Ce meuble aux apparences inoffensives est redoutable, dangereux... d'abord, les personnages qui y figurent sont capables de vous donner des distractions... pour peu que, pour une cause fortuite, ce paravent vienne à bouger, les personnages s'animent, ont des gestes de physionomie si inattendus et si vraisemblables qu'ils troublent et déconcertent. Mais il y a pis que cela !... derrière un paravent quelqu'un se cache facilement... quelqu'un qui peut entendre les conversations, quelqu'un qui peut épier des secrets, quelqu'un qui peut enfin prendre toutes les dispositions voulues pour assaillir, attaquer, voler ou tuer...

Barzum, abasourdi, écoutait ce petit discours débité d'un ton tranquille et légèrement narquois. Il eut cependant un sursaut, mais n'osa point intervenir tant les gestes qui suivaient ce discours étaient de nature à le surprendre. L'homme qui venait de parler quittait le fauteuil directorial dans lequel il s'était installé, allait ouvrir une des glaces latérales du wagon, par laquelle aussitôt pénétrait un grand courant d'air froid, puis, s'emparant du paravent, il le repliait, dans un mouvement rapide, et aussi prestement le lançait au dehors, par la fenêtre, sur la voie.

Puis il referma la vitre et regarda Barzum.

— Eh bien, monsieur, s'écria celui-ci, vous avez une façon de traiter mon mobilier qui n'est pas ordinaire !...

— Ne vous en plaignez point, fit l'inconnu, c'est dans votre intérêt. Et il ajoutait :

— Mais ce sont là des détails sans importance, vous êtes un homme pressé, vous m'avez donné rendez-vous, c'est que vous avez quelque chose d'important à me dire, je vous écoute...

Soudain, la face coléreuse de Barzum s'éclaira d'un large sourire :

— Eh bien ! fit-il, vous êtes original, vous... et ça me plaît... je vous ai calomnié tout à l'heure en pensée, et je vous méprisais de n'être point exact au rendez-vous que je vous ai assigné... or, vous y étiez, n'est-ce pas ? même à l'avance ?

Barzum s'interrompait une seconde pour interroger :

— J'ai bien deviné, n'est-ce pas ? C'est bien à M. Juve, inspecteur de la Sûreté parisienne, que j'ai l'honneur de parler ?

— A lui-même, répliqua l'inconnu qui, en effet, n'était autre que le célèbre policier.

Barzum, cordialement, s'avançait d'un pas, lui tendait la main :

— Enchanté, monsieur, *very glad*, comment allez-vous ? *How do you do* ?...

Juve serrait la main que lui tendait l'impresario.

— Très bien, merci, fit-il.

Puis s'installant dans une bergère que lui désignait son hôte, il insista :

— Je vous écoute...

L'attitude de Juve plaisait à l'Américain qui s'attendait fort peu à trouver chez le policier français des procédés nets et catégoriques, des attitudes d'homme du Nouveau Monde et immédiatement, il sentait à son égard une extrême sympathie.

Désormais, Barzum était fort reconnaissant à la princesse Sonia Damidoff de lui avoir recommandé de s'adresser à un tel homme.

Et Barzum, résolu à être aussi net et aussi catégorique que son interlocuteur, lui exposa la situation, avec la plus grande clarté.

— Voilà, fit-il, ce dont il s'agit... tel que vous me voyez, monsieur Juve, je ne suis pas un... je suis deux...

— Plaît-il ?... demanda le policier.

Mais Barzum, très flegmatiquement, répéta :

— Je suis deux... à moins d'être trois ou quatre, je ne sais pas...

toujours est-il que ma personnalité se dédouble et que, dans certaines circonstances, je fais des choses absolument à mon insu...

Juve souriait d'un air ironique :

— C'est une espèce de contrefaçon du principe de l'Évangile, la main droite ignore ce que fait la main gauche...

— C'est pis ou mieux que cela, interrompit Barzum, c'est-à-dire qu'à certaines heures, je fais des choses, je commets des actes, que j'ignore à d'autres moments, et que je nierais formellement avoir accompli, si je n'avais autour de moi, pour me le prouver, des témoins dignes de foi...

— En êtes-vous sûr ? demanda Juve.

— Sûr de quoi ? demanda naïvement Barzum.

— Eh bien, reprit le policier d'un ton bourru, de ce que vous dites, d'abord, et de la bonne foi de vos témoins, ensuite...

En entendant cette question brutale, l'impresario demeura d'abord quelques instants interloqué, malgré son flegme il était surpris que quelqu'un, fût-ce même un policier, osât mettre en doute, de la sorte, l'authenticité de ses propos, et l'honorabilité de son entourage...

Si ce n'eût pas été Juve qui était là, Barzum l'aurait incontinent fourré à la porte. Mais l'Américain savait se contenir et il rétorqua avec une pointe de sévérité dédaigneuse :

— Monsieur, je sais ce que je dis et je connais les gens qui m'entourent... soyez bien convaincu que si j'ai eu de semblables questions à me poser, cela fut fait et résolu bien avant que je ne me sois décidé à solliciter votre ministère.

— Oh ! oh ! pensa Juve, cet homme parle comme un pasteur...

Il salua imperceptiblement de la tête et, courtoisement, cette fois, déclara :

— C'est donc une affaire entendue, vous êtes de bonne foi, les personnes qui vous entourent sont à l'abri de tout soupçon... alors ?

— Alors, reprit Barzum qui ne savait pas si Juve plaisantait ou était sérieux, alors, voici, monsieur, ce qui s'est passé.

L'impresario racontait au policier le curieux incident survenu quelques jours auparavant, et à la suite duquel il avait acquis la certitude qu'il était allé chercher à Spa une dame de ses amies, alors qu'il était convaincu d'autre part de n'avoir point quitté son cabinet du train spécial, ce que d'ailleurs confirmait son secrétaire.

Barzum, en outre, racontait à Juve qu'il avait fait arrêter sans s'en douter un homme qu'il ne connaissait pas, cet homme ayant tenté de les assassiner, lui et cette dame de ses amies, alors qu'ils revenaient en automobile, de Spa à la gare de Tirlemont où stationnait le train spécial...

— Ah ! fit Juve, subitement intéressé.

Et il interrogea :

— Qu'est devenu ce personnage ?

— Il doit être toujours à la prison de Spa, déclara M. Barzum, et je n'ai nulle envie de l'en faire sortir, puisqu'il est établi que cet homme m'a attaqué, ainsi que la personne qui m'accompagnait.

— Cette personne, questionna Juve indiscrètement, qui est-ce ? quelles sont vos relations avec elle ?

M. Barzum rougit.

L'impresario était d'une pudeur extrême et ce n'était pas en vain qu'il avait été élevé dans les préceptes rigoureux de la religion protestante.

Barzum rougit jusqu'à la racine des cheveux, et déclara d'une voix sourde :

— Ceci n'a aucun rapport avec l'affaire dont je vous entretiens et je désire que nous laissions cette question de côté.

Juve n'insista pas, il y eut un moment de silence, après quoi le policier interrogea :

— Somme toute, que désirez-vous de moi ?...

— Ceci, précisa nettement Barzum : je veux savoir si oui ou non j'ai une double personnalité, ou si je suis victime de quelque subterfuge... Je veux, en outre, être documenté sur ce qui se passe dans mon train... on y commet des vols, sans grande importance, d'ailleurs, mais qui émeuvent et troublent mon personnel... A maintes reprises, en outre, depuis quelques jours, des accidents se sont produits, des fauves se sont échappés de leur cage et je ne puis incriminer personne de manque de soin ; j'en conclus donc que ces incidents sont dus à la malveillance. Je désire, monsieur, que vous me fournissiez sur tout cela un rapport très net et très précis et dans le plus bref délai... il va sans dire que vous serez ici comme chez vous.

Juve désormais avait cessé de plaisanter et la tête dans ses mains, il réfléchissait profondément. M. Barzum, croyant que le policier avait à formuler une requête et n'osait pas aborder un sujet délicat, prévint avec tact la question qu'il escomptait.

— Je ne regarde pas à l'argent, déclara-t-il, mais les affaires sont les affaires et je vais vous faire une proposition.

Juve leva la tête, regarda Barzum d'un air étonné :

— Laquelle ? demanda-t-il.

— Voici, dit Barzum qui, par habitude, sortait une feuille de papier de son tiroir et commençait à y jeter les bases d'un contrat... je vous donne cent dollars par jour et cela pendant dix jours, au bout du dixième jour, vous m'apporterez un rapport me donnant pleine satisfaction...

— Et si je n'ai pas terminé ? demanda Juve.

— Eh bien, suggéra Barzum, par jour de retard vous me paierez cent dollars... cela vous va-t-il ?

Juve se leva :

— Tope-là ! vos conventions me plaisent... c'est accepté !

D'une écriture rapide et nerveuse, Barzum griffonnait quelques lignes sur un papier blanc.

— Nous allons signer cet engagement, suggéra-t-il.

Mais Juve, haussant les épaules, souriait dédaigneusement.

— Vous avez ma parole, monsieur, et cela doit vous suffire, je ne suis pas dans le commerce, moi.

Il y avait, dans cette dernière phrase, quelque chose de sec et de dédaigneux que Barzum comprit ; il n'insista point :

— C'est parfait, murmura-t-il, en déchirant le document qu'il avait préparé, vous avez ma parole et moi la vôtre...

Puis il ajoutait, pressé d'en finir avec ce sujet :

— Et maintenant, monsieur, je suis à votre disposition pour vous conduire où il vous plaira dans notre train.

Le policier ne répondait pas, il s'était approché de la fenêtre latérale du wagon et regardait sur la voie d'un air assez préoccupé.

— Le train ralentit, me semble-t-il, murmura Juve, qui en même temps regardant l'heure à sa montre ajoutait :

— Nous devons nous approcher de la gare-frontière, où, je suppose, il y a un arrêt...

A ce moment, d'ailleurs, le train sifflait, les freins grincèrent sur les roues, puis, les rails se multiplièrent ; on entrait dans une gare, au bout de quelques minutes, le train s'immobilisait sous un hall sonore.

Juve, ayant repris son chapeau, tendit la main à Barzum.

— Adieu, monsieur !

— Ah ça ! interrogea l'impresario, vous nous quittez ?...

— Oui, fit le policier, n'avons-nous pas rendez-vous dans dix jours seulement ?

— Sans doute, reconnut Barzum, mais d'ici-là, qu'allez-vous faire ?

— Oh ! déclara Juve, vous m'en demandez trop... Je sais que pour l'instant je vais au bureau de tabac prendre des cigarettes... après quoi, j'irai peut-être les fumer à la mer ou à la campagne, ou ailleurs encore... j'ai le temps ; plus d'une semaine... au revoir, monsieur...

Et, laissant Barzum abasourdi, Juve, précipitamment, quittait le cabinet de travail de l'impresario.

Mais, chose extraordinaire de la part d'un policier qui devait tout savoir, avec une impardonnable distraction, Juve, au lieu d'ouvrir la porte qui conduisait au couloir donnant sur la voie, poussait la porte opposée qui communiquait avec la chambre de Barzum.

Celui-ci l'arrêta.

— Vous vous trompez, monsieur ! cria-t-il.

Juve reculait, en effet, mais il avait néanmoins fait ce qu'il voulait : jeter un coup d'œil dans la pièce voisine. Il balbutiait quelques vagues excuses, puis, rapidement, quittait Barzum, et si à ce moment-là l'impresario avait considéré attentivement le visage du policier, il se serait aperçu que ses traits étaient tout contractés de surprise, presque d'angoisse...

Quelques instants après, Juve quittait la station-frontière, où le train de Barzum devait stationner un certain temps. Le policier, dans la cour de la gare, avisait une automobile de louage :

— Combien de temps, demanda-t-il, pour aller à Spa ?

Le mécanicien réfléchit :

— Les routes sont mauvaises, monsieur, et il y a 60 kilomètres, il faudra bien compter deux petites heures...

L'homme ajoutait :

— Vous iriez plus vite par le chemin de fer qui ne met que trois quarts d'heure, précisément, il part un train dans cinq minutes...

Mais Juve s'était installé dans le taxi et, poussant un profond soupir, il déclara d'un air évasif :

— Tant pis ! je ne suis pas pressé... et puis, je ne regarde pas à la dépense !...

Le véhicule démarrait. Juve alluma un cigare, puis fermant les yeux, cependant que le véhicule bondissait sur la route poudreuse, il se mit à monologuer :

— Je vais décidément de surprise en surprise, voici que la maîtresse de cet impresario n'est autre que la princesse Sonia Damidoff !...

La princesse Sonia Damidoff !

Lorsque Juve s'était trompé de porte, en quittant Barzum et qu'il avait, involontairement, en apparence du moins, pénétré dans la chambre à coucher de l'impresario, il y avait aperçu une femme qu'il reconnaissait aussitôt : c'était la princesse Sonia Damidoff, la maîtresse actuelle de Barzum ; or Juve la connaissait de longue date !

N'avait-elle pas été mêlée, il y avait de cela dix ans, aux premières manifestations de Fantômas à Paris ?...

N'avait-elle pas été alors la victime du bandit qui lui dérobait des bijoux d'un prix inestimable, puis, ensuite, la jolie Russe ne s'était-elle pas laissé séduire par les charmes troublants du Génie du crime ? n'était-elle pas devenue sa maîtresse ?

Juve se souvenait d'une certaine scène héroï-comique où la princesse Sonia Damidoff s'était trouvée en concurrence avec la plus grande amoureuse du siècle, avec celle qui avait foulé aux pieds son honneur et sa vertu, ses principes et ses devoirs, pour se donner corps et âme au plus génial criminel de nos époques contemporaines :

Sonia Damidoff n'avait-elle pas été l'adversaire de Lady Beltham ?

Et depuis la mort de cette dernière, Fantômas n'avait-il pas renoué des relations amoureuses avec la superbe étrangère qui, malgré dix années, n'avait rien perdu de son charme, de sa grâce, ni de sa majestueuse beauté [1] ?

Car, malgré lui, Juve était persuadé que dans tous les événements qui se succédaient et qu'il était successivement chargé d'élucider, il y avait assurément des manifestations de Fantômas !

Juve, dans une certaine mesure, était superstitieux, il était convaincu que, chaque fois que l'on sollicitait son intervention à propos de quelque aventure mystérieuse et insoluble, il trouverait le secret du problème en posant en principe que Fantômas tirait les ficelles des pantins plus ou moins variés que l'on agitait devant lui !...

Et c'est pourquoi Juve, lorsqu'il avait aperçu Sonia Damidoff, avait immédiatement oublié Barzum, pour ne plus songer qu'à Fantômas ! Avait-il eu tort ?... avait-il eu raison ?

— Que désirez-vous pour une fois ?

Un gros commissaire de police apoplectique s'arrachait à une somnolence douce et prolongée, et considérait un homme élégant, bien mis, qui se tenait debout en face de lui, dans son cabinet.

Ce cabinet, au rez-de-chaussée d'une petite maison rustique, tranquille, était agréable à habiter. Les fenêtres étaient encadrées de verdure et la porte donnait de plain-pied sur une verte pelouse.

Cette riante villa, cependant, n'était autre que le commissariat de police de la ville de Spa !

---

1. Voir dans la série « Fantômas » : *Juve contre Fantômas* et *Le Policier apache*.

Son chef y coulait des jours heureux, exempts de trouble, il y vivait une existence pacifique.

Jamais, dans la coquette cité, il n'avait à intervenir pour protéger les habitants contre les malfaiteurs, c'est à peine si, de temps à autre, l'administration des jeux lui amenait quelque Grec maladroit qu'il s'agissait simplement de reconduire à la frontière, sans tapage, sans esclandre.

Le commissaire de police sommeillait donc, lorsqu'il reçut la visite de ce personnage. Il était environ une heure de l'après-midi :

— Que désirez-vous ? demanda le magistrat.

L'homme parut embarrassé, puis avisant un agent de police qui dormait dans un autre coin de la pièce, il dit au commissaire :

— Je veux vous parler en tête-à-tête.

Le magistrat comprit et hésita ; c'était un brave homme qui ne voulait point réveiller son collaborateur ; il préféra s'éveiller complètement lui-même, quitta son fauteuil, et entraînant l'inconnu en lui mettant familièrement la main sur l'épaule, il lui dit :

— Venez dans le jardin.

Dans le jardin, les deux hommes s'expliquèrent.

— Je suis, déclara l'inconnu, M. Barzum, c'est moi qui ai fait arrêter l'autre soir un malheureux, un chauffeur d'automobile, que j'accusais d'avoir voulu m'assassiner.

— Ah ! s'écria le commissaire, c'est de ce Léopold que vous voulez parler ?...

— Précisément, continua celui qui s'était donné pour M. Barzum et qui poursuivait :

— Mais voilà : j'ai eu des renseignements sur ce garçon et j'ai compris ce qui s'était passé ; il ne m'en voulait pas, tout au contraire, et s'il était encore possible de le libérer, je verrais avec le plus grand plaisir cette mise en liberté.

Le visage du commissaire s'illumina :

— Sais-tu pour une fois, déclara-t-il, que cet événement dépend de toi, si vous le jugez utile... pour ce qui est de nous autres, *godfordom* ! on n'est pas plus enclin que ça à conserver les prisonniers en prévention qui mangent et boivent au compte du gouvernement de la Belgique... Ça est des manières de profiter avec qui coûtent de l'argent au pays.

Le visage de Barzum devint radieux :

— Lâchez donc cet homme, supplia-t-il, et s'il y a des dépenses dont il soit redevable, je les solderai bien volontiers.

L'entente ne tardait pas à être faite, le commissaire de police était de ces magistrats qui ont pour principe : « Pas d'histoires, pas d'histoires. »

Une demi-heure après, M. Barzum ayant acquitté une facture de nourriture s'élevant à « nonante-sept francs » voyait s'ouvrir les portes d'un cachot dont surgissait le fameux Léopold.

Le jeune homme, tout d'abord interdit, ne comprenait rien aux explications que lui fournissait le commissaire de police... machinalement, toutefois, il suivait M. Barzum et gagnait avec lui les rues de la ville, désertes à cette heure de l'après-midi où tout le monde dormait.

— Cher monsieur, articula Léopold tout heureux de se voir libre, m'expliquerez-vous par quel heureux hasard je suis sorti de prison ?...

D'un regard indéfinissable l'impresario considéra son interlocuteur :

— Vous étiez victime, fit-il, d'une erreur judiciaire et la seule façon que j'avais de m'excuser de mon attitude de l'autre soir à votre égard, était de venir vous libérer.

A ces paroles, Léopold changeait de tactique, et, dès lors, considérant son interlocuteur d'un air mauvais, il insinua :

— Mais, mon cher monsieur, cela ne va pas se passer comme cela, du moment que je n'ai rien fait, c'est que vous avez indignement agi à mon égard, il va falloir me payer une indemnité !...

Léopold s'arrêtait net pour pousser un hurlement. M. Barzum avait interrompu les propos du mystérieux garçon en lui tordant le bras d'une façon si adroite et si douloureuse que Léopold roulait dans la poussière, il se releva furieux.

— Nous nous retrouverons, grogna-t-il.

Mais Barzum avait disparu !

Barzum ? était-ce bien Barzum ?

Cette question, une demi-heure après, quelqu'un se la posait, quelqu'un qui n'avait pas vu le libérateur de Léopold, l'interlocuteur du commissaire de police ! quelqu'un qui cependant venait de s'entretenir avec ce dernier et qui était fort surpris d'apprendre que M. Barzum avait sollicité et obtenu la mise en liberté de son agresseur. Ce quelqu'un, c'était Juve !

Juve avait été conduit en deux heures, de la frontière à Spa, dans le taxi-auto qu'il avait pris en sortant du train de Barzum. Il s'attendait, comme le lui avait dit l'impresario, à trouver en prison l'énigmatique Léopold, par l'interrogatoire duquel il voulait commencer son enquête, or voici qu'il apprenait que celui-ci, le mystérieux agresseur, venait d'être libéré sur la demande, sur l'intervention de Barzum lui-même.

Et le policier était perplexe, il ne communiquait pas ses impressions au commissaire de police, mais s'en allait tout seul dans les avenues, réfléchissant :

— Je quitte Barzum, pensait-il, qui m'a l'air fort désireux d'avoir des détails sur son agresseur, et j'apprends qu'il l'a fait libérer ; la question se pose pour moi de savoir si le Barzum venu à Spa est le même que celui avec lequel j'ai conversé dans le train du cirque ? la chose est possible ! j'ai mis deux heures à venir ici, et le mécanicien de mon automobile m'a dit qu'on pouvait y venir par le chemin de fer en trois quarts d'heure, je puis donc avoir été devancé ?

Juve, machinalement, était revenu dans la gare de Spa ; il se disait encore :

— Barzum est sincère, et dès lors il y a un mystère dans son existence : somnambulisme, folie ou autre chose ?... ou alors, il se moque purement et simplement de moi et cherche à susciter des événements invraisemblables pour détourner l'attention... Oh ! oh ! Il va falloir jouer serré...

Juve savait que le train de Barzum devait traverser le Luxembourg sans s'y arrêter et qu'il allait s'installer à Cologne pendant une huitaine. Le policier se frotta les mains :

— C'est là, disait-il, que j'irai aussi... et c'est là que j'éluciderai tous ces troublants mystères !...

XIX

Fantômas !

On pénètre au *Kaiser* par une porte pivotante à quatre battants, et, immédiatement après, on a l'impression de se trouver dans un endroit feutré, ouaté, discret et tranquille, à l'abri de tous les bruits du dehors.

La salle principale de ce restaurant de luxe, où viennent faire de fins repas les gourmets de la ville ainsi que les officiers de la garnison, lorsque ceux-ci sont riches, est constituée par un vaste rectangle superbement illuminé, à la décoration toutefois un peu lourde et trop surchargée.

Les dorures y sont nombreuses, et l'art nouveau s'est donné libre cours dans cet établissement où les tables, les chaises, les moindres petits détails affectent des silhouettes en apparence très simples, et qui souvent procèdent d'une étude compliquée, d'une conception parfois de mauvais goût.

Le *Kaiser-Restaurant* a été établi selon les principes les plus rigoureux de l'art allemand que l'on peut apprécier ou non !...

Cet établissement, fort connu à Cologne, se trouve à quelque distance de la majestueuse cathédrale qui dresse son bloc sombre et gigantesque de granit au milieu d'une cité ardente, active et populeuse.

Ce soir-là, il était environ huit heures, précédant un homme simplement vêtu en jaquette, une femme fort élégante pénétrait dans ce restaurant et son entrée faisait sensation.

Elle était en toilette du soir, en grand décolleté, de superbes brillants étincelaient autour de sa gorge, à ses oreilles et dans sa chevelure très brune.

Elle avait une silhouette distinguée, une démarche majestueuse.

Il y avait déjà bon nombre de dîneurs qui, bien qu'ils fussent occupés à leur repas, ce qui, pour les Allemands, est une chose des plus importantes, s'arrêtèrent pour contempler cette jolie personne qui entrait et traversait le restaurant, lentement, avec dignité, ayant bien l'impression de l'effet qu'elle allait produire.

Une table avait été retenue tout au fond de la grande salle et quelque peu dissimulée derrière des plantes vertes ; elle vint s'y installer, toujours suivie du monsieur en jaquette qui l'accompagnait, et le maître d'hôtel, estimant qu'il avait affaire à des clients de luxe, accourut vers eux, multipliant les courbettes et suggérant un menu des plus délicats, cependant que, derrière lui, impassible et grave, attendant qu'il eût achevé son ministère pour commencer le sien, se tenait le sommelier.

Une femme, appartenant au vestiaire, avait enlevé le riche manteau de la jolie dîneuse et emporté, avec le pardessus de son compagnon, une petite valise que celui-ci tenait à la main.

L'abondance des mets proposés fit sourire le couple, et la jolie femme brune se contenta de quelques plats légers, qui stupéfièrent, eu égard à leur choix, le maître d'hôtel, peu habitué à de si modestes appétits.

Lorsqu'il eut transmis au garçon la commande, il remarqua avec une nuance de mépris :

— Ce sont des étrangers qui ne savent pas manger comme chez nous...

C'étaient, en effet, des « étrangers », et quiconque aurait connu leurs noms aurait été fort surpris d'apprendre que ce couple, aux apparences bourgeoises mais distinguées, avait de très proches rapports avec l'immense établissement que l'on venait d'édifier à grands coups de toile et de poteaux, à quelque distance du centre de la ville, dans un vaste terrain touchant à la rive gauche du Rhin.

Les deux dîneurs n'étaient autres, en effet, que la princesse Sonia Damidoff et son amant, M. Barzum, le directeur du fameux cirque qui, la veille au soir, avait déjà donné une représentation à Cologne et qui, vu le succès remporté et la location d'avance, avait décidé que son cirque demeurerait dans cette ville une semaine entière au lieu d'y passer quarante-huit heures, comme cela avait été primitivement convenu.

En outre, Barzum était fort satisfait à l'idée que son personnel allait, tout en lui assurant de fructueuses recettes, rester huit jours dans un lieu fixe. Cela allait lui permettre de mettre à exécution un projet qu'il nourrissait depuis deux jours. Barzum, en effet, avait décidé, d'accord avec Gérard, le dompteur de fauves, de faire l'acquisition, à Hambourg, d'une paire de lions superbes qu'on lui proposait dans des conditions fort avantageuses.

C'est pourquoi, ce soir-là, Barzum, au lieu d'être en smoking pour dîner en tête-à-tête avec la princesse Sonia Damidoff au *Kaiser-Restaurant*, était simplement vêtu d'une jaquette, coiffé d'un chapeau mou ; le grand impresario, en effet, était prêt à partir en voyage : il allait le soir même, sitôt après le dîner, prendre l'express à destination de Hambourg.

On expédia le repas rapidement, presque en silence, et lorsqu'il fut terminé, Barzum fit chercher une voiture pour reconduire la princesse Sonia Damidoff au *Palatz-Hôtel*, où elle était descendue.

Dans le hall du vaste établissement, les deux amants se quittèrent.

— Serez-vous absent longtemps ? demandait Sonia Damidoff.

Barzum esquissa un geste d'ignorance :

— Trois jours au plus, fit-il.

Il ajoutait en souriant :

— Je n'ai jamais le temps de m'absenter bien longtemps, eu égard à mes affaires... et lorsque je pars, c'est encore pour effectuer des voyages d'affaires... Il faut dire aussi, ajoutait-il d'un air aimable, cependant qu'il baisait affectueusement la main de la princesse, que j'ai grand-hâte de revenir auprès de vous...

Sonia Damidoff souriait tristement ; cependant que, pensive, elle regardait s'éloigner l'impresario.

Il y avait déjà six mois que Barzum était devenu son amant !

La princesse Sonia Damidoff avait fait sa connaissance en Angleterre, sur une plage, et sans se douter le moindrement que le personnage qui la courtisait était le célèbre propriétaire du cirque connu dans tout l'univers.

Elle avait été mise en rapport par des amis communs, des amis vagues d'ailleurs, de ces relations fortuites comme il s'en crée dans les lieux de plaisir ; elle avait appris à connaître et presque à aimer un homme intelligent, énergique, mais timide peut-être, renfermé assurément, qui, le plus souvent, n'apportait dans ses effusions amoureuses qu'une correction distraite.

Ce n'était pas là, absolument, ce qu'eût souhaité la princesse Sonia Damidoff qui, ardente et passionnée, imaginative comme toutes les femmes de son pays, aurait souhaité quelque chevalier galant, uniquement occupé d'elle, n'ayant d'autre souci que le culte perpétuel de sa beauté !

Mais Sonia Damidoff, depuis une douzaine d'années qu'elle était veuve, avait eu l'occasion — car ce n'était pas une vertu farouche — d'apprécier les hommes.

Et elle savait qu'aux élans enthousiastes d'un amant chaleureux, il fallait parfois préférer l'amour paisible, pacifique, presque bourgeois, d'une sérieuse liaison.

Et Sonia Damidoff, aristocrate, avait été flattée, somme toute, d'avoir capté l'amour de cet homme qui se manifestait à elle avec une si grande timidité respectueuse.

Barzum n'aimait pas à s'afficher avec sa maîtresse, et c'est à peine si, dans le cirque, quelques-uns des gens qui approchaient le plus près le grand patron connaissaient sa liaison.

Jamais Sonia Damidoff ne voyageait avec le personnel ou le train spécial, elle descendait toujours dans une ville voisine de l'endroit où s'installait le cirque, et peut-être le plus grand charme de ces amours était-il cette existence à la fois active et dissimulée qu'il lui fallait mener pour se rencontrer avec son amant.

Sonia Damidoff réfléchissait à toutes ces choses lorsque, lentement, elle regagnait l'appartement retenu pour elle, au premier étage de l'hôtel.

La princesse allait appeler une femme de chambre pour l'aider à se déshabiller, lorsque la sonnerie du téléphone retentit.

Étonnée, la princesse allait à l'appareil ; le portier de l'hôtel lui communiquait en allemand :

— M. Barzum attend madame la princesse dans une automobile devant l'hôtel... il prie madame la princesse de bien vouloir descendre le plus rapidement possible, il a une communication urgente à lui faire ; il prie également madame la princesse d'apporter avec elle son trousseau de clefs...

Il y avait un quart d'heure à peine que Sonia Damidoff avait quitté son amant. Elle fut toute surprise de cette communication téléphonique ; elle regarda la pendule qui ornait la cheminée et constata 9 h 10... Barzum avait-il donc manqué son train pour Hambourg ?...

Mais cela n'était pas possible ! la princesse se souvenait que l'express ne quittait en effet la gare de Cologne qu'à 9 h 19.

Toutefois, que signifiait cet appel pressant ?... pourquoi Barzum avait-il besoin d'elle ?...

La princesse, jetant en hâte sur ses épaules le manteau qu'elle venait de quitter, descendit à pas précipités les grands escaliers de marbre du *Palatz-Hôtel* ; le portier galonné l'attendait dans le hall et la conduisit jusqu'à une automobile qui stationnait devant la porte ; il en ouvrit la portière et la referma sur sa jolie cliente, cependant que le véhicule démarrait.

Sonia Damidoff tombait assise à côté de Barzum. Encore que la température fût très clémente, celui-ci avait relevé le col de son pardessus. Il demanda aussitôt à la jeune femme étonnée :

— Avez-vous bien vos clefs, Sonia ?

— Oui, fit cette dernière... que se passe-t-il ?

— Oh ! déclara Barzum en haussant les épaules, un incident ridicule ; figurez-vous qu'en arrivant à la gare, je me suis aperçu d'une part, que j'avais égaré mon trousseau de clefs, et, de l'autre, que je n'avais point pris d'argent, du moins en quantité suffisante pour partir à Hambourg et y faire les achats... Il faut à toute force que je retourne à mon bureau du train, et, comme je sais que vous avez un double de la clef de mon bureau, je me suis permis de vous déranger.

Sonia Damidoff hochait la tête affirmativement.

— Vous avez parfaitement bien fait, dit-elle.

Puis elle se tut et demeura silencieuse, ainsi que Barzum, pendant tout le temps du trajet, préoccupé seulement, semblait-il, de résister aux cahots et aux secousses de la voiture qui roulait à une allure folle, fonçant à grande vitesse dans les rues désertes des faubourgs, à l'extrémité desquels se trouvait la gare des marchandises où était rangé le train spécial de Barzum.

Évidemment, l'impresario était très ennuyé du contretemps qui venait de se produire, il demeurait la tête enfoncée dans le col de son pardessus et la seule notion qu'il semblait avoir de la présence de la princesse à côté de lui, c'était la petite main gantée de blanc de Sonia qu'il serrait dans les siennes, tendrement sans doute, machinalement peut-être !...

Au bout d'un quart d'heure de marche, l'automobile s'arrêtait à l'entrée de la gare, Barzum en descendait, aidait Sonia à quitter le véhicule, puis, tous deux, s'étant fait connaître des employés qui interdisaient l'accès des voies au public, ils s'engageaient sous un vaste hall, le long duquel était rangé le train.

— Ouvrez, je vous en prie, demanda Barzum à Sonia Damidoff, une fois arrivés devant le wagon qui constituait les appartements directoriaux.

Le train, plongé dans la nuit, était complètement vide et, à part deux gardiens qui circulaient dans le couloir et ne s'étaient pas autrement préoccupés de l'arrivée du couple dont ils avaient parfaitement reconnu les silhouettes, nul ne s'inquiétait de ce qui se passait dans cette véritable ville roulante, si animée en temps ordinaire, lorsque le personnel n'était pas au cirque.

Mais, à cette heure-là, la représentation battait son plein et, en outre, bon nombre des artistes, ceux qui touchaient de gros appointements, avaient obtenu l'autorisation d'aller habiter en ville...

De plus en plus mystérieux et impassible, Barzum, les bras croisés sur sa poitrine, regardait désormais Sonia Damidoff.

L'élégante princesse avait extrait de son sac un petit trousseau de clefs, elle introduisait l'une d'elles dans la serrure de la portière du wagon ; sans difficulté, la porte s'ouvrit.

— Entrez donc, je vous en prie..., fit Barzum.

Et la princesse le précéda dans l'obscurité. Accoutumée qu'elle était aux dispositions des lieux, elle tourna un commutateur, la lumière se répandit dans la pièce où la suivait Barzum, c'était la chambre à coucher de l'impresario ; celui-ci, avec précipitation, referma la porte derrière lui et, tirant les rideaux sur les vitres, expliquait ainsi ce geste précipité :

— Je ne tiens pas à ce que les gardiens voient de la lumière dans mon wagon... pour eux tous, je suis parti à Hambourg...

Il faisait une violente chaleur dans ce wagon et Sonia Damidoff, machinalement, dépouillait son manteau ; elle vint devant une glace rajuster sa coiffure, quelque peu défaite pendant les secousses du trajet en automobile ; lorsqu'elle se retourna, Barzum avait disparu.

L'impresario venait de passer dans la pièce voisine, d'entrer dans son cabinet de travail ; il n'avait point invité Sonia Damidoff à le suivre et la princesse, discrète, ne sachant pas si son amant allait faire venir son secrétaire qui, peut-être, était encore dans le train, n'osait quitter la chambre à coucher.

Elle prêta l'oreille, n'entendit aucun bruit pendant quelques instants, mais, soudain, elle se leva.

— C'est curieux, murmura-t-elle, on dirait des coups de marteau...

Ce bruit étrange paraissait venir du cabinet de travail de Barzum.

La princesse écouta à nouveau, on entendait des craquements ; Sonia Damidoff entrebâilla la porte de communication, elle poussa un cri.

— Ah ça ! que faites-vous ? interrogea-t-elle.

Barzum se livrait à une curieuse besogne !

L'impresario était installé dans son fauteuil, face à son bureau... toutefois, il était fort occupé, tenant d'une main un petit marteau aux éclats métalliques et, de l'autre, un ciseau à froid, à fracturer le tiroir-caisse du meuble.

Barzum ne broncha pas, et, tout en continuant sa besogne, sans se retourner, il rétorqua d'une voix légèrement railleuse :

— Mais c'est facile à comprendre, Sonia, je vous ai dit que j'ai perdu mes clefs... il me faut de l'argent, il y en a dans ce tiroir, je fracture donc le meuble pour le prendre...

Et de fait, avec une habileté remarquable, Barzum fracturait son propre tiroir.

La princesse Sonia Damidoff n'avait rien à dire ; toutefois, au lieu de rentrer dans la chambre à coucher, elle vint s'asseoir dans un fauteuil juste derrière son amant qui paraissait ne point tenir compte de sa présence.

Il avait enfin réussi à ouvrir son tiroir-caisse et, y plongeant à pleines mains, il en sortait des liasses de billets de banque qu'il fourrait dans ses poches sans compter.

De plus en plus intriguée, Sonia Damidoff le regardait faire.

— Il y a quelque chose de pas naturel, pensait la princesse, Barzum n'est pas dans son état ordinaire... Lui si calme, si méticuleux, si ordonné aussi...

Elle s'étonnait rétrospectivement de la perte de ces clefs dont Barzum ne paraissait pas autrement avoir été troublé. Elle s'étonnait, en outre, de son attitude renfermée, presque maussade, depuis qu'il l'avait fait chercher au *Palatz-Hôtel*, elle s'étonnait encore de la désinvolture avec laquelle l'impresario avait fracturé le tiroir de ce meuble, tout en bois de rose, et dont il avait souvent vanté à sa maîtresse la rareté et la valeur.

Les étonnements de Sonia Damidoff ne devaient pas s'arrêter là. Assise derrière l'impresario, l'élégante jeune femme voyait tout de même la physionomie de son amant que lui reflétait une glace placée en face, à l'autre bout du bureau.

Et machinalement, elle suivait des yeux les jeux de physionomie de Barzum.

Il semblait à Sonia Damidoff qu'un éclair de satisfaction avait traversé le regard de l'impresario, une fois ses poches bourrées ; désormais Barzum, avisant un courrier dépouillé, jeté épars sur son bureau, le parcourait rapidement, comme s'il ne l'avait pas déjà lu.

Il y avait sous ces documents un copie-lettres que Barzum se mit à feuilleter avec une attention soutenue.

Mais brusquement, le flegmatique impresario bondit de son fauteuil, l'expression de son visage se transforma complètement, à plusieurs reprises il lut et relut un texte qui avait été copié sur ce cahier :

— Ce n'est pas possible ! grogna-t-il, ça n'est pas possible !...

Puis il ajoutait :

— Il y a une providence pour moi... dire que j'aurais pu ne jamais savoir...

Et il relisait encore.

Sonia Damidoff, de plus en plus intriguée, manifesta sa présence que Barzum paraissait avoir complètement oubliée par cette interrogation :

— Que se passe-t-il donc, mon cher ami ?... vous avez l'air tout surpris.

Et, s'étant avancée, penchée sur son épaule, elle regardait le copie-lettres ouvert sur le bureau. Barzum, d'un doigt qui tremblait légèrement, lui désigna la page qu'il venait de lire. Et Sonia Damidoff, à son tour, lut le texte copié.

C'était la dépêche adressée quelques jours auparavant par l'impresario au policier Juve pour lui demander de venir en hâte rejoindre le train spécial.

— Eh bien ? fit Sonia Damidoff.

— Eh bien ? grogna Barzum, qu'est-ce que cela signifie ?... quel est le but de ce télégramme ?...

Sonia Damidoff demeurait interdite :

— Ah çà ! voyons, fit-elle, vous voulez plaisanter ?... c'est vous-même qui l'avez écrit, fait envoyer il y a trois jours, et vous savez bien...

— Je sais quoi ?... interrompit Barzum.

— Que c'est sur mes conseils, poursuivit Sonia Damidoff, que vous avez convoqué le policier Juve...

Un hurlement retentit :

— Misérable !... vous avez fait cela ?...

C'était Barzum qui venait, pris d'une colère subite, semblait-il, de proférer cette violente interrogation.

Désormais, il s'était retourné tout d'une pièce, et il considérait Sonia Damidoff avec des yeux agrandis par la surprise. Mais Sonia Damidoff, soudain, blêmissait.

Depuis son départ du *Palatz-Hôtel*, c'était la première fois qu'elle revoyait son amant en pleine lumière et qu'elle était à même d'observer le détail de ses traits.

Or, voici que tout d'un coup elle s'imaginait quelque chose d'inouï, d'extraordinaire : Barzum n'était pas Barzum...

Sans doute, Barzum ressemblait à Barzum, par ce fait même qu'il se ressemblait à lui-même... mais il y avait aussi une différence entre Barzum et...

Soudain Sonia Damidoff défaillit, tomba en arrière, devint livide, et elle articula péniblement, d'une voix qui s'étranglait dans sa gorge, serrée par l'angoisse :

— Barzum ! vous n'êtes par Barzum !...

Un éclat de rire strident lui répondit, cependant que, d'un geste violent, l'impresario, ou alors celui qui venait de jouer son rôle, arrachait sa perruque, et dès lors, aux yeux de Sonia Damidoff, apparut un visage énergique, une tête de caractère, un homme à la figure inoubliable !

Péniblement Sonia Damidoff articula :

— Fantômas ! Fantômas !...

C'était, en effet, Fantômas qui se trouvait ainsi face à face avec la princesse, seul avec elle, dans le grand train vide rangé au fond de cette gare de marchandises immense, Fantômas qui avait attiré là la princesse Sonia Damidoff, d'une façon extraordinairement adroite sans doute et si mystérieuse aussi...

Que voulait-donc le Génie du crime à la maîtresse de l'impresario ?... Pourquoi s'était-il ménagé ce rendez-vous avec celle qu'il avait connue jadis et qu'il n'avait point revue depuis si longtemps ?...

Sonia Damidoff, paralysée par la terreur, immobilisée par l'épouvante, considérait désormais fixement Fantômas, en qui elle voyait sans doute le bandit le plus insaisissable, le criminel le plus endurci, mais aussi l'amant, l'amant le plus tendre, le plus charmeur, le plus audacieusement passionné qu'elle eût jamais connu, car Sonia Damidoff, autrefois, avait été la maîtresse de Fantômas !

La princesse, cependant, réagit et, faisant effort pour rassembler toute l'énergie dont elle était capable, elle articula :

— Fantômas, Fantômas, que signifie tout cela ? dans quel but m'avez-vous attirée ici ? qu'est devenu Barzum ?...

Enfin le bandit répondit :

— Fantômas !... oui, c'est moi...

Il venait s'asseoir à côté de la princesse et, l'enveloppant de son regard séducteur, il poursuivit :

— Je bénis le ciel, Sonia, de m'avoir mis sur votre route, et de m'avoir fait rencontrer celle dont j'ai toujours conservé un si tendre et si vivace souvenir...

— De grâce, balbutia la princesse, expliquez-vous...

— La chose est facile à comprendre, dit Fantômas... lorsque je vous ai revue, les heures exquises et trop rares que nous avons vécues ensemble ont été un souvenir très doux, qui s'est rappelé à ma mémoire, j'ai voulu les prolonger, les faire renaître... vous avez été exquise avec moi, l'autre soir, lorsque je vous ramenai de Spa...

La princesse bondit hors du fauteuil où elle était assise, littéralement terrifiée.

— De Spa ? dit-elle, c'est vous qui étiez avec moi dans l'automobile, alors que je me croyais avec Barzum ?

— C'est moi, fit Fantômas, et nous aurions passé une heure délicieuse, si certain imbécile ne s'était avisé de vouloir nous dévaliser... il s'adressait mal, convenez-en, poursuivait Fantômas, qui ne pouvait s'empêcher de rire sincèrement, à l'idée qu'un bandit de toute petite envergure s'était, sans s'en douter, adressé à lui, le Génie du crime !

Cependant, Sonia Damidoff allant et venant comme une folle dans le petit bureau, calfeutré par les tentures et les épais rideaux, se comprimait le front dans les mains...

— Alors, interrogea-t-elle à mi-voix, comme si elle se parlait à elle-même, alors je comprends tout... La surprise de Barzum lorsque je suis venue ici même continuer avec lui la conversation que j'avais commencée avec vous...

Puis la jeune femme pensait à nouveau à son amant :

— Mais qu'est-il devenu ? interrogea-t-elle regardant Fantômas avec terreur, se demandant si les lèvres du bandit n'allaient pas formuler le récit de quelque nouveau forfait.

La princesse respira profondément, lorsque Fantômas lui eut déclaré :

— N'ayez aucune crainte, Sonia, Barzum, comme il vous l'avait annoncé, est parti pour Hambourg. Ce soir, à l'heure actuelle, il dort du sommeil du juste dans l'express, qui l'emmène...

— Mais, poursuivit Sonia, vous-même, pourquoi êtes-vous intervenu ?... que signifie ce déguisement ?

Fantômas fronça le sourcil :

— Je n'aime pas, Sonia Damidoff, fournir d'explications et n'admets guère que l'on m'interroge... qu'il vous suffise de savoir que si, après l'avoir longuement étudié, car c'est un homme difficile à analyser, j'ai réussi à devenir le sosie de Barzum, c'est que j'ai pour cela des raisons, entre autres, je vous dirai que j'avais besoin d'argent, et que, grâce à ce subterfuge, grâce à votre amabilité aussi, j'ai pu m'en procurer...

Sonia Damidoff étouffa un cri :

— Juste ciel ! fit-elle, c'est vrai, vous avez volé Barzum.

Et de la main, elle désignait le tiroir fracturé, demeuré ouvert, mais vide !

Fantômas sourit :

— On ne se vole pas soi-même, fit-il en souriant, et n'étais-je pas Barzum tout à l'heure ?

La princesse le considéra ! Encore qu'elle ait connu Fantômas, elle n'était pas habituée à ses mystérieuses attitudes, elle ignorait que, perpétuellement, le sinistre bandit passait de la colère la plus terrible, à la plus subtile des ironies, toutefois son sang se glaça dans ses veines, lorsqu'elle entendit Fantômas proférer, alors qu'il s'approchait d'elle et l'hypnotisait de son regard pénétrant :

— Je voulais savoir aussi, Sonia Damidoff, si vous étiez réellement éprise de ce patron de cirque, auquel vous vous êtes donnée...

— Et alors ? fit la princesse.

— Et alors, déclara le bandit, j'ai compris que vous n'avez cédé qu'à un moment de griserie passagère et que vous avez pris cet amant, moins par amour que par lassitude, indifférence, ennui.

Fantômas se rapprochait d'elle, et lui murmurait tout bas :

— Vous savez les sentiments que j'ai toujours eus à votre égard, vous savez, princesse, combien le charme qui se dégage de votre exquise et troublante personne m'a mordu au cœur, au point que j'en ai conservé le souvenir impérissable, vous savez, Sonia, que je vous aime... que je vous aime...

Le bandit, avec un art savant des gradations, s'était de plus en plus rapproché de la jeune femme ; il la prenait dans ses bras, la serrait sur son cœur, et, lentement, avec une inconscience superbe, une audace insolente et magnifique, Fantômas l'attirait dans la pièce voisine, dans la chambre intime et coquette qui d'ordinaire abritait les amours bourgeoises de Barzum.

Et Sonia Damidoff, incapable de résister, se contentait de balbutier d'une voix mourante :

— Fantômas ! Fantômas !...

Le bruit des voitures ramenant les artistes du cirque interrompit soudain l'entretien amoureux de Fantômas et de Sonia Damidoff !

La belle princesse et le sinistre bandit, grisés, affolés l'un par l'autre, échangeaient une ultime caresse, puis, Fantômas, très maître de lui, bondissait dans le bureau de Barzum, remettait avec une hâte fébrile la perruque et la barbe postiches puis le bandit prêtait l'oreille.

— Pourvu, pensait-il, qu'on ne me rencontre pas ; il ne faut pas que ces gens puissent s'imaginer que Barzum est revenu alors que demain, d'une façon indiscutable, ils sauront que leur maître est à Hambourg.

Fantômas, en effet, ne voulait pas que l'extraordinaire subterfuge qu'il avait imaginé, fût découvert, voire même soupçonné.

Le bandit, n'attendant point que la princesse vienne le rejoindre — peut-être était-il moins amoureux qu'il ne l'avait dit —, après avoir éteint la lumière électrique, brisait une glace du wagon du côté opposé à celui par lequel revenaient les artistes qui n'étaient pas logés en ville.

Dès lors, sautant sur la voie, Fantômas s'enfuyait, serrant précieusement sur sa poitrine la liasse de billets de banque qu'il avait dérobée au riche impresario en même temps qu'il lui prenait sa maîtresse !

Fantômas, toutefois, était soucieux, troublé. Que signifiait cette convocation adressée par Barzum à Juve sur l'initiative de Sonia Damidoff ?

Cette dernière le lui avait expliqué, naïvement, Sonia disait à Fantômas que Barzum, fort troublé à l'idée qu'il était somnambule, qu'il avait peut-être une double existence, s'en était montré si affecté que Sonia, pour lui permettre d'élucider le mystère, lui avait conseillé de s'adresser à Juve et de faire venir le célèbre policier !

Cela, Fantômas le comprenait, l'admettait même : le premier mouvement de surprise passé, il ne lui déplaisait pas d'apprendre que le hasard de ses aventures allait encore le mettre en présence de son implacable adversaire.

Mais Fantômas, qui aimait à se dissimuler dans l'ombre afin de mieux porter ses terribles coups, n'aimait pas, par contre, à se savoir épié par quelqu'un comme Juve, lorsqu'il ne pouvait définir où était Juve et qui était Juve, or, il y avait quarante-huit heures que le policier aurait dû se trouver là. Était-il venu voir Barzum, se cachait-il quelque part dans ce train ?

L'impresario, sur ce point, n'avait fait aucune confidence à sa maîtresse, Sonia ne savait pas si Juve avait répondu à l'appel de Barzum, Fantômas ignorait donc si Juve était là !

Après s'être éloigné du train, le bandit, arrachant encore une fois sa barbe et sa perruque, mais abaissant sur son visage les grands bords d'un chapeau de feutre, se rapprocha des grands wagons qui donnaient asile aux artistes du cirque.

— Peut-être, pensait Fantômas, verrai-je parmi ces gens quelqu'un de suspect, quelqu'un qui me mettra sur la trace de mon adversaire ?...

Fantômas n'osait pas formuler nettement son espérance.

— Peut-être, verrai-je Juve ?

Mais à ce moment, alors qu'il passait au pied d'un wagon dont le couloir était illuminé, le terrible bandit poussa un cri et lui, si flegmatique, si sûr de lui-même, avait été incapable de contenir son émotion ! Ce qu'il avait vu, la personne qu'il avait aperçue, cela le troublait au plus haut point ! Fantômas, en effet, venait d'apercevoir, revêtue d'une grande robe noire d'amazone, sa fille, sa fille Hélène ! Hélène que depuis quinze jours il croyait partie pour l'Afrique du Sud [1] !...

Et dès lors, ce fut au tour de Fantômas de se demander perplexe et troublé :

— Que signifie ce mystère ?

XX

Les six valises

— Peut-on entrer, patron ?

Pour la troisième fois, on frappait à la porte de la chambre occupée par Juve au *Deutschland-Hôtel* où il était descendu à Cologne.

Ce n'était pas un caravansérail de luxe comme celui où habitait la princesse Sonia Damidoff. La maison était plus simple, plus tranquille, on y passait plus inaperçu et cela convenait à la modestie prudente du policier. La chambre qu'il occupait était dite « Touring-Club » et ses murs tout blancs, absolument dénudés, étaient vernis au ripolin.

Juve, ce soir-là — il était environ sept heures —, laissait frapper à sa porte sans se soucier de répondre. Enfin au troisième appel qui se fit plus pressant que les autres, il grogna :

— Mais entre donc, bon Dieu !...

Et le vieux domestique Jean apparut.

La veille, Juve avait télégraphié à ce brave serviteur :

Viens me rejoindre avec les six valises.

---

1. Voir dans la série « Fantômas » : *La Fille de Fantômas*.

Et le vieux Jean avait, en hâte, quitté la rue Tardieu, pour sauter dans le train de Cologne où il avait débarqué le matin même pourvu des bagages que son maître lui avait ordonné d'apporter.

Lorsque Jean avait passé la douane, on lui avait fait ouvrir ses six valises, et il avait donné l'impression aux douaniers qu'il devait être quelque artiste de music-hall, faisant des transformations.

Chacune de ces valises, en effet, contenait des vêtements aussi variés que bizarres et surtout des fards de toutes sortes, des postiches, perruques et fausses barbes.

Le vieux Jean avait laissé croire bien volontiers qu'il était, en effet, un artiste. Il se serait bien gardé de raconter que ces objets ne lui appartenaient pas et qu'au contraire ils constituaient les engins de travail de son maître : le policier Juve.

Jean, toutefois, à la réponse de Juve pénétrait donc dans la chambre occupée par ce dernier. Juve n'était pas sorti de tout l'après-midi. Jean en entrant ne put retenir un cri de stupéfaction.

— Ah, patron ! murmura-t-il, je commence à croire que vos enquêtes de police vous tournent de plus en plus la tête... Voilà que vous abîmez le matériel de l'hôtel désormais.

Juve ne répondit point et le vieux Jean en fut pour son observation.

En fait, l'attitude de Juve était étrange, le policier était assis sur un petit escabeau, et, tourné face au mur, comme un écolier fautif, que l'on punit à l'école, avec un fusain gras, il avait noirci ce mur tout blanc et esquissé des dessins bizarres.

Tout d'abord, Juve avait tiré de grosses lignes verticales, séparées les unes des autres de cinquante centimètres environ ; puis, entre chacune d'elles, il avait fait d'incompréhensibles dessins.

A gauche, un gros point d'interrogation, au milieu une succession de petits V qu'il surmontait du dessin, fort schématique d'ailleurs, d'un balai comme s'en servent les gardes d'écuries.

Puis enfin, du côté droit, il avait dessiné un poignard et une vague silhouette d'homme, étendu par terre.

Jean regardait ces croquis, d'un air effaré, mais n'osait pas interroger son maître qui, désormais, ayant achevé de dessiner, semblait plongé dans de profondes réflexions.

Le domestique toussa, racla de son pied le sol de la chambre, remua deux ou trois meubles, mais assurément Juve l'avait oublié, et cette situation dura bien un quart d'heure.

Le policier, cependant, se mit à monologuer ; le vieux Jean l'entendit qui disait :

— Point d'interrogation, cela signifie que nous sommes encore dans le vague et dans le mystère... Cela concerne le dernier des événements survenus, le cambriolage commis dans le bureau de Barzum, dont le contenu du tiroir-caisse a été dérobé. Est-ce Barzum lui-même qui, dans un but que je ne devine pas encore, a simulé ce cambriolage ?... c'est improbable !... Barzum est arrivé à Hambourg aujourd'hui, il n'aurait pas eu le temps, étant donné l'heure à laquelle l'effraction a dû se produire, de le commettre, et cependant il semble bien résulter des enquêtes auxquelles je me suis livré que l'on a vu, ou tout au moins aperçu, Barzum assez tard dans la nuit hier, aux environs de son train spécial... Ce personnage, pourtant, n'a pas le don d'ubiquité.

Juve, en effet, ne pouvait comprendre la situation, car il ignorait absolument que Fantômas fût là et qu'en outre le sinistre bandit prenait de temps à autre la tournure et la silhouette du célèbre impresario.

Pourquoi, d'ailleurs, ces inscriptions, ces croquis grossiers ?

C'était bien simple !

Juve, homme méthodique et précis, aimait à préciser les situations, et surtout à les voir schématiquement ; pour lui, il y avait trois groupes d'affaires bien nettes et bien distinctes, et pour mieux les connaître, puis les étudier ensuite, il avait divisé ce mur blanc en trois parties, et par des hiéroglyphes caractéristiques et compréhensibles pour lui seul, il précisait la situation.

La case réservée au point d'interrogation concernait le dernier événement connu grâce au télégramme qu'il avait trouvé à la police de Cologne, dans lequel Charley, secrétaire de Barzum, annonçait le cambriolage commis la veille au soir.

Dans la seconde case, Juve avait inscrit une série de petits V surmontés d'un balai et cela précisait dans son esprit l'opinion suivante : une série de petits vols avaient été commis dans le train spécial du cirque depuis cinq ou six jours. Ces vols n'avaient certainement, à en juger par la façon dont ils avaient été effectués, aucun rapport avec le dernier cambriolage, désigné par le point d'interrogation.

Juve, dans sa pensée, les attribuait à ce mystérieux palefrenier, connu sous le nom de Léopold, qui, après avoir fait partie du personnel du cirque pendant quelques heures avait été mis à la porte de l'établissement.

On l'avait ensuite retrouvé cherchant à dépouiller Barzum, lorsque celui-ci revenait de Spa en automobile avec sa maîtresse, puis enfin, chose extraordinaire et un peu suspecte, Barzum, qui s'était félicité auprès de Juve de l'arrestation de ce sacripant, l'avait fait ensuite sortir de prison, avant que le policier n'ait eu le temps de le voir et de l'interroger.

— Il faudra pourtant, grommelait Juve, que je retrouve coûte que coûte ce soi-disant palefrenier, et que je sache ce qu'il est exactement...

Enfin, dans la troisième case, figurait le poignard placé au-dessus d'un corps d'homme étendu. Et par ce dessin, Juve désignait le crime d'Anvers, demeuré toujours mystérieux, et sur lequel les enquêtes de la police locale n'avaient apporté aucun éclaircissement.

C'était la plus mystérieuse affaire et la plus importante aussi.

Un homme, le délégué anglais, sir Harrysson, avait été poignardé sur les quais de l'Escaut, le prince Vladimir qui l'accompagnait avait disparu, assassiné sans doute aussi. En tout cas, les millions que transportaient les deux voyageurs, sous la forme de billets de banque, leur avaient été naturellement dérobés ; cela constituait un grand crime, un gros vol, et Juve en avait conclu que vraisemblablement, il devait y avoir du Fantômas là-dedans.

Suivant sa pensée, Juve, brusquement, interrogea son domestique, Jean, toujours immobile derrière lui.

— As-tu fait ce que je t'ai dit et pris tes renseignements à la compagnie des navires qui vont en Afrique du Sud ?

— Mais oui, patron, fit le vieux Jean, on m'a dit comme ça que le bateau, qui emmène M. Fandor au Natal, vient de quitter depuis quarante-huit heures la dernière escale, et qu'il ne s'arrêtera plus qu'au Cap. Il y parviendra dans une dizaine de jours. Toutefois si l'on veut communiquer avec M. Fandor auparavant, peut-être pourrait-on y parvenir par la télégraphie sans fil.

A la déclaration du domestique, Juve avait répondu par une grimace de dépit. Un instant il avait, en effet, l'idée de communiquer avec Fandor par la télégraphie sans fil, puis il se ravisait.

— Le malheureux garçon, pensa-t-il, serait désespéré d'apprendre ce que j'ai à lui dire, et ne vivrait plus qu'il n'ait trouvé un bateau pour le ramener en France. Comme il ne pourra pas en trouver un avant d'arriver au Cap, laissons-le donc tranquille jusqu'à ce qu'il y soit...

Juve, en effet, avait quelque chose d'extraordinaire à communiquer à son ami, mais quelque chose aussi qui allait navrer Fandor, le troubler au plus haut point, et si quiconque avait fouillé la poche de Juve, il y aurait trouvé cette dépêche toute rédigée destinée au journaliste et ainsi conçue :

Reviens d'urgence, Hélène pas au Natal, mais restée en Europe et gravement compromise dans le crime d'Anvers.

Le policier, en effet, n'était pas demeuré inactif depuis qu'il s'était mêlé aux affaires intéressant à la fois la police belge, le roi de Hesse-Weimar, et le directeur du cirque Barzum !

Juve avait rapidement été mis au courant de l'arrestation effectuée par les autorités anversoises, et de l'incarcération éphémère de cette mystérieuse jeune fille avec le revolver de laquelle on avait tué Harrysson, et qui s'échappait si audacieusement de la prison d'Anvers !

Cette jeune fille avait crié au juge d'instruction qu'elle était la fille de Fantômas !

Naturellement, le brave magistrat ne l'avait pas cru, mais Juve avait été moins sceptique, puis, bientôt, après de minutieuses enquêtes, des renseignements très précis, recueillis un peu partout, il avait acquis la certitude que la prisonnière évadée avait dû dire vrai. Enfin, tout dernièrement, Juve, en venant au cirque Barzum, avait eu l'extrême surprise d'apercevoir que l'écuyère engagée sous le nom de la Mogador n'était autre que l'extraordinaire et mystérieuse jeune fille, tant aimée de Fandor.

Si Juve avait été très confiant en Barzum, il n'aurait pas hésité à lui demander dans quelles circonstances et à la suite de quels événements il avait engagé cette artiste. Mais le fait de la libération inattendue du palefrenier Léopold par l'impresario avait rendu Juve méfiant, et celui-ci avait résolu de ne rien confier de ses pensées au directeur du cirque, avant d'être renseigné sur la nature exacte de ses intentions.

Puis Juve, lorsqu'il avait acquis la certitude qu'Hélène était la Mogador, avait surveillé la jeune fille. Il avait remarqué qu'elle semblait être en fort bons termes avec un pensionnaire du cirque Barzum, un certain Gérard, dompteur de fauves.

Juve, qui connaissait le caractère peu communicatif de la fiancée de Fandor, s'était fort étonné de cette sympathie pour le belluaire.

Quel était d'ailleurs ce Gérard ? Quels rapports, quels liens pouvait-il exister entre lui et la fille de Fantômas ?

Or, ces questions, le policier ne se les était pas posées longtemps, en fouillant sa mémoire, il y avait retrouvé certains souvenirs lointains, mais très nets et très précis.

L'aventure remontait à quelques années, c'était à l'époque où le policier, poursuivant le Génie du crime, arrivait avec lui au Natal, où Fandor faisait connaissance avec Hélène !...

Juve y avait retrouvé un forçat évadé, du nom de Ribonard, lequel Ribonard était en relations dans la capitale de l'Afrique du Sud avec une bande d'individus interlopes qui tenaient de près ou de loin aux anciens complices de Fantômas. Or, parmi ceux-ci se trouvait un certain chercheur de diamants, à l'existence mystérieuse, inquiétante, que l'on connaissait alors sous le nom de Gérard [1] !

N'était-ce pas le même et le belluaire au teint brun, aux épaules robustes, aux yeux d'un noir de jais qui désormais faisait partie du cirque Barzum, n'était-il pas le Gérard d'autrefois, qui, certainement, savait tant et tant de choses sur le passé si mystérieux, si trouble, si extraordinaire aussi, de Fantômas et de sa fille ?...

Au fur et à mesure que Juve considérait son dernier dessin, qu'il s'hypnotisait devant le croquis grossier du poignard suspendu par un fil invisible au-dessus d'un corps d'homme étendu sur le sol, Juve se disait :

— Il faut absolument que je fasse parler ce Gérard, mais comment capter sa confiance ? En tout cas, le mieux est de pouvoir être dans les parages du train... c'est là que je dois immédiatement établir ma surveillance.

Du reste, depuis quarante-huit heures, Juve avait décidé les grandes lignes de son point d'attaque !

Depuis deux jours, Juve savait qu'il allait tenter quelque chose de formidable, d'insensé, mais quelque chose qui devait, qui pouvait réussir, et qui lui donnerait, le cas échéant, la clé de bien des mystères !

Juve, s'il avait fait venir son domestique Jean, avec les six fameuses valises, avait, en effet, l'intention de s'en servir.

Ces valises contenaient des assortiments merveilleux et complets de toutes sortes de travestissements, il y avait là des vêtements d'hommes, de femmes, des postiches permettant au policier de se transformer à son gré, soit en un élégant clubman, soit en un vieillard cacochyme, soit au besoin en femme élégante ou non... Juve avait à sa disposition tous les travestis qu'il pouvait concevoir...

Enfin, il y avait dans l'une de ces valises quelque chose de plus extraordinaire encore : c'était un vêtement de drap noir aux plis amples et mal définis en apparence.

Il était soigneusement plié dans la sixième valise et le vieux Jean qui, cependant, connaissait tous ces accessoires et ne s'en émotionnait pas, ne touchait à ce vêtement qu'avec un certain respect mêlé parfois d'inquiétude.

Or, il y avait longtemps que Juve l'avait fait faire, mais il ne l'avait

1. Voir dans la série « Fantômas » : *La Fille de Fantômas*.

jamais utilisé, jamais il ne s'était servi jusqu'alors de cette sixième valise, et c'est pourquoi le vieux Jean, la veille, avait été si extraordinairement surpris lorsque le télégramme du policier lui avait dit d'apporter cette dernière valise, celle qui contenait le vêtement noir.

Soudain, le vieux Jean, qui était demeuré hébété en contemplation devant les dessins faits par Juve sur le mur, tressaillit soudain.

Le policier, en effet, lui disait, au moment où, quittant son escabeau, il s'arrachait à sa méditation :

— Et maintenant, mon vieux Jean, prépare-moi le contenu de la sixième valise !

XXI

Les billets sanglants

Il était huit heures du soir. Les artistes du train spécial de Barzum avaient achevé leur repas, la plupart d'entre eux, et notamment ceux qui assuraient le commencement du programme, avaient quitté la gare de marchandises, où stationnait le train dans lequel ils demeuraient, pour se rendre, transportés par les grandes tapissières, au cirque dressé à quelque distance de là, sur une vaste esplanade.

Quelqu'un avait encore du temps, avant de se rendre au cirque, c'était Gérard !

Il n'exhibait ses fauves que vers onze heures, et n'était pas pressé d'arriver en avance !...

Gérard, d'ailleurs, ce soir-là, semblait étonnamment préoccupé, perplexe ! L'homme venait d'ouvrir une petite armoire qu'il fermait à clef à l'ordinaire, et dans laquelle se trouvaient des papiers à lui personnels, des choses intimes.

Cette petite armoire était placée dans son compartiment, en face de son lit. Gérard cherchait une liasse de lettres qui se trouvaient au fond de cette armoire, or, au moment où il les détachait, le dompteur poussait un cri terrible, et se laissait tomber, blafard, sur une chaise à sa portée.

Cette armoire, que Gérard n'avait pas ouverte depuis une huitaine de jours, venait de laisser tomber quelque chose d'effroyable et de terrifiant.

C'était une liasse énorme de billets de banque, de billets de banque tachés de sang !...

D'abord, Gérard n'avait pas compris ce que cela pouvait être, il s'était penché machinalement pour ramasser ce petit paquet de papiers aux teintes multicolores, puis, il s'était aperçu que c'étaient des billets de banque, et ensuite, qu'ils étaient maculés de sang.

Pendant un bon quart d'heure, Gérard demeura immobile, stupéfait, en contemplation devant cette découverte extraordinaire.

D'où provenaient ces billets ? Comment s'étaient-ils trouvés dans cette armoire, qui lui appartenait, dont il possédait la clef ?... depuis combien de temps y étaient-ils ?...

Gérard se posait de plus en plus de questions sans nombre et ne parvenait pas à les résoudre, toutefois, après sa surprise du premier moment, le belluaire avait retrouvé son sang-froid, et cherchant à coordonner ses pensées, à se former une opinion, il examinait désormais son inquiétante trouvaille.

C'étaient des billets de banque du gouvernement de Hesse-Weimar, il y en avait une quinzaine, représentant chacun une valeur de mille francs, et, tout à coup, Gérard poussa un cri :

— Bon Dieu ! murmura-t-il, mais ces billets ne proviendraient-ils pas du crime commis à Anvers ?...

Le dompteur recherchait, dans une pile de vieux journaux, qui gisaient, entassés au fond de sa logette, et il finissait par retrouver dans l'un d'eux, qui relatait les détails du crime en passe de devenir fameux, les numéros des billets de banque ayant été volés à sir Harrysson, ainsi, disait le rédacteur du journal, qu'au prince Vladimir.

Avant de regarder si les numéros de ces billets coïncidaient avec ceux que Gérard venait de retrouver si étrangement, le dompteur ouvrit en grand la fenêtre de son compartiment, et sentit avec une satisfaction extrême l'air froid de la nuit, qui pénétrait dans sa loge.

Il respira profondément, de grosses gouttes de sueur perlaient à son front, le belluaire les essuya du revers de sa main tremblante, cependant qu'il proférait presque à mi-voix :

— Mon Dieu ! mon Dieu ! puis-je me permettre une semblable supposition ? ai-je le droit seulement d'y penser ? et pourtant !...

Désormais, Gérard, après avoir proféré ces paroles mystérieuses, se prenait la tête dans les mains, et réfléchissait longuement.

A quoi pensait le dompteur ?...

Juve avait eu raison et ne s'était pas trompé sur l'identité du belluaire !

Depuis quelques jours, Gérard vivait des heures extraordinaires et troublantes au plus haut point ! Le hasard inopiné de ses rencontres avec Hélène, avec celle qu'il savait être la fille de Fantômas, avait remué en lui tout un monde de vieux souvenirs.

Il s'était revu dix ans auparavant, vivant une existence misérable, et presque criminelle dans les régions lointaines et désolées de la colonie du Cap !

Gérard avait un passé qui chargeait sa conscience, il était aussi le détenteur d'extraordinaires secrets, et le fait qu'il avait appelé la fille de Fantômas lorsque la courageuse jeune fille l'avait sauvé de la panthère, de ce nom de Teddy, qu'elle portait jadis au Transvaal, était bien là pour le prouver !...

Or, il était évident pour tous ceux qui entouraient Gérard que, depuis l'arrivée de la mystérieuse écuyère surnommée la Mogador, le belluaire professait à son égard un véritable culte d'affection et de respect.

A maintes reprises, ils avaient eu de longues conversations aussi mystérieuses que troublantes, à en juger par les airs graves et émus qu'ils avaient l'un et l'autre lorsqu'ils se séparaient.

Cependant Gérard qui était demeuré pendant près d'une demi-heure comme prostré, tant il était profondément pensif, réagit enfin.

— Serait-ce possible ? articula-t-il, en regardant les billets de banque tachés de sang, Hélène, la malheureuse Hélène, aurait-elle donc acquis au contact de Fantômas cet effroyable atavisme ?

Gérard, cependant, semblait désireux de faire quelque chose, d'agir, pour chasser de son esprit cette sinistre pensée.

Il avait pris le numéro du journal dans lequel on avait donné les numéros des billets dérobés à Vladimir ou à Harrysson, et désormais, le dompteur, étalant sur une petite tablette la liasse des billets ensanglantés qu'il venait de trouver si extraordinairement dissimulés dans son armoire, se mettait à les vérifier un par un.

Et tout d'un coup, Gérard se sentit défaillir cependant qu'un cri d'épouvante s'étranglait dans sa gorge !...

Ce qui se passait, ce qu'il constatait, était plus extraordinaire, plus inimaginable que tout ! Gérard ne pouvait en croire ses yeux et cependant le fait était là, probant, indiscutable !...

Il n'y avait pas une minute qu'il avait, en levant l'épingle qui les maintenait, compté quinze billets de mille francs, là juste en face de lui. Or, au moment où il venait de pointer le quinzième, sur la liste du journal et que d'un geste machinal, il tournait ce billet et voulait le placer sur les autres, Gérard s'apercevait que les quatorze premiers avaient disparu.

Le dompteur lâchait alors le dernier billet qu'il tenait à la main, et d'un rapide coup d'œil circulaire regardait autour de lui. Lorsque à nouveau il jeta les yeux sur la petite tablette, faisant comme les quatorze premiers, le quinzième billet de banque disparaissait à son tour, et cette fois, le belluaire notait la direction par laquelle cet extraordinaire billet s'envolait comme par enchantement.

Le billet montait lentement vers le plafond, glissait entre deux lamelles du toit du wagon puis, alors, échappait complètement aux regards abasourdis de Gérard.

Le dompteur n'hésitait pas une seconde, il avait compris ce qui se passait, quelqu'un assurément, au moyen d'un fil invisible, d'une aiguille quelconque, lui dérobait ces billets, mais qui était-ce et pourquoi ?

Dès lors, Gérard se précipitait par la fenêtre ouverte, c'était un homme rompu aux exercices physiques ; s'accrochant de ses deux mains à la bordure du toit, il fit un superbe rétablissement et se trouva, en moins d'une demi-minute, installé à plat ventre, sur le toit du wagon.

Gérard était à peine arrivé là, que son sang se glaçait dans ses veines. En face de lui, sur un autre wagon, se tenait couché de tout son long, à plat ventre, une silhouette humaine. C'était un personnage sinistre que découvrait Gérard.

Il était enveloppé dans un long manteau noir, les traits de son visage étaient dissimulés par une cagoule, sa main gantée de noir braquait un énorme revolver sur le front du dompteur.

Il y avait fort longtemps, dix ans peut-être, que Gérard n'avait vu semblable silhouette, mais le souvenir de celle-ci ne s'était pas effacé de son esprit, et Gérard, stupéfait, presque tremblant, articula :

— Fantômas ! c'est Fantômas !

Gérard s'était trompé et les apparences lui faisaient faire une grossière erreur !

Car si le personnage qu'il avait en face de lui avait la silhouette de

Fantômas, en fait, c'était Juve qui se dissimulait sous ce sombre vêtement !

C'était là le contenu de la sixième valise !

Juve en effet, depuis de longues années, avait estimé qu'il pourrait avoir besoin un jour de prendre l'aspect de Fantômas et de se substituer à lui pour découvrir certains de ses secrets !

La veille, Juve avait estimé que le moment était venu !

Il avait pressenti que des secrets formidables étaient sur le point de se révéler mais que, pour les connaître, il importait de donner le change à tout le monde, d'inspirer confiance aux amis de Fantômas, pour obtenir d'eux des révélations qu'ils n'auraient jamais faites au policier Juve !

En outre, Juve se trouvait en pays étranger, la situation était délicate pour lui, et s'il avait trois missions à remplir pour le compte de trois personnalités différentes : la police belge, le gouvernement de Hesse-Weimar et la direction du cirque Barzum, il se trouvait désormais sur le territoire allemand et, par suite, dans une position singulièrement délicate, pour intervenir en tant que policier.

Juve, dès lors, avait décidé qu'il passerait pour le bandit, provisoirement, et c'est pour cela, qu'à la grande inquiétude de Jean, son brave domestique, l'inspecteur de la Sûreté française s'était travesti en Fantômas, pour venir poursuivre ses enquêtes, aux abords du train spécial et mystérieux du cirque américain...

Le hasard avait favorisé Juve, ce soir-là. Et, au moment où il s'approchait des wagons superbement illuminés, cherchant à surprendre le dompteur qu'il avait désormais reconnu comme un ancien compagnon de Fantômas, il avait surpris le belluaire au moment où, ouvrant son armoire, il demeurait stupéfait en présence des billets de banque qui s'en échappaient...

Juve alors était monté sur le toit du wagon et, profitant d'une ouverture qui avait été faite autrefois pour y introduire une lanterne, avant que le train ne fût éclairé à l'électricité, il avait suivi des yeux la scène, jouée par Gérard tout seul, scène de surprise, d'inquiétude, d'abattement, à laquelle avait succédé la mystérieuse confrontation des billets de banque ensanglantés, avec la liste du journal donnant le détail des vols commis à la suite du crime d'Anvers.

Juve, alors, avait eu une idée qu'il qualifiait de géniale, il disposait d'un fil d'acier très mince, qu'il recourbait à l'extrémité, et qui formait une sorte de crochet, et, introduisant ce fil par la fente ménagée dans le plafond du wagon, au fur et à mesure que Gérard s'absorbait dans son travail d'identification, Juve, un par un, lui dérobait les fameux billets.

Mais ce que le policier n'avait pas prévu se produisait soudain !... tout à coup, face à face avec lui, se trouvait Gérard.

Or, si le faux Fantômas avait braqué sur lui un revolver, le nouveau venu faisait de même, et les canons des brownings brillaient d'un sinistre éclat dans la nuit.

— Fantômas ! hurlait Gérard d'une voix tremblante de colère, je ne suis pas fâché de te rencontrer... misérable !...

— Oh ! pensa Juve, voilà qui commence mal, ou qui commence bien, selon que je me considère Fantômas ou Juve...

Le policier, cependant, était très étonné de ce préambule, il s'attendait à trouver en Gérard un ami, même un complice du bandit, or, voici que Gérard ne paraissait guère tenir son ancien maître en odeur de sainteté.

Gérard, d'ailleurs, semblait en avoir gros sur le cœur, et dès lors, commençait à invectiver Fantômas, ou tout au moins celui qu'il prenait pour tel, d'amers reproches.

Il parlait, il parlait et il disait des choses où le nom d'Hélène, de Teddy, de Juve, du Cap, du Natal revenaient sans cesse, mais hélas ! Juve ne comprenait que très imparfaitement !...

Et il en était désespéré, pour la première fois, Juve déplorait de ne point parler le hollandais comme il parlait le français ou l'argot, c'était, en effet, en langue hollandaise que Gérard adressait à Fantômas ses virulents reproches, hélas ! de plus en plus mystérieux pour Juve.

Le policier ne songeait qu'à une chose, c'était à reprendre une langue plus conforme à ses habitudes. Il allait bredouiller de vagues paroles en français pour se faire imiter du belluaire, lorsque Gérard, après un court silence, reprit de lui-même, parlant français :

— Tout cela d'ailleurs, c'est du passé, laissons-le de côté... les morts eux aussi savent se taire, imitons-les, Fantômas...

Malgré lui, Juve tressaillait sous sa cagoule. Ainsi il était question de morts, de cadavres ; quel était le crime auquel pouvait penser Gérard à ce moment-là ?

Parbleu ! la chose était facile à comprendre, la lumière se faisait rapidement dans l'esprit de Juve !

Gérard, en effet, brusquement, déclarait :

— Fantômas, c'est toi qui m'as volé tout à l'heure les billets de banque, que j'étais en train d'identifier ?...

— C'est moi, reconnut enfin Juve, qui parlait à voix basse, pour que Gérard ne s'aperçût point que le ton de sa voix différait de celui de la voix de Fantômas !...

Juve s'imaginait, à ce moment, que les billets volés qu'il n'avait pas pu examiner, sur le toit du wagon plongé dans l'obscurité, provenaient de la caisse de Barzum, et il déclara d'un air insinuant :

— Il me semble, Gérard, que nous pourrions les partager tout au moins... je te félicite, d'ailleurs, du cambriolage de la caisse de ton patron... il a été mystérieusement effectué.

Un instant, le visage de Gérard exprima la plus parfaite stupéfaction ; les deux hommes étaient face à face, étendus tous les deux à plat ventre, chacun sur un wagon, tenant toujours leurs revolvers braqués l'un vers l'autre ; Gérard ne pouvait voir les traits de celui qu'il prenait pour Fantômas, eu égard à la cagoule qui les recouvrait, mais Juve voyait parfaitement la figure de Gérard, et il remarqua sa surprise très sincère.

Le dompteur, d'ailleurs, hochait la tête, et il articula :

— Tu te trompes, Fantômas, et voici ta belle perspicacité complètement en défaut. Ces billets-là proviennent du crime d'Anvers !

— Excellent ! pensa Juve en lui-même.

Et une envie furieuse lui démangeait la main de la mettre au collet de ce Gérard en qui il voyait déjà, sinon le principal auteur du crime, tout au moins l'un des complices.

Il articula, bredouillant un peu, afin de pouvoir se rétracter si par hasard, il s'engageait dans une mauvaise voie :

— Ainsi donc, Gérard, c'est toi l'assassin de Harrysson et de Vladimir ?...

Juve, en dépit de ses suppositions qui lui faisaient croire que Gérard était pour quelque chose dans ce crime, n'avait aucune précision, aucun élément de preuve, lui permettant de l'affirmer, il parlait donc au hasard. Juve s'aperçut qu'il devait faire fausse route ; encore une fois, Gérard paraissait stupéfié.

Il ricana :

— Tu oublies, Fantômas, que j'ai changé depuis que je ne t'ai vu, et que je suis un honnête homme... autrefois, je n'ai jamais tué, je ne commencerai pas maintenant, bien au contraire... mais pour les motifs que je t'ai dits.

Et Gérard faisait allusion aux propos qu'il avait exprimés en hollandais.

— Je tiens à conserver ces billets, car les taches de sang, dont ils sont maculés, constituent la signature du criminel ; ce criminel je veux le connaître...

— Pourquoi donc ? fit Juve, quel intérêt as-tu à le découvrir ?...

— L'intérêt, déclara Gérard, sévèrement, que tout honnête homme a, de faire découvrir un coupable, pour sauver un innocent, me comprends-tu bien, Fantômas ? et sais-tu que la personne menacée à l'heure actuelle n'est autre que celle...

Il s'arrêtait net. Mais Juve avait compris que vraisemblablement, le dompteur voulait parler d'Hélène, la fille de Fantômas !

Toutefois, que signifiaient ces étranges propos ? quel était le mobile de l'attitude extraordinaire de ce Gérard, qui, assurément, avait toutes les apparences d'un honnête homme et qui semblait si soucieux de découvrir l'auteur du crime d'Anvers, dans le but d'innocenter la mystérieuse jeune fille, qui, aux yeux de certains, passait pour être l'assassin ?...

Juve n'avait pas le temps de réfléchir longtemps à ces choses ; désormais Gérard le harcelait, se montrait de plus en plus exigeant, semblait résolu à réussir par tous les moyens...

Gérard voulait rentrer en possession des billets de banque, que lui avait dérobés Fantômas, et il grommelait :

— Je les veux, je les veux, quoi qu'il arrive, ou tu me tueras, ou je te tuerai, mais nous ne partirons pas d'ici vivants tous les deux, à moins que je n'aie eu satisfaction...

Gérard s'était reculé à l'extrémité du wagon ; Juve, machinalement, avait fait de même ; toutefois, les deux hommes se menaçaient mutuellement de leurs revolvers.

Que fallait-il faire ? quel parti prendre ? Juve, en une seconde, envisagea la situation. Il importait de ne pas brusquer les choses ! Un duel avec Gérard n'aurait servi à rien, et, après tout, cet homme devait être sincère, honnête !...

— Au surplus, s'il est un misérable, pensa Juve, je pourrai facilement le rattraper.

Gérard, en effet, ne devait pas se douter qu'il venait de parler avec le policier Juve, il était convaincu d'avoir eu affaire à Fantômas, il ne se méfierait donc de rien !...

— Procédons prudemment, se disait Juve.

Et dès lors, il répondit à l'ultimatum de Gérard :

— C'est une affaire entendue, voici tes billets...

Les deux hommes se rapprochèrent l'un de l'autre ; tandis que d'une main, rigoureusement prudents, ils conservaient leurs revolvers armés, de l'autre, ils échangeaient des billets de banque.

Lorsque Juve en eut donné quatorze à Gérard, il lui proposa :

— Écoute, Gérard, Fantômas n'a pas l'habitude de faire ce qu'on lui demande, tu reconnaîtras que je me suis montré conciliant avec toi... à ton tour de me rendre service... permets-moi de conserver le quinzième billet qui porte, lui aussi, des taches de sang, les empreintes du meurtrier.

Gérard, après un instant de réflexion, répondit :

— Soit ! Fantômas, mais pourquoi ?

Il y eut un instant de silence, Juve ne savait que dire, ne pouvait expliquer le motif pour lequel il voulait conserver ce billet !

En réalité, c'était très simple, ce billet de banque comportait une trace très nette de doigts, cette trace, comme l'avait dit précédemment Gérard, était une véritable signature, et Juve prétendait la lire dans le plus bref délai.

Il ne fallait pas avouer à Gérard que, lui aussi, cherchait l'auteur du crime d'Anvers, Juve eut une inspiration.

Il savait que l'affection de Fantômas pour sa fille était connue de tout le monde, et prenant un air ému, Juve déclara :

— J'ai besoin, Gérard, de ce billet, pour sauver Hélène, mon enfant.

Gérard eut un sourire sardonique :

— Décidément, tu y tiens, Fantômas, fit-il... et cependant après ce que je viens de te dire, tu devrais convenir que celle que tu nommes ta fille...

Gérard haussa les épaules, sans continuer, cependant que Juve le regardait faire, abasourdi.

— Que signifie cette attitude ? se demandait-il... Que veut dire sa restriction ?... pourquoi a-t-il dit : « celle que tu nommes ta fille » ?

Gérard cependant, sans se douter des réflexions de son interlocuteur, poursuivait légèrement ironique :

— Garde-le donc ce billet, Fantômas, et qu'il te porte chance !

XXII

Dans la loge de l'écuyère

Les représentations du cirque Barzum, lequel était solidement installé, construit sur une des vastes esplanades de la ville de Cologne, ne ressemblaient en rien aux représentations habituelles données par la gigantesque entreprise, lorsque celle-ci, arrivée dans l'après-midi à proximité d'une ville quelconque, s'en allait dans la nuit même pour une autre destination.

Si le spectacle et surtout l'installation perdaient en pittoresque, ils y gagnaient d'autre part en magnificence et confort.

Pour des gens aussi nomades que Barzum et sa suite, une installation de huit jours constituait une véritable étape, un repos durable.

Et dès lors, chacun en profitait dans le personnel pour s'installer confortablement, soit en ville dans son existence privée, soit au cirque dans les loges d'artistes.

Celles-ci, d'ailleurs, étaient aménagées, sinon avec élégance, du moins avec confort. On avait fait des planchers pour les artistes les plus importants, et même les figurants n'étaient pas obligés de piétiner dans la boue comme cela leur arrivait en temps ordinaire chaque fois que le cirque était dressé au milieu de quelque champ labouré ou terrain de manœuvre, et cela en hâte, sans que les précautions les plus élémentaires aient été prises préalablement.

La clientèle du cirque Barzum à Cologne se ressentait d'ailleurs de l'installation quasi luxueuse de l'établissement. Certes, le public populaire constituait toujours le gros élément des spectateurs, mais il y avait aussi toute la société élégante de la ville, les notabilités, les fonctionnaires et aussi les officiers de cavalerie de la garnison qui venaient apporter aux places chères le contingent appréciable de leur présence.

Dès le premier jour, M. Barzum avait remarqué qu'il attirait à son cirque la clientèle de luxe, laquelle, d'ailleurs, avait été prévenue quinze jours auparavant de son arrivée par de gigantesques affiches, et, pour reconnaître dignement l'empressement que l'on avait mis à venir chez lui, M. Barzum avait, dès le premier soir, décidé que l'on doublerait l'électricité.

Les représentations avaient donc lieu sous un éclairage formidable, dans une débauche de lumière.

La fille de Fantômas, qui était toujours au nombre des artistes du cirque, commençait à s'accoutumer à sa nouvelle profession. Lorsqu'on avait franchi la frontière belge pour passer en Allemagne, l'infortunée jeune fille avait poussé un profond soupir de soulagement.

Elle estimait que, dès lors, elle était beaucoup plus en sécurité qu'auparavant, que les recherches et les poursuites des autorités anversoises n'auraient point lieu dans le pays voisin.

Hélène, d'ailleurs, n'entendait plus parler de rien et en était arrivée à se dire que, vraisemblablement, les gens qui recherchaient les auteurs du crime mystérieux d'Anvers devaient être orientés sur une piste autre que la sienne.

Hélène ignorait tout ce qui se passait à quelques mètres d'elle, pour ainsi dire, dans le milieu bizarre et compliqué du cirque.

Elle y vivait très à l'écart, et naturellement, de toute façon, nul, parmi les artistes, devenus ses collègues, n'aurait pu la renseigner tant sur les émotions de Barzum, que sur la venue de Juve, que sur la présence de Fantômas, toutes choses que personne parmi le personnel du cirque ne connaissait.

Hélène, toutefois, n'était pas absolument tranquille, car une violente inquiétude lui tenaillait le cœur. Depuis plus d'une quinzaine de jours, la jeune fille était sans nouvelles de Fandor. En vain lisait-elle les journaux français, recherchait-elle dans les feuilles d'information quelque détail qui pût la mettre sur les traces du sympathique journaliste qu'elle aimait si profondément, rien ne la documentait.

Avec une certaine angoisse, elle avait appris la mort dramatique et bizarre des deux époux Ricard, mais elle n'avait pas cru un mot de la version officiellement fournie sur ces décès et la jeune fille avait tremblé, car elle estimait que la mort des deux époux devait provenir dans une certaine mesure de l'intervention de Fantômas [1].

Fantômas !

Hélène, désormais, ne pouvait plus évoquer ce nom d'horreur et de sang, sans qu'une colère subite ne vînt gonfler son cœur.

L'ardente jeune fille semblait nourrir une haine profonde à l'égard du sinistre bandit ! Cela tenait-il à ce que Fantômas, bien qu'il fût l'auteur de ses jours, avait tellement dégoûté son enfant par ses attitudes et ses crimes, que la voix du sang était impuissante désormais à faire taire la haine et les reproches ?...

Ou alors s'était-il passé quelque événement nouveau qui, brusquement, avait changé la manière de voir, de sentir, de penser de la jeune fille ?

En fait, celle-ci avait quitté Fandor mystérieusement, Hélène avait déclaré au journaliste :

— Je pars pour le Natal, d'où je rapporterai les éléments de notre bonheur futur...

Des circonstances tragiques avaient empêché la jeune fille de mettre à exécution son projet. Elle s'était trouvée engagée dans une suite d'aventures indépendantes de sa volonté sans doute, mais dont néanmoins elle aurait pu s'affranchir si réellement elle l'avait voulu.

Or, en réalité, depuis qu'Hélène était devenue Mlle Mogador, écuyère de haute école du cirque Barzum, elle semblait satisfaite de son sort et nullement désireuse d'y renoncer. Hélène pourtant aurait pu rompre son contrat, disparaître même, et partir pour le Natal.

Depuis plusieurs jours déjà, la grève des marins était terminée. Or Hélène était restée, et il semblait qu'elle n'eût aucune envie désormais d'aller faire ce lointain voyage, de se rendre au Cap. Assurément, la jeune fille ne se doutait point que Fandor, depuis huit jours déjà, voguait dans la direction de la lointaine contrée.

Qu'est-ce qui pouvait donc retenir Hélène au cirque Barzum ?

Quelqu'un avait remarqué, sans qu'elle s'en aperçût, que la jeune fille avait, avec un tiers, une très grande et très mystérieuse intimité ; il était même deux personnes à s'en être aperçues : Juve d'une part, Fantômas de l'autre, avaient découvert les longs entretiens de la jeune fille avec Gérard...

Or, s'ils ne savaient que conclure de ces mystérieux tête-à-tête, Hélène était plus renseignée, et chaque fois qu'elle venait de parler avec Gérard, il semblait que celui-ci lui avait donné des paroles d'espérance, car elle sortait de ces entretiens très troublée sans doute, mais tout heureuse, toute ragaillardie !

Ce soir-là, tandis qu'Hélène venait d'achever de revêtir sa robe d'amazone et qu'elle attendait dans sa loge au cirque l'instant de paraître en piste, Gérard était venu la trouver et, sitôt qu'Hélène l'apercevait, elle avait l'impression qu'un drame s'était produit.

---

1. Voir dans la série « Fantômas » : *Les Souliers du mort.*

Le belluaire était venu à elle essoufflé, blafard, le front trempé de sueur.
Gérard, en effet, n'avait fait qu'un bond du toit du wagon, où il avait si extraordinairement rencontré celui qu'il prenait pour Fantômas, jusqu'au cirque.

Le moment était venu pour lui d'aller présenter ses lions au public, mais Gérard s'était entendu avec le régisseur qui faisait une interversion dans l'ordre du programme et le dompteur, profitant de dix minutes de répit, était accouru chez Hélène.

— Fantômas, déclarait-il aussitôt d'une voix étranglée par l'émotion. Fantômas est ici, je viens de le voir, de lui parler, Hélène, prenez bien garde !...

Laissant la jeune fille stupéfaite, sous le coup de cette extraordinaire révélation, le belluaire s'était enfui pour aller présenter ses fauves.

La jeune fille avait encore trois quarts d'heure devant elle avant de descendre aux écuries. La brusque déclaration de Gérard la plongeait dans l'étonnement le plus profond, elle devenait toute pâle, cependant que ses poings se crispaient.

Tout d'abord la révélation de Gérard lui faisait peur, la troublait au plus haut point. Mais grâce à la vieille énergie qui la caractérisait, elle réagissait et la jeune fille, d'une main nerveuse, étreignant le pommeau de sa cravache, grommela :

— Eh bien ! soit, autant maintenant que plus tard !...

Comme elle proférait ce cri de défi, on frappa à la porte de sa loge.

— Entrez ! dit Hélène.

C'était son habilleuse qui se présentait, une vieille américaine du nom de Nelly.

Malgré son trouble, en la voyant, Hélène faillit éclater de rire.

La vieille habilleuse arrivait les bras encombrés de fleurs qu'elle jeta en soupirant sur une petite table placée au milieu de la loge.

— Ah ! mon Dieu ! mademoiselle Mogador, s'écria-t-elle, je crois décidément que vous allez tourner la tête à tous les godelureaux de cette ville. En voilà trois à la fois qui m'ont chargée de vous faire parvenir ces bouquets. Ils demandent tous les trois l'autorisation de vous présenter leurs hommages. Que dois-je répondre ?

La vieille habilleuse était habituée à ces sortes d'incidents. D'ores et déjà elle avait répondu aux galants de façon à leur enlever tout espoir.

Hélène, en effet, par prudence comme par convenance, ne recevait jamais ses visiteurs aux intentions nullement équivoques.

Aussi la brave Nelly fut-elle toute surprise, lorsque l'écuyère lui eut déclaré d'un air jovial et audacieux :

— Eh bien ! ma chère, faites entrer le premier de ces messieurs, et lorsque je sonnerai, vous ferez venir le suivant.

Hélène dès lors jetait un rapide coup d'œil dans la glace qui ornait le fond de sa loge, elle se sourit à elle-même, véritablement elle avait très bon air, gracieusement moulée dans sa robe d'amazone cependant que la perruque brune dont elle recouvrait ses cheveux blonds donnait à son visage au teint clair, aux yeux bleus, une expression énergique et douce à la fois.

Mais ce sourire, Hélène le transforma soudain en un rictus d'inquiétude.

Dans la glace elle avait vu se refléter la silhouette du visiteur que Nelly introduisait dans sa loge. Et, bien que lui tournant le dos, elle voyait s'avancer vers elle un homme élégamment vêtu d'un smoking, portant une fleur à la boutonnière, un homme au visage tout rasé, à la tête énergique, au regard inoubliable, Hélène ne pouvait douter un seul instant. Elle fit volte-face et articula lentement, fixant le nouveau venu dans les yeux :

— Fantômas, vous ici ?

C'était en effet le Génie du crime, qui se présentait ainsi devant la jeune fille, sans masque, sans perruque, tel qu'il était, superbe d'audace et d'indifférence.

Fantômas s'inclinait profondément devant sa fille :

— Moi, fit-il... en effet.

Il esquissait un énigmatique sourire, puis, cherchant à prendre la main de l'écuyère, il ajouta :

— Permets-moi, mon enfant, de te baiser la main.

Mais le bandit reculait soudain, Hélène, sa fille Hélène, avait eu un brusque mouvement d'horreur, presque de dégoût, elle était devenue extraordinairement pâle, cependant que ses yeux jetaient des éclairs !

— Comment, interrogea-t-elle, avez-vous osé vous présenter devant moi et qu'attendez-vous pour partir, pour fuir immédiatement ?...

Malgré son impassibilité et son accoutumance aux choses les plus imprévues, Fantômas demeura quelques instants abasourdi par cet accueil.

Était-ce possible ? sa fille l'accueillait de la sorte, sa fille, hautaine, le chassait ! ah ! certes ! le bandit le savait, et son âme pourtant cruelle avait une sentimentalité excessive dans de semblables occasions, combien sa fille éprouvait une insurmontable horreur pour sa conduite, ses crimes !... Mais jamais Hélène n'avait été aussi dure, aussi rigoureuse avec lui !...

Fantômas pressentait qu'il devait y avoir entre eux quelque chose de formidable comme un abîme qui s'était creusé, mais il ne pouvait savoir ce que c'était et, en même temps qu'il éprouvait une cruelle déception, sa curiosité anxieuse s'énervait.

— Hélène, articula-t-il tendrement, que signifie cet accueil ? Pourquoi me traitez-vous de la sorte ?

La jeune fille demeurait immobile, les yeux baissés, elle eut le temps de considérer Fantômas. Elle semblait calme, mais quiconque aurait observé la crispation, le tremblement de ses mains, se serait rendu compte que les apparences contredisaient la réalité.

Elle répliqua seulement :

— Allez-vous-en ! allez-vous-en ! je ne peux plus vous voir sans que tout se révolte en moi ! fuyez ! fuyez !

Fantômas n'était pas de ceux que l'on renvoie de la sorte. Tranquillement il s'asseyait dans un fauteuil et interrogeait :

— Hélène, ton attitude mérite une explication, je veux savoir pourquoi tu es aussi cruelle avec ton père, tu ne devrais pas oublier que je suis ton père...

Hélène ne bronchait pas, elle répéta simplement les dents serrées :

— Allez-vous-en, misérable !...

Comment Fantômas pouvait-il, désormais, triompher du mutisme entêté de sa fille ?

Une idée machiavélique lui traversa l'esprit et, plaidant le faux pour savoir le vrai, espérant que le mensonge qu'il allait faire déciderait Hélène à lui parler avec sincérité, il articula doucereusement :

— Tu m'en veux donc tant de m'être débarrassé de Fandor ? Hélas ! je n'ai pas pu faire autrement, j'étais en état de légitime défense.

Il avait à peine proféré ces paroles, ce qu'il voyait était si formidable et si inattendu, que le monstre qui n'avait peur de rien trembla de tous ses membres.

Comme une furie, Hélène s'était précipitée sur lui, sur un guéridon voisin, elle avait pris un revolver, elle en braquait le canon sur la poitrine de Fantômas.

— Assassin ! assassin ! hurla-t-elle, vous avez tué... tué Fandor...

Et son autre main, qui avait brusquement lâché la cravache qu'elle tenait, se crispait sur la gorge de Fantômas, l'étreignait à la broyer.

Un instant, le bandit suffoqua, il ne songeait même pas à résister, tant la chose lui paraissait extraordinaire, impossible. Il réagit enfin. Il avait peur de ce qu'il avait vu, peur de l'émotion d'Hélène, peur, non pas d'être tué par elle, mais qu'elle ne se tuât elle-même de désespoir.

S'arrachant soudain à l'étreinte de la jeune fille, Fantômas, suppliant, balbutia :

— Pardonne-moi, Hélène, pardon, j'ai menti... Fandor est vivant, Fandor est libre... Je n'ai pas touché à un seul cheveu de sa tête. Jadis je te l'ai promis... et tu sais que Fantômas tient les paroles qu'il fait à sa fille !...

Les sourcils froncés, Hélène interrogeait :

— Qu'est-il devenu ? où est Fandor ? dites-moi la vérité, la vérité absolue, je veux savoir.

Et si tragique était l'attitude de la jeune fille, que le Génie du crime, auquel nul ne résistait, humblement avoua, comme un écolier pris en faute, comme un coupable que subjugue un juge.

— Fandor est parti pour le Natal où il croyait te retrouver.

Un cri de désespoir, et de joie en même temps, retentit dans la petite loge où se déroulait cette scène tragique.

— Dieu soit loué ! cria Hélène, c'est donc pour cela que je n'ai point de ses nouvelles !...

Fantômas, cependant, espérait avoir gagné les bonnes grâces de sa fille après cet aveu.

— Hélène, supplia-t-il, maintenant que je t'ai dit la vérité, explique-moi ton attitude à mon égard, pourquoi cette haine subite que tu manifestes si brutalement ?... Que fais-tu dans ce cirque ? Que s'est-il passé à Anvers ? Je veux savoir... savoir...

Pour toute réponse la jeune fille esquissait un énigmatique sourire. Elle appuya sur un timbre, quelques instants après Nelly, d'après ses instructions, introduisait dans la loge un jeune homme extraordinairement élégant, de vingt-cinq à vingt-six ans environ, qui, sans s'apercevoir de la présence d'un tiers — car Fantômas demeuré debout s'était reculé dans un angle de la loge —, s'avançait radieux vers la jeune fille.

— Ma chère, mademoiselle, articula-t-il, le visage triomphant, j'ai raison de dire qu'il ne faut jamais désespérer des choses les plus compromises. Hélas ! pour vous que j'aime, je viens de passer par les situations les plus affolantes, mais peu m'importe, j'ai triomphé de votre rigorisme et je vois désormais l'avenir tout en rose, du moment que vous avez bien voulu accepter celles que je vous ai offertes.

Et pour souligner sa plaisanterie qu'il croyait spirituelle, ce jeune homme désignait le bouquet de fleurs qu'il avait envoyé à la jeune fille et qu'il apercevait au milieu des deux autres sur la table de la loge.

Hélène, très pâle, avait écouté les stupides propos de son interlocuteur, oh ! certes ! celui-ci était fort loin de se douter du motif qui lui avait valu d'être, ce soir-là, reçu par Hélène.

Il ne se doutait point que si la jeune fille l'accueillait, c'était uniquement pour rompre le tête-à-tête qu'elle avait avec son père et qu'elle redoutait sans doute de voir se prolonger.

Mais si l'entrée de cet amoureux n'avait pas autrement surpris Hélène, l'apparition de ce jeune homme bouleversait complètement Fantômas.

Car le bandit l'avait reconnu du premier coup d'œil et il était stupéfait de voir élégamment vêtu, ayant des manières d'homme du monde, le mystérieux individu que, quelques jours auparavant, lorsque Fantômas revenait de Spa avec Sonia Damidoff, il avait fait arrêter et qu'ensuite, toujours déguisé en Barzum, il avait été, lui, Fantômas, faire libérer à la prison.

Ce personnage-là, c'était Léopold ! Léopold le voyou qui conduisait l'automobile, Léopold auquel la vieille Nelly, l'instant précédent, avait donné du « monsieur le baron » long comme le bras.

Un instant, le baron Léopold avait jeté un regard ennuyé du côté de Fantômas ; lui aussi eût préféré être seul avec la jeune fille. Toutefois, tenant ce personnage qu'on ne lui présentait pas pour quelqu'un de très négligeable, il reprit sa conversation avec Hélène :

— Il faut battre le fer pendant qu'il est chaud, déclarait-il, une brillante écuyère comme vous, mademoiselle, doit être de celles qui aiment à mener rondement les affaires... Voici ce que je veux vous proposer. Je me sens d'humeur joyeuse, ce soir, et je vous invite à souper à la fin du spectacle...

Fantômas, qui entendait cela, se sentit devenir blême de colère. Il eut un mouvement instinctif pour se rapprocher du jeune homme et souffleter cet impertinent qui se permettait de tenir de semblables propos à sa fille.

Il s'arrêta, se contint cependant. D'autre part, Hélène ne paraissait pas autrement scandalisée par la proposition de ce baron qu'elle avait cravaché quelques jours auparavant ; elle ne répliquait rien, se contenta de lui sourire en silence, d'un sourire fin et indéfinissable qui semblait figé sur ses lèvres.

Elle avait sonné ; la porte de la loge s'ouvrit une troisième fois et désormais on entendit un grand cliquetis de sabre et d'éperons.

Un capitaine de cuirassiers, sanglé dans son uniforme tout blanc, rehaussé de parements d'or, faisait gauchement son entrée dans la loge. Il s'avança d'un pas mal assuré, puis, portant la main à la hauteur de ses sourcils, il salua militairement. Et dès lors, dans un détestable anglais, il déclarait à la jeune fille :

— Mademoiselle, vous êtes une écuyère remarquable et une très jolie femme. Je suis chargé par mes camarades, les capitaines célibataires du

3e régiment de cuirassiers, de vous inviter ce soir à une petite fête toute intime que nous donnons chez l'un de nous. On boira beaucoup de champagne et nous aurons aussi des artistes du théâtre.

Et il soulignait son invitation d'un bon gros rire cependant que, naïvement et très troublé, il humait de son nez écarlate les parfums capiteux qui se dégageaient de la loge de la jeune fille.

Hélène, cérémonieusement, s'inclina devant le capitaine.

— Merci, monsieur, dit-elle, vous êtes vraiment bien aimable...

Puis, malicieusement, elle se tourna vers le baron Léopold qui, d'un air furieux, considérait le grand cuirassier.

— Vous voyez, lui dit-elle en français, que je n'ai que l'embarras du choix.

Cependant, un régisseur passait dans le couloir et il appela :

— Mademoiselle Mogador, en piste... dans trois minutes.

Hélène éclatait de rire, brusquement, d'un rire sarcastique de folle. Et bondissant hors de sa loge, en brandissant sa cravache, cependant qu'elle lâchait brusquement le revolver que jusqu'alors elle avait dissimulé derrière elle :

— A tout à l'heure, messieurs, je vous donnerai ma réponse.

Et elle disparaissait, gagnait les écuries où l'attendait son fougueux cheval.

La loge d'Hélène, cependant, s'était instantanément vidée. Léopold s'élançait à sa suite et le grand cuirassier, embarrassé de son sabre et de ses éperons, faisait de même ; mais de loin. Quant à Fantômas, il laissa partir ces deux ridicules fantoches, ayant fort bien compris que sa fille se moquait d'eux.

Le bandit, toutefois, était soucieux, perplexe, car il se rendait compte que si Hélène tenait en médiocre considération le capitaine et le baron, elle ne les avait fait venir que pour éviter l'entretien que lui, Fantômas, voulait avoir avec elle.

C'était là une de ces roueries de femme contre lesquelles il n'y avait rien à faire, et Fantômas atterré, comme s'il avait reçu un coup de massue sur la tête, quitta à son tour l'étroite petite loge où il venait de passer des instants si surprenants.

Fantômas sortit du cirque où il ne pouvait d'ailleurs pas se montrer dans la partie réservée car, sans cesse, il redoutait d'y apercevoir Juve, qu'il savait désormais être là, sur ses traces, grâce aux déclarations que lui avait faites Sonia Damidoff.

Fantômas, d'ailleurs, préférait rester seul dans l'ombre et réfléchir.

XXIII

Un crime odieux

Au moment où il quittait la loge de sa fille, chassé, presque, par l'écuyère, Fantômas gardait encore des allures mondaines, maintenant sur ses lèvres un vague sourire.

En fait, quelque chose en lui se brisait, il se sentait horriblement triste, épouvantablement las, et lui qui n'avait jamais tremblé avait, en cette minute, peur, non point des hommes, mais de la Destinée.

Pour une fois, Fantômas souffrait, pour une fois, il eût crié miséricorde, pour une fois, il lui prenait un désir d'appeler à l'aide quelque divinité supérieure et secourable.

— Hélène m'a chassé ! pensait-il, Hélène n'a pour moi ni affection, ni tendresse, Hélène !...

Un sanglot l'empêchait de continuer. Pourtant il se redressait encore. Cet homme à la nature énergique, indomptable, violente, ce bandit qui tenait le monde entier sous sa loi, par la peur qu'il inspirait, et que simplement un regard de sa fille suffisait à abattre, trouvait à peine la fierté nécessaire, le ressort voulu pour demeurer en apparence impassible et froid.

Il était tard, tout près d'une heure du matin, le ciel était très bas, lourd de gros nuages accumulés et par moments des rafales de vent, un vent d'orage chaud et tiède, passaient en sifflant dans les branches des hauts peupliers.

Fantômas qui était en habit, avait jeté simplement sur ses épaules un paletot léger dont il n'avait point encore enfilé les manches, se découvrit d'un geste machinal, exposant ainsi son front brûlant à la fraîcheur du vent.

La fièvre était en lui, son cœur battait avec force, il lui semblait que sous son crâne une boule pesante roulait, martelant douloureusement tout son être.

— Hélène m'a chassé, répétait-il, Hélène a fait exprès de ne point vouloir être seule avec moi...

Et, brutalement, à la façon dont il se fût à lui-même porté un terrible coup de poignard, Fantômas s'avouait ce qu'il redoutait être une sinistre vérité :

— Hélène me hait !

Cette seule pensée lui faisait un mal affreux, il ne pouvait plus en ce moment concevoir une autre idée, lui qui aimait sa fille par-dessus tout, lui qui, au milieu des horreurs sans nom qu'il commettait chaque jour, gardait un seul point de son cœur pur, chaste, tendre, et tout dévoué à sa fille, lui qui devait se rendre compte que sa fille le haïssait, qu'elle le méprisait, comme l'univers entier le méprisait.

— Elle me hait !... Elle me hait !...

Fantômas s'éloignait des baraquements, en marchant à grands pas, il avait besoin d'être seul, subitement l'air était devenu étouffant, il haletait, et pourtant il éprouvait comme un secret et instinctif besoin de marcher, d'agir, d'occuper son corps à quelque fatigue pour le soustraire à la hantise de ses pensées.

Fantômas gagna la campagne.

Il fut dans cette nuit orageuse de longues minutes comme un passant mystérieux qui s'en irait tête basse, fonçant dans la nuit, paraissant prêt aux pires folies.

Soudain il s'arrêta :

— Jamais Hélène, proférait-il lentement, ne m'avait ainsi traité avant ce soir. Il faut qu'elle sache quelque chose de nouveau, il faut qu'elle ait appris...

Fantômas ne formulait pas sa pensée, mais une larme perçait sous ses paupières, une larme roulait sur ses joues, qu'il sentait brûlante, qui marquait sa chair d'un trait de feu.

— Ah ! j'ai peur ! j'ai peur !... murmurait le Maître de l'effroi, en se tordant les mains de façon désespérée, j'ai peur de ce que je vais apprendre !...

Que redoutait donc l'Insaisissable ?

A quelle pensées horribles arrêtait-il son esprit ?...

Quel infernal soupçon torturait son âme ?

Cet homme qui était, une seconde avant, faible et abattu comme tous ceux qui souffrent, prenait brusquement un visage impassible, semblait, dans un sursaut, se redresser contre le Destin.

— Je saurai, murmurait Fantômas, je saurai pourquoi Hélène m'a ainsi témoigné, ce soir, l'aversion qu'elle éprouve pour moi...

Fantômas recommença à marcher, il ne fuyait plus toutefois vers la campagne déserte, il avait au contraire rebroussé chemin, il se rapprochait à nouveau de la grande place sur laquelle était édifié le cirque.

Lorsque Fantômas arriva près des tentes, il lui parut que tout dormait, que tout reposait en cet endroit.

Alors, il rôda, serrant les poings, murmurant de sombres menaces, il tourna autour des gigantesques édifices de toile, il se glissa furtif, rapide, invisible presque, sous les estrades de la salle de spectacle.

Cherchait-il donc quelque chose ? quelqu'un ?

Peut-être.

De temps à autre, ses lèvres contractées, ses lèvres qui saignaient sous la morsure de ses dents, articulaient un mot :

— Je saurai, il faudra que je sache...

Fantômas, ayant vainement parcouru les alentours du cirque, s'apercevant que les gardiens effectuant des rondes de nuit commençaient à le remarquer, pourchassé, presque, par les chiens de garde attachés de distance en distance, de redoutables molosses qui grognaient effroyablement à son passage, s'éloigna encore une fois. Il gagnait alors un bois voisin, en pleine broussaille, il découvrait une automobile, une voiture rapide, puissante, cachée là, tous phares éteints.

Fantômas rejeta son paletot, mince, élégant, et le gardénia à la boutonnière, le plastron de chemise blanc, d'une blancheur immaculée au sein de la nuit noire, il s'agita autour de la voiture. Il n'allumait point les phares, mais seulement pour éclairer sa route se servait de deux minuscules lanternes peu susceptibles d'attirer l'attention.

Fantômas mit en route, prit le volant ; doucement, avec le ronronnement des mécaniques de prix, la voiture démarra, recula, puis gagna la route, vira.

On eût dit à cet instant que Fantômas, nouveau Centaure merveilleux, ne faisait qu'un avec sa machine, il ne la conduisait pas, eût-on juré, il se contentait de lui donner des ordres.

La bête d'acier obéissait, svelte, preste, et quand elle fonça dans la nuit, lâchée à sa pleine vitesse, elle avait quelque chose d'un être fabuleux portant un fantastique cavalier, un cavalier en habit noir, qui pleurait, qui ricanait, qui criait par moments au vent, à la nuit, aux échos de la route une douleur insensée.

La course de Fantômas ne durait toutefois que quelques instants.

Comme un cavalier reprend les rênes à sa monture au galop, comme il l'immobilise tremblante, sur ses quatre pattes, pour sauter leste de la selle, Fantômas, d'un coup de frein, bloquait sa voiture, les roues patinaient sur le sol, une embardée trahissait l'élan du véhicule, puis la bête d'acier s'immobilisait, facilement obéissante. Fantômas sautait sur le sol.

Le bandit s'orienta...

— Je ne me suis pas trompé de route, murmurait-il bientôt. Voilà le train. Je le trouverai là, et parbleu, il me dira !...

Fantômas qui s'avançait dans la direction d'une voie de garage — il était près d'une gare de marchandises, sur laquelle stationnait le train de Barzum — interrompit net son monologue. C'était un regard farouche qu'il promenait sur les lieux environnants, un regard terrible aussi.

— On vient..., pensait le bandit. Il faut que je me cache.

Il n'y avait malheureusement nul endroit où se dissimuler.

Le ballast, à perte de vue, apparaissait désertique, dénudé, serti de ses deux rails d'acier.

Le train de Barzum seul se dressait, masse noire, confuse, où s'apercevaient seulement de loin en loin quelques lumières scintillantes.

— Que faire ?... pensa Fantômas.

Il n'hésitait pas longtemps cependant, les pas qui avaient attiré son attention se rapprochaient, le passant qui venait allait l'apercevoir dans quelques minutes, et Fantômas, naturellement, avait un impérieux besoin de ne pas être vu.

Le bandit de tout son long se coucha sur le sol, il fut ainsi une tache sombre, indentifiable, il se mêlait à la nuit, il se fondait en elle.

Alors un drame rapide commença !

L'homme qui venait ne se doutait certainement point que son chemin allait le faire passer à quelques mètres de Fantômas. Il allait sans inquiétude, d'un pas assuré, les mains dans ses poches, sifflotant un air de czarda.

Fantômas, d'abord, n'apercevait qu'une silhouette, puis, il discernait mieux l'allure du passant, une seconde ses yeux se fixèrent sur les pieds de l'inconnu.

— Des bottes, murmurait Fantômas. Il porte des bottes. Serait-ce lui ?

Fantômas, à cet instant, tremblait, il tremblait plus encore lorsque, quelques secondes plus tard, l'homme toujours insouciant, ayant pris une cigarette, s'arrêtait, flambait une allumette, prenait du feu.

A cet instant, la lueur de la brindille de bois éclairait en plein son visage !

Fantômas, d'un bond, fut debout. Il surgissait si brusquement de la nuit que le passant qui, certes, se croyait bien seul, lâchait net son allumette et, dès lors, l'obscurité à nouveau envahissait tout.

— Qui va là ? avait crié l'homme.

Fantômas, sans répondre, s'approcha :

— Holà ! qui va là ? répéta le passant.

Fantômas continua d'avancer :

— Si vous ne répondez pas tout de suite..., cria une voix, je vous préviens que ça tournera mal pour vous !...

C'était une menace, une menace claire, non équivoque.

Un éclat de rire seulement fut la réponse de Fantômas.

Alors la voix de l'inconnu, pour la troisième fois, se fit entendre :

— Homme ou démon, Dieu me damne ! il faudra que je vous regarde à la lumière, mon cher... Que faites-vous près de ce train ?...

Fantômas cette fois répondit :

— Gérard, je t'attendais, c'est moi...

Gérard, car c'était bien le dompteur qui venait ainsi de rencontrer Fantômas, qui le cherchait depuis le commencement de la nuit, Gérard, en entendant la voix du bandit, tressaillit :

— Quoi ? vous encore ? Ah ça ! Fantômas ?...

Mais, à cet instant, Fantômas posait sa main sur l'épaule du belluaire.

— Pas un mot, ordonnait le bandit, pas un geste, j'ai à te parler de choses graves, viens...

— Non, riposta Gérard, je ne viendrai pas. Je t'ai déjà dit, Fantômas, que j'étais devenu honnête homme et que je voulais n'avoir rien de commun avec toi...

Il semblait qu'à ce moment Fantômas tressaillait dans la nuit.

La main que Gérard sentait posée sur son épaule tremblait... Gérard répéta :

— Fantômas, va-t-en, je ne veux pas, moi, ton ancien compagnon, te livrer, mais je te l'ai dit...

— Tu me l'as dit ?... s'écria Fantômas.

— Sans doute, il y a quelques heures, ce soir même...

La voix, à cet instant, s'étrangla dans la gorge du dompteur.

Fantômas qui, jusqu'alors, s'était contenté de tenir l'homme par l'épaule, avait fait un brusque mouvement. Rapide comme l'éclair, il venait de saisir Gérard à la gorge, et fort de ses doigts nerveux musclés, il l'étranglait lentement, sûrement.

— Tu viendras, râla Fantômas. Tu viendras avec moi ; je le veux... je veux savoir.

Le visage bleuissant, les yeux retournés, incapable de crier, perdant connaissance à moitié, Gérard s'écroulait sur le sol.

Alors Fantômas leva la jambe et à coups de talon piétina le visage de l'homme.

— Oh ! misérable, râlait le bandit, si tu savais comme je te hais... Pour la haine que tu as dû faire lever contre moi...

Longtemps, Fantômas frappa de la sorte, il semblait éprouver une horrible jouissance à martyriser ainsi le malheureux dompteur. Il semblait surtout faire un effort violent pour se dominer lorsque enfin il s'arrêtait de frapper.

— L'imbécile ! murmurait Fantômas, il a perdu connaissance.

Le Roi de la nuit, alors, se baissa sur sa victime. Il empoignait le corps de Gérard inanimé, il le jetait sur ses épaules, comme il eût fait d'un paquet. En courant, sans paraître se soucier de sa charge, Fantômas rejoignait son automobile arrêtée, il jetait sur la banquette Gérard, il mettait en route, et, dans la nuit, une course folle recommençait...

Une heure plus tard, alors que l'automobile roulait dans une campagne absolument déserte, Fantômas, qui paraissait sous l'empire d'une hantise effroyable, éclatait de rire.

Sa gaieté démoniaque durait quelques instants, puis, il disait d'une voix qui eût fait frissonner les cœurs les plus intrépides :

— Maintenant je vais savoir, je saurai...

Fantômas arrêta sa voiture. Descendu, il allumait les phares, et haussait les épaules, dédaigneux, indifférent, en s'apercevant que ses souliers, son pantalon, ses vêtements étaient maculés de sang.

— Allons, disait simplement Fantômas, j'ai frappé plus fort que je ne le pensais.

Le bandit quitta l'avant de sa voiture, vint prendre sur le plancher du siège le corps de Gérard qui était tombé là.

— Il est toujours évanoui, disait Fantômas, tant pis ! Je le réveillerai !

Et, comme un refrain sinistre, il ajoutait :

— Je veux qu'il parle, il parlera, je saurai...

Fantômas jeta sur le sable de la route le corps du dompteur. Toujours inanimé, l'homme gisait étendu. Alors Fantômas se baissa, il chercha dans le coffre du marche-pied de sa voiture un bidon d'essence, il en inonda les pieds du dompteur puis, craquant une allumette, il commença de brûler vif le malheureux.

L'horrible douleur réveilla Gérard, un gémissement, un hurlement sortit de sa gorge contractée.

— Au secours ! au secours !

Mais déjà Fantômas avait jeté une couverture sur le corps du malheureux. Après avoir provoqué les flammes, il les étouffait, après avoir risqué la vie de Gérard, il le sauvait au péril de ses propres jours.

Fantômas fut maître du feu en peu de temps. Mais, sous l'empire de la douleur, le malheureux Gérard se tordait sur le sol.

Fantômas le prit aux épaules, indifférent à ses plaintes, insensible à ses gémissements, ne paraissant pas même concevoir l'horreur de ses actes, il tirait l'homme sur l'un des fossés de la route. Fantômas accotait le moribond contre un arbre, il détacha son faux col, donna de l'air à la poitrine haletante de l'agonisant.

Et, de temps à autre, cependant qu'il s'empressait ainsi autour de lui, Fantômas questionnait haletant lui aussi :

— Gérard, m'entends-tu ? me comprends-tu ? Peux-tu me répondre ?...

— Fantômas, râla enfin le supplicié, Fantômas, pourquoi veux-tu me torturer, que t'ai-je fait ? Hier, tu me disais...

Mais Fantômas, à cette minute, s'était laissé tomber à genoux, il penchait son visage pâle, ruisselant de sueur, sur le front torturé du mourant. Une horrible expression de haine était dans ses yeux, il était hagard, il était fou...

— Gérard, tais-toi ! répondit Fantômas. Ce n'est pas moi que tu as vu hier, je ne t'ai jamais parlé, oh ! n'essaye pas de comprendre ; cela n'a plus d'importance pour toi, Gérard, Gérard, tu vas mourir, Gérard... Gérard... il faut que tu me dises la vérité.

Or, à ces paroles, brusquement il semblait que le malheureux Gérard reprît un peu conscience de lui-même.

Comprenait-il ce que Fantômas demandait ?

Savait-il ce que le Maître du sang, de l'effroi voulait à toute force apprendre ?

Devinait-il à quoi l'Insaisissable faisait allusion ?...

Sans doute.

D'une voix qu'il raffermissait, qu'un effort suprême de volonté rendait distincte, Gérard répondit :

— Fantômas, je ne te dirai jamais la vérité. Ce que tu veux savoir, tu ne le sauras pas.

— Alors tu mourras, râla Fantômas.

— Soit ! je mourrai.

— Tu mourras dans d'indicibles tortures.

— Je ne peux pas souffrir plus que je ne souffre, répondait avec un pâle sourire l'agonisant, et puis qu'importe, j'expie... je me rachète !

Un instant alors, entre les deux hommes, une scène abominable s'éternisait.

Penché sur celui qu'il assassinait, le couvant d'un regard de fou, Fantômas semblait vouloir fouiller dans le cerveau de Gérard.

— Ah ! criait bientôt le bandit, il n'est pas possible que tu ne parles pas, Gérard, il n'est pas possible que tu meures en emportant ce secret, ce secret que tu es seul à connaître. Aie pitié de moi... regarde, je t'implore. Fantômas t'implore... Gérard, souviens-toi du Natal... Tu as été mon compagnon, tu me reconnais ?...

Les yeux du blessé devenaient vitreux, ses lèvres se décoloraient, le nez se pinçait, l'agonie était proche.

— Gérard ! Gérard ! râla encore Fantômas. Parle...

Le dompteur, d'une voix si faible que Fantômas l'entendait à peine, répondit :

— Je sais, Fantômas, ce que tu veux savoir, mais je sais aussi que je ne dois point te le dire, car tu serais sans pitié. Fantômas, je te hais, Fantômas, j'étais honnête quand tu m'as connu ; tu me rappelles les plaines du Natal, tu me fais songer à ma patrie, ah ! Fantômas, si tu savais en cette minute avec quelle netteté je revois tous mes souvenirs d'enfance ! tu as été mon mauvais génie, c'est toi qui as fait de moi ce que je suis, un ancien forçat !... un misérable qui se cache !... Fantômas... Fantômas... je me venge, tu ne sauras rien, je ne parlerai pas...

Mais à cet instant, Fantômas se penchait si près du malheureux mourant, qu'il frôlait son visage.

— Si... tu parleras, hurlait-il, il faudra que tu me parles. Oh ! ne te débats point, Gérard, je t'arracherai la vérité... économise-toi la souffrance, allons, dis-moi ton secret. Dis-le moi...

Mais le blessé défaillait... Entendait-il encore le Maître de l'épouvante ? Comprenait-il ses objurgations folles ?

Fantômas se tordit les mains d'un geste désespéré encore.

— Je ne veux pas que tu meures avant d'avoir parlé, faisait-il, en secouant le malheureux agonisant, en le frappant à la face... Entends-moi, je veux te faire souffrir, jusqu'à ce que tu te décides à me répondre...

Des lèvres de Gérard un râle, alors, commença lentement à monter... Par moments il s'atténuait puis il reprenait, plus fort, plus grand, il semblait remplir la nuit, il était faible et pourtant formidable.

— Parle, parle..., ordonnait Fantômas secouant cet homme qui était presque déjà un cadavre...

Le Maître de l'effroi, l'horrible Tortionnaire, avait pris dans sa poche un poignard, il en frappa les bras du mourant.

— Parle, parle... ou je vais encore t'infliger la torture du feu... allons, parle...

Gérard, éveillé par les lancinantes douleurs que lui causaient les piqûres du poignard, supplia :

— Maître, aie pitié de moi !... pardonne-moi, ne me fais pas souffrir...

— Parle donc !

Mais les lèvres du mourant demeuraient encore closes. Alors Fantômas se leva. Comme il l'avait déjà fait, il inonda les pauvres jambes brûlées du moribond avec de l'essence.

Farouche, Fantômas rappelait encore :

— Gérard, cette fois, tu vas mourir, mais tu peux t'épargner de nouvelles tortures, veux-tu parler ?...

— Non.

— Tant pis pour toi...

Il flamba une allumette.

Mais, à l'instant où Fantômas faisait mine de mettre le feu au liquide inflammable, affolé, éperdu de douleur, Gérard l'appela...

On eût dit qu'alors la voix de l'agonisant retrouvait dans la terreur une force nouvelle. C'était distinctement que Gérard parvenait à articuler :

— Fantômas ! aie pitié de moi, je vais parler, je vais dire...

Le Maître de l'effroi se penchait alors vers le moribond.

— Tiens, faisait-il, respire cela : prends des forces...

Il débouchait un flacon plein de sels à l'âpre parfum sous les narines du mourant ; il relevait Gérard, l'asseyait plus confortablement, puis tremblant encore il lui demandait :

— Parle, parle...

Gérard interrogea lentement.

— N'était-ce pas toi que j'ai vu sur le toit du wagon ? N'était-ce pas toi qui voulais me prendre les billets de banque ?...

— Ah ! laisse cela, interrompit Fantômas. Qu'importe ! ... non, ce n'était pas moi !... mais parle, parle...

Et Fantômas joignait les mains !

— Oh ! parle donc, tu vas mourir... avant d'avoir parlé.

Gérard à cet instant fermait les yeux. La souffrance qu'il endurait était horrible, ses jambes brûlées, son sang coulant par cent blessures, l'affaiblissaient terriblement. Il avait grand'peine à rassembler ses idées, il était entre la vie et la mort.

— Fantômas, articula le blessé, je vais te dire ce que tu veux savoir et jure-moi...

Un instant, Gérard se tut...

Une crispation douloureuse contractait son visage.

Allait-il mourir ainsi sans avoir parlé ?...

Fantômas se pencha contre ses lèvres...

Il sembla que la face de l'agonisant alors se calmait un peu, la douleur peut-être faisait trêve, lentement Gérard murmura quelques phrases.

Gérard parlait si bas que Fantômas devait faire un effort suprême pour entendre ses paroles.

Au fur et à mesure cependant que le Maître de l'effroi entendait le récit de l'ancien forçat, de Gérard, sa pâleur augmentait. Fantômas devenait livide, tremblait à son tour, il frissonnait...

Tout comme Gérard souffrait, Fantômas devait souffrir aussi et souffrir effroyablement...

Gérard était torturé par une douleur physique, Fantômas se sentait tenaillé par un abominable désespoir moral.

L'agonisant confia le secret terrible que désirait si fort Fantômas, tout d'une haleine. Il semblait faire appel à ses dernières ressources de vie pour achever son récit, c'était presque indistinctement qu'il terminait par une dernière prière :

— Fantômas, maintenant que j'ai parlé, laisse-moi mourir, laisse-moi mourir en paix.

Mais Fantômas, à cet instant, se redressait :

— Non, disait-il, d'une voix qui tremblait et qui avait quelque chose de douloureux infiniment... Non, il ne faut pas que tu meures encore... Je veux une preuve de ce que tu viens de m'apprendre...

Fantômas tirait de sa poche un portefeuille, il tendait une feuille de papier blanc au malheureux Gérard ; de force, il plaçait dans ses mains son stylographe...

— Écris, commandait-il, écris tout cela.

— Je ne peux pas.

— Écris ou je te torture.

Fantômas soulevait par les épaules sa victime, il lui communiquait une suprême énergie.

La main blanche, exsangue du dompteur se raidit sur le porte-plume. Visiblement Gérard faisait un effort suprême ; lentement il traçait quelques mots.

Alors qu'il n'avait encore écrit qu'une phrase, une convulsion le tordait, un spasme révulsait ses yeux, crispait sa bouche... Une bave sanglante coulait déjà de ses lèvres, le râle le reprenait.

— Mon Dieu, gémit Fantômas, il ne pourra pas tout écrire !...

Fantômas s'était penché cependant sur le papier où l'écriture zigzagante de Gérard s'apercevait, avec des yeux de folie, Fantômas lisait ces mots :

Je reconnais avoir assassiné...

Alors le bandit, de force, ramenait la main du moribond sur le papier.

— Signe, disait-il.

Et la bouche à la hauteur de l'oreille du mourant, Fantômas hurlait.

— Signe... signe...

Gérard acheva péniblement son paraphe.

Et, comme Fantômas se saisissait du papier pour examiner cette signature, le dompteur tombait à la renverse tout de son long sur le sol, un instant encore son corps palpitait, puis, il semblait que ses membres se raidissaient, qu'une dernière convulsion tordait ses lèvres...

Dans la nuit un cri suprême monta.

Gérard était mort.

Vingt minutes plus tard, le corps du malheureux dompteur reposait au fond d'un fossé, dissimulé sous un amas de branchages.

Fantômas venait de remettre en marche son automobile, très pâle, pleurant sans même chercher à dissimuler ses sanglots, vaincu par le désespoir. Fantômas fonçait dans la nuit noire, vers de sombres destins !

XXIV

Aveux d'assassin

Cette même nuit, au moment où Fantômas était en train d'assassiner, avec sa férocité coutumière, le malheureux dompteur Gérard, un personnage, qui n'était autre que Juve, se glissait furtivement à l'intérieur du train de Barzum, et, longeant le couloir, cherchait à deviner qui pouvait se trouver endormi dans les divers compartiments.

Juve avait revêtu, ce soir-là, comme la veille, un sinistre déguisement. Il était en habit, il portait le loup noir, ses mains étaient gantées de noir, il incarnait bien à nouveau, avec la plus parfaite ressemblance, la silhouette fantastique et légendaire du terrifiant Fantômas.

Mais pourquoi Juve s'était-il à nouveau grimé ?

Que faisait-il à pareille heure dans le train de Barzum ? qui cherchait-il ?... Pourquoi, de temps à autre, d'un mouvement instinctif et presque machinal, s'assurait-il qu'à l'intérieur de sa poche son browning se trouvait tout armé, prêt à faire feu ?

Juve, bien entendu, n'avait point de mauvais desseins. Simplement, il cherchait à réaliser un plan de conduite, arrêté au cours de la journée. Juve avait été naturellement fort intrigué par l'entretien mystérieux qu'il avait eu, se faisant passer pour Fantômas, avec le dompteur Gérard !

Juve s'était parfaitement rappelé le rôle joué, il y avait de cela plusieurs années aux plaines du Natal, par l'individu qui était devenu le premier dompteur de Barzum. Il s'était souvenu à merveille que Gérard était un ancien lieutenant de Fantômas, qu'il avait connu le bandit et peut-être servi sous ses ordres, à l'époque où Fantômas était Gurn, où il arrivait au pays boer, où il avait par conséquent sa fille, cette Hélène, autour de laquelle tant d'intrigues sombres se mêlaient et s'emmêlaient sans cesse.

Gérard sans doute avait cessé toute relation avec Fantômas ! Sans doute, il apparaissait bien que l'ancien forçat, rompant avec sa vie passée, était devenu un homme honnête, cela n'empêchait pas toutefois que la coïncidence était étrange, qui voulait que Gérard fût réuni dans un même train avec la fille de Fantômas devenue la fiancée de Fandor, et peut-être avec Fantômas lui-même, car plus il réfléchissait aux mystérieux événements dont il était témoin et plus Juve se persuadait que le Maître de l'effroi ne devait pas leur être étranger, qu'il était sans doute dans le voisinage, qu'il rôdait autour de sa fille, caché peut-être même dans le train de Barzum.

Juve et Gérard avaient, en somme, longuement causé. D'abord, Juve avait pensé en voyant les billets de banque tachés de sang, dans les mains du dompteur, que celui-ci devait être le véritable assassin du malheureux Anglais Harrysson et de Vladimir, ambassadeur de Hesse-Weimar.

Juve, toutefois, grâce à son flair subtil, avait vite cru pressentir qu'il se trompait, en considérant Gérard comme un assassin. Pour lui répondre, Gérard avait trouvé des mots qui semblaient sincères, des accents qui paraissaient partis du cœur, le dompteur s'était défendu vis-à-vis de Juve qu'il prenait cependant pour Fantômas, avec une ardeur violente, une franchise exaspérée.

— Diable ! s'était dit Juve, au moment où il avait quitté Gérard, diable de diable ! on dirait que je me trompe et que ce Gérard est innocent...

Juve avait rendu les billets, mais cependant fort habilement avait trouvé moyen de ne pas les rendre tous.

Juve avait gardé l'un de ces bank-notes, plus taché de sang que les autres et sur lequel la trace d'un pouce, très nette, s'était imprimée.

Une telle pièce à conviction était naturellement aux mains du policier une arme terrible, un puissant moyen d'investigation.

Juve passait toute la journée à étudier en détail cette trace sanglante, à la mesurer, à la photographier, à la reproduire de diverses façons.

A minuit seulement, Juve arrivait à une conclusion, et cette conclusion, il se la criait à lui-même, encore qu'elle lui fût désagréable, avec la sincérité dont il faisait toujours preuve.

— Je me suis trompé, disait Juve, ce n'est point Gérard qui a laissé là une trace sanglante, ce n'est point lui qui a tué, Gérard est innocent !

A cet instant, le policier comparait minutieusement l'empreinte du billet de banque avec une autre empreinte, celle du palefrenier Léopold qu'il avait tout simplement relevée, sans en parler à personne, sur la serrure ouverte frauduleusement de la cage de la panthère.

L'empreinte du billet de banque était nette, facilement identifiable ; celle obtenue sur la serrure, était, hélas ! confuse, vague, à demi effacée. Juve, toutefois, était troublé ! Il lui apparaissait bien qu'un rapprochement devait être fait entre les deux traces et il n'était pas loin de trouver à ce rapprochement une importance singulièrement terrible, une signification particulièrement probante.

A une heure du matin, Juve, brusquement, interrompit ses recherches.

— J'en aurai le cœur net, disait-il, je verrai Gérard, je le questionnerai, il faudra bien qu'il se décide à me dire ce qu'il sait, tout ce qu'il sait, car il doit en savoir long.

Sur le point de sortir de sa chambre, Juve hésitait cependant.

Devait-il se présenter en Juve à Gérard ? devait-il au contraire tenter à nouveau de lui apparaître en Fantômas ?...

Le policier, qui ne faisait jamais rien à la légère, réfléchissait longuement, avant de prendre un parti. Une simple réflexion le décida.

— Si je me présente à Gérard en Juve, pensait-il, c'en sera définitivement fait pour moi d'être Fantômas à ses yeux. Si, au contraire, j'arrive en Fantômas, rien ne m'empêchera de me démasquer, et de prouver que tout Fantômas que je parais être, je suis en réalité Juve...

Juve, fort de ce raisonnement, se grimait donc consciencieusement et c'est pourquoi, tard dans la nuit, il se glissait dans le train de Barzum, cherchant Gérard, décidé à avoir avec lui un suprême entretien, à en obtenir coûte que coûte la vérité.

Juve n'était pas heureux dans ses recherches puisque le malheureux Gérard avait été tué la veille par Fantômas. Il trouvait naturellement la cabine du dompteur vide ; cela lui faisait froncer les sourcils :

— Oh ! oh ! pensait Juve, est-ce que par hasard mon homme se méfierait ?...

Et il venait à l'esprit de Juve une foule de soupçons nouveaux.

Gérard, effrayé des questions qui lui avaient été déjà posées, n'avait-il pas pu prendre la fuite ?... S'il était coupable, n'était-il pas fort raisonnable d'imaginer qu'ayant été découvert maniant les billets de banque représentant le produit du vol, il avait jugé bon, le lendemain, d'abandonner le train de Barzum ?

Juve, brusquement, se reprit à réfléchir et haussa les épaules.

— Allons ! se disait-il, faisant effort pour s'arracher à ses propres pensées, allons... je me conduis comme un imbécile... j'ai travaillé tout cet après-midi pour arriver à cette conclusion que l'empreinte sanglante des billets de banque n'est pas celle de Gérard, et voilà que je recommence à soupçonner cet individu, pour la seule raison qu'il n'est pas chez lui...

« ... Que Gérard ne soit pas dans sa loge, pensait encore Juve, cela n'a d'ailleurs pas une bien réelle signification !... Depuis que le cirque est à Cologne, bon nombre d'artistes ont transporté leur domicile dans des hôtels de la ville, où ils jouissent évidemment d'un confort supérieur...

Juve se fit donc ce raisonnement qu'il était fort possible pour Gérard que, la représentation terminée, il fût rentré, non pas au train, mais à l'hôtel...

— J'en serai quitte pour chercher mon homme plus longtemps, pensa le policier.

Il lui venait d'ailleurs, au même moment, une autre pensée : qui prouvait que Gérard n'était pas, en quelque autre endroit du train, occupé, par exemple, à bavarder avec un camarade ?

Et, soudain, Juve se disait encore ;

— Parbleu ! il est fort possible que Gérard soit avec Hélène !...

Précautionneusement, prenant grand'garde de ne pas faire le moindre bruit, prêt à battre en retraite au moindre indice suspect, Juve se glissait le long du train.

Malheureusement, plus le policier avançait, plus il longeait le train, et plus il devait se convaincre que ses précédentes suppositions étaient invraisemblables.

Il n'y avait, à coup sûr, personne chez Hélène, dont la loge était plongée dans l'obscurité. Peu d'artistes veillaient, d'autre part, à une heure si tardive, et Juve se rappelait subitement que le dompteur, voulant être toujours à même de surveiller ses bêtes féroces, ne descendait jamais en ville.

— Où diable peut-il être ?... pensait alors Juve.

Et, pour la vingtième fois, bien qu'il voulût chasser ce soupçon, Juve songeait que Gérard, peut-être, avait fui.

Le policier, lassé d'une recherche vaine, était à ce moment arrivé tout à l'extrémité du train, à la hauteur des compartiments formant les appartements réservés à Barzum. Il allait rebrousser chemin, s'éloigner, lorsqu'un événement qui était à craindre et qui pouvait avoir les plus graves conséquences se produisait à l'improviste.

A moins de deux mètres de Juve, une porte s'ouvrait, quelqu'un demandait, une voix de femme :

— C'est vous ?...

Puis, étonnée de ne pas entendre de réponse, la même voix reprenait :

— Qui va là ?... répondez donc, voyons...

Juve, bien entendu, n'avait garde de satisfaire à une pareille question ; au moment où la porte s'ouvrait, il avait en grande hâte éteint sa petite lampe électrique de poche, puis, désireux de passer inaperçu, si la chose était possible, s'était plaqué contre la muraille.

Il restait encore là, fort gêné, fort ennuyé de l'aventure, n'osant risquer un mouvement et se demandant comment cette rencontre allait finir, lorsque, brusquement, son interlocutrice tournait un commutateur électrique, illuminait le couloir.

— Pristi ! pensa Juve, en fronçant les sourcils, cela va tourner mal pour moi... d'autant que je suis si bien grimé en Fantômas qu'il y a beaucoup de chance que...

Juve pensait vite, point assez vite, pour devancer un mouvement de son interlocutrice.

La femme qui venait de rencontrer à l'improviste le policier grimé en bandit n'avait pas, en effet, tourné le commutateur, n'avait pas aperçu Juve, qu'elle joignait les mains, dans un mouvement de stupéfaction et d'effroi :

— Oh mon Dieu ! disait-elle, quelle imprudence ! toi, Fantômas ? toi ici ?...

Et Juve n'était pas revenu de sa stupéfaction — car il était fort stupéfait en reconnaissant la femme qui s'adressait à lui pour être Sonia Damidoff —, que l'élégante Russe, le prenant par le bras, l'attirait de force presque dans sa propre chambre :

— Fantômas, disait Sonia, en se serrant amoureusement contre Juve, j'ai peur ce soir, j'ai peur de toi... Pourquoi es-tu venu au train ?... pourquoi as-tu mis ton masque ?... Ce n'est pas moi que tu prétendais voir ?...

Juve eût à cet instant donné beaucoup pour ne point être comme il l'était, en galant tête-à-tête avec la princesse Sonia Damidoff !

— Oh ! oh ! pensait le policier qui gardait un farouche silence pour réfléchir plus à son aise, oh ! oh ! tant que Sonia verra en moi Fantômas, cela ira bien... mais si jamais elle devine que je suis Juve, cela pourrait se gâter !

Et, dans l'espoir d'éviter une pareille mésaventure, Juve se creusait la tête consciencieusement, pour inventer une ruse, qui lui permît de se débarrasser de la jeune femme.

Tandis que le faux Fantômas réfléchissait ainsi, Sonia, cependant, continuait à l'accabler de questions :

— Pourquoi es-tu si sombre ? demandait-elle, pourquoi ne me réponds-tu pas ?... t'ai-je donc froissé l'autre jour ? ai-je encouru ta colère ?... ne m'as-tu pas retrouvée, Fantômas, amoureuse comme jadis, et comme jadis folle de toi ?... ne t'ai-je pas dit ?...

Juve, à ce moment, devenait tout yeux et tout oreilles.

— Ah ça, pensait-il, est-ce que le hasard va me mettre sur une piste intéressante ? est-ce que Sonia va m'apprendre où est Fantômas ?... car il est incontestable, ses paroles mêmes me le prouvent, que cette damnée créature l'a rencontré récemment !...

Sonia, malheureusement, n'avait nul besoin de parler à Fantômas d'événements qu'elle supposait être aussi bien connus de lui que d'elle. La Russe cherchait au contraire à deviner, et cela de la meilleure foi du monde, comment il se faisait qu'elle venait de rencontrer à sa porte, à trois heures du matin, Fantômas, qui, elle le croyait, aurait dû être cette nuit-là fort loin !

La jeune femme, brusquement, frémit :

— Oh ! faisait-elle en s'éloignant d'un geste rapide de Juve, avec une terreur qui n'était certainement pas feinte... Oh ! que je suis sotte et que tu me fais peur !... j'ai compris, Fantômas, pourquoi tu es là... je devine ce que tu venais faire à ce train ; mais non... non, je ne le veux pas... il ne faut pas que cela arrive... fais-lui grâce pour moi, je t'en prie, fais-lui grâce...

Juve, à cet instant, songeait qu'il lui fallait, coûte que coûte, répondre.

Mais que dire, en vérité, à cette femme qui le prenait pour un autre, et qui, par le fait d'une malchance regrettable, s'obstinait à l'entretenir d'événements qu'il ignorait totalement ?...

Juve, brusquement, prit un parti :

— Allons-y, songeait-il, puisque je suis Fantômas par le fait du hasard, restons Fantômas jusqu'au bout... et conduisons-nous comme se conduirait le Maître de l'effroi...

Juve, qui, jusqu'alors, au travers de son loup noir, n'avait cessé de fixer Sonia Damidoff, haussa les épaules et, se croisant les bras, marcha vers la jeune femme :

— Sonia, ma chère, vous êtes folle, disait-il d'une voix qui imitait assez bien la voix du Maître de l'épouvante... qu'imaginez-vous encore ?...

Mais Sonia Damidoff joignait toujours les mains, tombait à genoux :

— Fantômas, Fantômas, disait-elle, ne le tue pas... il n'a rien fait, en somme... je te jure qu'il ne fera jamais rien... s'il faut que j'obtienne de Barzum son renvoi, je l'obtiendrai facilement. J'en suis persuadée... mais ne jalonne pas encore ta route d'un nouveau cadavre, ne verse pas un sang qui ne saurait être d'aucune utilité.

— Au diable Sonia Damidoff ! pensait toujours Juve, est-ce qu'elle n'arrivera pas à me nommer l'individu qu'elle s'imagine être menacé de mort par moi ?

Juve voulut rompre les chiens :

— Sonia, ma chère, répétait-il, vous êtes trois fois folle... et votre imagination vagabonde... d'abord, que croyez-vous au juste ?... de qui me demandez-vous la vie ?...

Sonia Damidoff, d'un rapide mouvement se relevait, les mains en avant, pâle, frémissante, ayant l'air d'écarter d'elle une horreur sans nom, elle répétait :

— Fantômas, je vous demande de ne pas tuer Gérard... Fantômas, je supplie celui qui fut mon amant hier, qui le sera aujourd'hui, qui le sera demain, qui le sera toujours quand bon lui semblera, d'épargner un pauvre homme, qui n'a qu'un tort, c'est d'aimer votre fille... Fantômas, vous voulez tuer Gérard, parce que vous savez qu'il veille sur Hélène, je ne connais pas vos desseins, mais je pressens que cet homme est un innocent, et qu'il ne mérite en rien le sort que vous voulez lui faire subir... Fantômas, je ne vous ai jamais rien demandé, et je vous demande la vie de Gérard...

A ce moment, et comme le Fantômas qui était Juve pâlissait terriblement sous sa cagoule, car il commençait à se demander si l'absence de Gérard n'avait pas cette explication tragique, comme Sonia Damidoff répétait : « Faites grâce pour moi », un bruit retentissait dans les salons voisins.

— Mon Dieu ! gémissait Sonia Damidoff, voici quelqu'un qui vient... Barzum rentre peut-être, sauve-toi, sauve-toi...

Rapide, Sonia Damidoff avait bondi jusqu'à la porte de sa chambrette, elle poussait un minuscule verrou mis là par sa prudence, toujours en éveil.

— Sauve-toi Fantômas, sauve-toi, je ne pourrais laisser cette porte longtemps fermée, si par hasard...

— Soit, répondit Juve... soit, je m'en vais... Il ne me plaît pas, en effet, ce soir, de rester le maître ici...

Juve avait un sourire gouailleur, ricanait presque, il imitait vraiment à merveille les allures impérieuses de celui dont il avait pris l'aspect !

Sonia Damidoff cependant le poussait vers le couloir du train, l'accompagnait jusqu'à une porte donnant sur le ballast.

— Sauve-toi, Fantômas, répétait la jeune femme.

Et lentement, à regret, elle interrogeait encore :

— Mais tu me promets la vie de Gérard, n'est-ce pas ? Tu épargneras ce malheureux ?

— Si je le puis..., répondait le faux Fantômas.

Sonia Damidoff tendait son front, Juve y déposa un respectueux baiser.

— Fantômas... maître... tu reviendras...

Juve ne pouvait évidemment s'engager, il trouvait une réponse pleine d'astuce :

— Je reviendrai, Sonia Damidoff, à mon heure...

La princesse, cependant, était à peine rentrée dans le train, avait à peine disparu dans l'ombre propice du couloir, regagnait ses appartements, s'apprêtait à rejoindre Barzum, qui, sans doute, devait s'étonner de trouver fermée la porte faisant communiquer son salon avec la chambre réservée à Sonia, que Juve, demeuré seul, se glissait sous le train, et là, s'étendant dans un coin d'ombre, commençait à songer !

Juve avait fait bonne figure, gardé un flegme suffisant quand il s'était trouvé en face de la mystérieuse grande dame russe. Il avait pu, grâce à un prodigieux sang-froid, retenir toute exclamation de surprise, en apprenant que Sonia Damidoff était, à nouveau, devenue la maîtresse de

Fantômas, en obtenant ainsi la certitude de la présence de Fantômas dans les environs du train.

Il lui avait encore fallu une réelle volonté pour maîtriser son émotion lorsque Sonia Damidoff, le prenant pour Fantômas, lui avait dit :

— Ne tue pas Gérard...

Si la princesse russe, en effet, lui avait adressé cette prière, si elle l'avait supplié d'épargner la vie du dompteur, c'était assurément que Fantômas nourrissait à l'égard de Gérard les plus sombres desseins.

Et cela faisait frémir Juve !

Quelle effroyable intrigue devait-il encore deviner pour comprendre ce nouveau mystère ?... Quelle était réellement la part de Fantômas dans les tragiques événements qui se succédaient ?

Quel rôle avait joué Gérard dans l'assassinat d'Anvers ? Pourquoi avait-il les billets de banque volés à Harrysson et à Vladimir ?... pourquoi pouvait-il avoir à redouter la vengeance de Fantômas ?...

Ah certes, Juve eût compris bien des points demeurés mystérieux, dans toutes ces sombres affaires qu'il étudiait, s'il avait su qu'à ce moment même Fantômas, après avoir forcé Gérard à parler, tuait impitoyablement le dompteur, roulait son corps dans un fossé, et, sanglotant, fou de désespoir, fonçait de toute l'allure de sa voiture automobile dans la nuit obscure !...

Juve, cependant, ignorait cela ; s'il frissonnait en se demandant pourquoi Gérard n'était point dans le train et ce qu'avait pu devenir le dompteur, il lui était impossible de deviner que l'ancien forçat était, à l'heure actuelle, mort.

Que faire d'ailleurs ? Comment orienter l'enquête ?... que chercher au juste ? qui interroger de préférence ?...

Les confidences de Sonia Damidoff avaient jeté le trouble dans l'âme de Juve et le policier, sérieusement inquiet, hésitait fortement sur la conduite qu'il devait tenir désormais !

Or, tandis que Juve réfléchissait ainsi, tandis qu'accoté à l'essieu de l'un des wagons il méditait profondément, Juve croyait surprendre tout près de lui un bruit mystérieux, comme un glissement, comme le frôlement d'un objet pesant, que l'on aurait traîné sur le sol.

— Qu'est-ce encore ? pensa Juve, déjà sur la défensive, armé de son revolver, prêt à repousser toute attaque...

Quelques secondes après, le cœur lui battait très fort. Tout près de lui, il apercevait, ou croyait apercevoir, car la nuit noire était plus noire encore auprès des wagons, un homme qui, lentement, avec d'infinies précautions, rampait sur le sol, avançait dans sa direction.

Juve, à cet instant, serra les dents, eut une rapide pensée pour tous ceux qu'il aimait, pour Fandor, qui à cet instant décisif était loin, si loin qu'il ne pourrait même pas se douter du danger couru par son ami.

Que pensait donc Juve ?

Oh ! le policier n'hésitait pas !

En un instant, il inventait un dramatique incident : Sonia Damidoff avait dû, depuis qu'il l'avait quittée, recevoir la visite de Fantômas, le Maître de l'effroi avait ainsi appris la méprise de sa maîtresse ; Fantômas n'avait pas été long à deviner qu'un seul homme pouvait avoir osé se grimer pour lui ressembler, Fantômas avait dû deviner que Juve était sur ses traces, et c'était Fantômas qui, se jetant à sa poursuite, l'ayant découvert sous les wagons, avançait au-devant de lui, prêt sans doute à livrer bataille, prêt à un ultime combat !

Les minutes étaient tragiques, les secondes semblaient longues interminablement.

— C'est bien, décida Juve en lui-même, homme contre homme, la lutte est égale, Fantômas ou moi ne sortirons pas vivants d'ici.

Le policier se gardait d'ailleurs de faire le moindre mouvement, il conservait une parfaite immobilité, au contraire ; il pensait que Fantômas devait le croire endormi, il voulait le duper, surprendre celui qui désirait l'attaquer à l'improviste !...

Juve ne bougea point, jusqu'au moment où l'homme fut tout juste à un mètre de lui : brusquement, alors, Juve sortit de l'ombre et à genoux, car, étant sous le wagon, il lui était impossible de se redresser, il cria d'une voix nette cependant qu'il saisissait son browning :

— Halte-là... Qui êtes-vous ?...

Juve, en même temps, s'apprêtait à se jeter de côté. Il s'attendait à ce que Fantômas, d'un bond, se jetât traîtreusement sur lui, le poignard en avant. Juve fut stupéfait ; à son interrogation, un cri, cri d'angoisse, cri de surprise, cri d'homme affolé, lui répondait seulement.

— Qui va là ? répéta Juve.

Mais l'homme s'était redressé, il se faufilait sous les wagons, il voulait s'enfuir. Juve, bien entendu, ne lui en laissait pas le loisir. Derrière l'étrange noctambule, que son cri venait de mettre en déroute, le policier se précipitait, il rejoignait l'homme en quelques secondes, il le saisissait par le bras, le renversait sur le sol, et, sans que l'autre eût seulement le temps de se défendre, l'immobilisait, définitivement.

Juve, alors, tirait de sa poche sa lampe électrique, projetait des rayons de lumière sur le visage de son prisonnier.

Qui allait-il voir ?

Au moment où Juve allumait sa lampe l'homme arrêté balbutiait, abasourdi :

— Fantômas ! c'est Fantômas !...

Juve, non moins surpris de son côté, interrogeait son prisonnier, un inconnu pour lui. Mais l'homme terrifié avouait sans peine sa personnalité.

— Léopold ! articulait-il, je suis le palefrenier Léopold !...

Vingt minutes plus tard, une scène étrange se déroulait en pleine campagne, à faible distance du train, au centre d'un grand champ de blé, où, tenant Léopold par le bras, Juve venait de se rendre...

Le mystérieux baron tremblait de tous ses membres, mais cependant considérait avec admiration le policier.

— Maître, demandait le faux palefrenier, puis-je parler ?

Juve, à cet instant, se mordait les lèvres.

— Ah ça ! pensait-il, voilà encore une méprise qui s'annonce. Cet individu me prend pour Fantômas, et ce qui est plus fort me reconnaît pour Fantômas...

Impérieusement, jouant son personnage, Juve répondit :

— Parle, que veux-tu ?

— Maître, je rêve de faire ta connaissance depuis de longues années... répondait le baron Léopold, en s'animant au fur et à mesure qu'il parlait... Maître, je t'ai reconnu tout de suite... Maître, je me doutais que tu étais dans le voisinage du train... des événements tragiques se sont passés, où l'on devinait ta main... des crimes ont été commis, qui ne pouvaient être commis que par toi... Maître, tu sais sans doute que j'ai été chassé du cirque, où je faisais la cour, pour passer le temps, à une sotte écuyère... Maître, maître, si je suis revenu ici, c'est précisément que j'avais hâte de te rencontrer enfin, d'être enfin admis à te présenter mes hommages...

Juve, à cet instant, éclatait de rire, toujours pour imiter Fantômas.

— Vraiment, raillait-il soudain, et pourquoi donc rêvais-tu de me rencontrer ?

— Maître, pour demander à devenir ton lieutenant.

— Peste ! railla Juve.

Mais l'intonation gouailleuse de ses paroles échappait au baron Léopold.

— Pour te dire aussi, continuait le faux palefrenier, qu'il faut que tu prennes garde... Barzum a appelé Juve... Juve va arriver ou est là... Ah ! sans doute, tu es plus fort que Juve, Fantômas, et tu n'as pas à redouter cet imbécile de policier, mais, enfin...

Juve interrompit d'une voix sèche, vexé un peu :

— Je suis plus fort que Juve ? c'est entendu, mais enfin tu as raison de me prévenir, rien ne dit qu'un jour Juve ne sera pas mon vainqueur !

Mais à cette affirmation, continuant à faire sa cour, le baron Léopold haussait les épaules :

— Oh ! Fantômas, disait-il, tu veux rire... assurément, non. Jamais Juve ne te vaincra... et cela, tu le sais mieux que moi...

Puis il changeait de ton, il déclarait à nouveau :

— Tu es Fantômas, le Maître de l'effroi, le Roi de la terreur, l'Empereur du crime, tu es Fantômas, au-dessus de tous et au-dessus de tout ; je t'admire, je te vénère, je te respecte comme je ne respecte personne au monde... Fantômas, voudras-tu de moi pour être ton très humble, très modeste, mais très dévoué serviteur ?...

Juve, à cette question, se sentait légèrement embarrassé. Les événements se succédaient avec une telle rapidité, les aventures les plus fantastiques, les hasards les plus extraordinaires, venaient dérouter ses calculs.

Que devait-il dire ?

Quel parti devait-il prendre ? Quelle ruse inventer ?

Juve fut net et précis :

— J'aime, disait-il, ta demande, mais tu dois savoir que je n'accueille point ainsi à la légère ceux qui désirent servir sous mes ordres. N'est pas qui le veut, le complice de Fantômas... quel titre as-tu pour invoquer ma protection ?...

Le baron Léopold, âme étrange en vérité, aventurier sinistre, cachant sous le masque d'un homme du monde les pires aspirations, répondit tout d'une haleine, avec une fierté horrible !

— Maître, je ne suis point le premier venu... maître, je suis digne de servir sous tes ordres, j'ai déjà fait mes preuves... écoute : ici, j'ai voulu voler Barzum et Sonia Damidoff... ici, j'ai encore dépouillé les artistes de leurs objets les plus précieux... ici encore, j'ai réussi à dérober la clé de la cage des bêtes fauves... ici enfin...

Juve haussa les épaules, et feignant un suprême dédain, alors qu'il était, au fond, fort intéressé par toutes ces déclarations, répondit :

— Ce sont là de bien petits exploits. Un vol n'est pas chose rare, un larcin me fait rire.

Mais déjà le baron Léopold l'interrompait :

— Fantômas, disait-il avec précipitation, tu te hâtes trop de me juger et de me condamner... écoute... Je ne suis point seulement un voleur, je suis un assassin... J'ai eu le baptême du sang, j'ai tué... c'est moi qui ai fait le crime d'Anvers, c'est moi qui ai réussi à assassiner Harrysson.

Or, à cet instant, Juve, tout frissonnant en entendant cet aveu, fait d'un ton enthousiaste et fier, se posait un effroyable problème de conscience :

— Je suis déguisé, pensait-il, en Fantômas... c'est en tant que Fantômas qu'il m'est donné d'entendre ces horribles aveux... c'est par surprise, par ruse, que je surprends la bonne foi de cet homme... il croit parler à Fantômas et c'est à Juve qu'il parle, dois-je profiter de cette méprise ?... dois-je arrêter cet homme qui est un criminel ?... il a tué Harrysson, il s'en vante... Mais qu'est devenu le prince Vladimir ? L'aurait-il assassiné aussi ?...

Juve se débattait en cet angoissant problème moral, lorsque le baron Léopold le suppliait encore :

— Tu sais maintenant, Fantômas, disait-il, qui je suis et ce que je veux... J'ai eu confiance en toi... Je ne t'ai rien caché, tu peux avoir confiance en moi, me veux-tu ?

Juve, lentement, se méprisait, se forçait à écouter la voix de sa conscience :

— Écoute, répondait le policier, posant sa main lourdement sur l'épaule du misérable, écoute-moi bien, et comprends-moi bien... Tu m'as, en effet, témoigné de la confiance, tu m'as parlé avec franchise, soit... je veux te récompenser de cette franchise, Léopold, je ne veux pas de toi parmi mes lieutenants, je n'en voudrai jamais. Mais voici autre chose : tu m'annonçais tout à l'heure la venue de Juve, je t'ai laissé parler, car je voulais savoir ce que tu valais au juste. Je suis renseigné maintenant, à mon tour de t'apprendre ce que tu ne soupçonnes pas.

Juve, à cet instant, faisait une pause. Il y avait de la grandeur dans l'avertissement qu'il donnait ainsi à Léopold, il y avait là comme une preuve nouvelle de toute sa loyauté, de toute son honnêteté.

— Léopold, reprenait le faux Fantômas, tu vas immédiatement t'en aller... franchir la frontière... fuir... aller n'importe où, loin d'ici. Le plus loin d'ici... Léopold, tu cours dès aujourd'hui le plus terrible des dangers, car écoute-moi bien, Juve sait tout... Juve sait que tu es l'assassin d'Harrysson. Juve n'aura de cesse qu'il ne t'ait arrêté, loyalement, honnêtement...

Il y avait dans les paroles du faux Fantômas une signification secrète, que le baron Léopold ne pouvait entendre.

Tel était cependant le ton dont s'était servi Juve, que le misérable ne se trompait pas à la gravité de ses propos.

Juve savait tout ! Juve était sur sa piste ! Juve le connaissait pour un assassin ! Le misérable perdit la tête.

— Fantômas ! Fantômas ! criait-il, ah ! par pitié ! si Juve me sait coupable, ne m'abandonne pas... Tu es plus fort que lui, prends-moi sous ta sauvegarde, protège-moi...

Mais Léopold voyait celui qu'il prenait pour Fantômas secouer lentement la tête :

— Je ne suis pas plus fort que Juve, déclarait le policier, je ne saurais te protéger contre lui, va-t-en... quelque jour tu comprendras que je te donne en ce moment le seul conseil que je puisse te donner...

Et, comme s'il eût voulu accentuer plus encore l'importance de ses paroles, Juve, brusquement, arrachait sa cagoule, sa face pâle, énergique, volontaire, apparaissait au baron Léopold.

— Regarde-moi bien, criait Juve, regarde-moi bien, et ne te trouve jamais sur ma route !

Il prononçait ces paroles avec une si sombre énergie, une colère si froide, une rage si contenue, que le baron Léopold qui ne connaissait ni le physique de Juve ni celui de Fantômas, puisqu'il n'avait jamais vu le sinistre bandit, ni le grand policier, devenait très pâle, ne répliquait point.

Le misérable jetait à Juve un regard de haine — il ne pardonnait sans doute pas à celui qu'il prenait toujours pour Fantômas de le repousser —, puis il s'enfuyait, disparaissait dans la campagne.

Juve, une heure plus tard, était encore dans le champ de blé, couché de tout son long, sombre, triste, réfléchissant.

— J'ai fait mon devoir, pensait le policier, il n'est point permis, j'imagine, à un honnête homme comme moi, d'user d'une action vile pour vaincre une crapule comme cet individu, mais que ce devoir m'a été pénible !... comme j'étais tenté de lui sauter au collet, de le terrasser, de le traîner jusqu'au poste !

Or, comme Juve réfléchissait ainsi, brusquement, il se redressait, bondissant sur ses pieds :

— Qui va là ? qui vive ?

Autour de lui, faisant cercle, des hommes se dressaient qui le couchaient en joue :

— Qui vive ? répéta Juve.

En allemand, on lui répondit :

— Pas un mouvement ou vous êtes mort...

Juve n'était pas encore remis de sa surprise, qu'il avait soudain l'explication du mystère : derrière ces hommes, derrière ces gens de police, un personnage se tenait, qui criait sans s'avancer :

— Tuez-le donc, morbleu ! c'est Fantômas, vous dis-je... tuez-le donc, je vous en donne l'ordre...

Juve, alors, éclata de rire. La nouvelle méprise dont il était victime, la plus tragique certes, lui apparaissait soudain amusante au possible.

Quel était, en effet, le personnage qui l'accusait d'être Fantômas, qui incitait les gendarmes à le tuer ?

Oh ! Juve n'avait pas besoin de le regarder deux fois.

L'homme qui se dressait à quelque distance, c'était le baron Léopold, c'était l'individu qu'il avait gracié généreusement quelques instants avant, et qui, regrettant sans doute sa confession, l'aveu qu'il avait fait de son crime, persuadé qu'il l'avait fait à Fantômas, avait été donner l'alarme au poste, ameuter les gendarmes, qui maintenant les excitait contre celui qu'il prenait toujours pour le bandit.

Juve, tranquillement alors, jetait son revolver.

Les mains en l'air, pour bien marquer ses intentions inoffensives, et ne point risquer d'essuyer un coup de feu, Juve s'avançait vers le cercle de ses assaillants.

— Puis-je parler au chef du détachement ? demandait-il tranquillement.

Un officier s'avança. Il braquait sur Juve un revolver de gros calibre, au moindre geste du policier, il eût fait feu !

— C'est moi, déclarait-il, que voulez-vous, Fantômas ?...

— Je veux, riposta Juve, que vous preniez vous-même dans ma poche mon portefeuille, que vous y consultiez mes papiers...

Tout bas, il ajoutait, de façon à n'être entendu que de l'officier :

— Lieutenant, il y a méprise, vous êtes tombé dans un piège, je suis le policier Juve, et l'homme qui vous a amené vers moi est un assassin contre qui vous avez un mandat d'arrêt, que vous devez livrer à la Hesse-Weimar, c'est l'assassin de l'ambassadeur Harrysson, son nom est Léopold.

La surprise de l'officier était à ce moment extrême. Lentement, le soldat dévisageait Juve ; les traits du policier célèbre ne lui étaient pas absolument familiers, cependant, de nombreuses photographies universellement reproduites avaient un peu fixé dans la mémoire de l'Allemand la martiale physionomie du grand détective, il doutait encore, mais il était légèrement ébranlé dans sa conviction d'avoir devant lui Fantômas. En entendant l'affirmation de Juve, il hésita un peu, puis, toujours l'arme au poing, finit par accéder à son désir.

L'officier fouillait donc le faux Fantômas, il n'avait pas de mal à trouver dans le pardessus de Juve le portefeuille de ce dernier. Il l'ouvrait, et immédiatement apercevait la carte de police reproduisant la physionomie de Juve, de l'homme qu'il avait devant les yeux. L'officier, dès lors, était absolument convaincu. Et, en un instant, la scène changeait.

Le lieutenant de gendarmerie se tournait, en effet, vers ses hommes :

— Gardes, ordonnait-il, emparez-vous de cet assassin, au nom de l'empereur, qu'on l'arrête !...

Mais ce n'était pas Juve que l'officier désignait aux gendarmes, c'était le baron Léopold !...

Quelques minutes plus tard, comme le prisonnier, encore ébahi, était conduit à la salle de force du poste de police, Juve passait près de lui.

Toute la vengeance du policier se résumait à une phrase ;

— Baron Léopold, déclarait froidement Juve, il ne faudra jamais plus prétendre que Fantômas est plus fort que Juve !... et surtout, dans l'avenir, il vous faudra toujours écouter les conseils que vous donne Juve... je vous avais dit de fuir, vous êtes revenu, tant pis pour vous... la patience humaine a des limites et je n'ai pu, cette fois, laisser échapper un assassin...

Sans répondre, affolé, le prisonnier baissait la tête...

XXV

En tête à tête

Tandis que Juve se débattait ainsi, tout d'abord au milieu de scrupules de conscience et ensuite réussissait à faire son devoir de policier, en arrêtant le meurtrier de sir Harrysson, au sein de la nuit noire, terrassé par l'aveu mystérieux que lui avait fait son ancien lieutenant Gérard, Fantômas, longtemps, longtemps, marchait à une allure de fou, paraissant hors de lui, ne se rendant point compte seulement du chemin qu'il suivait...

Gérard était mort à trois heures du matin, c'était seulement à l'aube naissante, lorsque au lointain des collines une clarté blafarde commençait à naître, que le bandit redevenait calme, maître de lui, et se reprenait à réfléchir.

Instinctivement alors, Fantômas diminuait sa vitesse. Il cessait d'accélérer sa voiture, il roulait avec sagesse, bientôt même il s'arrêtait.

L'extraordinaire nature de celui que le monde entier appelait le Maître de l'effroi était faite de telle sorte, que Fantômas pouvait brusquement passer de l'énervement le plus fou à une maîtrise complète de ses nerfs et de ses sentiments !

A peine son automobile avait-elle stoppé, que Fantômas sautait sur la route et, se promenant de long en large, marchant vite, tête basse, éprouvant encore un secret besoin de mouvement, d'action, cherchait quelle devait être sa conduite.

Un quart d'heure, une demi-heure, une heure passèrent.

Fantômas réfléchissait toujours, par moments, il tirait de sa poche la feuille de papier sur laquelle Gérard, agonisant, avait tracé quelques mots. Fantômas alors blêmissait, il serrait les dents, il se mordait les lèvres, une rage nouvelle semblait le secouer.

— Dire que cela est vrai ! murmurait-il, dire que ce Gérard ne m'a point menti ! dire que les plus chers espoirs de ma vie !...

Puis il se domptait encore, repliait la feuille de papier, la serrait dans son portefeuille, et, marchant plus vite, il se reprenait à réfléchir.

Fantômas, soudain, eut un cri de rage.

— Par tous les dieux ! jurait-il, étendant les bras en un geste tragique, vers le globe rougeoyant de soleil qui montait à l'horizon, par tous les dieux ! rien n'est perdu encore... un lutteur comme moi ne doit pas se laisser abattre... s'il faut batailler, je bataillerai... s'il faut tuer, je tuerai, mais ce secret périra avec moi, moi seul saurai, puisque l'autre, ce Gérard qui savait, est désormais muet pour toujours !...

Au moment même hélas ! où il prononçait ces paroles, Fantômas avait un terrifiant froncement de sourcils.

Des larmes à nouveau perlaient sous ses paupières.

— Et Hélène, murmurait-il, sait-elle ce que je sais ?... Gérard lui a-t-il dit ?...

Sous l'empire de ses réflexions, le bandit s'était arrêté net, à côté de son automobile, il passait sa main sur son front moite, il s'abîmait à nouveau dans une sombre méditation.

— Hélas ! pensa le Maître de l'épouvante, Gérard et Hélène se connaissaient au Natal, et je suis même certain qu'ils se sont reconnus ici, dans ce maudit cirque. Hélas ! hélas ! Gérard a dû lui parler !

Sur les lèvres du bandit, une horrible imprécation montait alors :

— Oh ! ce mort, disait-il, comme je le hais !... comme je voudrais le torturer encore !... comme je voudrais me venger du mal qu'il m'a causé !...

Fantômas paraissait, en effet, en proie à une nouvelle et démoniaque fureur, il évoquait devant ses yeux l'image du malheureux Gérard, dormant désormais un éternel sommeil, dans l'abandon de la campagne déserte !

Mais la pensée de ce qu'il avait fait ne le désarmait point, il n'éprouvait nul remords du nouveau crime qu'il venait de commettre, il ne concevait point l'ignominie de sa cruauté. Bien au contraire, il se désespérait à la pensée que ce Gérard, ce Gérard qu'il haïssait si fort, était désormais à l'abri de ses atteintes, mort, et jouissant de l'impunité suprême que confère le trépas.

Fantômas cependant venait de le dire lui-même : l'action lui était nécessaire, il était impossible à cet homme, qui avait courbé toujours les êtres et les choses sous sa volonté, de ne point lutter, de ne point se battre, lorsqu'un obstacle se dressait sur sa route !

— Avant tout, disait-il, sortant enfin de sa rêverie, il faut que j'apprenne ce qu'Hélène peut savoir...

Fantômas avait un grand geste de lassitude, de défi aussi.

Qui l'aurait vu lever un poing menaçant vers la voûte céleste, eût compris qu'il défiait Dieu lui-même ! Qui l'aurait vu promener sur la campagne déserte un regard froid et cynique, eût deviné qu'il menaçait les hommes, la nature, le monde entier !

— Allons ! murmurait-il bientôt, j'ai encore une carte dans les mains, il faut que je la risque, jouons notre jeu jusqu'au bout.

Il semblait qu'une fièvre s'emparait alors du bandit, Fantômas se précipitait vers sa voiture, c'était d'un geste nerveux qu'il saisissait la manivelle, qu'il mettait le moteur en marche. Bien qu'il fût extraordinaire conducteur, les engrenages de changement de vitesse hurlaient, cependant qu'il manœuvrait pour virer sur place.

Dix minutes plus tard, lancée à nouveau, lancée à toute vitesse, la voiture bondissait sur la route, dévalait les côtes, sautait au sommet des rampes, courait vers le lointain inconnu.

Fantômas avait viré et revenait donc dans la direction du cirque Barzum, il lui fallait pour cela suivre à nouveau la route qu'il avait longée toute la nuit, lors de son furieux accès de désespoir. Il devait repasser à l'endroit où il avait tué Gérard, un autre aurait frissonné en voyant cette place sinistre, un autre eût été glacé d'épouvante à la pensée de repasser si près du cadavre du malheureux dompteur, de ce Gérard qui gisait abandonné à moins de vingt mètres du chemin !

Fantômas, lui, ne détournait même pas la tête ; impassible, anxieux, mais calme, il poursuivait sa route, préoccupé, semblait-il, par une seule idée fixe : aller vite, le plus vite possible !

Pendant la nuit, cependant, Fantômas avait marché fort longtemps. Il avait dû, de plus, s'arrêter à plusieurs reprises pour se ravitailler ; si vite qu'il allât, Fantômas, après avoir dépassé le champ où Gérard dormait son dernier sommeil, ne parvenait à la gare des marchandises, où stationnait le train de Barzum, qu'aux environs de quatre heures de l'après-midi !

Mais pourquoi Fantômas revenait-il en ces lieux ?... Pourquoi, après avoir assassiné Gérard, poussait-il l'audace jusqu'à réapparaître dans les environs du cirque où, sans doute, la disparition du dompteur était déjà connue ?

Fantômas devait avoir arrêté un plan de conduite, il avait dû opter pour une ruse suprême ; il n'était pas, en effet, homme à agir à la légère, et, s'il était là, c'était évidemment qu'il importait qu'il y fût !...

A peu de distance de la gare de marchandises, le Maître de l'épouvante fit stopper sa voiture. Il prenait alors dans le coffre un long pardessus qu'il revêtait et qui dissimulait son habit de soirée tout couvert de poussière, un feutre mou aux bords rabattus voilait un peu son visage. Ainsi habillé, presque masqué, il s'avançait sans hâte.

Fantômas gagnait les abords immédiats de la voie de garage sur laquelle était immobilisé toujours le train spécial ; parvenu à quelque distance cependant du convoi, le terrifiant bandit profitait de l'abri des broussailles pour examiner les environs.

— Oh ! oh ! disait-il simplement.

Ce que voyait Fantômas pouvait, en effet, le surprendre : c'était autour du train, désormais, un remue-ménage ardent, une allée et venue perpétuelle de manœuvres portant et tirant de lourds fardeaux.

Fantômas ne se trompait point sur la signification de cette activité dont il était témoin.

— J'arrive à temps, pensait-il, à coup sûr la tente doit être repliée, ce sont les derniers bagages que l'on charge, Barzum va transporter ses pénates ailleurs... le train partira ce soir.

Quelques minutes encore, Fantômas observait le pittoresque désordre des gens du cirque s'affairant aux derniers préparatifs. Un sourire, alors, montait jusqu'à ses lèvres, sourire froid et ironique.

— Les circonstances me servent, pensait le bandit, parmi tous ces gens, je pourrai passer inaperçu...

Fantômas fit un détour ; par un sentier courant le long du ballast, il atteignait le train. Là, marchant vite, tenant des papiers à la main, bousculant les ouvriers qu'il rencontrait et se donnant habilement l'apparence d'un employé exécutant un ordre quelconque, il passait, avançait, se mêlait à la foule, en ressortait bientôt pour sauter lestement sur le marchepied conduisant aux dernières voitures du convoi.

Où allait Fantômas ?...

A peine parvenu à l'intérieur des longs wagons affectés aux loges d'artistes, Fantômas, sans hésiter, s'orientait, se dirigeait vers la cabine de Gérard...

Il poussait alors un soupir de soulagement en constatant que cette cabine demeurait fermée, close par les rideaux baissés. Nul ne s'agitait aux alentours, personne ne paraissait la surveiller.

— De mieux en mieux ! murmura Fantômas. On doit croire que Gérard est sorti ou qu'il sommeille ; en tout cas, personne n'a l'air de s'être aperçu de sa disparition.

Le bandit, d'un dernier regard, s'assura qu'on ne l'épiait point.

Tranquille alors, il mettait la main sur la poignée de la porte, il l'ouvrait et se jetait à l'intérieur de la cabine de Gérard.

Fantômas, toutefois, n'était pas entré dans cette loge, qu'un nouvel énervement s'emparait de lui.

— Vite, vite, murmurait-il, je suis en ce moment à la merci du plus futile incident, si jamais quelque camarade venait éveiller le dompteur, je serais pris ici comme dans une souricière...

Il se livrait, en parlant, à la plus étrange besogne. D'une étagère, Fantômas prenait une photographie, la photographie de Gérard qu'il posait droit devant lui sur la table à maquillage du belluaire.

Fantômas alors se dépouillait de ses vêtements ; demi-nu, il allait s'asseoir devant les pots de fards de sa malheureuse victime et, tranquillement, prenant la photographie de Gérard comme modèle, il se faisait la tête de celui qu'il avait tué.

Fantômas était vraiment un merveilleux acteur et vraiment il possédait de façon surprenante l'art subtil du maquillage. Il lui fallait à peine une demi-heure pour se transformer de façon méconnaissable. Le brou de noix noircit son teint à la façon du teint de Gérard. Un peu de crépon, une barbe savamment taillée, lui composaient une longue et fine moustache. Quelques coups de crayon gras, une ride habilement dessinée du bout d'un bouchon brûlé, une perruque, et la ressemblance était presque complète.

— Allons, souriait le bandit qui avait apporté un soin extrême à son travail, je crois que, désormais, on pourrait s'y tromper.

Il achevait son déguisement de la façon la plus simple ; au porte-manteau de Gérard, des vêtements traînaient dont Fantômas n'avait qu'à s'emparer. Il prit un pantalon de velours, chaussa des bottes, se coiffa d'un chapeau mou, ajusta sur ses épaules la veste à brandebourgs noirs du dompteur.

— Tout à fait bien ! constata Fantômas, comparant l'image que lui renvoyait une glace avec la photographie du belluaire qui lui avait servi de modèle, voici un Gérard présentable !

Fantômas pourtant, minutieusement, achevait de se maquiller.

Il changeait avec une précision scrupuleuse la forme de ses sourcils qu'un coup de crayon noir allongeait. Sur le front, un blanc gras lui dessinait bientôt les cicatrices d'un coup de griffe.

Désormais, il était vraiment devenu un Gérard merveilleux, nul, à moins d'être prévenu, n'eût pu se douter de la supercherie.

Fantômas se contempla sans mot dire quelques instants, dans la glace, c'est seulement lorsqu'il s'était minutieusement examiné, lorsqu'il avait minutieusement étudié son maquillage, qu'il se décidait à cesser de se grimer.

— Je n'ai plus rien à faire ici..., disait-il, et j'ai tant à faire là-bas...

Fantômas cachait ses propres vêtements sous le lit de l'artiste, puis affectant une démarche traînante, imitant encore l'allure du belluaire, se rapprochait de la porte de la loge.

— Je suis devenu Gérard, disait soudain d'un ton farouche Fantômas... Gérard est l'ami d'Hélène, je vais aller, en Gérard, voir ma fille... Il faudra bien qu'ainsi, je pense, je découvre si Gérard a réellement parlé à Hélène !

Et c'était en effet le plan fou d'audace, merveilleux de témérité, auquel s'était arrêté le bandit.

Fantômas était revenu au train pour s'y grimer en Gérard, il voulait avant tout savoir si le dompteur avait confié à sa fille Hélène le secret qu'il avait lui-même surpris sur les lèvres du mourant.

D'un geste sûr, sans que le moindre tremblement pût donner à penser qu'il s'effrayait de l'audace de sa tentative, Fantômas ouvrait la porte de sa loge.

Que désormais quelqu'un remarquât un détail extraordinaire dans sa tenue, qu'un soupçon traversât l'âme de quiconque et c'en était fait de lui !

Fantômas, cependant, était sans crainte.

Il avait si grande confiance en sa propre habileté, qu'il avait la persuasion d'abuser à coup sûr tout le personnel du cirque.

Au moment, cependant, où sorti de la loge du dompteur Fantômas suivait le couloir se dirigeant vers celle de sa fille, une voix le hélait.

C'était celle de Charley, le secrétaire de Barzum :

— Ah, vous voilà enfin, Gérard ! criait-il avec exaspération, eh bien ! ne vous pressez pas, mon ami... On vous a cherché partout aujourd'hui...

— Que me voulez-vous ? demanda Fantômas, imitant à la perfection l'accent hollandais du mort dont il tenait la place.

Charley, toujours éloigné au bout du couloir, cria :

— Ce que je voulais, ah ! vous en avez de bonnes, par exemple ! mais sapristi, est-ce que vous ne savez pas par hasard que les lions et les panthères de Hambourg sont arrivés ?

— Eh bien ?

— Eh bien, naturellement, il faut s'occuper de les faire débarquer du wagon et de les faire passer dans les cages ; nous partons ce soir, que diable ! allons, dépêchez-vous... occupez-vous de cela.

— C'est entendu ! répondait le faux Gérard.

Il allait faire un pas, désireux de s'éloigner, mais Charley déjà le rappelait.

— Non ! non ! criait le secrétaire de Barzum, ne fichez pas le camp... que diable ! Quand vous disparaissez, on ne sait plus quand on vous revoit... Allez tout de suite vous occuper de vos pensionnaires ; vous savez où il sont ?...

— Ma foi non.

— Dans le dock, en face.

Charley tendait la main, désignait un grand hangar élevé à quelque distance de la voie sur laquelle se trouvait le train.

— Vous trouverez vos bêtes dans le fond. La grande cage est sur le sol, la petite cage est tout contre, faites immédiatement le transfert, j'enverrai des hommes d'équipe charger les deux cages dans un quart d'heure.

Charley, cette fois, pivotait sur ses talons, allait s'éloigner, brusquement il se retournait :

— Au fait, un bon conseil, Gérard, criait-il, méfiez-vous... Barzum m'a prévenu qu'il y avait une tigresse réellement dangereuse... soyez prudent... hein ?

Fantômas, qui avait pâli, haussait les épaules :

— N'ayez crainte, ce n'est pas encore elle qui me mangera !

Charley, cependant, venait d'être abordé par un contremaître, qui lui présentait des papiers à signer.

— Oh ! oh ! pensa Fantômas, il en a pour dix minutes au moins à rester ici maintenant... Si je ne veux pas attirer son attention, il faut que j'aille vite dans la direction des bêtes féroces.

Fantômas, à ce moment, d'ailleurs, n'avait, bien entendu, nullement l'intention de transférer les fauves comme l'ordre venait de lui en être donné, il pensait tout simplement détourner l'attention du secrétaire de Barzum puis, quand celui-ci se serait éloigné, revenir vers sa fille, la confesser, aviser ensuite.

Ce plan, malheureusement pour le bandit, devait être déjoué.

Quand, pour tromper la surveillance de Charley, Fantômas arrivait au hangar qui lui avait été montré, lorsqu'il s'approchait des bêtes farouches, qui bondissaient à l'intérieur des cages, il avait la désagréable surprise de trouver là, travaillant à charger des wagons, d'autres employés du cirque.

L'un d'eux le saluait au passage :

— Ah ! vous voilà, monsieur Gérard, vous venez vous occuper de vos nouveaux pensionnaires ? eh bien bon courage ! il y a une tigresse, vous savez, qui n'a pas l'air commode aujourd'hui !...

Fantômas arrivait en effet auprès des cages non sans effroi... il observait les quatre lions, les trois tigres noirs dont il était chargé d'assurer le transfert.

— S'il me faut véritablement entrer dans cette cage, pensa Fantômas, j'ai grand chance de n'en pas sortir vivant...

Et, à la même minute, il frissonnait car il se rappelait soudain qu'en quittant ses propres vêtements pour prendre ceux de Gérard, il avait oublié son revolver, son couteau-poignard, toutes ses armes.

Que faire cependant ?

D'un rapide coup d'œil, Fantômas se rendait compte que les employés du cirque cessant leur travail le considéraient avec curiosité...

— Si je recule, pensa le Maître de l'effroi, ces gens vont être étonnés, ils donneront l'alarme... Qui sait les conséquences qui peuvent naître de leur surprise.

Délibérément alors, Fantômas décidait de tenir jusqu'au bout le rôle de Gérard, d'entrer dans la cage des bêtes fauves.

La manœuvre à laquelle devait se livrer le soi-disant dompteur était d'ailleurs facile à comprendre ! Comme l'avait dit Charley, deux cages énormes étaient côte à côte. La première, de petites dimensions, était vide. Dans la seconde, plus vaste au contraire, se trouvaient les bêtes fauves.

Il fallait faire sortir tigres et lions de la grande cage, il fallait les pousser dans la petite, les y enfermer, et cela pour qu'il fût possible de les charger à nouveau sur les wagons du train spécial.

Fantômas, lentement, fit le tour des grillages.

Il se rendit compte de la façon dont il devait opérer ! La grande et la petite cage étaient appuyées l'une contre l'autre. La petite cage avait deux portes ; il fallait entrer par l'une, traverser la cage, ouvrir une autre porte située contre la porte de la grande cage, entrer dans cette dernière, faire peur aux bêtes fauves, les chasser devant soi dans la petite cage, les y enfermer enfin...

Fantômas comprit tout cela en un instant. Il comprit aussi cette vérité certaine qu'il se répéta tout bas :

— Je n'ai pas l'habitude des fauves, je ne connais aucun des procédés des dompteurs, j'ai pour le moins soixante chances sur cent de laisser ma vie dans cette aventure.

Il fermait les yeux une seconde, évoquait l'image de sa fille, de cette Hélène qu'il voulait à toute force entretenir grimé en Gérard, et pour l'amour d'elle, pour qu'il ne pût y avoir aucun doute sur la véracité de son personnage, sans hésiter, il ouvrit la porte de la petite cage, entra dans la logette où, peut-être, son sang allait couler.

Fantômas, soigneusement, fermait alors la porte derrière lui.

Il était, quelques secondes plus tard, près de la grande cage, il y entrait, blême, frissonnant en s'apercevant que les lions et les tigres tapis sur eux-mêmes le fixaient avec des yeux de feu, semblant prêts à se jeter sur lui à la moindre défaillance.

Que faire ?

Lentement encore, Fantômas avançait.

Il traversait tout au large la grande cage et c'était seulement quand il était à l'un de ses angles, appuyé contre les barreaux de fer, qu'il se retournait brusquement, ouvrant les bras.

Les lions, à cet instant, se levèrent, deux tigres sur trois se glissèrent vers lui en rampant.

— Qu'une seconde j'hésite..., pensa Fantômas, et ils se jettent sur moi !...

Il ouvrit brusquement les bras, claqua ses mains.

Or, à ce geste, les fauves bondissaient en arrière.

— Sauvé, pensa Fantômas, je suis sauvé...

Il avança d'un pas, chassant encore les bêtes féroces...

Deux lions déjà, devant ses bras ouverts, mais fuyant surtout la puissance magnétique de son regard, avaient quitté la grande cage pour passer dans la petite.

Il put encore, quelques instants, tenir en respect les bêtes fauves, il put chasser devant lui les trois tigres et les deux autres lions, et il échappait ainsi au plus terrible des trépas...

Fantômas heurta encore ses mains :

— Arrière, là !...

Il venait de parler, pensant intimider de la voix ses fauves, il commettait, hélas ! la plus terrible des imprudences !...

En entendant la voix humaine, il semblait, en effet, que les bêtes fauves devenaient plus furieuses. L'un des lions répondait par un hurlement farouche... Un autre, ramassé sur lui-même, retroussait ses babines, reniflait bruyamment, semblait aspirer quelque odeur de carnage.

— Arrière ! répéta encore Fantômas, levant les bras pour effrayer les bêtes...

Mais ce dernier cri le perdait ! Il eut brusquement la vision d'un corps souple qui sautait en l'air, fondait sur lui.

— La tigresse noire ! gémit Fantômas.

Encore un cinquième de seconde, et il allait être broyé !...

Le Maître de l'effroi ferma les yeux, attendit la mort. Puis, tandis qu'un cri retentissait : « Tenez bon ! », une détonation sèche éveillait les échos du hangar. Fantômas ouvrait les yeux juste à temps pour voir, sanglante, la tête fracassée, la bête fauve rouler à ses pieds.

Qui avait tiré, cependant ?...

Fantômas pensait tout d'abord aux ouvriers qui l'avaient aperçu quelques instants avant, il tourna la tête dans leur direction, mais ils n'étaient plus là...

Il avait d'ailleurs peu de temps pour réfléchir... effrayés par la détonation, par le sourd grondement de la panthère atteinte, les autres animaux s'étaient enfuis, rugissant terriblement, au fond de la petite cage.

Fantômas, alors, entendait quelqu'un entrer à côté de lui dans la cage des bêtes féroces. On bondissait vers la porte de la petite cage, le loquet retombait... Fantômas était sauvé ! il était sauvé, certes, et pourtant il poussait un cri d'angoisse, un cri d'horreur, un cri de stupéfaction.

Devant lui, Fantômas voyait enfin l'homme qui faisant feu de son revolver avait massacré la panthère, l'avait sauvé de la mort !...

Et cet homme, Fantômas en reconnaissait la silhouette légendaire !...

Il portait un habit noir, il était ganté de noir, il avait sur le visage un loup noir...

Oh ! cette silhouette d'horreur, cette silhouette lugubre, cette silhouette fameuse, Fantômas n'avait pas besoin de la regarder à deux fois pour la reconnaître ; en une seconde il l'identifiait, c'était *sa* silhouette. Oui, c'était *sa* propre silhouette... L'homme qui venait de le sauver, c'était lui... ou plutôt il lui ressemblait étrangement. Fantômas criait son nom, son propre nom... saisi d'un effroi satanique...

— Fantômas ! oh ! Fantômas !

Qu'était devenu Juve ?

Et pourquoi Juve, car bien entendu c'était le policier qui apparaissait aux yeux du faux Gérard, pourquoi Juve se trouvait-il là, survenu si opportunément pour sauver le bandit ?

Léopold arrêté, Juve ayant fourni toutes les explications voulues tant sur son identité que sur les aveux qu'il avait reçus du palefrenier-baron, Juve s'était hâté de quitter le poste de la gendarmerie et de revenir au train de Barzum.

Juve avait hâte, en effet, de rencontrer Gérard, de savoir au moins ce qu'il était advenu du dompteur.

La nuit précédente, en effet, Juve avait appris de Sonia Damidoff, qui le prenait pour Fantômas, que Fantômas avait l'intention de tuer Gérard. Coûte que coûte Juve voulait empêcher ce crime.

Revenant au train cependant, Juve devait naturellement se convaincre que le dompteur n'était point de retour.

Que faire dans ces conditions ?...

Patiemment, Juve décidait d'attendre.

Demeurant grimé en Fantômas, il se cachait sous un hangar de marchandises où il avait vu arriver des bêtes féroces.

— Si Gérard revient, se disait Juve, et s'il est en vie, il reviendra avant ce soir puisque le train part ce soir, il lui faudra fatalement se dépêcher vers le hangar de ses bêtes fauves pour s'occuper de leur transfert...

Juve raisonnait juste, très juste, il le croyait du moins, puisqu'à six heures du soir il le voyait, avec quel soupir de soulagement, Gérard approcher des cages.

Quel était ce Gérard ?

C'était Fantômas !

Juve était loin de s'en douter !

Le policier, en apercevant celui qu'il prenait pour le dompteur, avait eu tout naturellement l'intention de l'aborder, mais alors, une réflexion le retenait.

A quelque distance, se trouvaient des ouvriers, il n'était évidemment pas nécessaire de leur apparaître en Fantômas, car c'était en Fantômas que Juve, tout d'abord, voulait questionner le dompteur.

Maîtrisant donc encore une fois son impatience, Juve avait laissé celui qu'il prenait pour Gérard entrer dans la cage aux bêtes féroces, se contentant de surveiller de loin ses mouvements, et pensant l'aborder quelques instants plus tard, lorsqu'il aurait achevé son travail.

Les événements s'étaient précipités.

De loin, Juve avait vu la panthère bondir, il avait eu l'intuition du danger couru par le dompteur désarmé... Juve, alors, donnait une nouvelle fois une preuve suprême de son adresse ; armé de son revolver, il tendait le bras, visait, faisait feu, une seconde après Juve croyait avoir sauvé la vie de Gérard et avait, en réalité, sauvé la vie de Fantômas !

C'était à cet instant que Juve était entré dans la cage, pour verrouiller les bêtes fauves, c'était à cet instant que Fantômas, l'apercevant devant lui, hurlait, saisi de stupeur par sa propre silhouette :

— Fantômas ! Fantômas !

Trois minutes après le coup de feu, qui avait si opportunément abattu la tigresse noire, à l'instant où elle sautait sur le belluaire, le faux Fantômas, c'est-à-dire Juve, se trouvait avec le faux Gérard, c'est-à-dire Fantômas, dressés l'un et l'autre souriants, inquiets cependant dans la solitude du hangar désert.

— Fantômas ! avait crié le faux Gérard.

Juve avait répondu d'un autre nom :

— Gérard ! Gérard !

A cet instant hélas, les situations n'étaient pas égales ! Juve était naturellement victime du déguisement de Fantômas, dans la pénombre du hangar, il lui était difficile de soupçonner un déguisement, le faux Gérard était bien, pour lui, le vrai Gérard !...

Il n'en était pas de même, au contraire, pour Fantômas !

Celui-ci avait pu être stupéfait en se voyant sauver par un Fantômas, mais évidemment, il lui fallait bien comprendre que ce Fantômas était un faux Fantômas, puisque ce n'était pas lui !...

Le bandit, jouant la comédie et cherchant à ruser pour reconnaître l'identité de celui qui avait l'audace de prendre son allure, sa silhouette légendaire, comme déjà quelques mois auparavant l'acteur Dick l'avait fait, adressa la parole à son sauveur [1] :

— Fantômas, disait le faux Gérard à Juve, tu m'as sauvé la vie...

Juve haussait les épaules, ripostait tranquillement :

— Gérard, ne parlons pas de cela, hier tu m'accusais de t'avoir abandonné, d'avoir fait le malheur de ta vie, je te prouve aujourd'hui que tu as été injuste à mon égard et voilà tout !...

Or, à cet instant, il parut à Juve que les regards de Gérard se fixaient, attirés comme malgré eux, sur un objet situé à quelque distance.

— Gérard, que regardes-tu ? demanda Juve.

— Rien... rien...

Le faux Gérard avait répondu avec un grand calme, mais déjà Juve avait surpris ce qu'il observait.

— Oh ! oh ! demanda le policier avec une intonation singulière, pourquoi me mentir ?... Tu regardais mon revolver, n'est-ce pas ? Je l'ai jeté par terre, comme tu le vois, au moment où je me suis précipité à ton secours.

Le faux Gérard, à cet instant, ricana :

— Tu entrais donc dans la cage complètement désarmé ?...

— Ce n'était pas le moment de réfléchir..., répliqua Juve.

Et le policier continuait :

— Mais laissons de côté cet incident tragique, Gérard, je venais te voir pour exiger de toi la vérité. Connais-tu Léopold ? Réponds-moi, je le veux... Savais-tu qu'il était coupable du crime d'Anvers ?...

Le faux Gérard avait reculé de trois pas ; le policier eut l'impression qu'on le toisait :

— Qu'est-ce que cela peut te faire ? demandait le faux Gérard.

— Parle, insista Juve sans se démonter, et voulant imiter l'autorité sèche dont faisait toujours preuve le Maître de l'effroi lorsqu'il s'adressait à ses lieutenants.

Gérard, pour toute réponse, éclatait de rire :

— C'est un ordre que tu me donnes ? disait-il.

Juve, à son tour, recula de trois pas.

Oh ! cette voix, cette intonation qu'avait eue Gérard une seconde !... Juve se sentit troublé, ému au plus haut point !...

— Ah ça ! je rêve..., murmura le policier, j'imagine des choses folles.

Juve se maîtrisa et répéta froidement :

— Oui, c'est un ordre... Gérard, parle...

Mais, à cet instant, Juve s'arrêtait net, ne finissait même point sa phrase. Dans les yeux de Gérard, de ce Gérard qu'il avait devant lui, Juve venait de voir passer une flamme étrange, comme un reflet diabolique.

— Je rêve, murmurait-il encore.

---

1. Voir dans la série « Fantômas » : *L'Assassin de Lady Beltham*, *La Guêpe rouge* et *Les Souliers du mort*.

Mais, brusquement, Juve prenait un parti.

— Ne restons pas ici, disait-il froidement, viens, Gérard, je ne veux pas être surpris dans ce hangar, allons causer dehors...

Juve, à cet instant, voulait à toute force contempler les traits de Gérard en pleine lumière.

Le faux Gérard ne bougea point.

— Où veux-tu aller ? demandait-il.

Juve tendit le bras et railla :

— Près de mon revolver.

Un silence alors dura un quart de seconde peut-être.

Mais dans ce quart de seconde qui semblait à Juve long comme un quart de siècle, le policier ne perdait point de vue le visage de son interlocuteur.

Brusquement, avec une impétuosité folle, Juve se jeta alors en avant.

Le policier hurlait de toutes ses forces.

— Fantômas ! ah, c'est Fantômas !...

Et Gérard, le faux Gérard, de son côté criait :

— Juve ! Juve ! Imbécile, tu n'as pas d'arme !

Les deux hommes pourtant se heurtaient, si le faux Fantômas, si Juve s'était lancé en avant, le faux Gérard, c'est-à-dire Fantômas, avait bondi lui aussi.

Juve agrippa le Maître de l'effroi qu'il venait enfin de reconnaître.

— Misérable ! clamait-il.

Mais au moment où Juve saisissait par le bras le bandit, un hurlement de douleur lui échappait. Juve lâchait prise...

Des flots de sang coulaient de ses mains tailladées cependant qu'ironique, ricanant, Fantômas, voyant accourir des ouvriers, des hommes d'équipe, repoussait le policier, se débarrassait de son étreinte, s'enfuyait, disparaissait derrière les amoncellements de colis encombrant le hangar...

Que s'était-il passé ?

Juve une heure après en pansant ses pauvres mains sillonnées de larges coupures, le devinait aisément :

— Ah ! Fantômas ! murmurait le policier, quel sombre génie est donc le tien ?... Parbleu ! tu étais bien sûr que je ne pourrais point te saisir... que dans une lutte corps à corps il me serait impossible de t'appréhender !... parbleu ! sous tes vêtements, sous les vêtements qui t'ont fait passer à mes yeux pour Gérard, tu avais dû cacher des lames de rasoir disposées suivant je ne sais quel diabolique système, j'ai cru prendre ton bras, mais ma main n'a rencontré que ces lames effilées...

Juve était blême, furieux.

— Dire, achevait-il, dire que j'ai sauvé la vie de cette crapule !... dire que c'est pour l'arracher aux bêtes féroces que j'avais abandonné mon revolver, que je m'étais moi-même désarmé...

Plus bas encore, mais d'un ton de volonté inéluctable, Juve monologua :

— Fantômas !... Fantômas !... tu viens encore aujourd'hui de remporter une victoire, et pourtant je ne sais quoi me dit que ta défaite est proche et que proche est le jour de ton expiation !...

XXVI

L'identité de Léopold

— Brutes abominables que vous êtes, allez-vous donc me laisser écharper ?... Vous voyez bien que cette populace est ivre de fureur ?...

— Ça va bien, ça va bien... marche un peu plus vite, Léopold, et d'ici quelques instants tu seras à l'abri, hors d'état d'être atteint, hors d'état de nuire aussi... brute toi-même !... assassin !

Livide, les vêtements arrachés, le visage et les mains sanglants, le baron Léopold, instinctivement, pressait le pas.

Le baron était enchaîné et marchait au milieu d'une troupe de gardes civils, d'agents de police, qui le conduisaient à la prison.

Arrêté à la frontière de Hesse-Weimar, sur les ordres de Juve, le mystérieux personnage avait été transféré jusqu'à la capitale du royaume et son arrestation était passée à peu près inaperçue jusqu'alors.

Toutefois, lorsqu'il débarquait du train, les menottes aux mains, encadré de policiers, la foule avait considéré, avec curiosité d'abord, l'arrivée de ce détenu.

Quelqu'un avait crié :

— C'est Léopold, l'assassin de sir Harrysson.

Et dès lors, comme une traînée de poudre, la nouvelle s'était répandue dans la foule, si bien qu'il était impossible au prisonnier et à ses gardiens de passer inaperçus pendant le court trajet qui séparait la gare de la prison.

En hâte, on avait commandé un service d'ordre et, celui-ci établi, on avait fait partir à pied le prisonnier.

Mais, malgré les efforts de ses gardes du corps, une grêle de coups s'abattaient sur lui ; la foule lançait des pierres qui, tantôt atteignaient le détenu, tantôt même ceux qui étaient chargés de sa surveillance et de sa protection.

A maintes reprises, les troupes réquisitionnées pour assurer le service d'ordre avaient dû mettre la baïonnette au canon pour repousser une population toute frémissante, tout indignée.

Et ce n'était pas une conduite, que l'on faisait au baron Léopold, c'était plutôt la fuite éperdue vers la prison, sa retraite en déroute, que ses gardiens protégeaient tant bien que mal.

Léopold, livide, était terrifié, et son angoisse s'augmentait au fur et à mesure que retentissaient les hurlements menaçants de la foule, que montait la clameur autour de lui.

Et ce fut avec un soupir de soulagement que le misérable franchit le seuil de la prison de Glotzbourg et qu'il entendit derrière lui se refermer les lourdes portes de la maison d'arrêt.

Après de rapides formalités, effectuées au greffe, où l'on dépouillait Léopold de tout ce qu'il portait sur lui, on le conduisit au bout d'un couloir, dans un sombre cachot dont les murs suintaient d'humidité, dont le sol, en terre battue, était un véritable cloaque détrempé de boue.

Les agents de police l'avaient accompagné à son arrivée au greffe ; désormais c'était aux gardes-chiourme que le prisonnier avait affaire.

Léopold, en apercevant l'obscure cellule qui désormais allait lui servir de demeure, eut un sursaut de révolte.

— Pas là ! pas là !... hurla-t-il, je ne veux pas qu'on m'enferme là...

Les gardes-chiourme ricanaient, haussaient les épaules ; l'un d'eux, d'une violente bourrade, le projeta en avant ; Léopold tituba, vint donner du front contre le mur du cachot et se fit une large blessure.

Le sang coula sur son front ruisselant de sueur froide.

— Assassins ! bandits ! hurla-t-il, l'écume aux lèvres, les yeux aveuglés par le sang qui coulait...

Il leur montrait le poing, les menaçait du geste et de la parole. Il cherchait à mordre, à frapper. Le gardien-chef proféra :

— Tiens-toi tranquille, Léopold, si tu ne veux pas que nous te mettions la camisole de force ; ici, entends-le bien, il faut obéir... sans quoi, nous connaissons mille et une manières de t'imposer notre volonté...

Léopold, au paroxysme de la colère et de la terreur, hurlait :

— Je ne veux pas rester ici, je veux sortir... lâchez-moi.

Pour toute réponse, l'un des gardiens, qui s'était emparé de Léopold et l'immobilisait, lui passait autour de la jambe un lourd collier qu'il cadenassait. Ce cercle de fer était attenant à une grosse chaîne fixée dans le mur.

— Comme cela, proféra le gardien, tu es libre d'aller où bon te semble, et je te permets de te sauver, si tu parviens à démolir la muraille.

Mais, soudain, Léopold semblait reprendre son calme et son sang-froid. D'une voix nette, autoritaire, il déclara :

— Cela suffit !... la plaisanterie a assez duré... qu'on aille me chercher le directeur de la prison, il faut que je lui parle...

Léopold proférait cet ordre sur un tel ton de commandement, avec une si belle audace, que les gardiens se regardèrent interloqués.

— Il a l'air autoritaire, murmura l'un d'eux, que pour un peu on serait tenté de lui obéir...

Mais Léopold insistait :

— Je vous ferai tous chasser d'ici, ordonna-t-il, si vous ne m'obéissez pas à l'instant...

Puis, se rendant compte qu'il fallait fournir une explication quelconque à ces hommes, il ajouta :

— Je veux voir le directeur parce que j'ai des choses importantes à lui dire, au sujet du crime d'Anvers.

Dans le couloir, derrière la porte refermée du cachot, au fond duquel on avait jeté Léopold, les gardiens tenaient conseil.

— Que faut-il faire ? se demandaient-ils.

Et ils étaient partagés entre la crainte de déranger inutilement le directeur et celle, en négligeant de l'avertir, d'empêcher les aveux que vraisemblablement le prisonnier, pour obtenir un adoucissement à son incarcération, leur semblait désireux de faire.

Enfin, le gardien-chef solutionna le problème :

— Attendez-moi là, vous autres, dit-il, et ne perdez pas de vue Léopold, il ne faut pas qu'il puisse se détruire, quant à moi, je vais aller référer de la chose à M. le directeur.

Juve, à peine remis des blessures que lui avait faites l'horrible Fantômas, restait à Cologne à l'hôtel, lorsque bientôt il avait reçu, du roi de Hesse-Weimar, une convocation urgente, pour se rendre à Glotzbourg.

Le policier n'avait pas hésité à obtempérer au désir du monarque, et ce matin-là, c'est-à-dire quarante-huit heures après l'arrestation de Léopold, il était arrivé vers dix heures au palais du souverain.

On l'avait introduit avec une déférence mystérieuse dans les appartements privés du roi. Et le policier, calme en apparence, mais très perplexe au fond, attendait depuis un quart d'heure environ, dans un petit salon, l'instant où il plairait à Sa Majesté de le recevoir.

Au cours de cette attente, la pensée de Juve vagabondait.

Son esprit évoquait le souvenir lointain, sans doute, mais si sensationnel qu'il était demeuré profondément gravé dans sa mémoire.

Il y avait quelques années, Juve était déjà venu à Glotzbourg et, notamment, avait attendu dans ce petit salon. A cette époque, il venait rechercher dans sa propre capitale le roi Frédéric-Christian II, si mystérieusement disparu que nul ne pouvait soupçonner l'endroit où il se trouvait.

Tandis que Juve cherchait Frédéric-Christian à Glotzbourg, le roi était à Paris, prisonnier de Fantômas, enfermé dans un effroyable souterrain, dissimulé sous les fontaines de la place de la Concorde [1].

Juve et Fandor avaient fini par percer le mystère, par libérer le souverain, par l'arracher aux maléfices du sinistre bandit. Dès lors, tandis que le policier et le journaliste continuaient sans répit leur chasse à l'homme et s'acharnaient aux trousses de l'insaisissable Fantômas, le roi de Hesse-Weimar avait vécu des mois et des années tranquilles, paisibles, dans la capitale bourgeoise de son petit royaume bon enfant.

Or, depuis qu'il avait été convoqué pour la première fois, il y avait de cela près d'une quinzaine de jours, par Frédéric-Christian II, Juve ne pouvait songer au passé sans éprouver une certaine angoisse, au sujet de ce qui allait arriver dans l'avenir.

Le célèbre policier venait d'avoir une brève, mais cruelle entrevue avec le Maître de l'effroi ; par miracle, il avait échappé à ses coups mortels...

Et du reste, qu'importaient à Juve ses propres blessures ! que lui faisait en vérité le risque terrible qu'il avait couru ! une seule chose le préoccupait, l'angoissait :

— Fantômas, pensait le policier, est là dans l'ombre, guettant ses victimes... ce Léopold, qui est l'assassin de sir Harrysson, ne m'a pas parlé du prince Vladimir... hélas ! que croire ?... Le prince a-t-il disparu ? a-t-il été lui aussi assassiné ? et Fantômas est-il étranger à cette disparition inexplicable ?... ou a-t-il commis plutôt un nouveau forfait ?...

Un domestique survint qui interrompit les réflexions de Juve. L'homme à la livrée chamarrée s'inclina jusqu'à terre et déclara :

— Sa Majesté daigne vous recevoir, maintenant, en audience privée.

Juve, sans un mot, suivit le serviteur qui l'introduisait dans le cabinet du roi.

Frédéric-Christian était seul dans son vaste bureau de travail dont les larges fenêtres donnaient sur le parc du château.

---

1. Voir dans la série « Fantômas » : *Un roi prisonnier de Fantômas.*

Le souverain était très pâle et, dans ses yeux, brillait un regard infiniment triste.

Il allait et venait dans la pièce, l'arpentant à grands pas lents ; ses bras étaient croisés sur sa poitrine, Frédéric-Christian semblait rouler de sombres pensées.

Il ne parut pas s'apercevoir tout d'abord de l'arrivée du policier, il demeura encore quelques minutes absorbé. Mais, tout d'un coup, il vint se placer devant Juve et proféra gravement :

— Monsieur Juve !...

— Majesté ?... répondit celui-ci en s'inclinant jusqu'à terre.

Le roi Christian lui touchait l'épaule, l'obligeait à se redresser.

— Juve, reprit-il d'une voix douce, oubliez où vous êtes, ignorez un instant que je suis le roi et parlez-moi en toute confiance, d'homme à homme... c'est le fond de votre pensée que je veux connaître, il me faut désormais la vérité toute nue...

Le policier regarda le souverain.

— Je suis à vos ordres, sire, déclara-t-il, qu'il vous plaise de me questionner et je répondrai en toute sincérité.

Après un instant de silence, le monarque, qui semblait vouloir peser chacune de ses paroles, commença :

— Juve, vous êtes bien sûr de la culpabilité de ce baron Léopold que vous avez fait arrêter l'autre jour, et conduire à la prison de Glotzbourg ? Est-ce vraiment l'assassin de l'ambassadeur anglais ?

— Le baron Léopold, déclara le policier, m'a fait lui-même l'aveu de son crime. Il a tué Harrysson pour s'emparer de son argent, il a également tué sans doute aussi le prince Vladimir.

— Non ! s'écria le roi.

Le souverain mettait une telle énergie à lancer ce démenti, que Juve le considéra interdit, ne sachant que répondre.

Frédéric-Christian reprit :

— Léopold n'a pas tué Vladimir, j'en suis sûr...

Le policier esquissa un sourire sceptique :

— Les affirmations, Majesté, déclara-t-il, sont vaines lorsque les preuves formelles ne les accompagnent point...

— Les preuves ? articula le roi, heureusement ou alors, hélas ! je vais pouvoir vous en fournir...

Le souverain appuyait sur un timbre ; une porte s'ouvrit, un officier des gardes apparut.

Frédéric-Christian lui faisait un signe :

— Priez, lui dit-il, la personne qui attend de vouloir bien venir ici, dans mon cabinet.

Quelques instants passèrent, pendant lesquels le souverain et le policier observèrent le plus scrupuleux silence.

Frédéric-Christian était très pâle, d'une geste machinal, il lissait sa belle moustache noire.

Quant à Juve, il était bien trop curieux de savoir ce qui allait se passer, pour s'aviser de poser une question. Il ne songeait qu'à une chose : observer la plus parfaite impassibilité, en attendant les événements.

Mais malgré sa résolution, Juve ne put retenir un cri de surprise.

Marchant à pas précipités, quelqu'un venait d'entrer dans le cabinet du roi, s'inclinait respectueusement devant lui, puis redressait la tête, et dès lors, regardait Juve bien en face.

Or, ce quelqu'un n'était autre que le baron Léopold, superbement audacieux, hautain, mais Léopold avait quelque chose de changé dans la physionomie, Léopold avait une couleur de cheveux qui n'était pas sa couleur de cheveux habituelle.

Abasourdi, Juve cherchait à comprendre ce problème, lorsque le roi, lui désignant le nouveau venu, proféra ces simples paroles :

— Le prince Vladimir !

Puis il ajoutait encore :

— Monsieur Juve, le baron Léopold et le prince Vladimir ne font qu'un...

L'instant était tragique ! Les trois hommes semblaient se considérer avec méfiance et affecter des attitudes impassibles pour mieux dissimuler leurs sentiments respectifs.

Un silence se prolongeait, nul ne voulait prendre le premier la parole.

Le roi cependant intervint, et, se tournant vers Juve, il interrogea :

— Monsieur le policier, persistez-vous dans vos accusations, prétendez-vous toujours que le baron Léopold, qui n'est autre que le prince Vladimir, est l'auteur du crime commis sur la personne de sir Harrysson, et qu'il est aussi le voleur des cinq millions payés par mon royaume à l'ambassadeur anglais ?...

— Diable ! pensait Juve, voilà le moment où il faudrait pouvoir se taire, éluder la question, parler de la pluie, du beau temps, de n'importe quoi, mais d'autre chose...

Juve, toutefois, n'avait pas l'âme d'un courtisan, mais celle d'un honnête homme qui obéit toujours aux ordres de sa conscience.

Et Juve, lentement, mais nettement, proféra, regardant le prince Vladimir — puisque Léopold était Vladimir — bien en face, dans les yeux :

— Je maintiens ce que j'ai dit, le baron Léopold est l'assassin de sir Harrysson !...

Le roi se tourna vers le prince, qui, malgré lui, avait blêmi.

— Qu'avez-vous à répondre ? interrogea-t-il.

A cette question, Vladimir retrouvait toute son énergique audace ; ce n'était pas sans envisager les conséquences qui allaient résulter de ses aveux que le personnage arrêté par Juve et conduit la veille à la prison de Glotzbourg s'était fait connaître au directeur de la prison.

— Je suis, disait-il à ce fonctionnaire, victime d'une grossière erreur, et aussi d'une bêtise de jeune homme... Pour triompher de la résistance d'une jolie femme, dont j'étais épris, je n'ai pas voulu lui dire ma véritable personnalité... voulant être aimé d'elle pour moi-même... je me suis fait passer à ses yeux pour un baron belge, et comme elle était écuyère dans un cirque, au cirque Barzum, je n'ai pas hésité à m'engager comme palefrenier... On m'a chassé, je suis revenu à la charge, toujours par amour, soudain le malheur s'est abattu sur moi, une ressemblance sans doute m'a compromis, un policier maladroit m'a fait arrêter, la plaisanterie a désormais trop duré, reconnaissez en moi le prince Vladimir !

Et dès lors, le directeur de la prison avait transmis cet extraordinaire récit à la cour de Hesse-Weimar ; quelques heures après, Vladimir était reconnu, on le mettait immédiatement en liberté, c'est alors que Frédéric-Christian, justement ému et perplexe, avait télégraphié à Juve de venir.

— Qu'avez-vous à répondre ? avait demandé le roi au prince Vladimir alors que Juve venait de confirmer sa terrible accusation.

Le prince haussa les épaules :

— Je répondrai ceci, sire, que cette inculpation est absurde et que je demande à M. Juve de vouloir bien la justifier.

Le policier n'avait pas peur du regard terrible que lui lançait le prince, et, très froidement, il répliquait :

— Je tiens l'aveu du crime de vos propres lèvres, prince... vous souvient-il d'un certain soir, d'une nuit que vous avez passée auprès du train de Barzum, dans la gare de marchandises de Cologne ?

Le prince pâlissait !

— Où voulez-vous en venir ? balbutia-t-il.

— A ceci, fit Juve : au cours de cette nuit, vous vous êtes trouvé subitement en présence d'un homme vêtu de noir, drapé dans un sombre manteau, d'un homme au visage dissimulé sous une cagoule, vous avez reconnu ce déguisement célèbre, et vous vous êtes dit : « Je suis en présence de Fantômas »... à Fantômas, alors, vous avez fait les aveux les plus complets du crime et du vol que vous avez commis, vous vous en êtes même glorifié, auprès de celui que vous preniez pour l'insaisissable Génie du crime et qui n'était autre...

Juve s'interrompit un instant.

— Qui n'était autre ?... reprirent ensemble le roi et Vladimir.

— Qui n'était autre que moi, fit Juve simplement.

— Mon Dieu ! mon Dieu ! proféra le roi qui, livide, s'écroulait dans un fauteuil...

Vladimir, toutefois, après une seconde d'émotion, reprenait son imperturbable sang-froid, il se mit à sourire, et ses lèvres palpitantes découvraient une superbe rangée de dents blanches.

— Bravo ! dit-il, monsieur Juve !... C'était fort bien joué ! mais à mon tour de faire, d'un mot, tomber votre ridicule échafaudage...

Il poursuivit en se tournant vers le roi :

— C'est vrai, j'ai rencontré, au cours de la nuit évoquée par M. Juve, un personnage que j'ai pris pour Fantômas ; c'est vrai que je me suis vanté auprès de lui d'avoir commis des crimes et des vols, qu'est-ce que cela prouve ?... Ceci, tout simplement : c'est que, lorsqu'on est en présence des bandits, et que l'on ne veut point encourir leur haine, il faut se donner des allures semblables à leurs allures... En m'accusant d'être aussi criminel que lui, j'échappais à sa colère ; j'ai menti pour me sauver et voilà tout.

— Et voilà tout ! reprit Juve, souriant lui aussi.

Le policier allait dire autre chose, mais le roi s'en aperçut peut-être ; peut-être ne voulut-il pas que le policier allât plus loin !

Juve, en effet, avait un autre argument terrible, formidable, à invoquer contre le baron Léopold. Peu lui importait alors que ce soi-disant baron fût ou non le prince Vladimir !...

Juve, en effet, avait identifié les traces rouges de doigts laissées sur les billets de banque tachés de sang, sur les billets volés à l'envoyé anglais ; or, il devinait que ces empreintes, celles de l'assassin, étaient aussi celles que l'on retrouverait, le jour où l'on voudrait tenter l'expérience, sur les doigts du prince Vladimir !

Le roi, cependant, se tournant vers le policier, lui murmurait d'une voix brisée :

— Laissons cela, monsieur Juve, dit-il, laissons cela pour le moment ; je ne puis admettre que le prince Vladimir soit coupable ; adieu, merci, je vous reverrai bientôt...

L'aventure sensationnelle cependant s'était ébruitée dans la ville. Elle faisait grand scandale au lendemain de la libération de ce baron Léopold qu'on avait reconnu pour être le prince Vladimir.

Et si les défenseurs à outrance du trône et de la famille royale estimaient qu'on avait fort bien fait de relâcher le prince et que même on lui devait des excuses sensationnelles, d'autres, qui se disaient également les amis du pouvoir, estimaient qu'il fallait donner satisfaction à l'opinion publique et réhabiliter le cousin du roi par un procès fait au grand jour, dont il sortirait blanc comme neige.

A Glotzbourg, la ville entière se divisait en deux camps et partout on discutait de la chose, aussi bien dans les plus humbles demeures que dans les plus somptueux palais.

L'incident prenait des proportions considérables, le scandale grossissait chaque jour et les murailles épaisses du palais royal de Hesse-Weimar n'en défendaient point les souverains.

Un soir, au sortir de table, la reine Edwige prit à part son mari. La souveraine n'avait avec le roi que des rapports officiels et très froids. C'était un mauvais ménage : Edwige était jalouse, rancunière, vindicative ; Frédéric-Christian n'avait pas toujours été pour elle le modèle des époux. En outre, leurs idées n'étaient pas les mêmes : le roi voyait large et grand ; la reine, le plus souvent, de façon mesquine, étroite.

Depuis plusieurs années ils n'échangeaient entre eux que des paroles banales, officielles. Et c'est pourquoi Frédéric-Christian fut troublé lorsqu'il vit la reine Edwige le suivre, ce soir-là, dans son cabinet de travail et ordonner à ses courtisans intimes :

— Je veux être seule avec le roi.

— De quoi s'agit-il, madame ? interrogea celui-ci qui, solennellement, désignait un siège à la souveraine.

Edwige, nettement, articula :

— De Vladimir, monsieur...

Puis, avec une précipitation hâtive, elle ajoutait :

— La situation devient intenable, les bruits les plus injurieux courent sur nous, sur le prince, sur notre famille... le peuple réclame la lumière... le savez-vous, Frédéric-Christian ?

— Je le sais, fit le roi en étouffant un soupir.

— Il faut donc, déclara la reine, que la lumière soit faite pleine et entière...

— Oh ! oh ! déclara le souverain, qui murmurait en hésitant :

« Quelles qu'en puissent être les conséquences ?...

— Oui, précisa la reine Edwige, quelles qu'en puissent être les conséquences...

Elle avait parlé autoritairement et son attitude décidée impressionnait le roi.

Lui aussi, depuis quelques jours, se disait qu'il fallait avoir le courage d'agir et d'examiner à fond cette mystérieuse affaire.

Mais peut-être le roi était-il plus épouvanté que la reine, car il était mieux documenté sans doute des découvertes que l'on allait faire.

— Les conséquences peuvent être terribles, articula Frédéric-Christian II... si jamais le prince Vladimir... ?

Mais la reine l'interrompait et, redressant sa haute taille, elle proféra :

— Le prince Vladimir est innocent et les débats le prouveront, n'en ayez crainte...

Puis elle ajoutait, sur un ton autoritaire et dur :

— Il faut, sire, que vous ordonniez l'ouverture d'un lit de justice, cette haute cour jugera le prince Vladimir et vous donnerez la présidence de ce tribunal suprême au burgrave de Rung-Cassel...

Le roi tressaillit, recula :

— Y pensez-vous, madame ? interrogea-t-il.

— J'y suis décidée et je le veux, fit Edwige, à ce prix seul vous sauvegardez votre couronne...

Et la souveraine s'en allait, quittait si rapidement le cabinet de son mari, que son illustre époux avait à peine le temps de s'apercevoir de son départ.

Frédéric-Christian se rendait compte que la reine avait pleinement raison d'exiger ce lit de justice, mais il soupçonnait aussi quelque louche machination ourdie par les courtisans de l'entourage de la reine.

Sans doute, il ne pouvait pas reculer, on lui forçait la main, il lui fallait traduire le prince Vladimir devant cette juridiction extraordinaire et spéciale, appelée dans les cas exceptionnels à statuer sur le sort des personnes de sang royal.

Mais, dans quel sens statuerait ce tribunal ?... Frédéric-Christian savait que le burgrave de Rung-Cassel, le doyen du royaume, vieillard malade, usé, presque en enfance, était l'âme damnée, la créature dévouée de la reine et que ce serait par l'intermédiaire de cette ruine humaine que la reine statuerait, de sa seule initiative, sur le sort du prince Vladimir.

Or celui-ci était-il coupable ou ne l'était-il pas ? Le roi n'osait pas se poser la question.

Cependant, il n'y avait point à hésiter, et le lendemain, par l'intermédiaire de son chambellan, Eric von Kampfen, le roi faisait savoir au peuple que, dans trois jours, se réunirait le lit de justice, sous la présidence du burgrave de Rung-Cassel, et que cette haute cour aurait l'honneur de voir comparaître devant elle et de juger à toutes fins. Son Altesse Royale, le prince Vladimir.

Le lit de justice se réunissait au palais même du roi. On avait installé les magistrats dans une des plus vastes salles du château, aménagé la pièce de telle sorte que le public, la foule, pouvait aller et venir dans la salle, assister à l'audience publique.

Il était neuf heures du matin, et un service d'ordre, organisé dans les jardins du palais, contenait difficultueusement une foule respectueuse, mais désireuse d'assister à l'audience, de connaître les détails du procès.

Le lit de justice, toutefois, ne devait s'ouvrir qu'à une heure de l'après-midi.

Depuis la veille au soir, le prince Vladimir était venu se constituer prisonnier, on l'avait logé dans une aile du château, il était servi par toute sa domesticité. On attendait aussi les témoins, qui étaient cités à l'audience, des policiers d'Anvers. Juve, toutefois, n'était pas convoqué.

Et pour les gens perspicaces, ce procès, public en apparence, mais limité à d'étroites formules, allait être une simple comédie.

Un bruit courut cependant, vers dix heures du matin, dans la foule ; quelqu'un que l'on n'attendait pas avait fait connaître sa présence à Glotzbourg, allait-il venir déposer au procès ?... On chuchotait son nom partout... il était sur toutes les lèvres : Barzum !... il s'agissait de l'impresario Barzum.

On savait, en effet, que le célèbre directeur du cirque avait connu Vladimir lorsque celui-ci se cachait sous la personnalité de Léopold, palefrenier de son train.

Qu'allait dire Barzum ? qu'allait-il faire ? était-il réellement là ?... On se le demandait.

Mais, comme cela arrive fréquemment dans la foule, ce bruit s'était à peine répandu que courait un avis contradictoire.

— C'est une erreur ! murmurait-on. Barzum ne paraîtra pas... Barzum n'est pas à Glotzbourg !...

Cette fois, on était mal renseigné. A l'aile du château qu'habitait le prince Vladimir, un homme s'était présenté vers dix heures du matin, demandant que l'on voulût bien faire passer sa carte au prince.

Et celui-ci, sitôt qu'il avait lu le nom du visiteur, avait dit qu'on l'introduisît dans l'élégant cabinet qui, désormais, lui servait de cachot.

C'était Barzum qui se trouvait en présence de l'ancien palefrenier du cirque.

Les deux personnages causaient longuement, s'épiant l'un l'autre.

Que pouvaient-ils se dire ?

Au bout d'une heure, ils se quittèrent, mais auparavant Barzum avait dit ces dernières paroles au prince Vladimir :

— Vous ne serez véritablement innocenté de l'accusation qui pèse sur vous que lorsque vous aurez dénoncé le coupable... faites-le... agissez comme je viens de vous le dire...

Et ce mystérieux Barzum avait ajouté à voix basse :

— C'est un excellent coupable que je vous fournis... car il ne niera pas !...

Ah ! si l'on avait pu entendre à ce moment la conversation de ces deux êtres ! Le soi-disant Barzum avait parlé d'un ton très bas, prêtant l'oreille, regardant de tous côtés, pour être sûr qu'on ne l'épiait pas ; quant à Vladimir, après avoir été surpris, troublé, il semblait triomphant, superbe, il riait à gorge déployée, et lorsque Barzum eut achevé, eut donné son ultime conseil, le prince, lui tendant la main, déclara :

— Merci, Fantômas, désormais, entre nous, c'est à la vie, à la mort !...

Barzum !

Fantômas !

C'était, en effet, Fantômas déguisé merveilleusement, grimé cette fois encore en Barzum, qui était venu, au mépris de toute prudence, rendre visite au prince Vladimir !

Qu'est-ce que le Génie du crime avait bien pu dire à l'assassin de sir Harrysson ?... qu'avaient-ils convenu ensemble ?...

Il était bien évident que désormais ils étaient unis l'un à l'autre par un terrible secret, une effroyable complicité. Le prince Vladimir, dupé une première fois par Juve, avait dû exiger cette fois de son interlocuteur des preuves bien nettes pour croire qu'il était Fantômas !

Il faut croire que Fantômas les lui avait données, ces preuves, et qu'elles satisfaisaient le prince, puisque celui-ci, confiant dans le génial bandit, n'hésitait pas à lui dire :

— Entre nous, Fantômas, c'est désormais à la vie, à la mort !...

Or, on savait que ces sortes de serment, Fantômas n'admettait pas qu'on s'avisât de ne point les tenir !...

Le faux Barzum s'enfuyait rapidement du palais, et, sans attendre l'issue de l'audience, qui allait bientôt commencer, il remontait dans son automobile, qui l'emmenait vers une destination inconnue !

XXVII

Un prince en jugement

C'était le burgrave de Rung-Cassel qui, par ordonnance du roi, présidait la séance solennelle que tenait le tribunal suprême de Hesse-Weimar, pour décider du sort du prince Vladimir.

L'audience avait lieu dans la plus grande salle du palais où l'on donnait d'ordinaire les réceptions les plus fastueuses et qui comportait une longueur de 80 mètres environ, sur 30 mètres de large.

Le vieux burgrave était arrivé à son fauteuil présidentiel avec tout le cérémonial accoutumé ; deux laquais le précédaient, porteurs de flambeaux allumés en mémoire d'un vieux dicton de Hesse-Weimar, qui disait qu'il ne fallait jamais négliger d'éclairer la Justice.

A la mode anglaise, la loi de Hesse-Weimar prévoyait que si un tribunal suprême comme ce lit de justice pouvait être composé d'un grand nombre de personnages, un seul était invité à juger.

En fait, sur une estrade avaient pris place, derrière le vieux burgrave de Rung-Cassel, de hautes personnalités appartenant à l'aristocratie, au monde officiel, au monde de la cour. Il y avait là le préfet de Glotzbourg, le directeur administratif des services diplomatiques qui avait pris rang de ministre, le prince de Reuss apparenté au roi, le baron de Rutisheimer qui remplissait au palais des souverains les fonctions de conseiller intime, il y avait enfin quelques bourgeois choisis dans la ville pour représenter l'élément démocratique et populaire.

Tous ceux qui avaient droit à un titre quelconque à revêtir un uniforme s'étaient mis en grande tenue ; quant aux autres, ils portaient l'habit noir et leurs décorations s'ils en avaient.

La salle des fêtes, transformée en tribunal, était magnifiquement décorée de tableaux de maîtres, et c'était même une des curiosités de Glotzbourg que cette immense galerie où l'on avait accumulé depuis de longues années toutes les richesses de l'art décoratif le plus pur.

Un héraut d'armes se leva au milieu du silence, il proféra solennellement :

— L'audience est ouverte.

Alors, par une petite porte pratiquée dans l'un des murs de la salle, on vit apparaître le prince Vladimir.

Celui-ci avait revêtu un somptueux uniforme d'ambassadeur, et il portait sur la poitrine la plus haute décoration de Hesse-Weimar, le léopard d'argent, dont la plaque était enrichie de diamants.

Respectueusement, il s'inclina devant ceux qui allaient être appelés à statuer sur son sort, et il alla s'asseoir dans un fauteuil de velours rouge aux parements dorés, juste en face du burgrave de Rung-Cassel qui, absolument effondré dans son propre fauteuil, avait plutôt l'air d'une loque humaine.

L'interrogatoire cependant commençait, c'était le chambellan du roi, M. Eric von Kampfen, qui était chargé de le faire.

Ce personnage, d'une voix blanche et intimidée, posait au prince Vladimir une série de questions inutiles, auxquelles répondait l'accusé avec une aisance et une bonne grâce parfaites.

Il s'agissait, en effet, de lui faire dire son nom, son âge, ses qualités, son domicile, choses que tout le monde connaissait, et sur lesquelles chacun était d'accord.

On en vint ensuite aux événements qui avaient motivé la réunion de ce lit de justice, lequel n'avait pas été convoqué depuis cent cinquante ans, ce qui faisait que l'on ignorait à chaque instant la procédure à suivre et qu'il fallait sans cesse s'arrêter, chercher dans de vieux ouvrages, connaître les gestes et les propos à tenir, et s'assurer que l'on ne commettait point d'impairs ou de bévues.

Le chambellan du roi, qui remplissait en somme les fonctions qu'aurait occupées en France un ministère public, interrogeait le prince Vladimir.

— Voulez-vous me dire le but de votre voyage de Glotzbourg en Angleterre ?

Le prince répondit :

— J'étais chargé par mon gouvernement de remettre une somme de cinq millions en billets de banque à l'envoyé spécial du gouvernement anglais, sir Harrysson.

— Quel était le motif de ce paiement ?

— L'achat d'une île du Pacifique faite par la Hesse-Weimar au gouvernement anglais.

— Pourquoi ce paiement s'est-il effectué à Anvers ?

— Nous étions retenus par la grève des inscrits maritimes, il y avait une date fixée pour la remise des fonds après laquelle tout retard survenant comporterait des intérêts. J'ai donc jugé indispensable de remettre à la date fixée la somme due au gouvernement anglais. Sir Harrysson m'en a, d'ailleurs, donné pleine et entière décharge.

— Ceci est parfaitement exact, déclara le chambellan du roi, le reçu du gouvernement anglais a été retrouvé en effet par la police belge sur les lieux mêmes du drame, les quais de l'Escaut.

Le chambellan du roi s'était tourné vers le burgrave-président comme s'il voulait prendre conseil du doyen du royaume ; celui-ci souriait béatement, les yeux fixés au plafond et ses doigts tremblants jouaient avec un porte-plume dont on avait ôté la plume par crainte que le pauvre vieillard ne vînt à se blesser avec, car il ne semblait guère dans l'état d'apprécier sainement ce qu'il faisait...

Quelques murmures coururent dans la foule, lorsque von Kampfen, reprenant son interrogatoire, eut déclaré :

— La rumeur publique, prince, et ses racontars, auxquels la nation ne veut pas ajouter foi sans preuves, ont répandu que Votre Altesse était intervenue dans le décès mystérieux de sir Harrysson et que vous étiez assurément renseigné sur la mort tragique de l'envoyé du gouvernement anglais...

On ne pouvait pas dire avec plus de délicatesse au prince Vladimir qu'il était accusé d'assassinat...

La foule qui assistait attentive au débat redoubla d'attention ; c'était le moment décisif en effet ; les réponses du prince allaient permettre à chacun de se former dans son for intérieur une opinion.

Très calme, très maître de lui, Vladimir répondit :

— Voici comment se sont passées les choses : je venais de dîner avec sir Harrysson au restaurant et, avant de rentrer à notre hôtel, nous sommes allés nous promener sur les quais de l'Escaut. Sir Harrysson était porteur des cinq millions en billets de banque que je lui avais remis en échange du reçu qu'il me donnait aussitôt... Nous marchions à quelque distance l'un de l'autre sur ces quais absolument déserts et silencieux... A un moment donné, j'entendis pousser un cri en même temps que retentissait une détonation... Je voulus me précipiter en arrière car, au cri j'avais reconnu la voix de sir Harrysson. Mais, à ce moment surgissait devant moi un homme au visage très brun, à la haute stature qui brandissait un revolver... Cet homme se précipita sur moi, m'assena un coup de poing formidable qui me laissa inanimé, évanoui sur le sol. Je tombai entre deux gros ballots de marchandises et restai là, inconscient, une heure ou deux heures, plus peut-être. Il est hors de doute, pour moi, que cet homme brun est l'auteur de l'assassinat, et que c'est par miracle que j'ai échappé moi-même à la mort !

La déclaration du prince Vladimir faisait une impression médiocre sur le public. On s'attendait à quelque chose de plus précis, de plus net. Von Kampfen qui semblait au supplice, fort ennuyé d'avoir à poursuivre cet interrogatoire, jetait des regards désespérés sur le vieux burgrave de Rung-Cassel, mais le président, complètement indifférent à ce qui se passait, avait désormais pris un encrier, qu'avec une joie enfantine il renversait sur la table en face de lui et il trempait ses doigts dans l'encre, esquissant des dessins sur les feuilles de papier étalées devant lui.

Von Kampfen, désespérant de rien obtenir de ce président, se tourna à nouveau vers Vladimir et poursuivit :

— Prince, voulez-vous nous dire ce qu'il est advenu ensuite de votre auguste personne, et pour quel motif vous n'avez point fait connaître aux autorités anversoises que vous étiez en vie ?

Le prince hocha la tête :

— Je vais vous répondre, dit-il. Lorsque j'ai su que la police d'Anvers supposait que j'étais mort, j'ai décidé de ne pas lui faire connaître que j'étais vivant ; et voici pourquoi : mon but, à ce moment, était de rechercher discrètement, mais avec une activité sans pareille, l'auteur de cet odieux assassinat qui, non seulement mettait en deuil les plus hautes familles d'Angleterre, mais encore me privait d'un ami sûr et dévoué... et c'est pour cela que j'avais disparu...

J'ai dit à S. M. le roi, poursuivit le prince, les divers procédés employés par moi pour dissimuler ma personnalité. Pendant une huitaine de jours, risquant mon existence et me faisant passer pour un simple baron belge, puis même pour un palefrenier, je feignis d'être amoureux d'une écuyère de cirque afin de rechercher dans le personnel de cet établissement le sinistre personnage que j'avais aperçu devant moi au moment du crime et que j'avais toutes sortes de raisons pour considérer comme étant l'assassin.

— Ce personnage, demanda von Kampfen, l'avez-vous découvert ?...

— Oui, fit le prince Vladimir d'une voix nette et vibrante, cependant que cette déclaration suscitait dans la foule de longs murmures d'approbation.

Encouragé par l'attitude du public, l'interrogateur continua :

— Pouvez-vous le nommer ?...

— Certes, déclara le prince Vladimir, devant Dieu et devant les hommes, je puis vous jurer que l'assassin de sir Harrysson, que l'homme qui, en outre, porta la main sur moi, n'est autre qu'un dompteur de fauves, appartenant au cirque Barzum et connu sous le nom de Gérard !...

La déclaration était aussi formelle qu'inattendue ; elle suscita des mouvements divers et cependant que, du côté de l'estrade, là où se trouvaient les hauts personnages de la cour, on applaudissait à tout rompre à l'accusation du prince Vladimir, dans les rangs pressés de la populace au fond de la salle, des murmures sceptiques s'élevaient.

Une voix anonyme mais énergique proféra :

— Il faudrait le prouver...

En vain cherchait-on aussitôt l'insolent qui avait osé mettre en doute la parole du prince.

Les gardes s'agitaient, lançaient des regards inquisiteurs dans la foule, mais il était impossible de découvrir cet homme et, comme sa déclaration résumait l'opinion de la foule, si celle-ci le connaissait, elle se gardait bien de le dénoncer !...

Cependant, au milieu de l'affolement qui régnait, quelqu'un franchissait le cordon des troupes qui séparait le public de l'enceinte réservée, s'approchait de l'estrade où siégeait le tribunal suprême.

C'était un homme vêtu de sombre, au visage énergique ; il portait une barbe en pointe et les cheveux grisonnants bouclés. On considéra avec surprise cet intrus qui s'avançait sans être annoncé, contrairement à toutes les règles protocolaires.

Mais, soudain, dans l'assistance, courut un murmure et son nom fut sur toutes ses lèvres.

— Barzum, c'est M. Barzum !...

Le personnage salua respectueusement le burgrave de Rung-Cassel, puis, se tournant vers le chambellan du roi, il proféra d'une voix bien timbrée :

— Je suis M. Barzum, directeur du cirque Barzum, et je demande à être entendu au sujet des déclarations que vient de faire Son Altesse Royale, le prince Vladimir.

Les hauts personnages qui se trouvaient sur l'estrade se regardèrent perplexes, fort troublés à l'idée que cet homme qui survenait soudain, exigeant d'être entendu, allait peut-être compliquer singulièrement la suite des débats.

Il n'y avait pas moyen cependant de le renvoyer, de le faire taire, le chambellan du roi le comprit et, non sans avoir toisé d'un regard sévère le nouveau venu, il lui dit :

— Parlez... monsieur, mais ne dites rien qui ne soit indispensable.

Barzum s'inclinait, Vladimir ne l'avait pas même regardé et, de tous les gens qui se trouvaient là, c'était à coup sûr le prince qui semblait le plus superbement indifférent.

On eut toutefois un véritable soulagement lorsque Barzum eut proféré ces premières paroles :

— Le prince Vladimir vous a dit la vérité.

Dès lors, les hauts personnages de l'estrade considéraient avec sympathie cet excellent témoin qui, vraisemblablement, allait confirmer les déclarations de Son Altesse Royale.

Vladimir y comptait aussi ; il avait raison, car le Barzum qui se trouvait là à côté de lui, au milieu de la grande salle, n'était pas le vrai Barzum, mais bien Fantômas ; Fantômas qui, deux heures auparavant, avait eu avec le prince Vladimir un mystérieux entretien...

Dès lors, Fantômas, dont nul ne connaissait la réelle personnalité, poursuivit :

— J'étais au courant de la présence dans mon cirque d'un personnage qui se dissimulait sous le nom du baron Léopold et qui m'avait confié être le prince Vladimir, ici présent... A nous deux nous cherchions le coupable et, malgré les objurgations de Son Altesse, je ne pouvais me résoudre à incriminer Gérard que je prenais pour un honnête homme lorsque soudain, à l'issue d'une représentation donnée à Cologne, Gérard vint à disparaître.

Justement intrigué, j'ai fouillé le compartiment du train où il habitait... alors, messieurs, j'ai retrouvé, hélas ! non pas toute la fortune, non pas les cinq millions qui furent dérobés à votre gouvernement, mais une modeste somme... quatorze billets de mille francs... Ces billets, toutefois, dissimulés soigneusement dans les objets personnels de Gérard, prouvaient, hélas ! surabondamment son crime, car ils étaient tachés de sang.

Il y avait mieux encore pour prouver la culpabilité de ce misérable ; dans ses papiers on trouvait une lettre, et pour mieux dire un commencement de lettre rédigé de la main de Gérard.

Le faux Barzum, à ce moment, sortait de sa poche un document froissé, qu'il tendait au chambellan du roi :

— Veuillez prendre connaissance, monsieur, lui disait-il, de cette lettre.

Le chambellan du roi devint tout pâle, il redoutait à chaque instant les traquenards ; sans doute jusqu'à présent les débats s'orientaient bien pour le prince Vladimir, mais enfin on ne sait jamais comment tournent les audiences publiques et nul n'ignorait que dans des affaires aussi délicates que celle-ci, il faut se méfier de tout.

D'une voix blanche cependant, qui tremblait légèrement, le chambellan lut :

Je reconnais avoir assassiné...

Puis il s'arrêta.

— Eh bien ? demanda-t-on sur l'estrade à côté de lui, qu'y a-t-il d'autre ?...

Le chambellan hocha la tête, et tout bas murmura :

— Rien, il n'y a rien, c'est fini...

Le faux Barzum, toutefois, intervint :

— Pardon, messieurs, ajouta-t-il, M. le chambellan du roi n'a pas fini, car, à la suite du mot assassiné, Gérard a encore écrit une lettre, une seule, mais elle est tout à fait compréhensible et significative.

« Lisez, monsieur, poursuivait-il, regardez bien et vous verrez un H après le mot assassiné. D'où je conclus, poursuivit le faux Barzum, que Gérard, bourrelé de remords, avait ainsi commencé sa confession. Il avait par écrit reconnu qu'il avait assassiné H... c'est-à-dire Harrysson, une circonstance fortuite est intervenue qui empêcha le dompteur de poursuivre ses aveux.

— Quelles circonstances ? demanda le chambellan.

Et alors, d'une voix grave qui fit frissonner l'auditoire, Fantômas articula :

— La mort... car, messieurs, Gérard est mort... il s'est suicidé !...

Il y eut dans la salle un long murmure. Décidément l'affaire se corsait de plus en plus, peu à peu, d'ailleurs, les sympathies revenaient au prince Vladimir.

Les débats se poursuivaient et l'on allait encore interroger Barzum, lorsqu'un héraut d'armes survint, qui déclara qu'un chef de la police allemande demandait à être entendu.

— Qu'il vienne, répliqua le chambellan du roi, dissimulant son émotion et ses craintes, car plus il y avait d'incidents, moins il était satisfait.

Un gros policier, sanglé dans une redingote, apparut.

Il était porteur d'une sorte de manuscrit et, après avoir fait les salutations d'usage, il en commença la lecture, d'une voix insipide et monotone.

On l'écoutait, toutefois, avec la plus grande attention. Ce document relatait un détail : la découverte aux environs de Cologne du cadavre horriblement mutilé de Gérard.

De nombreux témoins l'avaient reconnu, c'était sans aucun doute le corps de l'homme disparu du cirque, la déclaration du policier confirmait exactement, complétait même celle du témoin Barzum, laquelle venait également à l'appui de la déclaration du prince Vladimir.

Toutefois, après un silence, le policier allemand commençait à fournir de nouvelles explications.

— Il semble difficile, déclara-t-il, de croire au suicide de ce Gérard et il semble au contraire que cet homme ait été assassiné après avoir subi de terribles tortures.

Cette déclaration troublait singulièrement l'assistance et, dans le peuple notamment, on murmurait.

Le mystère était loin d'être élucidé et le chambellan du roi, pressentant le danger, eut une inspiration subite.

Il interrompait le témoin d'un ordre bref :

— Taisez-vous.

Puis il ajoutait :

— Il n'appartient pas au lit de justice de la Hesse-Weimar d'apprécier les circonstances dans lesquelles est mort ce misérable dont la culpabilité vient de nous être démontrée et qu'il a reconnue lui-même par ses aveux écrits.

Le chambellan reprenait, solennel et grandiloquent :

— Je déclare que, en ce qui concerne le prince Vladimir, l'enquête est définitivement close, et je sollicite, au nom de la Nation, M. le burgrave de Rung-Cassel, président du tribunal suprême, de faire connaître sa sentence...

Quelques murmures s'élevèrent, mais ils furent couverts aussitôt par des applaudissements nourris et prolongés.

Sur la physionomie des hauts personnages se peignait une évidente satisfaction. Il eût été déplorable que le prince Vladimir continuât à être suspect, et désormais on estimait que la lumière était très suffisamment faite.

Il fallait donc donner un épilogue à cette comédie de justice et, le chambellan du roi se rapprochant du vieux burgrave, lui murmura quelques mots à l'oreille.

Enfin le vieillard quasi plongé dans le coma parut s'arracher à sa somnolence, son corps s'agita lourdement, le burgrave proféra quelques paroles inintelligibles, que le chambellan répétait à pleine voix.

— M. le burgrave, président du lit de justice, vient de proférer sa sentence..., assurait-il.

Et dès lors, employant des formules d'un archaïsme extravagant, le chambellan du roi confirmait la sentence à laquelle tout le monde s'attendait.

— Le prince Vladimir est acquitté.

Des hurlements retentirent, une clameur immense remplissait la salle, il fut impossible de savoir si la foule approuvait ou non cette décision, seuls les gens de l'estrade donnaient des signes extérieurs les moins discutables de leur extrême satisfaction.

Le chambellan allait lever l'audience ; on lui apporta une dépêche qu'il lut à haute voix, après quoi, son visage se couvrit d'une rougeur subite, puis devint tout pâle.

Ce que le chambellan avait tant redouté jusqu'alors, l'incident inattendu, troublant, se produisait, et, maladroitement, il venait d'en donner connaissance au public car il avait lu à haute voix la fâcheuse dépêche.

Le chambellan s'en désespérait, mais il était trop tard maintenant, et l'émotion éclatant dans la salle semblait à son comble.

M. von Kampfen avait en main une dépêche ainsi conçue, datée de Cologne où se trouvait encore le train du cirque Barzum :

Je viens de découvrir et d'arrêter la complice du meurtre commis à Anvers, et l'assassin du malheureux Gérard, c'est Hélène, la fille de Fantômas.

Or cette dépêche était signée :

Barzum.

Et dès lors, après une seconde de stupeur, tout le monde hurlait :
— Barzum ! Barzum !... qu'est devenu Barzum ?... que signifie ce télégramme, puisqu'il y a quelques instants Barzum était là ?...

Oh ! quiconque aurait connu la véritable personnalité du témoin que l'on venait d'entendre aurait aisément compris ce qui se passait.

Tandis que Fantômas merveilleusement grimé en Barzum venait pour un motif encore mystérieux faire un faux témoignage devant le lit de justice de Hesse-Weimar pour innocenter le prince Vladimir, Barzum, le vrai Barzum, de retour à Cologne, revenu à son train devait avoir découvert quelque chose de formidable, d'inouï pour avoir envoyé cette dépêche à la justice de Hesse-Weimar, annonçant qu'il avait procédé lui-même à l'arrestation d'une femme qu'il savait être la fille de Fantômas.

Ce fut dans la salle d'audience un désordre indescriptible.

Cependant, que, d'une part, les courtisans s'empressaient autour du prince pour le féliciter de son acquittement et de la découverte, qu'il avait facilitée, du criminel, dans le fond de la salle, là où se trouvait le peuple, on tempêtait, on jurait, on voulait à toute force retrouver Barzum et questionner cet étrange témoin sur sa double attitude, savoir ce qui s'était passé.

Hélas ! Barzum était invisible, introuvable ! Barzum-Fantômas avait à peine entendu lire la fameuse dépêche qu'il s'était éclipsé.

Fantômas, en entendant la nouvelle de l'arrestation de sa fille par Barzum, était devenu tout pâle ; il avait bondi hors du palais du roi, il s'était élancé dans une automobile.

A ce moment quatre heures du soir sonnaient.

Il fallait en finir cependant, et le capitaine des gardes donnait à ses hommes des ordres rigoureux !
— Chassez-moi la foule, avait-il déclaré.

Et à coups de crosse assénés dans les reins des curieux, les soldats mettaient hors de la salle d'audience les retardataires, les gens du peuple qui se refusaient à sortir rapidement.

Soudain, dans un passage de porte il y eut une bousculade, deux hommes poussés l'un vers l'autre se heurtèrent ; machinalement ils se regardèrent, puis deux cris s'échappaient de leurs bouches :
— Juve !
— Fandor !

XXVIII

La fille de Fantômas ?

Le train du cirque, tandis que commençait à Glotzbourg le procès de Vladimir, stationnait à Lauterbach, frontière allemande, à l'entrée du tunnel au bout duquel se trouvait Dort, la première gare de Hesse-Weimar.

Debout dans le compartiment qui lui servait de cabinet de travail, les bras croisés, fixant d'un regard impérieux son écuyère, Hélène, la fille de Fantômas, Barzum, pour la vingt-cinquième fois peut-être, questionnait la jeune fille :

— Mademoiselle, disait-il, je veux la vérité, je veux toute la vérité... Répondez-moi...

Mais Hélène secouait, d'un geste las, ses épaules, et sa voix ne tremblait pas :

— Je n'ai rien à vous dire, monsieur Barzum, rien à vous apprendre...

— Pardon, vous me devez l'explication de votre présence ici... Je veux savoir comment il se fait que vous êtes arrivée à mon train... Je veux savoir d'où vous veniez... où vous alliez.

Hélène leva ses grands yeux sur l'impresario et lentement l'interrogea à son tour :

— Qu'est-ce que cela peut vous faire, monsieur Barzum ?... Pourquoi cet interrogatoire ?...

Il sembla qu'à cette question l'Américain se départait de son flegme :

— Mais enfin, tonnait-il furieux, ce ne devrait pas être à moi de vous l'apprendre... vous vous en doutez, je pense !...

— Non, articula fermement Hélène.

— Eh bien, écoutez-moi.

Furieux, cette fois, gesticulant, ce qui était tout le contraire de ses habitudes, Barzum traversait son cabinet, prenait sur son bureau une dépêche qu'il montrait de loin à Hélène :

— Malheureuse ! savez-vous ce que c'est que cela ?

Hélène haussa encore les épaules :

— Je ne le sais pas.

— Eh bien, c'est une communication de la police anversoise, comprenez-vous maintenant ?...

— Je ne comprends pas...

— Vraiment ?... il faudra donc que je vous l'explique... Ah ! vous savez mentir ! en vérité...

Hélène, à cet instant, se levait :

— Vous m'insultez ? demandait-elle.

La jeune fille semblait prête à se retirer ; Barzum, impérativement, lui fit signe de s'asseoir :

— Les femmes comme vous, déclarait avec une colère froide l'impresario, ne peuvent pas être insultées... aussi bien, finissons-en de cette comédie, avouez... la police anversoise m'avertit que vous devez être la femme qui a été mêlée à l'assassinat de Harrysson... Je ne comprends rien aux nouvelles qui m'arrivent de tous les côtés, je ne sais plus si le prince Vladimir est mort ou vivant !... allons !... répondez : êtes-vous cette mystérieuse fugitive ?

Un sourire égaya le visage de la jeune fille, sans trembler elle avoua :

— Oui, je suis bien la femme qui a été mêlée à ces affaires, à Anvers...

— Vous êtes donc un assassin ?... C'est vous qui avez tué ces malheureux envoyés diplomatiques ?... Ce n'est pas tout, je vous soupçonne d'autres crimes encore.

Hélène, qui s'était assise, se relevait cette fois, véhémente :

— Je vous jure, monsieur, que je suis innocente... et que vos accusations sont monstrueuses...

Mais Barzum ne pouvait la croire.

— Taisez-vous, hurlait-il, vous êtes une misérable... Vous avez tué Harrysson, vous avez peut-être tué Vladimir... et je suis encore certain que c'est vous seule qui avez assassiné mon pauvre Gérard.

A cette accusation, cette accusation nouvelle qui pesait à l'improviste sur sa destinée, Hélène avait comme un sursaut d'énergie. C'était elle, à son tour, qui s'avançait vers Barzum, c'était la jeune fille qui fixait d'un regard froid, énergique, l'impresario.

— Mensonges ! criait Hélène, je n'ai point tué Gérard, je ne suis point l'assassin d'Anvers, je ne connais rien à toutes ces ténébreuses aventures, je vous en donne ma parole d'honneur !

Mais Barzum, lui aussi, s'emportait :

— Le beau serment que vous me faites là ! clamait-il, et comme je suis prêt à y croire. Non ! non !... assez de mensonges ! avouez...

Hélène secouait la tête :

— Quand je devrais mourir sur l'heure, déclarait-elle, je n'avouerai point des crimes que je n'ai pas commis... qui me font horreur...

Elle avait parlé, cette fois, avec un ton si sincère, avec l'accent d'une franchise si vraie, que Barzum se sentait ému.

— Pourtant, reprenait-il, tout vous accuse...

— Les accusations ne sont pas des preuves, monsieur.

— Des preuves, la police vous en fournira.

Un frisson nouveau, à ce moment, secouait l'écuyère. Devenue très pâle, Hélène haleta :

— Vous allez donc me livrer, monsieur ?...

— Vous livrer, reprenait Barzum, c'est déjà fait... J'ai télégraphié à la cour de justice de Hesse-Weimar, j'ai dit que vous étiez la coupable...

Et Barzum ajoutait, obstiné, têtu :

— Je ne veux pas d'assassin chez moi, d'abord... et puis j'en ai assez des infernales histoires qui bouleversent ma vie depuis quelque temps... oui ou non, voulez-vous avouer ?...

Hélène, pour la dernière fois, secouait la tête :

— Je n'avouerai pas..., scandait-elle.

— Eh bien, vous coucherez ce soir en prison...

Barzum articulait cette menace d'une voix décidée, implacable. Brusquement Hélène et l'impresario tressaillirent. Dans la pièce, à côté d'eux, un personnage venait d'entrer, un personnage qui, tranquillement, avec une autorité souveraine, répondait à la menace de Barzum.

Il y répondait d'un mot :

— Non !

Une stupeur naquit alors ! D'un geste fou, Hélène s'était retournée, cherchant à voir qui accourait si opportunément à son secours.

Barzum, lui aussi, avait relevé la tête.

Mais si, à cet instant, Hélène demeurait muette d'effroi, Barzum, lui, pensait défaillir de surprise, d'ahurissement, de terreur.

L'impresario, en levant la tête, apercevait en effet, en face de lui, entré sans bruit dans son cabinet de travail, un homme qu'il reconnaissait, qu'il ne pouvait pas ne pas reconnaître, un homme qui était lui, qui était sa vivante image, qui était un second Barzum !

D'abord, l'impresario tremblant, effaré, une sueur froide au front, demeurait incapable d'articuler un mot. Son anéantissement, cependant, ne durait que quelques secondes.

Le directeur du cirque se levait comme un furieux. Il bondissait vers l'homme qui était son sosie.

— Qui êtes-vous ? que voulez-vous ?

Le personnage répondit tranquillement :

— Qui je suis ? Personne... ou tout le monde, au choix... j'ai cent visages quand il me semble bon et j'ai le vôtre si cela me plaît... ce que je veux, Barzum, c'est la liberté de cette enfant... de *mon* enfant...

Il n'avait point fini de parler qu'Hélène, la poitrine haletante, les yeux égarés, hurlait :

— Fantômas ! Fantômas ! ah ! c'est Fantômas !

Le vrai Barzum alors reculait, au nom sinistre, au nom d'épouvante, une lumière soudaine s'était faite dans son esprit.

Quoi ? il y avait deux Barzum ? Lui et un autre... Et cet autre était Fantômas !...

Ah ! certes, l'impresario comprenait maintenant tous les mystères étranges qui l'avaient intrigué, qui l'avaient affolé même...

Il était cependant, le malheureux directeur du cirque, incapable de réfléchir.

— Fantômas ! bégayait-il, c'est Fantômas !...

Or, à cet instant, le bandit, le Maître de l'effroi, le faux Barzum s'avançait vers lui :

— En effet, gouaillait-il, je suis bien Fantômas... et c'est pourquoi je vous donne un ordre... vous avez deux minutes pour vous décider, Barzum... deux minutes à vivre, si vous ne voulez point vous incliner devant ma volonté... je veux la liberté de cette enfant... Hélène doit être libre...

— Assassin ! hurla Barzum, je ne consentirai jamais, au prix d'une lâcheté...

— Alors, vous allez mourir.

Le Maître de l'effroi ricanait maintenant. Il s'avança plus près encore de l'impresario, qui paraissait hors d'état de se défendre :

— Vraiment ? murmurait Fantômas, vous vous imaginiez, monsieur Barzum, que j'allais tranquillement vous permettre de ruiner mes projets, de livrer ma fille à la justice, vous aviez pensé cela ?... allons ! sous votre apparence d'homme intelligent, vous n'étiez qu'un imbécile... je dis, vous n'étiez, car maintenant vous n'êtes plus, presque plus... vous êtes mort !...

Un poignard brillait dans ses mains, la lame décrivait un zigzag dans l'air. A ce moment un cri terrible bouleversait Fantômas !

Hélène qui, jusqu'alors, avait assisté sans mot dire à cette scène abominable, s'élançait en avant.

— Barzum ! Barzum ! prenez garde..., hurlait la jeune fille, cédez ou il va vous tuer !...

Mais hélas ! Hélène avait parlé trop tard. Avec un sifflement, la lame du poignard fendait l'air, s'abaissait. Il y eut un choc sourd, un cri plaintif, puis le corps de Barzum s'écroulait en arrière. L'impresario avait été tué net, foudroyé.

— Vraiment, Hélène, commençait alors Fantômas essuyant tranquillement son poignard aux rideaux voilant la petite fenêtre, et le rengainant, vraiment, mon enfant, tu parles comme une sotte... De toute façon, il fallait que cet homme mourût et par conséquent...

Fantômas à cet instant était très pâle, il osait à peine regarder sa fille, il y avait une tristesse dans sa voix.

Oh ! certes, il avait peu de regret à la pensée qu'il venait de commettre un nouveau meurtre ! Le cadavre encore chaud de Barzum ne lui suggérait aucun remords, non !... Seulement Fantômas considérait avec peur, semblait-il, sa fille dressée devant lui, en effet, frémissante. Hélène semblait se contenir avec peine.

Fantômas l'appela :

— Viens ici... Dis-moi que tu m'aimes ?... demandait-il.

En désignant le cadavre, Fantômas osait ce suprême argument :

— Regarde... pour que tu sois libre, j'ai tué... tu dois comprendre comme je t'aime. J'étais à plusieurs lieues d'ici quand j'ai appris que ce misérable impresario te détenait prisonnière... Il avait envoyé une dépêche au tribunal de Hesse-Weimar. Je suis accouru aussitôt... tu vois comme je t'aime, ma fille.

Il n'en put dire plus long ! Aux mots de Fantômas, Hélène avait bondi en arrière, le sang empourprait ses joues, du feu était au fond de ses prunelles, et c'était d'une voix méprisante, haineuse, que la jeune fille répondait :

— Fantômas, vous êtes un misérable !... Fantômas, il n'était pas besoin de tuer pour me sauver !... je suis de celles qui ont confiance en la justice !... sans doute cela m'effrayait d'être livrée à la police, mais enfin je me serais défendue... ce n'est pas pour moi que vous avez tué, Fantômas !...

— Si... pour toi...

— Non, vous avez tué pour servir encore quelques-uns de vos sombres desseins... vous me faites horreur... je vous hais !

— Hélène ! Hélène !

— Je vous hais..., répétait sombrement la fiancée de Fandor... vous êtes le Génie du crime, vous êtes l'incarnation du mal, oh ! je vous hais... je vous hais...

Fantômas, à cet instant, baissait la tête, il semblait que les paroles de sa fille fussent pour lui la plus terrible des condamnations...

Il se ressaisissait cependant ; il relevait la tête, il la contemplait en face.

— Hélène, tais-toi..., ordonnait le Maître de l'épouvante, tu n'as pas le droit d'insulter ton père.

Mais, à cet instant, l'écuyère se révoltait à nouveau.

Elle croisait ses bras, elle aussi, elle s'avançait vers Fantômas, elle plongeait ses yeux dans ses yeux, et c'était en le frôlant presque qu'elle lui jetait au visage cette suprême parole :

— Ah ! taisez-vous, Fantômas, taisez-vous... Gérard a parlé, et je sais maintenant la vérité : oh !... n'essayez pas de nier, j'ai des preuves, des preuves irréfutables... Fantômas, vous n'êtes pas mon père, je n'ai rien qui me rattache à vous... je ne vous dois rien !... vous n'avez aucun empire sur moi !... ah ! tenez, tenez, partez, je vous chasse...

Fantômas, à ces mots, s'écroulait presque sur le divan.

Le terrible secret qu'il avait appris de Gérard, sa fille, celle qu'il avait cru si longtemps sa fille, l'avait appris aussi !

Hélas ! oui, c'était vrai ! cette Hélène qu'il chérissait depuis si longtemps, qu'il aimait comme son enfant, ce n'était pas son enfant...

Là-bas, dans les plaines du Natal, alors que la guerre étendait partout son rougeoyant étendard, une substitution avait été faite !

Au lieu de l'enfant de Fantômas, de cet enfant qui vivait sans doute, mais qu'il ne connaissait point, on avait mis, la vieille nourrice Lætitia avait mis un autre bébé, le bébé qu'était alors Hélène !...

Seul un homme avait connu cette substitution : le dompteur Gérard, et Gérard avant de mourir avait parlé !...

Anéanti à son tour, brisé, sombrant dans le plus terrible des désespoirs, Fantômas demeurait quelques secondes abattu, prostré.

Il se redressait cependant, les tempêtes les plus violentes pouvaient le courber, non l'abattre !

— Hélène, râla Fantômas, tu n'es peut-être pas mon enfant par le sang, mais tu es ma fille par le cœur ; je ne veux pas que tu me renies... Je veux que tu m'aimes...

— Je vous hais pour vos crimes !

— Hélène ! Hélène ! j'ai besoin de toi... Tu es la cause de mon bonheur.

— Vous ne méritez pas le bonheur, Fantômas !...

— Hélène ! Hélène, je ne veux pas te perdre...

— Fantômas, partez... Maintenant que vous n'êtes point mon père, je ne sais quel scrupule me retient de vous tuer...

Hélène, à cet instant, devait se retenir à une tenture pour ne point défaillir ; les forces lui manquaient, la scène tragique qu'elle avait avec Fantômas épuisait enfin son énergie.

Lentement, pourtant, elle semblait se recueillir.

— Vous me faites horreur et pourtant, disait-elle, j'ai pitié de vous... parce qu'aujourd'hui, aujourd'hui seulement, commence votre expiation... Adieu, Fantômas, adieu pour jamais !...

La jeune fille, sans détourner la tête, faisait un pas, s'éloignait. Déjà, elle atteignait la porte du cabinet de travail, elle allait sauter du train, disparaître pour toujours peut-être, lorsque follement, impétueusement, Fantômas se relevait.

— Non ! disait le bandit... non ! je ne veux pas que tu t'en ailles... de gré ou de force, je saurai te garder...

Hélène n'avait point le temps de se défendre, que Fantômas se jetait sur elle, la renversait presque.

Le Maître de l'épouvante donnait alors un coup de sifflet strident.

— Juve !

— Fandor !

A l'instant où la foule s'écoulait hors de l'audience du lit de justice, une main s'était posée sur l'épaule de Juve, et Juve en se retournant ahuri, affolé, reconnaissait son fidèle ami, Jérôme Fandor !

Les deux hommes après une étreinte presque instinctive, dont ils n'avaient point conscience, se hâtaient de sortir du palais.

A peine dehors, Juve interrogeait haletant :

— Toi... toi ici ?... Comment se fait-il ?...

Mais il s'agissait bien en vérité d'explications. Fandor, en deux mots, rassurait Juve :

— A Dakar, expliquait-il, j'ai abandonné mon paquebot, et j'ai fait demi-tour, j'ai décidé de revenir... Juve, les nouvelles de là-bas m'annonçaient que vous luttiez encore contre Fantômas, je ne pouvais pas vous laisser risquer la mort sans moi...

Juve, à ces mots, sentait des larmes perler sous ses paupières.

— Ah mon petit, mon petit !

Mais Fandor ne le laissait pas s'attendrir.

— En France, j'ai appris tous les incidents d'Anvers, puis les incidents du train... Juve, Juve, il y a cinq jours que je voyage, que je cours partout pour arriver à vous joindre... C'est seulement tout à l'heure, à cette audience que je vous ai aperçu...

Juve, déjà, semblait repris par un besoin de lutte !

— Bon ! très bien, disait-il... mais es-tu au courant de tout ce qui se passe ?... Sais-tu qu'Hélène ?...

— Oui, interrompait Fandor... je sais où elle est... je sais les drames que vous étudiez et tout à l'heure...

Fandor s'arrêtait brusquement.

Juve interrogea :

— Ah ! Je vois que tu as compris comme moi que le Barzum qui était ici... qui crois-tu que c'est ?...

Fandor n'hésita pas :

— Juve, c'est Fantômas. Le vrai Barzum est dans son train, là-bas, avec Hélène, c'est là que nous le rejoindrons...

Mais à ces mots, Juve secouait la tête tristement.

— Trop tard, Fandor, faisait le policier, le train est certainement reparti.

Et, entraînant le journaliste par le bras, hors du parc royal, Juve lui expliquait :

— Fandor, le faux Barzum a disparu, je ne sais pas où il est allé... mais j'ai peur, vois-tu, qu'il ne se soit dirigé vers le train du cirque... aujourd'hui ce train était garé à l'entrée du tunnel du Hartz, le tunnel frontière qui joint l'Allemagne à la Hesse-Weimar... Fandor, le train stationnait à Lauterbach, c'est-à-dire à l'entrée du tunnel, en Allemagne... il en doit partir à 5 h 30, il est 4 h 20, nous n'avons pas le temps d'arriver...

Juve parlait avec un désespoir profond, Fandor se mordait les lèvres, grimaçait, semblait au comble de l'exaspération. Il se dégagea :

— Ah, Juve ! il n'est pourtant pas possible que nous laissions Fantômas rejoindre sa fille... ce train, il faut que nous l'arrêtions, où va-t-il ?

— Fandor, le train doit franchir le tunnel du Hartz, entrer à Lauterbach, il sortira à Dort, en Hesse-Weimar, puisque le tunnel passe sous la frontière... je ne sais pas où il ira après.

— Que faire, alors ? râla Fandor, comment tenter ?...

Mais Juve interrompait son ami :

— Ah ! il faut essayer quelque chose, hurlait le policier... Tiens, en Allemagne, je ne peux rien, à Lauterbach, je ne pourrai pas m'opposer au départ du train, mais à Dort, si j'arrive à temps, fort des pouvoirs que m'a donnés le roi de Hesse-Weimar, je pourrais arrêter le convoi...

Il semblait alors qu'une hâte fébrile s'emparait des deux hommes.

Juve s'élançait vers les dépendances du palais. Il était accrédité, les serviteurs royaux le connaissaient, il jeta le mot de passe, poussa Fandor vers le garage où se trouvaient les automobiles royales.

— Fandor ! hurlait Juve, prends une voiture... va à Lauterbach... tâche d'arriver avant le départ du train... si tu le peux, monte à bord... je vais, moi, à Dort... sitôt que le convoi sortira du tunnel, je le ferai arrêter.

XXIX

Le train perdu

Fandor venait de réaliser un prodige ! Une course folle !

Laissant Juve sous la conduite d'un des mécaniciens du roi s'élancer à Dort, où il espérait arrêter le train de Barzum, Fandor s'était élancé lui-même dans la direction de Lauterbach.

Le plan de Juve était simple, et Fandor l'avait compris à merveille.

— Il faut que j'arrive avant que le train ne soit parti..., se disait Fandor, c'est la vie d'Hélène peut-être que je dois sauvegarder... C'est certainement la vie de Barzum, c'est enfin Fantômas qu'il faut que nous arrêtions...

Et, brisé par ces pensées, risquant la mort à tous les virages, indifférent au danger de la route, Fandor poussait sa voiture, dévalait les rampes, escaladait les côtes, fonçait à l'allure d'un bolide vers la petite station de Lauterbach.

Arriverait-il à temps ?

Fandor, d'un coup de frein, immobilisait sa voiture qu'il avait jetée littéralement contre le trottoir bordant la petite station, marquant l'entrée du tunnel.

Il lui fallait deux minutes pour traverser les salles d'attente, atteindre les quais.

Les employés étaient là, qui semblaient stupéfiés. Fandor leur hurla :

— Le train de Barzum ?... où est le train de Barzum ?...

Un geste le renseignait, on lui montrait l'entrée du tunnel, sous la voûte noire, trois lanternes rouges, marquant la fin d'un convoi, s'éloignaient rapidement, disparaissaient ; le train était parti !...

Un vertige alors prit le malheureux journaliste.

Fandor portait les mains à son front, éclatait en sanglots :

— Trop tard ! gémissait-il, j'arrive trop tard !...

Mais il se ressaisissait vite :

— Le chef de gare ?... où est le chef de gare ?...

Le fonctionnaire allemand n'était pas loin.

— C'est abominable ! clamait-il, il y a eu rupture d'attelage, le train a été coupé, la locomotive n'a emmené qu'un seul wagon et je ne sais pas même qui conduit cette machine, le mécanicien ordinaire est là...

Fandor, à cet instant, rejoignit l'employé :

— Le téléphone ?... Où est votre téléphone ?

Interloqué par ce brusque appel, le chef de gare s'affairait à nouveau :

— Qui êtes-vous, monsieur ? que voulez-vous ?...

— Mon nom ? vous ne le connaîtrez pas, et ce que je veux, c'est le téléphone.

— Mais pourquoi ?

— Bon Dieu ! où est l'appareil ?... tonna Fandor, secouant l'employé par les épaules.

Et comme l'autre était prêt à crier au secours, le journaliste clamait :

— Mais vous ne savez donc rien de ce qui se passe ?... ce train coupé, ce train qui vient de s'enfuir, il emporte Fantômas !... oui, le bandit Fantômas... et Juve, le policier Juve, est à Dort, à l'autre bout du tunnel, prêt à arrêter le convoi, il faut que je le prévienne.

Dix minutes plus tard, il avait fallu près de dix minutes, en effet, pour mettre le chef de gare au courant, lui faire comprendre la gravité des événements, Fandor se trouvait dans le poste téléphonique de la station, les deux écouteurs aux oreilles :

— Allô ! hurlait le journaliste, allô !

Il venait de demander la station de Dort, il suait d'angoisse à la pensée que, peut-être, Juve n'était pas encore arrivé.

Le téléphone marchait mal. Fandor s'énervait à sonner, n'obtenait aucune réponse.

Enfin, tout près de lui, une sonnette grelotta.

— Allô ! allô ! hurla le journaliste, est-ce Dort ?

— C'est Dort.

— Appelez le chef de gare.

— De la part de qui ?...

— Appelez-le, bon Dieu ! c'est Jérôme Fandor qui téléphone... demandez-lui si Juve...

Brusquement, Fandor hurla dans l'appareil :

— Ne coupez pas, nom de Dieu ! ne coupez pas...

Il avait entendu le claquement sec que produit un récepteur que l'on raccroche.

Fandor, déjà, s'apprêtait à resonner, soudain il eut un soupir de soulagement : une voix, à nouveau, lui parvenait, une voix familière, la voix de Juve !

— Allô ! c'est toi, Fandor ?...

— Oui...

— Eh bien ?

— Je suis arrivé trop tard, le train est parti.

Fandor, à cet instant, entendait nettement que l'on coupait la communication, et il fallait perdre près de trois minutes pour l'obtenir à nouveau, enfin, il pouvait correspondre avec Juve :

— Le train est parti : je l'ai tout juste vu s'enfoncer dans le tunnel ; Juve, allez-vous l'arrêter ?...

— Oui, je l'arrêterai...

— Juve, quelles mesures avez-vous prises ?

— Attends, attends !...

Juve avait dû quitter l'appareil, Fandor n'entendait plus rien !

Les secondes passèrent, interminables, enfin, le journaliste perçut à nouveau que l'on reprenait le récepteur.

— Allô ! Juve.

— Allô ! mon petit.

Et Juve lentement, méthodiquement, rassurait Fandor :

— Ne t'inquiète pas... J'ai tout prévu ici... Certainement, j'arrêterai le train.

Crispé à l'appareil, affolé, Fandor l'interrogeait encore :

— Juve, qu'avez-vous fait ?... quelles précautions avez-vous prises ?...

— Tout est préparé pour aiguiller sur une voie de garage le convoi.

— Mais Juve, vous allez causer un accident... Il ne faut pas jeter sur un butoir le train de Barzum... Hélène est à bord, Juve, Hélène est là...

Plus calme, la voix de Juve demandait :

— Comment est parti le train ?... qui le conduit ?...

— On ne le sait pas, Juve... Le train a été coupé... il n'y a qu'une locomotive et un wagon, le wagon directorial... ne le jetez pas sur le butoir...

Une angoisse tenaillait Fandor, il eût voulu presser les réponses de Juve. Par le fil, cependant, le policier rassurait son ami.

— Les disques sont fermés, Fandor...

— Juve, Fantômas les brûlera. Pour s'échapper, il risquera le tout pour le tout...

Mais Juve à son tour s'énervait :

— Ah ça, écoute-moi donc, tonnait le policier, laisse-moi te dire mes précautions : j'ai fait matelasser de tas de foin le butoir, de plus, les rails sont écartés, ils coinceront les roues... le train s'arrêtera de lui-même...

— Alors il n'y a point de danger ?

— Non, pas de danger, Fandor.

Fandor avait passé un récepteur au chef de gare de Lauterbach, le fonctionnaire le tirait par la manche.

— Votre ami se trompe..., disait l'employé allemand, prévenez-le qu'à l'intérieur du tunnel, il est possible d'aiguiller le train de telle façon qu'à Dort, quoi que l'on fasse, il ne se range pas sur une voie de garage...

Fandor hurlait alors dans le téléphone :

— Juve, on m'avertit que le convoi peut échapper à votre aiguillage... le saviez-vous ?

— Attends, Fandor...

Le téléphone se tut quelques instants, puis encore une fois, Juve revenait :

— Tu ne m'apprends rien, cela aussi est prévu... Une locomotive est sous pression, si le train fuyait devant mes yeux, je me lancerais à sa poursuite...

Fandor lâchait l'appareil, tant il défaillait, c'était le chef de gare qui maintenant questionnait Juve :

— Cette locomotive, monsieur, est-elle vraiment sous pression ?... est-elle prête à partir ?...

— Il manque trois atmosphères, répondait Juve, mais on active la chauffe...

Le téléphone se tut encore quelques instants, Fandor, à nouveau, sonnait :

— Juve ! Juve ! êtes-vous sûr que la pression va monter assez vite ?...

Jérôme Fandor n'obtint aucune réponse, Juve avait quitté l'appareil.

Le journaliste, cependant, sonnait toujours rageusement.

— Monsieur le chef de gare, demanda-t-il à son voisin, à quelle heure le train de Barzum est-il parti exactement d'ici ?..

— A 5 h 50,.très exactement...

Juste à ce moment la sonnerie du téléphone carillonnait. De la station de Hesse-Weimar, de Dort, Juve appelait :

— Allô, Fandor ! A quelle heure le départ du train de Barzum ?...

— Je le demandais justement, Juve... à 5 h 50.

— Bon, très bien... Il faut 45 minutes pour franchir le tunnel, en marchant au maximum, il est 6 h 20, il nous reste un quart d'heure...

— Juve, à quelle pression est votre locomotive ?

— Il ne manque plus que deux atmosphères...

— Allô ! bon !

Fandor venait de tirer sa montre, il considérait avec une hâte fébrile la marche des aiguilles.

— Monsieur le chef, demandait-il encore à son voisin, Juve me dit qu'il faut 45 à 48 minutes...

— Très exact... les grands rapides mettent entre 45 et 48 minutes...

— Donc, dans cinq minutes.

— En effet, interrompait le chef de gare, dans 5 minutes le drame sera terminé... et dans deux minutes, Juve sera averti de l'arrivée du convoi.

— Averti comment ?...

— Par le grondement que l'on entend sous le tunnel...

Fandor déjà avait repris l'appareil.

— Allô, Juve ?... Votre machine est-elle prête ?

— Elle va l'être, Fandor...

— Il vous reste quatre minutes...

— Oui, mais tout est préparé...

— Juve, on me dit que trois minutes avant l'arrivée des convois, on entend du bruit sous le tunnel. Entendez-vous quelque chose ?

— Non, rien... pas encore...

Il restait tout juste trois minutes à attendre, Jérôme Fandor s'enfonçait les ongles dans la chair, blêmissait de seconde en seconde...

— Juve, entendez-vous ?

— On n'entend rien.

— Juve, la machine est-elle prête ?

— Oui, la pression est atteinte.

Lentement, une minute encore passa...

— Juve, entendez-vous ? allô ! allô !...

Pour la seconde fois, la communication venait d'être interrompue. Pâle alors, comme un mort, livide, la rage au cœur, Fandor carillonnait, rappelait la petite station.

Il lui fallut près de quatre minutes pour obtenir la communication avec Dort.

— Allô ! Juve ?

— Allô ! Fandor ?

— Eh bien ?

— On n'entend toujours rien.

Un cri de rage échappait des lèvres de Fandor.

— Mais c'est impossible, hurlait-il dans l'appareil, il y a maintenant 49 minutes que le train de Barzum est parti d'ici et il lui en fallait 45 pour franchir le tunnel...

A l'autre bout du fil, Fandor entendait distinctement Juve donner des ordres :

— Allô ! vous entendez du bruit dans le tunnel ?

— Rien, rien... c'est incompréhensible...

Ce qui se passait était, en effet, inouï, surprenant au plus haut point !

Pendant plus d'un quart d'heure, Jérôme Fandor, haletant au bout du fil, sonnait, carillonnait, appelait. La communication n'était pas coupée, car toujours le journaliste saisissait de loin en loin les échos de la voix de Juve ; pourtant, il n'obtenait plus de réponse.

— Allô ! Fandor, hurlait enfin le policier, revenu à l'appareil. Ici l'on me dit qu'il doit se passer quelque chose d'abominable sous le tunnel, voilà plus de vingt minutes que le train devrait être ici et nous ne l'entendons même pas... tu es bien sûr qu'il est parti à 5 h 50 ?

— Oui, bien entendu...

Fandor lâchait l'appareil, interrogeait le chef de gare.

— Le train n'arrive pas là-bas... que faire ?

L'employé allemand, hésitant, proposa :

— J'ai une locomotive ici, toute prête... voulez-vous faire le balai, M. Fandor ? Voulez-vous partir vers Dort ? Il faudra bien que vous retrouviez le convoi, puisqu'il est sous le tunnel...

Déjà Fandor avait repris l'appareil :

— Allô ! Juve, il y a une locomotive ici toute prête, j'embarque à bord, je file vers vous... Bon Dieu ! il faudra bien que je le rejoigne... ce convoi fantastique !...

A l'autre bout du fil, à Dort, Juve, fou d'épouvante, se tenait depuis une demi-heure à la sortie du tunnel. Le policier avait abandonné le poste téléphonique, à l'instant où Fandor lui avait annoncé son départ de Lauterbach.

Juve, depuis lors, ne vivait plus ; dans sa pensée affolée, les pires suppositions, les plus abominables hypothèses se succédaient...

Il fallait tout craindre, tout redouter, en effet.

Le train de Barzum n'était toujours pas sorti du tunnel, il était donc sous le Hartz, quelque part, immobilisé dans la voûte sombre !...

Or, sur la même voie, Juve savait maintenant que Fandor s'était élancé à bord d'une locomotive.

Juve n'avait pas eu le temps de crier à son ami, par le téléphone, toute la folie qui résultait de sa tentative. Juve imaginait Fandor penché aux auvents de la machine, encourageant le mécanicien.

Ardent comme il l'était, Fandor allait assurément marcher à toute vitesse, le train de Barzum — où, Juve le devinait, devaient se trouver Fantômas et sa fille — n'était pas sorti, l'accident était certain, inévitable.

— Que faire ? que faire ? râlait Juve, il va se tuer... il va se tuer...

Juve n'était pas inquiet, en effet, pour Hélène !

Il ne pensait même plus à Fantômas ! le bandit et sa fille avaient dû descendre, en effet, du train de Barzum, volontairement arrêté sous la voûte.

D'eux, oui, en vérité, il ne fallait pas s'inquiéter !... Mais Fandor, avec sa locomotive, allait se jeter sur ce train immobile, allait s'écraser contre les wagons arrêtés !

Juve comptait les minutes...

— Que faire ? pensait-il toujours, que tenter ? aller au devant de Fandor ? c'est risquer de manquer le train de Barzum, si par hasard il sortait à l'improviste ! Rester ici, c'est peut-être laisser Fandor agoniser tout seul sous le tunnel.

Brusquement, Juve pâlit !

Sous la voûte sombre, un grondement venait de retentir, il était d'abord indistinct, vague, puis il s'amplifiait, se précisait, devenait formidable.

— Dans trois minutes je saurai, pensa Juve.

Quelqu'un derrière lui, criait :

— Garez-vous, préparez-vous, c'est le train de Barzum, c'est le train de Fantômas !...

Encore quelques secondes...

Sous la voûte noire enfin, deux lumières clignotantes apparurent :

— Le train ! le train ! criaient les employés de la station de Dort...

Mais, à ce moment, Juve poussait un hurlement terrible.

— Ça n'est pas le train ! c'est la locomotive !

C'était, en effet, la locomotive de Fandor qui arrivait !

Le mécanicien avait bloqué les freins, la monstrueuse machine s'immobilisait à quelques mètres de Juve ! Accroché au tampon, hagard, noir de fumée, les yeux en sang, Jérôme Fandor se tenait dans une position vertigineuse :

— Juve ! Juve ! criait le journaliste, nous avons traversé tout le tunnel ! le train de Barzum n'y est pas ! le train de Fantômas s'est évanoui... je l'ai vu entrer sous le tunnel, vous ne l'avez pas vu en sortir, et pourtant il n'est plus là !... qu'est devenue Hélène ? Ah ! Juve ! Juve ! mon ami ! je suis fou d'angoisse... le train de Fantômas s'est perdu !!!

LES AMOURS D'UN PRINCE

LES AMOURS D'UN PRINCE

I

Le mystère du tunnel

A l'instant où Fandor, cramponné au tampon de la locomotive, criait à Juve cette phrase impossible à comprendre, cette phrase folle, et qui, pourtant, était réelle, disait la vérité, puisqu'il l'affirmait avec une énergie démesurée : « Le train est entré dans le tunnel !... Il n'en est pas sorti ! et pourtant il n'y est plus ! » A cet instant, Juve, livide, les traits décomposés par l'émotion, s'élançait vers le jeune homme, en proie à une surexcitation fébrile.

— Fandor ! Fandor ! hurlait Juve, ah ça ! ce n'est pas possible, ce que tu dis ?... tu t'es trompé !... Si le train est entré sous le tunnel, il faut bien qu'il y soit resté, puisqu'il n'en est pas sorti !

Mais Fandor avait déjà sauté sur Juve, il lui tenait les épaules, il le secouait d'importance, comme un fou, il hurlait encore :

— Je vous dis que le train est entré là-dessous ! je vous dis qu'il n'y est plus ! et cependant, vous ne l'avez pas vu sortir !...

Ce que Fandor affirmait, ce qui semblait impossible, était cependant véritable.

Lorsque, après quelques instants d'émotion folle, de paroles sans suite, d'interruptions lancées au hasard, Juve et Fandor arrivaient à mettre un peu de calme dans leur récit, ils devaient se rendre compte de l'exactitude rigoureuse des faits.

Fandor ne pouvait pas se tromper. Il avait bien vu, en arrivant à la petite station où stationnait le train Barzum, le convoi démarrer, s'enfoncer sous la voûte sombre du tunnel...

A cet instant, Juve était déjà à la sortie du souterrain. Juve n'avait pas vu passer le train. Donc, fatalement, forcément, le train devait être à l'intérieur de ce tunnel [1]...

Cependant, Fandor affirmait que le convoi n'était plus là !

Comme il l'avait annoncé à Juve, en effet, par le téléphone, Fandor avait bondi sur une locomotive et s'était, à son tour, élancé dans le souterrain, poursuivant le train sur lequel étaient partis Fantômas et sa

---

1. Voir dans le présent volume : *Le Train perdu.*

fille, le pourchassant... Il n'avait pas rencontré le convoi, il avait franchi le tunnel en entier sans en trouver trace.

La chose était si incompréhensible, cette disparition apparaissait si insensée, que Juve et Fandor, aussi interloqués l'un que l'autre, aussi ahuris, passaient de longues minutes à se regarder fixement, anéantis presque, s'entêtant à répéter les mêmes arguments :

Juve montrait, de son bras tendu, la voûte sombre du souterrain :

— Le train est entré là-dedans ! hurlait-il, il n'en est pas sorti, donc, il y est !...

Et, par un geste identique, Fandor montrait la locomotive qui venait de le transporter :

— J'ai suivi le tunnel en entier, criait-il à son tour, je n'ai rien vu, donc, le train n'est plus là !...

Juve était toutefois trop précis et trop actif pour s'éterniser longtemps à une semblable discussion. Nerveusement, le policier tirait son revolver de sa poche, faisait un grand geste d'incompréhension, puis appelait :

— Fandor !...

— Juve !...

— Il faut sortir, coûte que coûte, de ce mystère. Fantômas, assurément, vient encore de recourir à une ruse infernale. Il ne faut pas que nous le laissions s'échapper !...

Fandor était déjà sur les talons du policier...

Lui aussi avait pris son revolver ; lui aussi, nerveux, mais décidé, hurlait une imprécation :

— Vous avez raison, Juve ! Coûte que coûte, il faut que nous sachions la vérité !... Fantômas ? je m'en moque encore ! Mais il y a Hélène, et je ne veux pas...

Oh ! Fandor n'avait pas besoin de conclure sa phrase, d'ajouter un mot !

Une expression de sombre énergie passait sur son visage devenu farouche. Il apparaissait bien qu'il était prêt aux pires intrépidités pour arracher Hélène, sa fiancée, celle qu'il aimait entre toutes et par-dessus tout, à l'empire du Maître de l'effroi !

Juve, cependant, arrêtait le jeune homme :

— Pas de folie ! disait-il, nous allons probablement à la mort ; au moins, que notre mort soit utile à quelque chose...

Juve laissait Fandor immobile, de faction à l'entrée du tunnel, bondissait au téléphone :

— Allô ? la gare frontière ?... le chef de gare ?... Bien ! Non ! nous ne savons pas ce qu'est devenu le train !... Nous partons à sa recherche, prévenez la gendarmerie... mettez dix hommes armés à l'entrée du tunnel... Fantômas peut chercher à s'échapper d'un moment à l'autre !...

Juve raccrochait l'appareil téléphonique, courait comme un fou vers le chef de gare de la propre station où il était ; le brave homme, de plus en plus affolé, s'était élancé vers Fandor, offrant généreusement d'accompagner le journaliste et son ami dans l'exploration du tunnel...

— Monsieur, ordonnait Juve, il est absolument inutile que nous soyons plusieurs à nous exposer !... D'ailleurs, j'ai besoin de vous ici. Postez-vous à cet endroit, avec dix de vos employés armés... ne laissez sortir personne, sauf moi et Fandor. Nous allons explorer le tunnel !...

L'ordre était net, précis ; le chef de gare s'inclinait, Juve prenait alors un falot d'une main, tenait son revolver de l'autre, d'un clin d'œil il appelait Fandor :

— Tu viens ?

— Je vous attends...

Sans autre mot, sans témoigner plus d'inquiétude, les deux hommes s'engouffrèrent dans le trou noir que constituait l'énorme voûte obscure du tunnel...

D'abord, une faible clarté dura. Elle diminuait cependant au fur et à mesure que les deux amis s'éloignaient de l'ouverture. Bientôt, autour d'eux, ce fut l'obscurité absolue, une obscurité froide, humide, saturée par la fumée des trains, et qui laissait à peine passer les faibles rayons s'échappant des falots aux mèches fumeuses...

— Marche derrière, petit ! ordonnait Juve, suis la muraille de droite !...

Mais Fandor n'était point prêt à tenir compte d'une pareille recommandation.

— Je suis la muraille de droite ! répondait-il, mais j'entends marcher devant ! Vous, Juve, vous n'avez qu'à courir après Fantômas ; moi, c'est Hélène que je cherche... Vous êtes ici par devoir, moi par peur... par amour pour elle !... L'amour est plus fort que le devoir !

Ce n'était pas, toutefois, le moment d'engager une discussion de cette nature ; Juve haussait les épaules, pressait le pas, essayant de distancer Fandor... Si la manœuvre, malheureusement, était simple à concevoir, elle était plus difficile à réaliser. Au moment où Juve hâtait sa marche, Fandor précipitait la sienne. Ils avancèrent tous les deux sur la même ligne, sans se dépasser, sans mot dire aussi...

Juve, en effet, calmé maintenant, revenu de sa première stupeur, retrouvait toute son habituelle lucidité d'esprit :

— Pas un mot ! avait-il soufflé à Fandor, le tunnel sert de porte-voix gigantesque... l'écho peut faire entendre nos paroles, de fort loin... Si nous devons rencontrer Fantômas, inutile de le prévenir de notre arrivée !...

Et il avait fallu à Fandor, précisément, une énergie surhumaine pour qu'il ne criât point, de toutes ses forces, dans l'espoir précisément d'être entendu d'Hélène, un mot d'encouragement : « Tenez bon ! nous voilà !... »

Longtemps, longtemps, Juve et Fandor avancèrent ainsi, en silence. Ils avaient commis la suprême imprudence de partir sans s'être assurés que les falots qu'ils emportaient étaient pleins d'huile. L'un d'eux, celui que tenait Fandor, s'éteignit ; Juve voulut passer le sien au journaliste, mais Fandor, d'un geste, le refusa. Les deux hommes continuèrent, alors, à marcher, péniblement, lentement, s'écorchant aux pierres du ballast, heurtant les traverses, et de temps à autre s'arrêtant pour écouter, pour ne rien entendre, rien, si ce n'était parfois le ruissellement d'une source suintant au long des murailles !

— Étrange ! grommelait Juve, absolument incompréhensible ! Que diable a-t-il pu arriver ?

Fandor, lui, ne grommelait rien, devant la catastrophe nouvelle qui venait de se produire — l'enlèvement d'Hélène par Fantômas, la disparition de l'aimée —, Fandor se sentait stupide, abattu, anéanti.

— Hardi ! tonna soudain Juve...

Fandor, à cet instant, avait quitté le ballast pour sonder une anfractuosité de la muraille, qui lui était apparue plus sombre et plus mystérieuse. Il sursauta en entendant Juve :

— Quoi ? qu'est-ce qu'il y a ?

Juve, arrêté, haussait la flamme de son falot, le tendait à bout de bras :

— Regarde ! sapristi ! regarde...

— Mais quoi ? s'impatienta Fandor.

— Hé ! tu le vois bien : la flamme vacille !...

Fandor ne comprenant pas ce qui étonnait Juve, le policier insista :

— La flamme vacille, donc il y a du vent !... il y a un courant d'air !... Parbleu, je te dis que nous allons trouver une cheminée, une galerie souterraine, une communication avec la montagne !...

Juve, arrêté, haussait la flamme de son falot, le tendait à Fandor, mais le journaliste haussait les épaules :

— Eh ! criait le jeune homme, j'y ai déjà pensé à cela, Juve... Mais, même par une cheminée d'aération, il ne serait pas possible d'expliquer le mystère que nous cherchons à comprendre !... Par une cheminée, des gens peuvent s'échapper, mais un train ne peut pas disparaître !...

La remarque était juste. Juve, pourtant, n'en tenait pas compte. Encore une fois, il manifestait son caractère obstiné, entêté, convaincu :

— Il y a du vent, Fandor ! il y a du vent !... donc, quelque part, nous allons découvrir un trou !... un boyau !...

Ah ! qu'elle était étrange, en vérité, la situation de ces deux hommes perdus dans ce tunnel, ensevelis sous une montagne et cherchant, intrépidement, ce qu'avait pu devenir un train, le train perdu, le train fantôme, sur lequel étaient cachés le Roi du crime et sa fille !

... De longues minutes encore, les deux hommes avancèrent. Puis, brusquement, comme ils atteignaient un coude du tunnel, pétrifiés de stupeur, tous deux s'arrêtèrent.

A la droite de Juve, un éboulis formidable s'apercevait. Il marquait une tranchée fort nette creusée à même la muraille formant la voûte du tunnel, c'était assurément un éboulis récent, car le sol était encore mou, à l'endroit où les pierres s'étaient accumulées. C'était surtout un éboulis voulu, provoqué, réussi à l'aide, sans doute, d'un coup de dynamite, car, entre les pierres éboulées, deux rails luisants fraîchement posés, sommairement fixés à des traverses volantes, du genre de celles qu'emploient les soldats du génie, allaient se rattacher aux rails ordinaires sur lesquels normalement passaient les convois franchissant le tunnel.

— Fandor ! Fandor ! hurla Juve, voilà le mystère !... Le train a été aiguillé sur cette voie de garage, il y a là une galerie, tu ne l'as pas vue du haut de ta locomotive, mais assurément...

Oh ! Juve pouvait bien parler ! échafauder des hypothèses ! préciser une explication ! Fandor ne l'entendait point !

Le jeune homme s'était élancé, il avait sauté les blocs de rochers, escaladé l'éboulis, atteint la tranchée. Il se précipitait, répondant à Juve d'un seul mot :

— En avant ! en avant !

Le policier et le journaliste, au pas de course, au risque de tomber dans les pires précipices, de buter dans les pièges les plus dangereux, fonçaient au long de la galerie...

— Fandor, disait Juve tout en courant, tout en sondant autant qu'il le pouvait, à la clarté de son falot, l'obscurité impénétrable, Fandor, je devine ce qui s'est passé... Cette galerie est une des nombreuses galeries creusées par les soins des ingénieurs qui ont percé le tunnel... La muraille de la voûte principale la masquait, mais Fantômas la connaissait ! Assurément, le monstre avait des complices, ces gens-là ont fait sauter la muraille, ont posé deux rails de raccordement... quand le train de Barzum est arrivé, ils l'ont aiguillé dans ce boyau, nous allons le rejoindre, nous allons atteindre Fantômas !...

Juve, à nouveau, paraissait joyeux, plein d'entrain...

Brusquement il s'arrêta :

— Doucement ! attention !

Dans l'ombre, au lointain, à deux cents mètres peut-être, une lueur pâle, rougeâtre, imprécise, venait de surgir...

— Victoire ! souffla Juve à l'oreille de Fandor qu'il venait d'immobiliser en l'arrêtant par le bras ; victoire ! ce sont les lanternes du fourgon arrière !...

Les deux hommes ne pouvaient pas se tromper, en effet.

La lueur rouge qui s'apercevait au lointain de l'étroite galerie, dans laquelle ils venaient de se faufiler, devait provenir des deux lanternes accrochées au dernier wagon du train disparu, de ces deux lanternes, que Fandor avait tout juste eu le temps d'apercevoir, lorsqu'il avait été témoin du départ du convoi !

Il importait, toutefois, de se montrer prudent !

Si le train était là, immobilisé, stationnant, sans doute, au bout du boyau souterrain, il était à peu près sûr que Fantômas et ses bandits s'y trouvaient, en embuscade, prêts à faire feu, acculés, mais disposés à vendre le plus chèrement possible leur vie et leur liberté...

— Bon Dieu ! Juve ! ricanait Fandor, nous n'en sommes pas à risquer une fois de plus quelques coups de revolver !... et la vie d'Hélène est peut-être une question de secondes !...

Fandor voulait se précipiter en avant, donner l'assaut. Juve, de force, le plaqua contre la muraille :

— Toi, grommelait-il, tu vas me faire le plaisir de m'obéir ! D'abord, tu dis des bêtises ! Hélène n'est pas en danger de mort ! Jamais Fantômas ne ferait du mal à sa fille.

A sa fille !...

Ah ! comme Juve eût été autrement inquiet s'il avait connu le secret, le terrible secret que Gérard, le dompteur, avait confié à Fantômas, s'il avait su qu'en réalité aucun lien de famille ne rattachait la douce Hélène au terrible Maître de l'effroi [1] !

Mais Juve ignorait tout cela, et c'était en toute bonne foi qu'il s'efforçait de persuader Fandor :

— Donner l'assaut au train, mon petit, c'est très joli, mais c'est stupide aussi !... S'ils sont, là-dedans, cinq ou six gaillards déterminés, nous

---

1. Voir dans le présent volume : *Le Train perdu.*

sommes certains de nous faire tuer avant d'avoir seulement atteint le marchepied du dernier wagon... Bon Dieu ! tâche d'être patient un peu ! Rusons... approchons d'aussi près que nous pourrons le convoi, sans qu'on se doute de notre présence !...

Juve forçait Fandor à se mettre à plat ventre. C'était en rampant, sans bruit, avec une habileté consommée, que les deux hommes désormais avançaient...

Il leur fallut près de vingt minutes pour atteindre le train en panne. Mais lorsqu'ils étaient à quelques mètres de lui, la patience manquait brusquement à Fandor :

— Ah ! tant pis ! criait le jeune homme en se relevant et en s'élançant en avant comme un furieux... A nous deux, Fantômas ! me voilà, Hélène ! me voilà ! C'est moi, Fandor !...

La voix du journaliste, amplifiée par l'écho, résonnait encore au loin que, déjà, le jeune homme avait sauté sur le marchepied du train, ouvert une portière d'un coup d'épaule, bondi à l'intérieur du wagon-salon qui constituait, quelques jours avant encore, le cabinet de travail du vrai Barzum...

Derrière Fandor, Juve, le revolver au poing, s'était précipité...

— Rendez-vous, criait Juve, rendez-vous, Fantômas !...

Mais, après quelques secondes, Fandor et Juve, consternés, laissaient tomber leurs armes, se considéraient avec surprise !...

Le convoi était bien arrêté au bout du boyau souterrain. Ils venaient bien de parcourir le train en entier... et pourtant ils n'avaient vu personne !

Il n'y avait personne dans la galerie, il n'y avait personne dans les wagons. Hélène, Fantômas et ses complices, tous ceux que le train avait emportés, semblaient s'être évanouis, semblaient avoir disparu !...

La stupeur de Fandor, son désespoir, étaient alors sans bornes !

— Malédiction, Juve ! criait le jeune homme. Fantômas a fui !...

Mais Juve secouait la tête :

— Non ! non ! c'est impossible ! Il doit être caché, tout près de nous, sans doute, sur les wagons, sous les wagons, peut-être ?...

Fandor sautait déjà sur le toit des compartiments, Juve se glissa entre les roues.

— Hélène ! Hélène ! appelait Fandor, par pitié, m'entendez-vous ?...

Le journaliste tressaillit ; brusque, formidable, un juron lui arrivait :

— Ah ! bougre !

C'était Juve, et Juve appelait :

— Descends, Fandor !... vite !...

Le journaliste sauta sur le remblai, chercha Juve.

Le policier était encore sous la grande voiture de première classe attelée derrière la locomotive. Il paraissait haler sous un fardeau pesant.

— Aide-moi, Fandor !

Fandor, d'un bond, rejoignit Juve. Il distinguait alors, avec horreur, la nature de la charge sous laquelle Juve semblait fléchir.

— Bon Dieu ! mais c'est un homme !... Qui ? qui ?

— Je n'en sais rien !

Fandor transportait le blessé, le mort peut-être, auprès du falot que venait de lui passer Juve.

A la lueur de la clignotante lumière, le journaliste, blême, considéra le visage de l'homme qui ne donnait point signe de vie.

— Qui ? Qui est-ce ? répétait-il.

En même temps, il dégrafait la veste de l'individu, cherchait la place du cœur.

— Dieu soit loué ! cet homme vit !... nous saurons !

Juve avait toujours sur lui une gourde d'eau-de-vie. Il versa quelques gouttes de la violente liqueur entre les lèvres de l'homme. Le cordial fit son effet, bientôt l'inconnu ouvrait les yeux :

— Pas un mot ! pas un geste ! ordonna Juve impérativement, appuyant le canon de son revolver sur le front du blessé... Qui êtes-vous ?

Juve s'attendait à trouver un complice du bandit. Il fut stupéfait de voir l'homme le fixer avec affolement ; il fut abasourdi de l'entendre bégayer d'un ton de terreur :

— Grâce ! grâce ! Fantômas !... je ne dirai rien !

Un quart d'heure plus tard, Juve et Fandor, debout, interrogeaient l'homme qu'ils venaient si bizarrement de découvrir, ligoté, couché sur la voie, en dessous du train abandonné...

Juve était haletant, l'émotion faisait trembler sa voix ; pourtant il interrogeait avec netteté, avec précision, rapidement :

— Votre nom ?

Et pour rassurer le blessé, Juve ajoutait :

— Parlez ! parlez !... vous êtes avec des amis ! Je suis Juve ! le policier Juve !... Nous recherchons Fantômas !...

Or, en apprenant qu'il était aux mains de Juve, l'effroi de l'inconnu paraissait se réveiller à nouveau.

— Juve ? faisait-il, ah ! mon Dieu ! c'est horrible ! c'est horrible !... Il me l'avait bien dit !...

— Qu'est-ce qu'on vous avait dit ?... Qui est-ce qui vous avait dit quelque chose ?...

L'homme se tordit sur le sol, hagard, affolé...

Et c'était dans un désordre épouvantable qu'il s'expliquait, qu'il répondait enfin :

— Fantômas !... c'est Fantômas qui m'avait dit que Juve viendrait ! Oh ! j'ai juré de ne rien dire ! Il me tuerait, sans cela ! Non ! non, vous ne saurez rien !

— Bon Dieu ! mais qui êtes-vous donc ?

— Miquet ! l'acteur Miquet !... j'étais dans le train quand Fantômas est monté... il ne m'a découvert qu'ici !... Il voulait me tuer, mais sa fille...

— Où sont-ils ? que sont-ils devenus ?...

Fandor venait de se jeter aux pieds de l'homme étendu sur le sol. Il joignait les mains, il priait :

— Oh ! renseignez-nous ! si vous savez comment est parti Fantômas, si vous savez ce qu'est devenue Hélène [1]...

_____

1. Voir dans la série « Fantômas » : _La Guêpe rouge._

L'acteur Miquet gémit faiblement :

— Je ne sais rien ! je ne sais rien !

Alors Fandor pria plus encore :

— Mais c'est horrible de vous taire !... c'est criminel ! Au nom d'Hélène qui vous a sauvé, car c'est elle, j'en suis sûr, qui vous a sauvé, dites-nous...

Fandor n'acheva pas sa phrase !

Lui coupant la parole, dominant sa voix, emplissant le boyau souterrain d'un monstrueux vacarme, une explosion formidable retentissait.

C'était alors, dans la galerie, un nouvel éboulis de rochers et de pierres.

Brisé en mille morceaux, le falot de Juve s'éteignait... Les trois rescapés entendaient autour d'eux la voûte s'effondrer, les rocs s'écrouler les uns sur les autres... Allaient-ils mourir ? Qui survivrait-il ?

Qu'était devenu Fantômas ?

Qu'était devenue Hélène ?

Juve ne s'était point trompé en devinant la façon mystérieuse dont le train s'était, en quelque sorte, perdu.

Le policier avait parfaitement imaginé la ruse à laquelle Fantômas venait de recourir, prouvant une fois de plus son infernale audace...

Tout comme le policier l'avait expliqué à Fandor, Fantômas connaissait, en effet, l'existence d'une galerie de raccordement, percée latéralement au tunnel, et ne communiquant plus avec lui, depuis l'instant où les ouvriers avaient achevé la muraille de la voûte.

Fantômas, revenu au train au sortir du lit de justice, ayant tué Barzum, ayant eu avec sa fille une épouvantable discussion, décidé à entraîner celle-ci avec lui, coûte que coûte, en dépit de son cri de haine, en dépit de l'aversion qu'elle éprouvait pour lui, n'avait pas hésité...

Certes, le monstre depuis longtemps avait dû prévoir sa sinistre et merveilleuse fuite !

C'étaient des hommes à lui qui avaient sauté sur la locomotive, qui avaient fait démarrer le train de Barzum, tronçonné, de façon à être réduit à deux wagons seulement...

D'autres complices attendaient le passage du train sous le tunnel. Un coup de dynamite avait alors fait sauter la muraille, découvert l'entrée de la galerie secrète, où deux rails volants permettraient d'aiguiller le train. Le convoi de Barzum était depuis longtemps au fond du boyau, alors que Jérôme Fandor se décidait à peine à s'élancer dans le tunnel, sur une locomotive, pour savoir ce qu'il était devenu !

Au fond de la galerie souterraine, Fantômas était naturellement rejoint par les hommes de sa bande.

Le bandit, rapidement, alors, prenait ses dispositions. Le revolver en main, il faisait ligoter l'acteur Miquet, qui, épargné sur la prière d'Hélène, était, sur son ordre, abandonné sous les wagons.

— Juve va venir, soufflait Fantômas au malheureux littéralement terrorisé, si tu as le malheur de le renseigner, si tu as le malheur de lui dire un mot de ce que tu as pu voir ou entendre, tu mourras de ma main !

Et, cette menace faite, Fantômas revenait vers Hélène, que ses complices entouraient.

— Viens ! ordonnait le bandit.

Hélène, courbant la tête, frémissante, devait obéir.

Où l'entraînait Fantômas ?

Oh ! certes oui, le Maître de l'effroi avait dû prévoir les moindres incidents de cette fuite extraordinaire. Sans trop se presser, sans hésiter en quoi que ce soit, Fantômas, en effet, conduisait la jeune fille vers un bloc de rocher, sur lequel il posait la main. La pierre tourna. Elle masquait l'entrée d'une étroite cheminée d'aération.

— Viens ! répéta encore Fantômas.

Et telle était la sombre expression de son visage, qu'Hélène dut encore obéir. Précédant le monstre, la jeune fille se glissa, rampant presque, dans l'étroit orifice.

— Vous autres, ordonnait alors Fantômas à ses hommes, vous savez comment sortir d'ici... hâtez-vous !...

Il n'ajoutait pas un mot. Derrière Hélène, il pénétrait dans le boyau, derrière elle il se glissait, et il n'avait point quitté la galerie souterraine, que le rocher s'était refermé sur lui, masquant l'entrée de la cheminée d'aération...

Quel était donc le plan de Fantômas ?

Hélène, épouvantée, ne devait pas tarder à l'apprendre !

A peine le rocher avait-il regagné sa place, en effet, que Fantômas posait sa main sur l'épaule de celle qu'il avait si longtemps prise pour sa fille :

— Hélène ! ordonnait le bandit, écoute-moi bien !... entends-moi bien !... réfléchis bien avant de me répondre !...

Et comme, frémissante, Hélène se taisait, à cet instant, Fantômas plongeait dans ses yeux un regard qui était plus aigu que la lame d'un poignard.

— Entends-moi bien, répétait Fantômas, comprends-moi bien !... écoute : J'ai voulu être le maître de tous et de tout, et je le suis !... Jamais je n'ai été vaincu ! Jamais nul n'a contrarié ma volonté ! Toi seule, mon enfant, tu veux me résister ! Sur mon âme, je te briserai ! Sur mon honneur, mon honneur de bandit, je te jure qu'il n'arrivera rien que je ne veuille.

Fantômas se taisait. Il espérait une réponse, mais les lèvres d'Hélène, ses lèvres exsangues, demeuraient absolument closes.

— Tu feras donc ce que je voudrai, reprenait Fantômas farouchement, et tu ne feras rien de ce que je te défendrai ! Je ne sais encore quels ordres j'aurai à te donner dans l'avenir, mais aujourd'hui déjà, je sais ce que je peux te défendre : Hélène, il est un homme que je hais, que je hais plus que tout au monde, parce que j'en suis jaloux, parce qu'il t'aime, parce que tu l'aimes ! Hélène, tu vas me jurer que tu n'épouseras jamais Fandor, sans avoir mon consentement !

Mais, cette fois, Hélène, la douce Hélène se départait de son silence. Aux étranges paroles de Fantômas une flamme de colère brillait dans ses yeux.

— Vous êtes un misérable ! répondit-elle, vous n'avez nul droit sur mon cœur... nulle autorité sur ma vie ! J'épouserai qui bon me semblera, j'aimerai qui je jugerai digne d'être aimé de moi !

C'étaient là de fières paroles, c'étaient, hélas ! des paroles inutiles ! Résister à Fantômas ? quelle folie !

Brutalement, et cependant qu'un sourire ironique crispait ses traits, Fantômas posa sa main sur le bras de la jeune fille :

— Regarde ! ordonnait-il.

Il forçait Hélène à coller son œil à l'une des fentes du rocher.

— Regarde ! répétait Fantômas, et donne-moi ta parole d'honneur que tu n'épouseras pas cet homme... donne-la moi, ou je le tue à cette seconde !...

Hélène, l'œil au rocher, devait, à cet instant, apercevoir Jérôme Fandor élevant le fanal que venait de lui passer Juve, se penchant sur le visage de l'acteur Miquet...

Le jeune homme était en pleine lumière. Fantômas, qui tenait un revolver, l'ajustait froidement. Étant donné l'habileté du bandit, il était certain que le Maître de l'effroi pouvait tuer net Fandor, si bon lui semblait !

Fandor, d'ailleurs, n'était pas sur la défensive. Le journaliste, à coup sûr, ne soupçonnait pas qu'il était à moins d'un mètre de cette Hélène qu'il aimait tant, de ce Fantômas qu'il poursuivait si âprement depuis plus de dix ans !...

— Regarde ! ordonnait encore Fantômas, regarde et décide-toi !... Donne-moi ta parole de ne point l'épouser sans mon consentement, ou résigne-toi à le voir mourir !...

Ce fut d'une voix gémissante, d'une voix torturée, qu'Hélène dut accepter l'affreux marché...

— Fantômas, gémissait-elle, je vous hais, je vous haïrai toujours... mais je ne veux pas que Fandor meure !...

Elle allait ajouter d'autres paroles, supplier... mais l'étreinte de Fantômas meurtrissait son bras :

— Jure-moi... que tu tiendras ta promesse.

— Je vous le jure !...

Fantômas abaissa son arme. Il était un instant, une seconde, peut-être, sans défiance, mais cette seconde suffisait à Hélène. D'un mouvement preste, la jeune fille arrachait, en effet, au bandit son revolver. Elle s'appuyait le canon de l'arme contre le front, à son tour, elle ordonnait, elle menaçait :

— Fantômas, je vous ai juré de ne pas épouser Fandor sans votre consentement ; mais si vous ne voulez point que je me tue moi-même, à l'instant, à la seconde, car je ne voudrais pas être une meurtrière, et tirer sur vous qui m'avez tenu lieu de père, faites-moi, vous aussi, un serment...

— Lequel ? demanda Fantômas très bas...

— C'est que vous laisserez sortir de cette galerie Juve et Fandor sains et saufs... c'est que vous n'oublierez jamais que vous avez toute ma haine et que j'emploierai toute ma vie, ma vie entière, à vous poursuivre, à vous traquer, à me venger de vous !

Hélène, frémissante, maintenait toujours le revolver contre son front ; Fantômas la considéra, devenu livide à son tour :

— Oh ! faisait le Maître de l'effroi d'une voix qui frémissait douloureusement, oh ! comme tu me hais, en effet !...

Puis il ajoutait, d'un ton brusquement redevenu énergique :

— Eh bien, soit ! épargne-toi ! Pour que tu vives, je consens à tout, même à sauver Juve et Fandor, même à ce que tu sois mon ennemie !...

Le Maître ricanait au même moment...

Dans un mouvement violent il arrachait à nouveau le revolver d'Hélène, il le jetait à terre...

— Nous n'avons plus besoin d'armes ! faisait-il froidement, nous n'avons plus qu'à sortir d'ici !... Tu es mon ennemie, Hélène, soit... mais tu es aussi ma prisonnière !...

La main du Maître de l'effroi frôlait à ce moment la muraille... Il cherchait évidemment quelque déclic, quelque commutateur secret...

Hélène n'avait pas le temps de comprendre la signification tragique de ce geste qu'un grand fracas retentissait : la voûte du tunnel tremblait, s'écroulait, s'effondrait...

— Fantômas ! Fantômas ! hurla Hélène, qu'avez-vous fait ?

Fantômas, tranquillement, sans que sa voix tremblât, répondit :

— Je viens de faire ébouler une partie du boyau de raccordement !... Juve et Fandor sont séparés de nous, maintenant, par trois mètres de sol. Je les défie de nous rejoindre ; nous serons hors de la montagne avant seulement qu'ils soient hors de danger !

Et ricaneur, sarcastique, Fantômas entraînait Hélène le long de la cheminée d'aération, vers quelque communication secrète avec la montagne !...

Deux jours plus tard, à Glotzbourg, tristement Jérôme Fandor et Juve s'entretenaient :

— Courage, mon petit ! disait Juve, il ne faut désespérer de rien... L'autre jour, dans le tunnel, au moment de l'explosion, nous pensions bien être irrévocablement fichus !... Bah ! nous nous en sommes tirés tout de même... C'est une preuve qu'il ne faut désespérer de rien !

Hélas ! la bonhomie du policier ne rassurait pas le journaliste !

Les deux hommes se trouvaient à la gare de la capitale de la Hesse-Weimar, Fandor tenait une valise qu'il jetait brusquement dans un wagon :

— N'empêche, Juve, disait-il, que voilà maintenant toute piste rompue... Je me demande s'il n'aurait pas mieux valu pour moi périr dans le tunnel...

— Imbécile ! répondait Juve.

Et le policier se forçait à rire pour ajouter :

— Tu dis cela parce que tu ignores ce qu'est devenue Hélène ! Bah ! mon cher, il est bien évident que Fantômas l'a emmenée... qu'elle est maintenant quelque part... hors de danger !...

— Vous appelez être hors de danger, Juve, être aux mains de Fantômas ?

Juve ne répondait pas à cette interruption. Il continuait d'un ton gaillard :

— La conséquence de tout cela est que nous allons avoir à batailler à nouveau contre Fantômas... Bon ! très bien !... J'imagine, Fandor, que cela n'est pas pour te faire peur, ou même pour te déplaire ?

— Sans doute, Juve, mais...

— Il n'y a pas de mais ! coupa court le policier.

Et Juve, posant sa main sur l'épaule de Fandor, reprenait avec gravité :

— En somme, voici la situation : Fantômas et Hélène ont disparu. Où sont-ils ? nous ne le savons pas ! Un homme aurait pu, peut-être, nous renseigner, l'acteur Miquet... Ce lâche individu, malheureusement, se refuse à rien dire... Terrorisé, il est reparti ce matin pour Paris... Tant pis ! nous nous passerons de lui !... D'autre part, nous avons découvert qu'assurément le prince Vladimir avait joué un rôle dans l'histoire du train perdu... quel rôle ? nous n'en savons encore rien ! Tant pis, toujours ! nous le saurons !...

Juve allait continuer à parler, mais Fandor à son tour l'interrompit :

— Tout cela est exact, disait-il ; tout cela, comme vous le dites si bien, Juve, c'est de la lutte en perspective et la lutte ne me fait pas peur... Mais il y a quelque chose que vous ne dites pas, quelque chose qui, pourtant, me navre, c'est qu'aujourd'hui nous nous séparons ! Vous restez à Glotzbourg, Juve, et moi je retourne à Paris...

— Certes ! mais puisqu'il le faut...

A cet instant, les employés forçaient les voyageurs à monter en voiture. Juve avait alors tout juste le temps, grimpé sur le marchepied, de crier encore à Fandor :

— En somme, mon petit, j'ai appris, hier, une extraordinaire nouvelle de Sa Majesté le roi lui-même. Je reste ici, à Glotzbourg, pour débrouiller les affaires de la malheureuse princesse Vladimir, puisqu'il paraît que ce prince Vladimir, que je croyais célibataire, est, en réalité, marié à une pauvre femme qu'il rend fort malheureuse... Toi, tu vas à Paris enquêter dans la pègre, chercher la piste de Fantômas... eh bien, mon petit, nous ne tarderons pas à nous revoir !... Courir après Fantômas et courir après le prince Vladimir, c'est peut-être bien suivre des chemins fort voisins... J'ai dans l'idée que nos deux pistes se rejoindront quelque jour... bientôt...

A ce moment, le train siffla. Lentement, puis plus vite, le convoi démarrait...

— Fandor, hurlait Juve, un dernier mot : pas de mélancolie ! de l'espoir et bon courage !...

Fandor haussait les épaules :

— Et vous, Juve, sacrédié ! hâtez-vous de quitter Glotzbourg et de venir me rejoindre ! Le prince Vladimir, après tout, nous nous en fichons, c'est Fantômas qu'il nous faut retrouver... c'est Hélène que je veux revoir !...

Fandor ne perçut pas la réponse de Juve. Il vit seulement le policier le menacer de son doigt levé, en un geste taquin...

Juve eût, peut-être, été beaucoup moins gai, s'il avait su les effroyables aventures qui se préparaient, s'il s'était douté des instants tragiques qu'il aurait à vivre avant de pouvoir à nouveau serrer la main de cet ami qu'il aimait comme un père doit aimer son fils !

II

L'amant de cœur

— Qu'est-ce que c'est ? Qu'est-ce que c'est ?... Comme il marche vite ! comme il monte haut !... Mais on dirait ?... c'est un aéroplane !...

La foule qui somnolait dans les compartiments du train, arrêté en pleine campagne, se précipitait aux portières, heureuse d'une diversion. Les voyageurs, qui occupaient les coins, avaient rapidement abaissé les glaces, et, par l'embrasure des ouvertures, passaient le corps presque en entier, cependant que, derrière eux, leurs voisins s'écrasaient les uns contre les autres, faisant mille contorsions pour s'efforcer d'apercevoir ce que les plus perspicaces avaient signalé d'anormal dans la nue.

Il était environ cinq heures et demie du soir, et, ce dimanche de mars, le crépuscule commençait à tomber.

Il avait fait toute la journée une température idéale et tiède et dès les premières heures de l'aube, les Parisiens, engagés à sortir par le ciel pur et le soleil qui brillait dans l'azur, s'étaient hâtivement revêtus de leurs habits de fête, et avaient pris, qui des trains, qui des tramways, qui leurs bicyclettes pour s'en aller, hors de Paris, respirer le bon air et les premiers effluves du printemps naissant.

La journée s'était maintenue fort belle à la satisfaction générale de la population et tous les points de la banlieue parisienne avaient joyeusement retenti des échos bruyants de la gaieté générale.

Toutefois, si la journée avait été charmante, le retour s'annonçait vite moins agréable...

C'étaient, aux têtes de lignes de tramways de pénétration, de longues files de gens, impatients mais dociles, attendant le départ des véhicules ou l'émotionnant appel des numéros d'ordre.

C'était encore, dans les salles d'attente des gares, la bousculade jusque sur le rebord du quai sitôt que les employés avaient annoncé l'arrivée d'un convoi à destination de Paris ; c'étaient également, au pied des côtes, sur le bord des trottoirs, des cyclistes harassés, des hommes écarlates, remorquant de grosses dames exténuées par des courses trop lointaines qui s'achevaient dans une défaillance générale !

Toutefois, si ces sportsmen enviaient à l'occasion leurs concitoyens enfermés dans les compartiments étroits des trains de banlieue, aux portières desquels on suspendait, pour leur éviter l'asphyxie, des bouquets de lilas, de grosses branches d'aubépine en fleurs, le sort des voyageurs de trains n'était guère enviable.

En effet, le tout n'était pas de partir mais d'arriver et notamment pour tous ceux qui avaient osé affronter les itinéraires de l'Ouest-État aboutissant à la gare Saint-Lazare, c'était la perpétuelle anxiété de savoir si l'on finirait par atteindre Paris, tant on s'arrêtait de fois en cours de route !

Depuis un bon quart d'heure déjà, un train venant de Maisons-Laffitte stationnait lamentablement dans l'immense plaine de Sartrouville. De temps à autre, la machine époumonnée par une trop longue charge de wagons poussait un coup de sifflet rauque, semblant demander, sinon du secours, du moins l'autorisation de poursuivre sa route. Mais il ne survenait rien qui pût lui permettre de changer quelque chose à son état d'immobilité ! Aussi les voyageurs, lassés d'attendre, fatigués de leur après-midi, pour la plupart, nullement pressés de rentrer, se laissaient-ils aller à une douce somnolence. La soudaine exclamation d'un voyageur annonçant le passage d'un aéroplane avait brusquement tiré de leur torpeur ses compagnons.

Les occupants d'un compartiment de troisième classe qui, naturellement, était au grand complet, après s'être précipités aux fenêtres, étaient lentement revenus s'asseoir à leur place respective, commentant d'un air dépité l'incident qui les avait arrachés à leur quasi-sommeil.

Un monsieur entre deux âges murmurait, en haussant les épaules :

— Ça n'est qu'un ballon !

Et ses compagnons approuvaient, hochant la tête.

Ce n'était en effet qu'un ballon. Il pouvait bien s'en aller où il voudrait, monter, descendre, éclater même, personne n'y ferait attention !

Un ballon ! rien n'est plus banal à notre époque ! Passe encore de s'intéresser au vol des aéroplanes, mais point à l'ascension, aux péripéties aériennes, d'un vulgaire sphérique !

L'un des voyageurs, toutefois, qui, d'un œil rapide et perspicace, avec commodité aussi car il occupait un coin, avait, parmi les premiers, observé l'aérostat, déclarait à mi-voix, d'un air entendu :

— Pour un ballon, c'est un beau ballon ! un 1 500 m³, au moins ! Probable qu'il est de l'Aéro-Club et prendra part à la prochaine coupe Gordon-Bennett...

Le personnage qui parlait ainsi était un homme dans la force de l'âge, de trente à trente-deux ans environ, son visage énergique était barré d'une forte moustache noire, et sur son front large, carré, s'appliquaient les ondulations d'une chevelure abondante et minutieusement soignée, collée aux tempes et à la nuque avec une recherche évidente.

Ce connaisseur était habillé simplement, mais avec une certaine recherche. Toutefois quelques détails de goût médiocre trahissaient que le personnage en question n'était évidemment pas un homme du monde, dans toute l'acception du mot, mais plutôt un de ces ouvriers de la génération moderne, élégant, presque distingué, de bonne tournure.

Pour ne pas être un voyou, ce n'était pas un voyou.

On avait écouté les propos tenus par ce voyageur. Quelqu'un, désireux sans doute de rompre la monotonie du voyage par le charme d'une conversation, interrogeait :

— Monsieur s'y connaît sans doute pour avoir jaugé du premier coup d'œil la grosseur de ce ballon ?

L'ouvrier répondit :

— Il n'y a pas d'erreur, j'ai l'œil et vous pouvez me croire ! Bien qu'il fasse calme au niveau du sol, ça doit venter pas mal, en l'air ; ce ballon-là marche au moins à 70 à l'heure.

Quelques bonnes femmes se récrièrent, l'ouvrier endimanché les rassurait d'une parole brève :

— Je m'y connais ! c'est ma partie !

Tandis que la conversation se généralisait dans le compartiment de troisième dont on laissait les fenêtres ouvertes, afin de l'aérer un peu, pendant l'arrêt du train, le connaisseur en ballons conversait à voix basse et échangeait des propos animés avec sa voisine, sa compagne, une toute mignonne jeune fille de dix-huit ans à peine, dont les grands yeux bleu clair se dissimulaient modestement sous de lourdes paupières et dont l'abondante chevelure châtain était emprisonnée sous un immense chapeau.

La jeune fille, qui, tendrement, avait passé son bras sous celui de son compagnon, sollicitait avec une moue inquiète :

— Dis, Maurice, jure-moi que tu ne monteras jamais dans ces machines-là ?

Le jeune homme, que sa compagne venait de solliciter ainsi, haussait doucement les épaules :

— T'es bête ! je l'ai fait bien souvent, puisque j'en fabrique !... Faut pas être froussarde comme ça, ma pauvre Firmaine !...

La jeune fille s'expliquait :

— Je ne dis rien pour les ballons, ce n'est pas cela qui m'épouvante, ce sont les aéroplanes ! si jamais tu te mettais là-dedans, j'en aurais tellement peur que j'en mourrais !

Affectant alors, pour taquiner sa compagne, un air énigmatique, Maurice répétait :

— Hé ! Hé ! sait-on jamais ? Le ballon, l'aéroplane, cela se tient de si près !

Les beaux yeux de la jeune fille soudain s'emplirent de larmes, elle était fort émue, d'un long regard d'amour elle enveloppa son compagnon :

— Promets-moi, supplia-t-elle, que tu ne feras jamais ce chagrin à ta petite Firmaine ?...

Dans le brouhaha du train qui, aux acclamations de la foule, commençait lentement à se remettre en marche, Maurice, touché par la tendresse de sa compagne, acquiesçait à mi-voix.

— Soit, je te le promets !

L'obscurité était peu à peu venue et, désormais, la campagne, au lointain, se silhouettait en des formes indécises, en des ombres grises. Çà et là, scintillaient de petites lumières et dans le wagon plongé dans l'obscurité grandissante, le silence se faisait à nouveau, cependant que les couples d'amoureux qui s'y trouvaient nombreux se rapprochaient les uns des autres.

A petite allure on franchit les gares dont le passage annonçait bientôt l'arrivée à Paris. L'arrêt dans la station d'Asnières ne se prolongea pas outre mesure, et l'on entrevit avec les fortifications l'éventualité prochaine d'une station définitive dans la capitale.

Mais nul n'osait encore crier victoire. Les voyageurs étaient tous des habitués de la ligne, on savait qu'il fallait passer encore sous le fameux tunnel des Batignolles, et qu'à maintes reprises, particulièrement les dimanches et fêtes, les trains avaient pris l'habitude d'y séjourner plus que de raison !...

Le convoi dans lequel se trouvait le couple d'amoureux Maurice et

Firmaine ne faillit pas à cette règle, et, à peine le train s'était-il engagé sous la voûte du redoutable tunnel que les freins grinçaient, immobilisant peu à peu la longue file des wagons.

On avait oublié d'éclairer les compartiments de ce train qui aurait dû atteindre son point terminus bien avant la tombée de la nuit et, dès lors, c'était, dans les wagons, l'obscurité complète.

Après les premiers instants de malaise et d'inquiétude, car, en chemin de fer, on pense toujours aux accidents possibles, la gaieté inhérente au caractère parisien reprenait rapidement le dessus.

L'obscurité, bonne aubaine pour les amoureux !

Un farceur avait eu l'idée de faire résonner un baiser, le simulant peut-être sur sa main, ou le déposant plus vraisemblablement encore sur la joue de sa voisine...

Les rires fusaient. Un autre farceur imaginait soudain de craquer une allumette, mais des protestations, sincères et nombreuses, l'obligeaient à l'éteindre. On percevait des soupirs, de tendres monosyllabes, des chuchotements alanguis, puis, ceux, sans doute, qui n'avaient pas de galant voisinage, s'amusaient à semer le trouble, le désarroi dans les couples d'amoureux qui tendrement s'épanchaient :

— Attention ! voilà le commissaire de police !... gare les flagrants délits !...

— Ne me pince pas comme ça !...

C'étaient encore des protestations, des rires !... Quelqu'un, d'une voix alarmée, s'écria : « Au voleur ! au voleur ! » et pour atténuer l'effroi qu'il causait, il ajoutait :

— C'est Angélique qui veut prendre ma vertu !

On riait ! on avait peur ! on s'amusait ferme... et l'on s'embrassait aussi. Tout d'un coup une explosion brusque retentit qui fit tressaillir les voyageurs. Que s'était-il passé ?

Le silence succéda aux murmures qui, sans interruption, montaient dans l'obscurité du tunnel... Rien toutefois ne se produisait, aucun cataclysme ne bouleversait l'harmonie des choses. Sans doute, c'était un pétard, un signal qui avait éclaté.

Alors, un de ces incorrigibles fumistes, qui ne se plaisent qu'à provoquer l'émotion dans les foules, suggéra, gouailleur :

— Encore un crime, sans doute, ça doit être du Fantômas !...

Mais l'alarme jetée n'avait pas d'échos : l'auditoire riait ! Non, ce jour-là, on n'avait pas peur de Fantômas, et si la mémoire soudainement évoquée du sinistre bandit était toujours susceptible de terrifier quelques-uns, le plus grand nombre, avec cette insouciance qui est le propre de notre époque moderne, raillait plutôt à l'idée de l'intervention du monstre, bien connu de tous et dont les forfaits, de temps en temps, semaient dans tout Paris, dans la France, dans le monde entier, des frissons d'épouvante !

A Firmaine, qui, au nom de Fantômas, avait soudain serré nerveusement le bras musclé de Maurice, celui-ci répondait à voix basse, comme pour rassurer la jeune fille de l'émotion qu'il sentait naître en elle :

— D'ailleurs, Fantômas, il y a près de six mois qu'il est retiré des affaires... on n'en parle plus depuis l'affaire du train de Barzum... faut pas se frapper, Firmaine, pensons plutôt à nous !

Pensons à nous !

Le jeune homme pensait, en effet, aux doux propos que venait de lui tenir sa compagne. Il était assurément aimé d'elle, Firmaine avait donné à Maurice tout l'amour que son cœur pouvait concevoir.

N'était-ce pas d'elle-même, au mépris de toute pudeur, qu'elle avait suggéré à son ami, qu'au lieu de le quitter en arrivant à Paris pour rentrer chez sa mère, elle était toute prête, toute disposée à l'accompagner à son domicile, à passer la nuit avec lui ?

Quelques instants plus tard, le train, enfin, entrait en gare et, sur les trottoirs, de part et d'autre du convoi, les voyageurs se répandaient, hâtifs, empressés de s'en aller, désireux de rejoindre, qui leur domicile respectif, qui les cafés et les bars où ils prolongeraient encore la soirée jusqu'à une heure avancée de la nuit.

Maurice, bien volontiers, s'était fait à l'idée, tout à fait séduisante, de ramener chez lui sa charmante maîtresse ; or, voici qu'au moment de prendre cette décision suprême, Firmaine hésitait :

Certes, la jeune ouvrière, élevée par une mère trop faible et résignée d'avance au sort qui attend le plus grand nombre des femmes, était large, très large d'idées, mais c'était la première fois qu'elle allait découcher de chez elle et, encore qu'elle fût déjà la maîtresse de Maurice qu'elle aimait de toute la force de sa jeune âme, Firmaine hésitait à cette nouvelle débauche...

Mais Maurice insistait de plus en plus, se faisait pressant, charmeur, tendre à souhait. Peu à peu Firmaine se laissa convaincre, toutefois elle objectait encore :

— Maman sera inquiète de ne pas me voir rentrer.

Mais Maurice avait réponse à tout :

— La poste est toute voisine. Tu vas lui envoyer un pneumatique...

Pour la forme, Firmaine objectait encore :

— Mais, tu sais que demain, il faut que je sois à l'atelier dès neuf heures ?

— J'ai un réveil ! assura Maurice, tu seras prête, viens ! ne me refuse pas !...

Dix bonnes minutes s'écoulaient au bureau de télégraphe où Firmaine d'une écriture saccadée racontait à sa mère qu'il ne fallait point s'inquiéter et qu'elle était retenue au-dehors.

La jeune fille toutefois ne fournissait pas d'explications complémentaires ; elles étaient inutiles, sa mère comprendrait...

Certes ! une fugue aussi audacieuse ne passerait pas sans déterminer une violente explication, mais après tout, peut-être cela valait-il mieux ?

Firmaine n'expliquait pas à ce moment toute sa pensée. Ce n'étaient ni le lieu, ni l'heure.

Toutefois, lorsque vers onze heures du soir, Maurice et Firmaine, rentrés au modeste domicile du jeune homme, se disposaient enfin à se coucher, Firmaine suggéra, le regard plein d'amour, cependant qu'elle se serrait contre son amant, qui tendrement la tenait par sa taille souple :

— Que dirais-tu, Maurice, déclarait-elle, si demain soir, je revenais encore ?...

Le jeune ouvrier rougit de plaisir, il déposa d'abord, sur les lèvres de Firmaine, un long baiser d'amour, puis, absolument sans la moindre restriction mentale et d'un ton débordant d'enthousiasme, il remarqua très simplement :

— C'est une manière de dire que nous nous mettrons en ménage ?... pas vrai ?...

— Pourquoi pas ? balbutia Firmaine, toute songeuse.

Les deux jeunes gens étaient accotés à la fenêtre et silencieusement considéraient le panorama pittoresque qui se déroulait devant leurs yeux.

La lune brillait d'une lueur vive, aux reflets d'argent.

Maurice, l'heureux amant de la gentille Firmaine, habitait, depuis quelque temps déjà, une fort belle chambre dans un immeuble aux apparences modestes, mais soigneusement entretenu et qui s'élevait sur l'avenue de Versailles, entre le pont de Grenelle et le pont Mirabeau, à égale distance à peu près de chacun de ces ponts.

Le logement de Maurice se trouvait au cinquième étage sur le derrière de la maison et la fenêtre de la pièce qu'occupait le jeune ouvrier donnait, non point sur l'avenue de Versailles, car la façade de l'immeuble était réservée aux appartements les plus chers, mais bien sur le quai d'Auteuil, ce qui, au fond, était peut-être beaucoup plus agréable !

Le quai d'Auteuil borde, en effet, la Seine et par la fenêtre de Maurice on découvrait une superbe vue sur le fleuve, allant depuis la statue de la Liberté, jusque par-delà le viaduc du Point-du-Jour, sur les coteaux de Meudon.

En face, c'était la rive bordée d'arbres, qui limite le quartier de Grenelle avec son perpétuel va-et-vient des trains électriques de Versailles, des trains de banlieue de Suresnes-Longchamp.

A toute heure du jour ou de la nuit, le paysage était animé, le spectacle était pittoresque.

La chambre de Maurice, claire, spacieuse, aérée, garnie d'un papier à fleur, était à souhait un nid d'amoureux, et Firmaine, tout en rêvant aux côtés de son amant, se disait que là, pour elle, était le bonheur, le bonheur idéal et suprême ! Sans doute, l'union de leurs deux corps et de leurs deux âmes ne déterminerait point la fortune... mais ils étaient tous les deux jeunes et courageux, elle, bonne couturière, lui, habile ouvrier. Ils pourraient s'aimer d'abord, la richesse, si elle voulait, viendrait ensuite !

Par scrupule, cependant, Firmaine objectait à la déclaration de son amant, qui l'emplissait de joie :

— Et l'argent ? disait-elle... il faut en gagner beaucoup pour vivre en ménage ?...

Ardemment, la jeune fille souhaitait une réponse encourageante. D'un geste large, Maurice défiait l'avenir :

— Bah ! s'écriait-il évasivement, on verra bien plus tard ! Aimons-nous en attendant !

La fraîcheur de la nuit fit frissonner la gentille Firmaine :

— Couchons-nous, suggéra-t-elle d'une voix imperceptible...

Maurice ferma la fenêtre !...

— Brrrou !... ça n'est pas trop chaud l'eau de ton lavabo, mon petit Maurice !...

— Plains-toi donc, Firmaine, tu ne sais pas que les grandes madames font souvent leur toilette à l'eau froide ? j'ai lu cela dans un livre de beauté...

— Tu lis des livres de beauté ?

— Il faut bien lire de tout !... Tu crois que tu vas être en retard ?

— J'en ai bien peur !... quelle heure as-tu à ta montre ?

— Huit heures cinq...

— Par le métro je n'en ai pas pour plus de quarante minutes de voyage.

— Non, mais c'est juste... tu dois être à neuf heures à l'atelier, n'est-ce pas ?

— A neuf heures, Maurice, oui. Où diable ai-je mis mon petit sac ?...

— Sur la chaise, sous ta jaquette, regarde...

— Ah oui !... merci !...

La jolie Firmaine, toute fraîche, toute reposée, bien que ses yeux fussent légèrement cernés, achevait de s'habiller dans la chambre de son amant, quai d'Auteuil, et s'apprêtait à regagner les ateliers Henry, où elle travaillait en qualité de jupière.

Elle allait et venait dans la petite chambrette, preste et rapide, en retard, naturellement, comme le sont toutes les ouvrières parisiennes !

Pour Maurice, paresseusement, il était demeuré au lit, et les bras relevés, croisés derrière sa tête, il regardait avec amour sa jolie maîtresse achever ses préparatifs.

— Te voilà prête, disait-il, tu vois bien que tu ne seras pas en retard ?... nous aurions pu flâner encore un quart d'heure !...

Firmaine souriait :

— Oh ! flâner !... flâner ! avec toi, on sait ce que cela veut dire ! et je t'assure que j'ai tout juste le temps pour arriver à l'heure...

— Bah ! et puis avec cela qu'à l'atelier, même si tu arrivais en retard, après la fermeture des portes...

Firmaine s'arrêtait net de lacer ses souliers, et regardant son amant :

— Mais enfin, qu'est-ce que tu as donc ? demandait-elle, on dirait que tu ne comprends pas que je sois pressée ce matin ? Dis ?

— On ne sait jamais !... tu me dis que tu vas à l'atelier... mais...

D'un geste, Firmaine traversait la chambre, venait s'agenouiller près du lit où paressait encore Maurice et, s'appuyant, prenait la tête de son amant entre ses deux mains ; elle l'embrassait follement au front :

— Méchant ! disait-elle... vilain, méchant ! tu veux me faire de la peine ?... qu'est-ce que tu vas imaginer encore ? tu devrais bien penser pourtant que si je sors de si bonne heure, et que si je te quitte, toi, mon chéri, c'est bien pour aller à l'atelier !...

Maurice, pour toute réponse, se contentait de hausser les épaules :

— Est-ce qu'on sait jamais !... répétait-il.

Et une tristesse soudaine passait dans les yeux du jeune homme, tandis que Firmaine l'embrassait encore, d'un ardent baiser, où elle mettait tout son amour...

Elle était bien jolie, Firmaine, c'était la petite Parisienne délicieuse et mutine qui suscite dans la rue l'admiration excitée de tous les hommes et, certes, Maurice n'avait peut-être point tort lorsqu'il envisageait avec effroi l'avenir, se demandant s'il pourrait garder à lui, bien à lui, rien qu'à lui, sa charmante maîtresse !

Firmaine pourtant reprenait :

— Tu ne devrais pas être méchant et faire comme ça le jaloux au lendemain d'une journée pareille à celle d'hier... d'une journée !... et d'une soirée ! Car enfin... Dieu, que c'est égoïste les hommes !... Mais si je ne t'aimais pas bien, vilain, est-ce que je serais ici ? sais-tu seulement ce que maman va me raconter ce soir ?...

Du coup Maurice menaçait du doigt son amie :

— Ce soir ?... ce soir ?... faisait-il, tu sais, tu m'as promis de revenir ici...

— Oui ! c'est entendu, mais il faudra que je passe d'abord rue Brochant !... tout de même tu comprends, je ne peux pas découcher deux nuits de suite, sans prévenir maman, elle finirait par me croire assassinée !...

D'un bond, Firmaine s'était relevée :

— Et puis, faisait-elle, voilà que tu me fais encore causer, décidément, je ne serai jamais prête...

Elle achevait de lacer ses bottines. En deux tours de mains, elle posait son chapeau sur sa tête, tapotant ses boucles de chiquenaudes légères et savantes, un coup d'œil dans la glace la rassurait :

— Dis donc, Maurice, c'est toi qui m'as fait ces yeux-là, méchant !... on va se moquer de moi, à l'atelier...

Et puis elle s'agenouillait encore une fois devant le lit de son amant :

— Allons ! embrasse-moi !... et sois sage toute cette journée, puisque tu ne travailles pas... à ce soir, neuf heures et demie...

— Neuf heures et demie, pas avant ?

— Non, je ne crois pas !... enfin, le plus tôt que je pourrai !...

Ils s'embrassaient encore une fois...

— A ce soir, chéri !...

— A ce soir, chérie !...

Et après un dernier sourire, après un dernier coup d'œil jeté à la pendule :

— Je me sauve ! dit Firmaine...

III

L'amant riche

Place de l'Opéra, les deux escaliers du métro, noirs de monde, s'animaient à l'instar d'une fourmilière, peuplés d'un va-et-vient constant.

C'était ce même lundi matin, neuf heures allaient bientôt sonner, et sur la pendule du Comptoir d'Escompte dont les bureaux sont aménagés au coin de la rue du Quatre-Septembre et de l'avenue de l'Opéra, des milliers d'yeux se braquaient pour consulter l'aiguille irréductible et fatale qui signifie tant de choses pour ceux qui la consultent. L'aiguille déjà marquait neuf heures moins dix. D'aucuns acceptaient sans murmure sa décision, d'autres s'insurgeaient :

— Elle n'est pas à l'heure, cette pendule, elle avance toujours ! Moi je parie que ma montre marche bien...

Impassible, l'aiguille poursuivait sa course inexorable, et malgré les reproches dont elle était l'objet, on y prêtait la plus grande attention. Peut-être se trompait-elle ? Hélas ! ceux ou celles qui l'accusaient d'erreur étaient impuissants à le prouver, et ils savaient qu'il ne faut pas s'attaquer à des institutions aussi officielles que les pendules de banque, qui ont l'honneur d'annoncer l'heure à tous les passants !

Ceux ou celles, en effet, qui considéraient avec angoisse l'horloge du Comptoir d'Escompte étaient les nombreux employés d'administration ou de commerce, les innombrables ouvrières qui, pendant les vingt-cinq minutes précédant neuf heures, sillonnent, dans tous les sens, l'élégant quartier de la place de l'Opéra.

Or, ce lundi matin, les petites ouvrières étaient plus en retard encore que de coutume, et cela s'expliquait. La veille, le dimanche, on s'était fatigué, couché tard, on avait dîné en famille, fait la fête avec des amoureux, on arrivait à l'atelier, en hâte, en maugréant sans doute, à l'idée qu'une semaine entière de travail se préparait, mais les yeux tout illuminés encore des plaisirs de la veille, avec l'âme joyeuse au souvenir des bonnes heures passées !

... Rue de la Paix, devant le magnifique immeuble que venait de faire reconstruire à neuf la maison Henry, grand couturier fort à la mode, se tenait un groupe de jeunes ouvrières, pimpantes, délurées, élégantes, qui papotaient devant l'entrée, interceptant le passage sur le trottoir, ne voulant pas pénétrer dans les ateliers une minute en avance, et toutes prêtes à s'engouffrer sous la voûte de l'immeuble sitôt que sonnerait le premier coup de neuf heures.

On était fier dans le monde des ouvrières d'appartenir à la maison Henry. Le patron, en effet, choisissait, non seulement les ouvrières les plus habiles et les plus capables, mais aussi les jeunes filles les plus élégantes, les plus jolies.

Or, ce matin-là, on potinait ferme dans le groupe de l'atelier des jupières.

Les jeunes filles entre elles se racontaient les menus incidents de leur vie, les détails de la veille. Certaines se flattaient d'être courtisées, d'avoir été attendues le samedi soir à la porte de l'atelier, d'y avoir été reconduites, quelques instants auparavant. Plusieurs assuraient être venues en voiture et non pas en métro ! D'autres, affectant de dédaigner les hommages des hommes, plaisantaient celles qui se vantaient d'avoir des amoureux, les menaçaient des pires turpitudes... on approuvait, on se disputait, on jacassait, surtout on daubait sur les unes et les autres !

Soudain un mouvement se fit et du groupe compact se dégagèrent une demi-douzaine d'ouvrières qui allèrent au-devant d'une gamine au visage renfrogné, qui semblait fort amusée de tremper de temps à autre ses gros souliers dans le ruisseau qui longeait le trottoir.

— Oh ! la vilaine ! s'écria Mlle Berthe, l'une des principales

« associées » de l'atelier des jupes. Margot, tu ne seras jamais qu'un souillon !...

La gamine releva la tête, surprise d'une telle apostrophe, mais nullement confuse d'être réprimandée :

— Et puis quoi ? je m'amuse comme je l'entends !...

Cette fillette, Margot, ou pour mieux dire Marguerite Benoît, était la sœur cadette de la gentille Firmaine, la maîtresse de Maurice... mais les deux sœurs ne se ressemblaient point. Autant Firmaine était délicate, soignée, soucieuse de la bonne tenue de sa personne, autant Margot paraissait indifférente à sa beauté possible, peu soucieuse d'élégance, voire même de propreté ! C'était un souillon dans toute l'acception du mot. Il est vrai que la fillette avait douze ans à peine et que, peut-être, elle ne songeait pas encore qu'un jour elle pourrait connaître quelqu'un qui la courtiserait.

Margot, malgré son irrémédiable mauvaise tenue, appartenait pourtant à la maison Henry. Elle y remplissait le rôle honorifique, mais fort peu rémunéré, de petite main, et cette position, cependant, était fort enviée dans le milieu des ouvrières de son âge. Elles ne se faisaient pas faute de dire que jamais Margot n'aurait été prise, encore moins gardée chez Henry, si elle n'avait pas été la sœur de la gentille Firmaine !

Celle-ci, au contraire, était tout à fait dans la note de la maison. Non seulement c'était une excellente ouvrière, mais encore elle avait des manières et une tournure si élégantes qu'on annonçait, comme une chose faite, sa prochaine nomination au rôle de mannequin.

Or, chez Henry comme dans les autres ateliers, on enviait le sort des mannequins, belles filles toujours remarquablement faites, très souvent jolies et destinées, sinon à réussir dans leur profession, tout au moins à trouver parmi les maris des clientes, ou les amants de ces dames, quelque entreteneur riche qui se proposerait de les lancer...

Cependant Margot, prise d'une idée subite, appelait autour d'elle quelques-unes des ouvrières :

— Écoutez donc, vous autres ! fit-elle en tordant sa bouche toute barbouillée encore de la graisse des pommes de terre frites dont elle venait de se gaver... il y en a eu du nouveau, chez nous !...

Mlle Anna, une grande femme, un peu mûre déjà, frisant la quarantaine, le type accompli de l'ouvrière qui perpétuellement demeurera ouvrière, sans voir augmenter ni diminuer sa situation, et qui, depuis quelques mois, était « l'associée » de Firmaine, à l'atelier des jupes, interrompait la petite, anxieusement :

— Ça n'est pas au sujet de ta sœur ? interrogea-t-elle.

— Mais si donc ! rétorqua la gamine, figurez-vous qu'elle n'est pas rentrée coucher hier à la maison !... croyez-vous qu'elle s'en est payé une bombe, ma grande ?...

Des sentiments divers agitèrent l'auditoire de Margot. Certaines ricanaient, affectant d'un air cynique, approuvant l'attitude de Firmaine, d'autres haussaient les épaules, d'autres levaient les yeux au ciel.

— Sûrement ! poursuivait Margot, jetant des regards sournois dans l'entourage, sûrement qu'elle a cavalé avec son amant !...

Or, les propos de la gamine déchaînèrent la discussion :

— Son amant ? Qui était-ce ? Que valait-il ? Avait-elle donc un amant ? Oui ! sans doute ! C'était sûrement ce jeune homme à la moustache noire qui, depuis une quinzaine, venait l'attendre à la sortie de l'atelier, de temps en temps. Peuh ! un calicot ! Pis que ça peut-être, un ouvrier ! Ah ! elle avait bien tort, Firmaine, jolie comme elle l'était... Mais d'autres assuraient qu'il devait y avoir erreur. On avait vu Firmaine un certain soir monter dans une automobile, avec un homme tout à fait chic... Probablement c'était quelqu'un qui lui faisait la cour...

La majorité, toutefois, en dépit des insinuations de quelques-unes, qui suggéraient que Firmaine avait peut-être deux amants, était disposée à croire la jeune fille embarquée dans une galante aventure d'amour, avec un jeune homme sans le sou : celui qu'on prenait pour un ouvrier ; c'était plus poétique, sans doute, mais beaucoup moins raisonnable !

Et les commentaires allaient, allaient leur train ; on déchirait à belles dents la camarade absente, cependant que la petite sœur, Margot, écoutant de tous les côtés à la fois, pour glaner dans les propos échangés quelques mots nouveaux, quelques détails ignorés d'elle, excitait contre sa sœur, par ses petits hochements de tête, ses monosyllabes approbateurs...

Neuf heures commençaient à sonner. La rue de la Paix se vida instantanément. Les ouvrières s'éparpillaient, comme une volée de moineaux, brusquement surpris...

C'était désormais la bousculade pressée sous la voûte de l'immeuble, une galopade dans les escaliers avec quelques chutes dans les tournants ! Çà et là quelques petits cris retentissaient, de courtes disputes naissaient et s'apaisaient aussitôt ; les ateliers se remplissaient de monde, on s'installait en hâte, il fallait brusquement se taire, déjà on était plongé en plein travail.

A l'atelier des jupières, Mme Versadier, première de l'atelier, lisait par-dessus son lorgnon la liste des essayages qu'il fallait tenir prêts pour la journée qui commençait.

— Nous avons des clientes à partir de dix heures, mesdemoiselles ! La robe numéro 3 doit être prête depuis samedi... achevez de la préparer ; la cliente sera là ce matin !...

Mme Versadier donnait encore quelques instructions, puis elle appela :
— Firmaine ?...
Un silence régna dans l'atelier.
Mme Versadier répéta pour la seconde fois :
— Firmaine ?...
Alors Mlle Anna, « l'associée » de la maîtresse de Maurice, qui se trouvait toute seule à sa table, répondit doucement :
— Absente ! elle est absente, madame !
Alors, comme pour mieux faire remarquer encore que sa sœur n'était pas là, la petite Margot, avec impudence, surgit de dessous une table, et, venant se planter devant la première, articula :
— Dites donc, madame, Firmaine n'est pas descendue ce matin, puisque, même, j'peux bien vous l'dire, elle n'est pas rentrée coucher hier soir à la maison !...

Qu'était donc devenue Firmaine ? Allait-elle réellement manquer l'atelier ou se trouvait-elle simplement en retard ?

La jeune fille, en quittant son amant, avait paru fort pressée :

— Je me sauve, Maurice, à ce soir ! avait-elle crié.

Et, en effet, elle descendait en toute hâte, s'engageait dans l'avenue de Versailles.

La jeune ouvrière marcha d'abord très rapidement dans la direction du Métropolitain, c'est-à-dire en suivant le quai, mais, à peine avait-elle fait quelque cent mètres que son allure, soudain, se ralentit. Elle flâna, n'avança plus qu'à petits pas, musa le long de la route, intéressée, semblait-il, au mouvement des berges où les débardeurs s'empressaient vers les lourdes péniches, déchargeant le sable roux qui paraissait, aux rayons du soleil, miroiter comme des grains d'or...

Aussi bien, il était à peine huit heures et demie, la matinée s'annonçait superbe. Une légère buée montait du fleuve, et, si le soleil n'avait point encore de chauds rayons, il mettait déjà des taches de lumière un peu partout, comme une promesse de printemps, un premier sourire d'été.

Firmaine ne paraissait plus pressée du tout !...

A plusieurs reprises elle tirait de son corsage une mignonne petite montre d'argent ciselé, et regardait l'heure.

En vérité, l'ouvrière n'avait point si hâte qu'elle avait bien voulu le dire à son amant, d'arriver aux ateliers Henry !

Elle s'appuya quelques minutes au parapet de la berge, surveillant le va-et-vient d'une énorme grue à vapeur qui laissait filer sa benne au creux d'un bateau chargé de moellons, admirant l'effort des terrassiers soulevant les lourdes pierres et les jetant en gestes rythmiques et précis, puis son attention se fixa sur un pêcheur à la ligne, coiffé d'un large chapeau de paille et qui, patiemment, peut-être sans chance de réussite, trempait son fil dans l'eau, le rejetant vers la montée du courant, d'un air passionné...

Après cinq minutes de flânerie, Firmaine alla plus loin, à petits pas...

Au fur et à mesure qu'elle approchait de la passerelle du métropolitain, elle rencontrait un grand nombre d'employés qui, eux, presque courant, se hâtaient vers le moyen de communication qui devait les mener à leur besogne.

Elle était si jolie que les hommes se retournaient, que les femmes la dévisageaient. Mais vraiment, peu lui importait ! Firmaine, maintenant, baissait la tête et semblait fixer le sol comme pour y chercher une réponse aux sombres préoccupations qui se lisaient sur son front.

— C'est bête comme tout, la vie ! murmurait-elle ; c'est bête, c'est mauvais !...

Elle parvint enfin — il était neuf heures dix, et les portes de son atelier devaient être depuis longtemps fermées — à la passerelle du métropolitain.

Firmaine monta, prit un billet, pénétra sur le quai.

Un quart d'heure plus tard, après avoir changé à l'Étoile, ce n'était point à l'une des stations voisines de la rue de la Paix que Firmaine quittait le chemin de fer souterrain, mais bien place Clichy.

Firmaine avait menti à son amant, son amant qu'elle adorait, en disant qu'elle allait à l'atelier !

La place Clichy — il était alors près de dix heures moins le quart — était déjà encombrée, laide de foule accumulée, hurlante et populacière...

Firmaine sortit de l'escalier du métropolitain, en faisant grande attention à n'être point vue. Elle regarda tout autour d'elle, plus spécialement du côté de la rue Biot.

— Personne, fit-elle, parbleu, j'ai encore une demi-heure à attendre !...

Rassurée, la jeune fille traversait la place, s'approchait de la statue du maréchal Moncey, où des bouquetières avaient établi un véritable petit marché aux fleurs, elle choisissait minutieusement une gerbe d'œillets et de roses qu'elle piquait à son corsage, puis, encore, allait flâner aux boutiques, entrant dans les grands magasins de nouveautés qui se sont, on ne sait trop pourquoi, donné rendez-vous à ce carrefour, parcourant les rayons, et toujours, de temps à autre, regardant sa montre.

De plus en plus Firmaine devenait sombre et triste. Évidemment elle attendait quelqu'un ou quelque chose... et il n'eût pas été nécessaire d'être grand prophète pour deviner la contrariété de la jeune fille...

La Firmaine, qui se promenait lentement, n'avait plus rien de la joyeuse et charmante amoureuse, qui s'accoudait le matin même au lit du jeune Maurice, et lui criait dans un élan :

— Chéri !... chéri ! tu ne peux pas savoir combien je t'aime !...

Comme sa petite montre marquait dix heures et demie, Firmaine sortit du magasin où elle flânait depuis déjà pas mal de temps et, à nouveau, regarda la place.

— Ah ! fit-elle, avec un petit rire, c'est de l'exactitude !

Elle fit un pas comme pour traverser la chaussée, puis se ravisa, rebroussant chemin, descendant la rue de Saint-Pétersbourg.

— Non ! je ne veux pas y aller maintenant, déclarait-elle ; il faut se faire attendre. Qu'il poireaute pendant vingt minutes, ça lui fera du bien !

Bien femme, Firmaine entendait ne point passer pour arriver la première à un rendez-vous.

A onze heures moins le quart, pourtant, Firmaine remonta rapidement la rue de Saint-Pétersbourg qu'elle avait descendue jusqu'à la place de l'Europe. Elle traversait bientôt la place Clichy, et se dirigeait vers une superbe automobile, une limousine fermée, de grande valeur, qui stationnait à cet endroit depuis déjà pas mal de temps.

La jeune ouvrière, d'un petit sourire protecteur, faisait bonjour au mécanicien qui, grave et digne, quittait son siège et s'empressait, la casquette à la main, de lui ouvrir la portière.

— Ah ! vous voilà, ma jolie !

L'exclamation joyeuse saluait son arrivée.

Étendu sur les coussins de la voiture, dans une pose de nonchalant ennui, un homme attendait, un gentleman fort chic, qui semblait au comble de la joie en voyant Firmaine s'asseoir à ses côtés.

— Donnez-moi votre main, mignonne, que je la baise.

Et comme le mécanicien, demeuré près de la portière ouverte, s'informait :

— Où dois-je conduire monsieur le vicomte ?

L'inconnu, le vicomte Raymond de Pleurmatin, répondait :

— Bah ! menez-nous toujours au bois, nous verrons après !

C'était un homme fort chic que le vicomte Raymond de Pleurmatin, qui venait ainsi de faire monter dans son automobile la jolie Firmaine, la maîtresse amoureuse de Maurice.

Il portait à peine quarante-cinq ans, mais savait, par des artifices de toilette, des artifices de bon goût, empreints d'une sobre élégance, se donner un aspect très jeune.

— Ma chère et jolie Firmaine, reprenait-il, sitôt que l'automobile eut démarrée et se fut enfuie dans un ronronnement doux et silencieux au long du boulevard des Batignolles, je crois que je suis, un peu plus chaque jour, épris de vous, et que chaque jour, je vous aime davantage... Vous me rendez fou !

Firmaine s'occupait à s'installer confortablement.

Cette petite ouvrière qui, quelques minutes avant, voyageait très simplement dans le démocratique métropolitain, prenait à merveille ses aises en cette superbe voiture. Elle s'enfonçait, dans une pose gracieusement abandonnée, au profond des coussins moelleux, s'appuyait aux brassières tombant du capitonnage, croisait ses pieds, négligeamment, sur le velours d'un strapontin relevé. Et comme le vicomte Raymond de Pleurmatin achevait de parler, elle railla :

— Tiens ! vous regardez donc les vitrines des bijoutiers ?

— Que voulez-vous dire ?

— Vous me récitez les phrases inscrites dans les écrins des médailles de bonheur !

— Quelles phrases ? ma jolie.

> — *Et comme chaque jour, je t'aime davantage,*
> *Aujourd'hui plus qu'hier et bien moins que demain...*

C'est de Rosemonde Gérard !...

Le vicomte dissimula un sourire piqué :

— Je n'ai pas besoin, fit-il, de regarder les vitrines des bijoutiers pour apprendre à vous dire, Firmaine, combien vous êtes délicieuse ! On trouve ces choses-là en soi... Mais, tenez, puisque vous parlez de bijoutiers, vous avez raison, j'ai, en effet, pensé à regarder leurs vitrines... Ceci vous plaît-il ?

Le vicomte, dans une des pochettes de la voiture, venait de prendre un écrin ; il offrait à Firmaine un superbe joyau, un bijou de grande valeur qui scintillait.

— Oh ! le splendide bracelet ! vous êtes aimable, monsieur !... oui, vous me faites plaisir.

Déjà Firmaine avait passé à son poignet le cercle d'or :

— Vous êtes contente ? interrogeait le vicomte. Oui ? Eh bien, alors, embrassez-moi ! Dites, voulez-vous, méchante enfant ?...

Firmaine fronçait les sourcils :

— Ah ! vous êtes un maladroit, mon cher !... s'exclamait-elle. Vous gâchez vos meilleures idées !... C'est gentil de songer à m'acheter un bracelet, mais c'est absurde de demander comme ça, tout de suite, votre récompense !... Vous avez l'air de vouloir acheter mes baisers !...

Le vicomte Raymond de Pleurmatin, nerveusement, se renfonça sur son siège...

— Comme vous êtes cruelle ! murmura-t-il... croyez-vous donc que cela s'achète, les baisers ? Si je vous demande de m'embrasser, c'est tout bonnement que je vous aime, et...

Mais Firmaine lui coupait la parole :

— Et que, comme tous les hommes, vous trouvez très naturel, parce que vous m'aimez, que je vous aime aussi !... Cela vous paraît logique, obligatoire ?...

Le vicomte, un instant, ne répondait pas.

— Oh ! faisait-il enfin, vous vous trompez, Firmaine, je ne trouve cela ni logique, ni obligatoire... et vous me prenez pour un sot si vous vous imaginez déjà que vous m'abusez sur vos propres sentiments !

Firmaine remarquait le ton acerbe du vicomte. Elle eut peur d'avoir été trop loin.

— Allons !... ne boudez pas !... là !... ne faites pas le méchant !... embrassez-moi !... mieux que cela, de bon cœur ! Vous m'avez fait très plaisir !...

La voiture parvenait à la porte Dauphine, le mécanicien se retournait et, du regard, sollicitait des ordres.

— Où allons-nous, Firmaine ? interrogea le vicomte... que diriez-vous de déjeuner aux environs de Mantes, dans une petite île que je connais là-bas... un restaurant désert, mais confortable ?

Firmaine railla :

— Va pour le restaurant des amoureux !

Le vicomte, par le porte-voix, venait de donner ses instructions à son chauffeur. La voiture, à nouveau, filait à bonne allure...

Firmaine, passionnée d'automobile, un plaisir nouveau pour elle, car il n'y avait point très longtemps qu'elle connaissait le vicomte de Pleurmatin, était toute au plaisir de la promenade et, volontiers, eût gardé le silence, lorsque son amant reprit :

— D'abord, Firmaine, d'où veniez-vous, ce matin ?

— Comment d'où je venais ?

— Oui... vous êtes arrivée une demi-heure en retard ?...

— Eh bien ?

— Eh bien, comme de la rue Brochant à la place Clichy le métropolitain ne met pas un quart d'heure, comme, d'autre part, vous avez certainement dit à madame votre mère que vous alliez à l'atelier, ce qui vous a obligée à partir de chez vous à l'heure habituelle, à huit heures et demie, il est évident que vous avez traîné avant de me rejoindre...

— Traîné !

— Flâné... si vous aimez mieux !

— C'est un interrogatoire, alors ? Mon cher, j'ai fait des courses !...

— Vraiment ?...

— J'ai été place Clichy... tenez, j'ai acheté ces gants...

Firmaine sortait de son petit sac une enveloppe du grand magasin. Elle avait, en effet, fait une emplette au rayon de la ganterie.

Le vicomte ouvrit les lèvres pour répondre, puis, laissant voir qu'il faisait effort sur lui-même, se tut. Mais Firmaine était trop femme pour ne point relever l'implicite provocation qu'était ce silence.

— D'abord, déclarait-elle, je n'aime point les sous-entendus ! Pourquoi ne croyez-vous pas que j'ai été à la place Clichy ? Que pensez-vous ? Vous avez une imagination, mon cher !...

— Oh ! une imagination ! qui n'a pas besoin de faire des prodiges pour deviner la vérité...

— Mais encore ?

— Firmaine, prenez garde !

La jeune femme trépigna :

— Ah ! parlez clairement, à la fin ! Vous m'agacez !

— C'est qu'aussi vous vous moquez trop de moi... tenez, ce matin, je jurerais que vous veniez de chez votre amant de cœur !...

— Mon amant de cœur !

Firmaine pouffa. Elle avait cette ruse subtile, habileté si commune aux femmes, de ne jamais répondre aux questions compromettantes et trop précises. Et elle riait !

Il n'y a rien à dire à une femme qui rit. On ne peut qu'admirer les dents blanches qui se montrent, comme des perles, entre l'écrin rouge des lèvres !

Après tout, elle ne mentait point au vicomte. Aucune de ses réponses n'altérait la vérité. Il était réel qu'elle avait été place Clichy. Et, de plus, elle ne niait pas venir de chez son amant de cœur : elle riait ! elle riait à gorge déployée... et force était bien au vicomte de Pleurmatin, pourtant follement amoureux et terriblement agacé, de regarder rire cette poupée jolie qu'il avait à ses côtés, qu'il sentait bien se moquer de lui et que, cependant, il ne pouvait arriver à moins aimer !

Ils parlèrent peu jusqu'à Mantes, soucieux d'éviter l'un et l'autre de reprendre une scène qu'ils sentaient imminente. Le vicomte se disait, sans doute :

— Elle me trompe, mais je ne puis l'empêcher !...

Firmaine songeait :

— Inutile de me fâcher avec lui !...

Et, de temps à autre, elle regardait le joyau que ce riche adulateur avait, quelques minutes avant, passé à son poignet...

Comme ils achevaient cependant de déjeuner dans le petit restaurant où le vicomte de Pleurmatin avait fait arrêter la voiture et où les garçons, surpris de l'arrivée d'une clientèle aussi chic, surpris surtout d'avoir à servir, en semaine, un déjeuner en cabinet particulier, s'empressaient, affairés, ils revinrent l'un et l'autre, comme malgré eux, à leur préoccupation constante.

Le vicomte venait de reposer sur la table une flûte de champagne, du Monopole brut. Il interrogea :

— Et voilà, petite Firmaine... si vous m'aimiez, ce serait une journée ravissante que cette journée de tête-à-tête passée ainsi, tous les deux, tout seuls !...

La jeune femme, excédée, haussa les épaules :

— Si vous m'aimiez !... si vous m'aimiez !... faisait-elle, vous répétez toujours la même chose... vous avez l'air de trouver cela extraordinaire de m'aimer !... Ah çà ! croyez-vous que je manque d'amoureux ?

Vexé, le vicomte protesta :

— Ma chère, vous faites erreur ; non, précisément, je n'en doute pas...

— Alors, maintenant, vous m'accusez de coucher avec tout le monde...

— Vous venez de vous en vanter...

— Vous êtes grossier !...

Commencée à mots doux, la discussion s'envenimait.

Le vicomte, heureusement, savait trop bien avec quelle déplorable facilité les femmes indifférentes poussent à de regrettables paroles les amants qu'elles n'aiment point afin de tirer d'eux une vengeance facile, pour se laisser ainsi entraîner...

— Ne dénaturez donc point mes paroles, fit-il, je ne vous accuse point, comme vous venez de le prétendre un peu crûment, de coucher avec tout le monde !... C'est évident, Firmaine, je sais qui vous êtes et ce que vous valez... vous n'êtes point de celles qui se donnent au premier venu... je le reconnais...

— C'est heureux !

— Mais, d'autre part, vous êtes de celles qui peuvent se donner sans aimer...

— C'est pour vous, que vous dites cela ?

— Et qui se donnent aussi à qui elles aiment...

— Cette fois, vous faites, à nouveau, allusion à mon amant de cœur ?...

— Peut-être...

— Eh bien, mon cher, après tout, quand cela serait ?

Le vicomte venait de se lever. Il avait pâli :

— Ah ! fit-il, vous avouez ?

Mais Firmaine était fort en colère :

— J'avoue ? déclara-t-elle, je n'avoue rien du tout !... j'avoue tout bonnement ceci : que vous devriez comprendre mieux que personne, vous qui vous targuez de délicatesse...

— Quoi donc ?

— C'est que lorsqu'une femme comme moi est aimée d'un homme comme vous, elle ne peut avoir qu'un rêve, qu'une ambition... une jolie ambition, en vérité... devenir sa maîtresse !...

— Eh bien ?

— Passer au rôle de femme entretenue...

— Eh bien ?

— Vous êtes stupide avec vos « Eh bien ? ». Devenir une grue !... voilà à quoi mènent des amours comme les vôtres !... Non, mais, voyez-vous, le vicomte de Pleurmatin épousant Mlle Firmaine Benoît, une ouvrière ?... Je ne suis pas une imbécile, allez ! je comprends !...

Le vicomte haussa les épaules :

— Tout ceci n'est pas nouveau, déclarait-il. D'abord, je ne vous ai jamais caché que j'étais marié...

— Naturellement !...

— Alors ?

— Alors, vous avez tort de me reprocher, mon cher, de ne pas prendre votre amour au sérieux. Les amants comme vous ne peuvent jamais être des amoureux pour des filles comme moi ! Tandis que Maurice !...

— Maurice ?

Ce fut au tour de Firmaine de pâlir !

Dans l'emportement de la discussion, elle venait de se trahir bien maladroitement. Pouvait-elle nier ? Une autre eût essayé peut-être, mais elle était femme au point de perdre toute mesure, toute réflexion, sous l'empire de la colère :

— Eh bien, Maurice ! faisait-elle... là ! puisque vous êtes assez sot pour vouloir le savoir, je vous le dis. J'ai un amant... un amant de cœur, comme vous le répétez tout le temps !

— Vous me trompez ?

Douloureusement, Firmaine secoua la tête. Des larmes lui venaient aux yeux ; la jeune ouvrière, soudain émue, protesta :

— Non ! ce n'est pas vous que je trompe ; c'est lui !...

Et d'une voix où il y avait des sanglots, elle contait tout d'une haleine :

— J'ai connu Maurice bien avant vous ; il est gentil comme tout, et je l'aime. Oui, je l'aime ! là ! je ne le cache pas ! J'en ai assez de mentir ! Fâchez-vous si vous le voulez !... Ah ! Maurice n'est pas un homme chic comme vous ! non ! pas du tout ! Il ne me fait pas des cadeaux précieux, il gagne sa vie, lui !... c'est un ouvrier, c'est un travailleur... comme moi. Lorsqu'il m'offre un bouquet de violettes de deux sous, c'est deux sous dont il se prive... et il m'aime, lui...

Elle achevait, triomphante :

— Et il n'est pas vicomte, lui !... et il n'est pas marié !..., et il m'épousera !...

Le vicomte ne disait rien. Baissant la tête, il fixait d'un regard étrangement navré la flûte de champagne où le vin gai continuait à pétiller...

Un silence s'éternisait...

Un peu calmée, Firmaine finit par interroger :

— Vous vouliez savoir la vérité, vous la savez maintenant ?... vous me plaquez ?...

Le vicomte de Pleurmatin releva lentement la tête. Il était très pâle. Il regardait Firmaine avec des yeux emplis d'une infinie détresse :

— Pourquoi dites-vous cela ? répondit-il lentement. Pour me torturer encore plus ? Vous savez bien que je vous aime !... que je vous aime follement !... éperdument !... à ne plus pouvoir concevoir la vie sans vous !... à ne plus admettre un avenir où vous ne soyez pas !... Quelles que soient les difficultés qui nous séparent, quelles que soient vos méchancetés sans raison, vos cruautés sans motifs !...

— Alors, qu'allez-vous faire ?

Le vicomte de Pleurmatin se leva :

— Je vais attendre et espérer ! dit-il. Ma petite Firmaine, je vais attendre que vous compreniez combien je vous aime... espérer qu'après l'avoir compris vous me rendrez un peu de cet amour...

Puis le vicomte de Pleurmatin, la voix changée, proposait :

— Tenez... voulez-vous que nous fassions venir la voiture ? nous allons repartir et faire une longue promenade. Il suffit que nous soyons rentrés à Paris à sept heures, n'est-ce pas ?

— A six heures et demie...

— Vous êtes pressée, Firmaine ?

— Oui...

Il n'insistait pas. Il était trop amoureux, il l'avait trop laissé voir, il était vaincu par cette femme qui en aimait un autre et qui ne craignait pas de l'avouer...

La nuit tombait. Le mécanicien avait allumé les phares de la puissante limousine depuis quelque temps déjà et Firmaine s'était réjouie, en elle-même, silencieusement, car, depuis le déjeuner, à peine avait-elle échangé quelques phrases avec son amant, de cette marche, la nuit, parmi la paisible campagne, dans le sillon lumineux des puissants projecteurs.

Sa petite montre marquait six heures. On n'était plus guère loin de Paris, elle serait rentrée à temps.

Et puis, brusquement, une détonation avait retenti à l'arrière de la voiture. Le mécanicien bloquait ses freins. La limousine avait stoppé, le vicomte de Pleurmatin, tourné vers sa compagne, annonçait :

— Panne de pneus !

— Nous en avons pour longtemps ?

Déjà Firmaine fronçait les sourcils, furieuse, reprochant presque à son amant un accident, dont il était pourtant bien irresponsable.

— Un quart d'heure, protesta le vicomte. Mon chauffeur est très habile, il va très vite changer de bandage...

Firmaine sauta sur le sol, en dépit de la fraîcheur de la soirée ; elle surveillait la réparation, puis commandait, autoritaire :

— Vous me mènerez au métro de la place Clichy, n'est-ce pas ?

Le vicomte de Pleurmatin tressaillit d'aise :

— Vous rentrez donc chez votre mère ?

Firmaine le regarda et, méchante jusqu'au bout, comprenant son angoisse, et la crainte qu'il avait, vengeant inconsciemment la peine qu'aurait assurément Maurice s'il pouvait deviner, tout à l'heure, qu'elle avait passé la journée avec un autre amant, elle se contenta de répondre :

— Oui, je rentre rue Brochant, tout d'abord !

Le vicomte de Pleurmatin soupira et ne répondit pas !

— Ah ! te voilà enfin ! ça n'est pas malheureux ! d'où viens-tu ?

Mme Benoît, coléreuse, tremblante de fureur, ouvrait la porte et dévisageait sa fille Firmaine qui, après une nuit et un jour, tranquillement, avec le plus beau sang-froid du monde, rentrait... et ne semblait point pressée d'expliquer sa conduite, au moins bizarre.

Margot, d'ailleurs, le petit souillon désagréable et jaloux, ne lui laissait pas le temps de répondre :

— Tu sais, criait-elle du fond du logement, à l'atelier, on commence à en avoir assez de tes farces !... Mme Blanche a dit comme ça que, si tu ne voulais pas venir, tu n'avais qu'à le dire ! Il n'en manque pas, des ouvrières !...

Firmaine haussa les épaules :

— Toi, Margot, mêle-toi de tes affaires, n'est-ce pas !... je te prie de ne pas moucharder. Est-ce que je te demande si on t'a encore calotté aujourd'hui pour t'apprendre à ne pas rapporter des frites dans ta poche ?...

Agressive, la petite sœur dévisageait l'aînée. Elle avait un déplorable accent parisien et, traînant sur les mots :

— Ah ! puis ça va bien !... j'dis c'qui m'plaît, hein ?... et j'bouffe c'que j'veux ! c'est pas parce que t'as des bracelets...

L'œil vif de la gamine avait immédiatement discerné le nouveau joyau que portait sa sœur, et sa méchanceté, aiguisée par les tracasseries continuelles qu'il lui fallait bien, le jour durant, supporter à l'atelier, le signalait à l'attention de sa mère !

Mme Benoît, en effet, remarquait à son tour le bracelet qui brillait au poignet de Firmaine et que celle-ci, par distraction, avait oublié de détacher.

— Fais voir ? demandait-elle, montre-moi ça, Firmaine ? montre !...

— Voilà, maman...

Firmaine, dédaigneusement, tendait son poignet. Et ironique elle interrogeait :

— C'est joli, n'est-ce pas ?...

Mme Benoît, cette fois, devenait verte :

— Où as-tu acheté cela ?

— Je ne l'ai pas acheté...

— Oh ! je m'en doute bien ! alors, qui te l'a donné ?

— Quelqu'un...

— Qui, ce quelqu'un ? ton amant ?...

Firmaine s'asseyait tranquillement sur un fauteuil. Elle approuva :

— Oui, maman, évidemment ! C'est un monsieur qui m'aime bien qui me l'a donné !...

— C'est-à-dire, rétorquait Mme Benoît, de plus en plus furieuse, c'est-à-dire que voilà l'explication de ton absence, cette nuit !... Ah ! c'est du propre ! voilà maintenant que tu deviens une grue !... tu te conduis comme la dernière des dernières !... Dans la journée on ne te voit plus à l'atelier et la nuit tu te fais donner des bracelets...

Firmaine protesta de la tête, ne semblant nullement prendre cure de la colère de sa mère :

— Je t'assure, maman, faisait-elle avec un beau sang-froid, que je n'ai point gagné ce bracelet cette nuit !... c'est cet après-midi qu'on me l'a donné...

Mais naturellement Mme Benoît s'emportait de plus belle. Elle grondait sa fille avec une violence furieuse, mais il ne semblait guère qu'elle réussît à l'émouvoir. Firmaine, sournoisement, à petits mots, excitait au contraire la pauvre femme et comme celle-ci, exaspérée, finissait par s'écrier, la main levée : « Tiens ! je ne sais pas ce qui me retient... » Firmaine, soudain, se levait et, ramassant ses affaires :

— Ah ! zut ! déclarait-elle, vrai ! si je ne reviens plus ici c'est bien de votre faute à tous ! Margot moucharde, toi tu ne sais que me dire des insultes... bonsoir ! je reviendrai quand vous serez calmées !...

Elle se dirigeait vers la porte du logement ; Mme Benoît, abasourdie, interrogea :

— Tu t'en vas encore ? tu ne couches pas ici ?

— Probable ! gouaillait Firmaine...

Elle dégringolait prestement l'escalier et elle songeait :

— J'ai dit à Maurice que je serai chez lui à neuf heures et demie, en me dépêchant bien je crois que j'arriverai à neuf heures et quart...

Quand il s'agissait de Maurice, Firmaine ne songeait plus du tout à se faire attendre !

IV

La tête coupée

— Holà !... ohé !... bonjour, monsieur !... écoutez donc !... bonsoir, monsieur Maurice !... vous êtes bien fier, en ce moment, que vous passez sans vous retourner, c'est-y encore rapport à ce que vous avez vos habits du dimanche, bien que l'on soit à lundi ?...

Il était huit heures du soir environ.

Le jeune ouvrier qui attendait fiévreusement et non sans impatience le retour de la gentille Firmaine qui lui avait promis, le matin même, de venir passer la nuit avec lui, ayant encore trois bons quarts d'heure avant le rendez-vous fixé, errait, non loin de sa demeure, le long du quai d'Auteuil, où, à l'approche du soir, le va-et-vient des passants se faisait de plus en plus rare.

Maurice était si absorbé par ses pensées qu'il fallut que l'interlocuteur qui l'interpellait s'y reprît à plusieurs fois pour se faire entendre.

Pourtant, comme s'il sortait d'un rêve captivant, Maurice, aux derniers mots de l'apostrophe, s'arrêta net, regarda son interlocuteur et, levant les bras dans un geste de surprise amusée :

— Ah ! par exemple ! s'écria-t-il, mais je ne me trompe pas, c'est Bouzille, le père Bouzille.

— Lui-même ! en effet ! répliqua le personnage en esquissant une révérence comique devant le jeune ouvrier qui ne pouvait s'empêcher de considérer curieusement l'individu devant lequel il se trouvait.

— Parbleu, fit-il, voilà longtemps qu'on ne s'est vu !... que t'est-il donc arrivé, Bouzille ?

Le curieux vieillard mettait un doigt sur sa bouche, dont les lèvres se perdaient derrière une barbe hirsute et, affectant une allure mystérieuse :

— Faut pas trop parler de ça ! murmurait-il, mais je viens de tirer encore trois mois à Fresnes...

Et il ajoutait, haussant les épaules :

— Toujours pour la même bêtise ! Vagabondage ou soi-disant ; on dirait que ces sacrés jugeurs n'ont qu'une idée, c'est de me chercher des poux dans la tête... et cependant voilà plus d'un an que j'ai un métier !

Tandis que son interlocuteur l'écoutait en silence, le bonhomme, s'interrompant soudain de monologuer, avisait la devanture d'une modeste guinguette, toute voisine du quai, sur la façade de laquelle s'inscrivait cette enseigne, tout à fait de circonstance vu la proximité du fleuve : *A la Pêche miraculeuse.*

— Entrons là ? suggéra Bouzille ; vous prendrez bien un verre, monsieur Maurice, et puis j'ai des choses à vous demander...

L'ouvrier avait le temps et pouvait accepter l'offre sans risquer de manquer l'arrivée de Firmaine.

L'invitation ?... certes ! Maurice n'était pas dupe de la proposition du vieux Bouzille et savait fort bien qui, finalement, devait régler les consommations. Mais il avait de l'argent plein ses poches... au surplus, dans le quartier, il passait pour ne pas être avare et, en outre, la personnalité originale de Bouzille n'était pas pour lui déplaire [1].

Les deux hommes entrèrent dans le cabaret et commandèrent des mazagrans.

— Et alors, interrogea Maurice, cependant que Bouzille humait avec délice le café bouillant... et alors tu me disais donc que tu avais un métier en ce moment ?

Le chemineau prit encore un air mystérieux et rapprochant son escabeau de celui du jeune ouvrier :

— Précisément, monsieur Maurice, et c'est rapport à cela que j'ai besoin de vous. Figurez-vous que, maintenant... je fais le noyé !...

Maurice regarda Bouzille avec stupéfaction.

— Le noyé ? interrogea-t-il, qu'est-ce que cela signifie ?

— Cela veut dire, tout simplement, répliqua Bouzille, que je me jette à l'eau, que je manque de me noyer, le plus souvent possible...

— Et pourquoi ? interrompit Maurice.

— Hé ! parbleu, conclut Bouzille, en frappant un coup de poing sur la table, comme s'il trouvait la chose toute naturelle pour permettre aux sauveteurs de me tirer d'affaire !... Comprenez bien, ils gagnent vingt-cinq francs par noyé vivant. On s'arrange ensuite. Moi, j'ai dix francs par coup...

Maurice souriait silencieusement ; Bouzille poursuivit :

— C'est un drôle de métier, pas vrai, monsieur Maurice ? Bah ! qu'est-ce que vous voulez, on fait ce que l'on peut ! En été, c'est presque un plaisir que de se mettre à l'eau, ça rafraîchit, ça nettoie. Par exemple, en hiver, la chose est plus dure, mais je demande plus cher, quinze francs au lieu de dix... et encore ça dépend, car bien des fois en hiver, je suis en prison ! Enfin, ça ne va pas trop mal. Et puis, tout cela se passe entre copains. Tenez, c'est les patrons d'ici, que je connais depuis longtemps, qui m'ont censément mis en rapport avec les sauveteurs !...

Qui se ressemble, s'assemble ! et la dernière affirmation de Bouzille n'avait, en effet, rien d'invraisemblable. Assurément, l'extraordinaire chemineau pouvait, devait même connaître les étranges tenanciers du cabaret interlope, installé sur le quai d'Auteuil, à proximité des bords de la Seine, et la clientèle douteuse des quartiers du Point-du-Jour et de Grenelle.

L'établissement était dirigé par une vieille femme, nommée la mère Trinquette, qui jouissait d'une réputation détestable. Cette mégère qui, successivement, avait fait tous les quartiers de Paris, et aussi de nombreux séjours dans les maisons centrales, perpétuellement poursuivie, souvent condamnée pour vols et recels, ne pouvait pas, bien entendu, être établie sous son nom, en qualité de commerçante ; mais elle avait eu soin de s'associer, officieusement, avec un brave homme de colosse, qui, jadis, avait exercé la profession de forain, un nommé Léonce qui, certes, n'était pas l'intelligence même, mais qui possédait une vigueur herculéenne, des épaules de taureau, et dont la robustesse était une précieuse garantie dans le cas, assez fréquent encore, où des discussions et des rixes, dans la salle du cabaret, obligeaient les tenanciers à mettre toute la clientèle à la porte !

---

1. Voir dans la série « Fantômas » : *L'Assassin de Lady Beltham*.

La Pêche miraculeuse était une affreuse guinguette, sordidement installée, et des plus mal famées. C'était un bouge où se réunissaient toute une catégorie d'individus qui se donnaient le titre pompeux de sauveteurs et affichaient la profession de braves gens, sans cesse aux aguets sur les bords de la rivière, et toujours prêts à risquer leur existence pour repêcher les malheureux qui tombaient à l'eau !

En réalité, dans le voisinage, les gens perspicaces et bien documentés les qualifiaient plus modestement et plus exactement aussi de « naufrageurs »...

On leur reprochait de simuler des noyades et des sauvetages entre eux, à seule fin de toucher des primes ; d'aucuns, plus audacieux même, allaient jusqu'à les accuser de précipiter à l'eau d'honnêtes passants pour les en retirer ensuite, non sans les avoir, au préalable, complètement dévalisés !

C'était dans cet établissement interlope et bizarre que Bouzille avait conduit le jeune Maurice, afin de l'entretenir de l'affaire qui le préoccupait.

Les deux consommateurs, assis à l'extrémité d'une table, causaient à voix basse dans la salle où s'élevaient les voix bruyantes et les propos grossiers d'une foule nauséabonde de mariniers, d'apaches, de rôdeurs et de filles.

— Moi, expliquait Bouzille à Maurice, ce que je voudrais obtenir du gouvernement, c'est une récompense, une retraite ou une médaille tout au moins... autrement dit un papier ou un ruban qui pourrait me faire bien voir des juges, lorsque je passerais au tourniquet de la correctionnelle...

— Mais, interrogeait Maurice en riant, à quel titre veux-tu cette récompense ?

— Dame ! suggérait Bouzille, on récompense bien les sauveteurs qui ne sont pas plus courageux que les autres ; croyez-vous que le rôle de noyé ne soit pas plus difficile... et ne mérite pas des encouragements ?

La vieille mère Trinquette, qui rôdait au milieu de la clientèle, s'insinuant entre les tables et glanant des bribes de conversations, connaissait évidemment la marotte de Bouzille, et sans doute trouvait stupides et dangereuses les prétentions du chemineau.

Passant à côté de lui, elle le faisait taire d'un coup de poing qu'elle lui lançait dans les côtes. Et non sans à-propos elle proférait :

— Vous dites des bêtises, Bouzille ! on récompense les sauveteurs parce que c'est bien de sauver ceux qui se noient, mais il n'y a pas de raison de récompenser tous ceux qui se foutent à l'eau, surtout quand c'est pour la frime !...

C'était là un raisonnement trop subtil pour Bouzille ; il s'entêtait à répéter :

— Moi, j'en fais bien autant que les autres, je ne vois pas pourquoi...

La mère Trinquette, méfiante, était revenue auprès du chemineau :

— D'abord, interrogea-t-elle, as-tu de l'argent pour payer ?... On t'a servi sans faire attention.

Mais le chemineau, d'un grand geste de dignité offensée, désignait son compagnon :

— C'est monsieur qui m'invite, et je te prie de croire, vieille pomme cuite, qu'il a de l'argent plein ses poches !...

La mère Trinquette considérait de ses yeux vifs et soupçonneux le compagnon de Bouzille, mais celui-ci, comme pour donner raison au chemineau, sortait négligemment une pièce de dix francs de son gousset et la remettait à la vieille qui, se confondant en salutations, repartait aussitôt vers le comptoir pour chercher de la monnaie.

Bouzille reprenait, suivant son idée fixe avec entêtement :

— Alors, pour la récompense, je me suis demandé à quel ministère il fallait s'adresser. On m'a conseillé le ministre du Travail, censément, parce que de faire le noyé c'est du travail et même du rude travail ! Mais y en a d'autres qui m'ont conseillé de m'adresser au ministère du Commerce, sous prétexte que les noyés de sauvetage, ça fait toujours un peu marcher le commerce !... Y en a aussi qui assurent que, rapport que les événements se passent sur le bord de la Seine, ça devait plutôt dépendre des travaux... des travaux... comment qu'vous dites ?... des travaux forcés ?...

— Non ! interrompit Maurice qui se mordait les lèvres pour ne pas éclater de rire devant le bonhomme, ce sont les Travaux publics que tu veux dire ?... Mais, poursuivit le jeune homme, poussant encore plus loin la plaisanterie, moi, à ta place, Bouzille, je m'adresserais tout simplement au ministère de la Marine...

Le chemineau ne saisit point l'ironie :

— Parbleu ! s'écria-t-il, comme frappé par une idée subite, mais c'est évident ! je n'y avais pas pensé !... Des affaires qui se passent dans l'eau, ça doit concerner le ministère de la Marine...

Le bonhomme allait insister encore, lorsqu'à sa grande consternation, Maurice se levait, prenait en hâte congé de lui :

— J'ai quelqu'un, disait-il, à recevoir tout à l'heure, il faut que je m'en aille...

Bouzille s'agrippait à sa manche ; l'incorrigible bavard éprouvait, comme toujours, le besoin de dire tout ce qu'il savait :

— Parfaitement ! insinuait-il, je sais qui vous attendez ! Eh !... eh ! elle est gentille, ma foi, la petite ! mais, vous savez, monsieur Maurice, pas la peine de me la cacher à moi, j'la connais... puisque j'vous dis que je connais tout le monde !

Maurice, importuné, s'éloignait. Le chemineau le rattrapait sur le pas de la porte, il lui soufflait avec malice :

— J'la connais, que j'vous dis, je l'ai vue souvent chez vous ou près de chez vous, la petite Firmaine...

Les paroles de Bouzille s'envolaient au vent, le chemineau se retrouvait seul sur la berge du quai, Maurice avait depuis longtemps regagné l'avenue de Versailles et s'acheminait vers son domicile.

Or, Bouzille, après un instant d'hésitation, au cours duquel il s'était demandé ce qu'il allait devenir avant d'aller se coucher, se souvenait soudain que Maurice n'avait pas achevé de boire son café...

Bouzille rentrait précipitamment dans le cabaret, délibérément s'attablait devant le verre encore à moitié plein :

— Puisque c'est payé, pensait-il, autant en profiter !...

Cependant, comme il passait devant la loge, Maurice s'arrêta quelques instants pour souhaiter un amical bonsoir à la concierge :

— Ça va, madame Guron ?

— Ça va, monsieur Maurice ; vous revenez de votre travail ?

— Heu ! murmura le jeune homme évasivement, de mon travail ? ma foi, non ! j'n'ai pas besoin de vous le cacher, madame Guron, j'avais la flemme, ce matin, j'ai fait le lundi...

— C'est des choses qui arrivent ! conclut la concierge, et quand on a les moyens, on aurait bien tort de se gêner...

Maurice, à juste titre d'ailleurs, passait dans l'immeuble pour un ouvrier qui gagnait bien sa vie. Il était généreux, ne s'était pas montré « regardant » lorsqu'il s'était agi de donner le denier à Dieu ; il payait régulièrement son terme, il paraissait un peu plus instruit que la moyenne de ses semblables, il était considéré, estimé !

Lorsque Mme Guron le voyait passer et qu'il lui faisait l'honneur de s'arrêter devant sa loge, la concierge avait toujours une parole aimable et flatteuse pour cet agréable locataire.

Ah ! certes, la portière ne professait pas les mêmes sentiments à l'égard du dernier venu dans sa maison. Ce dernier venu, c'était, en effet, Bouzille qui, après de longues tergiversations et d'invraisemblables discussions, avait fini par arrêter, au septième, une mansarde, dans laquelle il couchait à peu près régulièrement depuis sa sortie de prison...

Mais Bouzille, bien que brave homme au fond, était resté plus indépendant que jamais. Vagabond dans l'âme, il avait des heures invraisemblables pour rentrer la nuit et la concierge était trop heureuse encore lorsque le personnage se rapatriait silencieusement, quand il n'était pas ivre, qu'il ne démolissait pas les becs de gaz, lorsque, pour'monter jusqu'à son septième, il lui fallait s'accrocher à la rampe de l'escalier !

— J'attends quelqu'un ce soir, avait déclaré Maurice à la concierge, au moment où il lui souhaitait bonsoir ; si on vous demande quelque chose, vous serez bien aimable de dire que je suis chez moi.

— Comme de bien entendu !

Puis la concierge insinuait, avec un malicieux sourire :

— Je suppose que ça doit être encore la gentille petite dame d'hier au soir.

— Eh ! eh ! peut-être bien ! sourit Maurice...

Mme Guron recommandait :

— Que voulez-vous, faut bien que jeunesse se passe ! Moi aussi, quand j'étais jeune, j'en ai eu des galants, et je vous prie de croire qu'ils ne s'embêtaient pas avec moi !... Mais enfin, poursuivait-elle avec une nuance de regret, ce qui est passé est passé ! Que voulez-vous, chacun son tour !... Bonsoir, monsieur Maurice !...

— Bonsoir, madame Guron !...

Une vingtaine de minutes environ s'écoulaient pendant lesquelles la concierge, qui avait hâte de voir sonner dix heures pour éteindre son gaz, procédait à l'installation de nuit de sa petite loge. Entre-temps, elle voyait rentrer la plupart de ses locataires.

La gracieuse silhouette de Firmaine Benoît s'encadra soudain dans le carreau mobile de la porte vitrée qui faisait communiquer la loge avec le couloir.

— Bonsoir, madame, fit la jeune fille de sa voix claire, M. Maurice est-il chez lui ?

— Ah ! j'comprends, qu'il est chez lui ! répliqua la vieille femme, et qu'il vous attend, allez ! Vous pouvez monter, ma belle ! c'est ben l'diable s'il n'est pas sur le palier de l'escalier en train d'écouter le bruit de vos pas !... Les amoureux, c'est tous les mêmes, ainsi moi autrefois...

Preste et légère, Firmaine, satisfaite du renseignement qu'elle venait de recueillir, s'était rapidement éclipsée sans écouter la suite de la conversation.

Cependant, la vieille concierge achevait de parler tout haut pour elle, puis, avec un soupir de soulagement et de satisfaction, car elle était bien fatiguée, elle supputait une nuit fort calme :

— Ils sont tous déjà rentrés et personne ne sort avant six heures du matin...

La concierge avait soudain un pli soucieux au front :

— Il n'y a que cet animal de Bouzille qui n'est pas encore là ! Quelle misère ! Si jamais il ne marche pas droit, cet homme-là, ce que je lui flanquerai son congé avec plaisir ! Enfin, peut-être qu'il ne sera pas saoul, ce soir ?...

La concierge voulait s'endormir sur cet espoir. Assise sur son fauteuil, les yeux fixés sur la petite pendule qui ornait sa cheminée, elle suivit anxieusement la marche des aiguilles, attendant avec impatience dix heures afin de pouvoir éteindre.

Le sixième, où habitait Maurice, n'avait pas cependant le privilège d'être éclairé. Le dernier bec de gaz de l'immeuble s'arrêtait au milieu de l'étage, au tournant de l'escalier du cinquième. Lorsqu'on arrivait sur le palier du sixième, il fallait suivre un long couloir sur lequel, de part et d'autre, s'ouvraient les portes des logements : petits logements modestes, mais confortables, très proprement tenus, généralement bourgeoisement habités.

La jeune fille, qui était montée aussi vite que possible, s'arrêtait un instant, haletante, devant la porte de la chambre où habitait son amant. Elle soufflait un peu avant de frapper — elle voulait en entrant lui dire un tendre bonjour — et, en même temps qu'elle se reposait, instinctivement, la jeune fille relevait sa voilette pour que son amant pût, dès qu'il l'apercevrait, trouver ses lèvres fraîches et y déposer le premier baiser d'amour !...

Firmaine, dont le cœur battait de joie, se décida, au bout de quelques secondes, à heurter discrètement à la porte.

Elle n'obtint aucune réponse !

— La concierge, pensait-elle, m'a pourtant dit qu'il était rentré... Oh ! poursuivait-elle, c'est certain qu'il est là, nous avions convenu de neuf heures et demie, or, je suis un peu en retard.

Firmaine prêta l'oreille et, n'entendant aucun bruit, se dit :

— Mais, peut-être sommeille-t-il, le pauvre chéri ? Sans doute il est fatigué !

La jolie fille supputait par avance la joie de son amant au moment où, arraché au premier sommeil par un appel plus brusque, il bondirait de son fauteuil et viendrait ouvrir à sa maîtresse !

Firmaine frappa à la porte, elle écouta : rien encore !...

La jeune fille, par acquit de conscience, chercha à se rendre compte de la disposition exacte du couloir. S'était-elle trompée de chambre ?

Mais non ! il n'y avait pas le moindre doute à cet égard, elle savait trop bien où habitait Maurice pour commettre une aussi grossière erreur...

Interdite, troublée, Firmaine hésita. Elle allait appeler ; déjà le nom de Maurice s'esquissait sur ses lèvres, lorsque, s'étant approchée à nouveau de la chambre de son amant, elle s'apercevait que le panneau supérieur de la porte, une vieille porte un peu abîmée, sans doute, était fendu sur presque toute sa longueur. Un mince filet de lumière filtrait à travers cette fente...

— Il est certainement chez lui ! murmura, presque haut, la jeune fille, puisque sa lampe est allumée...

Firmaine frappait encore, puis, autoritairement cette fois, presque nerveuse, et tout naturellement, sans la moindre arrière-pensée, sans le plus léger soupçon, sans la plus petite inquiétude, collait son œil à la fente du panneau mal joint pour s'efforcer de voir dans la pièce par suite de quel incident son amant ne venait pas lui ouvrir...

Peut-être n'entendait-il pas, parce qu'il était tout simplement en train de prendre le frais, accoudé à la barre d'appui de la fenêtre ?...

C'est égal, la jeune fille avait une légère désillusion ! D'ordinaire, Maurice était toujours en haut de l'escalier, épiant son arrivée !

Or, à peine Firmaine avait-elle regardé que, soudainement devenue plus livide qu'une morte, elle se reculait en arrière, battait l'air des bras comme pour chercher un point d'appui !

Ses yeux, soudain, se révulsèrent, de ses lèvres s'échappait un grand cri, un cri terrible, un cri effroyable, presque inhumain... puis, lourdement, elle s'abattait comme une masse, sur le plancher du couloir...

A l'appel déchirant, au choc sourd de ce corps roulant sur le sol, le voisinage avait été singulièrement impressionné. Quelques bruits hésitants se perçurent, on parlementa à travers les cloisons, des voix demandèrent ce qui se passait... et, comme nul ne répondait, certains des locataires, les plus audacieux, se décidèrent à ouvrir...

C'est alors que l'on vit la jeune fille qui gisait inanimée, comme morte, en travers du couloir.

Quelques secondes après, c'était l'affolement, l'ahurissement à l'étage !

On allait et venait, les femmes poussaient des cris, les hommes grommelaient des imprécations... On s'approchait de la malheureuse, on la soulevait, on lui frottait les mains, on la reposait par terre, on s'agitait... finalement, on ne faisait rien !...

— Mais, suggéra enfin un brave homme, employé à la Ville de Paris, M. Maspe, qui paraissait moins affolé que son entourage, mais cette personne s'est trouvée mal, évidemment ! il faut lui porter secours !... Père Karrec, courez donc chez le pharmacien !

L'employé de la Ville adressait ces derniers mots à un vieux pontonnier, au chef branlant, aux oreilles ornées de boucles ; c'était un matelot breton qui, depuis de longues années, avait pris sa retraite sur un des embarcadères de la Compagnie des bateaux-mouches.

Le Breton, entêté, ne bougea pas. Vraisemblablement, il redoutait les six étages pour ses pauvres vieilles jambes, percluses de rhumatismes, et, au surplus, il avait son remède à commander :

— C'est des vapeurs ! déclarait-il sentencieusement, faut lui donner un bon verre d'eau-de-vie !...

Deux femmes cependant, Mmes Boiru, mère et fille, qui étaient employées comme téléphonistes au bureau de la place Chopin, s'apitoyaient sur le sort de la malheureuse jeune fille qui gisait toujours inanimée sur le plancher du couloir.

Elles s'offraient à la recevoir chez elles. Quelques instants après, aidées de M. Maspe, les deux excellentes femmes, qui avaient transporté Firmaine dans leur humble logis et l'avaient étendue sur un canapé, lui humectaient les tempes de vinaigre, lui faisaient respirer des sels. Mme Boiru avait, d'un geste hâtif et expérimenté, desserré le corset de la malheureuse ; celle-ci, peu à peu, reprenait ses sens...

A ce moment, un chant joyeux retentit dans l'escalier, cependant que de lourds bruits de pas résonnaient sur les marches.

C'était Bouzille qui rentrait !

Le chemineau avait décidé de regagner son domicile, ne sachant plus que faire, mais il n'avait aucune envie de dormir ; aussi, se doutant soudain, au mouvement inaccoutumé qui troublait le sixième étage, que quelque chose d'anormal se passait, s'en vint-il aux nouvelles. Bouzille rencontrait, tout d'abord, le père Karrec avec lequel il entamait une conversation incompréhensible, mais M. Maspe intervenait : n'ayant pu réussir auprès du vieux breton, il sollicitait le chemineau de courir à la pharmacie.

Bouzille ne refusa pas, mais, au préalable, flairant une aventure, un drame, peut-être, et prodigieusement curieux par tempérament, il risquait un coup d'œil dans le logement ouvert de Mmes Boiru...

Or, précisément, Firmaine, revenant de plus en plus à la vie, s'asseyait à cet instant sur le canapé. Les yeux écarquillés, l'expression folle, les mains crispées sur le siège, le corps tout secoué encore d'un long frisson, la jeune fille rassemblait ses esprits ; Bouzille l'aperçut :

— Tiens ! s'écria-t-il, c'est la petite amie à M. Maurice ? quoi c'est-y donc qui lui est arrivé ?

Ce détail n'échappait pas à la perspicacité de M. Maspe et fort intelligemment, l'employé de la Ville s'en allait alors frapper à la porte de la chambre occupée par l'ouvrier.

Non seulement il n'obtenait pas de réponse, mais il était soudain bousculé, éloigné, rejeté en arrière !

Bondissant comme une folle, Firmaine, en effet, ayant retrouvé ses esprits, avait quitté le logement de Mmes Boiru, sans un mot de remerciement, sans un regard pour les excellentes femmes, et, repoussant ceux qui l'entouraient, s'était précipitée à nouveau sur la porte de la chambre de son amant !

Ses doigts se meurtrissaient à la serrure qu'elle s'efforçait en vain d'arracher, son visage se collait, tout frémissant, à la fente survenue dans le panneau...

De son regard d'épouvante, Firmaine voyait alors à nouveau l'effroyable spectacle qu'elle avait contemplé quelques instants auparavant...

Au milieu de la chambre, gisant sur le parquet, se trouvait le corps inanimé de Maurice, de son amant.

Le malheureux était couché sur le dos, immobile, les bras écartés, mais, chose horrible, le corps n'avait plus de tête !

Le cou au ras des épaules était sectionné ; une large traînée rouge de sang s'étendait sur le parquet...

Incapable de s'arracher à la contemplation de cet horrible spectacle, Firmaine regardait encore, lorsque brusquement un hurlement rauque s'échappa de sa gorge, contractée de terreur...

Un détail épouvantable, que jusqu'alors elle n'avait point remarqué, l'hypnotisait désormais, l'obligeait à continuer à fixer de son œil atterré, l'intérieur de la pièce...

Sur une chaise basse, à vingt-cinq centimètres environ du malheureux corps mutilé, se trouvait, exsangue et blafarde, la tête du malheureux Maurice !

Cette tête était posée toute droite, face à la porte, face précisément à la fente par laquelle on pouvait considérer cet horrible spectacle !

Mais c'en était trop pour la malheureuse jeune fille !

Firmaine retomba en arrière, les dents serrées, la bouche écumante et, en dépit des efforts que faisaient pour la maintenir les braves gens qui l'entouraient sans comprendre encore son épouvante, elle défaillit une seconde fois, incapable de résister à une effroyable crise de nerfs...

Cependant, Firmaine emportée à nouveau, Bouzille s'était précipité sur la fente du panneau.

Il regardait à son tour un instant, puis reculait épouvanté ! Le vieux Breton lui succédait, il s'enfuyait aussitôt en se signant... M. Maspe s'approchait à son tour et, poussant un cri de terreur, employait ensuite, sans mot dire, toute son autorité à empêcher Mmes Boiru de contempler, comme elles semblaient le désirer, l'incompréhensible et terrifiant spectacle...

— Au secours ! au secours ! au secours ! hurlait le vieux Breton, cependant que Bouzille criait, affolé, dans le couloir :

— Faut aller chercher la police !...

Bouzille se heurta sur le palier à Mme Guron qui, sérieusement alarmée du bruit qui se faisait au sixième, montait, nonchalante et maussade, afin d'imposer silence à ces insupportables locataires...

Derrière elle se faufilaient quelques voisins des étages inférieurs...

Mme Guron, à la vue des physionomies alarmées qui soudain surgissaient devant elle, se rendit compte que quelque événement avait dû se produire. Elle allait interroger, lorsque de nouveaux cris retentirent : Mme Boiru, blafarde, agitée d'un tremblement nerveux, courait vers l'escalier aussi vite que le lui permettaient ses jambes qui vacillaient sous elle...

— J'ai vu !... j'ai vu !... balbutiait-elle, haletante, sous l'empire d'une émotion effroyable...

Elle finissait par dire :

— J'ai vu ses yeux qui bougeaient ! ses paupières se sont ouvertes !...

Tout d'un coup un effroyable juron retentissait : c'était le vieux Breton qui, attiré lui aussi par l'horrible spectacle, était revenu regarder par la fente. Or, comme il se disposait à enfoncer la porte avec l'aide de M. Maspe, le père Karrec avait remarqué soudain qu'un bras du mort avait bougé...

Et désormais, c'était une suprême épouvante !

On hurlait sur le palier. Nul n'osait se rapprocher du lieu tragique !

Firmaine gisait, toujours évanouie, au bout du couloir, la tête appuyée sur les genoux de Mlle Boiru, elle-même toute blanche et prête à défaillir...

V

Minutieuse enquête

Sur le petit refuge circulaire, dressé au milieu de l'avenue de Versailles, à l'extrémité du pont de Grenelle, deux sergents de ville trouvaient moyen, par une habileté toute professionnelle, de faire les cent pas, alors qu'ils disposaient d'un espace large d'environ deux mètres !...

Il commençait à faire froid, du fleuve voisin un brouillard glacial montait, la rue était boueuse, les réverbères avaient des clignotements indécis, la nuit s'annonçait désagréable.

L'un des agents de la paix déplia sa longue capote et, aidé de son collègue, la revêtit :

— Pas chaud ce soir ! pas chaud du tout ! grommelait-il...

— Brigadier, vous avez raison !... et nous ne sommes de relève que demain à quatre heures...

— Oui ! on a encore le temps de s'amuser...

Tous deux se taisaient ; alors ils ruminaient des pensées, en gens qui savent qu'ils vont avoir tout le temps voulu pour causer, que rien ne presse, qui n'ont rien à faire, qui semblent, en quelque sorte, voués à l'ennui, à l'ennui morne et solitaire des longues factions.

— Alors, comme ça, Ledur, reprenait le brigadier, vous avez demandé à permuter, de Belleville ici ?

— Oui, brigadier, rapport à l'un de mes gosses qui vient d'avoir une bourse à Jean-Baptiste Say...

— Ah ! ah !

— Et puis, on est plus tranquille par ici...

Le brigadier s'offrait une prise de tabac, hochait la tête affirmativement :

— Oh ! ici, disait-il, c'est bien rare qu'on ait à verbaliser. Quelques contraventions pour le roulage... les charretiers de l'usine à gaz..., des automobiles dont les lanternes ne sont pas allumées... enfin des petites histoires, mais rien de sensationnel...

— Et pas d'ivrognes, brigadier ?

— Si ! bien sûr ! quelques-uns ! Il en faut bien un peu partout, n'est-ce pas ? Mais pas des quantités... d'ailleurs, vous verrez, ici, dans le quartier, tout se passe à la papa. On se connaît... quand c'est un tel qui est saoul, eh bien, on se retourne pour le laisser passer !... Non ! j'vous dis, c'est l'quartier idéal pour nous autres, il n'y a quasiment jamais d'embêtements, sauf, des fois, dans un sale bistro qui est là, *A la Pêche miraculeuse*, mais alors c'est plutôt les brigades de la Préfecture et les agents secrets qui opèrent... On a du bon temps par ici !...

L'agent s'interrompait. Tout courant, un homme d'aspect misérable, aux yeux étrangement petits et vifs, portant une grande barbe en collier, venait de s'approcher des deux gardiens de la paix. Il restait à distance, respectueux, et saluait profondément :

— Monsieur le gardien de la paix ? monsieur l'agent ?...

Le brigadier le considérait d'un air paterne :

— Qu'est-ce que tu veux, Bouzille ?

— C'est, ripostait le brave homme en reculant machinalement d'un pas, car il avait toujours une légitime frayeur de ceux qui portaient l'uniforme de la police, c'est rapport à un crime que je viens de voir !...

— A un crime ?

— Un de mes amis, Maurice, qu'on vient de trouver dans sa chambre, avec la tête sur une chaise et le corps par terre !...

Le brigadier, déjà, ne s'émotionnait plus :

— Allons ! allons ! faisait-il, crois-moi, mon vieux Bouzille, rentre donc chez toi et... tâche de boire un peu moins !...

Bouzille avait l'esprit vif. Il ne tardait donc pas à comprendre la supposition que formait le gardien de la paix :

— Mais je ne suis pas saoul ! protestait-il : c'est la vérité vraie que j'vous dis ! monsieur l'agent, on vient d'couper la tête à un de mes poteaux...

De plus en plus paterne, l'agent ne contrariait point le chemineau :

— Mais oui ! mais oui ! répondait-il encore, c'est entendu ! Eh bien, va devant ! on te suit !...

Et, pivotant sur ses talons, le brigadier, sans la moindre hésitation, voulut entraîner l'agent qui l'accompagnait, ceci afin de n'être pas obligé de sévir et d'emmener Bouzille au poste, pour le punir de son entêtement d'ivrogne s'obstinant à vouloir se moquer de l'autorité...

Bouzille, malheureusement, insistait :

Il empoignait l'agent par la manche et le forçait à se retourner :

— Mais, bon sang ! disait-il, faut pourtant m'croire, m'sieu l'agent ! c'est pas des menteries que j'vous dis ! C'est une histoire abominable ! La preuve en est qu'il y a sa maîtresse, la petite amie du mort, qui vient de s'évanouir là-haut... et ma concierge qui gueule comme une baleine ! et tous les voisins qui se retournent les sangs ! alors, ils ont fini par me dire : « Bouzille, va chercher la police ! » et puis je suis venu... faut que vous montiez, messieurs !... Vous voyez bien que je ne suis pas saoul ! je n'ai pris ce soir que onze mominettes !...

Le ton du bonhomme était si assuré, ses affirmations si certaines, que le brigadier eut une hésitation ; il regarda l'agent et murmura :

— Si Bouzille avait raison ? faudrait peut-être qu'on aille voir ?...

L'agent, bien entendu, opinait :

— Brigadier, vous avez raison !

Mais pendant ce colloque, Bouzille donnait d'autres détails ; il disait le nom du mort et comment le crime avait été découvert ; il disait enfin que le cadavre se trouvait dans une chambre dont la porte était fermée à clef et qu'il n'y avait pas moyen d'entrer.

Devant des détails aussi précis, devant la description du meurtre que Bouzille narrait avec force pittoresque, le brigadier se rendit compte qu'assurément, le bonhomme n'inventait rien :

— Nom d'un chien de nom d'un chien ! s'exclama-t-il, si c'est vrai ce que tu racontes là, Bouzille, ça va en faire des histoires dans le quartier !...

Et, prenant une décision, le brigadier ajoutait :

— Agent, vous allez retourner au commissariat, prévenir immédiatement M. le commissaire de ce qui se passe... Bouzille, marche devant !
je te suis !...

Bouzille hocha la tête et se dirigea vers l'immeuble où venait d'être faite
la tragique découverte. Chemin faisant, Bouzille ne pouvait s'empêcher
de remarquer :

— Ça ! par exemple ! j'crois que c'est bien la première fois que je
marche à côté d'un flic sans que ce soit un flic qui m'ait arrêté !... même
mieux ! c'est moi plutôt qui vous conduis, m'sieu l'agent !...

Mais Bouzille interrompait vite son monologue, auquel le brigadier ne
daignait point faire réponse, fort ému qu'il était lui-même, à l'idée du
tragique spectacle qu'il allait contempler.

En quelques instants de marche rapide, les deux hommes atteignaient
la maison du crime, et Bouzille, qui se piquait de belles manières, désignait
l'escalier à l'agent.

— Passez devant, faisait-il, montez tout droit et tout en haut ! c'est au
sixième qu'il y a la chose...

Le corridor séparant les chambres du sixième étage présentait, quand
y parvint le brigadier, la même animation qu'au moment où Bouzille en
était parti. Voisins, voisines s'interpellaient dans le plus grand désordre,
des commères s'effaraient, et pourtant, chacun parlait à voix basse, ému,
quoi qu'il en eût, à l'idée de la mort si proche, de la mort criminelle,
inexplicable, car enfin, nul ne pouvait comprendre comment le malheureux
Maurice avait pu être décapité de la sorte, sans que personne ait entendu
l'assassin, soupçonné sa présence, surpris un bruit de lutte, un appel au
secours...

— Que c'est ici l'endroit du meurtre ? questionna le brigadier, faisant
craquer de son pas lourd le plancher du couloir.

On s'empressa. Mme Guron, avec de grands gestes et des gloussements
de poule effrayée, accourait :

— C'est là, monsieur l'agent !... dans cette chambre ! Ah ! comme
c'est dommage ! un si bon locataire !... Il payait tous ses termes, recta,
sans un sou de moins... et jamais d'histoires ! jamais de saletés dans mes
escaliers... et pas rentrant tard ! et pas lève tôt !... un modèle !...

Mais le brigadier interrompit les lamentations de la concierge :

— Et alors, fit-il, c'est vrai, comme ça, c'que m'a dit Bouzille ?... on
lui a coupé la tête ?... il est mort ?...

— Oui ! on lui a coupé la tête !... oui, monsieur le brigadier ! elle est
sur une chaise... et puis l'corps est plus loin... même que tout à l'heure
encore les yeux remuaient !...

A la remarque de la concierge, la remarque terrifiante, les voisins
poussaient un chœur de gémissements, pris d'un renouveau de frayeur...

Tout le monde parlait à la fois, tout le monde donnait des détails, car
chacun avait vu quelque chose que n'avaient pas vu les autres témoins...

Le brigadier interrogea :

— Et par où qu'on peut voir ?

— Par là, m'sieu, par là, par la fente ! ici !...

Le brigadier se pencha. Dans un grand silence, il colla son œil à la porte... Voisins et voisines attendaient un cri de terreur, l'agent restait au contraire très silencieux.

— C'est horrible, hein ? demandait Mme Guron...

Le brigadier se releva :

— C'est pas horrible ! fit-il ; je ne vois rien !...

Il y eut une stupeur.

— Comment vous ne voyez rien ?

— Regardez plutôt vous-même ! repartit encore le brigadier, la chambre est toute noire !

Mme Guron avait déjà collé son œil au panneau ; péremptoire, elle trouvait l'explication :

— La lampe se sera soufflée ! c'est un coup de vent !... d'ailleurs la fenêtre est ouverte...

— Ou bien, murmura Bouzille qui, très fier d'avoir été chercher la police, tenait à dire son mot dans l'aventure, ou bien l'assassin en partant l'aura éteinte !

L'assassin !

Chacun se reculait instinctivement. On se regardait avec effroi...

C'était vrai, l'assassin devait être là ! Il n'avait pas pu s'enfuir, il fallait imaginer qu'il demeurait, tapi dans la pièce, aux écoutes, traqué, le revolver ou le couteau à la main, prêt à tuer qui entrerait...

Alors, les gémissements reprirent.

— Ah ! mon Dieu ! quelle horreur ! si c'est possible ! Seigneur Jésus !

M. Maspe proposa, plus courageux que les autres :

— Eh bien, si on enfonçait la porte ?

Mais alors que le brigadier se retournait pour répondre, il s'effaçait contre la muraille, annonçant :

— Voilà monsieur le commissaire.

Le magistrat qu'avait été chercher l'agent arrivait, en effet, en toute hâte. C'était un jeune commissaire, intelligent, actif, à décision prompte, énergique ; on l'aimait beaucoup dans le quartier.

— Eh bien, brigadier, interrogea-t-il, est-ce vrai ?...

— Oh, c'est vrai, M'sieu le commissaire, il y a crime...

— Et le coupable ?

Le brigadier montra la porte fermée :

— On vous attendait, monsieur le commissaire, pour enfoncer la porte !...

— Bien ! allez, maintenant !

Le brigadier, aidé de quelques voisins eut tôt fait, à coups d'épaules, d'arracher la porte de ses gonds...

Une voisine avait apporté une lampe qu'elle haussait à bout de bras ; comme le panneau descellé s'écroulait sur le sol, chacun put, en un coup d'œil, embrasser la pièce.

Mais, en même temps, chacun demeurait immobile, comme rivé au plancher, incapable de faire un pas...

Une stupeur était sur tous les visages.

Certes, on s'attendait à un spectacle d'horreur, mais on ne s'attendait pas à cela !

Ce que l'on voyait dépassait tout ce que l'on avait pu prévoir, imaginer.

C'était à croire qu'un rêve extraordinaire, un cauchemar abominable hantaient à la fois les cerveaux de toutes les personnes présentes !

Le commissaire, l'agent, les voisins, tous, les yeux exorbités, fixaient l'intérieur de la chambre, ne bougeaient pas, n'avançaient pas, ne disaient rien..

Et, en vérité, cette stupeur était légitime.

Dans la chambre, la chambre où tout à l'heure chacun avait aperçu le corps du décapité et sa tête posée sur une chaise, il n'y avait plus le moindre cadavre !...

Le tronc du mort avait disparu !...

La tête du mort avait disparu !...

Le cadavre, que dix personnes avaient aperçu, avaient identifié, avaient reconnu pour être le cadavre de Maurice, n'était plus là !...

Il n'y avait cependant pas à douter de la réalité du crime. Si l'on cherchait en vain le corps de la victime, on ne pouvait nier son assassinat...

Des flaques de sang tachaient le sol. La chaise où, quelques instants avant, la tête grimaçante était posée, était toute teintée de rouge. Un tranchet de cordonnier gisait par terre, et les tiroirs de la commode étaient tirés, jetés sur le sol, le lit bouleversé, un carreau de la fenêtre brisé...

On voyait, enfin, que la pièce avait été mise au pillage...

Le premier, le commissaire reprit son sang-froid :

— Bien !.. fit-il simplement, après avoir, d'un regard circulaire, lentement examiné l'état des choses...

Et, se tournant vers les voisins qui, blêmes et tremblants, regardaient, l'air hagard, la pièce :

— Mesdames et vous, messieurs, je vous prie, tout d'abord, de bien vouloir retourner dans vos propres chambres. Votre concours n'est pas indispensable, au contraire ! Madame Guron, vous, la concierge, restez !... restez mais n'entrez pas ! Que personne n'entre dans cette pièce !... Brigadier, je vous donne la consigne, n'est-ce pas, d'empêcher que personne passe cette porte ! C'est bien assez que moi, moi seul, eu égard aux constatations à faire, je sois obligé de pénétrer ici...

Derrière le commissaire qui s'introduisait dans la chambre du malheureux Maurice, les voisins se reculaient en maugréant. Certes, personne n'abandonnait le couloir, mais enfin on n'osait désobéir complètement aux ordres du magistrat et c'est pourquoi on élargissait le cercle...

Le commissaire, maintenant, perquisitionnait dans la pièce... En se retournant il apercevait, posté à l'entrée, près du brigadier qui lui barrait le passage, un grand jeune homme :

— Ah ! c'est vous, Paul ? prenez un crayon, du papier et inscrivez les observations que je fais !...

Ce grand jeune homme était le secrétaire du commissaire.

— Voyons ! poursuivait le magistrat, d'abord le nombre des taches de sang sur le sol. Un, deux, trois, quatre, cinq, six !... inscrivez six flaques de sang !... Notez la chaise qui en semble imbibée, tenez, notez même la profonde entaille qu'il y a là sur le dossier ! Évidemment, la victime devait avoir le cou appuyé sur ce dossier, au moment où l'assassin a porté la première attaque... bien ! vous emporterez ce tranchet ! l'arme du crime ! ah ! quoi encore ? notez : vol doit être mobile !... Nous verrons cela demain, mais enfin, rien qu'à l'aspect des meubles bouleversés...

Et se frappant le front, le commissaire ajoutait soudain :

— Mais enfin ce qui est inexplicable, c'est...

Et il appelait :

— Madame Guron ?... la concierge ?...

— Monsieur le commissaire ?...

— Il s'est passé combien de temps entre le moment où vous avez vu le cadavre pour la dernière fois et le moment où le brigadier est arrivé ici et s'est aperçu que la lampe était éteinte ?

— Huit ou neuf minutes, monsieur le commissaire !...

Le magistrat eut un geste d'incompréhension :

— Alors, remarquait-il tout bas... alors c'est de plus en plus mystérieux, cette affaire !... Car, enfin, c'est certainement dans ces huit ou neuf minutes-là que l'assassin a fait disparaître le corps de sa victime ?...

— L'assassin, monsieur le commissaire, il était donc encore là, croyez-vous ?...

— Mon Dieu...

— Ah, c'est abominable ! c'est pas Dieu possible !...

— Hé, madame ! ripostait le commissaire, il faut pourtant bien que l'assassin ait été là, j'imagine ! sans cela la malheureuse victime ne se serait pas en allée toute seule !... que diable !...

Le commissaire, moins ému que les autres assistants, en raison même des responsabilités qui lui incombaient, se sentait de plus en plus étonné par la disparition du cadavre qui, évidemment, était encore plus extraordinaire que cet assassinat, mystérieux déjà, incompréhensible par lui-même, étant donné qu'il s'était passé, sans que personne eût rien entendu !

Soudain il avait une inspiration. Traversant la pièce, regardant la fenêtre, le magistrat s'écriait :

— Ah ! bon ! voilà !... j'aurais dû y songer plus tôt !... la fenêtre est contre, mais en fait elle n'est point fermée !... et ce carreau brisé... tenez, Paul, écrivez : « Il résulte des premières constatations que l'assassin a dû briser un carreau, passer sa main par la brisure ménagée de la sorte, tourner l'espagnolette et entrer ainsi dans la pièce. Il a commis son crime, puis il est ressorti, vraisemblablement, par cette fenêtre, s'est laissé glisser au long d'un tuyau de gouttière jusqu'au quai et une fois là... »

Le commissaire s'interrompit :

— Dame ! une fois là, reprenait-il en regardant son secrétaire, il y a deux explications possibles... Ou l'assassin a emporté le corps dans un bachot, ce qui est bien invraisemblable, ou il l'a jeté à l'eau...

— S'il l'a jeté à l'eau, monsieur le commissaire, on le retrouvera...

— Évidemment ! on fera draguer les berges dès demain !...

— C'est que le courant est violent, monsieur le commissaire...

— Oh ! peu importe ! en admettant même que le corps ait été entraîné et que nous ne le retrouvions pas tout de suite, il sera bien probablement repêché d'ici trois ou quatre jours... mettons une semaine... au plus !

Le commissaire se taisait, immobile au milieu de la pièce. Il reprenait soudain, s'avançant vers le couloir, interrogeant à la cantonade :

— Personne de vous ne passait sur la berge, il y a un quart d'heure ?...

Bouzille s'avança :

— Moi ! dit-il ; quand je suis sorti pour aller chercher M. l'agent, j'ai passé par le plus court et j'ai filé le long de la berge parce que je pensais trouver les agents en haut de l'escalier du pont, ou près de *La Pêche miraculeuse*...

— Bien !... Vous n'avez rien entendu ?

Bouzille se frappa le front :

— Si ! dit-il, je me rappelle au contraire très bien, j'ai entendu un gros patapouffe dans l'eau, même que je me suis dit : « Encore que c'est quelqu'un qui tombe dans le jus, probable ! » Mais je ne me suis pas arrêté, monsieur le commissaire, je suis...

Bouzille se mordait les lèvres et se taisait soudain. Un peu plus, il allait confesser sa singulière industrie !...

Le commissaire, cependant, se frottait les mains :

— Parfait !... parfait ! disait-il... mon hypothèse se confirme !...

Puis le magistrat s'agenouillait sur le sol et, minutieusement, examinait le plancher, dans l'espoir secret de découvrir des traces intéressantes...

Il devait se relever, découragé :

— Rien ! disait-il... je ne vois rien du tout qui vaille la peine d'être noté !... Ah si ! ça !... ah, le pauvre bougre !...

A l'angle de la table, voisine de la chaise, le magistrat venait d'apercevoir, collé dans du sang figé, un amas de cheveux.

Il examina soigneusement encore ces vestiges du malheureux Maurice, puis il les arracha et, rappelant la concierge :

— Madame Guron ?

— Monsieur le commissaire ?

— Dites-moi, ce sont bien des cheveux de votre locataire ?... c'est bien la couleur de ses cheveux ?

La concierge joignait les mains et, volubile, protestait :

— Oui, monsieur le commissaire ! ce sont bien ses cheveux ! ça, je pourrais en jurer ! je les reconnais tout à fait !... Ah ! c'est horrible et abominable !... sûr qu'il a été pris en traître, par derrière, car il était de taille à se débattre...

— Mais, madame !...

— Monsieur le commissaire, c'était un bel homme, un beau jeune homme...

Et soudain la concierge demandait à son tour :

— Mais pourquoi faire, monsieur le commissaire, que vous me demandez si ce sont de ses cheveux ?... Vous pensiez donc qu'ils pouvaient appartenir à l'assassin ?

— Non, madame ! L'assassin évidemment ne pouvait avoir laissé ses cheveux sur cette table, où c'est très certainement la tête de la victime qui a été précipitée... mais je tenais à faire identifier très nettement qu'il s'agissait bien de votre locataire Maurice...

— Eh ! il ne peut pas y avoir de doute, monsieur le commissaire ! puisqu'on a vu sa tête par la fente de la porte, puisque nous l'avons tous reconnu...

La concierge n'achevait pas. Des cris, des hurlements soudains éclataient dans le couloir. Le commissaire tressaillit violemment :

— Mon Dieu ! dit-il, qu'est-ce encore ?

— C'est évidemment la pauvre petite qui se réveille...

— Ah ! sa maîtresse ?... une nommée Firmaine, m'a dit Bouzille ?...

— Oui , monsieur le commissaire !

C'était, en effet, la malheureuse Firmaine qui se réveillait de son second évanouissement, et qui maintenant se tordait sur le lit où on l'avait déposée, en proie à une nouvelle crise de nerfs...

Des voisins charitables la secouraient encore, on la soignait. Bientôt elle devenait plus calme, quoi qu'elle fut encore dans un état lamentable, faisant littéralement peine à voir...

Le commissaire, qui s'était rendu à son chevet, comprit vite qu'il était impossible d'interroger en ce moment la jeune fille, qu'en l'état où elle était, ce serait inutile et, de plus, inhumain.

— Sait-on où habite cette jeune fille ? interrogea-t-il.

— Oui, monsieur, rue Brochant.

C'était Bouzille qui venait de parler.

— Je veux bien la ramener, dit-il, seulement, faudrait prendre une voiture...

Le commissaire fouilla dans sa poche et tendit cinq francs au chemineau :

— Allez, dit-il ; ramenez cette femme chez elle et revenez !...

Puis il se tourna vers le brigadier qui, respectueux de la consigne, était toujours sur le seuil de la chambre tragique, en interdisant l'entrée.

— Brigadier, je vais vous faire relever de garde par deux hommes que je vous enverrai du commissariat... Ordre formel, n'est-ce pas, de ne laisser entrer personne !... Personne, bien entendu, sauf les agents de la Sûreté, que je vais immédiatement mander !...

Le commissaire descendait l'escalier et Bouzille le suivait, soutenant, avec l'aide d'une charitable voisine, la malheureuse Firmaine qui, presque inconsciente, demi-morte, demi-pâmée, ne semblait point même comprendre ce qui se passait maintenant.

VI

La directrice de « Littéraria »

Le lendemain de ce soir tragique, où le malheureux ouvrier Maurice venait de trouver une mort aussi épouvantable qu'inattendue, un homme, qui n'était autre que Juve, remontait rageusement les cinq étages conduisant à son appartement de la rue Tardieu.

Juve était las, fatigué et, de plus, de fort mauvaise humeur.

Il y avait déjà trois mois en effet que le policier avait quitté Fandor sur les quais de la gare de Glotzbourg. Juve avait employé ces trois mois à débrouiller les affaires compliquées de la princesse Vladimir, sympathique et belle jeune femme qui n'avait, aux yeux de Juve, qu'un seul tort : celui d'aimer à la folie un mari qui se souciait fort peu d'elle.

Juve s'était multiplié pour arranger au mieux la situation de cette jeune femme et lorsque tout avait été à peu près réglé — on n'avait plus jamais entendu parler en Hesse-Weimar du prince Vladimir, bien entendu —, Juve avait eu la surprise d'apprendre que la princesse, brusquement, à l'improviste, avait disparu, se sauvant presque, et se sauvant, à coup sûr, pour aller rejoindre son coupable époux !... [1]

Rien ne retenait plus Juve à Glotzbourg, le policier s'était alors hâté de retourner à Paris. Il s'était d'autant plus pressé de rejoindre la capitale qu'une grosse inquiétude l'y rappelait. Depuis près de deux mois, Juve n'avait aucune nouvelle de Fandor.

Qu'était devenu le journaliste ?

Juve n'en savait rien, et la plus optimiste façon dont il pouvait expliquer ce silence, consistait à supposer que Fandor était fort occupé, à pister Fantômas ou, peut-être, à chercher Hélène.

Arrivé à Paris, Juve courait chez le journaliste et pensait tomber des nues en entendant la concierge lui affirmer que Fandor n'avait point reparu à son domicile depuis près de quatre mois !

— Miséricorde ! songeait alors Juve, pour que Fandor ne soit point rentré chez lui, il faut qu'il se passe quelque chose de grave, de très grave sans doute.

Et c'était pour réfléchir à ce « quelque chose de grave, de très grave », qu'il ne pouvait, hélas ! imaginer nettement, que Juve rentrait chez lui, tête basse, inquiet, et de plus en plus troublé.

— Ah ça ! tonnait Juve, je comprends, à la rigueur, que Fandor n'ait pas été s'établir à son propre domicile pour ne point prêter à un espionnage de Fantômas, mais d'habiter ailleurs, cela ne l'empêchait pourtant pas de m'écrire, de me laisser quelque part un mot ?... Ah ! fichtre de fichtre ! qu'est-ce qui a pu lui arriver ? Qu'est-ce que cela veut dire ?

Et Juve grinçait des dents, serrait les poings dans un geste de menace, car plus il y réfléchissait et plus il lui apparaissait que le Maître de l'effroi ne devait pas être étranger à la nouvelle disparition de Fandor !

Ce même jour, encore, dans un somptueux cabinet de travail installé rue de Presbourg, en un luxueux petit hôtel, le dialogue suivant s'échangeait :

— Monsieur de Chavannes ?

— Madame la directrice ?

— Vous avez reçu les épreuves de l'imprimerie ?

— Oui, madame la directrice.

— Voulez-vous me les donner ? je vais y jeter un coup d'œil ; c'est un travail que je tiens à faire moi-même.

M. de Chavannes se levait, prenait sur un rayon de la bibliothèque une grande enveloppe jaune où se trouvaient les épreuves demandées et les passait à sa directrice :

— Les voici, madame, elles sont au complet, à part, toutefois, les médaillons en italique qui n'ont pas encore été rendus...

---

1. Voir dans le présent volume : *Le Train perdu.*

— Je vous remercie !

Madame Alicet, directrice de *Littéraria*, haussait un peu la mèche de sa lampe, une lampe à huile qui jetait une douce lumière sur son bureau, et s'absorbait dans sa correction d'épreuves...

C'était une étrange femme, à la fois sympathique et horripilante, que Mme Alicet !

Ceux qui l'avaient connue jeune, affirmaient que vingt-cinq ans auparavant elle avait été fort belle, et, de fait, en examinant son visage empâté par la graisse, aux traits déformés, aux bajoues tombantes, on pouvait encore retrouver et compléter par l'imagination des vestiges de lignes assez pures, d'un profil qui, pour n'avoir jamais été grec, n'en avait pas moins eu une certaine beauté classique.

Mme Alicet, jadis, avait été blonde, mince, souple. On disait qu'elle avait eu du charme, de la grâce, nul ne niait qu'elle avait encore de l'esprit...

Fille d'un professeur de l'Université, Mme Alicet avait épousé à vingt-deux ou vingt-trois ans, un peu sans savoir l'importance de la décision qu'elle prenait, un gros commerçant de Fécamp. Elle était restée mariée une quinzaine d'années et parlait de ce temps en l'appelant ses « quinze ans de bagne ». Jamais Mme Alicet, quelque effort qu'elle eût fait, n'avait, en effet, pu s'accoutumer à la mentalité toute spéciale de son mari, marchand en gros de salaisons, spécialement adonné à la fabrication et à la vente des filets de harengs conservés, ce qui est d'ailleurs le principal commerce de la bonne ville de Fécamp.

Mme Alicet, qui sortait d'un milieu un peu pédant, un peu étroit d'idées, un peu sévère, mais, enfin, frotté de littérature, s'était mortellement ennuyée dans la petite ville provinciale, venteuse, pluvieuse, où elle n'avait pu rencontrer âme qui vive capable de lire Molière, d'apprécier Boileau, de disserter sur Racine.

Petit à petit Mme Alicet s'était alors concentrée en elle-même, elle avait, pour se rattacher au monde extérieur, pris de nombreux abonnements de lecture à Paris. Elle dévorait les revues, elle se grisait des nouvelles de la capitale, et de la sorte, peu à peu, la scission s'était faite nette, irrémédiable, entre Mme Alicet que l'on traitait de bas-bleu et la société de Fécamp qu'elle traitait de brute !

Ç'avait été presque avec un effroi apeuré et joyeux que Mme Alicet, qui n'aimait guère son époux, l'avait vu un matin disparaître, emporté par une congestion foudroyante, alors que, sortant du *Café des Négociants*, il voulait se rendre sur le Grand Môle, pour, à l'habitude de tous les Fécampois, aller se faire tirer les cartes par le patron du *Bois-Rosé*.

Mme Alicet avait alors quarante-neuf ans. Elle était inélégante, bavarde, instruite. Son mari lui laissait une jolie fortune : elle décida en quelques jours, d'abord qu'elle ne se remarierait pas, puis qu'elle s'établirait à Paris, puis enfin qu'elle conquerrait Paris !

Dans les longues journées solitaires de sa province, Mme Alicet avait quelque peu lu Balzac. Les héros du grand écrivain, héros qui sont d'autant plus dangereux qu'ils sont peints en vraisemblance, hantaient son esprit tourmenté. Paris, auquel elle songeait avec un souvenir attendri, mais qui maintenant lui était devenu totalement étranger après quinze années d'absence, lui faisait l'effet d'une ville immense, hostile un peu, tentante énormément. Il n'était pas impossible, pensait-elle, de le séduire, de le capter, d'en devenir l'une des reines, adulées et fêtées !

Comment s'y prendre pour arriver à ce but ? Mme Alicet n'hésita pas. Avec un sens des affaires surprenant, elle devina que le meilleur moyen de s'imposer à la capitale, à son âge du moins, était évidemment de surprendre la ville, de lui dicter une loi, de la traiter, dès l'abord, en pays conquis !

Mme Alicet voulut prendre Paris, comme on prend une coquette, en se jouant de lui. Ce fut elle qui se prit à son jeu !

Possédant une fortune suffisante, de par les sages et fructueuses opérations que son mari, sa vie durant, avait tentées et réussies sur les harengs saurs, Mme Alicet pouvait se passer ses fantaisies.

Quittant Fécamp sans esprit de retour, elle vint en toute hâte s'installer à Paris, y loua rue de Presbourg un petit hôtel élégant... Moins de trois mois après, les grands quotidiens annonçaient la fondation d'une revue mensuelle, poétique, revue d'art, dirigée par Mme Alicet !

On crut tout d'abord, dans les milieux intéressés, que *Littéraria*, tel était le nom que, suivant la mode, Mme Alicet avait, en fin de compte, adopté pour sa feuille, ne serait qu'un petit organe de plus, sans valeur, sans existence intéressante. Mais il n'en fut rien. Peut-être Mme Alicet avait-elle longtemps mûri d'avance, en secret, son plan ? peut-être fut-elle aidée par la bonne chance qui favorise, sinon toujours, du moins souvent, les audacieux ? En tout cas, moins de trois ans après sa fondation, *Littéraria*, point trop mal dirigé et superbement administré, était devenu un organe de premier ordre, où collaboraient les poètes les plus en vue, les littérateurs les plus en renom, les académiciens les plus auréolés de réclame, d'annonce, de gloire surfaite !

Mme Alicet s'était réservé la direction artistique de *Littéraria*. Elle s'en acquittait à merveille, ayant un flair peu commun pour deviner les auteurs à insérer, les collaborateurs qu'il importait de s'attacher, sachant toujours trouver le point faible, vanité, amour-propre, qui lui permettait de payer les uns et les autres au plus juste tarif !

Tout le monde eût juré que Mme Alicet, fille d'universitaire, mais veuve d'un marchand de harengs et pendant quinze ans provinciale, aurait mangé sa fortune en voulant diriger une revue littéraire. Les bons esprits eussent considéré la chose comme inévitable, logique. En fait, non seulement il n'en fut rien, mais rapidement Mme Alicet, au contraire, devait réaliser avec son organe d'importants bénéfices.

Littéraria parut d'abord sous un petit format, s'agrandit ; sa salle de rédaction qui, d'abord, n'avait été qu'un salon de l'hôtel de Mme Alicet, absorba, avec ses dépendances, salle de lecture, bibliothèque, théâtre, salle de conférences, tout l'immeuble. Ce fut le succès, le gros succès. Il ne fut plus un snob qui ne dût lire *Littéraria*, et plus un homme de lettres qui, sur le boulevard, ne tînt à honneur de saluer Mme Alicet !

Celle-ci, d'ailleurs, au plus fort de sa prospérité, demeura parfaitement identique à elle-même. A coup sûr il lui monta une légère poussée d'orgueil, elle augmenta son air pédant, devint un peu plus bas-bleu, exagérément bavarde, mais à coup sûr aussi, elle ne fit aucun progrès dans l'art critique où elle prétendait pourtant exceller. Elle n'apprécia point mieux, ni plus finement, les poèmes que publiait *Littéraria*.

Car, fatalité étrange, si Mme Alicet dirigeait une revue exclusivement consacrée aux poètes, cela n'empêchait point que Mme Alicet fût, au fond, complètement inaccessible à la beauté des rythmes !

Elle ne comprenait que la prose, n'admettait que les prosateurs et parmi ceux-ci que les plus rigoureux réalistes !

Mme Alicet, qui méprisait les commerçants, en théorie, avait eu ce flair commercial de deviner qu'on fonde plus facilement une mode sur l'excentrique et l'inaccoutumé que sur l'ordinaire et l'habituel !

— Madame la directrice ?

— Que voulez-vous, monsieur de Chavannes ?

— Je voudrais vous demander, madame, si vous avez vu les épreuves du poète romantique ?

— Lequel ? Ils le sont tous à notre époque !

— Je parle d'Olivier...

— Ah ! vous parlez d'Olivier ! Je suis précisément en train, mon cher Chavannes, de lire sa production.

Le secrétaire de *Littéraria* s'informait :

— C'est beau, cette fois-ci ?

— Quelconque !... des lieux communs... ah ! c'est bien un poète, celui-là !...

Mme Alicet, à nouveau, le crayon rouge à la main, continuait sa correction. Elle avait une remarque qui précisait en quelque sorte son amour de la poésie.

— Et puis, il ne fait que des vers de huit pieds, pas même des demi-lignes ! Ce qu'ils sont chers ces gens-là ! Ah ! si nous pouvions seulement prendre quelques bons prosateurs, de ceux qui écrivent à la suite, sans aller à la ligne... certes, cela nous reviendrait moins cher !...

Docilement, M. de Chavannes hochait la tête d'un air affirmatif ; il ne partageait point les idées de sa directrice, relativement à la poésie, mais il tenait trop à sa place pour oser la contredire !

On frappait d'ailleurs à la porte du cabinet directorial et Mme Alicet ordonnait :

— Entrez !

Un huissier, fort correct, entrebâilla le lourd battant rembourré, annonçant :

— Mme la vicomtesse de Pleurmatin demande à parler à madame la directrice !...

Au nom, Mme Alicet se retournait :

— Vous avez fait entrer, Jean ?

— Oui, madame la directrice, au salon bleu !

— C'est bien ! Je vais y aller !

Mme Alicet se levait, puis, soudain se ravisant :

— Ou plutôt, non !... tenez, monsieur de Chavannes, voulez-vous être assez aimable pour achever de corriger ces épreuves dans votre propre cabinet ? Je vais recevoir la vicomtesse ici-même... Dans le salon bleu nous sommes trop exposés à être dérangés...

Le secrétaire s'inclinait, quittait la pièce où, quelques instants après, l'huissier introduisait la vicomtesse de Pleurmatin.

C'était une fort jolie femme, suprêmement distinguée ; grande, mince, élégante, dont chaque attitude avait un charme, une grâce inexprimable !

Elle portait trente-cinq ou trente-six ans et sous ses vêtements sombres, tailleur de coupe sobre, dont la ligne ne pouvait sortir que du bon faiseur, elle apparaissait plus que jolie, réellement belle et surtout très distante, hautaine, un peu froide, inaccessible aux compliments, dont aucun, semblait-il, n'eût pu rendre, même imparfaitement, la séduction qui se dégageait de sa personne.

A coup sûr, la vicomtesse de Pleurmatin, femme du vicomte de Pleurmatin, l'amant de Firmaine, devait avec son mari former le plus beau couple du monde...

— Quelle bonne joie vous me donnez là ! s'exclamait cependant, volubile, Mme Alicet, qui connaissait à peine la vicomtesse, comme je suis contente de cette visite inattendue, inopinée !... vous êtes belle à ravir... mais débarrassez-vous donc de vos fourrures, il fait, dans mon cabinet, une chaleur du diable... Que voulez-vous, j'aime cela ! je brûle des sacs entiers de charbon dans ma grande cheminée... que je vais encore faire agrandir !... oui ! oui ! c'est comme cela !... Allons, prenez ce fauteuil !... Et vous allez bien ?... et le vicomte de Pleurmatin va bien ?... Voulez-vous un coussin sur vos pieds ?...

La vicomtesse de Pleurmatin souriait. Elle connaissait depuis quelque temps déjà Mme Alicet, rencontrée au hasard d'une fête de charité, elle savait qu'il était parfaitement inutile d'essayer de répondre à la bavarde directrice de *Littéraria*, tant que celle-ci, par un silence, n'autorisait pas ses interlocuteurs à placer un mot.

Comme Mme Alicet se taisait une seconde, la vicomtesse de Pleurmatin interrogea :

— Merci de votre accueil, chère madame, mais avant toute chose, une question : Promettez-moi que je ne vous dérange point, que je n'interromps pas votre travail, que je ne vous gêne en quoi que ce soit ?

Mme Alicet levait les bras au ciel, d'un geste emphatique, ce qui avait pour conséquence immédiate de lui donner l'aspect plaisant d'un magot chinois !

— Est-ce possible, disait-elle, de proférer de pareils blasphèmes ?... vous ! me déranger !... vous ! me gêner !... mais, ma gracieuse amie, pour vous voir, croyez bien qu'il n'y a point de labeur que je n'interrompe avec plaisir... C'est une bonne fortune pour moi de pouvoir, entre quelques strophes, contempler votre sourire, me réchauffer aux rayons de vos blonds cheveux...

La vicomtesse de Pleurmatin, qui n'aimait point les compliments du bas-bleu, battait la mesure du bout de son petit soulier :

— C'est que je m'en voudrais, dit-elle, précisément, de coûter à la poésie française une seule strophe, un seul vers... et je vois des épreuves sur votre bureau. Vous corrigiez ?... vous jugiez ?...

— Oui, je corrigeais ! fit négligemment Mme Alicet, je corrigeais, ma chère amie, la dernière œuvre du plus grand poète de nos temps modernes... un jeune... mais un jeune qui fait des choses superbes...

— Et qui s'appelle ?

— Qui s'appelle Olivier...

— Certes ! faisait la vicomtesse de Pleurmatin, mais je me rappelle, en effet... n'avez-vous pas déjà publié dans vos derniers numéros de *Littéraria* quelques pièces signées de lui ?...

— Si donc !...

— Des pièces fort belles, il me semble ?... classiques, pures, simples et compréhensibles... ce qui n'est point toujours le cas dans la poésie contemporaine...

Mme Alicet levait les bras encore une fois, dans un geste de découragement :

— Oui ! vous avez raison ! faisait-elle, toutes les pièces d'Olivier, j'en ai là huit ou dix, sont simples, classiques, pures et compréhensibles. Vos épithètes et vos observations sont très justes, vicomtesse. Vous feriez parfaitement la critique d'art... Cela ne vous dirait pas ?...

La vicomtesse souriait :

— Mon Dieu, non ! dit-elle...

— Dommage ! cela ferait très bien : « carnet d'art par la vicomtesse de Pleurmatin » !... je vois parfaitement ce sous-titre !... enfin !... n'en parlons plus !... Donc, je vous disais : cet Olivier fait des choses admirables... tenez, que dites-vous de ce vers, ce vers qui est si simple qu'il semble en vérité que chacun le trouverait... c'est un amoureux qui parle à sa maîtresse ; et il s'écrie :

Je ne crois plus en Dieu ! je ne crois plus en toi !...

— Ah ! vicomtesse ! quelle désespérance !... quel abîme ! dans ce cri, dans ce sanglot, dans ce hurlement de détresse ! C'est tout l'infini de la religion rapetissé à l'infini de l'amour et c'est tout l'amour débordant sur la religion du mysticisme et de l'athéisme... c'est...

Mais, par bonheur pour Mme de Pleurmatin, qui, sans doute, écoutait assez peu les digressions littéraires de son amie, Mme Alicet s'interrompit d'elle-même...

— Et puis, concluait-elle, tout bonnement, avec un gros rire de brave femme, et puis surtout c'est complètement idiot !...

La vicomtesse de Pleurmatin retenait mal un éclat de rire ;

— Oh, pourquoi ? que trouvez-vous d'idiot à ce vers ?

— Mais parce que le poète se conduit comme un maladroit, il met tous ses œufs dans un même panier ! Comme il ne croit plus à son amoureuse, il ne croit plus au bon Dieu ! C'est archi-stupide ! il manque de sang-froid, ce garçon !...

Et tout d'un coup, très franche, très sincère, Mme Alicet avouait :

— D'ailleurs tous les poètes sont des loufoques, c'est pourquoi je ne peux pas sentir ces gens-là, des songe-creux, des cavaliers de chimères, des attrapeurs d'illusions... ah ! par exemple ! tenez, justement, cet Olivier dont je vous parle est bien leur roi ! En voilà un qui n'a pas le sens pratique...

— Mais pourquoi donc, chère madame ?

— Pourquoi ? je ne sais pas !... mais son histoire est amusante. Figurez-vous qu'il y a trois mois, deux ou trois mois, enfin, j'ai reçu un jour par la poste — d'ailleurs je ne l'aurai pas reçu autrement car si ce manuscrit m'avait été porté je l'aurais certainement jeté au panier — une assez curieuse pièce de vers dont on me demandait l'insertion, l'insertion payante. C'était signé Olivier. Les vers ne ressemblaient à rien, je n'avais jamais entendu parler de ce poète Olivier qui me priait de lui répondre au bureau restant à deux initiales... Ma foi, pour la curiosité du fait et parce que cela m'amusait, parce que la lettre était bien troussée, j'ai inséré, payé, un sou le vers, bien entendu, et il y en avait vingt-sept, je crois, le dernier n'ayant point de rimes et formant rejet irrégulier... Bref, quinze jours après je recevais une nouvelle lettre et un nouveau poème, toujours par la poste et toujours sans que l'auteur se fît connaître... Que croyez-vous que je fis, ma toute belle ?

La vicomtesse de Pleurmatin se prit à sourire :

— Évidemment..., commença-t-elle...

Mais déjà Mme Alicet reprenait :

— Eh bien, pas du tout ! non, c'est tout le contraire !... j'insérais à nouveau ce poème, je l'insérais, ma chère, parce que le premier m'avait valu peut-être une quinzaine de lettres d'abonnés qui m'avaient écrit, les imbéciles, pour me féliciter au sujet des vers de cet Olivier ! On les trouvait sublimes, merveilleux, extraordinaires, incomparables !... tata !... ta !... vous comprenez bien qu'un vieux routier comme moi a tout de suite flairé la chose ?... Cet Olivier plaisait à mes lecteurs ?... bon ! m'étais-je dit, s'il donne encore de ses nouvelles, ce gaillard-là, je vais le chambrer, le découvrir, le lancer, faire du tapage... enfin ce sera une bonne réclame pour ma maison... C'était bien raisonné, n'est-ce pas ?...

— En effet... et alors ?

— Eh bien alors, ça n'a servi à rien ! Voilà ! Cet animal d'Olivier, depuis ce temps-là, n'a jamais voulu se découvrir... je ne sais pas qui c'est ! Je ne le soupçonne pas ! Ponctuellement, chaque semaine — *Littéraria* est devenu hebdomadaire —, je reçois la copie de cet individu. Des vers ! toujours des vers ! ils sont tous jolis, du moins à ce que disent les abonnés, je les publie, je les paye mais je ne connais toujours pas la personnalité du poète !... Il se cache et nous correspondons toujours par la poste... C'est-à-dire, et c'est ce que je regrette le plus, par mandat-poste, car, enfin, si je ne le paye pas cher, il faut quand même que je le paye et que je lui envoie autant de sous qu'il m'envoie de vers !...

La vicomtesse de Pleurmatin souriait encore...

— Ça ne vous fait toujours pas de la copie bien chère ! dit-elle.

— Non, évidemment, mais c'est de la copie inutile ; inutile pour lui parce que ce n'est pas assez payé, inutile pour moi parce que cela ne fait pas de réclame au journal. Je ne peux pas lancer un bonhomme que je ne connais pas cependant ?...

— Pourtant, s'il a du talent !

— Eh ! qu'est-ce que cela fait, ma chère amie ? Du talent ! du talent ! Mais ce n'est rien ! Le talent court les rues, ce sont les admirateurs qui sont rares, voilà la vérité ! Et puis, enfin, il a du talent si l'on veut !... c'est un poète, vous savez ? Il est pompier, il est rasoir... comme tous les poètes !

Cette fois, la vicomtesse de Pleurmatin ne pouvait se retenir. Elle éclatait d'un rire franc, en entendant la déclaration péremptoire de l'excellente Mme Alicet. On ne se fut pas, il est vrai, attendu à pareil sentiment chez la directrice de *Littéraria* et il fallait que la vicomtesse de Pleurmatin possédât bien la confiance de la directrice pour que celle-ci osât mettre ainsi, à nu, ses propres pensées !

La vicomtesse de Pleurmatin riait encore que Mme Alicet se levait et quittait son bureau pour aller baisser la trappe de sa cheminée et activer encore l'ardeur de son feu, tandis qu'elle interrogeait :

— Mais, ma toute belle, nous nous occupons là de choses qui ne doivent point vous intéresser, vous n'êtes pas femme de lettres, vous !...

— J'aime tout ce qui est beau, madame Alicet...

— Sans doute ! sans doute ! je n'en disconviens pas ! Mais enfin ce sont là des préoccupations un peu immatérielles, et mon poète Olivier, tout intéressant qu'il soit, doit vous laisser parfaitement indifférente... Vous veniez me voir pour quelque chose je pense ? Puis-je vous être utile ?

La vicomtesse de Pleurmatin hochait la tête affirmativement :

— Oui, chère madame, c'est exact, je viens vous demander un service...

— Il est tout accordé, ma chère amie...

— Vous êtes trop aimable !

— Mais non ! mais non !...

— Mais si, je voudrais vous prier...

— De quoi donc ?...

— De m'indiquer un régisseur.

— Un régisseur !... seigneur Jésus ! mais que voulez-vous faire d'un régisseur ? vous n'avez pas acheté un théâtre, je suppose ?

— Non ! non ! grand Dieu non ! qu'imaginez-vous là, madame Alicet ?... la vérité est bien plus simple...

— Alors, expliquez-vous.

La vicomtesse de Pleurmatin eut assurément envie de répondre que ce serait fait depuis longtemps si Mme Alicet ne lui avait continuellement coupé la parole, mais elle dissimula sa pensée :

— Voici l'histoire : chère madame, je vais, dans quelque temps, dans une quinzaine, donner une petite fête à mes amis et intimes... Vous nous ferez le plaisir d'être des nôtres ?...

— Je vous le promets !

— Au cours de cette petite soirée... oh ! très simple, très modeste ! je ne serais point fâchée de faire jouer, soit une petite comédie, soit une petite opérette, de faire réciter quelques morceaux de poésie, d'entendre quelques monologues... vous comprenez le programme que je désire ?...

— Parfaitement !

— Alors, ma chère amie, vous comprenez aussi que j'aie tout naturellement songé à venir demander à la direction, trop aimable, de *Littéraria*, de bien vouloir m'indiquer un régisseur, un homme du métier, capable...

— Capable de réglementer, d'organiser, de gouverner votre fête ?... parfait !... parfait !... Eh bien, c'est l'enfance de l'art, je vais vous indiquer cela tout de suite...

Mme Alicet réfléchissait quelques secondes, puis, d'un ton doctoral, annonçait :

— Il vous faut quelqu'un de comme-il-faut, de sérieux, de compétent, pas trop vieux, pas trop jeune, du talent, l'habitude de commander, ayant fait déjà quelque peu de régie... bien !... bien !...

Mme Alicet, sur une feuille de papier, au crayon bleu, inscrivait une adresse :

— Je connais, poursuivait-elle, un excellent acteur, un garçon de mérite qui fait très bien tout ce qu'il fait, capable non seulement de réglementer, de régir votre fête, mais encore de jouer lui-même un rôle important. C'est un acteur, un garçon dont je puis me porter garante, qui a passé dans de grandes maisons, dans des théâtres importants... notamment au cirque Barzum... bref, un garçon d'expérience... cela vous plairait-il ?...

— Assurément, chère madame, du moment que vous me le recommandez !...

— Oh, je vous le recommande en confiance, c'est un homme sérieux dans toute la force du terme !...

— Et son nom ? je le connais peut-être ?

— Assurément, vous ne le connaissez pas, au contraire, car depuis quelque temps... depuis déjà plusieurs années même, il s'est, en quelque sorte, spécialisé dans les côtés purement professionnels du métier... Comme il peut tenir les utilités, il joue beaucoup pour le cinématographe et il chante énormément pour les rouleaux de phonographes... ce qui fait qu'il n'est pas très connu du public...

— Mais encore ?

— Il s'appelle Miquet.

Or, comme Mme Alicet prononçait ce nom, le nom de l'acteur que Juve et Fandor avaient sauvé trois mois auparavant au cours de leur poursuite du train perdu, violemment, soudainement, la vicomtesse de Pleurmatin tressaillait, cependant qu'une pâleur étrange envahissait son visage [1]...

Pourquoi le nom de cet acteur impressionnait-il à ce point la noble et riche jeune femme ?...

Nulle médisance ne courait dans les salons sur la vicomtesse de Pleurmatin ! Nul n'avait jamais insinué quoi que ce soit à l'encontre de sa conduite !

— L'acteur Miquet, répétait-elle, vous me conseillez de m'adresser à l'acteur Miquet ?...

La surprise de la vicomtesse n'avait point échappé à l'œil perspicace, au regard professionnellement inquisitorial de Mme Alicet. Elle interrogea :

— Je vous le conseille bien vivement, oui... vous le connaissez ?...

— Pas du tout !

— Ah ! je croyais !...

— Pourquoi donc ?...

— Il m'avait semblé que son nom vous rappelait un souvenir...

— Son nom ? vous vous trompez, ma chère amie ! Je n'ai jamais entendu parler de cet acteur, de ce M. Moquet...

— Miquet ! ma chère amie, Miquet !... Mi...

— Ah ! bon !... Eh bien, vous voyez ? J'écorchais justement son nom !... Et où habite-t-il ?

---

1. Voir dans le présent volume : *Le Train perdu*.

— Oh ! pas très loin d'ici, rue des Abbesses...

La vicomtesse de Pleurmatin se levait. Elle avait retrouvé tout son calme, tout son sang-froid, Mme Alicet se demandait si elle ne s'était pas trompée quelques minutes avant, en s'imaginant que le nom de Miquet avait ému son amie...

— Vous allez le voir immédiatement ?... demanda-t-elle.

— J'en ai presque envie... Le trouverai-je chez lui à cette heure-ci ?...

— Je ne sais trop...

— Alors je vais lui écrire...

— Ce sera préférable...

— En tout cas, achevait la vicomtesse de Pleurmatin, pardonnez-moi de vous avoir si longtemps dérangée, et mille mercis pour votre renseignement !...

Mais Mme Alicet ne laissait pas à son amie le temps de poursuivre :

— Ne parlez pas de cela, faisait-elle... D'abord je suis enchantée de vous rendre service, et puis j'ai le plus grand plaisir à recommander Miquet... un garçon sérieux, je vous l'affirme, qui a besoin de gagner sa vie... et qui n'est pas, à beaucoup près, un maladroit !...

Et, entraînée par les habitudes de métier, Mme Alicet proposait :

— Dites-moi, il me vient une idée, si, à votre fête, vous faisiez interpréter une piécette de mon poète ?... Ce serait intéressant pour vous, pour lui, pour *Littéraria*... Cela amènerait un lancement... qu'en pensez-vous ?

Mais la vicomtesse de Pleurmatin, se défiant un peu des enthousiasmes de son amie, ne répondait cette fois ni oui ni non !

VII

Le truc du décapité

— Non, monsieur, c'est absolument impossible !...

— Vraiment ? vous croyez ?...

— J'en suis sûr ! Ces machines-là ne plairaient pas du tout chez nous ! Il nous faut des choses gaies, vivantes, plutôt à la rigolade ! Essayez de caser votre affaire à la Comédie-Française ou à l'Opéra, mais pour ce qui est de la faire présenter ici, c'est absolument inutile !...

— Je vous remercie du renseignement, Monsieur !...

— Au revoir, Monsieur...

Ces propos s'échangeaient le lendemain du jour où madame Alicet avait reçu la visite de la vicomtesse de Pleurmatin, à l'entrée des artistes du Concert Populaire des Bateaux-Mouches, au Point du Jour, entre un vieux cabotin, en tenue négligée et un jeune homme, à la barbe blonde, qui portait sur ses épaules, en dépit de la température fort élevée de cette journée d'avril, un long manteau à pèlerine.

Il s'agissait d'un manuscrit, d'une chanson probablement, que le jeune homme au long manteau avait été soumettre au vieux cabotin et que celui-ci refusait de prendre, en l'accompagnant des commentaires qu'il venait de formuler.

Tandis que l'artiste rentrait dans l'établissement pour continuer la répétition qui avait lieu, l'auteur s'acheminait à petits pas vers les berges de la Seine. Il grommelait en marchant :

— C'est dégoûtant ! y a pas moyen de placer de la littérature, même mauvaise, dans des établissements même médiocres ! Et avec cela, quand par hasard on arrive à placer quelque chose, c'est un salaire de famine !...

« Tiens, à ce propos, il me semble que je n'ai pas encore déjeuné. Et voici qu'il est déjà cinq heures de l'après-midi. Allons-y de la dînette du pauvre !...

Le jeune homme avisait sur le quai une marchande de pommes de terre. Il achetait pour trois sous de frites dorées, puis s'en allait, lentement, le long de la Seine, en remontant dans la direction du pont de Grenelle...

Or, dans un terrain vague qui donnait, d'une part sur l'avenue de Versailles, et de l'autre, sur le quai d'Auteuil, le chemineau Bouzille, depuis le commencement de l'après-midi, s'occupait à un travail acharné. Autour du chemineau, l'enveloppant parfois d'un nuage épais, s'élevait une grosse fumée âcre et nauséabonde. Elle était engendrée par un feu aux flammes courtes qu'alimentaient, au ras du sol, une quantité de broussailles et d'immondices, évidemment déposées là par toutes les ménagères du quartier...

Bouzille, qui comptait parmi ses nombreuses occupations la charge de nettoyer de temps à autre ce terrain, s'y employait ce jour-là avec frénésie, car depuis fort longtemps le chemineau avait négligé de se livrer à ces opérations de nettoyage qui, régulièrement, auraient dû être effectuées tous les huit jours. Il avait cette fois quantité de détritus à faire disparaître et le bonhomme activait leur incendie à grands coups de fourche et de balai, trouvant toujours les flammes insuffisantes, la fumée trop peu épaisse.

— Ces saloperies-là, criait-il tout haut, ce qu'elles en mettent un temps à brûler, c'est terrible !

Tout particulièrement Bouzille avait à lutter contre une espèce de tronc d'arbre qu'il jetait au milieu de la fournaise, et qui ne se consumait pas !

— Probable, murmurait-il, que ce truc-là est mouillé comme une éponge ? Cependant je ne le vois pas transpirer, c'est rigolo tout de même ! Faut croire alors qu'il est trop gros ?...

Le morceau de bois, contre lequel Bouzille luttait ainsi, était, en effet, une sorte de tronc d'arbre dont l'écorce rugueuse adhérait encore au bois. Ce bois à peu près cylindrique était haut environ de cinquante centimètres et large de quarante.

Bouzille, d'un coup de fourche, plus nerveux qu'un autre, l'envoyait soudain rouler jusqu'au bas du terrain, fortement incliné à cet endroit. Or, profitant de la pente, le bloc de bois, accélérant son allure, allait gagner le quai et vraisemblablement, s'il ne rencontrait aucun obstacle, tomber dans la rivière !

Bouzille ne lui en voulait pas :

— Qu'il aille au diable ! s'écria-t-il...

Mais soudain, un passant qui précisément arrivait sur le quai, arrêta d'un mouvement brusque la dégringolade du petit tronc d'arbre, et croyant qu'on tenait beaucoup à le conserver, faisait signe à Bouzille pour le prévenir du sauvetage opéré.

En maugréant le chemineau s'approcha du passant :

— Merci, tout de même ! grogna-t-il, pour la peine que vous avez prise : mais, franchement, je l'aurais bien laissé partir...

Et, familier, de suite, Bouzille expliquait à l'inconnu le caractère rebelle de ce bois qui ne voulait pas se laisser consumer. Il racontait :

— Moi, vous comprenez, je suis payé pour nettoyer de temps à autre le terrain ; il faut, lorsque je m'en vais, que tout, à l'intérieur de la palissade, soit net et pur comme l'œil ! Le proprio dit comme ça qu'il ne veut pas voir d'immondices, ni de la ferraille, ni rien du tout !... La ferraille, comme de bien entendu, je la revends aux chiffonniers, mais les autres saletés, comme personne n'en veut, je suis bien obligé de les détruire en les brûlant. Maintenant, si au lieu d'être brûlées, elles préfèrent foutre le camp à la Seine, moi, je n'y vois pas d'inconvénient !...

« C'est pour ça, concluait-il, que je vous remercie de ce que vous m'avez fait, mais je vous dis aussi, c'était pas la peine de vous déranger de votre chemin !...

Tandis que Bouzille bavardait, le passant, silencieusement, après avoir d'un coup d'œil rapide examiné le chemineau, considérait avec soin l'objet étrange qui n'avait pas « voulu », comme le disait pittoresquement Bouzille, se laisser consumer.

Il avait de petits hochements de tête. Il palpait cette bille de bois, la soupesait, ne cachait pas son étonnement de la trouver si légère.

Bouzille interrogeait :

— On dirait que ça vous amuse de regarder ce machin-là ?... C'est pourtant bien ordinaire. D'ailleurs, je ne comprends pas à quoi cela peut servir...

— Hum ! fit évasivement l'inconnu, ça ne doit pas en effet servir à grand-chose, néanmoins, si vous n'en faites rien, j'pourrai vous en débarrasser ?

Soudainement devenu méfiant, Bouzille considéra son interlocuteur.

— C'est-y, demanda-t-il, que vous croyez que ça vaut quelque chose ?

— Mais non ! répliquait l'inconnu, toutefois, je m'intéresse aux curiosités, je fais des collections d'objets de toute sorte...

Le vieux chemineau flairait un amateur. Il savait par la mère Trinquette, qui avait été bric-à-brac autrefois, qu'il est de nombreuses personnes, à Paris, ayant de l'argent plein leurs poches, qui s'intéressent aux vieilleries, qu'elles appellent des curiosités, voire même des objets d'art...

Du reste, le chemineau avait lui-même acquis à ce sujet une grande expérience, lorsqu'il était en relation avec les « chineurs » et qu'il collaborait avec Erick Sunds pour fabriquer du « vieux neuf » [1].

Bouzille pensa qu'il ne fallait pas juger les gens sur la mine. Peut-être son interlocuteur, encore qu'il eût l'apparence fort minable, était-il un millionnaire ?...

A tout hasard Bouzille se présenta dans l'espoir de nouer des relations

_____

1. Voir dans la série « Fantômas » : *L'Assassin de Lady Beltham* et *La Guêpe rouge*.

plus intimes et comme l'inconnu ne faisait pas de même, Bouzille, sans vergogne, l'interrogea :

— Qui c'est-y que vous êtes ?

Évasivement, l'individu répliquait :

— Oh ! je ne suis personne qui vous intéresse, un pauvre bougre, Tartempion, n'importe qui !...

Bouzille se méprenait :

— Vous vous appelez comme ça ? fit-il.

L'autre eut un haussement d'épaules, peu significatif, et Bouzille, railleur, ajoutait :

— Ma foi, rien qu'à vous regarder avec votre barbe et vos cheveux, je vous aurais bien pris pour Absalon lui-même !...

Les deux hommes éclatèrent de rire :

— Eh bien, s'écria alors l'inconnu, qui n'était autre que le jeune homme, vêtu du manteau à pèlerine, qui venait de se faire éconduire quelques instants auparavant par le vieux cabotin du Concert des Bateaux-Mouches, eh bien, c'est entendu, appelez-moi Absalon.

Puis il ajoutait :

— J'emporte ce bout de bois, n'est-ce pas ?

Bouzille objectait :

— Si vous voulez, mais pas avant d'avoir payé un verre !...

Quelques instants après, les deux hommes étaient attablés à la terrasse de *La Pêche miraculeuse*, terrasse constituée par une table de zinc, toute cabossée, qui s'équilibrait tant bien que mal devant un banc de bois vermoulu, dont les fondations s'enfonçaient sur la berge du quai.

Bouzille, fort content d'avoir cédé son morceau de bois en échange d'une mominette, s'efforçait de se lier plus intimement avec son nouvel ami. Mystérieusement, il lui racontait que, grâce à ses relations, grâce au fait qu'il habitait la maison même d'un crime récent, il était capable de faire visiter sans le moindre danger la chambre dans laquelle s'était commis le mystérieux assassinat de l'ouvrier Maurice dont tous les journaux parlaient.

— C'est que... vous savez, déclarait Bouzille, d'un air fort important, j'étais témoin de l'affaire !...

Or, le jeune homme à la pèlerine, qui, au début, n'avait prêté qu'une médiocre attention aux propos du chemineau, devenait de plus en plus attentif. Il posait questions sur questions, et particulièrement, s'enquérait des objets qui pouvaient se trouver dans la pièce au moment de l'assassinat. Un instant il avait même paru demander si, par hasard, ce morceau de bois qu'il venait d'acquérir à si bon compte, n'avait pas fait partie du mobilier...

Bouzille qui était à cent lieues de se douter de l'idée qui inspirait cette question, répondait qu'il n'en savait absolument rien, mais ajoutait aussi, qu'assurément, ce tronc d'arbre ne se trouvait dans le terrain vague que depuis quelques jours à peine.

L'individu que le chemineau avait si pittoresquement baptisé Absalon eut un tressaillement qu'il réprima aussitôt. Toutefois, avec impatience, il interrogea :

— Comment peut-on visiter la chambre du crime ?

— C'est vingt sous pour moi, répliqua Bouzille et vingt sous pour la concierge, afin qu'elle tourne le dos quand on passe !...

— Allons-y ? suggéra le jeune homme...

Mais Bouzille protestait :

— Non, monsieur ! D'abord j'ai du travail à faire, et puis ensuite on ne visite qu'à la nuit ! Ce soir à partir de neuf heures, si vous le voulez ?...

L'inconnu payait précipitamment ses consommations.

— Eh bien, soit ! déclarait-il, à ce soir neuf heures ! Voici déjà un acompte.

Il remettait à Bouzille une pièce de vingt sous... puis, emportant délibérément le tronc d'arbre qui avait les dimensions d'un véritable tambour, il remontait vers l'avenue de Versailles et attendait le passage du tramway.

M. Parant, de la maison Torff et Parant, était en train de lire le journal dans son magasin, situé au fond de la cour, rue Lamartine. Il était sept heures moins le quart, le jour baissait, l'ombre emplissait le magasin fort mal éclairé, d'ailleurs, vu qu'il était au rez-de-chaussée, dans une cour étroite.

Néanmoins M. Parant ne jugeait pas utile d'allumer une lampe. Il s'appliquait à lire en regardant son texte de plus près ; évidemment, il jugeait inutile d'illuminer la boutique à cette heure tardive, les pratiques ne viendraient plus.

Soudain, un bruit de vitres brisées retentit ; mais contrairement à ce que l'on pourrait penser, M. Parant ne parut pas surpris.

Il savait qu'aucun malheur ne venait de se produire mais que simplement quelqu'un entrait dans le magasin.

En effet un dispositif ingénieux de plaques métalliques faisait s'entre-choquer la porte aussitôt qu'elle s'ouvrait et déterminait cet étrange vacarme.

Il n'y avait d'ailleurs pas que cela d'étrange dans le magasin de M. Parant. Tout au commencement de la boutique, constitué par un long couloir, se trouvait une grande horloge au cadran transparent sur lequel évoluaient des aiguilles bizarres, marquant des heures extraordinaires, figurées par des signes étranges.

En face de cette horloge, se trouvait un mannequin de nègre qui semblait perpétuellement agité d'un tremblement nerveux et dont les yeux resplendissaient dans l'ombre, comme s'ils émettaient des lueurs phosphorescentes.

Au haut d'une vitrine, au fond de la pièce, étaient rangées, bien alignées, environ deux douzaines de têtes de morts qui avaient, pour ceux qui les regardaient, des rictus sinistres.

En dessous d'elles se trouvait tout un assortiment de bouteilles cachetées devant lesquelles s'amoncelaient, dans un équilibre instable, une quantité de toupies hollandaises, aux ventres multicolores et bariolés.

Et c'étaient, encore, dans d'autres casiers, des entonnoirs reluisants, des tubes mystérieux, des dominos gigantesques, des casques miroitants, des cartonnages de toutes sortes.

Trônant enfin au milieu d'un comptoir, était une tête de turc que coiffait, par hasard sans doute, un tutu de gaze, vraisemblablement destiné à une danseuse.

Quelle était cette étrange boutique ? quel commerce bizarre y exerçait-on ?

Il suffisait pour le savoir de lire les renseignements inscrits sur une pancarte à l'entrée du magasin. Au-dessous de la raison sociale Torff et Parant figuraient en effet ces explications :

Instruments de prestidigitation ! illusions ! sortilèges ! magies ! apparitions ! escamotages !...

M. Parant était bien homme à exercer une semblable industrie.

Il avait absolument le physique de l'emploi. C'était un personnage très brun, à la barbe assyrienne, ses yeux vifs et perçants avaient un éclat singulier que rehaussait encore la présence de verres très gros, de verres de loupe pour ainsi dire, qui s'encastraient dans ses lunettes.

On imaginait volontiers M. Parant, vêtu d'une longue robe d'alchimiste, toute semée d'étoiles d'or, la tête coiffée d'un grand chapeau pointu et se livrant, superbe magicien, aux pratiques les plus étranges de l'art de la sorcellerie.

Jadis on l'aurait brûlé vif pour avoir possédé un tel assortiment d'objets mystérieux dans sa boutique, mais M. Parant, ayant l'heureuse fortune de vivre à notre époque, n'était ennuyé par les autorités eu égard à sa profession, que par ce fait qu'étant commerçant, il était obligé de payer patente !

Devant M. Parant, se présenta un visiteur. C'était encore le jeune homme au manteau à pèlerine qui, trois quarts d'heure auparavant, était assis à la terrasse de *La Pêche miraculeuse* et offrait à boire au chemineau Bouzille.

Le mystérieux jeune homme déposa sur le comptoir le tronc de bois qu'il avait emporté avec lui et fournissant aussitôt à M. Parant des explications que celui-ci paraissait attendre, il déclara :

— Excusez-moi de venir vous déranger si tard, monsieur, mais j'ai des renseignements de la plus haute importance à vous demander. Et tout d'abord, veuillez me dire si vous connaissez ceci ?...

Le visiteur en prononçant ces mots désignait son étrange morceau de bois.

M. Parant s'approcha lentement du comptoir et considéra avec soin l'objet qu'on lui soumettait. Après l'avoir regardé minutieusement, il considéra son interlocuteur :

— A qui ai-je l'honneur ?... interrogea-t-il.

Le jeune homme à la pèlerine souriait :

— Peu vous importe ! fit-il, je m'appelle Tartempion ! n'importe qui ! Tout à l'heure, sur la vue de ma bonne mine, un chemineau me surnommait Absalon !...

M. Parant, surpris, mais ne voulant rien en montrer, poursuivait avec assez d'à-propos et aussi, faisant preuve d'une certaine littérature :

— A vous voir, monsieur, j'aurais plutôt été tenté de vous saluer du nom d'Alfred de Musset !

— Hélas ! fit le jeune homme, je le voudrais bien !... Mais ce n'est pas de cela qu'il s'agit. Et tout d'abord, pour triompher de vos scrupules, je tiens à vous dire que je ne suis point prestidigitateur, escamoteur, illusionniste de profession ; je ne viens donc pas, en concurrent, essayer de vous ravir un secret, de vous faire parler...

M. Parant n'avait pas besoin de cette profession de foi...

— Je le sais, monsieur ! déclara-t-il, ma maison est la seule à Paris qui fabrique des objets pour cette catégorie d'artistes et je connais toute ma clientèle. Mais en quoi puis-je vous être utile ?

Le jeune homme précisait sa demande :

— Voici, monsieur. Au cours, si vous le voulez, d'un incendie, tandis qu'une quantité d'objets brûlaient, cette pièce de bois, ce petit tronc d'arbre, pour mieux dire, a complètement échappé à la voracité des flammes. J'ai eu l'occasion de m'en apercevoir et ayant examiné l'objet en question, j'ai cru me rendre compte que, s'il ne brûlait pas, cela tenait à ce qu'il était ignifugé... me suis-je trompé ?

— Vous avez parfaitement bien raisonné, répondit M. Parant, cet objet, cette pièce est, en effet, ignifugée... Ensuite ?...

— Ensuite, reprit le jeune homme, j'en ai conclu que ce ne pouvait être qu'un accessoire de théâtre, et même, à un examen plus approfondi, je me suis convaincu qu'il s'agissait d'un accessoire très particulier, évidemment, provenant de quelque tour de physique amusante... J'ai acquis rapidement la conviction que ce tronc d'arbre était creux, rien qu'en le soupesant. J'imagine qu'il y a à cela une raison importante ?... Enfin j'ai cru découvrir, sous une rugosité de l'écorce, deux initiales imperceptiblement gravées, T. et P., celles de votre raison sociale, c'est pourquoi je suis venu vous voir !... Voyons, monsieur Parant, soyez franc et catégorique, j'ai grand besoin de le savoir, ce tronc d'arbre n'est-il pas un objet de votre fabrication ?...

Depuis longtemps déjà, M. Parant avait reconnu que le volumineux objet qu'on lui apportait provenait, en effet, de son magasin. Toutefois, il laissait parler son interlocuteur, afin de bien s'assurer de ses intentions. Celles-ci ne se révélaient pas très nettes, et M. Parant en était encore à se demander pourquoi on lui posait semblables questions. Il avait toutefois l'habitude, vu sa profession peu ordinaire, de recevoir d'étranges visiteurs, et, si, d'une part, son intérêt était de conserver la plus absolue discrétion sur les inventions qu'il vendait à sa clientèle, il estimait que, d'autre part, il ne pouvait pas se montrer trop chiche de renseignements lorsqu'une personne sérieuse venait le consulter...

M. Parant renseigna donc son interlocuteur.

— Je vous félicite, monsieur, de vos déductions, et je vous répondrai sans ambages. Vous avez, en effet, devant vos yeux, un appareil qui vient de chez moi, c'est tout simplement le billot avec lequel on fait le tour célèbre du décapité !...

— Du décapité ?... s'écria le jeune homme, qui bondissait soudain vers M. Parant, cependant que sa physionomie s'éclairait d'un subit rayonnement de joie.

— Du décapité, en effet, poursuivait l'honorable commerçant. Peut-être avez-vous déjà vu...

— Oui, parbleu ! interrompait l'inconnu, je l'ai déjà vu faire... tenez, permettez que je me rappelle la scène telle que la voit le public... Le bourreau se tient debout, armé de son glaive, cependant que sa future victime pose la tête sur le billot... Puis, devant le public, l'exécuteur tranche le cou de la victime... la tête du décapité roule à terre, et le bourreau, pour bien montrer que celle-ci vient d'être tranchée, la soulève par les cheveux. On voit alors ruisseler le sang !... J'avoue d'ailleurs que cet exercice m'a toujours paru aussi poignant qu'incompréhensible...

M. Parant sourit :

— Il est incompréhensible, en effet, pour qui ne le connaît pas ! A part cela, le truc est d'une simplicité remarquable...

Le commerçant insinuait :

— Vous avez sans doute besoin de le savoir ?

A voix basse, le jeune homme murmurait :

— C'est indispensable, monsieur, je vous paierai ce qu'il faut pour cela... il s'agit d'un mystère, peut-être d'un crime à élucider...

M. Parant, à part soi, pensait :

— C'est bien cela ! je m'en doutais !... j'ai devant moi quelqu'un de la police ou alors, un coupable, peut-être ?...

M. Parant était grand et généreux :

— Je vais vous dévoiler ce secret ! déclara-t-il simplement.

A son interlocuteur, tout yeux, tout oreilles, M. Parant faisait désormais la démonstration.

— Le futur patient, disait-il, s'arrange, lorsqu'il vient, soi-disant, poser sa tête sur le billot, pour, non pas la placer sur ledit billot comme on pourrait le croire, mais bien pour l'appuyer contre le billot, en la repliant sur sa poitrine. De la sorte, le patient présente le haut de sa nuque au niveau de la partie plate qui constitue le sommet du billot. Cette partie plate, actionnée par un ressort dissimulé sous l'écorce, pivote avec une rapidité foudroyante, et dès lors, elle vient apporter, pour parfaire l'illusion, une tête de cire couchée sur le billot, et dont le cou vient se juxtaposer exactement à la nuque de la pseudo-victime, de telle sorte que l'on croit que c'est réellement sa tête qui se trouve là, alors que c'est une tête factice ! Le bourreau, d'un coup de sa hache, tranche ce cou de cire, dans lequel, au préalable, et pour que l'illusion soit plus complète encore, on a introduit un morceau de viande quelconque, toute saturée de sang. Comprenez-vous ?...

— Je comprends, murmura à deux ou trois reprises le jeune homme, qui semblait absorbé par de profondes pensées.

Il interrogeait à nouveau :

— Et c'est bien là tout le mystère de ce tour ?... il n'y a pas autre chose ?...

— Mais non, monsieur ! les tours les plus simples sont les meilleurs ! N'importe qui peut le tenter et le réaliser avec succès. Il suffit de le préparer à l'avance, en ce sens que la tête de cire doit être le moulage exact, pris d'ailleurs, sur le visage de l'individu qui va servir de victime. Rien n'est plus simple à faire !...

— Monsieur, s'écria le jeune homme, vous ne vous doutez pas de l'importance du renseignement que vous avez bien voulu me donner !...

Je vous en remercie très sincèrement du fond du cœur. Pour vous montrer que je ne veux pas abuser du secret que vous m'avez confié, je prends la liberté de vous laisser en dépôt le billot que je vous ai apporté... D'ici à quelques jours, assurément, vous aurez de mes nouvelles...

Le jeune homme s'en allait, non sans avoir serré la main de M. Parant...

L'étrange personnage qui, au cours de son après-midi, avait été successivement surnommé Absalon et Alfred de Musset, suivait désormais la rue La Fayette, marchant à grande allure et monologuant tout haut :

— Parbleu ! disait-il, mes suppositions étaient exactes, j'ai eu joliment du nez d'aller voir cet illusionniste, et je tire de son explication des conclusions formidables !... Parbleu, oui, ce qu'il m'a dit, c'est la vérité ! C'est aussi la lumière sur l'affaire d'Auteuil, ce crime mystérieux, cette décapitation étrange n'a jamais existé ! Dans cette affaire, l'assassin, c'est la victime !... La victime, c'est l'assassin !... Et pour en finir, personne n'est mort ! Mais c'est évident ! Rien n'était plus simple que de simuler cette affaire de tête coupée. Et du moment qu'un moulage de cire fait illusion devant une foule réunie dans une salle de spectacle, et cependant certaine qu'on ne va pas trancher la tête d'un homme sous ses yeux, rien n'est plus naturel que d'admettre qu'avec la mise en scène effroyable qui avait été préparée, qui rendait le drame plausible, tous les témoins pouvaient de parfaite bonne foi, croire qu'ils apercevaient par la fente de la porte un véritable décapité... alors qu'ils étaient simplement les victimes d'un farceur !...

Le jeune homme riait à gorge déployée.

— Voilà, par exemple, qui n'est pas ordinaire ! J'aime croire qu'à la Préfecture ils feront une drôle de figure si jamais je m'avise d'aller leur fournir l'explication du mystère autour duquel ils pataugent !...

Mais le jeune homme se ravisait :

— Pas de cela ! pas de cela ! j'oublie qu'il m'est impossible de m'approcher de la Sûreté ; il y a à cela plusieurs raisons, et la meilleure, c'est peut-être encore que du moment que ce crime est attribué à Fantômas il importe de laisser cette fois l'opinion publique s'égarer sur cette fausse piste !

« Par exemple ! poursuivait le jeune homme, qui s'arrêtait quelques instants pour songer avec plus de précision, par exemple l'illusion ne durera pas bien longtemps ! Non seulement on ne retrouve pas de cadavre, mais encore on n'identifie pas le corps disparu ! Ça, c'est embêtant... si seulement ce défunt pouvait avoir une personnalité quelconque ?...

Le jeune homme, qui s'était arrêté pour envisager les diverses idées qui encombraient son esprit, avait repris sa marche rapide, cependant que son visage s'illuminait. Sans doute venait-il de trouver quelque chose d'extraordinaire, d'échafauder un projet merveilleux, de combiner un programme inouï, car, soudain, gesticulant, comme un homme ivre de joie, et au risque de se faire remarquer des passants, il proférait, comme s'il défiait un adversaire inconnu :

— Ah oui ! parbleu, voilà bien la meilleure des combinaisons ! Tout d'abord, la littérature d'un écrivain mort vaut quatre fois plus que celle d'un écrivain vivant, et ensuite, pour en revenir au crime du quai d'Auteuil, puisque la fausse victime n'a pas de personnalité, je jure que dès demain matin, elle en aura une ! A farceur, farceur et demi !

Ces étranges paroles s'envolaient au vent, effleuraient les oreilles des passants qui, indifférents, ne les retenaient pas...

Cependant, le jeune homme qui était arrivé à une station de métro, s'élançait précipitamment dans la gare souterraine...

Onze heures du soir venaient de sonner et les rares passants qui, à cette heure tardive, se trouvaient aux abords du pont de Grenelle, auraient pu, s'ils avaient voulu le remarquer, noter la sortie précautionneuse de deux individus, qui, s'échappant pour ainsi dire de la maison devenue populaire et tragique par l'assassinat de l'ouvrier Maurice, gagnaient le trottoir de l'avenue de Versailles.

C'étaient Bouzille et son compagnon de l'après-midi.

Les deux hommes s'étaient retrouvés au rendez-vous convenu, et le chemineau, après avoir fait attendre l'heure de l'extinction du gaz, c'est-à-dire, dans cette maison économique, dix heures du soir, avait conduit son visiteur jusqu'à la chambre dans laquelle, on le croyait communément, avait été décapité l'infortuné Maurice.

A la vérité, Bouzille, qui s'était arrogé les fonctions de « guide officiel », dupait sa clientèle, car la chambre tragique ne présentait aucun intérêt. On avait enlevé du plancher les lamelles de bois sur lesquelles s'était répandu du sang. On avait empilé dans les placards les menus objets appartenant à la victime. Il ne restait rien qui pût, par un apprêt de curiosité ou d'horreur, satisfaire les amateurs venus là sur l'instigation du chemineau...

Il est vrai que le droit d'entrée n'était pas trop élevé, car si Bouzille demandait toujours deux francs, il savait se montrer accommodant et transiger à l'occasion pour cinquante centimes !

Or, bien qu'ayant payé le prix fort, le personnage que Bouzille s'obstinait désormais à appeler Absalon ne récriminait pas, bien au contraire !

Il observait très minutieusement la pièce, semblait même prendre quelques mesures, regardait dans tous les coins...

Bouzille, pendant ce temps, chuchotait à mi-voix, comme une leçon apprise par cœur ! Il récitait les articles de journaux, relatant les détails du crime...

Imaginatif à l'extrême, Bouzille ajoutait beaucoup de choses de son cru. A l'entendre, on aurait pu admettre que l'accomplissement du crime s'était effectué sous ses propres yeux !

Bouzille, lorsqu'il pérorait, était si empoigné par son sujet, qu'il ne s'apercevait jamais de ce que faisaient pendant ce temps-là ses auditeurs.

Ce soir-là, si Bouzille avait prêté un peu moins d'attention à lui-même et un peu plus à son client, il aurait vu que le jeune homme, sous prétexte d'examiner la pièce en détail, s'y livrait, en réalité, à une étrange besogne.

Subrepticement, l'inconnu glissait, çà et là, dans les livres, sur les vêtements, au milieu d'objets en désordre, des feuilles de papier, des cahiers déchirés, quelques lettres, des documents bizarres...

Bouzille ne s'apercevait de rien, et lorsqu'il reconduisait quelques instants après son mystérieux compagnon jusqu'au carrefour du pont de

Grenelle, il ne se doutait guère que, de la venue mystérieuse de cet individu, et du dépôt ignoré qu'il venait de faire dans la chambre du crime, de divers papiers, il allait résulter d'extraordinaires événements !

Bouzille n'aurait même pas compris la phrase étrange que l'inconnu répétait :

— A farceur, farceur et demi, ça ne fera de mal à personne, et ça me rendra service à moi... Décidément, je crois que je vais rire.

Deux jours plus tard, Mme Alicet, l'excellente directrice de *Littéraria*, parvenait, tout essoufflée, au cinquième étage d'une modeste, mais proprette maison de la rue Lepic.

Là, habitait l'acteur Miquet, et c'était l'acteur, celui-là même dont elle avait recommandé les services à la vicomtesse de Pleurmatin, que Mme Alicet venait voir.

La directrice de *Littéraria* était naturellement reçue d'une façon charmante par le comédien. Miquet savait l'importance qu'il y avait pour lui, à se concilier les bonnes grâces de l'excellente femme. A peine l'avait-il introduite dans son salon, qu'il s'informait :

— Aurais-je le rare bonheur de pouvoir vous obliger, chère madame ? Qui diable peut me valoir le plaisir de votre visite ? Avez-vous besoin d'un service ?

— Juste !... c'est pour vous demander de vous mettre en campagne pour mon compte que je viens vous trouver !...

L'acteur Miquet se levait et, prenant une pose théâtrale :

— Je jure, dit-il, de faire tout ce qui sera en mon pouvoir pour obliger la sympathique et très aimable et très bonne directrice de *Littéraria* !...

Mme Alicet riait : cette brave grosse femme était de nature gaie et s'amusait toujours des plaisanteries de Miquet qui, professant d'ailleurs une sincère affection pour le « bas-bleu », connaissant son genre d'esprit, trouvait toujours moyen de la faire rire d'une manière ou d'une autre.

Il s'informait :

— De quoi s'agit-il ? Et en quoi, moi, modeste cabot, puis-je être utile à la très puissante et très noble dame, directrice de *Littéraria* ?

Mme Alicet riait encore :

— Je vais vous étonner, disait-elle... et c'est très mal de rire ! De quoi il s'agit ? il s'agit, mon cher, d'un guillotiné !...

— Bougre !

— Un guillotiné qu'il faut retrouver !...

— Hein ?

— Parfaitement ! N'imaginez pas, Miquet, que je perds la tête... comme mon guillotiné ! Non ! écoutez plutôt l'histoire. Je vous assure qu'elle est intéressante et, vous m'entendez, intéressante pour vous, pour *Littéraria* et pour moi !...

Miquet, à son tour, avait pris une chaise, les derniers mots de Mme Alicet attiraient son attention. Il savait que la directrice de *Littéraria* parlait toujours sérieusement quand elle parlait affaires !

— Je vous écoute, madame, quel guillotiné faut-il que je retrouve ?

— Oh ! ce n'est pas tout à fait le guillotiné, mais enfin ! D'ailleurs, écoutez-moi : Vous avez certainement lu, Miquet, dans les journaux l'extraordinaire aventure, l'incompréhensible assassinat qui a été commis quai d'Auteuil, il y a quelques jours ?...

— Oui, madame !... j'ai lu cela. Vous voulez parler de ce malheureux jeune homme, qui a eu la tête coupée dans sa propre chambre ?...

— Que les voisins ont vu mort, et dont le corps a mystérieusement disparu pendant qu'on allait chercher la police ! C'est bien de cet assassinat que je veux vous entretenir. Vous savez que la police s'est livrée à d'extraordinaires enquêtes ?...

— Non, madame, je ne le sais pas ! je n'ai pas suivi les articles publiés sur ce crime !

Mme Alicet le menaçait du doigt :

— C'est un tort ! Il faut toujours se tenir au courant de l'actualité !... Eh bien, écoutez, mon petit... quand le commissaire de police est arrivé, on a cherché partout ce qu'était devenu le cadavre et l'on a fini par conclure qu'il avait dû être jeté à la Seine... Là-dessus, le lendemain, on a dragué les berges, fait descendre des scaphandriers... on a télégraphié à toutes les écluses, bref, on a pris toutes les dispositions possibles pour arriver à retrouver ce corps... et on ne le retrouva pas...

— Tiens !

— Oui, c'est curieux ! mais c'est comme ça ! *La Capitale* même se moque assez de la Sûreté à cette occasion... Et, de fait, il faut avouer que son rôle n'est pas brillant, puisque six jours après le crime, il est encore complètement impossible, non seulement de dire qui est l'assassin, mais seulement de deviner, à peu près, comment il a pu opérer...

Miquet hochait la tête :

— Il semble, pourtant, dit-il, que rien qu'en fouillant dans les antécédents ou dans les relations de la victime...

— Ah ! précisément ! c'est là où je vous attendais ! c'est là où l'histoire devient extraordinaire !... Donc, mon cher Miquet, on n'a pas pu retrouver le corps de ce malheureux décapité... mais on savait son nom. C'était un nommé Maurice qui passait dans sa maison pour travailler dans une maison de ballons...

— Comment ?·« il passait » ?...

— Oui « il passait », car ce n'était point vrai. Figurez-vous que le lendemain de l'assassinat, le commissaire de police vint perquisitionner dans la chambre, et ne trouva rien... Les journées se succédèrent, on reperquisitionna... Et puis, hier, hier, à quatre heures, j'avais l'extraordinaire surprise de voir arriver chez moi, rue de Presbourg, dans mon bureau à *Littéraria*... qui ?... je vous le demande ?...

— Dame ! je ne sais pas, moi !

— Un inspecteur de la Sûreté ! Parfaitement ! Et qui me dit ceci : « Madame, vous avez certainement lu les détails du crime commis sur la personne d'un nommé Maurice, quai d'Auteuil ». J'inclinai la tête... « Eh bien, madame, ce nommé Maurice n'est autre qu'un certain Olivier, un poète qui a collaboré à votre journal. Savez-vous quelque chose de sa vie ? »...

Miquet paraissait stupéfait, ahuri...

Mme Alicet poursuivait :

— Vous pensez si je tombai de mon haut ? Je vous ai parlé maintes fois d'Olivier et je vous ai dit que c'était précisément un inconnu pour moi, que je ne l'avais jamais vu, que je n'entretenais avec lui que des rapports épistolaires... Je demandai tout d'abord à l'agent qui me parlait : « Mais comment a-t-on su que c'était Olivier, puisqu'il se faisait appeler Maurice ? » « Parce que, m'a répondu cet homme, on vient de retrouver dans sa chambre des manuscrits signés Olivier, des lettres adressées à lui... des papiers, et enfin des pièces d'identité !... Et puis, enfin, parce que, malgré toutes nos recherches, on n'a jamais pu découvrir la maison où le nommé Maurice était soi-disant ouvrier ballonnier !... » Et l'agent me donnait d'autres détails, me prouvait péremptoirement, mon cher, que ce malheureux Maurice était bel et bien l'ex-collaborateur de *Littéraria*, Olivier !

Miquet hochait la tête, très intéressé :

— Sapristi ! fit-il, c'en est une histoire...

Et se reprenant, il ajoutait :

— Mais par exemple, je ne vois pas du tout en quoi elle peut vous intéresser, elle peut nous intéresser, madame ?...

— Attendez donc !... Naturellement, j'étais tellement étonnée et bouleversée par ce que venait de m'apprendre cet agent que je l'assaillis de questions... Il ne savait pas grand-chose... Pourtant il m'apprit que l'on avait retrouvé dans les affaires de ce malheureux Olivier une sorte de lettre-testament adressée à un nommé Jacques Bernard, habitant à Montrouge, lettre dans laquelle Olivier confiait à cet ami, léguait à cet ami, plutôt, toutes ses œuvres, toutes ses productions, aussi bien inédites que déjà publiées... Il paraît qu'il y en a pas mal...

— Eh bien ? s'informait encore Miquet, qui ne saisissait pas encore bien l'idée de Mme Alicet.

— Eh bien, mon cher, mais ça, c'est tout ce qu'il y a de plus intéressant !... Comment, vous ne saisissez pas mon idée ?

— Ma foi non !...

— Elle est pourtant limpide...

— Alors, c'est que je suis un imbécile !...

— Mais non !... seulement vous n'avez pas l'âme d'une directrice de journal !...

— Ça, c'est vrai !...

— Et vous passez à côté du beau lancement !...

— Du beau lancement ? Quels sont donc vos projets, madame ?

— Mais, mon pauvre Miquet, je vous répète que mes projets s'imposent... Comment ! voilà un poète de talent, de grand talent, de génie même, qui est pauvre, qui est jeune, qui vit sous un faux nom, qui meurt assassiné d'une façon mystérieuse, tragique au possible, dont toute la presse parle, dont le monde entier va s'entretenir, qui laisse des œuvres inédites, et vous ne devinez pas qu'il faut absolument que *Littéraria* devienne, en quelque sorte, le journal organisateur de son triomphe ?... de sa gloire ?... de son succès ?...

Miquet semblait quelque peu étonné :

— Mais, madame, vous venez de me dire vous-même que ce pauvre Olivier est mort ?...

— Et justement ! c'est parce qu'il est mort, qu'il a du génie !

— Oh !

— Mais oui ! vous le savez bien, voyons ? C'est toujours la même histoire ! Puisqu'il est mort, il n'est plus dangereux pour les confrères, donc ceux-ci n'en diront pas de mal, au contraire ! Ils pourront, en entonnant ses louanges, se faire remarquer du public ! On les lira pour entendre parler d'Olivier... assassiné mystérieux, je le répète... donc, figure intéressante !... Olivier va avoir une presse extraordinaire ! Dans quinze jours, dans huit jours même, on s'arracherait sa copie si...

— Si ?

— Si je n'étais bien décidée, dès maintenant — et c'est pourquoi, mon cher Miquet, je viens vous voir —, à faire le trust de sa production...

— Ah, je comprends !

Mme Alicet riait :

— Ce n'est pas malheureux ! faisait-elle... Enfin, vous connaissez mon projet, n'est-ce pas ?... Dans quatre jours je sors mon numéro de la semaine... J'ai un gros battage sur Olivier... poète pur, classique, talentueux, chantre de l'amour et de la mélancolie, triste et résigné... un génie méconnu, quoi ! J'insiste sur sa vie pauvre et misérable, dédaignée ; je le montre se faisant passer pour ouvrier, je le donne comme dédaigneux de toute question d'argent, je l'exalte, enfin, autant comme homme privé que comme talent... Là-dessus, c'est toujours de mon article que je parle, je publie trois colonnes tragiques, relatives à son assassinat ! J'ai d'excellents détails dans *La Capitale*, où les reportages sont très bien faits. Je conte l'histoire de la petite maîtresse, de la jeune ouvrière qui arrive, telle la Muse, pour inspirer le poète et qui, surprise de voir de la lumière à sa porte, ne pouvant se faire ouvrir, regarde et voit le spectacle d'horreur : le tronc décapité, la tête grimaçante, le sang, le sang partout !... bon !... je trouve une transition habile : je passe en quelques mots sur les enquêtes de la police qui n'intéressent pas, évidemment, les lecteurs de *Littéraria*, et j'en arrive tout de suite à dire qu'Olivier a laissé des œuvres inédites et que ces œuvres sont de véritables joyaux, d'admirables et extraordinaires productions... Et je n'en dis pas plus long !...

— Mais si vous dites tout cela, chère madame, il me semble que les œuvres d'Olivier vont, en effet, ainsi que vous l'annonciez tout à l'heure, être bientôt hors de prix ?...

— Ça m'est bien indifférent, car j'espère qu'avant d'avoir publié ce numéro, c'est-à-dire dès demain, mon excellent ami Miquet qui va jouer le rôle d'intermédiaire, aura retrouvé l'héritier testamentaire d'Olivier, c'est-à-dire Jacques Bernard et aura obtenu de lui une assez grande quantité de copie, à bon marché, bien entendu, pour que, dans son numéro de la semaine prochaine, *Littéraria* puisse annoncer à ses lecteurs la publication régulière des œuvres du poète Olivier.

« ... Vous voyez d'ici le battage ?...

Miquet hochait la tête :

— Ma parole ! dit-il, vous êtes admirable, chère madame ! vous avez un génie commercial que l'on ne soupçonnerait certainement pas de la part d'une fine lettrée comme vous !...

Et tandis que, sous le compliment immérité, Mme Alicet se rengorgeait, Miquet poursuivait :

— De sorte que ce pauvre Olivier, grâce à son extraordinaire trépas, va devenir une célébrité du Parnasse ?...

— Évidemment ! ce qu'il a fait de mieux, ce garçon, c'est de mourir !...

Et prise tout de même d'un scrupule, Mme Alicet poursuivait :

— Mon Dieu, certes, je regrette bien sa mort et s'il ne dépendait que de moi, ce pauvre garçon, vous n'en doutez pas, Miquet, serait encore en bonne santé ; mais enfin, puisque je ne puis rien à sa fin prématurée, je m'arrange pour en tirer parti ! Ça lui rend service, ou plutôt ça rend service à sa mémoire, et de plus, cela va faire un superbe lancement pour *Littéraria*... sans compter, mon cher Miquet, que, vous le pensez bien, vous y trouverez, vous aussi, votre légitime intérêt...

— Moi, madame ?

— Mais oui, vous !... Je vous ai donné :s sommaires de mes deux premiers numéros ?... Dans le troisième, mon bon ami, j'annonce purement et simplement une grande fête donnée en l'honneur du poète mort, droits d'entrée devant servir à lui élever un buste !... On dira des œuvres d'Olivier. S'il a laissé des pièces, comédies, opérettes, tragédies, n'importe quoi, j'en ferai jouer une !... Vous voyez qu'il y aura de quoi vous employer ?...

Miquet se frottait les mains :

— Vous êtes tout à fait aimable ! dit-il, vous allez encore une fois me mettre en vedette, madame Alicet ?...

— Mais c'est la moindre des choses... puisque je vous charge des démarches ennuyeuses !...

— Oh ! ennuyeuses ! dites seulement délicates !... Car, en somme, je vais avoir à défendre les intérêts de *Littéraria* ?...

Mme Alicet se levait pour prendre congé.

— Cela vous sera facile, dit-elle, si vous arrivez à rejoindre rapidement ce Jacques Bernard. Je n'ai pas exactement son adresse, mais vous l'aurez très vraisemblablement en passant à *La Capitale*. Voici donc ce dont je vous charge : c'est simple, et je ne doute pas que vous vous en acquittiez au mieux. Voyez Jacques Bernard, tâchez de capter toute la production d'Olivier, payez, bien entendu, le meilleur marché que vous le pourrez ! Ne vous engagez pas... faites miroiter que si quelques pièces sont publiées par *Littéraria*, le reste se vendra, dans la suite, plus facilement et à meilleur prix, bref, ayez ce bonhomme au boniment !...

Miquet se frottait toujours les mains, enchanté des projets de la directrice de *Littéraria*, qui, très évidemment, allait lui valoir de fructueux cachets.

— Soyez tranquille, chère madame, ponctuait-il, je saute à l'Ambigu où je répète, et après je cours à la Société des Gens de lettres... Demain je découvre ce Jacques Bernard... je le vois... et je passe immédiatement vous rendre compte de mes démarches...

— Alors, à demain soir, Miquet ?

— A demain soir, chère madame, je l'espère bien !

VIII

Un commerçant

— Madame la concierge ?... Monsieur le concierge ?... Hep ! là !... il n'y a donc personne ?...

Miquet s'époumonait en vain...

Pour satisfaire au désir que lui avait exprimé, la veille, Mme Alicet, à laquelle il devait tant d'obligations, le jeune artiste, en dépit de ses nombreuses occupations, s'était octroyé une matinée de congé pour s'en aller à la recherche du fameux Jacques Bernard, personnage inconnu la veille et que sa qualité de légataire universel du malheureux poète Olivier, allait, évidemment, rendre populaire d'un seul coup !

Miquet, en sortant de chez lui, était allé prendre le métro qui, après un long voyage sous Paris, le déposait à la porte d'Orléans à l'opposé tout à fait de Montmartre où demeurait l'acteur.

Miquet, se conformant aux indications qu'il avait recueillies sur le plan de Paris, suivait ensuite le boulevard Brune, longeant les murs d'enceinte et finissait par découvrir, après quelques hésitations et pas mal de difficultés, le passage Didot, où demeurait, disait-on, au numéro 25, M. Jacques Bernard, l'héritier d'Olivier.

Miquet s'était introduit dans une espèce de terrain vague que séparait du passage une petite barrière en bois. A peine avait-il fait quelques pas, qu'il avait l'impression de pénétrer chez un maraîcher, car les légumes poussaient, autour de lui, à profusion et en désordre.

L'acteur s'avançait encore, franchissant une seconde clôture et se trouvait dans une sorte de petit jardinet planté d'arbres, qu'entouraient des maisons aux aspects modestes, aux allures vétustes.

Ne voyant âme qui vive, Miquet à tout hasard avait lancé de sa voix vibrante quelques appels à l'éventuel gardien de cette originale propriété. Tout d'abord, il n'avait pas eu de réponse, mais comme il écoutait avant de recommencer son appel, l'artiste songea que le bruit de sa voix était évidemment couvert par un assourdissant tapage de coups de marteau qui se reproduisait à intervalles fixes et rapprochés.

Miquet, résolu à parvenir à son but, s'avança dans la direction du bruit, et, ayant contourné une haute citerne, dans laquelle croupissait une eau saumâtre, aperçut, dissimulé dans une petite courette intérieure dont la clôture était figurée par des palissades de bois, un vieux petit homme, tout blanc, sordidement vêtu, qui frappait à coups redoublés avec un marteau, sur de grandes casseroles de cuivre.

Réprimant sa surprise, Miquet s'approcha du travailleur que l'irruption de l'acteur dans son enclos n'avait pas interrompu.

— Pourriez-vous me dire ?... commença l'artiste...

Le vieil homme lui coupait la parole et, continuant à produire un vacarme assourdissant en martyrisant ses casseroles, il interrogea :

— J'parierais bien un demi-setier que vous en êtes encore un !...

— Un quoi ? interrogea Bernard, justement intrigué...

Le bonhomme prenait un air finaud, s'arrêtant enfin de taper sur ses casseroles ; de son marteau menaçant tendu au bout de son bras, il fit un geste que machinalement Miquet suivit des yeux :

— Pardi ! continua le vieillard, vous venez au moins demander M. Jacques Bernard ? Il n'y en a que pour lui ce matin !... C'est à se demander ce qu'il fabrique, ce particulier-là, surtout que ce n'est pas dans ses habitudes de recevoir du monde ! Enfin ! ça le regarde, pas vrai ?... moi, je ne suis que le concierge de la propriété, je n'ai pas de renseignements à donner, ni de questions à faire !...

Patiemment, Miquet attendait sans mot dire que ce discours fût terminé, pour placer une parole et demander précisément le renseignement dont il avait besoin...

Le vieillard qui s'était donné comme le concierge de la maison, ou plutôt du groupe de maisons que faisait communiquer avec le passage Didot une seule et unique barrière de bois, ne lui en laissa pas le temps.

Sans savoir si réellement le visiteur voulait ou non voir M. Jacques Bernard, convaincu que c'était bien là le but de sa venue, n'imaginant pas qu'on pouvait aller rendre visite à une autre personne, il indiqua d'un air pompeux :

— Vous allez traverser le parc, vous suivrez l'avenue à gauche jusqu'au bout et vous arriverez au château qui est dans le fond ; c'est là que demeure votre client. Frappez fort et si on ne répond pas, poussez la porte, entrez d'autorité... faut vous dire qu'il n'y a pas de sonnette, on a oublié d'en poser et pour ce qui est des larbins, autant vous avouer qu'ils sont en grève ou alors en vacances, car on ne les a jamais vus !

Réprimant une certaine envie de rire, l'acteur s'efforçait de suivre à la lettre les instructions de l'extraordinaire vieillard, à la caricaturale silhouette et qui, sitôt ces indications fournies, avait recommencé à taper de plus belle sur ses casseroles.

Évidemment ce concierge était un ironiste ou un hâbleur. A coup sûr il avait exagéré. Le parc était constitué par un jardinet fort médiocre, planté de salades et de quelques fleurs vulgaires, l'avenue était formée par un étroit sentier de terre battue, quelque peu détrempé de boue. Ce sentier était en même temps le ruisseau dans lequel la citerne, aux eaux douteuses, déversait son trop-plein !

Miquet, pour avancer, dut déranger de leurs occupations nutritives une demi-douzaine de poulets étiques qui s'enfuirent en gloussant à son approche ; il lui fallut encore calmer de la voix un roquet qui grognait, menaçant, mais timide, dissimulé entre deux massifs de fusain.

Enfin, après avoir pataugé dans un cloaque, il arrivait au « château », une misérable masure, bâtie dans le fond de cette impasse, ne comportant qu'un rez-de-chaussée, recouvert par un toit de briques rouges, véritable soupente, véritable baraque de chiffonnier.

— Le pauvre bougre ! se dit Miquet, en pensant à Jacques Bernard ; il ne doit pas rouler sur l'or s'il demeure ici !

L'acteur n'avait pas besoin de frapper à la porte, ni de l'ouvrir... ainsi que l'avait recommandé le concierge, dans le cas où l'on n'aurait pas répondu au premier appel. La porte en effet était entrebâillée. Miquet, l'écartant un peu, en franchit le seuil et se trouva soudain dans une petite pièce enfumée, étroite, sombre où, déjà, se tenaient une demi-douzaine de personnes, qui paraissaient causer avec entrain et s'amuser énormément.

Le sol était pavé de carreaux rouges ; au fond de la pièce se trouvait un poêle sur lequel chauffait un peu d'eau dans une bouillotte bleue, cependant que les jointures du tuyau, qui, après avoir traversé la pièce dans toute sa longueur, venait aboutir à un carreau remplacé par une feuille de papier, laissaient échapper de temps à autre quelques bouffées de fumée âcre.

L'acteur n'était pas exagérément raffiné et il avait, dans sa carrière aventureuse de comédien, notamment en suivant le train Barzum, entrevu bien des milieux, aperçu bien des choses, néanmoins il ne put dissimuler un mouvement de stupéfaction ni s'empêcher de s'arrêter net à l'entrée de cet étrange local.

Était-ce véritablement là-dedans qu'habitait Jacques Bernard, le légataire universel du poète Olivier ?

Et l'acteur allait s'enquérir auprès des personnes présentes, lorsque soudain il fut interpellé :

— Miquet ! comment ça va, mon vieux ?

Le comédien écarquillait les yeux, s'attendant fort peu à une telle apostrophe en un tel lieu. Puis il souriait, tendait une main cordiale à son interlocuteur :

— Par exemple ! Sigisimons !

Les deux hommes se congratulèrent.

Miquet, par le plus grand des hasards, venait de retrouver dans la demi-douzaine de personnes qui s'étaient entassées dans ce réduit obscur, un type fort pittoresque, qu'il connaissait de longue date, c'était Sigisimons, familièrement appelé par ses intimes Sigi !...

En dépit de ce sobriquet évocateur de tristes images, Sigi était le plus joyeux drille que l'on pût imaginer. A son physique, hilarant, fait d'un nez énorme tombant sur une lèvre lippue, cependant qu'un front dénudé s'en allait en pointe vers le sommet de la tête, il adjoignait la profession de reporter-photographe, et il fallait reconnaître que Sigi, par son habileté, son audace, s'était créé une véritable personnalité, originale et pittoresque, qui lui valait d'être connu de tout Paris.

Toujours vêtu en globe-trotter, perpétuellement chargé de deux énormes boîtes, contenant tout un assortiment d'appareils et de plaques, Sigi courait sans cesse Paris, à l'affût des incidents, des événements, de toutes les aventures qui pouvaient donner prétexte aux clichés photographiques.

Sigi n'appartenait à aucune maison d'édition, à aucun journal. Il travaillait pour son compte, libre, indépendant, mais, en raison même de son indépendance, il était connu de tous et apprécié partout.

Déjà Sigi avait appréhendé Miquet par le bouton de sa veste et l'interrogeait :

— Alors, ça va, mon vieux ? Tu fais toujours du ciné, du théâtre ? C'est comme moi de la photographie ! Et alors, comment que ça se fait que te voilà chez Bernard ? crois-tu qu'il est fadé, ce bonhomme-là ! D'abord, moi, j'ai eu le tuyau avant tout le monde, et j'suis là depuis sept heures à essayer de faire un cliché, mais ce sacré bougre ne veut rien savoir !... Bah ! ça m'est égal, je l'aurai !...

Miquet écoutait avec amusement le verbiage du photographe, qui, de temps à autre, lançait des coups d'œil sur l'assistance avec l'espoir qu'elle lui prêtait attention. Les cinq ou six personnes qui se trouvaient là s'intéressaient d'ailleurs aux propos de Sigi. Celui-ci, encouragé par ces muettes approbations, poursuivait, élevant la voix :

— Oui ! je te dis que je l'aurai !... faut pas qu'il essaye de me la faire à l'oseille, ce Bernard ! J'en ai eu de plus difficiles que lui qui ne voulaient pas se laisser prendre !... Tu te rappelles, l'année dernière, Miquet, aux courses...

L'acteur hochait la tête négativement, mais Sigi n'était pas décontenancé, il poursuivait :

— C'est pas avec toi, alors, c'est avec un autre copain !... Eh bien, et le jour de l'aviation, donc, c'est encore plus rigolo... ah ! c'est pas pour dire, mais j'm'y connais, il n'y en a pas un dans le reportage photographique qui puisse me faire le poil. Tu parles que j'en ai du culot !...

Sigi se taisait un instant pour laisser l'auditoire rire tout son saoul. Écartant non sans peine les courroies de ses appareils qui, sous le poids des boîtes, se tendaient sur sa poitrine, il fouillait dans la poche de son veston de cuir, en tirait un portefeuille crasseux, gonflé de paperasses et en extrayait une photographie collée sur un petit carton rouge qu'il faisait circuler dans l'assemblée.

On regardait le document avec stupéfaction. On s'étonnait de voir soudain, sur l'épreuve, l'invraisemblable Sigisimons, aux côtés du Président de la République !

Sigi expliquait :

— C'est un truquage, vous pensez bien ! Mais c'est rigolo, pas vrai ? Et puis, y a pas à dire, c'est le meilleur des coupe-file !... quand je m'amène quelque part et que les flics veulent me vider, je leur colle ce truc-là, en douce, dans la main, puis j'leur dis :

— Faites donc pas les crâneurs ! vous voyez bien que j'en suis, moi aussi !...

Sigi mettait sa main d'un air protecteur sur l'épaule de Miquet.

— Et plus c'est difficile, mon vieux, plus je réussis avec ce truc-là ! Crois-tu que c'est bien trouvé ?

Le photographe s'interrompait soudain. Il courait à une petite porte, au fond de la pièce, qui venait de s'entrouvrir :

— M'sieu Bernard, disait-il, vous êtes rien rosse de me faire poser comme ça, laissez-moi donc faire un cliché tout de suite, puisque je vous dis que je vous aurai quand même !...

Par la porte entrebâillée s'était introduite une des personnes qui attendaient dans la pseudo-antichambre. Une voix, de l'intérieur de la pièce voisine, voix jeune et gouailleuse, avait nettement répondu à la demande de Sigi :

— C'est pas la peine ! j'vous dis que vous perdez votre temps ! je veux pas laisser faire mon portrait !...

Mais nullement décontenancé, le photographe, hochant la tête et esquissant sous son nez énorme, de ses lèvres lippues, un sourire sardonique, murmurait avec entêtement :

— Je l'aurai, que j'vous dis, je l'aurai comme je les ai tous, au boniment !...

Au bout de trois quarts d'heure d'attente, il ne restait plus dans l'antichambre que Miquet et l'indécollable Sigi. L'acteur était invité à pénétrer dans la pièce voisine.

A peine s'était-il introduit, qu'on refermait précautionneusement la porte derrière lui ; Miquet était en face de Jacques Bernard.

L'héritier d'Olivier était un homme fort jeune encore, à la chevelure longue, embroussaillée, hirsute. Son visage s'encadrait d'une barbe blonde assez fournie. Un lorgnon cerclé d'or chevauchait, assez instable, sur le nez aquilin du personnage qui, vêtu d'une longue redingote noire râpée, avait assez exactement l'allure d'un pion de collège de province.

Le logement de l'individu était à l'unisson de son habitant.

C'était une sorte d'atelier ou, pour mieux dire, de magasin de débarras, sans fenêtre, éclairé uniquement par un plafond vitré, aux vitres sales et au-dessus desquelles se trouvait un grillage qui, fort heureusement d'ailleurs, interceptait une véritable avalanche de détritus que sans doute, les voisins des immeubles proches jetaient sans vergogne sur cette toiture un peu étrange.

Au fond de la pièce, derrière un paravent, apparaissait le haut d'un petit lit de fer. On devinait, dans un coin, une table de toilette, puis, tout autour, le long des murs, étaient entassés pêle-mêle des journaux, des livres, des dossiers, des paperasses, recouverts, la plupart, d'une ample couche de poussière.

Au milieu de la pièce se trouvait une table en bois blanc, surchargée de dossiers et de feuilles de papier, de livres, de manuscrits, d'épreuves d'imprimerie, une bouteille d'encre tenait en équilibre sur une boîte à épingles ; dans un classeur, à côté de cartes postales maculées de noir, voisinaient des crayons, des plumes, de la gomme à effacer, une demi-paire de ciseaux, un stylographe hors d'usage !...

On eût dit plutôt l'arrière-boutique d'un bric-à-brac. Aux murs, pendaient quelques affiches détériorées, des croquis à la plume, un tout petit tableau dans un énorme cadre.

C'était incohérent et pittoresque. Curieusement, Miquet regardait tout autour de lui et son interlocuteur ne paraissait nullement pressé, le laissait faire. Il interrogea enfin :

— A qui ai-je l'honneur de parler ?

Miquet s'excusa de son silence :

— Pardonnez-moi, monsieur, fit-il, mais je suis bien chez M. Jacques Bernard, n'est-ce pas ?

— C'est moi-même ! répondit l'individu à la longue redingote râpée.

Miquet reprit :

— Je m'appelle Miquet, je suis artiste...

Jacques Bernard l'interrompit :

— Artiste dramatique, n'est-ce pas ?... ancien régisseur de la troupe Barzum [1] ?

Et s'apercevant de l'étonnement du comédien, Jacques Bernard poursuivait :

— Je vous connais parfaitement bien, monsieur !...

Miquet, à son tour, regardait attentivement son interlocuteur. Il lui semblait que sa physionomie ne lui était pas inconnue.

— Mais, moi aussi, esquissa-t-il, il me semble que je vous ai déjà rencontré quelque part ?...

Jacques Bernard eut un geste évasif, qui eût semblé, à quelqu'un de prévenu, dissimuler une légère inquiétude.

— C'est possible, monsieur ! fit-il, mais cela m'étonne. Maintenant nous avons pu nous voir dans quelques coulisses de théâtre, au café, dans la rue ?...

Miquet n'arrivait pas à préciser l'endroit où il avait vu ce personnage que, d'ailleurs, il ne reconnaissait que très imparfaitement.

Il avait plutôt, à vrai dire, un air de ressemblance, avec quelqu'un que Miquet aurait connu et qu'il n'identifiait pas...

Certes ! si l'acteur avait été le chemineau Bouzille il ne se serait pas posé semblable question sans la résoudre immédiatement. Jacques Bernard, en effet, n'était autre que l'énigmatique personnage qui, quelques jours auparavant, avait lié connaissance, sur les bords de la Seine, avec le vieux chemineau et que celui-ci, moyennant une pièce de vingt sous, avait mené dans la maison du quai d'Auteuil pour visiter la chambre tragique où s'était déroulé le drame mystérieux qui avait coïncidé avec la disparition de l'ouvrier Maurice.

Mais Miquet n'était pas Bouzille et il n'avait aucune raison pour reconnaître le mystérieux personnage devant lequel il se trouvait...

Au surplus, peu lui importait. L'acteur avait une mission à remplir ; il en exposa les grandes lignes aussitôt, sans plus tarder :

— Voilà, monsieur, fit-il, ce qui m'amène : Mme Alicet, la directrice d'une revue intitulée *Littéraria*, a appris tout récemment que vous étiez le légataire universel et aussi l'exécuteur testamentaire du poète Olivier si malheureusement mort à la fleur de l'âge...

Jacques Bernard, à ces mots, prenait une mine apitoyée. Machinalement, il baissait la tête, paraissait essuyer du revers de sa main une larme au coin de son œil et Miquet, jugeant que le moment était opportun d'adresser un souvenir au pauvre défunt, s'interrompait pour murmurer :

— Pauvre Olivier ! n'est-ce pas ?

— Pauvre Olivier ! répliqua en effet Jacques Bernard.

Après un silence, Miquet reprit la parole...

Il exposa la démarche dont il avait été chargé et dès les premiers mots, Jacques Bernard comprit ce dont il s'agissait. L'héritier, alors, avec volubilité et presque les allures d'un camelot qui offre toutes sortes de marchandises à une hypothétique clientèle, proposait :

— Il me reste encore un peu de littérature, mais, dame, vous arrivez

---

1. Voir dans le présent volume : *Le Train perdu.*

à temps, monsieur ! D'ici à quelques jours, du train dont ça va, j'aurai tout liquidé ! Voyons, vous faut-il du gai ? du triste ? quelque chose de long ou de court ? des vers ? de la prose ? un livret d'opéra ? un drame en cinq actes ? du texte à l'eau de rose pour jeunes filles ou de la littérature corsée pour imprimer en Belgique ? J'ai tout ce qu'il faut, vous n'avez qu'à faire votre choix !...

Abasourdi, Miquet écoutait les propositions faites sur un ton de commis d'épicerie cherchant à vendre de la mélasse, des olives ou des pruneaux...

L'artiste avait une forte envie de rire, mais il n'osait le faire, son interlocuteur qui venait de s'asseoir devant son bureau en désordre et qui fouillait fiévreusement dans ses paperasses, ne paraissait nullement comprendre l'ironie de la chose.

Miquet hasarda :

— Mon Dieu, monsieur, je crois que pour *Littéraria*, quelques pièces de vers convenables, mais cependant sentimentales avec une pointe d'amour et une note de poésie, conviendraient à merveille...

— J'ai votre affaire ! déclara Jacques Bernard, j'ai tout à fait votre affaire, et dans de très bonnes conditions... cinquante centimes la ligne, vers ou prose, à votre choix ! Évidemment vous me direz que les vers sont plus courts et que l'on perd, à la quantité, sur la prose, mais le vers est plus difficile à écrire et c'est pour cela que nous le tarifons plus cher. Cela se comprend, n'est-il pas vrai ?...

Miquet, de plus en plus ahuri, se mordait la lèvre pour ne pas éclater. Il accepta en principe, puis à tout hasard demanda :

— N'auriez-vous pas une petite saynète à deux ou trois personnages ?

— Pour quel genre de public ? interrogea Jacques Bernard.

— Ma foi, monsieur, répliqua Miquet, pour un public mondain, élégant, distingué... Vous ai-je dit que Mme Alicet se propose d'organiser très prochainement une soirée artistique dans les salons de sa revue pour célébrer la mémoire de feu le poète Olivier ? Cette piécette serait jouée à cette fête et on l'interpréterait avec un ou deux camarades...

L'acteur s'arrêta. Jacques Bernard le fixait, en plissant les yeux, cependant qu'il l'interrompait du geste de la main :

— Dites donc, suggérait-il, cordialement, tout cela c'est très joli, hein, mais est-ce qu'on pourrait en avoir un peu d'avance ?

— De quoi ? demanda Miquet interloqué...

Jacques Bernard s'esclaffa :

— Hé, tiens ! parbleu, de la galette ! Vous savez, j'ai des frais et puis je ne roule pas sur l'or !...

Miquet s'excusait de n'avoir pas songé plus tôt à ce détail d'importance. Il acquiesça.

— Mais, bien entendu, cher monsieur ! J'en dirai deux mots tout à l'heure à Mme Alicet qui se fera certainement un plaisir de vous envoyer un petit acompte...

Jacques Bernard, rassuré, concluait alors d'un air rayonnant :

— Eh ! mais ça colle, parfaitement ! ça colle ! voyons ? voici déjà deux poèmes que vous pouvez emporter... Et vous pouvez m'en croire, c'est de l'Olivier de derrière les fagots, tout ce qu'il a fait de mieux dans ce genre-là ! Quant à la pièce, laissez-moi le temps de la rechercher, je vous enverrai ça demain soir... Voyons, vous mettrez bien une dizaine de louis ?... je vous assure que vous serez content !

Miquet acceptait sans difficulté : il serait toujours temps de résilier le marché si Mme Alicet le trouvait trop exagéré...

L'acteur se levait alors, regagnait la porte ; Jacques Bernard le retint un instant par le bras :

— Et avec ça, monsieur ? interrogea-t-il...

— Quel épicier ! pensa l'acteur...

Mais Jacques Bernard lui suggérait :

— Vous savez que, moi aussi, j'en fabrique de la littérature, si des fois vous aviez besoin, si Mme Alicet voulait...

Miquet eut un geste évasif. Jacques Bernard n'insista pas...

— Oui, je comprends ! murmurait-il, résigné d'avance et sachant par anticipation, par expérience aussi, sans doute, la réponse qu'on allait lui faire... je comprends, je suis moins connu qu'Olivier !...

Il n'insistait plus...

Jacques Bernard reconduisait Miquet jusqu'à la porte de son logement, multipliant les courbettes et les salutations.

Or, au moment où l'acteur ouvrait la porte, un éclair éblouissant se produisit, suivi d'une petite explosion !

Miquet poussait un cri, mais il entendait derrière le nuage de fumée âcre qui obscurcissait soudain la pièce, la voix railleuse du photographe Sigisimons. Triomphalement, le reporter photographe s'écriait :

— Quand je vous disais que je l'aurais ! Ça y est ! monsieur Jacques Bernard ! vous êtes dans ma plaque !...

Le photographe s'enfuyait précipitamment, traversant en courant les plates-bandes du jardinet. Il attendait quelques instants l'acteur dans le passage Didot.

— Hein ! penses-tu que je l'ai eu à l'esbroufe ? déclara Sigi à Miquet.

Derrière Miquet, Jacques Bernard s'était subrepticement glissé dans le jardinet. Il allait droit au petit enclos dans lequel le concierge de la propriété signalait toujours sa présence en tapant avec acharnement sur les casseroles.

— Père Nicolas, disait-il au vieux bonhomme, si on vient me demander encore cet après-midi, saquez-moi tout ce monde, je n'y suis pour personne !

— Vous pouvez y compter, répliquait le vieux concierge, si vous croyez que ça m'amuse d'avoir un va-et-vient, comme ça, dans le jardin ! Ils effrayent les poules, ils écrasent la légume ! Plus souvent que j'attendrais vos instructions pour les fiche à la porte !

Jacques Bernard était rentré chez lui, il s'y enfermait à clé, et seul, bien seul désormais, le mystérieux individu allait à une glace, se regardait avec complaisance dans le miroir et, se souriant à lui-même, monologuait à haute voix :

— Décidément j'ai eu une idée épatante ! Pour une fois, l'une de mes blagues me rapportera quelque chose... Et comment !... C'est même la fortune que ça va me valoir !

Jacques Bernard demeurait quelques instants absorbé, puis reprenait :

— En somme, résumons la situation, afin de nous y reconnaître... Il y a quinze jours, crevant de faim, et, pour des raisons connues de moi seul, obligé à me dissimuler, je vivais sous le nom d'Olivier, qui n'est pas mon nom car Olivier n'a jamais existé, de maigres honoraires, péniblement gagnés en tant que poète... Là-dessus, le hasard me fait apprendre que le fameux crime d'Auteuil, le crime qui a eu pour victime un nommé Maurice, est en réalité un crime fictif, simulé, simulé par l'assassin lui-même ! Crac ! cela me donne une idée de génie ! Ce Maurice n'existe pas en tant que mort, et d'autre part, puisqu'il a voulu se faire passer pour un guillotiné, il doit avoir des raisons pour ne pas reparaître sous sa personnalité de Maurice... C'est ce que je comprends immédiatement ! Et, non moins immédiatement, je m'arrange pour en tirer parti. Tout d'abord, je glisse des lettres, dans le domicile de ce Maurice disparu. Ces lettres ont pour effet de tromper tout le monde. On croit communément que Maurice s'appelait en réalité Olivier, que Maurice était le poète Olivier. Ce n'est donc plus Maurice qui passe pour avoir été assassiné, c'est le poète Olivier, c'est moi !... Là-dessus, crac, je change de nom ! je me fais appeler Jacques Bernard ! Comme j'ai eu la précaution de léguer toutes les œuvres d'Olivier à Jacques Bernard, j'hérite de moi-même, et comme un littérateur mort vend facilement sa marchandise, je vends actuellement avec la plus grande facilité, en tant que Jacques Bernard, les manuscrits dont je n'aurais pas pu me défaire si j'étais resté Olivier !...

L'extraordinaire personnage concluait ces réflexions par un éclat de rire joyeux...

— Le plus drôle dans tout cela, reprenait-il bientôt, c'est que personne n'est mort ! L'ouvrier Maurice a simplement fait une fumisterie, pour des raisons que je ne sais pas d'ailleurs ! J'en ai commis une autre, en faisant croire à la mort d'Olivier, c'est-à-dire à ma mort ! J'en fais enfin une troisième en me donnant pour Jacques Bernard qui n'existe pas et en vendant ma production accumulée !... Ce qu'il y a de mieux encore, c'est que tout cela va me faire gagner beaucoup d'argent, un argent, fichtre de bon sang, qui commençait à m'être nécessaire, et qui me servira à de sérieuses besognes...

L'extraordinaire Jacques Bernard, l'auteur de la plus invraisemblable des bouffonneries, car, en réalité, sa conduite ingénieuse était une véritable bouffonnerie, s'interrompait brusquement :

— Zut ! ajoutait-il, je rêve ! je rêve ! et l'heure passe ! Il ne faut pas oublier que j'ai de la marchandise à livrer et que le stock de mes approvisionnements d'avance s'épuise terriblement. Au travail ! sapristi ! Tout d'abord où vais-je copier l'acte en vers, promis à cet excellent Miquet ? Car, en réalité, je n'ai rien d'avance dans ce genre-là...

Le bohème hésitait un instant, puis fouillait dans un tas de livres entassés dans un angle de la pièce.

— Parbleu ! grommelait-il, je trouverai bien quelque chose à démarquer dans Molière, Racine, Voltaire ou Corneille. Comme mon acte va être joué chez Mme Alicet, devant un public de gens de lettres, je n'ai pas à me gêner. Je suis sûr que ces gaillards-là n'y verront que du feu, et qu'ils ne reconnaîtront pas la supercherie...

IX

La maîtresse de Maurice-Olivier

Mme Benoît, qui avait reconduit le professeur Ardel jusqu'au haut de l'escalier, l'interrogeait encore anxieusement :

— Enfin, monsieur le docteur, que pensez-vous de cela ?

Le prince de la science, qui, malgré le nombre incommensurable de ses occupations, consentait, résigné, à se laisser poser plusieurs fois de suite les mêmes questions, répondait avec un bon sourire :

— Je vous l'ai déjà dit, madame, et je vous répète ce que je disais à la malade : elle peut se considérer comme parfaitement rétablie !

Mme Benoît, malgré tout, inquiète, voulait encore faire préciser :

— Il n'y a plus à redouter ce dont vous parliez avant-hier, ces complications ?

Le professeur rétorquait nettement :

— Non, madame ! il n'y a rien à craindre !... La malade est hors de danger, absolument hors de danger, et d'ailleurs, ça n'est plus une malade, mais une convalescente, presque une personne parfaitement bien portante...

Mme Benoît poussait un profond soupir de soulagement :

— Ah merci ! merci ! monsieur le docteur ! proférait-elle, jamais je ne saurais vous exprimer toute ma reconnaissance, j'ai été si inquiète pour cette pauvre petite...

Le professeur Ardel qui, machinalement, avait descendu quelques marches de l'escalier, s'arrêtait un instant pour protester contre la gratitude de la brave femme...

— Je n'ai fait que mon devoir, madame, déclarait-il, en fournissant mes soins ; toutefois, je comprends votre inquiétude, j'ai été moi-même fort ennuyé au début de la maladie. Il y avait là des symptômes inquiétants, très inquiétants... je ne vous ai pas caché mes appréhensions, et en réalité, il faut reconnaître que nous avons frisé la fièvre cérébrale... adieu, madame !...

Le docteur descendait encore quelques marches, Mme Benoît le poursuivait :

— Et le régime à suivre en ce moment, docteur ?

— Oh, elle peut aller et venir comme elle voudra, à la simple condition de ne pas se fatiguer... toutefois, je ne veux pas d'émotion, faites-y bien attention... Madame, je vous salue !...

Le professeur Ardel avait atteint les deux premiers tiers de l'escalier qu'il descendait. Après avoir consulté discrètement sa montre, il devait s'arrêter une troisième fois encore ; insatiable, Mme Benoît voulait encore se renseigner auprès de lui :

— Reviendrez-vous, monsieur le docteur ?

Ardel secoua nettement sa grosse tête, ornée de cheveux blancs tout frisés :

— C'est parfaitement inutile, madame...

Cette fois, il s'en allait définitivement, mais, s'arrêtant à son tour, de sa propre initiative, au pied de l'escalier, cependant que Mme Benoît remontait lentement les quelques marches qu'elle avait descendues à la poursuite du professeur, celui-ci, haussant la voix, recommandait :

— Et puis, qu'elle vienne me voir à ma consultation, dans huit jours ! Je reçois chaque jour, de quatre à six...

Le professeur Ardel, jeune encore, malgré sa haute notoriété, franchissait rapidement le petit couloir du modeste immeuble, et, traversant l'étroit trottoir de la rue, sautait dans son automobile qui démarrait silencieusement, non sans provoquer dans le quartier de la rue Brochant un certain émoi de surprise, dû à la présence inaccoutumée d'un aussi luxueux véhicule.

Mme Benoît, rassurée par les dernières paroles du docteur, venait de rentrer sans bruit dans son appartement. Elle pénétra dans la chambre de ses filles, s'arrêta sur le seuil de la porte, sans dire une parole, un peu émue.

A la fenêtre ouverte, Firmaine était accotée. La jeune fille, encore convalescente, et dont la pâleur accroissait le charme, la distinction, demeurait immobile, rêveuse, le regard levé au ciel, perdu dans l'infini.

La jeune fille songeait, sa poitrine se soulevait à de fréquents intervalles, comme si elle avait été oppressée par une douleur sourde, un poids considérable.

Mme Benoît, ayant considéré son enfant d'un regard attendri, haussa doucement les épaules ; d'une voix presque imperceptible, elle appela :

— Firmaine !

Comme si elle s'éveillait brusquement d'une lourde torpeur, la jeune fille tressaillit, se retourna :

— A quoi pensais-tu, ma chère petite ? interrogea Mme Benoît.

Les yeux de la jeune fille se remplirent de larmes. Dans un mouvement instinctif, spontané, Firmaine s'était levée, elle était allée vers sa mère, et laissant aller sa tête sur la poitrine de la brave femme, donnait libre cours à ses pleurs.

Mme Benoît l'avait fait asseoir à côté d'elle sur un petit canapé ; elle caressait ses beaux cheveux blonds, la serrait sur son cœur, la dorlotait, comme lorsqu'elle était petite.

La mère murmurait à son enfant :

— Voyons, Firmaine, voyons, il ne faut pas te frapper comme ça, mon enfant, et puis tu viens d'être si malade, songe donc que le passé n'est plus, et qu'il ne saurait revenir... tu es jeune encore, tu oublieras...

Firmaine esquissait un vague sourire, puis hoquetait dans un nouveau sanglot :

— Maman, j'aimais tant Maurice !...

Mme Benoît eut un geste vague, accablé...

Ah, certes, la malheureuse veuve savait mieux que personne qu'il n'y avait point de consolation à apporter à d'aussi brutaux événements que ceux que détermine la mort. Elle savait aussi par instinct, par expérience, que les mauvais souvenirs sont de ceux qu'il faut s'efforcer de chasser en leur substituant des espérances, car tout, dans la vie ici-bas, n'est que tristesse et désespoir...

Elle changeait la conversation :

— Le docteur Ardel, murmurait-elle doucement, est un bien grand médecin, et un bien brave homme ; sais-tu que sans lui, certainement, ma pauvre chérie, tu ne serais plus de ce monde... Il t'a soignée avec un dévouement...

Firmaine souriait au souvenir des bons soins que lui avait prodigués le remarquable praticien.

— Oh oui, déclarait-elle, dans un élan sincère de reconnaissance, il a été bien bon pour nous, et je l'aime bien !... D'ailleurs, je me sens tout à fait guérie maintenant, je n'ai plus de douleurs, plus de courbatures, plus de maux de tête...

La jeune fille, en effet, malgré sa pâleur, avait repris bon aspect ; c'était la jeunesse triomphante qui s'imposait, reprenait le dessus, c'était la nature plus forte que la maladie, c'était la santé qui triomphait du chagrin.

Mme Benoît insinua :

— Tu sais, Firmaine, il faut avoir aussi de la reconnaissance pour celui qui... celui que... pour la personne qui nous a envoyé le docteur Ardel, car enfin sans lui...

Visiblement, la brave femme s'embarrassait. La jeune fille qui, à ces premiers mots avait eu un tressaillement d'émotion douloureuse, fit un effort sur elle-même, elle approuvait sa mère :

— Oui ! reconnut Firmaine, le vicomte a été bon dans cette circonstance ; je sais bien que c'est grâce à lui que je suis sauvée...

Mme Benoît, heureuse de la tournure que prenait la conversation, continuait, faisant l'éloge du riche homme du monde, naïvement, sans se douter du rôle équivoque qu'en somme elle jouait, car l'excellente femme n'avait qu'une idée à l'esprit, qu'un désir au cœur, le bonheur et la santé de son enfant !

Elle poursuivit :

— Il est délicat, cet homme-là, distingué et si correct ; c'était difficile pour lui de venir me parler de toi, à ta mère, et cependant, pendant que tu étais malade, il s'est arrangé, sans me froisser, sans nous gêner...

Firmaine hochait la tête affirmativement.

— Tu devrais l'aimer, Firmaine ! Il t'aime tant !

Puis, poursuivant très vite, craignant une révolte de sa fille, la tendre mère ajoutait :

— Sais-tu qu'il conseillait de t'envoyer te remettre à la campagne, au bord de la mer ou dans la montagne ?... Voilà qui serait une bonne idée !... Certainement si tu voulais, il t'accompagnerait... il est tout prêt à partir...

Firmaine s'était écartée de sa mère ; elle la considérait désormais, méfiante, inquiète, le regard un peu méchant :

— A qui donc a-t-il dit cela ? interrogea-t-elle durement... à toi ?...

Mme Benoît hochait la tête négativement, puis, comme une écolière prise en faute, elle murmurait les yeux baissés :

— Non ! pas à moi ! c'est à Margot qu'il l'a dit...

— A Margot ? interrogea Firmaine avec un ricanement ironique, comment ! cette gamine-là s'est permis...

Mme Benoît l'interrompait :

— Ne dis pas de mal de ta sœur, tu sais comment elle est, c'est une enfant qui ne réfléchit pas et puis, elle est bavarde, familière... Enfin, comme le vicomte n'osait pas approcher d'ici, c'est par Margot qu'il avait de tes nouvelles. Tu connais la petite, elle ne demandait pas mieux que de le renseigner, ils sont très bien ensemble.

Les deux femmes, désormais, se taisaient. Anxieusement, Mme Benoît essayait d'épier sur le visage de Firmaine les divers sentiments qui, évidemment, se livraient une lutte sous le front pensif de la jeune fille.

Firmaine, enfin, murmura :

— J'essaierai, maman... oui, je te le promets, j'essaierai de l'aimer !... Ce que le vicomte a fait pour moi me touche, me touche au fond du cœur, véritablement...

Quelques instants après, Firmaine avait coiffé son chapeau et jeté sur ses épaules une longue écharpe :

— Où vas-tu ? interrogea Mme Benoît, alarmée. Tu as donc l'intention de sortir ?...

Firmaine répondait en embrassant sa mère :

— Tu sais bien, maman, que j'ai la permission de sortir seule, maintenant. Tous ces jours-ci, tu m'as accompagnée dans mes promenades, car tu craignais que je ne sois malade en route, mais maintenant je suis forte, n'aie donc pas peur !

Mme Benoît hésitait à demander à Firmaine le but de son départ. Sans se l'avouer, la brave femme espérait peut-être, si elle voulait sortir seule, c'était pour aller retrouver le vicomte. Celui-ci n'avait-il pas fait dire qu'il passerait tous ses après-midi à sa garçonnière, rue de Penthièvre ?

Insistant, sans trop l'oser, Mme Benoît interrogea :

— Tu vas peut-être faire un tour à l'atelier, Firmaine ?

— Peut-être ! répliqua évasivement la jeune fille...

Puis, ayant pris congé de sa mère, elle sortit...

Non ! Firmaine n'allait pas à l'atelier !... Elle n'allait pas non plus chez le vicomte de Pleurmatin. Firmaine, depuis quelques jours, avait collectionné certains articles de journaux qu'elle conservait précieusement dans son sac à main. Elle prit une voiture et jeta une adresse à l'automédon, qui leva les bras au ciel en grommelant :

— Y a pas moyen d'aller plus loin ! c'est à l'autre bout de Paris !...

— M. Jacques Bernard, s'il vous plaît ?

— M. Jacques Bernard, mais c'est moi, mademoiselle !...

Le pseudo-héritier du poète Olivier, qui précisément sortait de son domicile et se trouvait à l'entrée du passage Didot, s'était arrêté net à la question que l'inconnue venait de lui poser et avait répondu, machinalement, dans le sens de la vérité.

L'interlocutrice qui se trouvait devant lui se taisait, un peu embarrassée, semblait-il, et Jacques Bernard, justement intrigué de cette apostrophe en pleine rue, attendait des explications...

Celles-ci ne tardèrent pas. La jeune fille avait retrouvé son assurance ; elle reprit, sortant une coupure de journal de sa poche, qu'elle mettait sous les yeux de Jacques Bernard :

— Excusez-moi, monsieur, de vous avoir abordé ainsi dans la rue, mais, sans vous connaître, je vous ai reconnu à ce portrait !

Jacques Bernard hochait la tête ; il grommela :

— Parbleu ! c'est encore un tour de cet animal de Sigisimons, ce damné photographe m'a eu, comme il me le promettait !...

Puis, Jacques Bernard questionnait à son tour la personne qui l'avait abordé :

— Que puis-je pour vous, mademoiselle ?

La jeune fille, sans hésiter, proféra :

— Il faut que je vous parle, monsieur, c'est important, pouvez-vous me recevoir ?

— Ma foi, déclara Jacques Bernard, j'allais précisément sortir, mais puisque c'est important, venez !...

Le jeune homme précédait désormais sa visiteuse dans l'extraordinaire propriété au fond de laquelle il habitait. A deux ou trois reprises, il lui signalait les passages difficiles du jardin, lui montrant où il fallait poser le pied pour ne pas s'embourber.

Jacques Bernard, d'un coup de pied dans sa porte, ouvrait son misérable logis. La jeune fille ne manifestait aucun sentiment, elle dissimulait bien les impressions qu'elle pouvait ressentir : Jacques Bernard s'en faisait la remarque et était de plus en plus intrigué.

Une fois dans le pseudo-atelier qui lui servait de chambre et de cabinet de travail, Jacques Bernard, ayant, tant bien que mal, clos son appartement, afin de démontrer à son interlocutrice, aux apparences mystérieuses, qu'elle pouvait lui parler sans crainte d'être entendue, l'invita à s'asseoir.

— Prenez donc la peine, mademoiselle, commença-t-il...

Machinalement, la visiteuse avait jeté un regard autour d'elle, puis hésitait.

Jacques Bernard comprit son attitude :

— Sapristi ! lui dit-il, je vous demande pardon, mademoiselle ! C'est qu'en effet c'est tellement encombré chez moi qu'il n'y a pas une chaise de libre !...

En un tour de bras, Jacques Bernard enlevait les dossiers et les livres qu'il jetait sans vergogne sur le seuil où ils s'effondraient en soulevant un nuage de poussière. L'hôte étrange du passage Didot époussetait le siège sur lequel ils se trouvaient afin de le rendre digne de son interlocutrice.

Celle-ci s'installa, puis, regardant Jacques Bernard dans les yeux :

— Je m'appelle Firmaine Benoît ! déclara-t-elle.

Le jeune homme s'inclina sans répondre. Ce nom ne lui disait rien ou peu de chose. D'ailleurs, les explications qu'il attendait ne tardèrent pas. Firmaine poursuivait, faisant un effort et rougissant jusqu'à la racine des cheveux :

— Je suis... j'étais... l'amie d'Olivier !...

Cette déclaration soudaine et imprévue interloqua tellement Jacques Bernard qu'il ne put trouver un mot à répondre. La jeune fille, se méprenant sur son silence, ajoutait encore, devenant écarlate, mais accentuant ses mots :

— Je veux dire, monsieur, que j'étais la maîtresse d'Olivier !...

L'ahurissement de Jacques Bernard atteignit alors son comble !

Le jeune homme, avec des yeux écarquillés de surprise, considérait son interlocutrice. Il était tellement abasourdi par cette déclaration, que, ne songeant plus, pour un instant, au rôle qu'il jouait depuis quelques jours, Jacques Bernard s'écria :

— Mais Olivier n'existe pas !

Heureusement, il se reprenait aussitôt et, affectant un air accablé, en conformité avec la situation :

— N'existe plus, du moins ! n'existe plus !... le malheureux !... le pauvre garçon !... Ah ! c'est bien triste ! mourir ! comme ça ! si affreusement !...

Jacques Bernard ne continuait pas ! Chacune de ses paroles évoquait le terrible drame qui avait si épouvantablement impressionné Firmaine, déterminait chez elle une émotion croissante. De grosses larmes coulaient sur les joues de la jeune fille, des sanglots interceptaient sa gorge.

Jacques Bernard, de plus en plus étonné, ne comprenant rien à cette scène étrange, éprouvait à la fois une profonde pitié à la vue du chagrin de la jeune fille et une formidable envie de rire à l'idée que cette personne pouvait croire un instant qu'elle avait été la maîtresse d'un individu qui n'existait en réalité qu'en l'imagination du personnage devant qui elle se trouvait !

Et, toute l'ironie gouailleuse qui faisait le caractère de Jacques Bernard lui montant aux lèvres, le jeune homme ne pouvait s'empêcher de penser à part soi :

— Décidément, si cet Olivier n'était pas moi-même, je finirais bien par en être jaloux ! Bougre de bougre ! voilà un animal auquel, depuis qu'il est mort, on découvre un talent superbe ! qui gagne de l'argent depuis quarante-huit heures, à vendre ses élucubrations, plus qu'il n'en aurait gagné dans toute son existence, fût-elle celle de Mathusalem, s'il était demeuré vivant ! Or, non seulement il a des succès intellectuels, mais voici qu'il est adoré des femmes, et de quelles femmes ! Je n'en connais qu'une pour le moment, celle qui est devant moi, mais, fichtre ! elle vaut la peine qu'on y fasse attention !... Mâtin ! la jolie fille !... Si je ressuscitais en tant qu'Olivier ?...

Et, d'un regard très attendri, Jacques Bernard, désormais, considérait Firmaine qui, peu à peu, reprenant sur elle, honteuse de montrer ses sentiments, de divulguer son chagrin devant un inconnu, tamponnait ses grands yeux de son mouchoir, refoulait ses larmes, cependant qu'un long frisson secouait son corps charmant, élégamment vêtu.

Jacques Bernard interrogea :

— Expliquez-vous... je vous en prie, mademoiselle ?...

Firmaine acquiesçait à cette demande. Aussi bien en comprenait-elle l'opportunité.

— C'est une histoire assez compliquée, monsieur, et une bien malheureuse histoire aussi, mais peu vous importe ! Donc, monsieur, je vous disais que j'étais la maîtresse d'Olivier. C'est exact, je l'avais connu il y a de cela quelques semaines. Pour je ne sais quelles raisons, il m'avait dit qu'il s'appelait Maurice et qu'il était ouvrier, qu'il travaillait dans des ateliers où se fabriquent les ballons. Moi, n'est-ce pas, j'avais toute raison de le croire. Il m'aimait beaucoup et je le lui rendais. Nous devions nous marier l'hiver prochain. C'était une affaire décidée... Soudain est survenu le drame que vous connaissez... J'ai vu, de mes yeux vu...

Firmaine passait la main sur son front, comme pour en chasser l'affreuse image, pour en écarter l'odieux souvenir.

— Non ! poursuivait-elle, c'est inutile que je vous raconte ces détails ! vous les connaissez sans doute ; leur évocation, d'ailleurs, serait au-dessus de mes forces...

A son tour, Jacques Bernard interrogeait :

— Mais qu'est-ce qui vous fait croire, demanda-t-il en hésitant, que ce M. Maurice, votre ami, et Olivier...

Firmaine l'interrompait :

— Oh ! monsieur, c'est bien simple ! Après la mort de Maurice, lorsqu'on a fait des recherches sur son identité, on a découvert tout de suite qu'il n'était ni ouvrier, ni employé dans une fabrique de ballons. Ces fabriques ne sont pas nombreuses, on a interrogé les patrons, aucun d'eux ne connaissait Maurice. Par contre, on a retrouvé au domicile de... de mon amant... des papiers, des lettres, toutes sortes de choses qui prouvaient qu'il s'appelait non pas Maurice, mais Olivier, qu'il était non pas ouvrier, mais écrivain... D'ailleurs, poursuivit la jeune fille en s'animant, je m'en étais presque doutée. Certes, je ne méprise pas les ouvriers, loin de là ! je suis moi-même ouvrière et j'en suis fière, monsieur ! Mais enfin, je me rendais bien compte que Maurice, du moins avec moi, n'était pas comme les autres, comme ceux que je connais, comme les ouvriers ordinaires, enfin ! Il avait une façon de s'exprimer, si douce, si jolie, il savait trouver des choses si bien...

Jacques Bernard protesta :

— Ce n'est pas toujours une raison, mademoiselle ! Un grand poète a dit qu'un homme vraiment touché, quelles que soient sa condition et son éducation, sait toujours trouver des choses charmantes pour exprimer ses sentiments ; il n'est donc pas étonnant que ce M. Maurice, quoique ouvrier, puisqu'il vous aimait, ait dû vous dire joliment...

Mais Firmaine hochait la tête :

— Mais, monsieur, puisque tous les journaux, la police elle-même, ont reconnu que Maurice était Olivier !...

Puis soudain, la jeune fille s'interrompait :

— Et je m'étonne, monsieur, fit-elle brusquement, de vous entendre parler ainsi !... Enfin, vous le connaissiez... aussi bien que moi ! depuis plus longtemps sans doute ?... S'il était votre ami... puisque vous êtes son héritier, c'est indiscutable... alors, pourquoi ?...

Jacques Bernard réprimait un tressaillement !

Ah ! certes ! il venait de frôler la gaffe et s'en rendait compte.

Décidément, le jeune homme n'était pas habitué aux mensonges et jouait difficilement un rôle d'imposteur.

Pour la seconde fois, il venait de manquer de se couper. Évidemment, elle avait raison, cette jeune fille, il ne pouvait douter, lui, Jacques Bernard, que Maurice ne fût Olivier !...

Et d'ailleurs, n'avait-il pas fait tout, pour cela ? pour accréditer cette erreur ?

Toutefois, Jacques Bernard éprouvait une formidable angoisse. Sa situation, en effet, était délicate. Certes, il avait tout fait pour démontrer publiquement que le mystérieux mort n'était autre qu'Olivier, mais Jacques Bernard, en son for intérieur, savait parfaitement aussi qu'Olivier ne pouvait être Maurice, puisque Olivier n'existait pas...

Or, voici qu'un nouveau problème se posait à son esprit.

Maurice existait assurément et Jacques Bernard se demandait quelle pouvait être sa personnalité ?

D'après les déclarations de cette charmante jeune fille, qui assurait avoir été sa maîtresse, ce Maurice semblait devoir être un honnête et gentil garçon. Pourquoi avait-il disparu ? pourquoi avait-il, de lui-même, volontairement, imaginé la macabre mise en scène de sa mort fictive ? Là, évidemment, était le mystère non encore élucidé !

Mais si c'était un honnête homme, ce Maurice ne manquerait certainement pas de venir, un jour ou l'autre, révéler sa véritable identité et, par suite, repousser celle que lui avait si cavalièrement attribuée Jacques Bernard !...

Une autre hypothèse germait encore dans l'esprit de l'habitant du passage Didot. Ce Maurice pouvait fort bien n'être pas le délicieux petit saint Jean que se complaisait à décrire sa maîtresse. Peut-être était-ce, au contraire, un repris de justice qui, poussé par les circonstances, s'était vu contraint, un beau jour, de disparaître brutalement ?...

Il aurait alors imaginé sa fausse décapitation et simulé la disparition de son cadavre.

Jacques Bernard, au premier abord, se disait qu'il préférait pour son compte cette solution à toute autre. Car si Maurice avait été obligé de disparaître, il ne pourrait plus venir se plaindre qu'on ait attribué à son pseudo-cadavre la personnalité d'Olivier !

Tout au contraire, Jacques Bernard, en imaginant cette supercherie, lui aurait rendu service...

Toutefois, Jacques Bernard se demandait si, quelque jour, il ne recevrait pas la visite du Maurice en question, qui viendrait lui dire entre quatre yeux : « Mon cher monsieur, je connais toutes vos manigances ! Je sais comment vous vous êtes servi de moi pour tirer profit de votre faux personnage Olivier, c'est une affaire entendue, je ne le révélerai à personne, mais je ne veux pas que vous profitiez seul de ces avantages ! Ainsi donc à deux de jeu ! » Et Jacques Bernard entrevoyait, dès lors, toute une série d'aventures confuses, de collaborations désagréables, de compromissions équivoques qui n'étaient guère pour le réjouir et lui faisaient désormais considérer sous un jour moins serein la bonne plaisanterie, devenue si avantageuse, que quelques jours auparavant il avait jouée à ses contemporains en leur faisant identifier aux lieu et place d'un cadavre inexistant, son personnage réel d'Olivier !

Jacques Bernard interrompit ses pensées pour interroger à nouveau la jeune fille, qui, perdue de nouveau dans son rêve, ne rompait point le silence. Coûte que coûte, Jacques Bernard était engagé, il fallait jouer la partie jusqu'au bout, et fort habilement, le jeune homme se disait que peut-être celle qui avait connu réellement Maurice allait pouvoir lui fournir des détails qui donneraient de la vraisemblance, si jamais besoin en était, à la personnalité fictive d'Olivier...

— Pauvre Olivier ! larmoyait hypocritement Jacques Bernard, afin d'enchaîner à nouveau la situation, c'était un bien brave garçon ! Et comme il avait du talent ! Et doux avec cela ! Du reste, n'est-ce pas, mademoiselle, tous les hommes blonds sont doux et faciles !

Jacques Bernard avait lancé cette appréciation en se disant « pourvu qu'il soit blond ou même châtain... j'ai quelque chance de le savoir ! »...

Mais Firmaine le regarda stupéfaite, puis l'interrompait :

— Que venez-vous de dire, monsieur ? Olivier, blond ?... ah ça !... mais il avait les cheveux d'un noir !...

Jacques Bernard affecta un air d'insouciance absolue :

— C'est bien ce que je dis, mademoiselle, noir, ce pauvre Olivier, noir de jais !...

Puis, feignant soudain de comprendre, il riait :

— Ah ! je vois ce qui vous surprend, j'ai dû dire blond, tout à l'heure !... oh, ne faites pas attention ! la langue m'a fourché ! Que voulez-vous, je suis si désemparé, moi aussi... si bouleversé... Tenez, ajoutait-il, en désignant le désordre de son logement... Voyez... tous ces papiers, ces livres !... cela me vient de lui !...

Firmaine soudain se levait : elle allait vers Jacques Bernard et d'un air d'angoisse attendrie :

— Monsieur, demanda-t-elle, vous vous souvenez de mon nom, n'est-ce pas ? Firmaine Benoît... Eh bien, dites-moi, dans les papiers d'Olivier, vous n'avez rien trouvé qui me fût adressé ?... destiné ?... aucun souvenir ?...

— Ah ! mais non ! s'écria Jacques Bernard... avec une netteté tout à fait décisive...

Puis il s'apitoyait du désespoir muet de la jeune fille.

— C'est-à-dire, reprit-il, que je n'ai rien trouvé encore, mais je chercherai, je regarderai...

Machinalement, Firmaine s'était approchée de la table sur laquelle s'amoncelaient des paperasses de toutes sortes. Elle avisait une page manuscrite au bas de laquelle se trouvait la signature d'Olivier :

— Diable ! pensa Jacques Bernard en la voyant lire, ça, c'est embêtant cette histoire-là, comment vais-je m'en tirer ?...

La jeune fille en effet, après avoir, d'un œil attendri, parcouru le texte, lisait la signature.

Elle murmura :

— Ce n'est pas l'écriture de Maurice !...

Mais Jacques Bernard ayant retrouvé tout son aplomb, affirma :

— Je vous demande pardon, mademoiselle, croyez-moi, c'est bien son écriture, c'est bien son écriture... Mais, voilà..., Olivier, de même qu'il avait deux noms, la meilleure preuve, c'est que vous l'avez connu sous celui de Maurice, Olivier, dis-je, avait deux écritures ! L'une toute naturelle, son écriture vraiment personnelle, celle avec laquelle sans doute il vous écrivait, l'autre son écriture de poète, de littérateur... l'écriture professionnelle en un mot... l'écriture des manuscrits...

Firmaine ne cherchait pas à contredire son interlocuteur. Elle voulait bien le croire ! La pauvre enfant était beaucoup trop naïve pour se douter des prodiges d'invention auxquels se livrait depuis quelque temps en son honneur Jacques Bernard, l'inventeur du fictif Olivier !

Firmaine, d'un œil désabusé, considérait le désordre du logement. Elle regardait l'héritier avec ahurissement. Au fond, que lui importaient tous ces détails : l'inexorable, l'indiscutable, c'était que son amant était mort !

Mais la jeune fille, lorsqu'elle se retira, en dépit de sa noire tristesse, avait un léger espoir, une légère étincelle d'espérance. Jacques Bernard venait de lui promettre de fouiller dans les documents d'Olivier, jusqu'à ce qu'il ait trouvé un souvenir bien personnel du défunt, qu'il se ferait un plaisir et un devoir de remettre à celle qui le pleurait avec une si grande douleur !

X

La maîtresse du vicomte

— Vous n'avez pas froid, Firmaine ?
— Pas du tout, je vous assure !
— Il serait facile de jeter une bûche dans le feu...
— C'est bien inutile, mon ami...
— Alors, laissez-moi mettre un coussin sous vos pieds. Je vous vois mal assise, et vous n'êtes point encore assez forte pour vous fatiguer inutilement...

Le vicomte de Pleurmatin quittait le fauteuil où lui-même fumait un cigare et, usant de soins minutieux et attendris, s'efforçait d'installer au mieux la jeune ouvrière, son amie, sa maîtresse, dont il était plus que jamais amoureux, dont plus que jamais il s'efforçait de gagner le cœur !

Depuis quelques jours déjà, d'ailleurs, Firmaine n'habitait plus rue Brochant. Après la violente secousse nerveuse qu'elle avait éprouvée à la suite du tragique assassinat du malheureux Maurice, le vicomte de Pleurmatin n'avait cessé d'user à son égard des plus prévenantes amabilités, des plus gracieuses attentions. Il avait pris pour elle les plus grands soins, s'était multiplié, prodigué, il pensait avoir un peu, sinon touché, du moins ému l'ouvrière.

Et un beau soir, alors que Firmaine commençait à entrer en convalescence, risquait de courtes promenades, il avait obtenu qu'elle vînt s'installer dans un élégant rez-de-chaussée, loué pour elle, rue de Penthièvre.

C'est là qu'ils se trouvaient tous les deux. Ils venaient d'achever de prendre le thé et le vicomte de Pleurmatin, avant d'être obligé de quitter sa maîtresse pour aller satisfaire à ses obligations mondaines, et surtout, hélas ! pour retourner à son domicile près de la vicomtesse de Pleurmatin, usait les dernières minutes qui lui restaient à demeurer avec son amie à contempler cette dernière qui, sérieuse, calme, grave, tenait les yeux fixés sur les bûches du foyer, suivant les jeux de lumière, les langues de flamme, les crépitantes étincelles.

— Vous rêvez, Firmaine ? demandait le vicomte.
— Je ne rêve pas, mon ami, je songe...

— A quoi ?

— Pourquoi me le demander ?

— Pourquoi me le taire ?

— Croyez-vous que je tienne à vous faire de la peine ?

Le vicomte de Pleurmatin, d'un geste résigné, venait de jeter au feu le havane qu'il mâchonnait nerveusement...

— Vous avez raison, dit-il, il est parfois bon d'ignorer et il est toujours stupide de demander à sa maîtresse de vous livrer sa pensée ! Bienheureux sont ceux qui se contentent d'une comédie habilement jouée et pour qui tout baiser est un baiser d'amour !... Bienheureux ? tenez, non ! Je ne crois pas ! car ceux-là, malgré tout, savent qu'ils sont victimes d'une comédie... et l'on n'est point aveugle volontairement ! et il faut bien qu'ils aperçoivent le mensonge... et il faut bien qu'ils sentent l'âcre relent des fausses tendresses, des étreintes hypocrites !... Ah ! Firmaine ! croyez-moi : je vous aime trop pour pouvoir me tromper, me laisser tromper à votre gentille et tranquille nonchalance. Vous êtes triste, ce soir, plus triste qu'hier encore !... Ne me traitez pas en ennemi, ne me traitez point en amant, je ne suis et je ne veux être, près de vous, en cette minute que nous vivons côte à côte, sans pourtant la vivre intimement, qu'un ami, qu'un véritable ami !... Firmaine, Firmaine, pourquoi êtes-vous triste, plus triste ce soir qu'hier, plus triste chaque jour ?... à quoi songez-vous ? à quoi songiez-vous ?... Ah ! Firmaine !

Soudain, brusquement, la jeune femme venait d'éclater en sanglots. De lourdes larmes roulaient sur ses joues amaigries, coulaient, telles des perles liquides, sur son corsage, cependant qu'elle déchirait avec ses dents son mouchoir de fine batiste.

Le vicomte de Pleurmatin s'était levé. Il s'était élancé, tombant à genoux vers le fauteuil de sa maîtresse, il enfouissait sa tête dans ses genoux, il eût voulu calmer les sanglots de la jeune femme, les étancher sous ses baisers et il comprenait, hélas, qu'il lui était impossible précisément de consoler Firmaine, que l'embrasser en ce moment eût été déplacé, qu'il devait, qu'il fallait ne lui rappeler en rien qu'il était son amant... pis... son entreteneur !...

— Firmaine, dit-il, très bas, Firmaine, vous songez à Maurice ?...

— Oui !... pardonnez-moi !...

— Firmaine, je n'ai pas à vous pardonner ! Mais pourquoi, pourquoi pleurez-vous soudainement ? Est-ce ma présence qui vous fait mal ? Voulez-vous que je m'en aille ? M'avez-vous pris en horreur ?... Ah ! Firmaine, pour consoler un peu votre douleur il n'est point de sacrifice que je ne sois prêt à accepter !... Dites, qu'avez-vous ? avez-vous appris du nouveau, des détails plus cruels sur la mort de ce malheureux ? Où avez-vous été, hier après-midi ? Répondez-moi... cela me fait mal de vous sentir pleurer ainsi !...

D'un violent effort, Firmaine se maîtrisait, tamponnait ses yeux. Elle posait ses mains sur les épaules du vicomte de Pleurmatin et le forçant à se relever, à la regarder en face :

— Vous êtes bon, lui dit-elle et je suis une sotte de vous laisser voir ainsi mon chagrin !... Vous êtes très bon ; je vous assure, Raymond, que je vous suis infiniment reconnaissante de tout ce que vous avez fait, de tout ce que vous faites pour moi !... Il faut me pardonner si je ne puis être maîtresse de mes pensées ; si je me tourmente, si je sanglote de la sorte...

— Je n'ai rien à vous pardonner, ma pauvre Firmaine !

— Si !... si !... puisque j'ai accepté de vivre avec vous, puisque j'ai accepté d'être tout à fait votre maîtresse, je ne devrais plus penser du tout à Maurice... Mais, voyez-vous, cette mort, cette affreuse mort est encore si près de moi, que je ne puis en distraire ma pensée... Ah ! l'horrible, l'affreuse, l'abominable chose ! Elle hante mon cerveau. Pardonnez-moi... je ne peux pas, voyez-vous, je ne peux pas l'oublier !...

Le vicomte de Pleurmatin s'était lentement redressé, il avait attiré son fauteuil près de la chaise longue où Firmaine était étendue et, tenant dans ses mains les mains mignonnes de la jeune femme, les pressant d'une étreinte très douce et très discrète, il interrogeait :

— Avec le temps, Firmaine, vous oublierez !... vous oublierez un passé triste parce que je vous ferai un avenir joyeux, un avenir que mon amour, petit à petit, vous forcera à trouver bon... Mais, je vous en prie, ne me cachez rien, vous êtes sortie hier après-midi ?... où avez-vous été ? Vous vous êtes certainement absentée pour une affaire touchant ce malheureux Maurice ?

Dans un souffle, Firmaine avouait :

— Oui !

— Qu'avez-vous fait, alors ? dites-moi tout, mon amie.

Firmaine, émue malgré elle de la tendresse du vicomte, qui, loin de se révolter contre sa maîtresse, loin de se montrer, comme tant d'autres l'eussent été à sa place, amant jaloux, maître brutal, cherchait à la consoler, avoua encore :

— J'ai été voir Jacques Bernard !

— Qui ?

— Jacques Bernard ! l'héritier littéraire de Maurice !... Ah ! c'est vrai, vous ne savez pas ! eh bien, tenez, écoutez, je vais tout vous dire !...

Et elle faisait en détail, au vicomte de Pleurmatin, le récit de sa visite à Jacques Bernard. Elle lui disait ce qu'elle avait découvert, que Maurice n'était point un ouvrier, mais bien un poète, un poète de valeur, et aussi qu'elle avait été douloureusement surprise en apprenant qu'il n'avait point, dans sa lettre testamentaire, fait une seule mention d'elle-même !...

— Ce M. Jacques Bernard, achevait-elle, n'est pas tout à fait certain, il est vrai, que Maurice, Maurice-Olivier, puisque Olivier était son vrai nom, paraît-il, n'ait pas pensé à moi. Il n'a peut-être pas encore dépouillé tous les papiers laissés par mon pauvre ami... et je veux espérer, car, voyez-vous, cela me ferait de la peine, une peine affreuse, douloureuse au possible, de penser qu'il a songé à disposer de ses œuvres et qu'il n'a point laissé pour moi, moi, sa maîtresse, moi qui l'adorais, le moindre mot d'adieu, la moindre affectueuse parole !...

Le vicomte Raymond de Pleurmatin ne répondait point...

Baissant la tête, il songeait à son tour et sa songerie était accablée.

C'était en vérité, sincèrement, profondément, de tout son cœur et de toute son âme, que le vicomte de Pleurmatin aimait la pauvre Firmaine. Et la situation de cet homme était étrange, que les circonstances amenaient à consoler une maîtresse adorée sanglotant la mort d'un autre amant !...

Le vicomte de Pleurmatin, au courant de tous les bruits de la capitale, de tous les événements scandaleux, de toutes les péripéties de l'actualité, n'ignorait point, bien entendu, la double personnalité de Maurice. Les journaux, comme les causeries du Cercle, lui avaient appris, depuis longtemps, que l'ouvrier était en réalité un homme du monde, comme lui, un poète, le poète Olivier, dont il avait eu souvent l'occasion d'applaudir les œuvres, signalées à son attention par *Littéraria*.

Firmaine ne lui annonçait donc rien de nouveau. Mais il comprenait soudain que l'extraordinaire personnage qu'avait été cet Olivier devait à coup sûr mériter les regrets de la jeune ouvrière !...

Lorsque le vicomte de Pleurmatin avait su l'amant de sa maîtresse assassiné, il s'était d'abord, égoïstement, réjoui de ce malheur qui, pensait-il, allait lui livrer le cœur de Firmaine, de Firmaine qui n'aurait plus ainsi à se partager.

Il avait été effrayé par la violence du désespoir de Firmaine, menacée d'une fièvre cérébrale, délirante, brisée, demi-morte...

Il avait conçu un nouvel espoir en la voyant se rétablir petit à petit, sous l'influence heureuse des soins qu'il lui avait fait prodiguer. Il s'était dit, alors, qu'en entourant Firmaine de luxe, en la mettant à même de goûter aux joies que procure si facilement la richesse, il parviendrait vite à creuser entre elle et le souvenir de Maurice mort, un abîme, une distance infranchissable, la distance qui sépare la femme riche de l'ouvrier pauvre, du simple ouvrier !

Puis il frémit en entendant dire que Maurice, l'ouvrier Maurice, n'était point un ouvrier...

Il avait compris que si Firmaine apprenait que Maurice était au contraire un écrivain, le poète Olivier, les regrets qu'elle avait déjà de sa mort s'aviveraient, trouveraient un nouvel élément, dans cette situation romanesque. Il avait espéré alors que Firmaine, très absorbée par les soins que nécessitait sa convalescence, ne serait point informée de la double personnalité de Maurice...

Et voilà que subitement, Firmaine lui révélait que, non seulement elle savait que Maurice était Olivier, mais encore qu'elle s'était mise en rapport avec l'ami le plus intime du disparu, avec ce Jacques Bernard qui, sans doute, la reverrait et à chaque visite exalterait le souvenir du poète mystérieusement assassiné !

C'étaient de nouvelles luttes en perspective pour conquérir le cœur de Firmaine ! C'était la maîtresse adorée plus lointaine et plus inaccessible !

C'étaient des jours de tourment à vivre encore !

Et le vicomte de Pleurmatin qui, tout d'abord, s'était presque réjoui de la mort de Maurice, par un de ces sentiments que l'on n'ose pas se confier à soi-même mais qui n'en sont pas moins réels, cependant, le vicomte de Pleurmatin commençait à se demander si la disparition du poète lui faciliterait, en quoi que ce soit, l'amour qu'il voulait de tout son désir, de toute son âme, obtenir de celle qu'il chérissait entre toutes...

XI

Un mort qui vit bien

Debout devant son armoire à glace, une glace où il était presque impossible de se voir tant il y avait longtemps qu'un torchon ne l'avait vengée des offenses de la poussière, Jacques Bernard réglait avec un soin extrême la hauteur des boucles tendant ses bretelles :

— Il faut qu'un pantalon tombe naturellement, rase le sol au talon et ne fasse point de cassure au cou de pied !... ce pantalon va très mal ! voilà ! ça c'est indiscutable !...

Le jeune homme l'examinait sur toutes les coutures, philosophiquement, et concluait :

— Et puis après tout je n'ai pas le droit de me plaindre, puisque l'habit, l'habit complet, ainsi que le définit cet excellent tailleur, m'est revenu à la somme modeste et véritablement point exagérée de 106 F 95 ; les 95 centimes étant appliqués au supplément que l'on a trouvé bon de me compter pour cette poche revolver dont assurément je ne me servirai jamais !...

Sur une chaise, le gilet attendait. Jacques Bernard s'en saisit, l'enfila :

— Un pli sur le ventre et une épaule plus basse que l'autre !... allons !... allons ! ça va bien ! Je vais être fagoté, là-dedans, comme un saucisson de ménage dans du papier d'argent !...

Il revêtait maintenant la queue-de-morue — les revers tombaient mal, la taille plissait, le dos n'appliquait point — et Jacques Bernard se contemplait, définitivement en tenue de soirée, le claque sous le bras, un œillet à la boutonnière...

Il se contemplait sans plaisir !...

— C'est ignoble ! c'est affreux ! c'est infect ! Mais tout de même je suis joliment fier d'avoir pu me commander ça et surtout d'avoir pu le solder, le payer comptant, avec du bon argent français à effigies diverses, roi ou République, Semeuse ou Napoléon, argent qui a cours dans tous les pays civilisés... ce qui s'explique facilement, du reste, étant donné que l'argent, sans discussion possible, ça court, ça se trotte, ça se débine, qu'on s'en ferait difficilement une idée si l'on n'était témoin du phénomène tous les jours que le bon Dieu fait !...

Le jeune homme, maintenant, s'occupait aux derniers soins de sa toilette. Il polissait ses ongles, il fouillait son portefeuille, trop bourré, ne gardant que les papiers indispensables, afin que sa poche ne présentât point de laide rondeur ; il songeait :

— Et puis, ça n'est pas tout ça, les affaires vont, le petit commerce marche à merveille ! Olivier peut être content de moi ou je peux être content d'Olivier ! comme on voudra ! Ce défunt imaginaire est véritablement d'un bon rapport, si je continue de ce train-là, je deviendrai millionnaire avant peu !...

L'extraordinaire Jacques Bernard pouvait en effet, à bon droit, se féliciter de sa ruse, et des résultats qu'elle lui procurait déjà. Avoir tué Olivier, c'était bien, mais avoir su, en comédien consommé, faire croire à sa mort, c'était mieux ! Et ce n'était pas inutile, car, chaque jour, Jacques Bernard, depuis la fausse identification du malheureux décapité du quai d'Auteuil, voyait affluer chez lui les directeurs de journaux, les rédacteurs de revue et tous, les uns comme les autres, sollicitaient de la copie d'Olivier, des poèmes d'Olivier, des pièces d'Olivier, des manuscrits d'Olivier !

Maintenant que l'imaginaire poète était mort, il avait un succès phénoménal ! La mode s'emparait de lui, le snobisme l'exaltait, la littérature le déifiait, il devenait de plus en plus, d'heure en heure, le génie incontestable et admiré de tous !

— Avec tout ça, songeait encore le bohème qui, maintenant, lustrait son gibus avec un soin de véritable homme du monde, avec tout ça il ne conviendrait point que je sois en retard ! Je ne peux véritablement pas, moi, l'héritier testamentaire, l'ami chéri entre tous, le représentant d'Olivier, ne pas assister à cette fête, où ce pauvre feu Olivier sera, en tant qu'homme de plâtre, couronné des palmes glorieuses !

... Si Jacques Bernard, en effet, avait revêtu ce soir-là la queue-de-morue, le disgracieux et laid habit, qui constitue encore, on ne sait pourquoi, l'officielle livrée des réceptions mondaines, c'est qu'il avait l'intention de se rendre, invité qu'il était à titre officiel, à la fête organisée par *Littéraria*, en l'honneur de feu le poète Olivier !

Littéraria, depuis longtemps, depuis, à vrai dire l'identification du cadavre décapité quai d'Auteuil, du corps du faux Maurice, corps que l'on n'avait d'ailleurs toujours pas retrouvé, avait soigneusement entretenu chez ses lecteurs de vifs sentiments d'admiration à l'égard de l'écrivain disparu.

En un de ses derniers numéros, *Littéraria* avait pris l'initiative d'organiser une souscription publique dont le montant devait être sacrifié à l'érection d'un monument, en l'honneur du poète Olivier. Les listes s'étaient couvertes de signatures, les personnalités les plus éminentes du monde des arts et des lettres avaient tenu à honneur de figurer parmi les donateurs... De plus, concurremment avec la souscription, *Littéraria* avait décidé d'organiser une soirée artistique et littéraire, en l'honneur du disparu.

Les entrées seraient payantes, les œuvres jouées, dites ou récitées seraient tirées des pièces d'Olivier, un buste de plâtre, maquette du monument définitif projeté à la gloire de l'écrivain, serait, en fin de compte, couronné des palmes par les soins de deux jeunes artistes dont l'une incarnerait la Gloire, dont l'autre serait la Muse !...

La fête de *Littéraria* devait avoir lieu le soir même, à dix heures précises. Il était dix heures moins cinq lorsque Jacques Bernard, après un dernier coup d'œil à la glace, décida qu'il était prêt ; prêt à gagner l'hôtel de la rue de Presbourg pour aller prendre part à la glorification du disparu.

— J'ai de l'argent ? j'ai des cartes de visite ? j'ai quelques occasions en manuscrits ? mon mouchoir ? mon canif ?... bon ! allons-y !...

Il traversait rapidement son logement, se dirigeait vers la porte d'entrée.

Jacques Bernard posa la main sur le bouton de cette porte, le tourna d'un geste naturel. La porte résista...

— Tiens !

Et le jeune homme tira plus fort, persuadé que le bois avait joué, que l'humidité du jardinet, faisant gondoler le panneau, s'opposait seule à ce que la porte s'ouvrît.

Peine perdue !

A tous les efforts de Jacques Bernard, qui s'impatienta, tira, s'arc-bouta, secoua brutalement le vantail, la porte résista !

Après quelques minutes d'essais infructueux, il fallut bien que le jeune homme se rendît à l'évidence :

— Ça ! par exemple ! monologua-t-il, c'est plutôt ahurissant !... et en tout cas, c'est idiot, imbécile, abruti !... Un voisin ou le concierge m'aura fait une blague et l'on a fermé la porte à clef !... Avec ça que j'ai toujours la manie de laisser ma clef en dépôt chez le concierge, je suis bel et bien enfermé, maintenant.

Il ne comprit pas tout d'abord l'importance de la mésaventure qui lui arrivait, persuadé qu'il lui serait facile de gagner le jardinet en sautant d'une de ses fenêtres, son appartement étant au rez-de-chaussée...

Mais quelques secondes après, à la réflexion, Jacques Bernard pensait qu'une heure avant, au moment de commencer à faire sa toilette il avait, malheureusement, pris la précaution d'aller lui-même fermer les volets de fer de ses fenêtres. Il s'agissait de vieux volets, comme on en trouve encore dans les maisons anciennes, volets qui se clôturent par une barre que l'on ne peut mettre ou enlever que de l'extérieur... donc Jacques Bernard, incapable de les manœuvrer de son appartement, ne pouvait les ouvrir !

— Alors, je suis bouclé ? grommela-t-il... littéralement bouclé chez moi ?... Ça c'est fort ! Sûr que c'est le concierge qui, me croyant sorti en voyant les volets fermés, a eu l'idée de donner un tour de clef... Ah ! c'est malin ce qu'il a fait là !... Ce sacré animal va me faire rater la fête de *Littéraria* et je me demande ce que l'excellente Mme Alicet va bien inventer lorsqu'elle s'apercevra que Jacques Bernard, héritier littéraire de feu Olivier, de son cher feu Olivier, n'a même pas pris la peine d'assister à l'apothéose organisée par *Littéraria* !...

Jacques Bernard était revenu dans son vestibule, il secouait toujours la porte, vainement. Le rez-de-chaussée était fermé par un lourd battant qui se moquait pas mal des violences du jeune homme et leur résistait facilement.

— Il faut pourtant que je m'en aille, bougre de nom d'un chien !...

Jacques Bernard regarda sa montre :

— Dix heures trente-cinq ! sapristi de sapristi ! il s'agit de faire vite maintenant, ou j'arriverai après le couronnement !...

Jacques Bernard n'avait évidemment qu'un moyen d'échapper à son malencontreux emprisonnement : faire un tel tapage qu'il pût attirer l'attention du concierge et amener ainsi le brave homme, à coup sûr inconscient du tour involontaire qu'il avait joué à son locataire, à venir lui ouvrir.

De toutes les forces de ses poings, Jacques Bernard tambourina donc contre le battant de sa porte. Et, ce faisant, toujours pour attirer l'attention, il se prit à hurler, à appeler, à crier, faisant le plus de bruit possible... Le résultat ne se fit pas attendre...

— Mais bon sang de bon sang, c'est vous qui faites ce boucan, monsieur Bernard ?

— Ah, enfin !...

— Qu'est-ce qu'il y a donc ?

— C'est vous, concierge de malheur ?...

— Oui, c'est moi ! bien sûr ! Mais qu'est-ce que vous avez donc, monsieur Bernard ?... On se bat chez vous ?

— Ah, vous en avez de bonnes ! maudit concierge ! Mais vous ne comprenez donc pas que vous m'avez enfermé ?...

— Je vous ai enfermé, moi ?

— Mais oui, vous, courez vite prendre ma clef et ouvrez-moi... vous m'avez cru sorti, sans doute ?...

Jacques Bernard entendait, à travers sa porte, la voix du concierge, une voix effarée, étonnée, qui reprenait :

— Mais qu'est-ce que vous me chantez là ?... Aller reprendre votre clef ? Je ne l'ai pas, votre clef !... Elle n'est pas au tableau !... Et vous dites que je vous ai enfermé ? mais jamais de la vie !... ça n'est pas moi !...

— Ça n'est pas vous ?

— Mais non !... vous ne l'avez pas, votre clef, vous ?

Pour le coup, Jacques Bernard s'impatienta :

— Ah ! zut ! finit-il par s'écrier, si ça n'est pas vous, c'est quelqu'un d'autre, et ce n'est pas le moment de tirer l'affaire au clair !... Dites, je suis très pressé, ouvrez-moi l'un des volets, je vais sortir par la fenêtre et...

— Mais je ne peux pas vous ouvrir les volets, les barres sont fermées par des cadenas, il n'y a que vous qui ayez la clef de ces cadenas, monsieur Bernard...

Jacques Bernard trépigna d'impatience. Il avait raison, ce concierge !...

— Eh bien alors, courez chez le serrurier, dites-lui qu'il vienne tout de suite et qu'il me délivre... Je vous dis que je n'ai pas ma clef et que je veux sortir !...

Il en revenait toujours là !

Le concierge remarqua :

— C'est bon !... c'est bon !... ne vous mettez pas en colère !... Je vais faire votre commission, mais vous savez, là, je ne promets rien ! A cette heure-ci, y a plus grand monde dans les ateliers et je ne sais pas, moi, si je vais en trouver facilement un, de serrurier !...

Jacques Bernard entendit son portier qui s'éloignait en bougonnant.

— La stupide aventure ! grommela le jeune homme ; ils vont tout me faire rater !... Ah ! nom d'un chien de nom d'un chien ! Quelle tête ils doivent faire, là-bas, en voyant mon fauteuil vide sur l'estrade !...

Jacques Bernard attendit longtemps...

Évidemment le portier ne trouvait point facilement l'ouvrier qu'il était chargé de ramener...

L'hôtel de *Littéraria*, dès neuf heures et demie du soir, avait été envahi, pris d'assaut par une foule de spectateurs, appartenant tous aux personnalités les plus marquantes de ce que l'on est convenu d'appeler le

Tout-Paris. Étant donné la note assez spéciale du journal que dirigeait, avec tant de bonne fortune, l'excellente Mme Alicet, les lecteurs de *Littéraria* composaient en réalité une véritable élite, parmi les snobs parisiens, l'élite des intellectuels, ou, à tout le moins, de ceux qui se prétendaient tels !

Pour cette classe spéciale de gens chics, la fête de *Littéraria*, la fête donnée en l'honneur du poète Olivier, constituait, en vérité, une solennité à laquelle il était indispensable d'assister, où il fallait être rencontré, salué, pour n'être point déclaré déchu de son rang d'homme ou de femme à la mode !...

L'hôtel du journal, bien que spacieux, fut vite rempli et dès six heures moins le quart, on s'écrasait dans la petite salle de théâtre que Mme Alicet avait fait aménager, depuis quelque temps déjà, pour pouvoir, précisément, donner de temps à autre des réunions, des conférences, des fêtes, à la clientèle luxueuse et délicate de sa revue.

Le programme, vendu très cher, par de fort jolies femmes qui prétendaient ainsi offrir leur concours à la glorification du poète exquis qu'était, aux dires communs, Olivier, portait que le rideau serait levé à dix heures moins le quart. En fait, dès dix heures moins vingt, il eût été assurément impossible d'introduire un spectateur de plus dans la salle de *Littéraria*, tant le public s'y pressait nombreux.

Cependant, si invraisemblable que cela fût, chacun semblait au comble de l'enthousiasme, en dépit de cette inconfortable cohue. De voisins à voisins, des conversations naissaient, on exaltait le poète Olivier, et il n'était personne qui n'eût en sa mémoire une strophe de lui, un sonnet de lui, une phrase de lui, de lui toujours !

Seule, Mme Alicet était furieuse !

Assise au premier rang des fauteuils d'orchestre — elle n'avait point voulu prendre place sur l'estrade, ménagée sur la scène et où s'étaient assis les membres du Comité, du monument Olivier — elle songeait :

— Dieu, qu'ils sont désagréables ces gens-là, ces bohèmes, ces irréguliers ! Ils promettent tout ce que l'on veut et ne respectent jamais leur parole !... Que diable peut faire ce Jacques Bernard ? Il aurait dû arriver l'un des premiers, et je ne le vois pas encore !... Qu'est-ce que cela veut dire ?... Qu'est-ce que cela veut dire ?...

La directrice de *Littéraria* regardait en revanche avec satisfaction la salle comble et notait en sa mémoire, pour les comptes rendus ultérieurs, les noms des personnalités intéressantes. Mais malgré elle, Mme Alicet en revenait à cet angoissant souci :

— Enfin, pourquoi Jacques Bernard n'est-il pas là ?... C'était à lui un peu de présider la cérémonie ! Sa présence aurait officialisé la fête... Ah ! que c'est donc désagréable !...

Comme le rideau commençait à se lever, un « ah » satisfait s'était échappé des lèvres des spectateurs en un sourd murmure qui bientôt faisait place à un respectueux silence.

Un homme, en cravate blanche, en habit, l'air intelligent sous le front dégarni, l'œil vif, sous le binocle rond, cerclé d'écaille, le type parfait du conférencier mondain, venait de s'asseoir derrière une petite table verte, chargée du traditionnel verre d'eau et que des machinistes avaient tirée à l'avant-scène.

— Mesdames !... messieurs !...

Le conférencier faisait, en quelques mots rapides, l'histoire du poète Olivier. Il trouvait des phrases charmantes, délicates et précises à la fois, pour faire l'apologie du disparu qui, affirmait-il, usant d'une métaphore un peu risquée, était pleuré par toutes les Lettres françaises !

Il se levait quelques instants après, fort applaudi, d'autant plus applaudi qu'il n'avait point trop fait attendre au public les morceaux qui constituaient véritablement l'intérêt du programme, les auditions d'œuvres du poète Olivier !

Miquet, régisseur habituel des fêtes qui se donnaient dans les salons de *Littéraria*, apparaissait à son tour, sitôt le conférencier rentré en coulisses. Il traversait la scène d'un pas assuré, s'approchant de la rampe, échangeant avec Mme Alicet un furtif regard désespéré, intraduisible pour tout autre mais que la directrice comprenait fort bien et qui signifiait :

Aucune nouvelle de Jacques Bernard !

Tout haut il annonçait :

— Mesdames !... messieurs !...

Et en quelques mots diserts, l'acteur avertissait le public qu'il allait être représenté devant lui une piécette du poète Olivier, piécette qui n'avait encore jamais vu les feux de la rampe et qui, certainement, on pouvait l'espérer du moins, on pouvait l'affirmer sans doute, intéresserait les lecteurs de *Littéraria*, qui, en l'écoutant, se rendraient compte de la souplesse et de la fécondité du malheureux défunt, lequel semblait exceller aussi bien dans le genre comique que dans le drame, signait des vers aussi désespérés, aussi langoureux, que des romances entraînantes, joyeuses, voire même légères !

— Nous avons trouvé bon, concluait Miquet, d'alterner les différents genres traités par le poète Olivier et d'inscrire au programme des œuvres de nature très diverse. Mesdames et messieurs, à vous de décider s'il convient de rire ou de pleurer à l'audition de la piécette que mes camarades et moi allons, maintenant, avoir l'honneur d'interpréter devant vous en faisant appel à toute votre indulgence !...

Un tonnerre de bravos saluait la péroraison de l'artiste qui s'inclinait, regagnait la coulisse...

Le rideau tombait et se relevait sur un décor champêtre et, quelques instants après, la salle, tout entière, était secouée d'un fou rire inextinguible tant l'intrigue de *Tout ou rien* — c'était le titre de la piécette — était burlesque et plaisante.

Il y eut des rappels, des « bis », des « ter ». On ne se lassa point d'applaudir. L'entracte eut lieu en plein enthousiasme...

Mme Alicet venait de passer en coulisses, elle aperçut Miquet qui se multipliait pour veiller à l'exécution parfaite de la suite du programme.

— Ça marche... hein ? lui cria l'acteur...

Mme Alicet secoua la tête :

— Oui, ça claque ! ça ne claque pas mal !... Mais comment ça va-t-il se passer tout à l'heure ?...

— Vous voulez dire comment pallierons-nous l'absence de Jacques Bernard ?

— Naturellement !... Il était tout désigné pour couronner le buste...

Miquet avait un geste résigné :

— Que voulez-vous, madame, il viendra peut-être ?... Il est possible qu'il soit tout simplement en retard ?... Et puis nous n'y pouvons rien...

Miquet, abandonnant la directrice de *Littéraria*, qui se faisait un terrible mauvais sang chaque fois qu'elle organisait une fête et ne retrouvait sa tranquillité d'âme et son sang-froid habituels qu'une fois le dernier invité parti, criait à la cantonade :

— Attention ! au rideau !... vous êtes prêts ?... je fais sonner la fin de l'entracte !...

... Dans la salle, des dialogues s'éternisaient, des baisements de main, des présentations, tout le papotage, courtois, tous les flirts que l'on remarque aux entractes, parmi les habitués des grandes premières...

Le rideau alors, pour la seconde fois, se relevait et les bravos encore crépitaient sur un décor très sobre, fait de toile grise, parsemé de fleurs peintes, un décor qui, volontairement, ne pouvait attirer, ni retenir l'attention. En scène, la belle et gracieuse Lydianne, du Théâtre Français, annonçait de sa voix mélodieuse :

— Poème inédit du poète Olivier : *Soir d'Été.*

Et elle commençait à réciter les vers troublants, mélancoliques un peu, que l'auditoire écoutait en frémissant :

> *Non ! ne nous parlons pas ! arrêtons-nous, écoute*
> *Sous le baiser du vent frissonner le blé noir...*
> *Vivons sans la presser, pour mieux la vivre, toute,*
> *L'heure éteinte qui naît, dans le vallon, ce soir !*
>
> *Ne marchons même pas ! Couchons-nous sur la mousse.*
> *Respirons ces œillets, veux-tu, sans les briser !*
> *Regarde : la nuit vient, cristalline, si douce,*
> *Qu'aux lèvres sa tiédeur laisse un goût de baiser !*

Mais comme l'artiste détachait la rime et s'apprêtait à commencer la strophe finale, il se produisit un véritable scandale :

Coupant la parole à Lydianne, une voix d'homme, voix lente, grave, qui ne tremblait point, qui était parfaitement maîtresse d'elle-même, une voix achevait, au milieu du silence haletant et surpris de l'auditoire, la poésie inédite :

> *Je voudrais arrêter jusqu'à mon cœur qui t'aime !*
> *Lèvres à lèvres joints en un serment d'amour,*
> *Tout près de toi rêver, éperdument... et, même,*
> *Ne pas croire à demain, pour mieux croire à toujours !*

D'un même mouvement, alors, toutes les têtes se retournaient, tous les regards fixaient, à l'autre bout de la salle, un homme, l'homme qui avait parlé, qui avait — audace inouïe ! — achevé les strophes, les strophes pourtant inédites du poète Olivier !

Qu'est-ce que cela voulait dire ?...

Quel était cet inconnu ?...

Pourquoi suscitait-il cet abominable scandale ?

Et un frisson étreignait aux tempes toutes les personnes présentes, aussi bien les inconnus, les invités, que Mme Alicet qui, blanche comme une morte, s'était dressée, debout, tandis que l'artiste défaillait en scène, tandis que Miquet apparaissait, effaré, hors de la coulisse !

Oui ! un frisson étreignait toutes les tempes, une sueur froide perlait à tous les fronts, car l'inconnu, l'inconnu qui venait de troubler ainsi la fête donnée par *Littéraria*, en l'honneur du poète défunt, l'inconnu qui venait d'achever la strophe, pourtant réputée inédite, cet inconnu-là, chacun pensait le reconnaître, tant il ressemblait aux photographies qui avaient été publiées, un peu partout, de Maurice ! de Maurice-Olivier ! du poète assassiné, quai d'Auteuil !...

La strophe dite, d'ailleurs, avant que nul n'ait eu le temps d'intervenir, le sosie de Maurice — c'était ainsi tout d'abord que devaient le nommer les spectateurs — poursuivait de sa même voix, calme et froide :

— Mesdames... messieurs... Je vous demande deux minutes d'attention... j'ai d'importantes nouvelles à vous communiquer ! La première est celle-ci : si j'ai achevé ces vers, si je les connais, c'est qu'assurément, il est d'autres spectateurs ici qui auraient pu le faire, tout comme moi. Il n'y a qu'à ouvrir une anthologie pour les lire. Ils n'ont jamais été écrits par le poète Olivier, par le poète que vous voulez glorifier, mais bien, tout simplement, par un écrivain très connu, M. Marc... oui, mesdames ! oui messieurs ! qui les adressait à l'une de ses amies !...

« Donc, l'on s'est moqué de vous !...

« On s'est d'autant plus moqué de vous que vous pensez, en ce moment, honorer la mémoire d'un mort, la mémoire du poète Olivier. Or, le poète Olivier n'est pas mort, pour la bonne raison que je suis le poète Olivier !... comme je suis l'ouvrier Maurice ! M. Jacques Bernard, qui d'ailleurs n'est point venu à cette fête, est un imposteur ! Il n'a jamais été mon héritier littéraire ! je ne le connais pas !

La voix de l'inconnu sombrait dans une clameur formidable, dans un brouhaha déchaîné, dans une tempête de vociférations, de bravos, de sifflets, d'acclamations !

En vérité, le scandale était inouï !...

Quoi ! c'était véritablement Olivier, qui se trouvait là ?... le poète Olivier n'était pas mort ?... Et les œuvres que l'on applaudissait depuis le commencement de la soirée n'étaient pas de lui ?...

Que signifiait cette comédie ? c'était affolant, c'était incroyable ! Et chacun se précipitait, se bousculait pour voir, pour savoir !

D'un bond, Mme Alicet, folle de colère et de rage, avait enjambé la balustrade de l'orchestre. Elle grimpait sur la scène et rejoignait Miquet, qui, devant le tumulte, perdait à moitié la tête :

— Que faire ? que faire ?...

— A toutes forces interrompre ! souffla Miquet...

Debout à l'avant-scène il tentait de faire une annonce, mais sa voix se perdait dans les clameurs des spectateurs qui se bousculaient tous vers la sortie, dans l'espoir, sans doute, de rejoindre, de voir de plus près le mystérieux Olivier !...

Miquet revint sur ses pas :

— Nom de Dieu de nom de Dieu ! sacra-t-il ! mais c'est fou, cette affaire-là ! c'est à n'y rien comprendre !... ah ! parbleu, je devine pourquoi Jacques Bernard n'est pas venu... ce misérable devait se douter de l'aventure !...

Et Miquet dégringola à toute vitesse l'escalier qui conduisait à la rue de Presbourg...

Il entendait rejoindre Olivier qui, sans doute, devait se trouver encore sur le palier du grand escalier, entouré de spectateurs... Miquet voulait tirer la chose au clair. Il était fou de rage !...

— Ma chère, c'est une histoire extraordinaire.

— Ahurissante, vous pouvez le dire, ma belle !...

— Vous savez, je l'ai reconnu tout de suite !

— Vraiment ?

— Oui... *L'Univers illustré* avait publié son portrait et c'était un portrait frappant de ressemblance !

... Deux amies causaient dix minutes plus tard, devant la porte de l'hôtel de *Littéraria* où stationnait une foule nombreuse.

Chacun, naturellement, commentait les incidents de la soirée, chacun disait son mot :

— Moi, déclarait un gros homme, à un maigre petit jeune homme, à figure de phtisique condamné à brève échéance, moi, mon bon, je n'ai pas été surpris, car j'avais parfaitement reconnu, dès les premières strophes, qu'il s'agissait de vers connus, je ne comprends même pas qu'il y ait eu tant de gens à se laisser prendre à ce poème !...

Plus loin, un groupe d'hommes et de femmes, des gens de théâtre, cela se devinait rien qu'à leur attitude, causaient bruyamment :

— En tout cas, mes petits fanfans, voilà la belle tape pour la mère Alicet !... et ça va en faire un raffût, cette affaire-là !...

— Le plus bizarre de l'aventure, surenchérissait, d'une voix aiguë, une grande femme outrageusement rousse, fardée et maquillée à faire peur aux oiseaux, c'est que cet Olivier qui s'est si soudainement manifesté, et que tout le monde a vu, tout le monde a entendu, s'est ensuite évanoui, comme à plaisir !...

— Comment ? on ne l'a pas retrouvé ?

— Mais non ! vous ne savez pas ?...

— Quoi donc ?

— Je quitte Miquet à la minute... ainsi j'ai le tuyau certain, il m'a dit : c'est abominable ! cet Olivier a disparu ! totalement disparu !...

Les éclats de rire fusaient...

Or, tandis que les uns et les autres s'étonnaient, se félicitaient ou s'amusaient du scandaleux incident, qui venait de troubler la fête de *Littéraria*, un homme encore jeune, en habit, la démarche assurée, mais cependant l'air inquiet, le col du pardessus relevé, le chapeau enfoncé, baissant la tête, évitant l'éclairage des lampes électriques, allait rapidement de groupe en groupe, écoutant les conversations, les commentaires, puis s'éloignant, dès que l'on avait l'air de remarquer sa présence :

— Ah bien ! murmurait-il, de temps à autre, ça c'est du propre !... du joli ! me voilà frais...

Cet individu s'éloigna définitivement...

Vingt minutes plus tard, dans une rue déserte, à quelque distance, un étrange colloque avait lieu, d'autre part.

Deux hommes venaient de se rencontrer. L'un était grand, jeune, souple, fort, élégant ; l'autre, vêtu d'un grand pardessus, de nuance indéfinissable, les mains dans les poches, le visage dissimulé sous les rebords d'un chapeau mou, semblait parler sur un ton qui n'admettait point de réplique.

— Mon ami, disait-il à son compagnon, vous étiez embarqué dans une histoire stupide ! il fallait vous en sortir...

L'autre protestait :

— Mais enfin ! je ne vois pas...

— Vous ne voyez pas ? C'est ce qui vous prouve que vous êtes un enfant !... Parbleu ! vous avez tout intérêt à ce que Jacques Bernard soit obligé de disparaître...

— Mais ce n'est pas ce que vous avez fait ce soir...

— Si !..., interrompit rudement l'homme au chapeau mou. Ce que j'ai fait ce soir, mon cher, obligera Jacques Bernard à disparaître, je vous le promets... D'ailleurs, je ne puis vous en dire plus long !... Ma nuit n'est pas terminée, j'ai encore une rude besogne à faire...

L'homme au chapeau mou ricanait, puis quittait son compagnon :

— Allez vous coucher, bel amoureux ! disait-il, je vais travailler pour vous !...

Resté seul, cet inconnu ajoutait d'un ton pensif :

— Travailler pour lui ? certes ! mais travailler pour moi aussi !...

XII

Le guet-apens

Une heure plus tard, et tandis que la foule enfin lassée d'attendre, devant la porte de *Littéraria,* sans apprendre aucune nouvelle, se décidait à s'en aller, l'excellent Miquet, hors de lui, furieux, d'une humeur massacrante, regagnait enfin sa loge et s'apprêtait à rentrer chez lui.

Miquet, depuis l'instant où le tragique incident de la réapparition d'Olivier avait bouleversé la fête de *Littéraria,* ne décolérait pas.

— C'est inimaginable ! disait-il, c'est stupide ! c'est idiot... et dire que cela marchait si bien !...

En fait, Olivier avait troublé la fête juste au moment où celle-ci apparaissait en tous points parfaite, au moment où il s'avérait que *Littéraria* allait remporter un véritable succès !

Miquet, depuis cet instant, s'était multiplié. Comme l'avaient dit les curieux, causant à la porte du petit hôtel de la Revue, le régisseur avait fouillé de fond en comble l'immeuble, courant du rez-de-chaussée au quatrième étage, visitant toutes les salles, poussant la minutie jusqu'à descendre dans les caves, jusqu'à inspecter les moindres cabinets de débarras, où s'entassaient les objets les plus hétéroclites.

Miquet, malheureusement, n'avait trouvé personne...

Depuis l'instant où Olivier avait manifesté sa présence, en interrompant la belle Lydianne en scène, pour finir lui-même les strophes du poème, depuis cet instant, Olivier semblait s'être mystérieusement évanoui, avoir disparu de telle façon que nul n'avait pu le revoir !

Pourquoi, après être réapparu de façon à causer un scandale véritablement stupéfiant, s'était-il enfui de la sorte ?

Si Miquet se posait toutes ces questions, d'autres se les posaient en même temps que lui, et tout spécialement Mme Alicet, qui, après être devenue blanche comme une morte, sous le coup de l'émotion, avait paru quelques instants friser la congestion, tant le sang avait empourpré son visage.

Miquet n'avait pas encore quitté sa loge, que Mme Alicet le rejoignit :

— Eh bien ? disait la directrice de *Littéraria*.

Et, en ce seul mot, l'excellente femme faisait passer toute son angoisse, tout son chagrin.

Miquet leva les bras au ciel, eut un geste accablé.

— Eh bien ! répondait-il, voilà !... Il n'y a rien à dire !... et rien à faire !... Nous ne pouvons pas prévoir cela et maintenant nous n'y pouvons rien changer !...

La directrice et le comédien se regardèrent quelques instants en silence, puis Mme Alicet reprit :

— Je vais passer au commissariat pour prévenir le poste de ce qui est arrivé. Les agents de service m'ont affirmé que cette démarche était nécessaire... Ah ! mon Dieu ! mon Dieu !

Mme Alicet quittait l'acteur, s'apprêtait à sortir des coulisses de la salle de théâtre pour descendre rue de Presbourg.

Brusquement, elle revenait sur ses pas.

— Et Lydianne, Miquet ? interrogeait-elle. Qu'est-ce que vous en avez fait ?

Surpris, l'artiste interrogea à son tour.

— Comment, qu'est-ce que j'en ai fait ?

— Oui, qu'est-elle devenue ? qui l'a raccompagnée ?

Miquet eut une moue perplexe et peu contente :

— Ah tant pis ! murmurait-il, elle a dû se raccompagner toute seule ! Vraiment, j'avais bien autre chose à faire qu'à penser à la mettre en voiture. Je ne sais comment elle est partie.

En d'autres circonstances, assurément, Mme Alicet se fût emportée, eût fulminé contre cet élémentaire oubli d'un protocole habituel.

Le concours de Lydianne, gracieusement accordé à *Littéraria*, avait été un des gros éléments du succès de la fête, il était véritablement regrettable que personne n'eût seulement songé à reconduire la délicieuse artiste du Français.

Toutefois, Mme Alicet était bien trop bouleversée par ce qui venait de se passer, par la réapparition d'Olivier, de cet Olivier que *Littéraria* enterrait avec tant de pompe depuis près de trois numéros, pour prendre souci d'un semblable détail.

— Bon ! bon! répondit-elle à Miquet. On lui fera demain une lettre d'excuses. Ce n'est pas une sotte, elle comprendra !

Mme Alicet, accablée, baissant la tête, jetait encore un bref adieu à Miquet.

— Mon cher, je vais me coucher, je suis rompue !... Je vous verrai demain ?... D'ailleurs, si j'ai besoin de vous je vous enverrai chercher ! Maintenant il va falloir aviser sur la conduite à tenir...

Mme Alicet partie, Miquet achevait de se rhabiller, puis, définitivement prêt, fermait l'électricité de sa loge, sortait de l'hôtel, gagnait la rue.

Il faisait, dehors, un temps pur et froid, une de ces soirées où les noctambules éprouvent un délicat plaisir à marcher sur l'asphalte désert des trottoirs.

Miquet, à peine dehors, humait l'air, tirait un cigare, l'allumait, et, les mains dans ses poches, la canne sous le bras, commençait à s'éloigner.

— Ma foi ! murmurait l'artiste qui retrouvait toute son insouciance habituelle, toute sa tranquillité d'âme, ma foi, après tout, je me moque pas mal de ces aventures. Le plus clair résultat, à mon égard, sera que demain mon nom passera dans tous les journaux. C'est toujours de la réclame et de la réclame gratuite !

Miquet, qui était un marcheur infatigable, rentrait à pied jusque chez lui. Il lui fallait trois bons quarts d'heure pour atteindre la rue Lepic, et lorsqu'il y arrivait, il n'était pas peu surpris de voir devant sa porte un cycliste qui, arrêté là, semblait attendre avec impatience.

Instinctivement l'artiste songea que c'était peut-être lui que l'on guettait, d'autant que ce cycliste apparaissait vêtu d'un uniforme de chasseur de restaurant.

Miquet, cependant, tendait la main déjà pour sonner à la porte de sa maison lorsque le cycliste, soulevant sa casquette, l'abordait :

— Pardon, monsieur, mais vous n'êtes pas M. Miquet ?

— Si ! parfaitement ! qu'est-ce que vous me voulez, mon ami ?

Le cycliste déclara tranquillement :

— Ah bien ! je commençais à désespérer de vous voir ! Tout à l'heure, quand j'ai sonné, votre concierge m'a répondu que vous n'étiez pas encore rentré... Et comme je ne vous voyais pas venir...

— Mais qu'est-ce qu'il y a donc ? s'impatienta Miquet.

— Monsieur, je viens vous chercher de la part d'une dame... de Mme Alicet.

— De la part de Mme Alicet ?

— Oui, monsieur.

— Où est-elle donc ? Qu'est-ce qu'il y a encore ?

— Mme Alicet m'a dit de vous prier de venir d'urgence, au 42 de la rue des Grands-Degrés où elle vous attendait chez un monsieur Olivier...

— Chez Olivier ?

En entendant l'extraordinaire message, Miquet avait brusquement pâli.

— Ah ça ! par exemple ! c'est plus extraordinaire que tout !...

Voilà maintenant qu'Olivier était à nouveau retrouvé ? Voilà que Mme Alicet était chez lui, voilà qu'on connaissait son adresse ?

De stupéfaction, Miquet demeurait immobile sur le trottoir, les bras ballants, littéralement interloqué.

Il demanda :

— Mme Alicet ne vous a pas dit ?...

— Mme Alicet ne m'a rien dit de plus. Elle m'a tout simplement recommandé de vous prier de vous dépêcher. Elle a un besoin urgent de vous voir, c'est au quatrième... la porte en face...

— C'est bon ! j'y vais ! j'y vais !

Miquet faisait, en effet, demi-tour, et, courant presque, descendait jusqu'à la place Blanche.

— Mon Dieu, pensait-il, je vais prendre un taxi et je serai là-bas dans quelques minutes !

En même temps, il réfléchissait :

— La rue des Grands-Degrés, où est-ce donc ?... Ah ! rive gauche, derrière Notre-Dame !... C'est vrai !...

Un taxi-auto passait, Miquet le héla.

Il jetait l'adresse, il donnait une suprême recommandation :

— Et vite ! hein, mon ami ? Vous aurez un bon pourboire.

Le chauffeur, ainsi stimulé, faisait naturellement les plus grandes imprudences. Miquet vit que son véhicule dévalait à toute vitesse des hauteurs de Montmartre. Aussi bien, il était près de trois heures du matin, les rues étaient complètement désertes, rien ne gênait la circulation.

Or, enfoncé sur les coussins de la banquette, faisant des bonds à chaque cahot, Miquet, naturellement, songeait :

— Décidément, pensait-il, cette histoire est extraordinaire !... Je ne sais que deviner... Comment Mme Alicet a-t-elle pu retrouver Olivier, alors que, moi-même, j'ai cherché ce maudit poète dans tous les coins ?

Une seconde après, l'artiste se traitait d'imbécile.

— Parbleu ! je suis un sot ! grommelait Miquet. Mme Alicet a dû apprendre du nouveau au commissariat. Après tout, il est assez naturel qu'Olivier ait passé au poste de police... C'est-à-dire... non ! ce n'est pas naturel !... Mais enfin...

Et Miquet se demandait encore avec une grande anxiété :

— Par exemple, je donnerais bien dix ans de la vie de mon propriétaire, pour savoir en quoi Mme Alicet peut avoir besoin de moi en ce moment ?

Le taxi-auto cependant, après des virages savants, des rues longées à une allure de course, un dérapage formidable, s'engageait sur les quais, tournait rue des Grands-Degrés.

— Au 42 ! hurla Miquet à son chauffeur, qui, naturellement, hésitait, n'ayant pas fait attention à l'adresse exacte.

La voiture stoppa, Miquet sauta sur le sol, demandant :

— Pouvez-vous m'attendre ?

— Non ! répondait le chauffeur. J'ai plus d'essence. Faut que je rentre au dépôt.

— Tant pis !

L'artiste payait, puis, tandis que la voiture démarrait, sonnait à la porte de la maison, d'assez louche apparence.

— Oh ! oh ! pensa Miquet, cependant que le battant de cette porte s'ouvrait et qu'il pénétrait dans une sorte de corridor humide, d'assez mauvais aspect, oh ! oh ! il paraît que le nommé Olivier ne roule pas sur l'or...

Dans cette maison, au 42 de la rue des Grands-Degrés, où l'acteur Miquet, convoqué par Mme Alicet, se rendait ainsi, en toute hâte, une scène étrange, mystérieuse, inquiétante un peu, se déroulait depuis quelques instants.

Au quatrième étage, l'escalier conduisait à un palier ne comportant qu'une seule et unique porte.

Cette porte, à un battant, donnait dans une assez grande pièce, sommairement meublée de quelque mobilier d'occasion.

Il y avait là un grand lit, une table, des chaises. Quelques journaux encore traînaient sur le sol.

Or, dans cette chambre, cette chambre dont les rideaux étaient hermétiquement clos, soigneusement tirés sur la fenêtre, un homme vêtu de noir, à la silhouette sombre, indistincte, s'agitait...

C'était assurément un grand gaillard, aux épaules robustes, aux muscles puissants. C'était surtout, bien évidemment, un homme fort, souple, car, par moments, il avait des déhanchements, des attitudes surprenantes, non moins surprenantes, peut-être, que sa façon de marcher précautionneuse, silencieuse, inquiétante...

Dans la pièce, l'obscurité était quasi complète.

Il n'y avait pour toute lumière qu'une petite veilleuse posée sur un coin de table, et dont la lueur clignotante avait été encore adoucie par une sorte d'abat-jour fait d'un morceau de papier, posé contre son verre.

Quel était cet homme ?

Que faisait-il là ?

L'inconnu, en vérité, paraissait bizarrement occupé !

Il avait tiré de sa poche une longue ficelle, qu'il accrochait d'un côté à un clou fixé dans le mur de la pièce, de l'autre au battant d'une armoire.

Sur cette ficelle, il jetait, à cheval, comme s'il eût voulu le faire sécher, un grand drap, un drap énorme, de toile robuste...

Il arrivait qu'ainsi la pièce était en quelque sorte divisée en deux parties, comme par une véritable cloison.

D'un côté du drap, était la porte. De l'autre était la fenêtre. C'était entre la fenêtre et le drap que demeurait l'homme mystérieux.

L'inconnu, d'ailleurs, avait à peine étendu le linge sur la ficelle, qu'il semblait préoccupé de nouveaux soins...

Il tirait d'abord de sa poche un flacon, dont il versait le contenu dans un bol. Puis il posait sur la table une sorte d'objet, qui ressemblait à une petite caissette, qui avait aussi une poignée pour qu'on pût la saisir.

Qu'était-ce donc que tout cela ?...

L'homme avait mis quelques minutes à effectuer ces inquiétants préparatifs. Il eut un sourire pour les considérer, un haussement d'épaules pour marquer ensuite qu'il les trouvait parfaits...

L'instant d'après, l'homme considérait sa montre, il était trois heures et quart, alors, il s'asseyait, attendait...

L'étrange individu attendit de la sorte, cinq ou six minutes à peu près.

C'était alors avec une brusquerie soudaine, mais toujours sans faire le moindre bruit, qu'il se redressait, courait à la fenêtre, collait son oreille aux rideaux tirés.

— C'est bien cela ! murmurait l'inconnu. Une automobile... le moteur

ronfle... Allons, voilà la sonnette... De mieux en mieux ! La voiture
repart ?... Quel imbécile !...

L'homme quitta la fenêtre, vint se poster derrière le drap...

Montant toujours l'escalier, tenant la rampe, Miquet s'étonnait de plus
en plus :

— Ah ça ! murmurait-il, quelle drôle de maison ! et comment se fait-
il que Mme Alicet soit venue ici relancer Olivier ? Que diable ! il me
semble qu'elle aurait pu l'envoyer chercher dans un café, ou, mieux
encore, le convoquer pour demain matin chez elle...

L'acteur trébuchait sur des marches inégales, grommelait, regrettant de
ne pas avoir emporté d'allumettes-bougies.

En fumeur qu'il était, il ne possédait, en effet, que des allumettes-tisons
et celles-ci ne pouvaient l'éclairer...

— Il est vrai, songeait-il, en montant les marches du troisième étage,
que Mme Alicet ne doit pas être seule là-haut. Il est très possible que le
commissaire de police l'ait accompagnée. Après tout, cet Olivier était
considéré comme mort par tout le monde ; donc, sa réapparition doit
causer un potin du diable ! Je ne serais pas surpris même que la police
lui fasse des embêtements...

« Et puis enfin, je vais savoir...

L'artiste, en effet, arrivait au quatrième étage. Il se remémora les
paroles du chasseur : « Pour ne pas éveiller la concierge, Mme Alicet vous
fait dire que c'est au quatrième étage, la porte en face. »

Miquet s'orienta :

— Le quatrième étage ? c'est ici ! La porte en face ? c'est cette
porte !... D'ailleurs il n'y en a pas d'autres...

Miquet frappa.

Un instant, il attendit, puis il lui sembla que la porte venait de s'ouvrir...

Pourtant, toujours dans le noir, n'apercevant aucun rayon de lumière,
Miquet hésitait à entrer. Il tendit la main, voulut pousser sur la porte,
sentit que celle-ci, entrebâillée, lui livrait passage.

— Y a-t-il quelqu'un ? cria Miquet.

Personne ne répondit...

— Oh ! oh ! qu'est-ce que cela signifie ? se demanda le comédien.

Il cria encore :

— Y a-t-il quelqu'un ?

Et il avança d'un pas...

Or, à ce moment, très nettement, Miquet entendit une voix, une voix
inconnue, lui parut-il, une voix que, peut-être, cependant, il avait eu
l'occasion d'entendre déjà, qui l'appelait :

— Entrez donc, mon vieux ! on vous attend !...

De plus en plus interloqué, l'acteur, tendant les deux mains en avant,
comme il est naturel lorsqu'on avance dans une pièce obscure, se décida
à avancer...

Il fit ainsi trois pas...

Et alors c'était une chose soudaine, imprévue, horrible !...

Brusquement, derrière Miquet, la porte se refermait. Une lumière aveuglante, au même instant, illuminait la pièce dans laquelle l'artiste venait de pénétrer. C'était une lumière brutale, une lumière électrique, issue à coup sûr de quelque puissant projecteur...

Miquet, aveuglé, stupéfait, cligna des yeux, d'autant plus ébloui qu'il sortait de l'obscurité.

L'acteur ne comprit pas ce qu'il voyait...

Devant lui, il apercevait quelque chose de blanc, de transparent, qui remuait...

— Ah ça ! commença-t-il...

Il n'eut pas le temps d'en dire plus !

De derrière cette chose blanche — qu'il avait tout juste pu voir une seconde — une ombre noire, l'ombre d'un homme venait d'apparaître...

Miquet n'avait alors pas le temps de pousser un cri, de faire un geste !...

La chose blanche qu'il reconnut être un drap lui était jetée sur la tête, sur le corps... l'enveloppait... le ligotait... paralysait ses mouvements... étouffait sa respiration...

Miquet voulut hurler ; mais un bâillon s'appuyait sur sa bouche, fermait ses lèvres...

Il se sentit renverser...

Il eut l'impression qu'il tombait sur le sol.

Puis, on lui jetait au visage un liquide quelconque... une suffocation le prit !

Dans la pièce, toute baignée de lumière, il n'y avait plus, quelques secondes après, qu'un homme vêtu de noir, un homme qui se penchait curieusement sur une forme blanche, une forme humaine, semblant enveloppée d'un suaire, une forme qui demeurait sans mouvement, une forme sinistre, la forme d'un cadavre !

Dix minutes plus tard, l'homme vêtu de noir qui venait de se jeter si brutalement sur Miquet et qui, depuis quelques instants demeurait agenouillé auprès de sa victime, penchait sa tête, appuyait son oreille sur la poitrine de l'homme étendu...

— Mort ! faisait-il en riant. Ça n'a pas été long ! pas un cri ! pas un geste ! pas un mouvement ! Allons ! le procédé est parfait et je pourrai l'employer encore, à l'avenir !...

Il se relevait, allait à la fenêtre, ouvrait les carreaux derrière les rideaux qu'il laissait, soigneusement, tirés...

— Avec tout cela, monologuait l'inconnu, cela sent terriblement le chloroforme ici, et je ne tiens pas à être victime de ma propre ruse... Bon ! maintenant travaillons !...

C'était en vérité un lugubre travail auquel faisait allusion le stupéfiant individu !

Sans plus s'occuper de la forme blanche, qui gisait toujours sur le sol, et avec une tranquillité parfaite, une assurance impassible, l'inconnu tirait jusqu'au milieu de la chambre la table qui, jusque-là, était demeurée appuyée contre le mur.

Sur cette table était disposé l'objet posé, quelques instants avant, et qui n'était autre qu'une puissante lanterne électrique dont la lumière, brusquement projetée, avait servi à éblouir le malheureux Miquet...

L'inconnu prit cette lanterne électrique, la recula. Il allait ensuite chercher dans un angle de la pièce un grand sac dont il défaisait la fermeture. Dans ce sac, se trouvait du son. L'homme en versa une couche épaisse sur le sol, puis se frotta les mains, satisfait.

— Cette précaution est excellente ! cela retardera les infiltrations et sans doute la découverte de tout ceci ! murmurait-il. Allons ! je pense que je puis procéder en toute tranquillité ?...

L'extraordinaire individu, le terrifiant criminel, allait encore décrocher au mur une sorte de vêtement qu'il mettait sans hâte...

C'était un grand pardessus, bizarrement fait de toile cirée et qui, s'enfilant par en haut, était hermétiquement clos à la façon de ces suroîts que portent les marins, par gros temps.

Pourquoi l'inconnu revêtait-il ainsi un pareil vêtement ?

Il prit dans la poche de ce pardessus des gants de caoutchouc qu'il boutonna...

Prêt alors, l'homme se rapprocha de sa victime :

— Il faut que je me dépêche, murmurait-il. Le jour va bientôt se lever, et il est nécessaire que je parte d'ici assez vite...

Prenant la forme blanche — le cadavre de Miquet — aux épaules, l'homme le tirait, le poussait jusqu'à l'endroit du sol où il avait renversé du son.

— D'abord, murmurait l'assassin, défaisons cet excellent suaire qui m'a été si utile !

Il retournait le cadavre sur le ventre, il démaillotait le drap...

Le corps du malheureux Miquet apparaissait, point encore roide, chaud, même, inanimé cependant...

— Parfaitement ! constata l'homme, cela va être très simple !

Tout en parlant, il avait pris dans le tiroir de la table une sorte de couteau dont il s'armait...

Et la terrible boucherie qu'il méditait commençait alors !...

Sans manifester la moindre répulsion, sans paraître avoir conscience de l'horreur de ses actes, l'inconnu, savamment, avec une adresse extraordinaire, et que n'eût sans doute pas désavouée un chirurgien, commençait à disséquer le cou de sa victime, le trancher, lentement, progressivement, séparant d'abord les chairs, puis les muscles, désarticulant les vertèbres, prenant peu souci du sang, tiède encore, qui giclait, rougissant ses gants de caoutchouc, maculant son vêtement de toile cirée, imprégnant la couche de son qui garnissait le sol !...

L'horrible boucherie dura longtemps...

Toutefois, elle finissait pas s'achever. Il arrivait que, très nettement, de façon définitive, l'homme trouvait moyen de désarticuler la tête de sa malheureuse victime.

Miquet n'était plus désormais qu'un décapité !...

La tête de l'acteur ne tenait plus à ses épaules !...

L'homme alors se releva. Il contemplait quelques instants le corps de l'artiste, et semblait faire une grimace...

— C'est un vilain travail, murmurait-il, que je viens de faire là ! Ce n'est pas élégant !... Ce n'est pas dans ma façon de faire... Bah ! tant pis ! Ce qu'il y a de sûr c'est que c'est fort utile !...

L'homme avait un ricanement satisfait, puis se remettait à de nouveaux préparatifs...

De dessous le lit, il tirait une caissette, intérieurement doublée de fer-blanc et dans laquelle il jetait du son...

— Allons, murmurait-il encore, voilà un carton à chapeau qui réservera, j'imagine, quelque surprise à celui qui le trouvera... si jamais on le trouve...

Il prenait sans répulsion aucune la tête du malheureux Miquet par les oreilles et la jetait dans la caisse...

La tête, toutefois, n'entrait pas de la façon dont le désirait l'assassin.

Celui-ci eut alors un geste horrible.

Simplement, il levait le pied et c'était à coups de talon qu'il forçait le macabre débris à s'enfoncer dans le son de la boîte !

— Voilà qui est fait ! murmura l'homme.

Il ferma le couvercle, revint vers le tronc mutilé.

— Voyons ! j'ai d'autres précautions à prendre !...

L'assassin enleva ses gants, dépouilla son pardessus ciré qu'il envoyait négligemment dans un coin de la pièce, puis, apparaissant net et propre :

— De mieux en mieux ! monologuait-il, je n'ai pas une tache de sang ! Nul ne pourrait se douter...

Mais il s'interrompait. Une horloge au loin venait de sonner...

— Fichtre ! murmurait le monstre, je n'ai plus que le temps ! juste le temps !...

Il agissait alors avec précipitation...

Rapidement, l'assassin fouillait dans son portefeuille, prenait des lettres qu'il glissait dans les poches du veston de sa malheureuse victime...

Cela fait, après avoir jeté un dernier coup d'œil au sanglant spectacle de la chambre tragique, après avoir repoussé, dans un coin, le suaire tout baigné de sang, il prenait tranquillement une canne, se coiffait d'un chapeau mou, saisissait enfin par la poignée la mallette dans laquelle il avait enfoui la tête de sa victime.

L'assassin revenait alors vers la fenêtre. Il avait éteint dans la chambre toute lumière, il tira les rideaux, ouvrit la croisée...

La fenêtre donnait sur des toits, situés presque de niveau.

L'homme enjamba la barre d'appui et, tenant toujours la mallette, sauta sur ces toitures :

— Décidément, monologuait-il encore, tout s'est passé le mieux du monde, et me voilà délivré d'un gros souci !...

A ce moment, furtif, il se glissait entre les cheminées, il avançait toujours...

Quelques instants plus tard, une silhouette noire descendait précautionneusement par des crampons fixés le long d'une muraille de vieille maison.

Cette silhouette atteignait bientôt le bas de l'immeuble, c'est-à-dire un grand terrain vague...

Quelques instants plus tard encore, un passant portant un volumineux paquet franchissait le pont Notre-Dame.

Au milieu du pont ce passant s'arrêtait. Il se penchait au-dessus des eaux sombres. Il y eut un bruit sourd...

Quand le passant reprenait sa marche, il ne portait plus de paquet !

XIII

Les reporters de « La Capitale »

M. de Panteloup, secrétaire général de *La Capitale*, le populaire quotidien, arrivait d'ordinaire à 8 heures du matin à son cabinet. Un coup de téléphone donné par le Grand Patron, par M. Vasseur, député, l'avait toutefois réveillé ce matin-là, bien avant l'heure habituelle de son lever.

M. Vasseur, député, qui avait acheté *La Capitale* et succédé, en tant que directeur, au malheureux M. Dupont de l'Aube, assassiné par le redoutable Fantômas, était d'ailleurs, un homme actif, remuant, travailleur, qui laissait peu de tranquillité à son malheureux secrétaire de rédaction [1].

Il avait acheté *La Capitale* dans l'espoir de se faire nommer sénateur, et pour pouvoir mener avec facilité une vigoureuse campagne électorale. Mais, en réalité, il se prenait à son métier de journaliste, et n'avait rien du flegme tranquille du précédent propriétaire, du malheureux M. Dupont de l'Aube !

— Allô !... avait communiqué M. Vasseur. Allô ! mon cher de Panteloup ?... Figurez-vous que je sors de la fête de *Littéraria* et qu'à la suite d'incidents assez tumultueux, j'ai été souper avec des amis... Or, je viens d'apprendre, au bar même, d'où je sors en ce moment... allô !... oui !... je vous téléphone de chez moi !... allô !... je viens d'apprendre que l'on vient de découvrir dans le quartier de la place Saint-Michel... un extraordinaire assassinat, quelque chose, tout ce qu'il y a de plus abominable... D'ailleurs je n'ai pas de détails, j'ai tout simplement entendu conter la chose... allô, vous m'entendez ?... oui ?... j'ai tout simplement entendu raconter la chose par un soupeur... probablement quelqu'un de la Préfecture... Enfin, mon cher de Panteloup, occupez-vous-en... il y a longtemps que nous n'avons pas fait d'édition spéciale, ce serait peut-être l'occasion ?... Je compte sur vous !...

M. de Panteloup avait répondu, de sa voix la plus aimable, à son chef et maître, qu'il pouvait en effet compter sur lui, puis, l'appareil raccroché, s'était répandu en violentes invectives :

— Nom d'un chien de nom d'un chien !... qu'il est embêtant cet animal-là !... Il sait toujours tout ce qui se passe sans avoir l'air de toucher à rien !... Maintenant il faut que j'aille au journal !... Pas moyen de m'en dispenser !...

M. de Panteloup s'était levé, habillé. A sept heures un quart il était à *La Capitale* où il carillonnait à tous les étages, expédiant les garçons aux domiciles des informateurs, téléphonant à d'autres, donnant ses ordres, mobilisant la petite armée de reporters dont il disposait et cela, pour arriver à connaître le plus vite possible les données exactes du scandale qui avait eu lieu à la fête de *Littéraria* dans la nuit précédente et du crime abominable que M. Vasseur lui avait annoncé.

---

1. Voir dans la série « Fantômas » : *La Disparition de Fandor.*

D'un doigt rageur, M. de Panteloup venait encore une fois d'appeler le garçon.

Quand la porte de son cabinet s'ouvrit, il interrogea :

— Eh bien ?

— Eh bien, monsieur le secrétaire ?

— Personne, encore ?

— Non, monsieur le secrétaire !

— Et il est neuf heures ? c'est inimaginable !... A la composition l'équipe est là ?

— Oui, monsieur le secrétaire.

— Bon ! Dites-leur de se tenir prêts ; je vais tout de suite leur faire monter de la copie !... Ah ! j'entends siffler dans la salle de rédaction !... Allez voir qui c'est.

Le garçon disparut une seconde, puis revint :

— C'est M. Mirat [1].

— Envoyez-le ici !

Bientôt Mirat, second reporter du journal, apparut dans la pièce.

— Bonjour, de Panteloup !

— Bonjour, mon vieux. Eh bien ?

— Eh bien, voilà, c'est tout à fait extraordinaire...

— Quoi ?

— Ce crime-là ! Mon cher, figurez-vous... tenez, je vous le donne en dix, savez-vous qui vient d'être assassiné ?...

— Non ?...

— Olivier...

— Hein ?

— Je dis : Olivier...

— Vous êtes piqué, Mirat ?

— Pas que je sache ! Tenez, mon vieux, écoutez-moi : j'ai reçu votre mot, m'envoyant rue des Grands-Degrés et me prévenant de l'édition spéciale à huit heures... Bon ! à huit heures et demie, j'étais là-bas ; pris un taxi-auto, naturellement... je vous dis cela pour ma note de frais...

— Et après ?

— Après, en descendant rue des Grands-Degrés, devant l'immeuble fatal, je me cogne dans deux cognes !...

— Alors ?

— Alors j'exhibe coupe-file, carte de presse, tout le fourniment ! Bref, les flics me déportent. Pas moyen d'entrer. Rien à savoir, consigne muette, je fais chou blanc !... A peine le temps de prendre la physionomie de la maison... rien d'intéressant...

— Bon !... alors ?

— Alors, naturellement, je saute au commissariat...

— Vous avez vu le commissaire ?

— Non, son chien.

— Qu'est-ce qu'il vous a dit ?

— Oh ! très gentil, très complaisant, mais il ne savait pas grand-chose !... Il m'a dit : Ce matin, la concierge arrive pour faire le ménage

1. Voir dans la série « Fantômas » : *Le Pendu de Londres*.

d'un nouveau locataire établi depuis trois semaines... ouvre avec ses clefs... trouve un cadavre.

« Cris, scandale, émotion, vous voyez cela ? On va chercher la police... Boum ! c'était justement ce petit secrétaire qui était là. Il arrive, voit le coup, fouille le mort et, jugez de sa stupéfaction, découvre dans ses poches une lettre au nom de M. Olivier, rédacteur à *Littéraria*.

— Vous avez copie de cette lettre ?

— Non, mais j'en ai le sens. C'est une convocation invitant le poète à venir examiner des épreuves... une lettre banale...

— Vous la donnerez ?

— Naturellement ! Alors mon « chien » a conclu, pour finir ma petite histoire : « Pas de doute à avoir, évidemment c'est le poète Olivier qui a été assassiné et il a été assassiné par un fou !... »

— Par un fou !... pourquoi ?

— Dame, parce que le crime est atroce, extraordinaire, et qu'il ne semble pas qu'il puisse être utile à quoi que ce soit. Il n'avait pas le sou, cet Olivier, possédait pourtant une montre en or, des bagues et cinquante-deux francs dans un gousset... rien n'a été touché...

— Le vol n'est donc pas le mobile du crime ?

— Dame ! vous voyez bien que non !...

M. de Panteloup hochait la tête :

— C'est rigolo cette histoire-là !... Tout de même, cet Olivier, ce qu'il trouve moyen de faire parler de lui ! A cinq heures du soir, hier après-midi, tout le monde le croyait mort et on s'apprêtait à couronner son buste pour honorer sa mémoire. A onze heures du soir, il se montre bel et bien vivant... A trois heures du matin, on le retrouve étranglé !... Dommage qu'il ne puisse pas revenir une troisième fois à la vie, il gagnerait ce qu'il voudrait ce garçon-là !...

Mirat, le second reporter, riait franchement :

— Vous en avez de bonnes, de Panteloup !... Mais je passe. En sortant du commissariat j'ai sauté à la Préfecture...

— Très bien !...

— Bureau de la Presse, on ne sait rien !... Bon !... Je monte « aux recherches »... on me déporte... Dites donc, on m'a déporté salement, au bureau des recherches ; vous savez, je les saquerai dans mon papier ?... ça vous va ?

— Tout à fait, ils nous ennuient depuis quelque temps !...

— Alors, entendu ; je les saquerai !... Enfin, je trouve un inspecteur que je connais et tout doucement je lui demande ce qui a été décidé au rapport. Paraît que M. Havard était furieux...

— Tant mieux !...

— Pourquoi ?

— S'il est furieux, on aura des scènes amusantes !...

— C'est vrai ! Enfin ils ont fait les vérifications nécessaires, et la chose est bouclée. On est certain que c'est Olivier et l'enquête policière aboutit tout à fait à conclure au crime d'un fou, d'un sadique, d'un déséquilibré quelconque...

Mirat faisait une pause, puis :

— Dites donc, de Panteloup, j'en ai des tuyaux, hein ? Tout ça en une heure et demie de temps !

— Bah, ne vous donnez donc pas de coup de pied, Mirat ! En somme, vous savez une chose, c'est l'opinion de la police... mais vous vous êtes laissé déporter rue des Grands-Degrés et vous n'avez pas vu le cadavre !... Vous n'êtes pas si fort que ça, mon vieux !

Les deux journalistes riaient, car le secrétaire général savait, tout aussi bien que son reporter, qu'il était telles circonstances où le plus habile des informateurs ne pouvait vaincre les consignes policières.

Aussi bien, M. de Panteloup ne s'occupait plus de Mirat. Derrière le reporter venait d'apparaître un jeune homme, remarquable par sa grandeur, sa minceur, sa mine pâle et lymphatique... C'était l'informateur « mondain » de *La Capitale*. On se moquait un peu de lui, on le respectait aussi car il représentait à vrai dire une puissance, la puissance que détiennent tous les gens qui, du boulevard de la Madeleine à l'Opéra, donnent cinquante coups de chapeau à des personnalités.

Lui aussi, avait été touché à huit heures du matin par le mot de M. de Panteloup. Lui aussi, apportait des informations. Mais il était loin de posséder la bonne humeur de Mirat. Il était loin d'avoir le sens des reportages rapides et précis qu'effectuait à merveille, au contraire, le second reporter de *La Capitale*.

— Vous m'attendiez, de Panteloup ? Mon cher, que voulez-vous, cela devient intenable, le métier ! Si maintenant il faut que je fasse de l'information pour les crimes, j'aime mieux démissionner !...

M. de Panteloup ne se laissait nullement émouvoir par cette protestation :

— Bon ! bon ! disait-il !... de Fondreuil, vous vous plaindrez un autre jour ; maintenant, il faut penser à l'édition spéciale et après tout, je ne vois pas de quoi vous vous froissez. Puisqu'il s'agit d'un crime dans le monde chic, cela entre dans vos attributions. Qu'est-ce que vous savez de neuf ? Où avez-vous été, vous ?

— Mon cher, j'ai suivi votre plan de conduite... j'ai été prendre les interviews des personnalités mondaines que je pouvais joindre à cette heure matinale, c'est-à-dire de mes intimes et je leur ai demandé ce qu'elles pensaient de cet assassinat...

Avec un tant soit peu de gouaillerie dans la voix, M. de Panteloup s'informait :

— Et qu'est-ce qu'ils vous ont dit, vos intimes ?

— Je me suis présenté d'abord chez la comtesse de...

Mais de Panteloup levait la main :

— Ah non !... non !... vous n'allez pas me raconter chacune de vos interviews ? Vous me ferez votre papier là-dessus, tout à l'heure et je le lirai... si j'ai le temps !... Je vous demande, en bloc, ce que l'on dit dans le monde... puisque, mon vieux de Fondreuil, vous êtes « le monsieur qui a interrogé les gens du monde » ?

Le rédacteur, devant la glace, rectifiait le nœud de sa cravate...

— Eh bien, mon cher, l'opinion du monde, comme vous dites, est que c'est un crime abominable...

— Naturellement !

— Émouvant au plus haut degré !

— Naturellement !

— Qu'il mettra en deuil toutes les Lettres françaises !...

— Et allez donc !...

— Qu'il jettera la consternation parmi les artistes et les littérateurs !...

— Peuh ! un concurrent de moins, pourtant !

— Enfin tout le monde sanglote, se mouche et pleure en songeant à l'affreux trépas de ce malheureux Olivier, réapparaissant hier au soleil de la gloire pour retomber, cette nuit, à l'obscurité du trépas !

De Panteloup riait franchement :

— Parfait, de Fondreuil ! vous faites des phrases superbes !... toutefois n'écrivez pas cela ! Vous savez, le soleil de la gloire, c'est un peu pompier !... Enfin ! passons... et alors, vos gens du monde ? qui est-ce, l'assassin, pour eux ?

— Ils ont tous un nom à la bouche.

— Lequel ?

— Un nom terrible, un mot qui fait frissonner...

— Bougre !...

— C'est ainsi !

— Eh bien, dites-le donc, votre nom...

— Mon cher de Panteloup... il n'y a qu'une voix parmi les gens chics pour crier que l'assassin d'Olivier est, et ne peut être que Fantômas !...

Cette fois, M. de Panteloup ne riait plus !

Le secrétaire de *La Capitale* hochait la tête, pesait la déclaration de son informateur.

— Ah ! fit-il enfin ; dans le monde on reparle de Fantômas ?... Diable ! ça, c'est important !... c'est sérieux !... c'est même embêtant ! Je ne sais pas si... oh, et puis, ma foi ! nous nous en moquons ! Si ça embête Havard qu'on reparle de Fantômas, tant pis pour lui !... Ça lui apprendra à se conduire comme un imbécile !... S'il était plus gentil avec les journalistes et avec nous, en particulier, si on n'avait pas saqué Mirat rue des Grands-Degrés, je dirais d'arrêter le canard... mais je ne suis pas fâché de lui donner une leçon !... Dites, de Fondreuil, c'est entendu, hein, nous allons jeter Fantômas dans les jambes d'Havard ?... Combien avez-vous pris d'interviews ?...

— Quatre !

— Bon ! Délayez, faites-moi six visites et dans les six visites, concluez à Fantômas !... Ça va faire tiquer, tout de même, si on reparle de Fantômas ! On était si tranquille depuis trois mois !

M. de Panteloup s'interrompait : le téléphone sonnait à côté de lui. Se saisissant du récepteur, il criait dans l'appareil :

— Allô !... oui ! c'est moi !... comment allez-vous, mon cher patron ?... allô ! très bien ! merci !... soyez sans crainte !... ça marche !... J'ai de l'information... Ah ! vous aussi ?... bon !... entendu !... allô !... oui !... Je m'arrangerai pour sortir à deux heures !... allô !... et à l'édition de cinq heures, je serai complet naturellement !... A tout à l'heure !...

M. de Panteloup raccrochait le récepteur :

— Le patron, disait-il à de Fondreuil, vient justement de recevoir la visite du sénateur des Ardennes... C'est rigolo, ce bonhomme-là, aussi, vient de lui dire que tout le monde parlait de Fantômas !... Eh bien, marchez, de Fondreuil... allez me faire votre papier, on le composera tout de suite...

Le reporter mondain avait à peine disparu qu'un petit jeune homme, commun, trivial, mais l'air bon enfant, s'introduisait dans le cabinet du secrétaire général. Il était vêtu d'un complet à carreaux, avait les mains chargées de bagues ; une grosse chaîne de titre-fixe, où pendaient de nombreuses breloques, barrait sa poitrine.

De Panteloup le saluait d'un : « Tiens ! voilà le Chien écrasé ! quoi, mon vieux ? »

C'était encore un rédacteur de *La Capitale*, Manivon ; cet informateur était chargé de visiter chaque soir les commissariats de police pour y apprendre les faits divers de la journée, depuis la lampe à esprit de vin qu'une cuisinière maladroite fait exploser, jusqu'au vol à la tire, jusqu'au chien qu'écrase un tramway, accident d'où lui venait son surnom.

Chien écrasé se laissa tomber dans un fauteuil, et s'appuya deux solides claques sur les cuisses :

— Ben, vous savez, faisait-il, c'est plutôt rigolo cette histoire-là !... non ! vrai ! même c'est rien farce !... Bien entendu, vous savez qui c'est le mort ?... hein ?...

— Oui, répondait de Panteloup, le poète Olivier ? Alors ?

— Eh bien alors, sitôt que j'ai eu le tuyau, et je l'ai eu tout de suite par le commissaire de mon quartier, chez qui j'ai sauté au reçu de votre coup de téléphone, et qui a été assez gentil pour se renseigner au commissariat du quai de Montebello, j'ai décidé de faire un tour dans la Pègre. Fondreuil a fait les gens chics, hein ?

— Oui.

— Parfait. Comme ça, mon papier fera l'opposition.

— Oui, qu'avez-vous vu ?

— Des tapées de gens !... D'abord j'ai volé au cabaret de *La Pêche Miraculeuse*. Boum !... c'est à Grenelle... sale patelin, dix sous de tramway, mon vieux, pour ma note, et encore ça vaudrait un fiacre !...

De Panteloup s'impatientait :

— Mais allez donc, bavard ! pourquoi avez-vous été à *La Pêche Miraculeuse* ?

Le brave garçon se réadministra deux claques sur les cuisses, histoire de prouver qu'il trouvait saugrenue la question de son chef d'information.

— Pourquoi j'ai été à *La Pêche Miraculeuse* ? Vous en avez de bonnes, vous... Mais mon cher, vous oubliez donc que l'Olivier tué cette nuit fut jadis le Maurice que l'on crut tué quai d'Auteuil ?

— Eh bien ?

— Eh bien, Maurice buvait le coup à *La Pêche Miraculeuse* !

— Qu'est-ce que c'est que ce bistro-là ?

— Un troquet épatant ! Un zinc ! oh ! mais un zinc qu'on dirait de l'argent ! Et puis ça verse la consommation...

— Au fait, bavard !... au fait !

— Voilà, patron... Donc, je tombe là-dedans à neuf heures un quart. Y avait déjà des poivrots... vous voyez la scène ?... hein ?... mon entrée fait sensation !...

De Panteloup interrogeait avec un malin sourire :

— Et pourquoi donc ?

— Dame ! ripostait naïvement le gros garçon, à *La Pêche Miraculeuse*, on n'a pas l'habitude de voir des gens bien mis !...

— C'est vrai ! Alors ?

— Alors personne ne savait le coup !... Je le raconte, je paie à boire, quarante-six sous pour ma note de frais !...

— Allez donc !

— J'explique le scandale de *Littéraria* et puis qu'on avait retrouvé Olivier, et puis qu'il était étranglé... que la tête avait disparu... Il n'a pas de chance, dites, on ne le retrouve jamais en entier !... Enfin je m'attendris... je me mets des larmes dans le gosier, je deviens copain avec tout le monde !... Il y avait là un vieux, à figure d'honnête crapule, un nommé Bouzille, qui m'a tout de suite pris en amitié... bon !... Quand j'ai eu bien jaspiné, j'écoute les autres !...

De Panteloup hochait la tête :

— Nous allons enfin savoir ce que les autres ont dit !...

— Et je vous assure que ça va vous en boucher un coin !

— Pourquoi ?

— Parce que ça n'est pas ordinaire.

— En vérité ?

— Jugez-en ! Savez-vous qui ils accusent d'avoir tué Olivier ? savez-vous qui ces gars-là, des numéros qui doivent tous avoir, au moins, deux ou trois crimes sur la conscience, trouvent bon de mêler à cette affaire ?

De Panteloup n'hésita pas :

— Fantômas, dit-il.

— Oui, Fantômas !... ah bien ! par exemple, vous m'épatez !... moi j'en suis resté comme un rond de chapeau !... Comment avez-vous pu songer à Fantômas, vous, de Panteloup ?

Le secrétaire général de *La Capitale* se penchait par-dessus son bureau, appelant quelqu'un qui venait d'entrouvrir la porte de son cabinet et discrètement s'était retiré :

— Entrez donc ! C'est vous, Arnould ?...

Puis se retournant :

— Eh bien, mon bon Chien écrasé, je vous ai dit : Fantômas, tout bonnement parce que les gens du monde pensent exactement ce qu'ont pensé les consommateurs de *La Pêche Miraculeuse*...

— Et ce qu'ont pensé les autres !... Car en sortant de *La Pêche Miraculeuse*, je me suis rendu...

Mais de Panteloup interrompait son interlocuteur :

— Ça va !... ça va, mon vieux ! je n'ai pas le temps de vous écouter maintenant... Faites-moi soixante lignes de vos interviews... Nous avons édition spéciale à deux heures, vous avez donc quarante minutes pour faire votre papier !...

— Faut-il parler de Fantômas ?

— Comment donc ! Cherrez là-dessus, même !...

— Bon !... bon !...

L'excellent garçon se retirait, non sans toutefois avoir serré la main au nouveau reporter qui s'introduisait dans le bureau de M. de Panteloup :

— Ça va, Arnould ?

— Très bien !... merci !...

Arnould incarnait un nouveau type de journaliste, le type du vieux journaliste, blanchi sous le harnais et toujours convaincu qu'il apporte des nouvelles extraordinaires !

De Panteloup l'estimait fort, d'ailleurs, pour sa grande sincérité, son honnêteté professionnelle qui faisait qu'il ne donnait jamais une nouvelle sans être absolument certain de sa véracité et de son authenticité.

— Vous avez du neuf ?

— Parfaitement, mon cher secrétaire. J'ai tenté les trois visites qui s'imposaient à ce qu'il m'a semblé et si j'ai véritablement le sens de l'information...

— Ce sont ?

— Une visite chez Mme Alicet...

— Oui ! très bien !...

— Une visite chez Miquet...

— Excellent !

— Une visite chez Jacques Bernard...

— Mon vieux Arnould, interrompit de Panteloup, on vous blague, quelquefois, mais véritablement, on a tort !... Il n'y a encore que vous pour bien faire les choses !... Vous avez eu juste l'idée des trois reportages qui s'imposaient. Et alors ?

— Et alors, mon cher secrétaire, si mes idées étaient bonnes, elles ont été malheureusement presque irréalisables !

— Diable !...

— C'est comme cela ! A *Littéraria* je n'ai pas pu joindre Mme Alicet. On m'a dit qu'elle était sortie dès ce matin... elle ignorait le crime d'ailleurs, à cette heure-là. C'est moi qui en ai donné la nouvelle à Chavannes. Mme Alicet s'était rendue chez Miquet...

— Donc, rien d'appris à *Littéraria* ?...

— Non, rien !...

— Et chez Miquet ?

— Chez Miquet, j'ai pareillement fait chou blanc ; Miquet n'était même pas rentré depuis la fête de *Littéraria*, m'a dit sa concierge qui, précisément, m'a signalé le passage de Mme Alicet arrivée et repartie cinq minutes avant moi...

— Une malchance !...

— Oui, une malchance. Donc, ayant fait chou blanc chez Miquet et à *Littéraria*, je me suis rendu chez Jacques Bernard.

— Ah ! vous l'avez trouvé ?

— Non ! mais j'ai vu son concierge...

— Qu'est-ce qu'il vous a dit ?

— Oh ! c'est un numéro extraordinaire ! Figurez-vous quelque chose comme un chiffonnier, qui serait à la fois rétameur et qui ne pourrait pas dire un mot sans l'accompagner d'un vigoureux coup de marteau sur le fond d'une casserole ou d'une bassine !... pan !... pan ! c'est assourdissant, de causer avec lui !...

— Très bien, vous direz cela ! C'est du bon pittoresque !... Mais qu'est-ce qu'il vous a raconté, ce rétameur-chiffonnier ?

— Il s'est perdu en invectives contre Jacques Bernard !...

— Pourquoi ?

— Jacques Bernard et lui s'étaient disputés la veille.

— A propos de quoi ?

— Une histoire de clef perdue !

— Il ne savait rien du crime ?

— Rien, mais cela ne l'a pas surpris !

— Allons donc !

— Je vous donne en dix ce qu'il m'a insinué, cet homme ?

— Quoi donc ?

— Que c'était peut-être bien Jacques Bernard qui avait tué Olivier, puisque Jacques Bernard était un imposteur, étant donné qu'Olivier la première fois n'était pas mort !

M. de Panteloup ne retenait pas une exclamation :

— Ah, nom d'un chien !

— Ça n'est pas bête, hein ?

— Non, bougre ! c'est même fort !...

— C'est ce que j'ai pensé... faut-il le dire ?

M. de Panteloup sonnait le garçon :

— Envoyez-moi les informateurs !...

Et quand ceux-ci étaient arrivés dans la pièce, les uns après les autres :

— Dites donc, mes amis, chacun votre papier, n'est-ce pas, et vous le passerez à Arnould.

— Il fait le chapeau ? demandait Mirat déjà légèrement jaloux.

— Oui : il fera le chapeau et la conclusion !... Que voulez-vous, Mirat, résignez-vous ! Arnould a véritablement l'hypothèse la plus ingénieuse !...

— Laquelle ?

— Ce serait Jacques Bernard qui aurait fait le coup !

Les reporters se regardaient les uns les autres. Chien écrasé hochait la tête, approuvant :

— Pas bête, la supposition ! Y a pas à dire... c'est tapé !... Le fait est que ce bonhomme avait tout intérêt à supprimer Olivier !...

Mais déjà, de Panteloup renvoyait tout son monde d'un seul geste :

— Allez, messieurs ! au travail ! L'édition spéciale est pour deux heures !

Il retenait Arnould :

— Restez, vous, mon vieux, nous allons faire le chapeau ensemble ! Oh ! je vois le coup, savez-vous ce que nous allons dire ? Un grand couplet sur Fantômas coupable !... boum !... boum ! Ça c'est la grosse caisse !... le coupable pour le public naïf !... Et puis, à la fin, après votre interview à vous, le concierge de Jacques Bernard, quelques petites phrases incisives, des insinuations sur la culpabilité possible... mais rien de précis, car il faut se méfier !... Enfin tout à fait en queue, tam-tam habituel, nous invitons les policiers à trouver le coupable... On promet les 10 000 francs de prime et notre médaille !... Vous voyez l'article, hein, Arnould ? Ça tient comme ça ? A quoi pensez-vous ?

Le vieux reporter, mélancoliquement, hochait la tête tout en préparant son stylographe :

— Je pense, mon cher, je pense tout d'abord que votre article, évidemment, tient très bien et que c'est ainsi qu'il faut le concevoir ! Mais soit dit sans vous offenser, mon cher de Panteloup, il est quelqu'un qui l'aurait fait encore bien mieux que vous et moi...

— Qui donc ?

— Un garçon que vous aimiez beaucoup, de Panteloup, et auquel vraiment je ne pense jamais sans un certain serrement de cœur, car il avait toute mon amitié...

— Qui, encore une fois ?

— Le disparu, mon cher !... Jérôme Fandor !... Quel dommage que ce garçon-là ait à peu près quitté le journalisme ! On ne le voit même plus ici... Un de ces jours nous apprendrons sa mort... tenez, là, vrai j'ai le cœur chaviré de penser à lui !... Une affaire aussi mystérieuse que celle de ce matin me force, en vérité, tout naturellement à le regretter ! Une occasion de parler de Fantômas ! comme il aurait été heureux !...

M. de Panteloup, mélancoliquement, lui aussi, hochait la tête :

— Vous avez raison ! dit-il. Et puis c'était un bon camarade, un gentil garçon dans toute l'acception du terme... mais ça ne sert à rien de se lamenter ! si Fandor ne fait plus de reportage, c'est qu'il estime avoir d'autres devoirs à remplir. Et puis, qui pourrait affirmer qu'il ne reprendra jamais sa place, ici, au journal ?

Rue de Vaugirard des camelots se précipitaient, bousculant les passants, courant à toute allure et hurlant à pleins poumons :

— Édition spéciale de *La Capitale* !... demandez le crime abominable de la rue des Grands-Degrés !... le poète Olivier assassiné !... tous les détails !...

Les vendeurs font un vacarme assourdissant. Les feuilles s'enlèvent rapidement.

— Pstt !... appelle un passant...

Un camelot s'arrête, donne un journal :

— Voilà, mon prince !...

Le passant se plonge dans la lecture du papier encore frais imprimé, mais, soudain, sa main tremble, la feuille vacille, cependant qu'une pâleur mortelle envahit ses traits :

— Mais ils sont fous, à *La Capitale* !... est-ce Dieu possible ?... Olivier mort ?... Olivier assassiné ?... et l'on parle de Fantômas !...

Le passant avançait de quelques mètres, cherchait une rue déserte. Il lisait et relisait en détail le long article que publiait *La Capitale*...

— C'est épouvantable ! monologuait-il enfin, c'est abominable !... et, sans bonne veine, je suis foutu !...

Rageusement, l'inconnu froissait la feuille, la jetait au ruisseau...

— C'est très fort, ce qu'ils insinuent à la fin de leur article !... Évidemment !... personne ne s'y trompera !... ça crèvera les yeux !... ah, bougre de bougre ! Mais avec tout cela, on va me mettre la main au collet avant la fin de la journée ?... Que faire ? où aller ?... Comment m'en tirer ?... Jacques Bernard, mon pauvre Jacques Bernard, je crois que tes affaires tournent mal !...

Et le passant — Jacques Bernard — car c'était lui, après avoir marché, au hasard, dans les rues, soudain tirait son porte-monnaie, comptait le peu d'argent qui s'y trouvait, puis, ayant l'air de prendre une décision, haussait les épaules :

— Encore une fois le sort m'est contraire !... encore une fois !... Bah !
il ne faut pas se décourager et le plus important maintenant c'est d'éviter
les limiers de la Préfecture !... La Belgique ?... Non !... c'est trop près
et trop loin à la fois !... Londres ?... Oui !... va pour Londres ! Il faut
que ce soir je trouve moyen de prendre le bateau et de me perdre dans
la foule grouillante et miséreuse des sans-travail de là-bas. Parbleu, pas
à hésiter !... *La Capitale* est trop bien informée !... allons-y ! On
annoncera demain que Jacques Bernard est en fuite !... Mais, bougre, elle
tourne mal, ma plaisanterie !...

XIV

L'opinion de Juve

M. de Panteloup n'avait pas exagéré en spécifiant, alors qu'il donnait
ses instructions à ses reporters, qu'il était bon de « saquer » un peu
M. Havard, et de lui donner une petite leçon, histoire de l'inviter à
montrer plus de complaisance envers les malheureux journalistes, en quête
d'informations !

M. Havard, en effet, avait donné les ordres les plus précis pour
qu'aucun reporter ne fût admis à visiter la chambre du crime...

M. Havard était de mauvaise humeur et c'était le pauvre Mirat qui en
avait supporté tout l'ennui, jusqu'au moment où il s'était présenté rue des
Grands-Degrés et avait été, ainsi qu'il l'avait plaisamment raconté,
« proprement déporté ».

M. Havard, il est vrai, avait une excuse. C'est que l'affaire qu'il devait
étudier, l'affaire criminelle de la rue des Grands-Degrés se présentait, dès
le premier abord, comme une affaire des plus compliquées, des plus
mystérieuses, des plus inquiétantes aussi !

Le crime avait été découvert cependant d'une façon fort simple.

La maison du 42 de la rue des Grands-Degrés, dans laquelle l'acteur
Miquet avait trouvé une mort aussi soudaine que terrible, était une maison
assez louche, où ne logeaient que peu d'habitants.

Des dépôts, des ateliers, occupaient les étages inférieurs. Il y avait tout
juste, au quatrième et au cinquième, trois petits logements dont l'un était
précisément le local tragique.

Les locataires qui habitaient l'immeuble étaient, pour la plupart,
d'honnêtes employés. Ils partaient de bon matin et, tous, laissaient leurs
clefs à la concierge qui, pour augmenter le maigre salaire que lui payait
un propriétaire rapace, exerçait l'industrie de femme de ménage.

Cette concierge, une brave femme, Mme Térot, connaissait à peine, à
vrai dire, le locataire du quatrième étage. Elle savait tout juste que c'était
un homme d'une quarantaine d'années, qu'il paraissait relativement à son
aise, qu'il ne faisait point de bruit dans la maison, et que, surtout, avec
une ponctualité parfaite, il lui payait chaque semaine le montant de ses
appointements de femme de ménage.

Le lendemain du crime, Mme Térot ayant ouvert sa porte, distribué les journaux à ses trois locataires — distribution qui consistait à glisser les feuilles sous les paillassons disposés dans l'escalier — avait tout naturellement pris sa clef et s'était dirigée vers le logement du quatrième.

La stupéfaction de la concierge, son horreur aussi, avaient été naturellement indicibles, lorsque, cette porte ouverte, elle avait aperçu au milieu de la pièce ensanglantée, couché sur l'amas de son répandu sur le sol, le corps tronqué du malheureux mort...

Mme Térot n'avait entendu aucun cri dans la nuit ! elle se rappelait tout juste avoir ouvert la porte une seule fois... Sa stupéfaction, mêlée d'horreur, ne lui permettait pas de rien comprendre à l'horrible spectacle qu'elle avait sous les yeux.

La concierge, cependant, devenue plus livide qu'une morte, s'était rejetée en arrière. Cramponnée à la rampe de l'escalier, elle hurlait : au secours ! et faisait enfin un tel vacarme, qu'en quelques instants, tout le voisinage était ameuté, tout le voisinage commentait l'assassinat.

Quelqu'un de bien avisé allait alors chercher la police, des agents venaient, l'un d'eux retournait téléphoner à la Sûreté. Il y avait tout juste une heure que la concierge avait découvert l'assassinat, lorsque M. Havard, accompagné des deux inspecteurs, Léon et Michel, s'introduisait dans la pièce.

Le chef de la Sûreté, du premier coup d'œil, nota l'horreur particulière du logement :

— Oh ! oh ! monologuait-il, en jetant un rapide coup d'œil à Léon et à Michel, voilà une affaire qui va fortement passionner l'opinion... encore un cadavre coupé en morceaux !...

M. Havard entrait dans la pièce, considérait encore, lentement, minutieusement, son lugubre désordre.

— L'assassin, remarquait-il, a agi avec la plus grande précaution... ce son répandu sur le sol, ces gants de caoutchouc, ce vêtement de toile cirée... ma foi ! J'imagine que le gaillard n'en était pas à son coup d'essai !...

M. Havard, d'un geste, appelait les deux inspecteurs qui, respectueusement, se tenaient à la porte de la chambre, ne soufflant mot.

— Avant toute chose, disait-il, il faut que nous sachions qui a été tué... probablement, c'est le locataire qui habitait ici... Pourtant ?...

M. Havard s'interrompit :

— Aidez-moi à retourner ce corps ! disait-il.

Les inspecteurs empoignaient le malheureux décapité par les jambes et les épaules...

— Fichtre ! murmurait M. Havard, considérant la section assez nette du cou, où s'étaient amassés de gros caillots de sang, fichtre ! c'est de l'ouvrage proprement fait... A voir cela, on croirait volontiers que ce crime a été commis par un boucher ou un étudiant en médecine...

Un instant après, le chef de la Sûreté faisait appeler la concierge :

— Madame, demandait-il, pouvez-vous reconnaître à quelque indice si ce corps est celui de votre locataire ? Comment s'appelait ce monsieur ?

La concierge, qui tremblait de tous ses membres, pouvait tout juste répondre :

— Mon locataire s'appelait M. Morlot, mais ce n'est certainement pas lui ! il était bien plus grand ! bien plus fort !...

La pauvre femme parlait d'une voix si faible, semblait si prête à défaillir, que M. Havard n'insistait pas.

— C'est bien ! disait-il, je vous remercie !...

Il allait congédier Mme Térot, lorsqu'il la rappelait :

— Au fait, je vais vous donner une commission : tenez, voici un mot que vous allez immédiatement donner à l'un des agents que j'ai fait mettre de planton à la porte...

M. Havard, tout en parlant, griffonnait un court billet, sur lequel il inscrivait une adresse :

— Je convoque Juve d'urgence, expliquait-il à Léon et à Michel, j'imagine que c'est un crime qui l'intéressera...

Léon hochait silencieusement la tête. Plus bavard, Michel approuvait :

— En effet, patron !... rien qu'à la façon dont les choses semblent s'être passées, on jurerait un assassinat de Fantômas !...

Juve devait recevoir le billet de M. Havard quelque vingt minutes plus tard. Il fallait naturellement peu de temps au policier pour s'habiller, moins de temps encore pour sauter dans un taxi-auto et se faire conduire à toute allure rue des Grands-Degrés.

Lorsque Juve arrivait dans le logement tragique, il questionnait dès le seuil.

— Eh bien, chef, qui a été tué ?

— Comment ! qui a été tué ? ripostait M. Havard, en venant au-devant du maître policier. Mais je n'en sais rien, mon pauvre Juve ! vous allez trop vite en besogne ! la tête du cadavre a disparu d'abord, et ensuite...

— Alors, on n'a pu identifier la victime ?

— Non, pas encore...

— Bien...

Juve se débarrassait de son chapeau, de son paletot, puis, fort à l'aise, ayant presque l'air de négliger les avis de M. Havard qui, d'ailleurs, perdait un peu la tête, commençait une minutieuse perquisition.

— Vous ne regardez pas le mort ? interrogeait M. Havard, assez surpris de voir Juve passer à côté du cadavre et courir vers la fenêtre...

— Non ! répondit Juve... je regarde... par où l'assassin est parti...

Et Juve, en même temps qu'il disait cela, montrait, sur le rebord de la fenêtre où il se penchait, une trace sanglante.

— Tenez, disait-il, j'en avais le pressentiment !... le meurtrier a enjambé la fenêtre et sauté sur ces toits... voilà la trace de son talon...

Il n'y avait pas deux minutes que Juve était là, et déjà il avait fait une importante découverte !

M. Havard, de surprise, sursauta :

— Ah ça ! vous êtes sorcier ! murmurait-il... Vous êtes d'autant plus sorcier que l'assassin a pris d'énormes précautions pour ne point se tacher de sang... voyez plutôt ces gants de caoutchouc, ce paletot de toile cirée...

Juve, philosophiquement, haussait les épaules, ce qui était son geste favori :

— Bah ! disait-il, on ne pense pas à tout !... Je suis sûr que le meurtrier a, tout le temps, songé à ne point se salir les mains, et qu'il a commis la grosse imprudence, à un moment donné, de repousser du pied sa victime. Vous rappelez-vous, M. Havard, que j'ai très souvent fait la même remarque dans les nombreux crimes que nous avons étudiés ensemble [1] ?

Juve était, en réalité, bien près de la vérité !... Ses déductions, comme toujours, étaient merveilleusement logiques...

Le policier, toutefois, ne s'en tenait pas à une première découverte.

— Voyons, constatait-il, maintenant que nous savons par où est parti l'assassin, il faudrait avant tout apprendre qui a été assassiné...

Juve alors revenait vers le mort, se penchait sur le tronc du décapité :

— Pas commode de reconnaître un homme dans ces conditions-là ! murmura-t-il.

« Il n'y avait rien dans ses poches ?...

Or, à la question de Juve, M. Havard se mordait les lèvres.

Tout simplement, le chef de la Sûreté avait oublié de fouiller la victime ! Il n'en voulait pas convenir :

— Je vous attendais, Juve, pour cette vérification...

Juve comprit... sourit... mais eut le tact de ne faire aucune remarque.

— Bien ! dit-il, voyons les poches !...

Déjà, Léon et Michel retournaient les vêtements du mort. Michel poussait un cri de stupéfaction :

— Tiens, faisait-il, une lettre. Ça ! c'est intéressant !...

L'inspecteur de la Sûreté lâchait les menus objets qu'il avait retirés des vêtements du décapité et tendait une feuille de papier à Juve.

Le maître policier la prit, et, sans que sa voix marquât le moindre étonnement, lut tranquillement la missive :

Cher Monsieur Olivier,

Venez donc me voir ; j'ai tout plein d'épreuves d'imprimerie à vous montrer, et votre compétence de poète m'est absolument nécessaire...

Juve était encore en train de s'efforcer de déchiffrer l'illisible signature, que déjà, M. Havard bondissait vers lui, prêt à lui arracher la feuille de papier.

— Olivier ! criait le chef de la Sûreté... vous dites que c'est Olivier ? Olivier le poète ?... le bonhomme qui a réapparu hier à la fête de *Littéraria* ?... Ça ! par exemple !...

Au même moment, Léon fouillant la dernière poche du veston faisait une nouvelle trouvaille.

— Patron, criait l'agent, voilà une autre lettre ! ou plutôt une autre enveloppe... l'écriture est différente, mais l'adresse est la même... voyez plutôt : *M. Olivier, poète.*

Dix minutes plus tard, il y avait déjà un profond dissentiment entre la façon de voir de Juve et celle de M. Havard...

Les deux hommes différaient complètement d'avis.

— Juve, disait catégoriquement le chef de la Sûreté, Juve, il n'y a pas à hésiter plus longtemps !... Parbleu, le doute n'est pas permis !... Nous

---

1. Voir dans la série « Fantômas » : *Les Souliers du mort* et dans le présent volume *Le Train perdu.*

retrouvons dans les poches de ce mort deux lettres adressées à Olivier ;
donc, suivant toutes probabilités, c'est le poète Olivier qui est le mort !...

Derrière lui, à voix basse, Michel ajoutait :

— Et si c'est le poète Olivier qui est mort, après avoir réapparu hier
soir, dame ! ça va en faire un raffut !...

Or, Juve secouait lentement la tête :

— Olivier ? disait-il, vous voulez que ce soit Olivier ? Hum ! c'est bien
extraordinaire !... c'est bien extraordinaire !...

Ce qui semblait, à vrai dire, « extraordinaire » à M. Havard, c'était
l'incompréhensible flegme, l'indifférence tranquille dont faisait preuve le
policier...

— Ah ça ! interrompait nerveusement le chef de la Sûreté, que voulez-
vous dire, Juve ?... qu'est-ce que vous trouvez d'extraordinaire ? la mort
d'Olivier ?

— Non ! répondit nettement Juve, la présence de ces lettres !...

Et, après un instant de réflexion, Juve reprenait :

— Voyez-vous, chef, les affaires compliquées sont beaucoup moins
compliquées, d'ordinaire, que les affaires simples !... Or, ici, tout est trop
simple ! Il est évident que le locataire qui habitait ici est le meurtrier...
mais ce locataire, il est impossible de savoir qui c'est !... D'autre part,
ce meurtrier a pris la précaution de couper la tête à sa victime... et
d'emporter cette tête... donc il ne tenait pas à ce que sa victime fût
rapidement identifiée... vous me suivez, chef ?...

— Oui ! affirma M. Havard, mais où voulez-vous en venir ?

— A ceci, éclata Juve ; c'est que véritablement si le meurtrier a emporté
la tête coupée, il est bigrement extraordinaire qu'il ait commis la faute,
l'imprudence suprême de laisser dans les poches de sa victime des papiers
qui permettent de connaître si facilement son nom !...

L'argument de Juve avait sa valeur, M. Havard le comprit.

— Oh ! oh ! faisait-il, savez-vous que c'est fort grave ce que vous dites
là, Juve ? fort osé ?... car enfin...

M. Havard se taisait quelques instants, réfléchissait, puis obstinément
reprenait :

— En tout cas, jusqu'à plus ample informé, je persiste à croire qu'il
s'agit bien d'Olivier !

Et il s'emportait presque, tandis qu'il répétait :

— Que diable ! il ne faut pas toujours chercher midi à quatorze
heures !... Nous retrouvons dans les poches du mort des papiers
significatifs, croyons à leur signification !...

Juve ne sourcilla pas :

— Croyons ! faisait-il simplement.

Mais, tandis que Juve semblait ainsi adopter la théorie de son chef, le
policier continuait à fureter dans la chambre tragique :

— Qu'espérez-vous donc découvrir ? demandait bientôt M. Havard.

— Rien ! répliqua Juve, absolument rien !...

Il prenait un air innocent. M. Havard eût été surpris de l'entendre
murmurer tout bas :

— Ce que j'espère découvrir, parbleu ! c'est le nom du mort !

Juve, évidemment, n'était point convaincu de la véracité des
observations de son chef !...

Une heure plus tard, l'enquête n'avait guère avancé.

Juve, sous l'œil narquois du chef de la Sûreté, avait minutieusement retourné, palpé, examiné, flairé tous les objets qui garnissaient la chambre tragique...

Il avait touché les gants, déplié le grand paletot de toile cirée, étudié presque à la loupe les replis du drap sanglant...

M. Havard, qui commençait à s'impatienter, interrogea son subordonné :

— Eh bien ! avez-vous fini ? comprenez-vous qu'avant tout, il importe de convoquer les témoins qui ont pu connaître Olivier !... Vous rendez-vous à l'évidence ?...

Juve avait un petit mouvement rageur des épaules, semblait hésiter, puis se décidait :

— Soit, chef, je me rends !... C'est Olivier !... Que voulez-vous faire ?

M. Havard s'était déjà coiffé de son chapeau ; il repoussait Léon et Michel vers la porte [1].

— Avant toute chose, déclarait-il, je veux aller à mon bureau. En somme, je n'ai pas vu mon courrier ce matin, et ce n'est pas une raison parce qu'il y a un crime à Paris, pour que tout le service en souffre...

Juve ne répondait rien, M. Havard continuait :

— Je vais expédier les affaires courantes, puis je reviendrai ici... M'attendez-vous, Juve, ou partez-vous déjà faire une enquête ?

Juve, cette fois, se décida :

— Mon Dieu ! chef, je vais prendre quelques mesures, dessiner un croquis et...

— Eh bien ! à tout à l'heure !

— C'est cela, conclut Juve, à tout à l'heure !

La porte se refermait sur M. Havard, Juve haussa les épaules avec soulagement :

— Décidément ! murmurait-il, M. Havard est un imbécile ! Jusqu'à présent, j'en doutais, mais ma conviction est faite maintenant. Les affaires du service ?... Hé ! parbleu, elles peuvent attendre !... Que diable, il n'y a pas d'affaires qui tiennent, lorsqu'il s'agit d'un crime de Fantômas !...

Juve venait de parler à haute voix ; en dépit de son flegme tranquille, il frissonnait à ses propres paroles...

Fantômas !

Oui ! il venait d'articuler le nom d'horreur, le nom sinistre, le nom de sang !

Oui ! il avait le sentiment intime, la persuasion absolue, qu'il était en face d'un nouveau crime du légendaire Maître de l'effroi !

Qui donc, si ce n'était l'Insaisissable, aurait pu, en vérité, accomplir un meurtre avec tant de froide férocité, tant de minutieuse, de subtile adresse ?...

— Il n'y avait que Fantômas, pensait Juve, pour pouvoir songer à des précautions semblables à celles dont témoignaient les gants de caoutchouc, le paletot ciré, le suaire aussi !

Resté seul dans la pièce, Juve, d'abord, se croisa les bras et réfléchit :

1. Voir dans la série « Fantômas » : *La Livrée du crime.*

— Attention ! disait-il, tâchons de mettre de l'ordre dans nos idées !...
A ce que m'a dit Havard, je suis à peu près le seul à avoir deviné comment
le meurtre a été commis... Pour moi, il est bien évident que la victime a
été brusquement emmaillotée dans ce grand suaire et qu'elle est morte,
étouffée, asphyxiée, par les vapeurs d'un anesthésique puissant, des
vapeurs de chloroforme si j'en crois les taches jaunes qui subsistent encore
sur le drap...

A ce moment Juve, traversant la pièce, allait encore une fois ramasser
le linge lugubre qu'il avait déjà examiné.

— Nom d'un chien ! jurait tout bas le policier, quand je pense que c'est
ce drap qui s'est appliqué sur la figure du disparu, que c'est lui qui a
étouffé les derniers râles, assourdi les derniers appels, ça me donne le
frisson !

Juve était revenu tout naturellement vers la fenêtre, il dépliait le grand
drap blanc, il l'étendait sur le sol, il l'examinait avec un soin extrême.

— Voyons, calculait Juve, je dois bien trouver quelques traces qui
puissent m'indiquer l'endroit qui s'est appliqué sur le visage ?...

Un instant plus tard, Juve triomphait.

— Parbleu ! là, il y a une tache de graisse... cette partie du drap devait
frotter sur les cheveux... ah ! voilà qui est mieux... ici, ces petits trous,
ces déchirures régulières, marquent les morsures des dents... Je ne peux
pas me tromper ! D'ailleurs, c'est ici que je relève cette tache jaune... qui
doit indiquer l'endroit où le chloroforme a été projeté...

Et Juve, songeur, ajoutait :

— C'est bien cela ! l'homme, une fois emmailloté, une fois endormi,
Fantômas a dû lui sectionner le cou en toute tranquillité... Si la mort
n'avait pas encore fait son œuvre, le malheureux a été tué dès la déchirure
des grosses artères du cou...

Puis Juve laissait le drap. Brusquement, une idée lui venait à l'esprit.

— Ah ça ! pensait-il, si par hasard, dans le son...

Accroupi sur le plancher, Juve, devenu très pâle, considérait la couche
de son toute maculée de sang, qui demeurait intacte...

Et il avait alors un cri de triomphe !

— Mais, bon Dieu ! je vais avoir le masque du mort !... Je vais l'avoir
avec une perfection indiscutable... Fantômas n'a pas pensé à cela !... Il
a appuyé la tête de sa victime dans ce son, elle s'y est moulée en creux,
je n'ai qu'à en faire une empreinte !...

Quelques instants plus tard, Juve quittait la chambre fatale, et courait
jusqu'au boulevard Saint-Germain, chez un marchand de produits
chimiques. Il revenait alors rue des Grands-Degrés et, avec un soin
extrême, usant de procédés délicats et complexes, il coulait dans le son
du plâtre fin, très fin, gâché minutieusement.

Juve dut attendre une demi-heure. Mais, au bout de cette demi-heure,
comme le plâtre s'était solidifié, comme il enlevait la plaquette qu'il venait
de mouler dans le son, comme il la regardait, Juve devenait livide, et
tremblait de tous ses membres !

— Miquet ! murmurait-il, c'est l'acteur Miquet qui a été tué ! Bon
Dieu ! je ne peux pas me tromper ! Ce nez caractéristique, je le
reconnais !... je le reconnaîtrais entre cent mille !...

Le policier enveloppait soigneusement le moulage qu'il venait d'obtenir, puis, en toute hâte, quittait le logement tragique...

Juve, en sautant dans un taxauto, avait dit au mécanicien :

— Conduisez-moi rue Lepic !

Quelques minutes après, le véhicule s'arrêtait devant une maison de convenable apparence qui biaisait le coin avec la rue des Abbesses.

Juve se débarrassait de son véhicule, puis, s'introduisant dans l'immeuble, hélait la concierge :

— M. Miquet, s'il vous plaît ?

— Il n'est pas là...

— Où est-il ?

— Est-ce que je sais !

— Depuis quand est-il sorti ?

Ce dialogue avait lieu dans l'escalier du premier étage.

La concierge achevait de balayer ; Juve, qui trépignait d'impatience sur les premières marches, semblait prêt à bondir jusqu'au haut de l'immeuble.

La concierge s'interrompit de répondre. Posant son balai dans un angle du palier, elle se croisa les bras sur la poitrine et, considérant Juve avec un air de méfiance et de courroux :

— Ah ça ! interrogea-t-elle à son tour, c'est-y que vous allez m'embêter comme ça longtemps et vous efforcer de me détourner de mes devoirs de concierge en me faisant potiner sur mes locataires ? D'abord, j'en ai assez ! Depuis deux heures, c'est un défilé perpétuel de bonshommes comme vous qui viennent me demander : « M. Miquet par-ci, M. Miquet par-là... » Qu'on le laisse tranquille, cet homme-là ! Je suppose qu'il ne doit de compte à personne ?... Allez-vous en ! je n'ai rien à vous dire !...

Juve n'était pas d'humeur à discuter longtemps. Nerveusement, il sortait de sa poche une carte d'identité, la fourrait sous le nez de la concierge, lui soulignait du doigt un passage imprimé et, pour faciliter à la bonne femme la compréhension du texte, le lui lisait à mi-voix :

— Préfecture de police ! inspecteur de la Sûreté !... Voyez, madame, il faut que vous me renseigniez ! C'est d'ailleurs très grave... Peut-être même est-il arrivé malheur à M. Miquet...

— Ah ! murmura la concierge, subitement devenue doucereuse et affable, du moment que vous en êtes, de la justice, c'est différent !... Voyons, quoi c'est-y que vous voulez savoir ?

Juve, d'une voix saccadée, questionnait :

— Quand avez-vous vu M. Miquet pour la dernière fois ?

— Hier soir à huit heures !

— Il n'est donc pas rentré depuis ?

— Non, monsieur...

— Ne peut-il pas être revenu chez lui, tard, sans que vous vous en soyez aperçue ?

— Cela arrive bien quelquefois, monsieur, mais c'est moi qui fais son ménage le matin et, s'il rentre tard, dans la nuit, que je ne note point sa rentrée, je vois bien quand je viens dans son appartement, le faire, s'il est là ou non...

— Est-ce dans ses habitudes de découcher souvent ?

La concierge pâlissait légèrement.

— Mais, ma foi, non, monsieur !... C'est drôle, en effet, qu'il ne soit pas rentré !... Tiens ! voilà que je commence à avoir les sangs tournés, rapport à Miquet... lui serait-il arrivé malheur ?... le savez-vous ?...

Sans répondre à la question de la concierge, Juve ordonnait :

— Vous faites son ménage ? Vous avez la clé de chez lui ? Menez-moi dans son appartement...

Ahurie, la concierge obtempérait aux instructions du policier :

— C'est au deuxième, monsieur, au deuxième, la porte à gauche, répétait-elle en s'essoufflant derrière Juve, qui grimpait l'escalier à grandes enjambées.

Juve était tout surpris de se trouver au domicile de cet acteur, de Miquet.

Ah ! certes, c'était encore là une des plus singulières coïncidences de son aventureuse existence.

Juve ne pouvait, en effet, s'empêcher de songer que, quelques mois auparavant, alors qu'il étudiait avec Fandor — avec Fandor dont il n'avait toujours pas de nouvelles — le mystère du train perdu, il avait fait la connaissance de cet acteur Miquet, de ce Miquet qui, cela était maintenant bien évident, venait de tomber sous les coups de Fantômas [1].

Miquet, alors, s'était refusé à renseigner Juve !

Effrayé par Fantômas, il avait prétendu garder un silence coupable !

Comme le sort était étrange, qui faisait qu'en dépit de sa lâcheté, il venait de tomber victime de Celui dont il avait prétendu assurer la fuite !

Juve, sans vergogne, et en dépit de l'ahurissement de la concierge demeurée derrière lui dans l'appartement, s'emparait de l'un des portraits de l'acteur.

Puis, saluant d'un geste imperceptible l'honnête portière, il s'en allait descendant à grands pas l'escalier.

Le premier mouvement de Juve était évidemment de sauter dans une voiture pour aller prévenir M. Havard de l'importante découverte qu'il venait de faire.

Toutefois, le policier sentait qu'il avait besoin de réflexion, la marche lui paraissait préférable. Il s'accorda quelques minutes de répit.

— Voyons, pensait Juve, qu'est-ce que tout cela signifie ?... en quoi puis-je rapprocher l'assassin de cette nuit de l'assassinat d'Auteuil ?...

Juve se posait cette question avec d'autant plus d'anxiété que, depuis son retour à Paris, il avait passionnément suivi toutes les péripéties du mystérieux assassinat d'Auteuil.

Et Juve, en cet instant où il s'éloignait de la rue Lepic, raisonnait ainsi :

— Voyons ! Maurice-Olivier a été tué par Fantômas pour un motif quelconque... je ne sais pas encore, en effet, le but de ce meurtre, mais je le saurai évidemment dès que j'aurai appris qui était, au juste, Olivier...

« Laissons donc cela de côté...

« ... D'autre part, voilà que Miquet a été tué par Fantômas.

« Oh ! cela, je comprends merveilleusement pourquoi !

---

1. Voir dans le présent volume : *Le Train perdu*.

« Miquet savait des choses intéressantes, Fantômas a voulu le rendre discret pour toujours !

« En revanche, il y a encore un mystère qui m'intrigue...

« Pourquoi, diable ! Fantômas, en tuant Miquet, a-t-il mis dans sa poche des lettres à l'adresse d'Olivier ?... Il désirait donc qu'on prît Miquet pour Olivier ?... Quel pouvait être son but ?

Juve s'absorbait dans ses réflexions, puis, soudain, s'arrêtait net de marcher.

— Oh ! mais !... murmurait-il, est-ce que par hasard ?... oh ! oh !

Bientôt, Juve poursuivait son raisonnement :

— En somme, murmurait-il, comme Olivier-Maurice a été tué, quai d'Auteuil, il est inadmissible d'admettre que ce soit véritablement Olivier-Maurice qui ait ressuscité hier.

Et Juve toujours parfaitement logique prenait tout d'abord pour bases de son raisonnement des probabilités :

— Supposons donc que ce soit un imposteur ?... et que cet imposteur soit Fantômas !...

« Est-ce que cela ne pourrait pas expliquer bien des choses ?...

Juve se répondait à lui-même :

— Mais si ! mais si !... Cela expliquerait tout, au contraire !

« Fantômas fait réapparaître Olivier. Bien !... Il tue ensuite Miquet. Très bien encore !... Que veut-il ?... Il veut évidemment qu'on ne le soupçonne pas ! Pour arriver à cela, parbleu ! il a un moyen bien simple : il s'arrange pour qu'on prenne Miquet pour Olivier... Tout naturellement alors, qui va-t-on accuser ? Jacques Bernard, parbleu ! c'est-à-dire l'héritier d'Olivier ! l'homme qui a tout intérêt à ce qu'Olivier soit mort !

Juve se remettait à marcher, souriant, satisfait :

— Décidément, soliloquait-il encore, je crois que je devine toute l'intrigue !... Il ne reste, en effet, qu'un seul mystère à élucider, le mystère de la personnalité de Jacques Bernard... Or, je serais bien étonné que Jacques Bernard ne soit pas Fantômas !... Évidemment, Fantômas a imaginé ceci : se faire accuser lui-même, sous la personnalité de Jacques Bernard !... Comme il va quitter cette personnalité, je pense, il lui est bien égal qu'elle soit inculpée de crime !... Allons ! c'est très fort !... Jacques Bernard doit être Fantômas...

Juve, à ce moment, dépassait un bureau de poste. Il entra, écrivit rapidement un pneumatique.

— On ne sait pas ce qui peut arriver ! pensait-il. Ce n'est pas une imprudence que de donner, ce soir, rendez-vous à Michel... c'est un brave garçon et il peut m'être utile.

Un instant plus tard, Juve appelait un fiacre et lui jetait l'adresse de la rue des Grands-Degrés.

— Soyons protocolaire ! murmurait le policier, allons voir Havard pour le mettre au courant... D'autant qu'en somme, la rue des Grands-Degrés est à peu près sur le chemin de la demeure de Jacques Bernard...

Juve, alors, se replongeait dans ses méditations.

Plus il réfléchissait, plus il croyait deviner la vérité, plus il se persuadait que Jacques Bernard devait cacher l'identité de Fantômas !...

Juve à coup sûr se trompait, car il ignorait bien des détails qui avaient leur importance...

Le policier, d'abord, ne soupçonnait point que le crime du quai d'Auteuil était en réalité un crime fictif, explicable par le truc de l'illusionniste !

Il ignorait encore que le personnage de Maurice n'était nullement le même que le personnage d'Olivier...

Juve, enfin, ne savait pas qu'Olivier n'existait pas... qu'il était tout aussi inexistant que le personnage de Jacques Bernard, l'un et l'autre étant représentés par le même individu bizarre, qui, certain jour, avait fait la connaissance de Bouzille, sous le sobriquet plutôt étrange d'Absalon !...

Ah ! si Juve avait su tout cela !...

XV

Fandor est mort

Lorsque Juve revint à la rue des Grands-Degrés, il n'y avait plus personne.

— Ces messieurs, lui déclara le brigadier de service en touchant son képi, car il avait reconnu en Juve l'un des inspecteurs de la Sûreté qui avaient assisté aux opérations judiciaires de la matinée, ces messieurs sont partis déjeuner, mais ils ne tarderont pas à revenir ; si vous désirez les attendre...

Juve avait tourné les talons. Il ne voyait aucune nécessité à séjourner devant le sinistre lieu du crime. Et le policier, estimant que, vers midi et demi, on n'a généralement rien de mieux à faire que d'aller se restaurer, rentra à son domicile rue Tardieu.

Juve, désormais, avait une idée bien nette, bien précise, formellement arrêtée dans son esprit. La victime de la rue des Grands-Degrés n'était autre que Miquet.

Le crime était dû à Fantômas !

Toutefois, dans l'espèce, qui donc Juve soupçonnait-il d'être Fantômas ? C'était Jacques Bernard.

Au moment où il descendait de l'autobus qui le ramenait à la place Pigalle, le policier entendit crier l'édition spéciale de *La Capitale*. Le grand quotidien, conformément à son habitude, devait publier sur l'événement du jour une série d'informations sensationnelles, plus ou moins véridiques et vraisemblables aussi, quelques détails qui seraient de nature à éclairer la religion de Juve.

Celui-ci fit emplette d'un exemplaire de la feuille que les camelots vendaient à double tarif, vu la faveur dont l'édition spéciale était l'objet.

Lorsqu'il eut parcouru le journal, Juve esquissa un sourire de satisfaction. Il avait remarqué un passage dans les dernières lignes de l'article au cours duquel le rédacteur insinuait, sans toutefois trop préciser, qu'un certain personnage, connu, trop connu depuis quelques jours, pourrait bien être suspect. On le désignait par ses initiales J.B. !

— Parbleu ! pensa Juve, ils ont eu la même idée que moi, dans une certaine mesure, tout au moins... pourvu que cela n'amène pas de complications ?...

Le policier rentrait chez lui, mais ne tardait pas à en sortir dès le début de l'après-midi...

Cependant, dans le lointain quartier Montrouge, une animation inaccoutumée régnait aux abords du passage Didot, si paisible et si désert en temps ordinaire.

Les rues voisines de la propriété à la surveillance de laquelle était préposé le père Nicolas, raccommodeur de casseroles, étaient mystérieusement et discrètement gardées par un certain nombre de personnages qu'il était facile d'identifier au seul aspect de leur tournure.

C'étaient des agents de la Sûreté, des inspecteurs de la brigade des recherches !

Il était environ trois heures de l'après-midi lorsque Juve parvint au passage Didot. A la vue de ce déploiement de forces policières, il eut un mouvement de dépit. Ce qui l'agaçait, mais c'est à peine s'il osait se l'avouer, c'était que la justice, d'ordinaire si lente à se mouvoir, paraissait non seulement suivre la même piste que lui, mais encore le gagner de rapidité dans ses investigations !

Juve, dans l'intention de ne point donner l'éveil à Fantômas, s'était grimé :

— Tant pis, décida-t-il, je ne me fais pas reconnaître des collègues ! Inutile de les mettre au courant de mes soupçons et de leur apprendre à l'avance qui je crois être Jacques Bernard !...

Une difficulté, cependant, se présentait : le service d'ordre se refusait à laisser passer le policier.

Juve n'hésita pas longtemps. Il se donnait comme « fournisseur » et prétendait qu'il venait toucher une facture.

Semblables déclarations ont toujours pour résultat de vous ouvrir toutes grandes les portes les plus fermées, de permettre de franchir les barrages les plus rigoureux. La qualité de créancier, sans doute, toujours respectable, est particulièrement respectée de ces messieurs de la police.

Juve, désormais, s'avançait donc lentement dans le jardinet intérieur au fond duquel se trouvait la masure délabrée que les journaux illustrés, une huitaine de jours auparavant, avaient reproduite sous toutes ses formes, en la baptisant pompeusement, ironiquement aussi, de « château ».

C'était, en effet, le château où demeurait l'héritier célèbre de l'infortunée victime, le mystérieux Jacques Bernard.

A l'entrée de la maisonnette se trouvait un personnage en redingote, qui conversait avec le concierge, le père Nicolas.

Juve le considéra quelques instants avant de s'en approcher. Il savait qui c'était : un commissaire aux délégations judiciaires. Heureusement, ce magistrat, venu de province, avait été tout nouvellement promu à ces hautes fonctions auprès de la préfecture de la Seine ; par conséquent, Juve n'était pas connu de lui... et son déguisement, au surplus, eût suffi à l'abuser.

Le policer s'approcha, et, de l'air le plus naturel du monde, sans paraître s'occuper de la qualité du personnage, il demanda en soulevant son chapeau :

— Monsieur Jacques Bernard ? s'il vous plaît.

Le commissaire se tourna brusquement, examina Juve des pieds à la tête :

— Voilà, fit Juve en affectant un air embarrassé. Je viens comme ça de la maison de commerce où je suis employé pour faire des encaissements. M. Jacques Bernard nous doit depuis quelque temps une petite facture ; oh ! ça n'est pas grand-chose, cent vingt-cinq francs...

Le père Nicolas intervint dans la conversation :

— Eh bien, mon vieux, déclarait-il familièrement, je crois bien que vous pouvez vous fouiller ! C'est comme moi pour le terme ! Le citoyen a pris la poudre d'escampette, ni vu ni connu depuis ce matin !...

Juve affectait un air si étonné, si surpris, que le commissaire de police, le regardant avec commisération, suggéra :

— Vous n'avez donc pas lu les journaux ?

— Ma foi non, fit Juve...

— Eh bien, poursuivit le magistrat impatienté, c'est inutile de vous le cacher plus longtemps, je suis commissaire aux délégations judiciaires et porteur d'un mandat d'amener contre M. Jacques Bernard, qui est inculpé de l'assassinat d'un nommé Olivier !

— Ah ! mon Dieu ! s'écria Juve, ce n'est pas possible ?...

Volontairement, il posait une question stupide :

— Alors M. Jacques Bernard est arrêté ?

— Mais non ! répliqua le père Nicolas, puisqu'on vous dit qu'il s'est ensauvé !

Juve faisait semblant de ne rien comprendre à cette histoire.

— Mais pourquoi M. Jacques Bernard a-t-il tué ce nommé Olivier, comme vous dites ?

Le commissaire esquissait un geste d'indifférence.

Aussi bien n'avait-il pas à renseigner tous les passants sur les présomptions de la justice. D'ailleurs, il rentrait dans le local qui, jusqu'alors, avait été occupé par Jacques Bernard et vérifiait les scellés que deux de ses subordonnés s'occupaient à apposer sur les meubles et la porte.

Le concierge, plus loquace, expliquait à Juve, sans se douter qu'il lui donnait des renseignements sur des faits que le policier connaissait fort bien :

— Voilà ce que c'est : Jacques Bernard était dans la dèche et puis, tout à coup, il est devenu riche, censément parce qu'il avait hérité du nommé Olivier. Or, on a retrouvé aujourd'hui, ce matin même, le corps de cet Olivier assassiné ! Naturellement, on suppose que c'est Jacques Bernard qui l'a assassiné, histoire de toucher son héritage... et dame la police est venue pour le boucler, mais trop tard !

Juve, silencieusement, hochait la tête, puis s'en allait, fort ennuyé en apparence.

En fait, le policier comprenait fort bien le raisonnement que s'était fait la justice ; certes, au premier abord, il était surpris de voir que celle-ci confondait encore sous une même étiquette la victime de la rue des Grands-Degrés et Olivier. Mais Juve, après quelques instants de réflexion, se rendait compte qu'il ne pouvait en être autrement ; nul, sauf lui, pour le moment, ne pouvait savoir que l'acteur et le cadavre découvert ne constituaient qu'un seul et même personnage...

Ce qu'il y avait de certain, de catégorique, c'est que la police était aux trousses de Jacques Bernard !

Parviendrait-elle à l'arrêter ?

Juve n'osait exprimer à lui-même sa pensée, il se contentait de se dire en son for intérieur :

— Cela se corse de plus en plus.

Décidément, Juve faisait le tour de Paris.

Voici qu'après sa visite au passage Didot, il se trouvait désormais aux abords du pont de Grenelle !

Le policier descendait sur le quai d'Auteuil, hésitait, puis, se décidait à ne pas entrer au cabaret de *La Pêche Miraculeuse*, redoutant les curiosités indiscrètes du tenancier, et les investigations, parfois trop intelligentes, de la mère Trinquette.

Toutefois, il n'y avait pas que ces gens-là qui pouvaient être documentés sur l'affaire du quai d'Auteuil, dont la notoriété s'éclipsait déjà, du fait du nouvel assassinat...

Juve s'engageait avec décision sur la petite passerelle d'un des pontons des bateaux parisiens. Il avait vu se profiler sur ce ponton la silhouette caractéristique et originale du vieux Breton, aux boucles d'oreilles, le père Karrec, qui était du reste employé de la Compagnie.

Juve abordait le bonhomme qui, en attendant le passage des bateaux, fumait perpétuellement une vieille pipe en terre qu'il culottait avec amour.

Comme s'il le connaissait depuis vingt ans, Juve souhaitait au vieillard un cordial bonjour. Celui-ci répondait avec affabilité. Bien que ne remettant pas son interlocuteur, cette interpellation ne le surprenait pas : le père Karrec se savait populaire !

— Alors, quoi de neuf ? interrogea Juve.

— Ma foi, pas grand-chose !...

— Le temps est beau...

— Oui, le temps est beau !

— La Seine est tranquille...

— Oui, elle a fini de monter !...

Après l'échange de ces quelques banalités, Juve s'enhardissait à entrer dans le vif du sujet :

— Et le crime d'à côté, on en parle toujours ?... interrogea-t-il...

Le père Karrec haussa les épaules :

— C'est selon ! fit-il énigmatiquement...

Mais Juve insistait encore :

— Paraît qu'on n'a toujours pas retrouvé le cadavre ?...

Le père Karrec, à ces mots, avait un regard surpris. Il considérait Juve un instant, puis, mystérieusement lui confiait tout bas :

— J'en sais long sur cette affaire ! si l'on avait voulu m'écouter !...

— Bien sûr qu'on a eu tort de ne pas le faire !... approuva Juve.

Puis, feignant de savoir ce que voulait dire le père Karrec, plaidant en somme le faux pour connaître le vrai, il objecta :

— C'est égal ! Vous avez des idées !...

Le bonhomme se regimbait :

— Des idées qui sont bonnes et qui sont vraies. Moi, j'ai l'habitude de ça ! Les intersignes, c'est des choses qui existent ! Dans mon pays on en voit tous les jours. Je l'ai toujours dit, voilà ce qu'il fallait faire...

« Vous prenez un jeune veau, nouvellement né, qui n'a pas moins de trois jours et pas plus de sept, vous l'emmenez sur le coup de midi à l'endroit où s'est produit le crime... et puis vous le lâchez. Le veau s'en va, comme qui dirait, à sa guise, à droite, à gauche, enfin censément il s'arrête quelque part, et c'est justement là, à l'endroit précis où il s'arrête, qu'il faut faire un trou ! Quand vous aurez creusé trois pieds dans la terre, vous trouverez le mort, c'est moi qui vous le dis !... C'est arrivé comme ça, une fois chez nous, et on a retrouvé le cadavre !... Pardon ! excuse ! mon copain, voici le bateau qui arrive...

Profitant de ce que le vieux Breton superstitieux était occupé à entortiller autour d'un champignon de bois la grosse corde que venait de lui lancer l'un des manœuvres du bateau-mouche, Juve s'éclipsa du ponton, sans se soucier de prolonger plus longtemps son entretien avec son interlocuteur, qui, évidemment, avait sur les procédés judiciaires d'investigation, des théories tout à fait particulières !

Il demeurait un instant arrêté sur le quai d'Auteuil, ne sachant trop quel prétexte invoquer auprès de la concierge de la maison de l'avenue de Versailles pour pénétrer dans la chambre où s'était perpétré le crime, lorsque, soudain, il vit venir à lui quelqu'un qui, comme toujours, rôdait dans le voisinage. C'était Bouzille, Bouzille, toujours à l'affût des promeneurs et des oisifs [1].

Bouzille, en effet, depuis l'aventure sinistre, n'avait qu'une préoccupation : faire visiter le lieu du crime, moyennant un petit pourboire, à la plus grande quantité de personnes possible !

Bouzille abordait Juve, qu'il ne reconnaissait pas, en raison de son grimage, et lui suggérait son invitation :

Le chemineau avait désormais ses prix !

Du temps où il pilotait Jacques Bernard, sans se douter, d'ailleurs, de la qualité du personnage auquel il servait de guide, c'était encore deux francs ; désormais, Bouzille marchait pour une pièce de cinq sous !

Juve accepta la proposition.

Lorsque le policier et le chemineau se trouvèrent, quelques instants après, dans le logement tragique, s'ils avaient eu à soulever à nouveau la question argent, ils auraient été certainement d'accord pour reconnaître, de bonne foi, que le spectacle ne valait guère plus !

La pièce, afin d'être louée, dans un avenir rapproché, était absolument vide, dénudée de tout.

Juve éprouvait une légère déception. Il regrettait de ne pas être venu plus tôt voir cet énigmatique local. Son visage, évidemment, ne dissimulait pas son désappointement, Bouzille s'en aperçut :

---

1. Voir dans le présent volume : *Le Train perdu.*

Le chemineau prit son client à l'écart et, l'attirant dans un angle de la pièce, lui suggéra mystérieusement :

— Ici, y a plus rien, les curieux et les Anglais ont tout emporté, mais si vous êtes amateur, j'ai encore quelques souvenirs ! Seulement, faut être discret, parce que, dame, c'est défendu, m'a-t-on dit, de prendre ces choses-là !...

Juve, intrigué, rassurait Bouzille d'un bon sourire :

— N'ayez donc pas peur ! murmurait-il, je ne suis pas de la rousse !...

Bouzille, que l'appât du gain incitait à toutes les imprudences, sans exiger d'autres justifications, sortait de l'intérieur de sa poche un volumineux portefeuille gonflé de paperasses, déchiré aux angles et tout jauni.

Il extrayait encore de son pantalon un petit morceau de planche, sur lequel, d'une grossière écriture, il avait marqué une date.

— Ça, déclarait-il, en faisant passer le bout de bois, c'est du nanan, ça coûte cher un morceau de plancher taché du sang de la victime !...

Juve considérait l'objet, paraissait n'y attacher qu'une médiocre importance, mais Bouzille avait étendu sur le marbre de la cheminée quelques-unes des feuilles de papier extraites de sa poche. Il les dépliait précautionneusement, une à une, tout en murmurant :

— Ça, c'est des pièces authentiques, c'est encore du bon !... des écrits laissés par le mort, et rédigés de sa main même, de sa propre écriture !...

Juve, machinalement, avait considéré ce que Bouzille appelait dans son langage simpliste « les écrits », mais soudain, au fur et à mesure qu'il les examinait, le policier pâlissait de plus en plus...

Brusquement, fièvreusement, il ordonnait à Bouzille de lui montrer tout ce qu'il possédait dans cet ordre d'idée...

Le chemineau commençait à s'inquiéter d'une telle ardeur, mais le policier avait un air si autoritaire et une physionomie si angoissée, que Bouzille, interdit, n'osait formuler la moindre objection.

Juve, minutieusement, considérait ces documents.

Il allait au jour, les regardait par transparence, puis, de son propre portefeuille, il tirait aussi des papiers, les comparait avec ceux du chemineau.

— Mon Dieu ! murmurait Juve, mon Dieu !

Juve se prit la tête dans les mains, demeura un instant sans parler, puis interrogea :

— Vous êtes sûr, Bouzille, que tous ces papiers appartenaient au mort ?... qu'ils proviennent tous d'Olivier ?...

— Ça ! répliqua le chemineau, se méprenant sur les interrogations de son interlocuteur qu'il ne pouvait d'ailleurs soupçonner, ça, j'en suis sûr ! C'est moi-même qui les ai chipés dans le paquet de documents qui se trouvait chez lui. Il y a même des lettres que j'ai prises dans les poches de ses vêtements !...

Juve, en proie à une émotion extrême, balbutiait encore cette étrange parole :

— Hélas ! je n'ai pas lieu d'être surpris ! je m'en doutais !... je m'en doutais !...

Expert aux investigations législatives, Juve, bien que la pièce fût entièrement vide, la scrutait encore de toute l'acuité de son regard.

Soudain, il avisait un placard, dissimulé dans le mur, l'ouvrait, regardait à l'intérieur, tâtait des mains dans les coins obscurs.

Le policier ramena un petit objet dont la vue le fit tressaillir et pousser une exclamation de désespoir !

C'était un crayon, un modeste crayon encastré dans une monture en argent.

Hélas ! Juve ne pouvait plus avoir de doute, il connaissait ce crayon, sans valeur par lui-même, mais qui prenait désormais à ses yeux une valeur inestimable.

Ah ! il n'y avait pas de doute, c'était bien là un objet personnel, un de ces objets qui font pour ainsi dire partie de vous-même, un de ces objets qui identifient, mieux que tout, leur propriétaire !

Soudain, Juve se laissait aller sur le sol de la pièce vide ; il tombait à genoux, de grosses larmes jaillissaient de ses yeux, cependant que Bouzille, absolument interloqué par cette scène étrange, le regardait anxieusement...

Un quart d'heure après ces événements, Juve, qui avait repris son sang-froid, quittait l'avenue de Versailles. Au préalable, toutefois, il avait fait subir à Bouzille un interrogatoire en règle, d'une minutieuse précision...

Le policier avait rassuré le chemineau en le gratifiant généreusement d'une pièce de cent sous, en échange de laquelle, d'ailleurs, il avait emporté tous les écrits en possession de Bouzille, plus le petit crayon qu'il avait retrouvé...

En outre, Juve s'était fait raconter par le menu tous les incidents, tous les détails du drame, auquel Bouzille prétendait avoir assisté en qualité de témoin.

Il était sept heures du soir.

Sur le quai des Orfèvres, en sortant de la Préfecture de police, le jeune inspecteur Michel fit quelques pas pour s'éloigner du bâtiment administratif qu'il quittait. Mais au bout de quelques instants le policier, qui bénéficiait depuis quelque temps de l'insigne protection de M. Havard, paraissait sur le trottoir opposé et s'appuyant sur le parapet du quai, semblait considérer avec la plus grande attention l'eau du fleuve qui coulait à ses pieds.

Il fut rapidement rejoint par quelqu'un et aussitôt entre les deux personnages s'engageait une conversation animée.

— Vous voyez, monsieur Juve, je suis exact au rendez-vous, mais votre mot m'a émotionné ; vous avez du nouveau ?

C'était en effet le maître policier qui venait de retrouver son cadet.

Juve hocha la tête, et il murmura :

— Oui !

Le policier était si sombre, il avait l'air si triste, si préoccupé, que Michel ne put s'empêcher d'en faire la remarque.

— Mais qu'avez-vous donc ? On dirait qu'il vous est arrivé un malheur ? que vous avez du chagrin ?...

Juve resta un instant sans répondre, puis, appuyant affectueusement sa main sur l'épaule de Michel :

— Mon bon ami, déclara-t-il, d'un ton grave et douloureux, on ne perd pas impunément un ami, un ami intime, presque un enfant, sans avoir le cœur gros, sans pleurer !...

Michel interrompait, soudainement inquiet. Un nom lui venait à l'esprit, nom qui n'était pas difficile à trouver, car, qui donc, à Paris, et particulièrement dans la police, ignorait l'affection sincère qui unissait depuis de longues années déjà le maître policier à Fandor ?...

Michel interrogea donc, sûr d'avance de la réponse :

— Il s'agit de Jérôme Fandor ?...

— Oui ! fit encore Juve, presque imperceptiblement... Fandor est mort ! j'en ai la certitude, Fandor, c'était Olivier !...

Et Juve avait grand-peine à contenir ses sanglots !

Telle était en effet la sinistre découverte que Juve croyait avoir faite dans le logement de l'avenue de Versailles.

Juve, depuis son retour à Paris, n'avait pas eu de nouvelles de Fandor. Il pensait que le journaliste se cachait pour mieux filer Fantômas, mais il n'en était pas moins fort inquiet. Or, brusquement, Juve en examinant les paperasses de Bouzille avait reconnu dans les billets que le chemineau lui présentait comme des souvenirs venant d'Olivier-Maurice, l'écriture de Fandor. La lumière s'était faite alors dans son esprit...

Pouvait-il douter, d'ailleurs ?

N'était-ce pas l'évidence qui s'imposait à lui ?

Oui, certes, Fandor se cachait pour filer Fantômas... mais Fantômas... mais Fantômas l'avait découvert...

C'était Fandor que Fantômas avait tué en Olivier-Maurice...

Et si l'acteur Miquet venait lui aussi d'être assassiné, c'est que Fantômas, toujours implacable, avait craint les révélations de cet homme qui avait assisté au départ du train perdu et qui, sans doute aussi, connaissait Olivier-Maurice...

Juve imaginait en effet toute une sombre machination :

Revenu à Paris, ayant rejoint l'acteur Miquet, Fandor, pour faire parler cet homme, s'était grimé en Maurice, cependant que, pour vivre, sous le nom d'Olivier, il collaborait à *Littéraria*...

Fantômas avait tout appris...

Fantômas avait encore une fois marqué sa route de nouvelles cruautés...

Fandor était mort...

L'acteur Miquet venait d'être tué !...

Ah ! certes, Juve n'eût pas raisonné de la sorte s'il avait pu deviner de quelle effroyable coïncidence il était en réalité victime...

Mais il lui était, évidemment, bien impossible de soupçonner que Maurice était un tout autre personnage qu'Olivier !

Rien ne pouvait, de plus, lui permettre de comprendre ce qui causait son erreur. Il n'avait aucun indice qui pût lui faire découvrir qu'en réalité les paperasses de Bouzille provenaient non pas de Maurice, mais bien de l'étrange individu qui, successivement, s'était nommé Absalon, Olivier, Jacques Bernard et avait volontairement créé la confusion pour faire augmenter le prix de ses poèmes !

Il ne savait pas, hélas, et c'était avec un horrible chagrin qu'il répétait :

— Fandor est mort ! J'en ai la certitude ! Fandor c'était Olivier !

Michel tressauta :

— Fandor c'était Olivier, reprenait-il. Alors c'est la victime de la rue des Grands-Degrés ?

— Non ! interrompit Juve doucement, cette victime-là, c'est Miquet !... Michel ouvrait de grands yeux inquiets. Juve continua :

— Fandor est l'infortunée victime du crime d'Auteuil.

— Mais, objecta Michel, ce crime d'Auteuil est un crime fictif.

Juve affirma autoritairement :

— Non, c'est un crime réel !...

Le jeune inspecteur de la Sûreté était de plus en plus interloqué...

— Ah ! s'écria-t-il, avec une lassitude naïve, je crois que jamais je n'en sortirai de ces affaires-là !...

Mais Juve, de son ton protecteur et cordial, rassurait le jeune protégé de M. Havard, Michel, qui était aussi son protégé à lui...

— Je vais vous expliquer, déclara-t-il...

Les deux hommes remontaient lentement dans la direction de la statue d'Henri IV, Juve commença :

— Vous savez, n'est-ce pas, que Fandor m'a quitté à Glotzbourg, pour aller à Paris, pister Fantômas. Qu'est devenu Fandor, à partir de ce moment ? Je l'ignorais ces derniers temps, je m'en doutais jusqu'à cet après-midi, je le sais depuis quelques heures !

« Fandor s'est dissimulé sous une double personnalité. Celle de l'ouvrier Maurice. C'est sous ce nom que le connaissait sa jeune maîtresse, Firmaine, puisqu'il semble que Fandor a eu une maîtresse... ce qui m'étonne d'ailleurs infiniment ! Celle d'Olivier ; c'est sous ce nom, en effet, qu'il vivait de littérature, grâce d'ailleurs à la générosité de Mme Alicet.

« Fandor, comme moi, a un ennemi, implacable et terrible, c'est Fantômas. Fantômas veut notre mort. Fantômas a trouvé Fandor... il l'a tué !

« Voilà, Michel, toute l'explication, elle est hélas bien simple, du sinistre crime que Fantômas a commis au quai d'Auteuil.

« Fantômas tire toujours parti des vivants, il tire encore mieux parti des morts. Olivier constituait une valeur commerciale. Du fait de sa disparition celle-ci allait augmenter. Et puis enfin, après avoir fait disparaître le vivant, il importait de chambrer le mort... Vous comprenez ce que je veux dire, Michel ? il était nécessaire pour Fantômas que nul ne vînt interroger la vie du défunt en fouillant dans ses papiers, en recherchant dans ses documents...

« Préalablement à son crime, Fantômas, par une de ces subtilités, dont il est coutumier, s'instituait donc le légataire universel d'Olivier. Vous voyez l'habileté ?...

— Comment ? interrompit Michel, mais alors, Juve, Fantômas, c'est...

— Eh bien, naturellement ! reprit Juve d'une voix qu'il s'efforçait de rendre calme, oui, naturellement, Fantômas, Fantômas, c'est Jacques Bernard !

Tandis que Michel demeurait abasourdi de cette révélation, le maître policier continuait :

— Je n'ai pas fini, Michel, il y a encore le crime de Miquet à expliquer. Oh ! ça n'est pas difficile ! Nous retrouvons, là encore, du Fantômas. Sa personnalité, vous ai-je dit tout à l'heure, est, au lendemain du crime d'Auteuil, dissimulée sous l'étiquette de Jacques Bernard. Le voici donc héritier de Fandor, je veux dire d'Olivier.

« La vogue des poèmes d'Olivier est telle que notre Jacques Bernard commence à en être gêné. Décidément on parle trop de cet Olivier et, parmi les gens qui s'intéressent postérieurement à lui, se trouve un certain Miquet. Cet acteur préoccupe Fantômas. Fantômas, d'une part, redoute les révélations que pourrait faire Miquet au sujet du train Barzum et de la scène qu'il y a eu avec sa fille. D'autre part, il est ennuyé que la disparition du corps de sa victime, corps de mon pauvre Fandor, qu'il n'a pas pu laisser voir, car on aurait reconnu Fandor, fasse croire désormais qu'il s'agit d'un crime fictif. Je suis convaincu, Michel, que cette hypothèse d'un crime fictif qui s'est accréditée ces temps derniers a considérablement déplu à Fantômas !

« Il faut, s'est-il dit, que Miquet passe pour Olivier, mais comme on s'apercevrait que la mort remonte au jour où elle aurait été effectivement donnée, et non pas à la date du crime d'Auteuil. Il faut que je jette du mystère sur ce premier crime... Olivier, a-t-on dit, est mort à Auteuil ?... pas du tout ! Olivier réapparaîtra et Olivier réapparaît. En effet nous le voyons à la soirée de Mme Alicet. Soyez assuré, Michel, que cet Olivier-là n'était autre que Fantômas !

« Voilà donc le premier crime anéanti, rendu inexistant. Fantômas, sous un prétexte qu'il lui est facile d'avoir, attire Miquet dans la maison de la rue des Grands-Augustins. Il prémédite son crime. Vous me direz, Michel, que l'assassinat de Miquet ne pouvait tarder à être connu, que la disparition de l'acteur, coïncidant avec la date du crime, permettrait rapidement d'identifier la victime de la rue des Grands-Augustins avec le comédien de la rue Lepic, c'est exact ! Fantômas, d'ailleurs, n'y voit pas d'inconvénient, ne désire qu'une chose, c'est d'abord de ne pas être soupçonné d'avoir assassiné Fandor, c'est, en outre, de se dépouiller désormais de la personnalité de Jacques Bernard, qu'il a trop compromise et qui se trouve suspecte !

« En réalité, notez bien que Fantômas, eu égard à sa qualité de Jacques Bernard, s'est complètement compromis en tuant Miquet qu'il fait prendre pour Olivier !

« Et je vous dis, Michel, qu'à dater de ce jour, de cette heure, on n'entendra plus jamais parler de Jacques Bernard, pour la bonne raison que c'était la personnalité de Fantômas, personnalité qu'il abandonne pour prendre désormais... laquelle ?...

Il était vraiment admirable à cet instant, le célèbre policier ! Malgré la douleur atroce, le chagrin immense que lui causait la triste fin de son meilleur ami, son esprit suivait point à point la série logique des faits ; il devinait presque la filiation embrouillée de l'écheveau si terriblement tragique.

Michel écoutait parler Juve avec admiration, il répondit à la dernière phrase du grand policier :

— Ah ! il faudra bien, pourtant, qu'on finisse par l'arrêter... cet horrible Fantômas.

— Hélas, murmura Juve, en hochant la tête, ne l'appelle-t-on pas Fantômas... l'Insaisissable !...

Le policier toutefois réagissait, serrait chaleureusement la main de Michel dans la sienne :

— Mais ne perdons pas courage, le bandit finira bien par tomber dans nos mains et puis aussi, il faut venger Fandor...

Venger Fandor !

Cette dernière pensée avait rendu à Juve toute son énergie, toute sa volonté !

Le maître policier, désormais, ayant quitté Michel, rentrait lentement à pied à son domicile, rue Tardieu.

Or, il était si absorbé dans ses pensées, si soucieux, si préoccupé, qu'il ne s'aperçut pas qu'à petite distance, derrière lui, roulait un taxi-automobile, qui s'efforçait de le suivre et de ne point perdre sa filature !

Les stores du véhicule étaient baissés.

Toutefois, à un moment donné, l'une des glaces s'abaissa, la personne qui se trouvait à l'intérieur du véhicule avait un ordre à donner au mécanicien. Si Juve s'était retourné à ce moment-là, il n'aurait pas été peu surpris de découvrir, sous une épaisse voilette, les traits connus de lui d'une dame, fort jolie, qui le connaissait peut-être, qu'il connaissait sûrement !

XVI

Par téléphone

— Pour être un taudis, c'est un taudis !...

Jacques Bernard venait de jeter un long regard mélancolique à son mobilier, si mobilier pouvait se nommer l'ameublement de la chambre où il s'éveillait !

Il n'avait pas tort de qualifier la pièce de taudis !

C'était en vérité pis encore, car un taudis suppose, au moins, un amoncellement de choses, alors que le vide le plus absolu, le plus abominable, régnait dans la soupente !

La pièce était petite, les murs, blanchis à la chaux jadis, apparaissaient crasseux, délabrés, couverts d'inscriptions...

Dans un coin une paillasse d'où sortaient des flocons de crin végétal... plus loin, une chaise sur laquelle était posée une cuvette et un gigantesque pot à eau... contre le mur, à droite, une caisse sur laquelle étaient rangés des habits, dans laquelle on devinait du linge, très peu de linge !...

— Non ! pas jolie, l'installation ! reprenait encore Jacques Bernard qui promenait inlassablement son regard, de la paillasse éventrée sur laquelle il était assis, à la chaise-toilette, à la malle-armoire et qui ne pouvait, en vérité, regarder rien d'autre, car il n'y avait rien de plus...

Il faisait vilain temps d'ailleurs !

Un brouillard fumeux et opaque pesait de son poids, formidable eût-on cru, sur le vasistas éclairant la soupente. Il était pourtant huit heures du matin. On était en mai, il aurait dû faire clair, il faisait presque nuit !

Quand Jacques Bernard prêtait l'oreille, confuse, bien qu'intense, il entendait, toute proche de son misérable home, la vaste et formidable rumeur de Londres, du Londres travailleur des docks, du Londres misérable aussi, où l'on croise de pauvres hères qui ne vivent et ne durent que d'alcool !

— Et dire, songeait Jacques Bernard, qui, depuis quatre jours arrivé à Londres, se sentait déjà l'âme angoissée par la mélancolie de l'atmosphère brumeuse, et dire que ce confortable relatif je vais en manquer !... car il n'y a pas à dire, je ne gagne pas un sou, je ne vois pas comment je vais gagner un sou et mon trésor de guerre s'épuise, s'épuise avec une rapidité effarante ! Je n'ai pas connu les vaches grasses et voilà les vaches maigres qui s'annoncent !... Ça n'est pas juste !...

Tandis que le jeune homme réfléchissait, il entendait que l'on frappait à sa porte. Une voix de femme interrogeait, en anglais — Jacques Bernard comprenait à peu près l'argot londonien — et s'informait, sur un ton aigre, s'il avait l'intention de payer ce matin son loyer !...

— Car, enfin, disait la voix, il est absolument inadmissible qu'un gentleman qui prétend porter des cols blancs ne trouve point quelques pence pour solder sa logeuse, et payer la location de son appartement !... Cela est inadmissible !... Et le gentleman comprendra certainement qu'étant donné la cherté de la vie, maintenant que l'ale est hors de prix, il est impossible de faire crédit !... Aussi le gentleman paiera ou il s'en ira...

Jacques Bernard, de l'autre côté de sa porte, écoutait, sans sourciller, la diatribe de sa logeuse.

— Bon ! pensait-il, il y a beaucoup de gentlemen là-dedans ! Et malgré tout, ce qu'il y a de plus clair, c'est, qu'ainsi que je l'avais deviné, il va me falloir payer maintenant ma note ou déguerpir... Payer ?... comment ?... Déguerpir ? où ?...

Il prit une voix attendrissante et répondit :

— Mistress Horphy, vous supposez bien, j'imagine en vérité, qu'un gentleman de ma sorte n'a point l'intention de partir sans vous payer... et par conséquent...

Mais Mrs Horphy ne désarmait pas :

— Je suppose cela, oui vraiment ! répondait-elle ; et c'est pourquoi, ayant besoin d'argent, ce matin, je vous prie de penser à mon petit mémoire...

— Mais j'y pense !... j'y pense !... protestait Jacques Bernard... je ne pense même qu'à cela !...

— Alors, gentleman, vous aurez la bonté extrême de bien vouloir le régler ?

— Mais certainement, mistress Horphy, ce soir même...

— Non, pas ce soir, gentleman !... ce matin !...

— Mais... pourquoi, mistress Horphy ?

— Parce que, gentleman, j'ai moi-même des mémoires à payer. Je ne doute pas, gentleman, que cela soit une petite chose infime pour vous de payer les shillings que vous me devez ?...

— En effet, protestait Jacques Bernard... c'est une petite chose, pour moi... de payer cela ! mais, justement, aujourd'hui, j'ai rendez-vous avec mon banquier. Ne pouvez-vous patienter jusqu'à ce soir, mistress Horphy ?

— Impossible, gentleman ! je vous attends ce matin, dans le bas de mon escalier...

— Alors ! à tout à l'heure !

Il fallait bien que Jacques Bernard se décidât à en passer par où voulait son intraitable logeuse...

Aussi bien, elle avait raison, cette femme !...

Il devait sa semaine, il ne le niait pas... Il le regrettait seulement ; oh ! il le regrettait de toute son âme !

— Attendez-moi donc au bas de votre escalier... mistress Horphy ! attendez-moi et en vérité je viendrai vous payer ce que je vous dois !... Quelques douzaines de secondes pour être présentable...

Jacques Bernard écouta derrière sa porte les pas de Mrs Horphy qui s'éloignait.

La vieille femme n'était point rassurée tout à fait, mais cependant, se prenait à espérer toucher sous peu son argent !

Or, cependant qu'elle descendait l'escalier pour aller guetter au passage son misérable locataire, ce dernier réfléchissait :

— Évidemment, il y a trois partis à prendre. J'habite sous les toits, je puis donc essayer de m'en aller par les toits et tenter de déménager à la cloche de bois, comme on dit si bien à Paris... Malheureusement le projet me semble assez irréalisable, car je ne vois pas très bien où les toits me mèneraient !... à d'autres maisons sans doute, où j'aurai toute chance de me faire saisir par quelque policeman hargneux, gigantesque et bien habillé, ce qui est une extrémité à éviter !... Je puis encore essayer de me faire déclarer insolvable. Mais cela me semble tout aussi compliqué, car tout d'abord, je ne suis point citoyen anglais et ensuite, j'ignore complètement la procédure qu'il faudrait suivre pour arriver à cette bienheureuse déclaration !... Déclaration bienheureuse ? si l'on veut, car enfin, les insolvables sont, en Angleterre, si je ne m'abuse, enfermés en prison pour dettes... or, je ne tiens pas à aller en prison... ce n'est pas le moment !... Reste donc, en tout et pour tout, un seul et dernier moyen... payer mon loyer, donner de l'or à Mrs Horphy !... Hum !... il est alors nécessaire de faire un emprunt à mon... déjà nommé trésor de guerre ?... Voyons ce qu'il dit, ce trésor ?...

Jacques Bernard tirait, au milieu de la soupente, la caisse qui lui servait de table et s'accroupissait devant elle, alignait quelques pièces d'argent, et, plus soigneusement conservés, deux louis...

— Ne parlons pas de ces quarante francs ! songea-t-il, cela représente mon viatique ; c'est mon retour vers l'avenue de l'Opéra, vers Paris !... Je n'ai pas le droit d'y toucher... c'est sacré, c'est inviolable !... Restent donc ces pièces blanches ?... Pas nombreuses, les pièces blanches ! En tout et pour tout, environ vingt-quatre francs... Bon !... je vais payer la somme exorbitante de 4 F 10 à Mrs Horphy... il me restera vingt francs !... Évidemment il ne faudra pas que j'invite des gens à déjeuner, si je veux tenir à Londres encore une semaine !... Allons ! les choses se compliquent, voilà la dèche, la grande dèche !... Il se pourrait bien que je sois encore amené à maigrir...

Jacques Bernard tournait et retournait en tous sens les pièces composant son « trésor de guerre » mais cela, bien évidemment, ne l'avançait à rien !...

L'argent ne se multipliait pas. Après une demi-heure de réflexion, il dut prendre une décision :

— Allons ! fit-il et faisons le magnanime !... Tâchons d'impressionner les hôtes de céans... Parbleu, cela nous donnera peut-être crédit pour l'avenir !...

Jacques Bernard posait dans un désordre apparent, qu'en réalité il calculait soigneusement, sur le bord de la caisse, l'argent qui composait toute sa fortune ; puis il ouvrait sa porte, appelant :

— Mistress Horphy !...

— Gentleman ?

— Vous pouvez monter, pour que je vous paie !...

La vieille logeuse qui, sans doute, ainsi qu'elle l'avait annoncé, n'avait point quitté son escalier où elle guettait son locataire au passage, ne se faisait pas répéter deux fois l'invitation inespérée...

— Je monte !... je monte !...

Jacques Bernard n'en doutait pas...

Il entendait le pas pressé de la vieille, sautillant au long des degrés. Elle apparaissait bientôt, dans l'encadrement de sa porte, les doigts agités d'un tremblement convulsif et tout son maigre visage respirant un air terrible de rapacité.

— En vérité, gentleman, vous allez avoir la bonté grande de solder votre petit mémoire ?... je vous en remercie, gentleman ! Une pauvre vieille femme comme moi, qui n'a plus que cette maison pour vivre, a grand besoin de son argent !

Mais Jacques Bernard aimait peu les lamentations de la vieille.

Dès lors qu'il soldait sa propriétaire il n'était plus nécessaire d'être aimable avec elle. Aussi interrompit-il rapidement ses jérémiades :

— Ne parlez donc point ainsi, mistress Horphy ! Une vieille femme comme vous n'est point intéressante !... Non, elle ne l'est pas, en vérité ; vous êtes riche, mistress Horphy, très riche et vos appartements sont hors de prix !...

La vieille baissait la tête sous la réprimande ; assez convaincue, d'ailleurs, de la justesse de la remarque de ce locataire excentrique qui devenait un locataire respectable dès lors qu'il consentait à payer !

Jacques Bernard, lorsqu'il était arrivé à Londres, descendu à Victoria Station, avait, chargeant sur ses épaules la caisse qui constituait tout son bagage et dans laquelle il s'était contenté de jeter au plus vite quelques hardes à son départ de Paris, gagné rapidement le quartier des docks, qu'il savait être le plus misérable quartier. Là, il avait eu la bonne fortune de rencontrer le grenier que Mrs Horphy louait à la semaine.

Jacques Bernard n'avait pas hésité à s'installer immédiatement, mais la vieille, elle, avait fort hésité à accepter ce locataire. Elle avait la méfiance instinctive des Français et de plus, trouvait à Jacques Bernard des allures étranges !

Qui était-ce !

Que voulait-il ?

Qu'était-il venu faire à Londres ?

Avait-il une profession avouable ?

Dans sa crainte superstitieuse de tout étranger la vieille femme eût assurément repoussé ce locataire qui lui semblait extraordinaire — vient-on habiter aux docks quand on porte un faux col et des manchettes ? quand on a des mains fines et assurément non habituées au travail ? — si l'appât du gain n'avait été plus fort que ses inquiétudes.

Or, maintenant, ce gain elle allait le réaliser !

Et, tout le temps que Jacques Bernard parlait, la vieille, sans même prendre la peine de dissimuler ses convoitises ardentes, louchait sur le bord de la caisse où les louis d'or lui semblaient mettre des taches de soleil !

— Gentleman, dit-elle, il est correct, je crois, que je vous rappelle le prix convenu. C'est 4 shillings 10 !

Jacques Bernard affecta la plus entière indifférence.

— Prenez-les donc, mistress Horphy, et une autre fois ne soyez donc point si défiante à mon endroit !... Je n'ai jamais eu, grand Dieu, non ! l'intention de vous faire perdre un sou et vous auriez pu me faire crédit jusqu'à ce soir, après ma visite chez le banquier !... Allons ! prenez votre argent et laissez-moi partir à mes affaires !...

— Gentleman, je vous remercie !...

— Prenez, mistress Horphy !... prenez !...

Avec des gestes de grand seigneur, Jacques Bernard tendait les 4 shillings à son hôtesse, puis la poussait dehors...

Mais à peine avait-elle disparu qu'il esquissait une grimace...

— Vieille sorcière !... Et maintenant, encore une autre dépense, car il n'y a pas, je n'ai pas dîné hier soir, pas déjeuné non plus ! Il faut absolument que ce matin j'aille faire un tour dans un de ces bars extra-chics que je fréquente depuis mon arrivée ici !... Ce qui va encore faire une brèche au trois fois nommé « trésor de guerre » !...

Jacques Bernard, soigneusement, réenfournait dans sa poche les pièces d'argent qu'il en avait tirées... puis il prenait son chapeau, dégringolait son escalier, s'enfonçait dans l'atmosphère brumeuse et glaciale, enténébrant la rue tortueuse, où se dressait son logement.

Certes, nul, alors, n'eût reconnu en le pauvre diable s'en allant au long des trottoirs, anonyme, perdu dans le sein de la foule anglaise, dans les quartiers excentriques et misérables, le Jacques Bernard, héritier d'Olivier, qui, jadis, avait reçu de façon si dédaigneuse les propositions des grands directeurs de journaux !

Mais, depuis, Olivier avait réapparu, puis était mort, véritablement cette fois, assassiné !

Jacques Bernard était inculpé presque d'homicide par la voix publique, il avait dû prendre la fuite et prendre la fuite sans même avoir eu le temps de se ménager des moyens d'existence à Londres, en son exil !...

Jacques Bernard marcha longtemps au hasard des ruelles infectes, extraordinairement embrouillées, aux noms bizarres, qui constituent l'inextricable enchevêtrement des voies sillonnant le quartier des docks.

Il était à peu près dix heures, dix heures et demie peut-être, quand il parvint à une encoignure de passage, un passage d'aspect sordide où une sorte d'échope bâtie en planches mal jointes avait figure de restaurant.

C'était là que depuis près d'une semaine, Jacques Bernard prenait ses repas.

Il n'avait pas trouvé de moyens plus économiques de se nourrir, car, pour sept sous, en ce misérable établissement on servait une tranche de viande quelconque, cuite assez pour être en bouillie et qu'il fût impossible de discerner les endroits gâtés d'avec les parties restées saines, plus une tranche de pain, plus, encore, une pinte d'ale de très mauvaise qualité !...

Jacques Bernard alla s'asseoir, comme d'habitude, à la table du fond.

Il laissait le haut tabouret, perché devant le comptoir, aux clients chics de l'établissement, aux snobs de l'endroit qui, en état de dépenser douze sous, six pence, pouvaient s'offrir une saucisse, des choux, de l'ale et un morceau de fromage !

— Boy !... appelait Jacques Bernard, imitant à merveille, car il parlait assez bien l'anglais, l'accent sifflant et précipité des faubouriens de Londres... Boy !... mon déjeuner et les journaux !...

Jacques Bernard ne commettait point de dépenses exagérées, en réclamant les journaux, car, dans le prix du déjeuner, était compris l'usage facultatif du *Daily News*, que l'établissement recevait de seconde main, c'est-à-dire deux jours en retard, ce qui n'empêchait point la clientèle de lire avidement la feuille !

Savourant lentement — la faim fait trouver bonne toute chose — l'horrible pitance que le boy du bar venait de lui apporter sur une assiette, d'ailleurs assez proprement lavée, Jacques Bernard se plongeait dans la lecture du *Daily News*.

Il courait, tout naturellement, aux informations étrangères, où il espérait découvrir des nouvelles de Paris, et plus spécialement des nouvelles relatives à l'extraordinaire et tragique assassinat d'Olivier !...

Son attente n'était pas déçue...

Au premier regard, il apercevait un assez long article dont le titre tout de suite le surprenait :

« Extraordinaire découverte rue des Grands-Augustins !... »

Jacques Bernard, fiévreusement, parcourait les colonnes du quotidien et haletait... Une flamme brillait dans ses yeux, il finissait par taper du poing sur la table, vigoureusement :

— Allons !... allons !... est-ce Dieu possible ?...

Hâtivement, il avalait sa portion, payait, soldait et reprenant son chapeau s'enfuyait vers la rue.

Le garçon lui courait après.

— Hep ! gentleman ! vous emportez le *Daily News* !...

— Je l'achète !

Et au boy ébloui de cette fastueuse dépense, Jacques Bernard lançait à la volée un penny qui soldait le quotidien, devenant ainsi sa propriété !...

Jacques Bernard d'une seule trotte, sans reprendre haleine, se précipitait vers un bureau du Post Office. Il entrait, en faisant grand tapage, indifférent aux regards surpris que les postiers, solennels et froids, derrière leur bureau, lui lançaient.

Jacques Bernard prenait une formule télégraphique et d'une écriture zigzagante, nerveuse, rédigeait une dépêche :

— Pardieu ! monologuait-il, j'en aurai le cœur net !... ah ! sapristi de sapristi, ce serait la fin de tous mes malheurs !...

Sur la formule que l'employé relisait soigneusement, à haute voix, Jacques Bernard venait d'écrire :

Firmaine Guinon, 366, rue de Penthièvre. — J'apprends par journaux que police a découvert que victime assassinée rue des Grands-Augustins ne serait pas Olivier, mais Miquet. Est-ce vrai ? Est-ce Olivier ou Miquet ? Répondre d'urgence. — Post Office, 27, Londres.

Jacques Bernard

Le jeune homme écornait encore une fois, mais sans hésiter, ses réserves financières, puis il sortait dans la rue, joyeux, sifflotant...

— Dans trois heures, pensait-il, dans trois heures je puis avoir une réponse !... Mon Dieu !... mon Dieu ! si c'était Miquet, mais je pourrais revenir ce soir même à Paris ! Car enfin, si l'on devait à juste titre me soupçonner, moi, Jacques Bernard, d'être l'assassin d'Olivier, il n'y a évidemment aucune raison pour m'accuser d'avoir tué Miquet... Ah ! nom d'un chien de nom d'un chien ! mais alors comment se fait-il qu'Olivier, ou du moins l'Olivier-Maurice qui a réapparu à la fête de *Littéraria*, ne se soit jamais remontré ?... Oh ! oh !...

Jacques Bernard, fébrilement, achetait les numéros récents du *Daily News* pour y trouver des détails, des renseignements...

Hélas ! il n'était plus fait mention du crime de la rue des Grands-Augustins !

Le journal anglais, évidemment, ne jugeait point utile de tenir ses lecteurs quotidiennement au courant d'une information touchant à un crime parisien...

Jacques Bernard, toute la journée, dut, l'angoisse au cœur, l'âme à l'envers, se promener dans les rues, attendant la dépêche escomptée, souhaitée de Firmaine...

— Il n'est pas possible, pensait-il, que cette petite ne me réponde pas !... Elle n'a aucune raison de m'en vouloir... car enfin, elle, elle doit bien savoir si c'est Miquet ou Olivier, Olivier-Maurice, qui a été tué ! Et si c'est Miquet, elle s'en moque pas mal, à coup sûr !... Il est vrai qu'en lui envoyant cette dépêche, j'ai implicitement lancé la police sur mes traces, car, à supposer que l'on m'accuse toujours d'assassinat, on doit savoir maintenant que je suis réfugié à Londres... Bon ! si je n'ai pas de réponse à mon télégramme, ou une réponse inquiétante, j'en serai quitte pour déguerpir !

Jacques Bernard avait envoyé sa dépêche à onze heures.

A deux heures et demie, il se présentait au guichet du Post Office et demandait si un télégramme était arrivé à son nom !

Il reçut le câblogramme avec une étrange angoisse. Mais, en ayant arraché le pointillé, il poussa un soupir de soulagement.

La dépêche disait :

Le mort, c'est Miquet, un acteur.

Elle était signée *Firmaine*.

— Bougre de bougre ! monologua Jacques Bernard qui, debout dans l'étroit bureau, s'inquiétait peu des regards curieux que lui lançaient les employés, intrigués par son émotion, d'autant plus intrigués qu'ils connaissaient, eux aussi, le texte des deux dépêches, celle de Jacques Bernard et celle de Firmaine...

Soudain, Jacques Bernard se précipita à nouveau vers les pupitres mis à la disposition du public ; il rédigeait encore une dépêche :

Avez-vous vu l'Olivier de la fête ? Avez-vous de ses nouvelles, est-ce un imposteur ? Répondre d'urgence, même adresse.

Et ce second télégramme, il l'adressait encore à Firmaine...

Jacques Bernard à nouveau puisa à son mince trésor de guerre, puis subit l'attente torturante, abominable de la réponse télégraphique...

Firmaine allait-elle encore une fois répondre ?

Rien n'était moins certain !...

Trois heures après, ponctuellement, au guichet du Post Office on lui tendait un nouveau télégramme.

Firmaine répondait :

N'ai jamais vu l'Olivier de la fête. N'ai pas de ses nouvelles. Oui, c'était un imposteur, tout le monde le dit, la police aussi.

Et cette fois Jacques Bernard se trouva si content qu'il pensa sauter de joie, danser comme un fou dans le Post Office, embrasser le gros policeman qui suait sang et eau dans un coin !

Mais il se contint ! De telles manifestations eussent été, à coup sûr, folles, incomprises, abominables !

Et puis, les minutes pressaient...

Il était maintenant sept heures du soir, le télégraphe allait fermer à dix heures : dans trois heures à peine !

Il avait juste le temps d'envoyer une nouvelle dépêche et de recevoir une troisième réponse. Or cette réponse, c'était la réponse essentielle, la réponse principale, la réponse qui devait décider de son sort !

Pour la troisième fois, Jacques Bernard câbla donc à Firmaine ; il câbla cette phrase :

Me croit-on toujours coupable ? ou admet-on mon innocence ? Puis-je rentrer en France ?

Et sa formule remise à l'employé, Jacques Bernard, à nouveau, retourna muser au long des avenues londoniennes.

Depuis longtemps, sa montre était au clou, aussi guettait-il l'heure aux stations de fiacres, aux pendules qu'il apercevait à travers les vitrines illuminées des magasins.

Mais les heures étaient interminables ! les minutes étaient longues comme des siècles ! Jacques Bernard pensait devenir fou, lorsqu'après une attente qui lui avait semblé occuper au moins une bonne demi-heure, il s'apercevait que juste trois minutes s'étaient écoulées !...

— Non ! non ! sacrait-il, tonnerre de chien ! il faut que je sache ! je ne peux plus patienter !...

Et soudain, brusquement, il se frappait le front, comme illuminé d'une idée soudaine :

— Bon Dieu de bon Dieu ! mais je ne suis qu'un imbécile ! C'est stupide de télégraphier ainsi... je me rappelle... Firmaine a le téléphone !... et j'ai noté son numéro !...

Jacques Bernard, maintenant, courant à perdre haleine, regagnait le Post Office, où son entrée faisait sensation, près des employés, de plus en plus stupéfiés et intrigués de l'attitude du malheureux jeune homme.

Jacques Bernard n'en avait cure.

Il bousculait tous les employés ahuris du bureau de poste !... Telle était l'énergie de ses demandes, telle était la nervosité qu'il apportait à ses interrogations, que les téléphonistes anglais, secouant leur flegme et leur apathie toute britannique pour satisfaire cet étranger, réalisaient ce tour de force d'obtenir la communication avec Paris, la communication avec Firmaine en moins d'une heure.

A ce moment, Jacques Bernard se sentait violemment pâlir, tandis que, enfermé dans la petite cabine téléphonique, discrètement matelassée, les écoutoirs aux oreilles, il hurlait dans l'appareil :

— Allô... c'est vous, Firmaine !

— C'est moi... qui me parle ?...

— Jacques Bernard !

— Ah ! bien !...

— Vous avez eu ma troisième dépêche ?

— Je la reçois à l'instant.

— Eh bien ?

— Eh bien, personne ne vous croit plus coupable !...

— Alors, je puis rentrer ?...

— Vous pouvez revenir... oui !...

— Allô... allô... vous m'entendez toujours ? J'arriverai...

— Allô, quand arriverez-vous ?

Mais Jacques Bernard s'impatientait :

— Allô !... allô !... ne coupez pas !... nous causons !... allô !... allô !... c'est vous Firmaine ? Oui ? vous revoilà !... allô !... dites-moi, quand puis-je vous voir ? je prendrai le bateau demain, je serai demain soir à Paris, je veux vous voir d'urgence, dès ma descente de wagon, donnez-moi rendez-vous... allô... vous dites ?...

XVII

Juve ou Fantômas

Sans lâcher le récepteur du téléphone, mais s'interrompant brusquement de parler, Firmaine avait tourné la tête.

Avec stupéfaction, elle voyait entrer dans son salon un personnage complètement inconnu d'elle !

C'était un homme d'apparence âgée, fort élégamment vêtu à la dernière mode, avec un gardénia à la boutonnière de son pardessus, un monocle à l'œil.

Il ôtait, en pénétrant dans la pièce, son chapeau huit reflets, sous lequel bouclaient des cheveux gris assez abondants...

Au premier abord, Firmaine était assez parisienne pour pouvoir le juger, il incarnait le type classique du vieux beau dans toute l'acception du mot. Cependant, la jeune femme considérait le visiteur avec ahurissement, elle demeurait interdite de cette irruption spontanée, cependant qu'à l'autre bout du fil son interlocuteur, inquiet de son silence, la sollicitait vivement de répondre...

Le vieillard, cependant, avec un aplomb extraordinaire et comme s'il se fût trouvé parfaitement à l'aise, chez cette jeune et jolie femme dont il n'était pas connu, d'un geste de sa main élégante et soignée signifiait à Firmaine de ne pas s'occuper de lui !

En considérant la maîtresse du vicomte de Pleurmatin avec un aimable sourire, il ajoutait :

— Continuez, madame, continuez ! faites comme si je n'étais pas là ! n'interrompez pas votre conversation !...

En dépit de sa façon de s'introduire, peu correcte et légèrement suspecte, ce vieillard paraissait être un homme du monde, parfaitement bien élevé, Firmaine s'en rendait compte, tandis que, machinalement, elle répondait à son correspondant à l'autre bout du fil...

Elle échangeait encore quelques conventions brèves et nettes, aux interrogations dont elle était l'objet ; elle répliquait avec assurance :

— Mais oui ! revenez ! vous pouvez revenir !...

Or, à deux ou trois reprises, la jeune femme avait prononcé le nom de Jacques Bernard.

Il était donc aisé, à la tournure affectée par le dialogue téléphonique, de se rendre compte que le Jacques Bernard dont Firmaine parlait, était très certainement le correspondant avec lequel elle communiquait.

Ce fut aussi l'opinion du vieillard inconnu. En entendant le nom de Jacques Bernard, il avait tressailli, tout d'abord, donnant l'impression de quelqu'un qui est à cent lieues de s'attendre à pareille chose... mais qui éprouve, aussi, une surprise fort agréable !

Firmaine n'avait pas remarqué l'éclair d'émotion qui traversait le regard du vieillard. Ce n'était d'ailleurs qu'une impression passagère. L'inconnu avait repris son air calme et souriant, lorsque, interrompant la conversation de Firmaine, il s'écriait à haute voix :

— Tiens ! c'est Jacques Bernard qui parle avec vous ?... Ah ! ce cher ami ! ça fait plaisir ! Ma foi je lui dirais bien quelques mots tout à l'heure...

Firmaine, alors, de plus en plus intriguée, perdait toute présence d'esprit...

Instinctivement elle allait passer l'appareil téléphonique à son étrange visiteur, puis elle revenait au récepteur, le raccrochait, le décrochait...

Le vieillard d'autre part, après avoir manifesté son désir de s'entretenir avec Jacques Bernard, semblait hésiter à s'approcher de l'appareil. Finalement, Firmaine acquit la certitude que la communication était coupée !

Il n'y avait pas à revenir là-dessus ; le fait était irrémédiable.

Au surplus, la jeune femme et l'hériter d'Olivier s'étaient, évidemment, dit tout ce qu'ils avaient à se dire !

Firmaine, désormais, reprenait ses esprits. Elle quitta le petit canapé dans lequel elle était assise et s'approcha du vieillard qui, discrètement, se tenait debout, au fond du salon, le coude appuyé sur une étagère.

— Monsieur, demanda-t-elle, à qui ai-je l'honneur ?...

Le vieux beau se répandit en saluts obséquieux, mais sans répondre directement à la question de la jeune femme ; bien au contraire, il interrogea :

— Comment allez-vous, madame ? Je suis enchanté de vous voir en bonne santé... car il me semble que vous vous portez fort bien ?...

Le vieillard, de plus en plus à son aise, cependant que Firmaine se sentait à son tour de plus en plus intimidée, considérait d'un air connaisseur et curieux les meubles et les bibelots qui encombraient l'appartement.

Il ajustait son monocle chaque fois qu'il regardait avec minutie un détail de sculpture, une forme, un objet... Il avait des hochements de tête approbateurs...

— Bien !... très bien !... c'est charmant ici !...

Puis, tandis que Firmaine demeurait digne et glaciale, légèrement inquiète, le vieillard insinuait, jetant à la jeune femme un coup d'œil en coulisse, pour juger de l'impression que produiraient ses paroles :

— Décidément le vicomte de Pleurmatin fait bien les choses !...

Firmaine, qui se contenait, parce que, somme toute, elle était chez elle, et qu'elle éprouvait un involontaire respect pour les cheveux blancs de son interlocuteur, en entendant prononcer le nom de son amant, ne put résister à la curiosité bien naturelle qui l'aiguillonnait de façon croissante :

— Ah ! ça ! interrogea-t-elle autoritairement, monsieur, cessez cette plaisanterie, je vous prie ! Qui êtes-vous, je veux le savoir ?...

Le vieillard regarda la jeune femme, et affectant un air absolument étonné :

— Comment ! vous ne le savez pas ? on ne vous a donc pas prévenue de ma visite ?

Firmaine, naïvement, se creusait la tête. Elle signifiait d'un léger mouvement des épaules qu'elle comprenait de moins en moins les propos du vieillard, et celui-ci, estimant qu'il était enfin temps de faire cesser l'équivoque, s'écriait, levant les bras au ciel, comme s'il se fût agi de la chose la plus naturelle du monde :

— Mais, madame, je suis l'assurance ! la compagnie d'assurance !...

A ce moment précis, la sonnerie impérative du téléphone retentissait ; Firmaine allait se diriger vers l'appareil, mais la surprise qu'elle éprouvait soudain la clouait sur place, immobile.

Plus rapide que l'éclair, le vieillard, avec une agilité que l'on n'eût pas soupçonnée de sa part, s'était précipité au récepteur. Il écoutait, répondait à mi-voix à la téléphoniste :

— Allô !... vous demandez ?... allô !... si j'ai fini avec Londres ?... Londres, n'est-ce pas ? c'est bien Londres qui me parlait tout à l'heure ?... mais oui ! parfaitement ! terminé !...

Le vieillard raccrochait l'appareil. Cette fois, Firmaine était furieuse !

Elle savait que, par le monde, se trouvent des gens qui souvent manquent de tact, mais, décidément, ce vieillard, encore qu'il fût élégamment habillé et qu'il eût toutes les apparences d'un homme du monde, était assurément fort mal élevé !

Voilà qu'il s'installait chez elle ? se permettait de répondre à sa place au téléphone ?...

Firmaine, rougissant d'indignation, faisait quelques pas, rapides et saccadés, dans la direction de son interlocuteur :

— Qui vous a introduit ici ? demanda-t-elle nerveusement... qui ? répondez, parlez ?

Au fur et à mesure que Firmaine se montait, le bonhomme paraissait hésiter, perdre contenance, il balbutia :

— Mais madame, je vous ai dit !... mais !... c'est... personne !...

— Personne ? s'écria Firmaine qui sentait en son cœur bouillonner la colère.

Instinctivement, la jeune femme allait au bouton électrique placé près de sa cheminée. Le vieillard s'interposa :

— Je vous en prie, madame, ne sonnez pas ! n'ayez pas peur ! je ne vous veux point de mal !...

Firmaine persistait dans sa question :

— Mais qui êtes-vous ? comment êtes-vous ici ?

— Une amie..., commença le vieillard...

Il s'arrêta soudain, la porte du salon qui communiquait avec l'antichambre venait de s'ouvrir.

Par l'entrebâillement apparaissait la tête ébouriffée de la sœur de Firmaine, la petite Margot.

La gamine étouffait un éclat de rire, elle avait un regard furtif qui allait de sa sœur au vieillard, elle allait disparaître, mais Firmaine avait bondi vers elle, de plus en plus surprise :

Que diable faisait là Margot à pareille heure ?...

Firmaine avait attrapé sa sœur par le bras, elle la secouait d'importance, et la forçait à fournir une explication :

— Parle ! ordonnait-elle menaçante, l'œil dur, la main levée...

Margot s'efforçait de dissimuler son visage, de le protéger de son bras ; elle grommela :

— Ce n'est pas de ma faute ! ne m'attrape pas, Firmaine !...

Puis, désignant le vieillard :

— C'est lui, c'est le vieux satyre !...

Firmaine, soudain, frémit d'indignation. Elle croyait comprendre. Dans l'inconscience de sa jeunesse, Margot venait de faire une chose ignoble, d'introduire auprès de sa sœur un individu dont les intentions ne pouvaient être des moins équivoques.

La maîtresse du vicomte de Pleurmatin rougit jusqu'à la racine des cheveux. Incapable de se contenir, car elle était ardente et vive, elle appliquait sur les joues de sa sœur deux gifles retentissantes. Puis, avec horreur, elle la repoussait dans l'antichambre. Cependant que, montrant d'un geste noble la porte restée ouverte, elle ordonnait au vieillard, tout penaud de cette scène rapide :

— Sortez, allez-vous-en !...

Quelques jours auparavant, au grand scandale de l'atelier de la maison Henry, où la jeune Margot était toujours petite main, cette gamine avait annoncé, triomphalement :

— Vous savez, moi aussi, je vais avoir un amant ! et un chic !...

On s'était récrié. On avait admonesté la gamine. On lui avait reproché son attitude cynique et vraisemblablement mensongère, mais les espionnages de quelques bonnes amies avaient, dès le lendemain, obligé l'atelier à croire que Margot avait dit vrai, du moins dans une certaine mesure et que les apparences étaient en faveur de ses allégations...

Lorsqu'elle quittait en effet l'atelier, vers sept heures du soir, on la voyait rejoindre un monsieur d'un certain âge, voire même un peu âgé, élégant, distingué, et qui paraissait se mettre en frais, exagérément, pour la gamine. Il lui apportait un bouquet de violettes, chaque soir, et un sac de bonbons !

Depuis quelques jours, en effet, la petite Margot, à l'esprit vicieux, perpétuellement aux aguets, à l'imagination plus vieille que son âge et perpétuellement éprise d'aventures, avait lié connaissance avec ce vieillard mystérieux et étrange qu'elle devait, quelques jours plus tard, conduire chez sa sœur subrepticement.

Tout d'abord, la malicieuse gamine, auquel le vieux monsieur, très poli, parlait de la pluie et du beau temps, s'était imaginé que ses charmes, à peine naissants, avaient exercé une impression certaine sur l'élégant homme du monde !

Celui-ci, un jour qu'il la reconduisait en voiture jusqu'aux environs de la rue Brochant, ne lui avait-il pas demandé si elle ne pourrait pas se rendre libre pour quelques heures, un prochain soir ?

Margot, en écoutant les bavardages de l'atelier, était bien trop au courant de la façon dont « cela » se passe, pour avoir dès lors la moindre illusion. Mais cette certitude n'était pas pour lui déplaire. La gamine enviait la situation de sa sœur, elle en était jalouse !

Effrontément, Margot avait promis de se rendre libre pour le lendemain.

Pour y parvenir, elle avait affirmé à sa mère qu'elle veillerait jusqu'à onze heures du soir à l'atelier. Puis, à cinq heures de l'après-midi, prétextant un malaise, elle avait rejoint le personnage que la vicieuse gamine décorait déjà du titre de « son amant ».

Toutefois, lorsqu'elle s'était trouvée en tête à tête avec lui, la situation s'était éclaircie, et Margot s'apercevait — avec navrement — que ce n'était pas à elle qu'en voulait le vieux beau, mais bien à sa sœur Firmaine !

Il fallait absolument que Margot introduisît le personnage dans l'appartement de sa sœur, à un moment où il n'y aurait personne !

Le personnage assurait qu'il avait des choses très importantes à dire à Firmaine...

Ah ! la vicieuse Margot s'en doutait de la nature de ces choses importantes !

Un instant elle éprouvait un remords, elle avait une vague inquiétude, à l'idée d'introduire chez sa sœur un individu que nul ne connaissait, mais cela n'émouvait pas outre mesure son inconscience enfantine. Pour lever tous ses scrupules, le vieux beau lui avait donné un billet de cinquante francs, afin qu'elle pût s'acheter une robe dont elle mourait d'envie !

Margot, alors, combinant astucieusement son programme, avait ruminé tout un plan, digne d'une véritable sorcière, tant il était à la fois adroit et compliqué.

La gamine avait parfaitement réussi à faire entrer, jusque dans le salon de Firmaine, au moment où elle était seule, en l'absence du vicomte de Pleurmatin et même de la bonne, sortie pour faire une course, le personnage qui désirait tant pouvoir approcher de la sorte sa sœur aînée !

Margot, par curiosité, était restée dans l'appartement pour savoir ce qui allait se passer.

Incapable même de se dissimuler longtemps, elle avait naïvement montré sa tête ébouriffée alors que Firmaine s'efforçait de comprendre comment il se faisait qu'elle avait, dans son salon, en sa présence, un personnage qu'elle ne connaissait pas, auquel elle n'avait pas ouvert !

Margot, surprise par sa sœur et redoutant de voir les choses tourner plus mal encore, après s'être consciencieusement frotté les joues, s'empressait de déguerpir par l'escalier de service, dont elle avait subrepticement dérobé une clef, la veille, afin de s'introduire aisément dans l'appartement...

Mais quel était ce vieillard ?

Les inconséquences de Margot auraient pu avoir les résultats les plus graves...

La gamine, inconsciemment, d'ailleurs, aurait tout aussi bien introduit chez sa sœur le pire des criminels, le plus redoutable des bandits. Elle aurait pu se faire la complice involontaire d'un vol, même d'un crime, mais par bonheur le vieillard, dont elle avait ainsi favorisé les désirs, n'était pas un vieillard ordinaire...

C'était Juve, le maître policier !

Juve, en effet, au lendemain de son enquête et à l'issue de sa conversation avec l'agent Michel, alors que le bruit se répandait dans le public et se confirmait par des preuves, que la victime de la rue des Grands-Augustins n'était autre que l'acteur Miquet, Juve s'était dit qu'il lui restait encore à interroger Firmaine, à faire connaissance avec l'ancienne maîtresse de la victime du quai d'Auteuil qu'il croyait formellement être Jérôme Fandor.

Juve, pour y parvenir, avait imaginé le stratagème de lier connaissance avec la petite Margot. Il tenait, en effet, à ce que nul ne soit mis au courant de ses enquêtes.

Le programme de Juve s'était réalisé très facilement.

La sournoise gamine n'avait pas mieux demandé que de servir ses intérêts et Juve, tout en réprouvant au fond de sa conscience la conduite, véritablement peu digne, de la sœur de Firmaine, tout en regrettant d'avoir été obligé, lui-même, de l'inciter au mal, et d'être pour quelque chose dans sa corruption morale, s'applaudissait du résultat qu'il paraissait devoir obtenir en dépit des moyens condamnables qu'il avait employés pour le réaliser !

Juve était désormais en tête à tête avec Firmaine et s'efforçait de la calmer.

Le courroux de la jeune femme faisait place désormais à une angoisse profonde, à un véritable désespoir.

Ainsi donc, c'était sa sœur, sa petite Margot qui consentait, en dépit de son jeune âge, à faire un métier pareil, il fallait dire le mot, à procurer des amants à sa sœur !

Non ! ça n'était pas possible !

Firmaine ne voulait pas le croire !

C'est pourquoi, malgré elle, elle écoutait les explications que lui fournissait son interlocuteur ; malgré elle, elle était disposée à les considérer comme vraies !

Juve, d'ailleurs, avec l'accent le plus véritable de la sincérité, ce qui lui était facile, puisqu'il disait la vérité, assurait à Firmaine que ses suppositions étaient inexactes.

— Non, madame, proférait-il de sa voix subitement devenue grave et posée, ne vous trompez pas sur mes intentions ! D'ailleurs, je vous l'ai dit, vous le voyez aussi, je suis un vieillard ! un honnête vieillard !

Indécise, Firmaine le regardait de ses grands yeux ; Juve, s'enhardissant, continuait, d'un air un peu plus enjoué :

— Et puis, souvenez-vous que je viens pour l'assurance !...

Firmaine, dont les idées se pressaient en foule et sans ordre dans son esprit, se souvenait soudainement des incidents du téléphone :

— Mais, interrogea-t-elle, vous connaissez Jacques Bernard ?

Juve tressaillait :

S'il connaissait Jacques Bernard ! oui et non, sans doute !

Et pourtant !

Juve, toutefois, avait une grande satisfaction : le hasard, quelques instants auparavant, venait de lui apprendre que Firmaine était en relations avec ce personnage, très vraisemblablement d'ailleurs sans se douter à qui elle avait affaire, sans soupçonner un instant l'opinion de Juve, à savoir que Jacques Bernard n'était autre que Fantômas !

— Je connais tout le monde ! répliqua Juve avec un hochement de tête, Jacques Bernard également !...

Mais il suivit son idée et s'apercevant que Firmaine, devenue plus calme, était capable de l'écouter :

— Je connaissais même, madame, la malheureuse victime du quai d'Auteuil !...

— Vous connaissiez Maurice ? s'écria Firmaine qui porta la main à sa poitrine, comme pour y comprimer les battements de son cœur...

— Je connaissais Olivier ! fit après une hésitation Juve... qui avait été sur le point de dire, à la place de ce nom, celui de Jérôme Fandor !...

Et dès lors le maître policier considérait avec curiosité le visage angoissé de la jolie femme qui avait été, ainsi que l'avait déduit Juve, la maîtresse de son ami...

Juve, en effet, était au fond de lui-même fort étonné que Fandor ait eu une maîtresse...

Aimant Hélène comme il l'aimait, Juve ne comprenait pas comment Fandor avait pu connaître Firmaine...

Le fait était, cependant, indiscutable... à ses yeux... puisque Juve ne savait pas qu'en réalité Firmaine n'avait jamais été que la maîtresse de Maurice... qui n'était pas Olivier !...

Juve aurait donc bien voulu questionner Firmaine, l'interroger longuement, sur celui qu'elle avait eu pour amant, sur Fandor ! Mais le malheureux homme, obligé par les circonstances à conserver son incognito, était contraint, par suite aussi, de dissimuler ses sentiments.

Il formulait sur Maurice — dit Olivier — des appréciations vagues, quelconques, il voulait obtenir de la jeune femme des confidences... il s'agissait de ne pas commettre d'impair !

Firmaine, en dépit de la situation étrange dans laquelle elle se trouvait, en dépit du curieux tête-à-tête et du caractère énigmatique du personnage avec lequel elle s'entretenait, s'était subitement replongée dans ses souvenirs.

Sans s'en rendre compte, elle répondait, d'une voix étranglée par l'émotion, aux questions que lui posait le vieillard, questions adroites, subtiles, qui n'éveillaient aucune défiance dans l'esprit de la jeune femme.

— Oui ! elle avait connu Olivier sous le nom de Maurice ! C'était un garçon charmant, délicieux... Certes, il était invraisemblable qu'il eût reparu, ainsi qu'on l'avait annoncé dans les journaux, à la soirée de Mme Alicet...

Cette déclaration satisfaisait Juve au point de vue de la logique de son raisonnement et de l'enchaînement de ses conclusions ! Toutefois, cela le navrait.

Si par hasard il s'était trompé, si par hasard Olivier, c'est-à-dire Fandor, n'était pas mort et s'était montré à la soirée de *Littéraria*, la personne la mieux qualifiée pour le confirmer, c'eût été évidemment sa maîtresse, la jolie Firmaine !

Mais Firmaine, sur l'instigation du policier et en dépit du chagrin que déterminait en elle cette évocation, se remémorait le soir du crime, l'affreux soir où elle avait vu, bien nettement vu par la fissure de la porte, le corps de son amant, gisant étendu, cependant que, sur un billot, tout à côté, elle considérait l'horrible spectacle, elle voyait la tête de Maurice détachée de son corps, tête toute blafarde, cependant que le sang ruisselait le long du plancher !

Et si la jeune femme était émue, si les sanglots obstruaient sa gorge à ce lugubre souvenir, Juve, de son côté, maintenait difficilement ses larmes !

Ah ! il n'y avait pas de doute, Fandor était bien mort !

Sous le coup d'une émotion intense, plus violente que sa volonté, plus intense aussi que son flegme habituel, tout à coup, comme mû par un ressort, Juve bondit.

D'une voix frémissante, il hurlait, regardant Firmaine :

— Ah le bandit ! le bandit !

La jeune femme ne comprenait rien à l'attitude de son interlocuteur, elle parut effrayée ; Juve s'en aperçut, se ravisa aussitôt :

— Je venais, reprit-il pour l'assurance !... il faut y songer, madame !... c'est très important !...

Pour permettre à Firmaine de retrouver son calme, le faux vieillard indiquait, absolument au hasard d'ailleurs, toute la série des conditions de l'assurance que devrait souscrire la locataire du petit appartement de la rue de Penthièvre.

Puis, peu à peu, la conversation déviait. Firmaine, aux dernières paroles que prononçait Juve, l'interrompait, étonnée :

— Mme Benoît et ses dentelles, avez-vous dit ? Ah ça ! vous connaissez donc tout le monde ? toute ma famille...

Juve hochait la tête :

— Toute votre famille ! oui ! je me suis renseigné !...

Firmaine pâlit à nouveau :

Ah ça ! quel était donc ce personnage étrange qui se trouvait devant elle et qui, sous prétexte d'assurance, paraissait ne s'intéresser qu'à l'évocation des souvenirs qui pouvaient affecter la jeune femme de la façon la plus pénible ?

Et Firmaine, angoissée de plus en plus, considérait désormais avec des yeux écarquillés de stupeur l'homme qui était devant elle !

Elle trouvait à son regard une acuité redoutable, à son front une musculature d'énergique volonté, à ses épaules une carrure par trop robuste !

Ah ça, ce vieillard n'était-il donc pas un vieillard ?...

Firmaine désormais tremblait de tous ses membres. Cet être invraisemblable, mystérieux, qu'elle ne connaissait pas, qu'elle n'avait jamais vu et qui savait tout d'elle, si par hasard c'était... ?

La jeune femme allait instinctivement prononcer un nom, un nom terrifiant, le nom qui, dans le monde entier, faisait naître la peur, même chez les plus braves...

Mais soudain ses yeux clignotèrent, ses lèvres blêmirent, elle étendit ses bras en avant, joignit ses mains et, dans un sanglot de désespoir, s'adressant au vieillard qui s'approchait d'elle :

— Ne me tuez pas !... ne me tuez pas !...

Firmaine venait de voir, émergeant de la poche du pardessus de son interlocuteur, la crosse luisante d'un revolver !

La jeune femme défaillait une seconde, mais, avec des précautions infinies, Juve l'avait assise sur un canapé. Il murmurait à son oreille :

— Je vous en prie, madame, remettez-vous ! voyons... n'ayez pas peur !... je ne vous veux pas de mal !...

Juve, après un instant d'étonnement, avait compris ce qui effrayait la jeune femme. Pour la rassurer, il déposait à côté d'elle, sur un coussin de velours, l'arme meurtrière qui avait épouvanté Firmaine.

Il s'en allait à l'autre bout de la pièce, souriait à la jeune femme :

— Tenez, fit-il, j'espère que de la sorte, vous n'aurez point peur, cette arme est à votre disposition...

Firmaine, revenue à elle, considérait Juve d'un air complètement égaré.

Mais ce n'était plus l'instant des émotions. La jeune femme faisait un effort suprême de volonté, se redressait désormais, les nerfs tendus, la volonté puissante et ferme.

S'il fallait lutter, défendre sa vie, elle était prête à le faire, voilà tout !

Était-elle en présence d'un bandit ?

Dans l'affirmative, celui-ci avait eu bien tort d'abandonner son arme.

Firmaine, avec une décision véritablement masculine, empoignait de sa petite main frêle le gros revolver d'ordonnance :

— Partez ! suppliait-elle, sourdement...

Juve eut un sourire amer et désabusé.

— Ma pauvre enfant, murmura-t-il, posez cette arme à côté de vous. Vous ne sauriez vous en servir et je ne vous veux pas de mal ! Je comprends, certes, votre émotion, je la partage dans un autre ordre d'idées. Voulez-vous que nous soyons amis ?

— Partez ! suppliait encore Firmaine, qui décidément ne pouvait surmonter ses inquiétudes.

La jeune femme aurait voulu comprendre l'aventure dont elle était victime. Elle ne le pouvait. Elle passait par diverses alternatives. Que lui voulait cet homme ? du bien ou du mal ?

Du mal, sans doute !

Et Firmaine, dès que cette pensée s'accréditait dans son esprit, sentait lui monter au cœur toute une révolte.

Ce ne pouvait être qu'un malfaiteur, évidemment, l'individu qui s'était servi de sa sœur, qui avait encouragé la petite Margot dans la voie du vice, pour l'amener à l'introduire dans cet appartement !

Et cependant l'opinion de Firmaine se modifiait au fur et à mesure que l'étrange vieillard parlait.

N'avait-il pas, chaque fois qu'il prononçait le nom d'Olivier, comme un éclair de rage froide, qui traversait son regard ?

Il apparaissait de plus plus à Firmaine que si elle avait adoré cet amant, si mystérieusement mort, celui-ci avait su inspirer au vieillard inconnu qui se trouvait en face de Firmaine une sympathie des plus sincères, une affection des plus solides.

Oui, si Firmaine consentait à s'effaroucher de moins en moins, c'est parce qu'on lui parlait en bien d'Olivier ! Si jamais elle consentait à ne point chasser de chez elle cet homme énigmatique qui s'y trouvait, c'était uniquement pour pouvoir parler avec lui, parler toujours, parler encore de celui qu'elle avait tant aimé et à la mémoire duquel elle conservait un pieux et déférent souvenir.

Juve, cependant, répétait, les poings crispés, la voix sifflante :

— Ah ! nous le vengerons ! nous le vengerons ! nous vengerons sa mort !...

Firmaine, à ces dernières paroles, se jetait du côté du vieillard :

— Ah ça ! hurla-t-elle, qui donc êtes-vous ? vous qui paraissez aimer Olivier ?

Sans répondre directement, Juve sourit en demandant :

— Vous m'avez pris pour un monstre, vous m'avez pris pour un fou, vous me prenez peut-être encore un peu pour un imposteur et, tout à l'heure, vous vous êtes même demandé si je n'étais pas Fantômas ?

Firmaine, franchement, répondit :

— C'est vrai, tout cela ! Maintenant, dites-moi, qui êtes-vous ?

Juve hésita une seconde.

Un instant le policier faillit tout avouer...

Assurément cette jeune femme était franche, sincère ; s'il lui confiait son identité, s'il lui confiait surtout qu'Olivier était Fandor, il trouverait en elle une puissante alliée...

Mais le maître policier avait un certain scrupule à réveiller dans le cœur de Firmaine les tristes souvenirs qui, peu à peu, s'atténuaient dans sa mémoire.

Elle avait souffert de la mort de son amant.

Juve savait qu'elle commençait à s'attacher à son successeur, au vicomte de Pleurmatin. Fallait-il inutilement torturer cette jeune âme, alors que pour le moment ce n'était peut-être pas nécessaire ?

Juve se contint.

A une nouvelle interrogation de Firmaine, il répondit énigmatiquement :

— Je suis l'ennemi !... l'ennemi de Jacques Bernard !...

Firmaine, surprise, répéta deux fois le nom du célèbre héritier d'Olivier.

— Mais, interrogeait-elle, que peut-il bien vous avoir fait ? Moi, qui le connais, je puis vous dire que c'est un brave garçon !

Juve hochait la tête. Familièrement, oubliant que son attitude bizarre avait effrayé et pouvait effrayer encore Firmaine, il prenait la main de la jeune femme dans la sienne, puis rapidement, s'efforçant d'être clair, précis, catégorique, il lui exposait toute sa théorie.

Jacques Bernard était l'assassin d'Olivier, l'assassin de l'acteur Miquet... voilà ce qu'était Jacques Bernard !

Or, cette extraordinaire révélation stupéfiait absolument Firmaine.

Désormais la jeune femme n'avait plus la moindre inquiétude. Elle était bien trop intriguée, abasourdie, pour s'accorder le loisir d'avoir encore peur du vieillard étrange qui, en tête à tête avec elle, lui tenait de si extraordinaires propos.

Toutefois, Firmaine était sceptique. On lui avait dit tant et tant de choses sur ces affaires ! elle hésitait à croire... Juve s'en rendait compte.

Certes, s'il avait voulu persuader définitivement Firmaine, il n'avait que trois choses à dire ; la première, c'est que Maurice, dit Olivier, était Fandor, la seconde c'est que lui était Juve, la troisième que Jacques Bernard, conformément à sa thèse, ne pouvait être que Fantômas...

Mais ces trois choses-là, Juve les considérait comme des secrets, qui, pour le moment du moins, et sous aucun prétexte, ne devaient être révélés.

Le seul but qu'il poursuivait désormais, c'était de mettre Firmaine en garde contre Jacques Bernard.

La jeune femme venait de lui confirmer que le mystérieux personnage, sitôt à son retour de Londres, viendrait lui rendre visite, dès le lendemain soir. Juve, avec un tressaillement de joie, notait cela dans son esprit...

Puis, brusquement, il rompait l'entretien.

Juve voyait peu à peu Firmaine faire à son sujet des rapprochements et des pronostics qui, pour peu qu'on les ait poursuivis, auraient peut-être amené la jeune fille à identifier son interlocuteur inconnu !

Or, cela était dans l'esprit de Juve tout à fait prématuré :

— Adieu, madame ! déclara-t-il, promettez-moi de vous méfier !... prenez garde à Jacques Bernard !

Juve s'enfuyait presque.

Firmaine, aussi étonnée par ce brusque départ que par l'étrange arrivée du visiteur, le rappelait sur le pas de la porte du salon :

— Votre revolver, monsieur, que vous oubliez ?...

Juve déclarait gravement :

— Gardez-le, madame ! gardez-le ! Puissiez-vous ne jamais avoir à vous en servir, mais gardez-le tout de même !...

Le policier claquait la porte derrière lui. On entendait le bruit de son pas rapide qui s'éloignait dans le couloir...

Cependant, Firmaine était demeurée pensive au milieu de son petit salon, tout inondé de lumière.

Ce qu'elle venait d'entendre déterminait chez elle de profondes réflexions, lui faisait instinctivement faire un retour en arrière.

Encore qu'elle n'eût jamais été directement mêlée jusqu'alors aux terribles et nombreux drames qui avaient ensanglanté le monde et rendu célèbre le nom de Fantômas, les héros principaux de ces extraordinaires aventures lui étaient, comme à tous, présents à l'esprit.

Et la jeune femme qui avait été élevée avec la rudesse des pauvres gens, avec la maturité d'esprit qui incombe à tous ceux qui doivent se conduire seuls dans la vie, moins effrayée que curieuse, se demandait sans cesse, se demandait anxieusement :

— Que veut dire cette visite ? que signifient les paroles du vieillard ? pourquoi me méfier de Jacques Bernard ? quel était donc ce visiteur ?...

Et machinalement Firmaine répétait sans oser choisir :

— Fantômas ?... Juve ?... Juve ou Fantômas ?...

XVIII

Femme jalouse

— Je vous ai mis deux morceaux de sucre, Raymond...

— Merci, ma chère... vous avez eu raison. Je ne suis point grand amateur de café, encore que je ne le dédaigne pas, et je sucre moyennement. Vous, un seul morceau vous suffit, je crois ?

La jeune femme riait franchement :

— Oh ! un morceau, et même moins !... j'avoue que le café est ma passion, et quand il est bon, très volontiers, je me passe complètement de sucre... Or, mon ami, grâce à vous, sur ma table, il n'y a plus maintenant que du bon café !...

Le vicomte de Pleurmatin haussait les épaules en riant à son tour :

— Ah ! faisait-il, vous avez bien tort, Firmaine, de prendre ainsi du café en telle abondance ! C'est mauvais pour la santé... ça énerve...

— Et cela me rend désagréable, Raymond ?...

— Méchante ! je ne dis pas cela !

— Vous le pensez ! c'est pire !

— Je ne le pense pas non plus ! je le crains, ce qui est tout autre chose ! Je songe que ma petite Firmaine n'est pas, depuis très longtemps, vaillante, et je serais désolé de lui voir commettre des imprudences. C'est pourquoi, raisonnablement, je l'invite à être sage et...

— Et elle vous écoute, mon ami !

La jeune femme repoussait sur la nappe sa tasse de café.

Firmaine et le vicomte de Pleurmatin achevaient de déjeuner, et se trouvaient dans la salle à manger de l'appartement que le vicomte avait installé pour sa maîtresse, rue de Penthièvre.

Firmaine y habitait tout à fait régulièrement, n'allant plus guère rue Brochant que pour y prendre des nouvelles de Mme Benoît, la vieille maman qu'elle aimait bien, dans le fond, mais qui, véritablement, était fort désagréable pour elle, étant perpétuellement excitée contre sa fille aînée par la jalouse et malfaisante Margot, la cadette.

Quant au vicomte de Pleurmatin, lui aussi, il passait le plus clair de son temps rue de Penthièvre, en compagnie de Firmaine.

L'amour qu'il avait pour la jeune femme, loin de s'atténuer, n'avait fait que grandir. Il était, plus que jamais, épris, plus que jamais amoureux, il avait pour sa maîtresse une adoration quasi religieuse qui le faisait, lui qu'on disait dans le monde assez volontaire, très énergique, doux et faible, ne sachant point résister aux caprices incessants de l'adorée.

— Firmaine, je vous assure, il faudra changer quelque chose à la décoration de la pièce !

— Quoi donc, mon ami ?

La jeune femme, d'un regard encore admiratif, embrassait d'un coup d'œil la salle à manger, qu'un tapissier en renom avait installée, suivant les indications de M. de Pleurmatin. L'amant de Firmaine n'avait point ménagé l'argent ; le tapissier avait voulu satisfaire entièrement le goût de ses clients.

Il semblait donc bien en vérité qu'il n'y eût rien à reprendre en l'ordonnance de cette salle, à la fois somptueuse et confortable, d'un luxe discret et réservé.

Sur le sol, d'épais tapis de Smyrne assourdissaient les pas. De vastes chaises recouvertes d'étoffes anciennes, à haut dossier, invitaient à un repos confortable. Des buffets en vieux bois laissaient entrevoir les reflets d'une argenterie qu'un orfèvre avait amoureusement ciselée... La porcelaine du service de table avait des transparences de vieux sèvres, et le jour des grandes fenêtres, doucement tamisé par des vitraux, mettait des lueurs fantastiques à de vieilles tapisseries encadrées de chêne, pendues au mur et amusant le regard de leurs dessins naïfs, de leur couleur vieillotte, de leurs bigarrures inédites.

— Vous trouvez que ce n'est pas encore bien, ici ? reprenait Firmaine. Raymond, vous êtes tout à fait fou, et après m'avoir installée comme une princesse, comme une reine, vous méditez toujours de recommencer vos folies !... Non ! je ne veux pas ! Je vous assure que je n'avais jamais rêvé un intérieur semblable à celui que vous m'avez donné... il faut être raisonnable maintenant, ou je me fâcherais !

Le vicomte de Pleurmatin regardait en souriant sa maîtresse, et son sourire était encore une protestation amoureuse.

Assurément, l'élégant clubman avait eu, maintes et maintes fois, l'occasion de causer à des femmes plus chics, plus lancées que son actuelle maîtresse.

Non content de fréquenter les salons du monde, il avait toujours vu s'ouvrir devant son immense fortune les boudoirs dorés du demi-monde.

Il était donc accoutumé aux exigences renouvelées, incessantes, jamais assouvies de celles qui règnent sur Paris, autant par leur luxe que par leur beauté. La discrétion de la jeune ouvrière qu'il aimait, la discrétion de cette femme qui refusait ses cadeaux, se trouvait trop richement entretenue, avait donc pour lui une saveur nouvelle, inédite, incompréhensible, dont il ne se lassait pas.

Car il comprenait fort bien qu'il ne s'agissait aucunement d'une ruse habile de Firmaine.

La jeune femme ne refusait pas ses présents pour l'exciter à lui en offrir de plus beaux, ce n'était point une manière de prier, mais bien l'expression de son propre sentiment ; elle se trouvait bien, elle ne voulait pas plus, elle ne voulait point davantage !

Petit à petit, le vicomte de Pleurmatin avait, en effet, fini par gagner le cœur de l'ouvrière. Ainsi qu'il arrive le plus communément, Firmaine, prise d'abord entre deux amours, l'amour de l'ouvrier Maurice, l'amour du vicomte de Pleurmatin, avait aimé tout naturellement Maurice autant qu'elle haïssait le vicomte de Pleurmatin.

Ce qu'elle avait dit un jour à son amant riche était l'expression exacte de sa pensée d'alors.

Firmaine s'était longtemps dit qu'elle ferait sa vie avec Maurice, alors qu'elle ne pourrait la faire avec le vicomte. Firmaine avait longtemps pensé qu'elle n'était pour l'homme riche qu'un jouet, qu'une distraction, qu'une amie de plaisir, rien de plus !

L'horrible assassinat de Maurice, la disparition mystérieuse et terrible du malheureux jeune homme avait confirmé tout d'abord l'ouvrière dans ses sentiments. Elle avait pleuré Maurice de toute son âme et si, à ce moment, elle n'avait point chassé le vicomte de Pleurmatin, c'est que, pour avoir la paix, pour être tranquille, pour être libre de pleurer à son aise son amant Maurice, elle avait encore préféré venir s'installer rue de Penthièvre, plutôt que de rester dans le taudis de la rue Brochant, où la vieille Mme Benoît, justement, mais maladroitement, lui rendait l'existence intenable.

Firmaine s'était donnée à nouveau au vicomte de Pleurmatin, pour échapper aux criailleries du logis familial, aux scènes de sa mère, aux moqueries de sa sœur, à l'apitoiement dédaigneux des voisins et des voisines, qui feignaient de la considérer en fille ayant mal tourné !

Puis, petit à petit, jour par jour, sans même qu'elle en eût conscience, les sentiments de Firmaine avaient changé.

Certes, la jeune ouvrière avait encore un douloureux serrement de cœur lorsqu'elle songeait à Maurice, au cher disparu ; certes, lorsqu'elle revivait les horribles moments qu'elle avait passés dans la maison du quai d'Auteuil, alors qu'elle apercevait le cadavre de son premier amant, comme lorsqu'elle se rappelait les claires heures de joie qu'ils avaient vécues ensemble, jadis, dans leur chambrette, les larmes lui perlaient encore aux yeux...

Mais c'étaient là des souvenirs qu'elle évoquait de plus en plus rarement, car elle se laissait prendre à la tendresse amoureuse, constante, perpétuelle, régulière, que lui manifestait le vicomte de Pleurmatin.

Celui-ci, en effet, elle le sentait bien, l'aimait de tout son cœur, de tout son esprit, corps et âme.

Il avait le tact délicat tout d'abord de ne jamais s'offenser de la voir triste ou chagrine.

Lorsqu'il arrivait chez elle, en ce chez elle qu'il avait choisi, qu'il avait installé, et qu'il la trouvait sanglotant, dans les premiers jours qui suivaient la mort de Maurice, il ne lui demandait aucune parole affectueuse, aucun mot tendre...

Bien au contraire, avec des mots très doux, de ces mots que l'on emploie pour consoler de la mort d'un cher disparu, il la calmait, il prenait part à son chagrin, il faisait naître une intimité d'elle à lui...

Firmaine avait petit à petit compris que le vicomte de Pleurmatin était bon.

Elle lui en avait été reconnaissante et, lui étant reconnaissante, elle avait regretté de ne pouvoir le rendre heureux !

C'était insensiblement qu'elle avait ainsi franchi les étapes qui devaient, peu à peu, la livrer à l'amour du vicomte de Pleurmatin.

Lorsqu'une femme regrette de ne pouvoir aimer un homme, lorsqu'au même moment cet homme sait ne point exiger son amour, il arrive vite que ce sentiment si particulier, si indépendant qu'il ne saurait être violenté, s'épanouit de lui-même.

Et c'était Firmaine la première qui, un soir, avait tendrement embrassé le vicomte de Pleurmatin, d'un baiser d'amour, d'un baiser qui n'était encore qu'une promesse, mais d'un baiser qui avait rendu fou de bonheur l'amoureux de Firmaine !

Les jours avaient passé, les souvenirs mauvais s'étaient estompés d'eux-mêmes en grisaille. La réapparition de Maurice-Olivier, à la fête de *Littéraria*, d'un Maurice-Olivier qui ne donnait point de ses nouvelles à Firmaine, la disparition de Jacques Bernard, de Jacques Bernard qui confessait à Firmaine qu'Olivier n'avait point laissé un seul mot pour elle, tout cela avait effacé l'ardeur de la première passion et d'autant accru la tendre affection que la jeune femme portait maintenant au vicomte, toujours plus galant homme, toujours plein de tact, et, surtout, toujours follement amoureux.

Le vicomte de Pleurmatin, d'ailleurs, se dévouait entièrement à sa maîtresse.

Alors qu'il avait mené jusqu'à présent, Firmaine s'en doutait bien, une existence mondainement affairée, partagée entre toutes les distractions que Paris offre si facilement à ceux qui n'ont point souci de l'or, il passait maintenant le plus clair de son temps dans le petit rez-de-chaussée de la rue de Penthièvre, où il apportait chaque fois de nouveaux embellissements, en homme qui aime l'intérieur où vit sa maîtresse, la maîtresse qu'il s'est choisie librement, par amour.

Son café bu, son cigare allumé, le vicomte de Pleurmatin se levait :

— Vous venez, Firmaine ?

Ils passaient tous deux dans le salon voisin et leur causerie renaissait, toujours charmante, toujours douce pour le vicomte.

— Ma chère, puisque vous trouvez que notre chez nous est, tel quel, suffisamment coquet, je vous punirai de votre mauvais goût en ne vous consultant plus !... Non ! n'insistez pas, je vous réserve une surprise !

Et, changeant la conversation, le vicomte demandait :

— Dites-moi, je n'ai pu venir hier après-midi, qu'avez-vous fait, Firmaine ?... Est-ce que vos doigts de fée ont encore travaillé à la broderie que vous me montriez l'autre jour ?

Firmaine venait s'étendre dans un large fauteuil devant la croisée ouverte. Le vicomte s'était assis sur un coussin à ses pieds, il s'appuyait au bras du fauteuil, et une main sur les genoux de Firmaine, les yeux dans les yeux, il regardait son amie.

— Point du tout, mon cher ami. Hier après-midi, j'ai eu des visites...

— Des visites, mon Dieu !

— Cela vous étonne ?

— Un peu !

— Et pourquoi cela ?

— Parce que, ma chère amie, je croyais que bien peu de monde connaissait votre actuel domicile.

— Vous avez raison, Raymond, et je ne vous intriguerai pas plus longtemps. Si j'ai eu une visite, car, en réalité, je n'ai eu qu'une visite et un coup de téléphone, c'est une visite intéressée et non pas une visite d'amis !...

Le vicomte de Pleurmatin semblait au comble de l'étonnement :

— Par Dieu, dit-il, si vous prétendez ne point m'intriguer, Firmaine, vous vous trompez tout à fait ! Je me demande, au contraire, ce que peut être une visite intéressée... Un fournisseur, sans doute ?...

— Non pas, mon cher... vous ne devinez pas ?

— Aucunement !

— Eh bien, Raymond, j'ai reçu un inspecteur de police ! Un agent de la Sûreté !

Brusquement, le vicomte s'était jeté en arrière.

— Un agent de la Sûreté ? demandait-il. Mon Dieu, que venait-il faire ici ?

Puis, soudain, comprenant :

— Ah ! reprit-il douloureusement, encore au sujet du crime d'Auteuil ?

Firmaine hochait la tête :

— Oui, vous avez raison !...

Un silence durait entre les deux amants. Le vicomte n'osait questionner sa maîtresse. Il lui était toujours infiniment pénible d'évoquer avec elle le souvenir de Maurice, de ce Maurice jadis si tendrement aimé et dont, malgré tout, il se sentait encore jaloux.

Pour Firmaine, devinant précisément l'angoisse de son amant, elle regrettait presque d'avoir abordé ce périlleux sujet de conversation. Mais elle était trop loyale pour feindre, pour dissimuler quoi que ce soit, et c'était précisément pour cela qu'elle avait tenu à avertir le vicomte de Pleurmatin.

Se redressant à demi et posant ses deux mains sur les épaules de son amant, dans un geste de confiance câline, Firmaine reprenait :

— Ne vous faites pas de mauvais sang, Raymond. Ne songez plus au passé...

— Que voulait cet homme ?

— Il venait me demander des renseignements... Eh ! ce n'était pas le premier agent venu, bien qu'il se soit présenté à moi sous un faux nom ;

je jurerais presque, après avoir bien longtemps réfléchi, je jurerais presque que c'était le fameux inspecteur de la Sûreté, le grand Juve qui me parlait !

Le vicomte avait pâli...

— Juve ! fit-il, vous êtes folle, Firmaine ! Juve est à l'étranger... en Heisse-Weimar je crois... Vous n'avez pas oublié le scandale du train Barzum [1] ?...

Firmaine haussait les épaules :

— Que voulez-vous ! répondit-elle simplement. C'est bien ce que je pensais hier en le voyant devant moi... mais après... après son départ, je n'ai pas hésité... et, je vous assure, Raymond, je suis certaine de ce que j'avance, c'était bien Juve !

Et Firmaine continuait, sans se douter peut-être qu'elle approchait si près de la vérité :

— Après tout, Raymond, il est bien difficile d'être renseigné. Les journaux affirment que Juve est à l'étranger, mais les journaux peuvent se tromper...

Et, poursuivant sa pensée, Firmaine continuait encore :

— Tenez, rappelez-vous qu'il n'y a pas longtemps encore, quand a été tué Miquet... beaucoup de gens ont dit qu'il s'agissait là d'un crime de Fantômas ! Or, si Fantômas tue à Paris, ce n'est pas extraordinaire que Juve soit revenu d'urgence. Juve n'est-il pas l'ennemi acharné de Fantômas ?

Le vicomte de Pleurmatin, somme toute, était assez indifférent à la destinée de Juve. Égoïste, comme tous les amoureux, il en revenait vite aux seules préoccupations qui hantaient son esprit :

— C'est possible, en effet, fit-il. Mais après tout, peu importe ! Juve ou non, que venait vous demander cet agent ?

— Je vous l'ai dit, des renseignements relatifs à Maurice... si je l'avais revu... si...

Le vicomte de Pleurmatin, rageusement, se redressait et, se promenant à grands pas dans la pièce, s'écriait :

— Ah ! on ne classera donc jamais cette affaire ?... On reparlera donc toujours de ce malheureux !...

Et voyant sa maîtresse frissonner, le jeune homme allait se jeter à nouveau à ses genoux :

— Ma pauvre Firmaine, je vous demande pardon de m'être laissé aller à ce mouvement d'impatience et de colère !... Que voulez-vous ? je désirerais tant faire l'oubli autour de vous, que je ne puis m'empêcher d'être furieux chaque fois que j'apprends qu'un incident a pu venir raviver votre chagrin !...

Firmaine trouva le mot qu'il fallait pour calmer l'émotion de son amant :

— Mon chagrin ? reprit-elle, Raymond, dites mon chagrin d'autrefois, car maintenant...

Elle n'achevait pas.

Le vicomte avait passé ses bras autour de sa taille et doucement, tendrement, la remerciait d'un long baiser.

---

1. Voir dans le présent volume : *Le Train perdu.*

— Vous êtes bonne !... Eh bien, vous avez renseigné cet homme ?...

— Il voulait aussi savoir si Miquet ressemblait à Olivier, à Maurice enfin...

— Vous lui avez dit que non ?

— Naturellement... et je lui ai dit aussi que Jacques Bernard allait revenir à Paris...

— Jacques Bernard revient ?

Firmaine comprenait qu'encore une fois elle venait de chagriner le vicomte de Pleurmatin.

Jacques Bernard, en effet, n'était-ce pas l'ami, l'ami intime d'Olivier ? d'Olivier-Maurice ?

Jacques Bernard, s'il revenait à Paris, n'allait-il pas raviver les souvenirs de la jeune femme, n'allait-il pas parler d'Olivier, de Maurice, exalter, comme il l'avait déjà fait, le poète mort ?

Firmaine, encore une fois, voulut consoler son amant :

— Écoutez, fit-elle. Je vous raconte tout cela car je ne voudrais pas, dans l'avenir, que vous puissiez m'accuser, Raymond, de vous avoir rien caché... Et puis, je vous assure, vous avez tort de vous faire du mauvais sang... Vous n'avez plus assez confiance en moi ?...

— Oh ! Firmaine !

— Si !... vous devriez savoir que je ne suis point femme à toujours ainsi changer de sentiments. Tenez, mon ami, voici ma journée. J'ai reçu tous ces télégrammes, lisez-les, de Jacques Bernard qui s'était réfugié en Angleterre, puis Jacques Bernard m'a téléphoné, me demandant un rendez-vous... j'étais précisément en train de lui répondre à l'appareil lorsque Juve a été introduit... Il a tout de suite compris à qui je parlais et il a entendu ma réponse...

— Quelle réponse, Firmaine ? vous n'allez pas recevoir ici Jacques Bernard, j'imagine !

— Si, Raymond !... il le faut !... je l'ai promis !...

— Pourquoi ?... à qui ?...

— Pourquoi, mon ami ? Mais parce qu'après tout, il me semble que je dois rendre service à Jacques Bernard, si je le puis !... Il a été accusé d'avoir tué Olivier-Maurice, le faux Olivier-Maurice, réapparu à *Littéraria*, et à ce moment, vous vous rappelez que j'ai été l'une des accusatrices les plus farouches... Maintenant on sait que ce n'était pas Olivier-Maurice, mais bien le malheureux Miquet qui a été tué rue des Grands-Augustins... Il n'y a donc plus aucun motif d'accuser Jacques Bernard... Eh bien, je crois que mon devoir est d'aider ce Jacques Bernard à s'innocenter complètement... Nous étions nerveux tous les deux, nous avons pu mal causer par le téléphone, mais enfin j'ai cru comprendre qu'il voulait surtout me voir en arrivant à Paris pour être certain que c'était bien Miquet qui avait été tué rue des Grands-Augustins et non pas Olivier. Raymond, je ne pouvais pas refuser le rendez-vous que me demandait ce malheureux jeune homme...

— Et vous lui avez donné rendez-vous quand ?

— Il sera ici demain soir à dix heures. Vous m'en voulez, Raymond ?

Le vicomte de Pleurmatin tendrement se penchait sur la jeune femme :

— Tout ce que vous faites, Firmaine, est bien fait ! Je m'en voudrais, moi, de vous critiquer en quoi que ce soit et je vous l'ai répété mille fois, je vous tiens libre d'agir en tout et pour tout, comme bon vous semble !... N'en doutez jamais !... Je puis avoir de la peine en songeant que vous voilà encore une fois mêlée à une affaire dont je voudrais que vous n'entendiez plus jamais parler. Mais je n'ai véritablement pas de raison de vous en garder rancune !

Le vicomte de Pleurmatin prenait encore à sa maîtresse un long baiser :

— Je vous aime, Firmaine ! M'aimez-vous ?

Mais tandis qu'il était ainsi aux genoux de Firmaine, la regardant avec amour, la porte du salon s'ouvrit et soudain, à l'apparition de la jeune femme qui entrait, le vicomte de Pleurmatin se redressait, livide, les traits contractés...

Ni Firmaine, ni lui, trop occupés par les pensées graves qu'ils agitaient quelques minutes avant, n'avaient entendu sonner... La maladresse d'une domestique, insuffisamment stylée, avait fait le reste et maintenant une scène tragique se déroulait entre l'arrivante, le vicomte de Pleurmatin et sa maîtresse !

Firmaine n'avait jamais vu la femme qui venait d'entrer ainsi à l'improviste dans son salon...

Mais rien qu'à contempler sa silhouette, mince, élégante, fine, rien qu'à voir la pâleur de son visage, le tremblement qui l'agitait, elle devinait fort bien quelle était cette jolie personne...

— Mon Dieu ! fit-elle, d'une voix sourde... La vicomtesse de Pleurmatin ! votre femme !...

C'était, en effet, la femme légitime de l'amant de Firmaine qui venait de surprendre son mari aux genoux de sa maîtresse et la regardant passionnément !

Elle avait fait au-devant du vicomte quelques pas, cependant que la femme de chambre qui l'avait introduite, comprenant à l'attitude des personnes qu'elle venait de commettre un impair, en faisant ainsi entrer, sans l'annoncer, cette visiteuse, se hâtait de refermer la porte du salon...

Pour le vicomte, lui aussi, il s'était avancé au-devant de l'arrivante et, hautain, grave, il la regardait sans mot dire.

La vicomtesse de Pleurmatin persifla d'une voix blanche, feignant de ne point même apercevoir Firmaine :

— Vous ne m'attendiez pas, Raymond ?

— Madame, j'aurais cru que votre dignité...

Mais la vicomtesse de Pleurmatin ne lui laissait pas le temps d'achever...

— Ma dignité ? vous avez d'étranges mots, en vérité ! Qui de nous deux se conduit indignement ?

Pour toute réponse, le vicomte haussa les épaules !

Mme de Pleurmatin s'avança encore. Elle était près de lui, à le toucher, elle le toisait :

— Et vous haussez les épaules ? Je n'attendais point cela de vous !...

Puis, comme il se taisait, elle reprit, fébrilement :

— Mais niez donc, au moins ! inventez un mensonge ! dites quelque chose !...

Le visage de Raymond de Pleurmatin eût été extraordinaire à contempler !

L'homme qui, quelques minutes avant, était aux genoux de Firmaine, amant angoissé, tendre, craintif, était soudain redevenu un homme autoritaire, à figure fermée, aux yeux mauvais, à l'attitude de rage froide :

— Un homme comme moi, dit-il enfin lentement, en pesant ses mots, un homme comme moi ne s'abaisse point à nier !... J'entends, madame, être libre de mes affections !...

C'étaient là, en vérité, les mots qui pouvaient le plus ajouter à la colère jalouse de la vicomtesse...

— Libre de vos affections ? Vous osez, à moi, me dire que vous aimez cette femme ?

Et d'un geste méprisant, la vicomtesse désignait du doigt Firmaine, qui, interdite, tremblante, demeurée debout au milieu de la pièce, croyait vivre un cauchemar !

— Madame ! protesta l'ouvrière... madame ! n'a-t-on pas le droit d'aimer qui l'on veut ?

Mais du geste le vicomte de Pleurmatin imposait silence à son amie :

— Oui ! reprit-il encore lentement, j'ose vous dire que j'aime ma maîtresse !

La vicomtesse, à son tour, répondait sur un ton âpre, très lent, comme chargé de menaces, comme invoquant un sombre mystère :

— Une maîtresse qui ne vous connaît pas !... qui ne sait pas qui vous êtes !...

— Une maîtresse qui m'aime, madame !

— D'autres vous aimaient !

— Qu'importe, si je ne les aimais pas !

— Vous voulez la guerre, Raymond ?

Mais le vicomte, sans répondre, cette fois, avait saisi sur un guéridon une statuette de Saxe et regardant bien en face sa femme :

— Madame, articulait-il, souvenez-vous que l'on ne me fait pas la guerre, car je n'admets point qu'il puisse y avoir d'adversaires en face de moi !

La vicomtesse railla :

— Vraiment ?

— Vraiment, oui, madame ! Vous vous croyez forte, vous êtes fragile ! Et que ceci soit un symbole pour vous. Protégé par qui vous savez, il n'est rien qui me résiste, de quelque prix que ce soit, de quelque valeur que ce soit... allons, madame, vous êtes, ici, dressée comme une statue du mal... je ne sais pas qui vous a dit que j'avais une maîtresse, car j'avais eu la délicatesse de vous le cacher... allons, madame !... il est inutile de venir me jouer de semblables scènes de jalousie ! Je vous le dis encore une fois, une dernière fois, partez !... n'insistez pas ! ou je vous briserais, comme on brise du verre, comme on brise ce que l'on dédaigne, comme ceci !...

Et la fragile statuette de Saxe, que le vicomte de Pleurmatin tenait entre ses doigts, allait s'écraser contre le sol, en mille éclats !...

— Vous avez compris, madame ?

Mais loin d'être impressionnée, semblait-il, par la colère furieuse de M. de Pleurmatin, qui, vraiment, perdait toute mesure, la vicomtesse semblait, elle aussi, plus décidée que jamais :

— Vous brisez une statuette, fit-elle, pour me faire peur ! et je comprends le symbole ! mais, par Dieu, vous oubliez que je ne suis point si fragile, je suis armée... Je sais des secrets...

— Est-ce qu'on est armé contre moi ?...

— Oui... je sais, vous dis-je...

— Quoi ?

— Votre passé !

Le vicomte de Pleurmatin, dédaigneusement, secouait la tête :

— Le passé n'est plus, articula-t-il, et je vis ma vie comme bon me semble !... Madame, je vous prie de vous retirer... Votre présence ici est déplacée. Près de qui j'aime, vous n'avez rien à faire !...

On eût dit que le vicomte de Pleurmatin cherchait comme à plaisir les mots qui pouvaient le plus outrer sa femme !

— Près de qui vous aimez ?... répéta la vicomtesse, chancelante, comme atteinte en plein cœur... Ah, vous êtes cruel, Raymond... vous avez tort !... vous avez grand tort !

Et désignant encore une fois Firmaine, la vicomtesse ajoutait, sur un ton plus fait de menace que de prière :

— Quittez cette femme !

— Non !

— Quittez-la, Raymond !

— Jamais !

— Vous aurez voulu ce qui arrivera !

— Il n'arrivera rien !

Firmaine entre les deux époux s'élançait soudain. La jeune femme avait le visage décomposé par l'émotion, elle tremblait, paraissait folle de chagrin.

— Madame !... madame !... criait-elle, je vous en prie, ayez pitié de nous !... ayez pitié de moi !...

Mais la vicomtesse avait un froid sourire sur les lèvres :

— Je ne vous connais pas, dit-elle... je ne sais pas qui vous êtes, mademoiselle !... Mais croyez-moi, ni devant mon mari, ni devant moi, n'employez jamais le mot pitié : il est de ceux dont nous ne connaissons pas le sens !...

Ce fut au vicomte de Pleurmatin de protester.

Il écarta doucement Firmaine et prenant au poignet sa femme :

— Assez, ordonnait-il, assez, n'est-ce pas ? Soit ! vous avez voulu savoir si j'avais une maîtresse ; vous le savez ! Vous m'avez espionné, vous voici plus meurtrie qu'avant !... Tant pis pour vous !... Mais voici dix minutes d'une scène abominable que j'aurais voulu éviter... oh ! pas pour moi !... pour mon amie !... pour Firmaine !... bien !... Que cette vengeance d'avoir fait du mal à cette enfant que j'aime, vous suffise, je ne vous en permets pas d'autre !... Partez !...

— Pas avant de vous avoir dit...

— Partez, madame !... partez !... ah ! pour Dieu ! partez tout de suite ! Et souvenez-vous que je ne vous crains pas !... Je sais qui me défendra !...

Le vicomte de Pleurmatin avait articulé de telle façon cette prière qu'il fallait, bon gré mal gré, que la vicomtesse reculât :

— Vous me chassez ? dit-elle.

— Je vous dis : à ce soir !

— Nous réglerons nos comptes, Raymond !

— Hors d'ici, madame, je serai toujours à votre disposition, mais je ne vous donne plus une minute à rester dans ce salon !... Souffrez que je vous reconduise !

Et devant le vicomte de Pleurmatin qui marchait sur elle, le regard si mauvais, une peur la prenait...

La malheureuse épouse trahie devait, baissant la tête, s'en aller.

Elle avait dit le mot : on la chassait !

— Firmaine, ma Firmaine... vous êtes mieux maintenant ?

La maîtresse du vicomte venait d'avoir une effroyable crise de nerfs. Dolente, elle reposait sur un grand divan, toute pâle, toute souffrante.

— Firmaine, ma Firmaine, je vous en prie, je vous en conjure, ne songez plus à l'affreuse discussion que vous venez d'entendre !... N'y pensez plus que pour en comprendre une seule chose : la sincérité de l'amour que je vous porte... la grande tendresse que j'ai pour vous !... Ah ! vous n'en doutez pas, Firmaine, cette femme, vous avez vu que je vous l'ai sacrifiée ?...

Les yeux vagues, Firmaine, d'une voix de rêve, répondait :

— Elle me fait peur ! elle me fait peur !... Raymond... Raymond, de quoi vous menaçait-elle ? Quel passé évoquait-elle qui vous a fait tressaillir ? Pourquoi m'a-t-elle dit qu'il ne fallait point invoquer la pitié ?... Qui vous défendrait au besoin ?...

La jeune femme sanglotait désespérément :

— Il semble, disait-elle, que mon amour porte malheur... tenez ! j'ai peur pour vous, maintenant, j'ai peur ! oh ! si vraiment elle voulait se venger ?...

Mais le vicomte de Pleurmatin haussait dédaigneusement les épaules !

— Une femme jalouse, dit-il, menace toujours, sans savoir comment elle réaliserait ses menaces, sans même pouvoir les réaliser !... Soyez sans crainte, Firmaine. Tenez, je vous en prie, vos yeux se ferment... laissez-vous aller à la somnolence du chloral que je vous ai fait boire tout à l'heure. Vous allez dormir, j'imagine, deux ou trois bonnes heures !... Vous vous réveillerez toute reposée, toute calme...

XIX

La princesse Vladimir

Avait-il été sincère ?

Avait-il menti à Firmaine ?

Le vicomte de Pleurmatin qui, quelques instants avant, répétait encore à la jeune femme : « Ne vous inquiétez pas ! ne vous tourmentez de rien, et moins encore des menaces de la vicomtesse, que de n'importe quoi ! »,

le vicomte de Pleurmatin, sitôt la porte de l'appartement de Firmaine
refermée, avait étrangement changé d'attitude.

Il traversait le vestibule à pas lents, le front baissé, battant la mesure
du bout de son jonc, nerveusement.

Quiconque eût rencontré le vicomte de Pleurmatin, alors, aurait
certainement deviné que de graves préoccupations occupaient son esprit,
pour ne point dire une sourde inquiétude !

Et c'est qu'à la vérité le vicomte ne pouvait guère se faire d'illusions
sur la violente colère, plus, sur le chagrin abominable que venait d'avoir
la vicomtesse.

Entraîné par son amour pour Firmaine, désireux, avant tout, d'éviter
à la jeune ouvrière une inquiétude, une anxiété, il avait repoussé durement
sa femme et maintenant peut-être, il songeait qu'il avait trop sacrifié
l'épouse à la maîtresse !

Mais le vicomte de Pleurmatin n'était évidemment pas homme à se
laisser facilement abattre, à regretter ses actions...

Un sourire railleur crispait vite ses lèvres, un haussement d'épaules
dédaigneux marquait qu'il acceptait sa destinée, qu'il était prêt à affronter
l'orage qui, très vraisemblablement, l'attendait chez lui. C'était un beau
joueur, c'était de plus un amoureux qui allait défendre son amour !

Le vicomte de Pleurmartin traversa la chaussée, fit quelques pas sur le
trottoir, songeur, puis héla un fiacre, jeta l'adresse : « Champs-Élysées ! »
et, absorbé dans ses pensées, se rencogna dans sa voiture.

Quelques minutes après, le fiacre s'arrêtait à la porte d'un somptueux
immeuble, et le vicomte montait rapidement à son appartement. Il avait
alors le visage impassible, mais ses yeux jetaient des regards de flamme.

Au valet de chambre qui venait lui ouvrir et s'empressait à le débarrasser
de sa pelisse, M. de Pleurmatin demanda d'une voix impérative :

— Madame est-elle rentrée ?

— Mme la vicomtesse, répondit le domestique, est rentrée il y a
une heure à peu près, mais elle est repartie sans attendre monsieur le
vicomte.

— Madame est repartie ?

— Oui, monsieur le vicomte. Madame a même laissé un mot pour
monsieur le vicomte, monsieur le vicomte le trouvera sur son bureau dans
son cabinet de travail...

— Merci !

Une angoisse secrète avait étreint le cœur de M. de Pleurmatin en
apprenant que sa femme était sortie...

Où était-elle allée ?

Que voulait dire ce brusque départ ?

Avait-elle vraiment l'intention de se venger ?

Il se rassura en apprenant que la vicomtesse avait laissé un mot pour
lui :

— Femme qui écrit, pensait-il, femme qui supplie !... allons !... voyons
ce poulet !...

Il se forçait à se railler lui-même. En fait, M. de Pleurmatin était très
pâle, tandis qu'il rompait l'enveloppe armoriée sur laquelle, d'une grande
écriture, sa femme avait écrit son nom.

D'un coup d'œil, il prit connaissance de la lettre. Elle était courte, d'ailleurs, elle ne comportait que quelques lignes :

N'oubliez pas, disait la vicomtesse, *que nous dînons ce soir au restaurant Durvan, avec Mme Alicet et quelques amis. Je ne doute pas que vous ne sachiez, comme moi, remettre à quelques heures l'explication nécessaire entre nous !*

— Le dîner de Mme Alicet ! C'est vrai ! je l'oubliais !... Ah ! parbleu ! elle est forte tout de même !... c'est une âme vaillante !...

Le vicomte de Pleurmatin demeurait debout, au milieu de son cabinet de travail, la lettre de la vicomtesse à la main.

Il répéta :

— Oui, c'est une âme vaillante et je regrette ce qui est. Mais qu'y puis-je ?

Et, comme pour s'affirmer à lui-même la réalité de ses sentiments, le vicomte de Pleurmatin répéta dans le silence de la pièce :

— J'aime Firmaine ! j'aime Firmaine ! je ne veux point d'obstacles entre Firmaine et moi !...

Quelques minutes encore, le malheureux jeune homme se promena d'une marche saccadée, dans la grande pièce, pris, semblait-il, par un terrible combat intérieur.

Chez sa maîtresse, sa femme légitime avait évoqué le passé. Et sans doute le passé se dressait maintenant devant ses yeux, car il semblait soutenir avec lui-même une lutte cruelle, il semblait réfléchir encore, comme avant de prendre une décision irrémédiable...

Soudain, il tourna le commutateur d'une lampe électrique, illuminant une grande glace qui occupait le fond de la pièce, et se regardant fixement il se railla lui-même :

— Pardieu ! voici que moi, maintenant, j'hésite, je tremble... ah ! c'est du joli ! amour ! amour !... que dirait-il... s'*il* me voyait ?...

Mais à qui donc le vicomte faisait-il ainsi allusion ? Il éteignit la lampe, il appela :

— Jean ! mon ami, je dîne dehors ! donnez-moi mon habit, ma grande pelisse, faites-moi chercher une voiture !

Ainsi que l'avait dit en sa lettre la vicomtesse de Pleurmatin, il importait que ce ménage, si profondément désuni, si profondément malheureux, commençât par satisfaire à ses obligations mondaines, remît à quelques heures les explications qui, sans doute, allaient décider du sort de Firmaine...

Dans la salle, brillamment illuminée, du restaurant Durvan, les dîneurs étaient nombreux ce soir-là et l'on eut vainement cherché dans la suite des salons une table qui ne fût point retenue, point occupée par d'élégants convives.

Les habits noirs des hommes mettaient des taches sombres parmi les toilettes claires des femmes. L'argenterie étincelait au feu des candélabres électriques, la blancheur des nappes, les teintes harmonieuses des pièces montées, l'éclairage rose des abat-jour, tout donnait un aspect de féerie aux cabinets de Durvan.

C'était là, aussi bien, un des rendez-vous les plus courus des Parisiens mondains et riches et la réputation de la maison n'était plus, depuis longtemps, à faire, tant auprès des gourmets, seulement amateurs de bonne cuisine, qu'auprès des snobs plus désireux de souper en un joli cadre que de faire bonne chère !...

— Vicomtesse ! vicomtesse ! menaçait plaisamment, à l'une des tables, la grosse Mme Alicet, s'adressant à Mme de Pleurmatin, je crois décidément qu'il faudra mettre votre mari à l'amende, il est tout à fait en retard !...

— Chère madame, je vous présente toutes mes excuses pour lui... probablement une partie mouvementée au cercle...

Un gros vieillard, à face rubiconde, à doigts velus, à chevelure dépeignée, assis aux côtés de Mme de Pleurmatin, occupant toute la place disponible, s'appuyant des deux coudes sur la nappe, au mépris des règles élémentaires du savoir-vivre, interrompait, la bouche pleine :

— Je ne comprends pas qu'une partie de jeu puisse faire oublier l'heure d'un dîner !

— Mon cher maître, ripostait Mme Alicet, j'imagine pourtant que vous-même, si vous étiez occupé à quelque recherche d'égyptologie, vous seriez fort bien de taille à nous laisser, Mme de Pleurmatin et moi, vous attendre !...

— En quoi vous faites erreur ! ripostait le gros homme... Non ! vraiment ! pour rien au monde je n'oublierais de dîner !... Le bien manger, c'est, aussi, une science sacrée !...

Et le déplaisant personnage, au ton dont il disait ces paroles, prouvait péremptoirement qu'à coup sûr il pensait ainsi !

Aussi bien sa réputation était depuis longtemps établie...

Ce vieil égyptologue, Albert Sorinet-Moroi, était connu, pour avoir fait toute sa carrière à table, avoir conquis, dans les dîners du monde, un fauteuil à l'Académie !

On le soupçonnait, même, tout bas, de tirer prosaïquement partie de son habit vert, en acceptant, moyennant finance, de venir figurer dans les réunions mondaines, où ses qualités officielles donnaient un semblant d'éclat !

Mme Alicet allait répondre à l'académicien — répondre aimablement, car la directrice de *Littéraria*, bien que méprisant fort l'éhonté et vaniteux personnage, ne tenait aucunement à exciter sa venimeuse méchanceté, lorsqu'elle s'écria :

— Ah ! cette fois ! Quand on parle du loup...

Le vicomte de Pleurmatin venait en effet d'entrer chez Durvan et traversait rapidement les salons, se dirigeant vers la table occupée par ses amis. Il s'inclina devant Mme Alicet.

— Je ne sais, disait-il avec sa grâce habituelle, si je puis encore me présenter devant vous, madame, et si vous n'allez point me mettre en pénitence, m'imposer au moins quelque formidable amende pour m'être ainsi fait attendre ?...

— Bah !... bah !... coupait Sorinet-Moroi, préoccupé de ne point plus longtemps attendre le dîner, car jusqu'alors, Mme Alicet n'avait fait servir que des hors-d'œuvre, bah ! ces dames vous pardonneront pour ne point faire mentir la traditionnelle bonté du sexe faible !...

— Puissiez-vous dire vrai, monsieur ! ripostait le vicomte. Je me tiens pour excusé par vous, mais j'aimerais avoir mon pardon de Mme Alicet ?

La directrice de *Littéraria* souriait :

— Et celui de votre femme aussi, j'imagine ?

— Je sais que ma femme a toutes les indulgences, madame !...

— Vous comptez trop sur ma bonté, mon cher !...

A la phrase insinuante du vicomte, Mme de Pleurmatin venait de répondre d'une voix souriante, mais les paroles démentaient le ton dont elles étaient prononcées.

— Alors, ma chère ! ripostait encore le vicomte, si vous-même m'accablez, il ne me restera plus qu'à supplier M. Sorinet-Moroi d'implorer pour moi, d'abord la pitié de Mme Alicet, puis Mme Alicet et lui imploreront la vôtre ?...

La vicomtesse haussait légèrement les épaules :

— Je suis sans pitié, dit-elle, pour les coupables sans remords !...

Un garçon venait de débarrasser de sa pelisse, de son chapeau et de sa canne, le vicomte de Pleurmatin qui s'asseyait enfin.

Mme Alicet reprenait :

— Au fait, c'est vrai, mon cher ami, mais votre femme a tout à fait raison !... Avez-vous véritablement de sincères remords ?

Le vicomte, à son tour, sourit et regardant bien en face la vicomtesse :

— Des remords ? fit-il, les remords sont l'indice, madame, que l'on a eu tort, or, en tout ce qui arrive... c'est-à-dire en mon retard... il n'y a pas de ma faute !...

— Qui vous a donc empêché d'être ici à huit heures exactement ?

La vicomtesse ne donna pas à son mari le temps de répondre :

— Quelque discussion à votre cercle, je suppose, suggéra-t-elle.

— Vous l'avez dit !... affirmait avec un parfait sang-froid le vicomte, c'est une discussion, une discussion pénible qui m'a retenu !...

— Vous avez affiché un membre ? interrogeait Sorinet-Moroi.

— Je vous riposterai, monsieur, d'un mauvais jeu de mots ; nous n'avons affiché personne mais quelqu'un s'est maladroitement affiché, qui pourrait nous forcer à l'écarter de notre chemin. Nous ne voulons ni scandale, ni scène d'aucune sorte !...

La vicomtesse de Pleurmatin était trop fine pour ne point comprendre, sous le ton badin de son mari, le sens secret que celui-ci mettait à ses phrases...

— Ainsi ! pensait-elle, je l'ai surpris tout à l'heure aux pieds de sa maîtresse...

« Ainsi ! il a osé me dire qu'il l'aimait !...

« Ainsi ! il m'a chassée pour rester auprès d'elle !...

« Ainsi ! tandis que je m'en allais, la rage au cœur, les larmes aux yeux, il demeurait près de cette femme pour la consoler.

« Et maintenant, maintenant encore, il ose m'affirmer qu'il ne veut ni scandale, ni scène ?...

Elle contint la fureur qu'elle sentait croître en elle.

— Quelqu'un s'est affiché ? dit-elle ; êtes-vous certain, mon cher, que ce quelqu'un n'y fut pas forcé par les règlements, draconiens je crois, de votre cercle ?... Vous êtes membre du comité et vous avez édicté des règlements qui sont un peu l'expression de votre bon plaisir ! Je crois que l'on a le droit, chez vous, tout juste de payer sa cotisation, d'être l'humble serviteur de vos caprices et...

Péremptoire, M. de Pleurmatin interrompit sa femme :

— Vous plaisantez ? dit-il. Ne savez-vous donc pas, ma chère amie, qu'aux termes mêmes de ce que vous dites, la soi-disant victime que vous défendez aurait encore tort ?... On a toujours tort quand on est le plus faible !...

C'était à Mme Alicet de protester...

Depuis quelques minutes, l'excellente directrice de *Littéraria*, tout en savourant son pâté de foie gras, se sentait prise d'une vague inquiétude.

Qu'avaient donc le vicomte et la vicomtesse de Pleurmatin ?

Il lui semblait qu'entre les époux le ton de la conversation n'était point des plus aimables. Dans les phrases de la vicomtesse, une sourde animosité perçait. Dans les ripostes du vicomte, on devinait une colère contenue !...

Elle pensa rompre les chiens :

— Vicomte, déclara-t-elle, vous vous faites plus méchant que vous n'êtes... M. Sorinet-Moroi voudra bien être de mon avis, j'en suis sûre !... Allons donc !... vous prétendez que l'on a toujours tort quand on est le plus faible ?

— Oui, madame...

— Voulez-vous que je vous prouve le contraire ?

— Je vous écoute, madame...

— Un exemple que vous ne pourrez pas réfuter ?...

— Citez-le, madame...

— Eh bien, mon cher, il est incontestable que la vicomtesse est auprès de vous la plus faible et pourtant, j'en suis certaine, vous lui cédez toujours !...

La directrice de *Littéraria*, mise au courant du drame qui se jouait entre les deux époux, aurait voulu commettre la plus lourde gaffe possible qu'elle n'aurait, à coup sûr, point découvert une phrase plus maladroite !...

Mais le vicomte n'était pas homme à se laisser démonter, surprendre !...

Il trouva vite la répartie nécessaire :

— Vous vous attendez, madame, à me voir défait par votre argumentation ?... Vous vous trompez... Je ne sais si la vicomtesse est auprès de moi la plus faible comme vous voulez le dire, mais je puis vous assurer — et c'est, en cela, plus rendre hommage encore à son intelligence qu'à son cœur — qu'elle est de beaucoup trop fine pour jamais me mettre dans l'obligation de céder !... Madame, ma femme ne m'a jamais demandé, et ne me demandera jamais que des choses possibles à accorder. Je n'aurai donc jamais à lui céder !... Céder, c'est une faiblesse !... et je ne suis pas un faible !...

La phrase encore une fois portait. Elle contenait un défi, un appel au sang-froid. La vicomtesse se sentit tressaillir :

— Vraiment ! reprit-elle, et si pourtant j'avais un caprice ?

— Il y a caprice et caprice, madame !... On accorde un bijou, on refuse un désir pouvant compromettre, je le suppose, la tranquillité d'un ménage !...

Toujours sur la défensive, le vicomte savait faire entendre à sa femme ce qu'il voulait lui faire entendre et de la sorte, tandis que Mme Alicet, assez gênée, se rendait compte qu'une mésentente troublait la bonne harmonie du ménage de ses amis, tandis que l'académicien Sorinet-Moroi, pour une fois laissé de côté et libre de s'empiffrer, sans qu'on le remarquât, s'occupait consciencieusement à vider les plats, la lutte âpre et sourde se poursuivait entre les époux.

— En sorte, reprenait la vicomtesse, souriant pour cacher sa rage, prenant un ton de plaisanterie pour dissimuler le tremblement de sa voix, en sorte, mon cher, que si j'avais un caprice aujourd'hui même, vous ne cachez point que vous trouveriez nécessaire, avant de me l'accorder, d'en peser la gravité ? Ce n'est pas chevaleresque !... c'est un peu...

— C'est nécessaire, madame !...

Un petit silence dura.

Les deux adversaires se mesuraient du regard !...

Certes, quand ils se retrouveraient seuls, quelques heures plus tard, rentrant en leur appartement, aux Champs-Élysées, ils auraient ensemble une explication terrible, grave !

Mme Alicet, encore une fois, s'efforça de rétablir la bonne harmonie de ses amis :

— Si nous savions seulement, fit-elle, s'adressant à Sorinet-Moroi, dont le titre l'impressionnait d'ailleurs assez, pour qu'elle eût, par moments, de vagues remords de s'occuper aussi peu de lui, si nous savions seulement être aussi résignés, aussi calmes que vos Égyptiens !... Ah ! ceux-là possédaient le vrai bonheur dans leur fatalisme résigné, n'est-il pas vrai, mon cher ami ?

— Madame, ripostait Sorinet-Moroi qui, en tant qu'invité perpétuel, avait un certain nombre de phrases toutes faites, monnaie courante d'académicien, phrases qu'il récitait à tout propos pour avoir l'air de penser quelque chose : madame, les Égyptiens avaient trouvé la recette de la félicité, en sachant se détacher de tout. Ils n'aimaient point au sens le plus rigoureux des mots. Ils considéraient la vie comme un voyage ; ils passaient... Et dans un perpétuel changement, ils ne laissaient point à la douleur le temps de les atteindre...

— En sorte, reprit en souriant le vicomte de Pleurmatin, que la recette du bonheur pour vous, monsieur, consiste tout simplement à être client de l'agence Cook ?

La vicomtesse de Pleurmatin éclata de rire :

— C'est qu'il y a beaucoup de vrai, là-dedans ! fit-elle ; voyager, c'est oublier !... on devrait toujours voyager !...

Et se tournant vers son mari, elle poursuivit d'un ton enjoué :

— Tenez, mon cher, vous parliez de caprice, tout à l'heure ? En voici un !... Voulez-vous m'offrir une excursion de huit jours à la Côte d'Azur ?... Nous partirions, je suppose, demain matin... nous irions coucher à Dijon pour éviter un voyage trop fatigant... et puis, enfin, vous êtes assez grand pour faire l'itinéraire !... m'accordez-vous cela ?...

Mme Alicet appuya :

— N'oubliez pas, vicomte, que l'Académie vient de vous apprendre que le voyage est la véritable recette du bonheur !...

Pour se donner le temps de réfléchir, M. de Pleurmatin plaisanta :

— Vraiment... si l'Académie garantit la recette !...

Le nez dans son verre, Sorinet-Moroi, qui goûtait autant les bons crus que les plats fins, poussait un grognement inintelligible, mais dans un sens affirmatif.

Pendant ce temps, la vicomtesse répétait :

— J'attends ?...

Le vicomte songeait :

— Pourquoi me demande-t-elle cela ?... espère-t-elle, en huit jours, me détacher de Firmaine ?

Mais il convenait, évidemment, de ne point trop irriter la vicomtesse !...

Une femme en colère est une ennemie dangereuse...

Dans l'intérêt même de sa maîtresse, ne fallait-il pas désarmer un peu l'épouse ?

En huit jours, si la vicomtesse songeait à faire oublier Firmaine, le vicomte pouvait espérer donner le change à sa femme, la calmer... peut-être même lui faire admettre sa liaison ?

Il prit une décision soudaine :

— L'Académie ayant parlé, dit-il, je ne saurais ne point accepter ses oracles !... Si huit jours à Monaco vous font plaisir, allons passer huit jours à Monaco !...

Mais le vicomte n'entendait pas avoir l'air de se rendre. Il lui plaisait d'être aimable avec sa femme, il tenait par-dessus tout, ainsi qu'il l'avait dit tout à l'heure, à ne point lui céder !

Aussi poursuivit-il :

— Nous partirons demain, comme vous le voulez. Comme vous le voulez, nous coucherons à Dijon, à ce fameux hôtel de la Cloche où nous nous sommes déjà plusieurs fois arrêtés. Et, quand nous reviendrons, j'imagine, ma chère amie, qu'étant bien convaincue du désir que j'ai de vous être agréable, vous ne refuserez pas de me laisser, à mon tour, faire une petite absence dont j'aurai sans doute besoin...

— Pour votre cercle ?... railla la vicomtesse...

— Oui !... pour les besoins de mon cercle !...

Mme Alicet tapait dans ses mains, joyeuse :

— Concessions mutuelles !... concessions mutuelles !... annonçait-elle ; mes chers amis, vous êtes tous deux absolument parfaits et je proclame que vous formez le meilleur ménage que je connaisse !...

Un vague sourire flottait sur les lèvres de la vicomtesse...

Souriant aussi, le vicomte emplissait les verres...

M. Sorinet-Moroi, ne pensant à rien, mangeait !

— Mademoiselle !

— Madame ?

— Vite de quoi écrire et faites-moi chercher le chasseur !...

Prétextant la nécessité de se passer un peu de poudre, la vicomtesse de Pleurmatin, le dîner achevé, tandis que l'on flânait, aux liqueurs, venait de se rendre aux lavabos du restaurant Durvan.

Et sitôt qu'elle avait été hors des regards, peut-être, observateurs, de

Mme Alicet, sûrement curieux du vicomte, l'expression de son visage avait changé.

La vicomtesse était devenue livide, cependant qu'un tremblement s'emparait de ses membres, tandis que des larmes perlaient à ses yeux...

Elle souffrait horriblement, la vicomtesse de Pleurmatin !

Ce dîner, ce dîner élégant, avait été pour elle un supplice, une torture abominable !

Ah ! comme il la martyrisait savamment, son mari !...

Comme il se moquait d'elle !

Comme il devait la mépriser pour en user ainsi avec elle !...

Comment, au moment où il lui accordait, comme une grâce, un voyage qu'elle avait eu la bonté de solliciter comme un caprice, au moment où il lui cédait une fantaisie qui, certes, il l'avait compris, n'avait d'autre but que de l'éloigner de Firmaine, il avait osé lui annoncer que, sitôt de retour, il repartirait et il repartirait sans elle !

Oh ! parbleu, la vicomtesse de Pleurmatin ne se faisait aucune illusion : l'intention secrète de son mari ne lui avait point échappé...

Il annonçait une absence, une absence pour les besoins du cercle ; c'était sans doute qu'il avait l'intention de voyager avec Firmaine !... c'est qu'après l'excursion accordée à l'épouse légitime, il repartirait avec la maîtresse, en amant, en amoureux !

Pour elle, le voyage imposé, la corvée accordée par pitié ou par crainte !

Pour l'autre, la fuite idéale, l'évasion vers le rêve, dans la communauté de l'amour, dans la splendeur, dans la magnificence, dans la griserie des affections partagées !

Sa jalousie souffrait terriblement de cette idée qui lui semblait intolérable.

Le vicomte avait eu tort d'exciter ainsi sa femme, de lui jeter un défi :

— Il veut la guerre, murmura-t-elle, d'une voix sourde, comme on disposait devant elle un encrier et un buvard ; soit ! il l'aura !...

La vicomtesse s'était assise, venait de tremper sa plume dans l'encre, et maintenant, les yeux hagards, comme affolée, contemplait la feuille blanche sur laquelle elle voulait écrire... sur laquelle elle allait écrire...

— Se venger ! murmura-t-elle, se venger ! payer une trahison par une autre trahison !... oui, je le dois, oui je le puis !... oui ! c'est mon droit !...

Elle était effrayante à voir, la vicomtesse de Pleurmatin, la femme élégante et jolie dont tout Paris célébrait la grâce charmeuse, l'amabilité parfaite !

Elle était terrible à voir, car ses traits contractés par l'angoisse, ses yeux creusés par le désespoir, ses lèvres tordues par une grimace, mettaient sur sa figure un masque de haine farouche, volontaire... décidée !

Et puis soudain, comme si elle eût reculé dans ce qu'elle allait faire, son visage se détendit...

Elle rejeta le porte-plume sur la table, elle disait :

— Je ne peux pas !... je l'aime !...

Mais, de s'être crié à elle-même : « Je l'aime », voici qu'elle entendait en son cœur un écho lui répondre : « Il ne m'aime plus ! Il se moque de moi ! »

Ah ! cette pensée était la plus affreuse de toutes...

Non, la vicomtesse ne pouvait la supporter !...

Plus forte que son amour, sa souffrance, sa douleur de dédaignée commandait à sa volonté !...

D'un geste saccadé, la vicomtesse reprit le porte-plume et, d'une grande écriture, appuyée, zigzagante, hachée, elle écrivit quelques lignes sur une feuille de papier à lettres...

Dès lors, sa décision une fois prise, elle n'hésita plus...

Elle cachetait maintenant sa lettre, écrivait une adresse sur l'enveloppe ! et d'un signe, appelant le chasseur qui l'attendait, la regardant, curieusement, à quelques pas :

— Portez cela ! tout de suite ! dit-elle, c'est urgent...

« Vous m'entendez ? urgent ! Vous le remettrez en main propre !... rien qu'à cette personne !... Vous l'attendrez le temps qu'il faudra, il n'y a pas de réponse !... Vous ne direz point où je suis en ce moment !...

Dans les mains du chasseur ébloui de tant de générosité, la vicomtesse de Pleurmatin vidait son porte-or.

Hautaine, elle répétait :

— Allez !

Puis elle se poudra, passa un bâton de rouge sur ses lèvres pâlies et, toute souriante, toute gracieuse, quitta le lavabo pour rejoindre ses amis.

Derrière elle, la femme de chambre songeait :

— Sûrement que cette jolie dame-là vient d'écrire à un homme, à un homme qu'elle aime, ou qu'elle a beaucoup aimé !... Sapristi ! elle avait l'air joliment émue !... Est-ce une rupture ? est-ce un rendez-vous ?... Bah !... ce qu'il y a de certain, en tout cas, c'est que son mari doit être cocu !...

Et l'idée lui semblant plaisante, encore que la chose ne lui parût pas rare, d'un monsieur riche étant cocu, elle riait, d'un gros rire, d'un rire de femme satisfaite de son sort !

— La rue de Steinkerque ? bon ! voilà... en haut qu'il m'a dit, le flic... Oui ! il ne s'est pas trompé : voilà la rue Tardieu. Et où c'est que c'est le 1 *ter* ? Ah ! ici...

Le chasseur du restaurant Durvan portait la lettre de la vicomtesse. Il ajoutait :

— Pourvu qu'il soit là, le particulier !... j'aime pas attendre, moi !

Et il demandait à la concierge de l'immeuble :

— M. Juve, s'il vous plaît ?... à quel étage ?

Renseigné, le chasseur allait sonner à l'appartement du policier.

Quelques secondes après, Juve était mis en présence du chasseur...

— Vous me demandez, mon ami ?

La casquette à la main, l'homme s'inclinait :

— Vous êtes bien M. Juve ? dit-il.

— Parfaitement !

— Alors, monsieur, voici une lettre... de la part d'une dame !

Juve, d'un coup d'œil, avait examiné l'enveloppe et peut-être reconnu l'écriture ! Il interrogea d'une voix un peu voilée :

— Il y a une réponse ?

— Non, monsieur !...

— Vous savez qui vous envoie ?

Le chasseur sourit, et d'un ton qui soulignait l'exécution de la consigne :

— Je n'en sais rien du tout, monsieur...

— Très bien !...

Généreusement, Juve tendait une pièce de cent sous au chasseur :

— Allez, mon ami ! je vois ce dont il s'agit !

Mais Juve, en disant cela, mentait !

Non, certes, il ne savait pas ce que contenait cette enveloppe, dont la seule vue l'avait fait tressaillir, non, certes, il ne savait point ce que cette lettre allait lui apprendre !...

Ne s'était-il pas trompé lui-même ?

Avait-il bien deviné quelle était sa correspondante ?

A peine le chasseur avait-il tourné les talons, que Juve décachetait d'une main tremblante la lettre qui l'intriguait si fort...

— Ah ! fit-il, comme frappé d'un coup de massue... ah ! ce n'est pas possible ! je rêve !... je deviens fou !...

D'un seul regard Juve avait lu la signature de cette lettre !

Et cette signature qui le bouleversait, cette signature dont il ne pouvait détacher les yeux, cette signature, c'était : *Princesse Vladimir* !

Juve, le premier moment de stupéfaction passée, lisait maintenant les quelques lignes écrites par la vicomtesse de Pleurmatin et signées de ce nom qui impressionnait tellement le policier, de ce nom de princesse Vladimir.

La vicomtesse avait écrit :

Nous serons tous deux demain, à onze heures du soir, à Dijon, à l'hôtel de la Cloche. Vous aurez là Jacques Bernard, l'assassin, à votre disposition. Vous pouvez me croire. C'est une femme qui se venge qui vous écrit et vous n'ignorez pas son nom. Je suis la princesse Vladimir !

Écroulé, les gouttes de sueur perlant aux tempes, Juve répétait tout bas :

— La princesse Vladimir ! La princesse Vladimir se venge ! et c'est Jacques Bernard qu'elle veut me livrer !... Qu'est-ce que cela veut dire ?... Jacques Bernard, c'est Fantômas ! Elle connaît donc Fantômas ?...

XX

L'identité du fuyard

Perplexe, ému, troublé, Juve dissimulé dans l'embrasure d'une porte cochère, rue de Penthièvre à proximité du domicile de Firmaine, attendait.

Le policier, après de longues hésitations, après des tergiversations sans nombre, s'était résolu à ne pas croire un mot des allégations de la princesse Vladimir. Il s'était dit que, si la grande dame lui donnait rendez-vous à Dijon, sous l'éventuel prétexte d'y retrouver Jacques Bernard, c'est qu'il s'agissait là d'un piège et simplement d'un piège grossier !

Par moments, le policier se posait la question à nouveau.

Il était déjà dix heures du soir, la rue de Penthièvre était absolument déserte et, dans le silence persistant du quartier, qui paraissait abandonné, Juve se demandait encore si, par un phénomène absolument extraordinaire, Jacques Bernard ne roulait pas dans la direction de la capitale de la Bourgogne...

Certes, s'il n'avait pas eu autre chose à faire, Juve aurait risqué l'aventure !

A tout hasard, il s'en serait allé à Dijon, quitte à en revenir bredouille et dupé...

Mais, précisément, le rendez-vous fixé par la grande dame, ce rendez-vous surprenant coïncidait si exactement avec l'arrivée de Jacques Bernard, à Paris, arrivée annoncée par lui-même à Firmaine, que le policier s'était trouvé dans l'obligation d'opter pour l'une ou l'autre solution.

Il fallait qu'il soit à Paris, ou à Dijon... le bandit se trouvant signalé dans les deux endroits à la même heure.

Juve, confiant en ses pressentiments, escomptant sa bonne étoile, s'était donc décidé en faveur de Paris. Il y était resté.

Jacques Bernard avait dit qu'il arriverait de Londres pour se rendre directement chez la maîtresse du vicomte de Pleurmatin. Juve, de son poste d'observation, l'attendait, prêt à sauter à la gorge du monstre, si par bonheur il se trouvait en face de lui, si Jacques Bernard était bien Fantômas.

Dix minutes auparavant, le policier était allé chez le marchand de vins du coin, pour téléphoner à la gare du Nord et se renseigner sur l'arrivée de la malle anglaise.

— Le train était entré en gare, lui avait-on dit, avec un petit quart d'heure de retard. Juve s'était alors empressé de reprendre son poste de surveillance.

La porte cochère dans le renfoncement de laquelle il s'était dissimulé, était distante de la maison de Firmaine d'environ cinquante mètres. Le policier pouvait voir, sans être vu, tout ce qui se passerait devant cet immeuble.

Évitant de son mieux l'éclairage du bec de gaz voisin, Juve désormais ne bronchait plus. Il sentait que l'instant suprême où il allait connaître la vérité, était imminent.

Certes ! il aurait pu se rendre à la gare du Nord et, dans l'éventualité de l'arrivée de Fantômas par le train de Londres, cueillir le bandit à la descente du train. Mais Juve se méfiait de la subtilité du personnage et redoutait, malgré sa perspicacité professionnelle, de ne pas pouvoir l'identifier. Fantômas était exceptionnellement habile à dissimuler ses traits sous les aspects les plus variés.

Mieux valait évidemment l'attendre devant chez Firmaine, l'appréhender au moment où il arriverait... si toutefois il arriverait.

Au fur et à mesure que passaient les minutes, l'émotion de Juve s'accroissait. Allait-il donc enfin se trouver face à face avec son terrible adversaire ? allait-il pouvoir lutter avec lui, d'homme à homme, à armes égales ?

Juve, machinalement, caressait dans sa poche la crosse de son browning ; le policier était prêt à tout, il n'avait pas peur, il ne reculerait devant rien !

Soudain, le silence de la rue, dans ce quartier paisible, tranquille, où toute activité cesse, à partir de huit heures du soir, pour ne reprendre qu'à l'heure du retour des théâtres, un ronflement lointain retentissait qui s'accroissait peu à peu.

C'était le bruit d'une automobile qui se rapprochait : il n'y avait pas de doute à cet égard.

Le véhicule que l'on entendait depuis quelques instants, déboucha brusquement du boulevard de Courcelles et, après un virage savant, s'engagea dans la rue de Penthièvre. Juve tressaillit. Cette voiture allait-elle s'arrêter devant chez Firmaine ? Était-ce Jacques Bernard, autrement dit Fantômas, qui en descendrait ?

L'émotion de Juve prit fin rapidement. Le véhicule lui passait devant les yeux à rapide allure, puis le conducteur freinait brusquement, s'arrêtait à cinquante mètres le long du trottoir, juste devant chez Firmaine !

La portière s'ouvrit, un homme descendit. Il tendait au mécanicien de l'argent et le conducteur, sans doute pour rendre de la monnaie, abandonnait son siège et venait fouiller ses poches sous un bec de gaz qui se trouvait à quelques pas de là.

Juve suivait ses mouvements avec une anxiété singulière. Tout d'un coup, il eut l'impression que le voyageur, qui s'était orienté et avait regardé tout autour de lui, comme s'il redoutait un voisinage suspect, venait de l'apercevoir.

Jacques Bernard, en effet, consciemment ou non, regardait de son côté !

Juve alors, ne pouvant plus y tenir, bondit hors de sa cachette, s'élança à toute allure, parcourant les cinquante mètres qui le séparaient de son insaisissable adversaire...

Certes le policier avait fait vite !

Mais le client du taximètre faisait plus vite encore !

Rapide comme l'éclair, Jacques Bernard sautait sur le siège, à la place du mécanicien et, avec l'habileté consommée d'un vieil automobiliste, embrayait le moteur, démarrait, en première vitesse, puis mettait aussitôt la seconde ; il roulait désormais à bonne allure, dans la rue de Penthièvre !

Le mécanicien, resté sur le trottoir, poussait des cris d'ahurissement et de rage.

En vain s'agitait-il ; son client de l'instant précédent venait tout simplement de lui voler sa voiture !

Si grande était la surprise du mécanicien, qu'il ne voyait point Juve augmenter encore sa propre vitesse et profiter du démarrage, toujours lent, de l'automobile, pour s'accrocher aux ressorts d'arrière et se faire traîner.

Juve, en effet, ayant deviné les intentions du fuyard, dans un effort formidable, avait pu bondir et s'attacher au véhicule !

Désormais le taxi roulait de toute l'allure de sa troisième vitesse accélérée et Juve, après un rétablissement digne du meilleur des gymnastes, demeurait en équilibre sur les ressorts arrière, cramponné à l'attache du garde-boue !

Évidemment sa position était éminemment instable et fort critique !

Juve était à la merci d'un cahot, d'une secousse qui lui ferait lâcher le véhicule auquel il s'était agrippé, mais le policier, qui tenait, coûte que coûte, à ne pas perdre la trace du fuyard, tenait ses points d'attache de ses mains, comme d'un étau d'acier.

Profitant d'un virage, pendant lequel le conducteur improvisé s'était vu obligé de ralentir, Juve se redressait, s'installait dans une position un peu plus commode, et tentait de grimper sur la capote du landaulet...

De là, pensait-il, il lui serait facile de donner les instructions les plus formelles au pilote de la voiture, qu'il aurait à sa merci, en dessous de lui !

Malheureusement, malgré ses efforts, Juve ne réussissait pas à se hisser sur le véhicule, et à chaque tentative qu'il faisait, il se rendait compte qu'il se fatiguait, que sa prise était moins bonne !

Juve avait perdu son chapeau dès le début de l'équipée, mais son pardessus l'embarrassait considérablement !

Le policier se résigna.

Il résolut d'attendre.

Tout d'abord, Fantômas, car c'était évidemment lui, savait-il que dans sa course effrénée il avait Juve en croupe ?

Le policier, machinalement, regardait l'itinéraire par lequel le taxi effectuait sa course folle. Le véhicule avait viré devant la gare de Courcelles, suivi le boulevard Pereire, dans la direction de la porte Maillot. Désormais il dépassait la gare du Bois-de-Boulogne, s'engageait dans le boulevard Flandrin.

— Où va-t-il ? où me mène-t-il ? pensa Juve.

Et malgré tout, le policier redoutait l'éventualité d'un guet-apens, il craignait de voir le véhicule s'arrêter soudain dans un endroit désert, simplement fréquenté par des complices de Fantômas qui, assurément, en voyant Juve, leur irréconciliable ennemi, ne manqueraient pas de lui faire un mauvais sort !

Juve se disait qu'il fallait arrêter la voiture par un moyen quelconque... mais comment ?

Couper l'allumage était impossible ! il aurait fallu s'approcher du moteur, et la position de Juve, à l'arrière, était bien trop précaire, pour qu'il pût songer seulement à la modifier...

Restaient les pneus !

Ah ! si seulement ils avaient pu se percer, éclater comme ils font si souvent lorsqu'on n'en a pas envie !

Mais ces maudits pneus semblaient invulnérables. Fantômas, en menant le véhicule à toute allure, le soumettait à rude épreuve, et il résistait superbement !

Juve sortit de sa poche un couteau dont il ouvrit la lame avec ses dents. Parbleu, le plus simple était de perforer les bandages !

Juve s'efforça d'y réussir, mais au premier contact de l'acier avec les antidérapants, le couteau s'arrachait des mains du policier, tombait sur la route ; il n'y avait rien à faire de cette façon !

Juve savait que dans sa poche était un revolver chargé de six balles. Il escomptait la présence de cette arme comme un puissant agent de défense, et au besoin d'attaque. Toutefois, fallait-il hésiter à s'en servir au moment où le concours du browning allait peut-être lui permettre d'arrêter la voiture quasi emballée ?

— Si je sacrifie deux balles, pensa Juve, il m'en restera toujours quatre et avec quatre on peut se défendre !

La résolution du policier était aussitôt prise.

Non sans peine Juve parvenait à extraire l'arme de sa poche ; s'assujettissant solidement sur les ressorts, il approchait le canon de son arme à quelques centimètres du pneu qui tournait sous ses yeux à une allure vertigineuse...

Juve pressa la détente... une détonation retentit suivie d'une explosion formidable : le pneu de droite avait éclaté !

Il en résultait un affaissement du véhicule, des cahots terribles, et aussi une grande embardée que faisait involontairement le conducteur, lequel, évidemment, ne s'attendait pas à cet accident subit.

Juve espérait, pendant quelques secondes, voir la voiture s'arrêter...

Il n'en était rien !

Sans respect pour son véhicule, Fantômas continuait à accélérer le moteur, voulant faire rouler la voiture coûte que coûte ! Celle-ci, bien que boiteuse, avançait encore, un peu moins vite, mais à bonne allure cependant.

— Puisqu'un pneu ne suffit pas, se dit Juve, démolissons-en un autre !

Aussitôt pensé, aussitôt fait ; nouvelle détonation, nouvelle explosion, le pneu arrière gauche s'affaissait, la voiture, désormais, titubait littéralement !

On était arrivé à la jonction du boulevard Flandrin avec l'avenue Henri-Martin. Le taxauto, désormais, s'engageait sur la vaste esplanade du château de la Muette que sépare de l'entrée du bois de Boulogne un fossé abrupt appelé Saut de Loup.

Le taxi, sous la conduite de Fantômas, longeait le Saut de Loup, lorsque, soudain, un craquement se produisit ; Juve, en dépit du bruit que faisait le moteur et les pneus roulant à plat sur le gravier, entendit un juron qui s'échappait de la bouche du mystérieux pilote !

Au même moment la voiture obliquait brusquement à gauche, franchissait un petit trottoir, s'engageait entre deux arbres, puis, avec une allure vertigineuse, piquait du nez et tombait dans le Saut de Loup !...

La chute s'effectuait avec un grand fracas : l'automobile se brisant en mille pièces, au fond de la douve, profonde de trois mètres environ...

Juve était tombé avec le taxi. Il roulait dans le fossé et heureusement était projeté assez loin pour n'éprouver aucun accident.

Cela avait duré l'espace d'un instant. Mais le policier, en tombant, avait eu le temps de s'apercevoir que le pilote qui, vraisemblablement, aurait dû rester écrasé sous la voiture, bénéficiant de la force centrifuge, avait été projeté au loin et cette fois non pas dans le fossé, comme Juve, mais bien de l'autre côté de la douve, à l'intérieur même du parc de la Muette, dans les profondeurs duquel le bandit s'enfuyait en courant !...

Cet accident étrange s'était produit sans témoins, le bois de Boulogne étant absolument désert à cet endroit.

Juve se palpa rapidement les membres, pour s'assurer qu'il n'avait rien de cassé, et, résolu, coûte que coûte, à poursuivre sa chasse à l'homme jusqu'au bout, s'agrippant au mur de maçonnerie, qui constituait les parois de la douve, remontait au niveau du sol, parvenait dans le parc de la Muette et regardait autour de lui.

— Qu'était devenu le fuyard ? Où était Fantômas ?

Ces quelques secondes, si malencontreusement perdues, avaient permis au bandit de mettre entre son poursuivant et lui une assez grande distance et Juve commençait à désespérer de jamais le rejoindre, lorsque, ayant regardé le sol, machinalement, il s'aperçut que celui-ci, récemment travaillé, était fort meuble et portait des empreintes de pas, très nettes, très distinctes !

Juve, sans perdre un instant, se jeta sur ces traces qu'il avait le bonheur d'apercevoir...

Au hasard des allées, des bosquets, des massifs, les traces s'étaient imprimées, non pas en ligne droite, mais en zigzag. Juve s'en réjouissait ! Évidemment le monstre en s'enfuyant n'avait pas une idée bien précise de l'endroit où il devait aller. Il hésitait assurément, cherchant une cachette ou une issue.

Juve, tout en courant, se prenait à espérer de nouveau !

Il l'attraperait !

L'avance de Fantômas sur lui n'était qu'insignifiante, il ne fallait point perdre courage !

Désormais la filature conduisait Juve sous un bouquet d'arbres sombre et touffu.

Ces arbres étaient massés sur la droite de la propriété, du côté du jardin du Ranelagh. Une grande grille en fer, haute de quatre mètres et absolument infranchissable, séparait le parc privé de la Muette, de la promenade publique qui fait suite au bois de Boulogne.

Juve ralentit son allure. Il se doutait bien que, vu l'obscurité du lieu et l'enchevêtrement des massifs qui commençaient à se garnir de feuilles, c'était évidemment par là que Fantômas se cacherait et peut-être même il l'attaquerait !

Juve essaya de se dissimuler.

C'était bien une chasse à l'homme à laquelle il se livrait : il importait de ne pas trop se montrer.

Accroupi sur le sol, étouffant le bruit de ses pas, modérant son souffle, Juve considérait autour de lui la terre couverte de mousse. Soudain il eut une exclamation de dépit ; il n'y avait plus de traces ! elles avaient disparu !

Qu'était devenu Fantômas ?

Par où avait-il passé ?

Fantômas, pourtant ne s'était pas évanoui, Fantômas ne s'était pas envolé !

Envolé non ! mais tout comme, peut-être !

Et, soudain inspiré, Juve considérait minutieusement le tronc d'un gros arbre dont les branchages touffus s'élevaient dans la nue et dont les rameaux les plus bas, passant par-dessus la grille qui séparait la Muette du Ranelagh, s'avançaient très au-dessus du jardin public.

Le tronc de l'arbre portait des éraflures fraîches, comme si quelqu'un venait d'y grimper, et soudain le policier, dans un éclair de perspicacité, comprenait le projet du fuyard : monter dans cet arbre, s'engager sur les branches qui franchissaient la grille et retomber, libre désormais de s'enfuir dans les jardins du Ranelagh !

Le policier, instinctivement, levait les yeux !...

A mi-hauteur de l'arbre, en effet, s'agitait une masse noire, insolite : c'était, à n'en pas douter, le conducteur du taxi, Jacques Bernard ! l'insaisissable Fantômas !...

Mais, au même instant, Juve poussait un cri !

Il était soudain illuminé par un projecteur électrique !

C'était le bandit qui repérait la situation exacte de son poursuivant, sans doute pour le viser plus sûrement !

Juve, prompt comme l'éclair, bondit en arrière, hors du faisceau lumineux !

Il n'allait pas hésiter. Le policier sortait son revolver, il avait encore quatre balles : il les utiliserait...

C'était un duel que voulait Fantômas, duel étrange, extraordinaire, eu égard à la position des combattants ! Peu importait à Juve ! Il acceptait le défi !

— Juve ! Juve !

Le policier s'arrêta, interdit...

Une voix railleuse, un ton gouailleur !...

Quelle était cette voix ?

Qui donc l'appelait ainsi ?

Le policier ne pouvait se l'imaginer, et cependant, si grand était son trouble qu'après avoir levé son arme dans la direction de la masse noire et confuse qui s'agitait au haut de l'arbre, il laissait désormais pendre son revolver, le canon renversé vers le sol...

— Juve ! Juve !

Mais c'était une voix qu'il connaissait !

C'était une intonation qui lui était familière !

Le policier se crut l'objet d'un cauchemar affreux, la proie d'une hallucination... Il eut l'impression que ses jambes se dérobaient sous lui, il tituba !

En dépit du désordre de son esprit Juve entendit la voix gouailleuse qui proférait :

— Ça n'est pas possible ! Vous allez vous trouver mal !... Asseyez-vous, Juve ! Je vous en prie ! là ! Derrière vous se trouve un banc de pierre ! Installez-vous confortablement... Et puis, mon cher, mettez votre pardessus. Après avoir tant couru, vous êtes en nage, vous pourriez attraper froid !...

Il n'y avait plus de doute !

Cette voix, ces plaisanteries, ce ton de persiflage...

Ah ! si l'on avait assuré à Juve que quelquefois les morts reviennent, il ne l'aurait certes pas cru, sauf toutefois à ce moment précis !

Le policier qui, au lieu de s'asseoir, avait fait un bond prodigieux en avant, hurlait en effet :

— C'est toi, Fandor ? Fandor ! c'est toi ?

Deux secondes après, dégringolant le long de l'arbre, la masse sombre et confuse tombait jusqu'à terre !

Le fuyard, c'était en effet Fandor !

Les deux hommes tombaient dans les bras l'un de l'autre. Ils s'étreignaient à s'écraser, sans prononcer une parole !...

L'émoi de Juve était indescriptible...

Les pensées se pressaient en foule dans son esprit. Il était incapable de les coordonner. Rêvait-il ?

Était-il éveillé ?

Non ! il ne rêvait pas !

C'était bien Fandor ! son cher Fandor qu'il serrait ainsi dans ses bras ! dont il sentait le cœur battre sur sa poitrine...

C'était Fandor, l'ami de dix ans, le compagnon de toutes ses luttes, le collaborateur de toutes ses enquêtes, l'intime ami, le double de lui-même ! Fandor qu'il aimait comme un fils !

Et voici qu'après l'avoir cru mort, qu'après s'être prouvé à lui-même, avec tous les éléments de la plus sûre logique, que le malheureux journaliste avait été assassiné, assassiné par Fantômas, voici qu'il le retrouvait vivant, superbe de santé ! Ah, c'était inimaginable !...

— Vivant ! s'écriait Juve en regardant Fandor...

— Vous ici ? repartait Fandor...

Puis Juve interrogeait :

— Mais, nom d'un chien, puisque tu n'es pas mort, pourquoi ne me donnais-tu pas de tes nouvelles ?...

Or, à ces mots, Fandor paraissait stupéfait :

— Dame ! faisait-il, après votre dépêche...

— Quelle dépêche ?

— Celle que j'ai trouvée en arrivant à Paris, après vous avoir quitté à Glotzbourg [1]...

Or, à ces mots, Juve pestait :

— Mais, je ne t'ai pas envoyé de dépêche ! D'abord, que te disait ce télégramme ?

Fandor, stupéfié à son tour, affirma :

— Je le sais par cœur... Juve, vous me disiez : « Beaucoup de nouveau. Cache-toi. Prends un faux nom, ne m'écris pas, disparais jusqu'à nouvel ordre »...

Fandor allait donner d'autres explications, lorsque Juve l'interrompait :

— Cette dépêche n'était pas de moi ! Assurément, c'est Fantômas qui, pour nous séparer, te l'a envoyée...

Et Fandor, mélancolique, avouait alors :

— Et moi qui étais persuadé que ce nouveau dont vous me parliez était relatif à Hélène !... moi qui, depuis cette dépêche, étais gai comme un pinson !...

Un instant, les deux hommes se taisaient, puis Fandor faisait effort sur lui-même, dominait son chagrin :

— Juve ! pour retrouver Hélène, il faut éclaircir d'abord toutes les affaires actuelles [1]...

En raisonnant l'enchaînement des choses, il interrogeait :

— Je suis sûr, mon cher Juve, que c'est encore vous qui avez identifié la victime méconnaissable de la rue des Grands-Degrés ?

— Oui ! déclara simplement le policier, c'est moi qui ai découvert que le mort n'était autre que l'acteur Miquet...

---

1. Voir dans la série « Fantômas » : *La Guêpe rouge.*

— Tué par Fantômas, évidemment, qui craignait ses révélations, continuait Fandor. Au fait, merci, Juve, merci... c'est grâce à vous que j'ai pu revenir, car, tant que la victime n'était pas identifiée je redoutais terriblement qu'on ne la prenne pour Olivier, et que l'on ne continue à soupçonner de son assassinat Jacques Bernard !

Or, Juve, désormais, considérait Fandor avec ahurissement :

— Ah ça, déclarait-il ; c'est donc toi, Jacques Bernard ? toi, Fandor, tu es Jacques Bernard ?

— Mais oui ! consentit le journaliste, vous ne vous en doutiez pas ?

Juve se mordait la lèvre :

— Je suis un imbécile ! avoua-t-il, je prenais Jacques Bernard pour Fantômas !

Il poursuivait :

— Par exemple, j'ai bien reconnu que tu étais Olivier, et c'est cela qui m'a fait croire que tu étais mort... car, mon pauvre Fandor, je t'ai cru bel et bien mort !

Or, comme Fandor éclatait de rire, Juve questionnait encore :

— Et Maurice ? tu étais aussi Maurice ?

Mais Fandor, vivement, protestait :

— Ah ! mais non ! par exemple ! j'en ai assez d'être Maurice ! ce Maurice que je ne connais pas et qui m'a l'air d'être un individu fort peu recommandable ! Passe encore aux yeux des autres, dont je me fiche, mais pas pour vous, Juve ! Olivier n'existait pas, je l'ai créé, en raison de votre dépêche... Jacques Bernard n'a d'état civil que dans mon imagination, c'est encore mon affaire, je ne l'ai fait naître que pour faire monter le prix de ma copie... puisque je devais me cacher ; mais Maurice est quelqu'un et ce quelqu'un, n'est pas moi !...

Le policier considérait Fandor d'un air absolument décontenancé ; il fronçait les sourcils, tordait sa moustache. Juve, en dépit de sa perspicacité, ne comprenait pas très bien la situation...

Cependant, les deux hommes devaient arriver à tirer au clair le mystère qui obscurcissait leurs esprits.

Fandor, le premier, recommençait les explications.

Il racontait à son ami comment il avait vécu sous le nom d'Olivier, vendant des vers, de la prose, vivant péniblement. Puis était survenu le drame d'Auteuil. Fandor avait alors fait passer Olivier pour le mort introuvable, s'était institué, en tant que Jacques Bernard, son légataire universel !

Juve connaissait l'histoire. Il la comprenait désormais, il l'avait toujours comprise, avec cette différence qu'il n'avait jamais imaginé que si Olivier, c'était Fandor, Jacques Bernard, c'était Fandor encore !

Le journaliste, poursuivant son récit, en arrivait au crime d'Auteuil et racontait à Juve comme il avait découvert qu'il s'agissait là d'un crime fictif.

Mais le policier protestait :

— Pardon ! disait Juve, puisque Maurice existe et qu'on ne le retrouve plus depuis le drame, c'est qu'il a été réellement tué !...

— Diable ! s'écria Fandor...

Les deux hommes, laissant aller leurs pensées, formulaient alors mille hypothèses. Ils en arrivaient à cette conclusion : qu'assurément, plus que jamais, les mystères qui entouraient toutes ces aventures étaient l'œuvre du néfaste Fantômas !

— Mais, interrogea Fandor, sous quelle personnalité agit le bandit ?

Juve énumérait :

— Assurément, c'est Fantômas qui a réapparu sous le personnage d'Olivier, à la fête de Mme Alicet...

— Oui, reconnut Fandor, c'est bien mon avis, mais ce que je ne comprends pas, c'est l'intérêt qu'a eu Fantômas à faire réapparaître Olivier. En réalité, cela n'avait qu'un effet : m'obliger à quitter ma personnalité de Jacques Bernard... or, cela ne pouvait être utile qu'à ce Maurice inconnu. Fantômas a donc voulu obliger son ex-victime ? C'est bizarre !...

— En effet, reconnut Juve...

— Mais, continua Fandor, en revanche, je devine fort bien pourquoi Fantômas, en tuant Miquet, s'est appliqué à faire croire que c'était en réalité l'Olivier réapparu qui était assassiné. Évidemment, cela me forçait à la fuite...

Juve approuvait la version de Fandor :

— Eh ! parbleu ! ajoutait-il, Fantômas a même réussi au-delà de ses désirs. Non seulement tout le monde, la police, l'opinion publique, ont accusé Jacques Bernard d'avoir commis le crime de la rue des Grands-Degrés, mais encore j'y ai si bien cru moi-même, que je me suis acharné à ta poursuite...

— Et, continua Fandor, au cours de cette poursuite, nous avons failli nous casser la figure, tous les deux... Vous savez, ajoutait le jeune homme, que je me suis très bien rendu compte de la chasse que vous me donniez. Du diable, par exemple, si je me doutais que c'était vous ! C'est égal, Juve, lorsque vous crèverez des pneus à coups de revolver, regardez-y à deux fois ! C'est vous qui m'avez conduit dans le fossé ! A force de rouler sur des bandages à plat et à toute allure, le mécanisme du taxi s'est démoli, la barre de direction s'est cassée, c'est ce qui nous a fait dégringoler dans le fossé... C'est un miracle que nous en soyons sortis sains et saufs l'un et l'autre !...

— Un miracle ! en effet ! reconnut Juve, en souriant... Heureusement, ajoutait-il, tout goguenard, que nous ne sommes plus à les compter, depuis que nous courons à la poursuite de Fantômas ! Pas vrai, Fandor ?

— C'est vrai, Juve !

Les deux hommes s'étreignirent encore, tant était grande la joie qu'ils éprouvaient à se retrouver.

Cependant, le front de Juve se rembrunissait. Le policier songeait à la princesse Vladimir. Il se remémorait le mystérieux billet de la veille :

— Au fait, commença Juve, mais j'ai des nouvelles extraordinaires à te communiquer... Sais-tu qui, hier au soir, m'écrivait ?

— Non, qui ?

— La princesse Vladimir !

— Fichtre ! que vous disait-elle ?

— Que Jacques Bernard serait à Dijon aujourd'hui.

— Jacques Bernard ? allons donc, Juve ! mais puisque c'est moi...

Juve avait un grand geste d'incompréhension, puis il reprenait :

— Ce n'est pas de toi assurément que la princesse parlait. Le problème est de deviner qui elle appelait Jacques Bernard...

Or, après quelques minutes de réflexion, Juve ajoutait en pâlissant :

— Fandor... la princesse Vladimir est la femme du prince Vladimir... et le prince Vladimir était l'allié de Fantômas... si c'était sur les traces de son mari que cette grande dame voulait me lancer...

Mais, au même instant, Fandor interrompait le policier :

— Et si l'on n'avait eu qu'un but : vous éloigner de chez Firmaine ?

Juve tressaillait :

— Tu as raison, petit, tu as raison, et moi-même je redoutais quelque chose, puisque je m'étais juré de ne point m'éloigner du domicile de Firmaine !

Les deux hommes se considérèrent à la lueur blafarde d'un rayon de lune. Soudain ils devenaient livides, anxieux. La même idée leur germait au même instant à l'esprit : l'un et l'autre manquaient au rendez-vous, et seule Firmaine était chez elle !

Qu'avait fait Fantômas depuis que Juve et Fandor se couraient l'un après l'autre ?

Peut-être un nouveau crime chargeait-il désormais la conscience du misérable ? Une inexprimable inquiétude étreignit au cœur Juve et Fandor.

— J'ai peur ! murmura Juve... j'ai peur !

— J'ai peur pour Firmaine, affirma Fandor...

Les deux hommes se consultèrent du regard.

En une seconde leur décision était prise !

Ah ! cette nuit-là, en dépit des fatigues déjà éprouvées, des émotions déjà ressenties, ne devait être consacrée ni au repos, ni à la méditation !

Peut-être Firmaine courait-elle un danger ? S'il en était temps encore, il fallait aller la secourir..

Les deux hommes, en toute hâte, quittaient le parc de la Muette où ils venaient si extraordinairement de se rencontrer.

Ils abandonnaient au fond de sa douve profonde le taxi démoli, couraient à la première station de voiture qu'ils savaient être à proximité, montaient dans un taximètre et jetaient l'adresse au mécanicien :

— Rue de Penthièvre, et à toute allure !

Ils ne devaient trouver personne.

Firmaine n'était pas chez elle !

XXI

Un enlèvement

Ce soir même, et tandis que Juve et Fandor finissaient par tomber dans les bras l'un de l'autre, pour la vingtième fois de la soirée, Firmaine consultait l'heure au cartel pendu à la muraille du salon...

— Onze heures moins dix !...

La jeune femme ne put retenir une exclamation :

— Mon Dieu ! mon Dieu ! que c'est donc ennuyeux !... je ne sais plus en vérité ce que je dois faire...

Il y avait déjà longtemps, en effet, que Firmaine s'impatientait...

Elle attendait ce soir-là une double visite, celle de Jacques Bernard, de retour d'Angleterre, qui s'était annoncé par le fil, celle du mystérieux inconnu aussi qui s'était présenté chez elle, l'avant-veille, au moment précis où elle téléphonait à Jacques Bernard, qui l'avait si mystérieusement interrogée, qui avait paru si intéressé par ce qu'elle lui avait dit de Maurice...

Rendez-vous avait été pris, avec l'un comme avec l'autre de ces personnages, pour dix heures... et personne n'était là !...

Que Jacques Bernard soit inexact, je le comprends, pensait Firmaine, il a pu être victime d'un incident quelconque, peut-être même ne s'est-il pas décidé à rentrer à Paris... Mais que veut dire l'absence de mon autre visiteur ?...

La jeune femme se demandait avec d'autant plus d'angoisse la signification de ce rendez-vous manqué, qu'elle songeait, de plus en plus, qu'il était après tout très possible que la non-venue des deux hommes soit rattachée à une même cause !...

Elle avait presque deviné que l'inconnu était le policier Juve. Ne fallait-il pas imaginer que Juve, aveuglé par un parti pris, peut-être même de mauvaise foi, avait arrêté Jacques Bernard ?

C'était possible après tout !... c'était même vraisemblable !... A moins que...

Dans le silence du salon, Firmaine réfléchissait de plus en plus profondément, dans un énervement croissant... Elle n'avait aucun moyen de se renseigner, et l'attente n'en était que plus pénible pour elle, l'incertitude plus insupportable...

La jeune femme patienta encore de longues minutes, puis, à onze heures et demie, lassée, persuadée que ses visiteurs ne viendraient plus, elle se décida à s'aller coucher.

— J'aurai demain une lettre au courrier ! pensait-elle, sinon de l'individu que je prends pour Juve, du moins de Jacques Bernard...

Firmaine se leva, jeta sur une causeuse le livre qu'elle avait feuilleté, traversa la pièce, souffla sa lampe, puis se dirigea vers la porte du salon, s'apprêtant à franchir l'antichambre obscure pour gagner sa chambre à coucher...

Or, comme elle ouvrait la porte du couloir, la jeune femme tressaillit violemment. Elle avait eu l'impression, extraordinaire, car elle se savait seule, absolument seule dans l'appartement, que l'on venait de marcher près d'elle, tout près d'elle... derrière elle...

Tandis que Firmaine s'impatientait au salon en attendant l'arrivée de Jacques Bernard et de l'inconnu, ou pour mieux dire de Juve et de Fandor, de mystérieux phénomènes s'étaient déroulés sans que la jeune femme puisse s'en douter, dans l'antichambre de son appartement !

A 11 h 20, lentement, sans un bruit, sans que les gonds soigneusement huilés aient fait entendre le moindre grincement, la porte de l'escalier s'était ouverte, livrant passage à deux ombres, deux ombres vêtues de noir, indistinctes, insoupçonnables !

— Nul ne nous a entendus ! avait soufflé l'un des troublants fantômes...

— Assurément ! avait répondu l'autre, nul en vérité...

— Vous êtes certain du plan de l'appartement ?

— Absolument certain... il est fatal qu'elle passe par ici pour gagner sa chambre...

— Bien ! Vous avez présent à l'esprit mes instructions ?... vous savez qu'avant tout, je ne veux aucun bruit ?...

— Je le sais... et je suis assuré de réussir...

Les deux fantômes s'étaient glissés jusqu'au fond de la pièce, et rigides, immobiles, avaient commencé à veiller à la porte du salon où Firmaine achevait de passer la soirée...

La porte ouverte, Firmaine, croyant entendre marcher, s'était brusquement arrêtée.

Dans le silence de l'appartement, elle cria :

— Qui est là ?... qui va là ?...

Mais nul ne répondit, aucun bruit ne se fit entendre.

— J'ai rêvé, pensa la jeune femme, je deviens décidément nerveuse !...

Et rassurée, persuadée qu'elle s'était trompée, Firmaine avança d'un pas...

Elle n'avança que d'un pas, car, à peine avait-elle quitté l'enfoncement que faisait la boiserie de vieux chêne de la porte du salon, qu'avec une brutalité inouïe, une rapidité extraordinaire, elle se sentait bousculée, enlevée, bâillonnée, sans qu'affolée elle eût pu pousser un cri...

Dans un éclair de pensée, terrifiée, Firmaine sentit qu'on venait de la saisir aux épaules, qu'on avait jeté une étoffe sur son visage, que des cordes s'enroulaient autour de ses membres...

Dans ses oreilles, un bourdonnement naquit, qui devint un vacarme, comme des cloches... elle crut que son cœur s'arrêtait de battre, un vertige la saisit, elle perdit connaissance à demi morte !...

Sur elle, qui maintenant gisait étendue au milieu de son antichambre, les deux ombres mystérieuses se penchaient. L'une d'elles disait respectueusement :

— Madame est-elle satisfaite ? Je crois que nul n'a pu entendre...

D'une voix étrange, sourde, rauque, l'autre ombre répondait :

— Oui !... oui !... c'est bien, mais pour Dieu ! faisons vite, ah, c'est horrible ! c'est abominable ! j'ai peur ! j'ai peur !

Et puis, sans doute, la personne qui parlait faisait un effort sur elle-même, car elle reprenait :

— Mais non ! ne m'écoutez pas ! allez !... allez ! faisons vite !... Il le faut !...

— Jachaume, voulez-vous que je vous dise une bonne chose ? Eh bien, c'est encore dans ce sacré mois de mai qu'il fait le plus froid à Paris !...

— Mais non ! mais non ! brigadier !... N'était le respect que je dois à vos galons, puisque vous êtes mon supérieur, je vous ferais remarquer que vous me dites cela chaque mois !... Vous trouvez toujours qu'il fait froid. Suivant vous, mai c'est l'hiver, avril c'est l'hiver, mars, c'est l'hiver, février, c'est l'hiver !... Enfin, sapristi, brigadier, en quelle saison avez-vous donc chaud ?

— Jamais, Jachaume !... jamais ! Dans ce bon Dieu de Paris, il fait toujours froid !

— Ah, vous les regrettez vos Pyrénées, brigadier !

— Oui, Jachaume...

— Alors, pourquoi êtes-vous venu à Paris ?

— Peuh ! est-ce que je sais !

Les deux gabelous préposés à la garde de la barrière de Suresnes devisaient à l'intérieur du petit poste qui leur servait d'abri, pendant cette nuit, assez froide, d'ailleurs.

Ils n'avaient point grand travail à effectuer ; depuis minuit ils avaient clos la grande grille et ne la rouvriraient qu'à cinq heures du matin, les portes du bois étant fermées à ces heures nocturnes.

C'étaient deux braves gens : Jachaume, brigadier, Pariset, simple gabelou ; c'étaient deux braves serviteurs de la Ville de Paris qui, perpétuellement en désaccord, l'un ayant froid quand l'autre avait chaud, l'un étant triste quand l'autre était gai, s'entendaient pourtant le mieux du monde, lorsque les hasards du service, les hasards du roulement, les amenaient à monter la garde ensemble.

— Brigadier, déclara Jachaume, qui, pour faire plaisir à son ami, venait de tisonner le petit poêle ronflant à l'intérieur du poste, brigadier, vous n'auriez pas dû rentrer dans l'administration d'octroi, vous auriez dû vous faire nommer douanier, et demander à être envoyé au Sénégal !...

Le brigadier ne répondait pas.

Il s'était levé et debout contre la porte vitrée du poste regardait, à la clarté de la lune, l'enfilade solitaire des allées désertes du bois.

Le spectacle était féerique. Le clair de lune argentait les pelouses, faisait scintiller de reflets étincelants les jeunes feuillages des arbres. On eût dit un décor du Châtelet...

— Qu'est-ce que vous regardez, brigadier ? interrogeait Jachaume, qui, insensible à la beauté de la nuit de printemps, ne supposait point que son chef pût être occupé à examiner la splendeur du spectacle !

— Je regarde, répondit le brigadier, cette voiture qui vient là-bas... Encore une auto qui va se casser le nez à la porte et ne sait pas qu'elle est fermée la nuit !

— C'est vrai, fit-il, ils viennent tout droit ici !...

Par la route de la Cascade, en effet, une auto s'avançait, une superbe limousine, semblait-il, dont les phares allumés incendiaient de leurs projections les massifs impénétrables.

Le brigadier ouvrit la porte :

— C'est tout de même drôle, fit-il, qu'il y ait tant de gens que ça à ne pas savoir que les portes du bois sont fermées !...

Et il attendit sur le trottoir que l'auto vînt stopper devant lui...

Un chauffeur en livrée en descendit :

— La porte est close ? demandait-il...

— Oui, monsieur... faut que vous alliez sortir par la Défense ou par Boulogne... ici on n'ouvre qu'à cinq heures du matin !...

— Et il n'y a pas moyen d'obtenir que vous nous livriez passage ?

Le brigadier haussa les épaules :

— Consigne formelle ! dit-il, on ne passe pas !

Le chauffeur insista :

— Même nous ?

— Comment ! même vous ? bien sûr, même vous ! Je vous dis qu'on ne passe pas ! On ne doit ouvrir les portes que pour les pompiers...

— Pourtant, notre pavillon...

Le brigadier regarda le chauffeur d'un air ahuri.

Le pavillon ! de quel pavillon parlait-il ?

Il suivit le geste de l'homme et comprit vite !

— Ah ! diable ! une ambulance ! Vous êtes une ambulance automobile ?... vous avez un malade à bord ?

— Une jeune femme, oui !... et très malade... Brigadier, il n'y aurait pas moyen de passer ?

Le brigadier se laissa fléchir :

Après tout, pouvait-il refuser dès lors qu'il s'agissait d'une malade, d'une ambulance ?

Par acquit de conscience il marcha jusqu'à la voiture, jeta un coup d'œil pour s'assurer qu'il n'était point victime d'une plaisanterie... Mais non, la chose était véritable ; à l'intérieur de l'automobile se trouvait une civière, sur laquelle était tendrement penchée une autre dame, d'apparence fort chic, mais que le brigadier vit mal...

Le brave gabelou revint vers le chauffeur...

— Je vais vous faire ouvrir, dit-il, mais je ne vous donnerai pas de sortie d'essence...

— Oh ! ça m'est égal...

— Alors...

Le brigadier appelait son collègue :

— Enlève la chaîne, laisse passer ; c'est une ambulance, il y a une malade !...

Quelques minutes après, la voiture automobile franchissait les portes du bois et à toute allure s'élançait au long de la côte qui grimpe vers Suresnes...

Firmaine était bel et bien enlevée !... volée !...

Il faisait horriblement sombre.

Plus que la nuit noire était impressionnante, en vérité, l'aube grise et blafarde qui, petit à petit, lentement, comme à regret, envahissait la pièce, estompant d'une lueur indécise les objets la garnissant...

Rien n'était encore distinct, mais tout se devinait et tout à la lueur pâle du jour levant prenait des aspects fantastiques, énigmatiques, inquiétants...

— Où suis-je... ? que m'est-il arrivé ?... Mon Dieu !... mon Dieu !... comme je souffre ! comme j'ai mal à la tête !... Ah ! quel affreux cauchemar !... mais est-ce bien un cauchemar ? est-ce que je rêve ?

Cependant, d'un seul mouvement, Firmaine, qui petit à petit reprenait conscience, se redressait...

Elle était assise maintenant dans un lit, sur un lit, car elle n'était point déshabillée et les yeux hagards, dilatés par l'effroi, se croyant victime d'une vision impossible, irréelle.

Ce qu'elle voyait ? C'était pour elle une chose incompréhensible !...

Firmaine distinguait, sans comprendre encore si elle n'était point le jouet d'une illusion, une pièce dont les murs étaient entièrement nus ; une pièce où il n'y avait à vrai dire que le lit où elle reposait et une chaise... une pièce éclairée par une fenêtre, mais par une fenêtre grillée de lourds barreaux !

La jeune femme considéra quelques instants, l'esprit encore lourd, l'âme encore engourdie, cette sorte de cellule à façon de prison !

Et puis, soudain, la conscience lui revint, elle comprit, elle devina :

Oh ! elle se rappelait tout d'un coup, avec une netteté effarante, sa tragique aventure...

Oui, alors qu'elle sortait de son salon, on s'était jeté sur elle, elle avait été victime d'une agression. Elle se rappelait avoir respiré une odeur violente, un narcotique probablement, puisqu'elle s'était sentie s'évanouir, puis qu'elle avait eu, comme dans un rêve, l'impression qu'on l'emportait, qu'on la descendait, puis plus rien... le néant ! le vide !... Non, elle ne se rappelait plus rien !

Mais hélas, maintenant, si elle ne saisissait point encore toute l'horreur de sa situation, elle ne pouvait se faire aucun doute sur sa gravité !

Firmaine ne pouvait imaginer l'endroit où elle était, mais ne pouvait davantage douter qu'elle était aux mains de ceux qui l'avaient ravie, qu'elle était prisonnière...

La jeune femme, au fur et à mesure qu'elle se réveillait, qu'elle comprenait plus nettement le pourquoi des choses, se sentait de plus en plus épouvantée...

Elle se leva... elle courut à la fenêtre...

A travers les vitres, une forêt se devinait, épaisse, impénétrable, une forêt inconnue...

Firmaine voulut ouvrir la fenêtre : elle était cadenassée !...

Firmaine bondit à la porte de la chambre, la secoua désespérément : la porte était verrouillée !...

La malheureuse jeune fille frissonna :

— Je suis perdue ! pensa-t-elle...

Et, instinctivement, elle courut de nouveau à la fenêtre...

Il était impossible qu'elle ne parvînt pas à s'échapper !...

Elle allait crier ! oui ! elle crierait !...

Mais Firmaine sentait sa gorge se contracter, son gosier était en feu, elle ne pouvait articuler un son...

Quasi folle de frayeur, Firmaine colla son front à la fenêtre, regardant, regardant, comme une hallucinée, le sinistre panorama qu'elle avait devant elle...

Le bois qu'elle voyait enserrait de si près la maison où elle se trouvait que certaines branches d'arbre, balancées par le vent, égratignaient la façade. C'était un bois élevé, touffu, que perçait à peine le jour, un bois que ne paraissait sillonner aucune route, un bois à coup sûr désert !

Firmaine songea :

— Je suis perdue ! on va me laisser mourir de faim , on a dû m'emprisonner ici et s'en aller !... Ah ! mon Dieu !... mon Dieu !... Mais de qui donc suis-je victime ?...

Et soudain, elle n'hésita plus. Elle songea à la bizarre visite de ce mystérieux inconnu, de celui qu'elle avait soupçonné être le policier Juve, et qui, peut-être aussi, était plutôt le terrible bandit, Fantômas !...

Alors, elle imagina Fantômas voulant se venger d'elle !

Pourquoi ?

Elle n'en savait rien ! Elle se vit destinée à quelque épouvantable torture, et, dans l'affolement de la minute, titubante, les bras ouverts, elle fit quelques pas au travers de la pièce, puis, comme une masse, s'abattit sur le sol, en proie à une terrible crise nerveuse...

De longues heures passèrent. Le jour s'affirma d'une clarté plus intense.

Quand Firmaine se réveilla, brisée, d'un long évanouissement, elle se retrouva l'esprit lucide, prête à réfléchir, prête à disputer sa vie...

Non ! dans le mystère qui l'entourait, elle ne pouvait trouver aucun repère, aucune indication qui lui permît de savoir ni où elle était, ni pourquoi elle y était !

En songeant à Fantômas, elle avait eu une fantastique conception, mais il était évidemment invraisemblable que ce soit le bandit légendaire qui se fût emparé d'elle.

— Qui était-ce donc ?

Firmaine, lentement, s'était relevée, et, instinctivement, s'était dirigée vers la fenêtre.

— Je briserai les carreaux, pensait-elle, j'appellerai...

Mais la jeune femme songea qu'à coup sûr, si du secours devait lui venir, ce n'était point du dehors, ce n'était point de l'extérieur...

Il n'y avait qu'à regarder ces grands bois pour se sentir isolée, loin de tous, loin de tout !

La forêt étoufferait ses cris, assourdirait ses appels les plus désespérés...

Non ! si on devait la sauver, ce n'était point de là qu'on viendrait...

Firmaine, avec une énergie rare chez une femme, se prit à réfléchir.

Il fallait, avant tout, sortir de l'angoisse présente...

Avant tout, elle voulait savoir !

Firmaine appela de toutes ses forces :

— Au secours !... A l'aide !... A moi !...

Nul ne répondit...

— Mon Dieu ! songea la jeune femme, mon Dieu ! si mes ravisseurs sont encore là, ils dédaignent mes cris !... Ils sont donc bien sûrs de l'impunité !...

La solitude silencieuse de la prison où elle se trouvait était pire que tout autre supplice...

— Je veux savoir, songeait Firmaine... Je veux au moins qu'ils viennent, ces misérables, me dire ce qu'ils veulent de moi, pourquoi ils m'ont attaquée...

Et une ruse, une ruse extraordinaire lui vint à la pensée. Firmaine cria, mais cria cette fois :

— Au secours ! au feu ! à l'incendie ! au secours !...

Alors des pas se firent entendre, brusquement la porte s'ouvrit...

Chancelante, Firmaine reculait, les mains jetées en avant, stupéfaite, épouvantée...

Devant elle, une femme venait d'apparaître, une femme qui s'avançait vers elle avec des gestes de crainte, qui paraissait, oui vraiment, plus terrifiée qu'elle-même, une femme qui la suppliait :

— Taisez-vous !... taisez-vous !...

Et cette femme, c'était la vicomtesse de Pleurmatin !...

— Taisez-vous ! par pitié, taisez-vous ! Si vous tenez à la vie, taisez-vous !

Firmaine avait tout juste entendu cela, et, cédant à la prière affolée de la femme qui venait d'apparaître, Firmaine, en effet, s'était tue...

Elle reculait devant l'apparition de la vicomtesse de Pleurmatin, mais, presque reprise d'un doute, se croyant encore victime d'un cauchemar, elle contemplait la jeune femme, maintenant, sans mot dire.

La vicomtesse de Pleurmatin s'avançait vers elle, et doucement, à gestes câlins, la forçait à s'asseoir sur le lit :

— Ma pauvre enfant ! disait-elle, pas un cri ! pas un mot ! je vous en conjure, soyez calme ! il nous tuerait !...

Firmaine soufflait, n'ayant plus même conscience de ses paroles :

— Il ? qui ? ah !... vous !... madame !... madame !... où suis-je ?... que m'est-il arrivé ?...

La vicomtesse de Pleurmatin s'avançait vers elle et supplia :

— Firmaine ! Firmaine ! taisez-vous, par pitié ! taisez-vous !... si vous voulez que je vous sauve !...

— Que vous me sauviez ?

La vicomtesse de Pleurmatin, lentement, répéta :

— Que je vous sauve !

— Mais madame, que me veut-on ?... pourquoi s'est-on attaqué à moi ?... qui est-ce ? qui est-ce ? Ah ! je vous en prie, faites-moi évader !... oh ! vous voyez bien que je meurs d'effroi !...

Et, se jetant à genoux, Firmaine répétait :

— Sauvez-moi !... sauvez-moi !...

La vicomtesse de Pleurmatin venait de relever la jeune femme, l'avait forcée de nouveau à s'asseoir.

— Calmez-vous, mon enfant !... calmez-vous !... Je vous jure que je vous sauverai, mais pas encore maintenant !... attendez !... Vous ne pouvez pas partir avant une heure !

— Pourquoi ? mon Dieu ? pourquoi ?...

Il semblait à Firmaine que la vicomtesse devenait livide tandis qu'elle répondait :

— Il est là !...

Firmaine, maintenant, était plus calme !

Avec des mots très doux, des mots berceurs, la vicomtesse de Pleurmatin avait réussi à apaiser la jeune femme. C'était presque d'une voix posée, d'une voix rassurée, que Firmaine interrogeait :

— Mais enfin, madame, je vous en prie, dites-moi de qui suis-je victime ?

— Du vicomte de Pleurmatin ! de mon mari !...

— De Raymond ?

La maîtresse se révolta devant l'affirmation de la femme, elle insulta :

— Vous mentez !

Mais la vicomtesse, douloureusement, secouait la tête :

— Hélas ! mon enfant, je vous dis la vérité, la pure et simple vérité... la sinistre vérité !... Oh ! écoutez-moi... ce n'est plus la femme de Pleurmatin qui vous parle, c'est une malheureuse, c'est une victime, comme vous... Vous ne me croyez pas, Firmaine... et pourtant je viens vous sauver !.. Tenez... savez-vous pourquoi vous êtes ici ?

— Ah, pourquoi, madame ?

— Pour mourir !... Savez-vous qui est votre amant ? qui est mon mari ?

Et comme Firmaine se taisait, la vicomtesse, dans un sanglot, disait :

— Raymond de Pleurmatin, c'est en réalité le prince Vladimir... et le prince Vladimir, c'est un lieutenant de Fantômas !

Muette, les mains tordues dans un geste de désespoir, Firmaine venait d'entendre comme un glas le nom fatal, le nom redouté, le nom de terreur et de sang !

Fantômas !

Le vicomte Raymond de Pleurmatin, c'était un lieutenant de Fantômas ! Elle était la maîtresse d'un bandit !

Firmaine haleta encore :

— Vous mentez ! vous mentez !

Mais la vicomtesse de Pleurmatin s'était redressée et devant la jeune femme, debout, hautaine, grave, figure de douleur, figure de martyre, elle répétait :

— Raymond de Pleurmatin, Firmaine, c'est un lieutenant de Fantômas ! et moi... moi, je suis sa femme, je suis la princesse Vladimir !...

Un long silence s'éternisa encore entre les deux femmes.

Firmaine n'avait presque plus conscience d'elle-même, tant d'épouvantables craintes se disputaient sa pensée...

La vicomtesse affirmait encore :

— Si vous êtes ici, s'il vous a enlevée hier... s'il vous a conduite dans ce pavillon de chasse, en pleine forêt de Chinon, c'est qu'il veut votre mort... Pourquoi ? Je ne le sais même pas !

Alors, Firmaine eut un cri, le dernier cri de la femme qui ne veut point se rendre à l'évidence :

— Raymond, fit-elle, Raymond veut ma mort ? Non !... non !... je ne vous crois pas ! Raymond m'aime !...

Mais la vicomtesse raillait :

— Raymond vous aime ? Ah ! ma pauvre enfant, mais vous êtes folle ! Lui ! aimer ?....

— Il vous a bien aimée, vous !

Douloureusement, la vicomtesse de Pleurmatin haussa les épaules :

— Trois mois peut-être, fit-elle... et voilà tout !

— Alors, pourquoi étiez-vous si jalouse, l'autre jour ?

— Jalouse ?

La malheureuse encore une fois haussait les épaules, et elle contait :

— Ah ! ne voyez pas en moi une rivale, Firmaine, voyez une victime ! Comprenez donc, enfant, comprenez donc, qu'étant devenue la femme de ce misérable, comme vous êtes devenue, vous aussi, sa maîtresse, je me suis juré, pour sauver l'honneur du nom, de ne point rompre avec lui, mais au contraire de m'attacher à lui, de ne point le quitter ! Je veux connaître ses pensées, ses projets abominables, pour tâcher, le plus souvent possible, de les contrarier, de l'empêcher de les réaliser !... Firmaine !... Firmaine ! Ma jalousie ? mais elle est feinte ! Mon amour ? mais il est mensonger !... Le vicomte de Pleurmatin me fait horreur !...

Et sans laisser à la jeune ouvrière le temps de lui répondre, la vicomtesse poursuivait encore :

— Tenez, l'autre jour, quand je suis venue chez vous, c'est que j'avais peur pour vous ! c'est que je croyais que ce jour-là, oui, dès ce jour-là, il allait vous tuer !... Je suis arrivée à temps !.. il m'a vue... il s'est méfié !.. Depuis, Firmaine, je l'ai épié, feignant, pour le duper, d'être jalouse, je l'ai épié, tout bonnement pour savoir quant il tenterait à nouveau de vous faire disparaître... Hier soir, je l'ai vu qui entrait chez vous, masqué, méconnaissable, et j'ai deviné le drame qui se préparait !... Oh, je sais si bien comment il opère !... Tenez, j'imagine qu'au moment où vous sortiez d'une pièce de votre appartement, vous avez été saisie, emprisonnée par lui... un narcotique vous a privée de sentiment... vous n'avez pas même eu le temps d'apercevoir votre ravisseur !

Firmaine avoua :

— C'est vrai !

— Mais moi, moi qui guettais dans la rue, j'ai deviné son plan ! Firmaine, vous m'entendez ? j'ai deviné son plan ! J'ai su qu'il avait acheté — il n'y a pas longtemps — cette maison perdue au milieu de la forêt... J'ai vu qu'il vous jetait inanimée dans une automobile et derrière lui je me suis élancée dans une autre voiture ! Derrière lui, encore ce matin, quand il est reparti, vous abandonnant ici, vous condamnant à mourir de faim, derrière lui, Firmaine, je suis montée, je suis venue et je viens vous dire : Vivez ! partez ! fuyez ! mais sur votre vie, ne revoyez jamais cet homme, disparaissez de sa route ! Qu'il ne sache jamais, oh ! par pitié, qu'il ne sache jamais que c'est moi qui vous ai sauvée ! Il me tuerait, comme il veut vous tuer...

La vicomtesse soudain se tordait les mains, désespérée :

— Mon Dieu ! mon Dieu ! mais vous ne me croyez pas, Firmaine ?

Alors, éclatant en sanglots, Firmaine se jeta dans les bras de la jeune femme :

— Ah ! madame, madame ! je vous crois, je vous crois !... ah ! vous faites plus que de me sauver, vous m'arrachez à l'horreur d'un amour épouvantable !...

— Vous l'aimiez ?

— J'allais l'aimer !

De longues heures encore s'étaient passées...

Persuadant Firmaine qu'il était possible que son mari surveillât la forêt, la vicomtesse ne laissait fuir la jeune fille que dans l'après-midi...

Elle lui indiquait le chemin à suivre, à travers bois, pour regagner la gare proche.

— Ne rentrons pas ensemble à Paris ! disait-elle, car Fantômas, il sait tout, voit tout et il se vengerait de nous deux !... Fuyons !... Fuyons, mais chacune de son côté !... Firmaine, nous nous reverrons ?

Firmaine, en sanglotant encore, avait, d'une dernière étreinte, serré la vicomtesse dans ses bras :

— Oh, nous nous reverrons, madame ! Je vous dois la vie !

Puis la jeune femme s'était enfuie, s'en était allée à travers bois, marchant, comme en un rêve, ne tournant même point la tête, affolée !

Et sur le perron du pavillon de chasse, longtemps, longtemps la vicomtesse était demeurée immobile.

Mais alors que Firmaine avait disparu, la figure douloureuse de la grande dame s'était illuminée d'un sarcastique rictus :

— Ah ! s'était-elle écriée, voici donc le commencement de ma vengeance ?... Jamais Firmaine ne soupçonnera que c'est moi, moi seule qui lui ai fait vivre cet abominable cauchemar ! Jamais elle ne se doutera que je n'ai eu qu'un but, la détacher de son amant, de lui, de lui que j'adore et que je hais !

Et l'énigmatique créature, le poing tendu vers l'horizon, farouchement belle, effroyablement sinistre, s'était prise à crier :

— Vladimir ! Vladimir ! Ta femme n'a pas peur, ni de toi, ni de ton maître... ni de ton...

Mais le vent étouffait ses dernières paroles !

XXII

Le retour au bercail

— Qui va là ?

Madame Benoît venait d'entendre une clef tourner dans la serrure de la porte d'entrée de son appartement.

C'était la surprise qui lui faisait, instinctivement, pousser cette exclamation !

Il était trois heures de l'après-midi. L'excellente femme, qui effectuait ses travaux de broderie devant la fenêtre ouverte, par laquelle elle respirait l'air pur et ensoleillé de cette belle journée de mai, n'attendait personne.

C'était, en effet, un jour de semaine, Margot était à l'atelier, la saison battait son plein, chez Henry ; non seulement la gamine n'avait pas ses journées libres, mais encore elle veillait, souvent fort tard, et cela réellement !

Mme Benoît n'attendait pas le retour de sa cadette avant le cours de la soirée. Qui donc pouvait venir ainsi chez elle, qui donc était assez intime pour posséder une clef ?

Mme Benoît n'avait pas à chercher longtemps. Seule pouvait arriver de la sorte sa fille aînée, celle qui, aux dires des uns avait mal tourné, ou qui, d'après les autres, avait fort adroitement tiré son épingle du jeu !

Ce ne pouvait être que Firmaine.

Une seconde après, dans l'appartement s'introduisait une forme élégante et surprenante à la fois.

C'était en effet Firmaine, mais quelle Firmaine !

Mme Benoît en la voyant entrer avait brusquement interrompu ses travaux ; rejetant en arrière son ouvrage, elle était allée vers sa fille, lui ouvrant ses bras et, la considérant avec inquiétude, l'interrogeait d'un regard muet, mais plein d'angoisse :

— Qu'y a-t-il, Firmaine, es-tu malade ? que t'arrive-t-il ?...

La jeune femme qui, évidemment, s'était fort dépêchée pour arriver chez sa mère, était encore tout essoufflée de sa course hâtive. Elle avait gravi les étages sans prendre le moindre repos. Désormais, aussi suffoquée qu'émue, elle s'inclinait sur le sein de sa mère, et celle-ci sentait battre contre sa poitrine, à grands coups précipités, le cœur de son enfant.

Mme Benoît devina instinctivement qu'il avait dû se passer quelque chose d'extraordinaire et que l'arrivée de Firmaine n'était pas due au seul désir que pouvait éprouver la jeune femme de revoir sa famille.

Les relations, au surplus, depuis que Firmaine s'était fait une raison, qu'elle avait accepté de vivre avec le vicomte de Pleurmatin, étaient demeurées cordiales.

Pour venir ainsi soudain, dans l'après-midi, il fallait que Firmaine eût un motif.

Mme Benoît ne tardait pas à l'apprendre.

En proie à une nervosité extrême, la jeune femme s'était arrachée aux bras de sa mère et s'effondrait, désormais accablée, sur un petit canapé.

— Maman, murmurait-elle, c'est fini ! je reviens ! je ne veux plus le voir ! Ah, si tu savais !...

Mme Benoît joignit les mains et, d'une voix tremblante, interrogea :

— Que t'arrive-t-il ? que s'est-il passé ?

Les traits de Firmaine se contractèrent au souvenir de la nuit étrange qu'elle avait vécue, au souvenir plus précis, plus émouvant encore de son réveil et de l'entretien qu'elle avait eu avec la vicomtesse...

La jeune femme se comprimait la tête qui lui semblait près d'éclater :

— J'ai peur ! murmura-t-elle, j'ai peur de devenir folle ! Oh ! c'est horrible ! Maman, si tu savais...

Son corps tout entier frémissait d'une indignation et d'une répulsion rétroactive, la pauvre madame Benoît demeurait atterrée. Elle essaya de calmer sa fille, sans comprendre d'ailleurs exactement ce qui pouvait déterminer chez elle une telle émotion.

— Allons ! allons ! suggérait-elle, il faut te calmer, ma petite Firmaine ! Je comprends bien que tu dois avoir de la peine, je m'en rends compte, rien qu'à ton air, mais enfin, il faut se faire une raison...

Et comme Firmaine, le regard perdu vers des pensées lointaines, ne l'interrompait point, Mme Benoît, s'imaginant qu'elle avait trouvé le secret de la blessure morale que Firmaine lui demandait de soigner, poursuivit, insistant, plus précise encore :

— Voyons ? tu t'es disputée avec ton ami ?... c'est une querelle d'amoureux ? bah !...

La brave femme allait commencer un long discours, pour expliquer à sa fille que c'étaient là des événements qui n'avaient pas une grande importance et que, le plus souvent, les disputes entre amants n'ont pour conséquences que de tendres réconciliations. Mais Firmaine, comprenant combien sa mère s'égarait, s'était soudain redressée devant elle :

— Non, interrompit la maîtresse du vicomte de Pleurmatin, l'œil sombre, le regard fixe, il ne s'agit pas d'amour, du moins il ne s'en agit plus ! C'est plus terrible ! C'est plus grave ! Cela dépasse tout ce que l'on peut imaginer...

Mme Benoît s'émotionnait à son tour. Au fur et à mesure qu'elle contemplait sa fille elle remarquait combien les traits de la jeune femme étaient altérés, ses lèvres avaient pâli, ses joues se marbraient, ses yeux se cernaient de noir.

Firmaine allait-elle tomber malade ? Elle avait l'air si frêle et sous ses prunelles brûlait un feu si intense que n'importe qui aurait prédit avec certitude qu'une fièvre brûlante la rongeait jusqu'aux moelles...

— Ma pauvre enfant ! ma pauvre enfant, murmura Mme Benoît, dont l'alarme s'accroissait, mais que s'est-il donc passé ? Je te crois malade ! Tu ferais bien mieux de rentrer chez toi, veux-tu que je t'accompagne, que je te reconduise ?

Les dents serrées, Firmaine gronda :

— Je n'ai plus de chez moi ! je suis seule ! je n'ai plus d'amant !

C'était bien ce que pensait Mme Benoît : une querelle d'amoureux ! une dispute ! Mais la brave femme commençait à se rendre compte que l'altercation avait dû être grave si l'on en jugeait, toutefois, par l'état d'énervement dans lequel se trouvait Firmaine.

Mme Benoît essaya de pallier les choses. Ce n'était pas à elle de surexciter sa fille :

— Peut-être, suggéra-t-elle, n'as-tu pas été assez gentille, avec le vicomte ?...

Mais, à ce nom, Firmaine bondit vers sa mère, comme une tigresse saute sur sa proie. De ses deux mains fines et nerveuses, elle serrait aux épaules la frêle Mme Benoît et les yeux dans les yeux, d'une voix tremblante elle lui expliqua :

— Le vicomte, maman, ne m'en parle plus jamais ! jamais ! C'est une page terrible de ma vie que je veux arracher, que je voudrais oublier pour toujours ! Ah ! maudit soit le jour où je l'ai connu, le vicomte de Pleurmatin est un monstre ! un monstre épouvantable ! ah ! maman, maman, le plus grand malheur qui pouvait m'arriver, c'était...

Mme Benoît s'alarmait sérieusement :

— Ah ça ! mais ! hurla-t-elle, en se dégageant de l'étreinte de sa fille, ah ça ! mais tu es folle ?...

— Folle ?... répéta Firmaine, en se passant la main sur le front, lentement, en comprimant ses tempes où le sang affluait ; folle ? non, pas encore ! je ne crois pas ! Et pourtant, je l'ai cru un instant...

Mais la jeune femme prenait sa mère par le bras, l'attirait au bout de la pièce, la faisait asseoir sur un canapé à côté d'elle, puis se penchant à son oreille, prête à lui parler tout bas, comme si elle allait dire des choses si phénoménales qu'on ne pouvait oser les prononcer à haute voix, elle commença, cependant que sa mère l'écoutait absolument abasourdie...

— Eh bien, maman, le vicomte de Pleurmatin, c'est le prince Vladimir... C'est un lieutenant de Fantômas ! je suis la maîtresse de...

Firmaine n'acheva pas !

En même temps que sa mère, elle avait tressauté.

Un coup violent, sec, catégorique, venait d'être frappé à la porte. Sitôt après, comme on ne faisait aucune réponse, il était suivi de plusieurs autres...

Firmaine, plus blanche qu'une morte, s'était laissée aller, à demi étendue sur le petit canapé...

Plus audacieuse et justement intriguée, Mme Benoît se levait, allait à l'entrée, parlementait avec le visiteur qui s'annonçait d'une façon aussi impérative :

— Qui est là ? que demandez-vous ? interrogea-t-elle à travers la porte fermée...

Une voix d'homme répondit :

— Firmaine Benoît !... elle est chez vous ? je veux la voir !...

Mme Benoît, machinalement, essayait de nier la présence de sa fille. Un douloureux pressentiment lui inspirait ce mensonge...

Mais la voix masculine reprit, autoritaire encore, mais avec une nuance de sollicitation :

— Je sais qu'elle est là ! ouvrez-moi, je vous en prie ! Il importe que je la voie !

Mme Benoît s'était reculée de quelques pas.

Revenue sur le seuil de la pièce où se trouvait Firmaine, hésitante, elle regardait sa fille : celle-ci ne bronchait pas.

Quelques instants s'écoulèrent. De nouveaux coups plus bruyants encore retentirent à la porte. L'interlocuteur, désormais d'une voix chaudement persuasive où perçait néanmoins une nuance d'impatience, suggérait :

— Je ne lui veux pas de mal, madame ! tout au contraire ! c'est dans son intérêt ! Ouvrez !

Firmaine, par un effort surhumain, s'était levée. Elle avait entendu la dernière demande du mystérieux visiteur qui insistait tellement pour être reçu.

Toute blanche, mais faisant un effort suprême de volonté, Firmaine dit à sa mère :

— Ouvre, maman !

Puis, se reculant au fond de la pièce, la jeune femme attendit.

Mme Benoît, machinalement, obtempérait au désir de sa fille...

Devant elle se trouva soudain un homme d'un certain âge, aux robustes épaules, à la physionomie cordiale, au regard honnête. S'excusant à peine, il passait devant Mme Benoît, interloquée, entrait dans l'appartement, allait à Firmaine et s'inclinait devant elle :

— Excusez-moi, madame, murmura-t-il, d'insister de la sorte, mais il est indispensable que je vous parle...

Firmaine, interdite, considérait son interlocuteur qui, de son côté, l'examinait et paraissait, après cette rapide enquête, délivré d'un grand poids :

— Dieu soit loué ! murmura-t-il, c'est vous ! c'est bien vous !

Firmaine, sans prononcer une parole, regardait le visiteur avec curiosité.

Elle avait vu quelque part cette physionomie, elle connaissait ce regard, ces traits, cette silhouette, il lui semblait cependant qu'elle n'avait jamais parlé à cet homme...

Toutefois, aux premiers mots qu'il prononça, la situation s'éclaira dans l'esprit de la jeune femme. Le visiteur, pressentant sa pensée, venait de lui dire :

— Vous m'avez connu, madame, avant-hier soir ! Je me suis présenté comme étant un courtier d'assurances, j'avais alors beaucoup vieilli... par suite de la poudre dont était parsemée ma chevelure ! Vous me voyez plus jeune aujourd'hui, sous mes traits véritables ! Je ne devrais pas me nommer, mais l'heure est trop grave pour que je puisse me permettre de vous duper ; je sais, en outre, qu'il suffit de vous le demander pour que vous teniez ma visite secrète : je suis Juve, le policier Juve !

— Juve ! avait répliqué Firmaine, cependant que Mme Benoît, demeurée un peu en arrière, mais ne perdant pas un mot de la conversation, murmurait, elle aussi :

— Juve !...

Et dans son for intérieur, la brave femme, terrorisée, se disait :

— Mon Dieu ! la police chez nous ! que nous veut-elle ? que va-t-il se passer ?

Firmaine toutefois semblait plus rassurée, presque heureuse de la déclaration que venait de lui faire son interlocuteur.

La jeune femme, bouleversée par les tragiques incidents dont elle avait été la victime, affolée par les terribles révélations de la vicomtesse de Pleurmatin, voyait, en effet, apparaître le policier devant elle, comme un ami, comme un sauveur !

C'était en tout cas, assurément, un allié !

Firmaine savait, comme tout le monde, combien de fois le nom du policier célèbre avait été prononcé lorsqu'il s'était agi de Fantômas. Elle avait appris par la rumeur publique la perpétuelle chasse que le courageux policier livrait au sinistre bandit, contrecarrant sans cesse ses terribles projets, se mettant perpétuellement en travers de ses intentions, combattant, pied à pied, pour le triomphe du Bien, alors que Fantômas luttait sans cesse pour la victoire du Mal...

Cependant, Juve, à peine remis des terribles inquiétudes qu'il éprouvait depuis la disparition de Firmaine, s'était vivement réjoui lorsque, venant vérifier en dernier lieu chez sa mère si elle s'y trouvait, il l'avait vue monter chez Mme Benoît.

La jeune femme était saine et sauve, c'était l'essentiel !

Juve, ayant acquis cette certitude, s'était dit qu'il importait désormais de savoir ce qui lui était arrivé. C'est pourquoi il était monté, avait insisté pour la voir, c'est pourquoi, maintenant, ayant gagné sa confiance, il l'interrogeait.

Firmaine ne se faisait pas prier pour raconter le guet-apens extraordinaire dont elle avait été l'héroïne. Elle disait à Juve le rapt audacieux dont elle avait été l'objet, sa conversation avec la vicomtesse et sa découverte soudaine que le vicomte de Pleurmatin n'était autre que le prince Vladimir... un lieutenant de Fantômas...

Juve, à ces mots, dissimulait sa surprise, sa satisfaction, aussi...

Il comprenait, en effet, bien des choses.

Si le vicomte de Pleurmatin était Vladimir, la lettre de sa femme voulant attirer Juve à Dijon devenait compréhensible. Tout simplement la princesse avait dû vouloir — folle de jalousie — faire démasquer par Juve le lieutenant de Fantômas...

Juve, très calme, se contenta de répondre :

— Je le savais ! je le savais !

Firmaine racontait encore à Juve :

— Et la vicomtesse de Pleurmatin n'est autre que la princesse Vladimir...

Firmaine s'interrompait pour célébrer les louanges de la grande dame.

— Ah ! qu'elle fut bonne et douce, monsieur, avec moi ! quel grand caractère et quelle pauvre victime !...

Or, à ce moment, Juve tressaillait violemment...

Que devait-il penser, en effet, de la vicomtesse ?

Si celle-ci était la princesse Vladimir, n'avait-elle pas, en consentant à dissimuler son identité sous le nom de Pleurmatin, consenti aussi à devenir la complice d'un lieutenant de Fantômas ?

Certes, elle avait voulu livrer son infâme mari... mais elle ne l'avait voulu que pour venger son amour-propre de femme, et non point pour satisfaire aux nécessités de la justice...

Et puis, quel était exactement le rôle de Vladimir dans la mort de Miquet ? dans celle de Maurice ?...

Toutefois, Juve n'avait pas à révéler ses pensées, et comme Firmaine, dans un geste de faiblesse, semblait implicitement solliciter son appui, Juve la rassurait :

— Je vous protégerai, madame ! vous êtes protégée, soyez-en certaine !...

Firmaine, plus bas encore et d'un air suppliant, sollicitait de Juve :

— Vous vengerez mon amant, vous vengerez la mort de Maurice ? Ah ! s'il vivait !

Les yeux de la jeune femme s'emplirent de larmes. Les sanglots montaient dans sa poitrine, obstruaient sa gorge.

Juve, cependant, sans paraître s'apercevoir de la torture qu'il imposait à la malheureuse, la questionnait désormais avec précision et minutie sur la personnalité du jeune ouvrier qu'elle avait tant aimé :

— Qu'était-il ? que faisait-il ? d'où venait-il ?...

Firmaine, interloquée, ahurie par cette abondance de questions, ne pouvait y répondre...

Juve avait une si étrange façon de parler de Maurice, que Firmaine se demandait, comme cela lui était arrivé déjà d'ailleurs — car par moments elle voulait espérer l'impossible — si dans les extraordinaires histoires racontées sur Olivier — qu'elle confondait toujours avec Maurice — il n'y avait pas quelque chose d'exact.

Firmaine résuma sa pensée dans un soupir :

— Ah ! murmura-t-elle, si ce crime était un crime faux ?...

Mais Juve lui enlevait cette espérance :

— N'en croyez rien, madame !...

Il ajoutait :

— Vous avez vu vous-même...

Firmaine poussa un cri...

Non ! vraiment, Juve avait tort de lui rappeler cette heure tragique de son existence.

Comme une vision de cauchemar, le corps ensanglanté de Maurice, la tête séparée du tronc, lui apparaissait à l'esprit, aussi net, aussi précis que cet horrible soir où elle l'avait vu...

XXIII

Maurice !!!

Juve était parti depuis une heure à peine de chez Mme Benoît, que celle-ci qui avait laissé Firmaine en tête à tête avec ses sombres pensées, toute secouée encore par l'émotion des derniers événements, fut surprise de voir sa fille soudainement inspirée, mettre son chapeau, prendre une ombrelle et se disposer à descendre :

— Firmaine, interrogea Mme Benoît, où donc t'en vas-tu ?

La jeune femme qui semblait un peu remise, dont le visage s'était détendu, comme reposé, dit en souriant, cependant que, d'un geste affectueux, elle nouait ses bras autour du cou de sa mère :

— Sais-tu bien, maman, qu'il faut que je me fasse une vie nouvelle ? Voici que je retombe à ta charge, il faut que j'aide aux dépenses du ménage, je veux travailler... Je sors chercher de l'ouvrage... Oh ! ajoutait-elle avec confiance, chez Henry, on me reprendra...

Mme Benoît objectait avec une inquiète sollicitude :

— Mais rien ne presse, ma chérie ! rien ne presse !... Repose-toi encore, attends. D'ici à quelques jours il sera assez tôt !

Firmaine secouait sa jolie tête, elle assurait à sa mère :

— Non, maman ! Il faut que je travaille tout de suite, tu n'es pas riche, je ne le suis plus... et d'ailleurs j'ai besoin de me changer les idées, d'être distraite, occupée !

Certes, Mme Benoît se rendait compte que sa fille avait raison. Toutefois, la brave femme était encore sous l'impression des extraordinaires événements qui étaient survenus à sa fille, et dont celle-ci, devant elle, avait fait le récit détaillé à Juve.

Instinctivement, Mme Benoît redoutait, dans son cœur de mère, qu'il arrivât quelque chose à Firmaine.

Firmaine cependant se hâtait de descendre. La jeune femme, au surplus, était trop préoccupée, trop nerveuse, pour pouvoir consentir à demeurer immobile, sans agir !

Elle se sentait un besoin irrésistible d'activité, d'air, de mouvement !

Firmaine, qui avait rapidement descendu la rue de la Charbonnière et gagné les boulevards extérieurs, suivait désormais les arcades du métro...

Soudain, près de l'escalier de la station de Barbès, quelqu'un surgit devant elle... Firmaine, à cette apparition, poussa un hurlement épouvantable, ses bras battirent l'air, son corps vacilla ; la jeune fille, qui venait d'éprouver une commotion violente, tombait en arrière, à la renverse, et demeurait privée de sentiment.

La foule des passants aussitôt s'empressait autour d'elle.

On n'osait la toucher !

Était-elle morte ?...

Vivait-elle encore ?

On ne savait !

Cependant l'attroupement qui s'était si rapidement formé était fendu par deux personnages aux vêtements sombres et qui s'avançaient autoritairement au premier rang. C'étaient deux gardiens de la paix.

Les braves gens faisaient écarter d'abord la foule qui s'empressait autour de la malheureuse, étendue, inerte sur l'asphalte du trottoir, puis, après s'être consultés du regard, les gardiens de la paix n'hésitaient pas à soulever la jeune femme et, avec mille précautions, à l'emporter.

Ils avisaient, à l'angle du boulevard Barbès, une pharmacie, y pénétraient aussitôt et disparaissaient aux yeux du public, avec leur précieux fardeau, cependant qu'une foule, de plus en plus nombreuse, encombrait le trottoir devant les vitres de la boutique, envahissait la chaussée, interceptant la circulation.

Les commentaires les plus extraordinaires se faisaient dans cette assistance qui ne savait rien et parmi laquelle désormais, bien rares étaient les personnes qui avaient vu quelque chose !

On parlait d'accident, d'automobile ayant écrasé une enfant, d'une femme épileptique, d'un assassinat !

Chacun parlait selon son tempérament, chacun racontait selon le développement de ses facultés imaginatives !

En réalité, on ignorait tout de ce qui s'était passé et, certes, personne n'aurait été capable, même un témoin de ce rapide drame, d'en expliquer les véritables motifs !

... Cependant, rappelée à la vie par d'énergiques cordiaux, Firmaine reprenait peu à peu ses sens. Bien qu'elle ne fût évanouie que depuis quelques instants, il lui sembla sortir d'un long rêve ; en même temps qu'elle éprouvait une lassitude immense il lui paraissait que son cœur, soudain, s'était empli d'une joie immense, et cependant elle ne pouvait comprendre pourquoi !

— Où suis-je ? demanda la jeune femme, légèrement émue à la vue du local dans lequel elle se trouvait, à la vue de ce monsieur, le pharmacien, qu'elle ne connaissait pas, et qui lui faisait respirer des sels, à la vue également de la silhouette des agents de police, qui se profilait un peu plus loin à l'entrée de la pièce.

Le pharmacien expliquait :

— Ce n'est rien, mademoiselle ! une syncope, qui vous a surprise, là, tout à l'heure, comme vous passiez à proximité de la gare du métro ! Êtes-vous sujette aux évanouissements ?

Ces simples paroles rappelaient soudain à Firmaine son extraordinaire aventure...

Non, certes, elle n'était pas plus sujette qu'une autre aux évanouissements... mais si le pharmacien avait su, il aurait compris pourquoi la jeune fille était ainsi tombée, raide, privée de sentiment, sur l'asphalte du trottoir !

Car Firmaine venait de voir la chose la plus inouïe, la plus invraisemblable, la plus horrifiante et la plus heureuse à la fois qu'elle pût s'imaginer.

C'était du cauchemar et du bonheur...

Firmaine se redressait vivement, sautait en bas du petit lit de camp sur lequel on l'avait installée. Profitant d'une glace voisine, elle réparait d'un geste hâtif le désordre de sa coiffure. Le pharmacien s'enquérait avec sollicitude :

— Vous vous sentez tout à fait bien, mademoiselle ? Vous ne craignez pas de repartir ? Voulez-vous qu'on vous cherche une voiture ?

Firmaine secouait la tête, négativement !

Non, elle était forte et en elle-même la jeune fille sentait qu'elle irait jusqu'au bout du monde !...

Firmaine gratifiait le pharmacien d'une légère rémunération, faisait de même pour les agents qu'elle remerciait chaleureusement de leur sollicitude, puis s'échappait, presque en courant, de la pharmacie, devant laquelle la foule désormais, lassée d'attendre et de ne rien voir, ne stationnait plus !

Quelque chose d'interposé entre la paume de sa main et son gant gênait Firmaine, elle regarda ce que c'était.

C'était un papier plié en quatre !

La jeune fille, interdite, le déplia, elle lut ces mots écrits d'une écriture rapide, au crayon :

Oui ! c'est moi, Firmaine !...

Et, comme avec un sourire qui transfigurait son visage, la jeune femme allait à la signature, son regard s'arrêta soudain pour contempler, comme hypnotisée, quelqu'un qui, lentement, venait vers elle...

Ah ! cette vision !

C'était la même que celle qui avait plongé Firmaine dans une syncope, mais désormais la jeune fille ne semblait plus près de défaillir, tout au contraire !

Marchant, comme dans un rêve, les yeux illuminés, les bras tendus en avant, elle s'approchait, s'approchait encore.

Et alors brusquement, en dépit de la foule des passants qui les raillaient d'un mot ou d'un regard, Firmaine, n'osant encore à peine croire à tant de bonheur, tombait dans les bras de son amant, de son premier, de son seul, de son véritable amant !

— Firmaine !

— Maurice !

Les deux êtres, épris l'un de l'autre, autant qu'il est possible à des créatures humaines de s'aimer, s'étreignaient, ivres de joie, de bonheur, de folie !

Ils étaient incapables de prononcer une parole, tandis qu'ils s'étreignaient. Leurs regards s'interrogeaient et cependant leurs lèvres ne pouvaient exprimer le flot de pensées, de questions qui leur venaient à l'esprit !...

Maurice, soudainement, arrachait Firmaine à la curiosité de la foule.

Bien que la jeune femme, pâmée d'aise, n'entendît rien des quolibets et des lazzis que décochaient les passants à son égard, Maurice la faisait monter dans un fiacre, jetait une adresse au cocher et, au trot lent du véhicule, les deux amants, désormais à l'abri des indiscrétions de la foule, pouvaient enfin se parler !...

— Vivant ! tu es vivant ! ne pouvait se lasser de murmurer Firmaine, qui enveloppait Maurice d'un long regard d'amour... cependant que le jeune homme de son côté, les yeux perdus dans une extase infinie, balbutiait :

— Je te retrouve enfin ! il y avait si longtemps... Que soit béni le Dieu d'amour qui nous permet...

Cependant Firmaine s'arrachait à la douce étreinte de Maurice. Elle reculait au fond du fiacre, regardait son amant un instant avec des yeux d'épouvante.

La jeune fille venait de songer à la sinistre scène du quai d'Auteuil dont elle avait été le témoin !

Elle interrogea sur le ton de la plus grande anxiété :

— Maurice ! ai-je été folle, ou alors, dis-moi, que s'est-il passé ? car...

Le visage de la jeune fille se crispait au souvenir qu'elle évoquait...

— Car, poursuivit-elle, en faisant un effort, j'ai vu... j'ai vu... je t'ai vu mort, décapité...

Maurice, l'air embarrassé, le regard inquiet, s'efforçait d'interrompre Firmaine. Il prit un air accablé, haussa les épaules :

— Plus tard, murmura-t-il, nous parlerons de cela ! plus tard !... Il y a, ajoutait-il, un mystère terrible dans notre existence ! Toi seule, qui m'aimes, devras connaître l'histoire...

Mais il s'arrêtait, désireux évidemment de changer le cours des pensées de la jeune femme ; passant son bras sous sa taille, il l'approchait de son cœur, fermait ses lèvres des deux siennes.

Firmaine tressaillit sous la caresse de son amant... cependant elle éprouvait une étrange émotion... une affreuse pensée lui venait à l'esprit !

Instinctivement, malgré elle, il lui avait semblé un instant que Maurice l'avait embrassée comme l'embrassait le vicomte de Pleurmatin !

Mais la jeune femme n'était pas au bout de ses surprises.

Le fiacre dans lequel elle se trouvait descendait des hauteurs de Montmartre et semblait se diriger vers le quartier de la Madeleine.

Firmaine eut un pressentiment, elle interrogea Maurice :

— Où me conduis-tu, où allons-nous ?

Catégorique, le mystérieux amant de Firmaine répondit :

— Chez toi, rue de Penthièvre !

Firmaine tressauta :

— Rue de Penthièvre !

Mais rue de Penthièvre, c'était bien moins chez elle que chez le vicomte, chez le lieutenant de Fantômas !

Fantômas !

Voici que sa silhouette tragique venait soudain s'imposer entre elle et son amant... Firmaine tressaillit. Tout d'abord elle aurait voulu chasser de son esprit la terrifiante image, mais il eût fallu pour cela anéantir le passé ! Or, rien n'est plus irréductible que ce qui fut !

Firmaine, bravement et tout d'une haleine, sans même se demander si Maurice la comprendrait, racontait à son amant la sinistre et extraordinaire histoire de sa vie, depuis le jour où elle l'avait vu, du moins où elle avait cru le voir mort dans son logement du quai d'Auteuil.

Avec des pudeurs infinies, Firmaine s'efforçait d'atténuer, aux yeux de Maurice, le caractère intime des relations qu'elle avait eues avec le vicomte de Pleurmatin...

Puis, passant rapidement sur ces tristes amours, elle abordait maintenant le récit détaillé de son enlèvement, l'arrivée de la vicomtesse de Pleurmatin.

Chose curieuse, Maurice n'avait pas bronché lorsque sa maîtresse lui avait parlé de la passion qu'éprouvait pour elle le vicomte de Pleurmatin...

Par contre, il avait paru fort intéressé, surpris d'abord, incrédule ensuite, puis anxieux follement, lorsque Firmaine l'avait mis au courant des tout récents événements dont elle avait été l'héroïne...

Étrange individu que ce Maurice qui n'expliquait pas sa disparition, qui retrouvait sa maîtresse au moment précis où celle-ci avait besoin de lui et qui n'avait rien de plus pressé que de la ramener au domicile de son rival, tout en lui protestant, tout en lui prouvant qu'il était épris d'elle de toute la force de sa jeunesse et de sa volonté !...

Le fiacre s'était arrêté rue de Penthièvre... Tandis que Maurice, hâtivement, réglait la voiture, Firmaine en descendait tout émue, refusant machinalement l'aide que lui offrait un pâle voyou, surgi on ne savait d'où, et qui avait ouvert la portière, dans l'espoir d'une gratification.

Le mendiant en était pour ses politesses. Les deux amants étaient trop préoccupés pour le remarquer, ils s'engouffraient avec précipitation sous la voûte de l'immeuble !

Cependant le fiacre était reparti.

Le sordide voyou demeurait un instant hésitant sur le trottoir ; il constatait que les clients de la voiture étaient bien entrés dans l'immeuble et y restaient... Sitôt alors il courait à toutes jambes après le véhicule qu'ils venaient de quitter !

D'un signe au cocher ce voyou l'arrêtait et encore qu'il eût une tournure assez misérable pour ne pas inspirer confiance, il pénétrait délibérément à l'intérieur de la voiture, cependant que l'automédon, auquel il avait jeté une adresse, fouettait son cheval en maugréant !

Firmaine et Maurice étaient à peine dans l'appartement que le vicomte de Pleurmatin avait installé pour sa jolie maîtresse, que Berthe, la femme de chambre, surgissait dans l'entrée, faisant signe à Firmaine de ne point faire de bruit.

La jeune femme tressaillit. Instinctivement elle se rapprocha de Maurice. Peut-être le vicomte était-il là ?

Allaient-ils se trouver, tous les deux, en face de lui ? Quel était le drame qui résulterait de cette rencontre ?

Déjà Firmaine se désolait. Elle avait été folle de s'être laissé amener à cet endroit. Assurément, Maurice, jaloux, allait défier le vicomte... pourrait-il en triompher ?

Mais Firmaine s'arrêtait net dans ses suppositions. La porte qui faisait communiquer le salon avec l'antichambre s'entrebâilla. La silhouette majestueuse de la vicomtesse de Pleurmatin apparut...

Firmaine, tout abasourdie, surprise de trouver là la grande dame, alla vers elle...

Maurice, en apercevant l'extraordinaire visiteuse, avait eu un frémissement que des gens perspicaces, s'ils l'avaient examiné, auraient reconnu pour être un frémissement de rage !

Mais le mystérieux amant de Firmaine se contenait et loin de montrer ses sentiments, s'étant composé un visage impassible, suivit sa maîtresse dans le salon, les dents serrées, les poings crispés...

Cependant la vicomtesse regardait Firmaine, puis Maurice !

Elle se comprimait la poitrine de ses deux mains. Son regard allait de l'un à l'autre... La grande dame avait soudainement pâli, ses yeux lançaient des lueurs étranges, ils avaient des éclats presque redoutables !

La vicomtesse de Pleurmatin, la princesse Vladimir plutôt, paraissait éprouver une émotion intense, un émoi formidable.

Et tout d'abord, avec une nuance de reproche s'adressant à Firmaine :

— Vous m'aviez bien promis, disait-elle, de ne plus jamais revenir ici ! plus jamais !...

La jeune femme, subjuguée par l'ascendant de la majestueuse princesse si noble, si digne, si belle, murmura, baissant les yeux, rougissant comme une écolière prise en faute :

— C'est vrai, madame, je vous l'avais promis et je comptais vous obéir, mais...

Firmaine soudain redressait la tête, un éclair de joie illuminait son regard, elle considérait Maurice et le désignant à la vicomtesse :

— C'est lui, fit-elle simplement, il n'est pas mort !... c'est Maurice !...

La vicomtesse, dont l'émotion croissait toujours, considéra alors l'amant de Firmaine. Il semblait qu'elle le défiait des yeux...

Or, chose extraordinaire, il semblait également que Maurice soutenait la violence de ce regard, que l'énigmatique individu défiait, lui aussi !

Firmaine, cependant, toute à la joie de son amour renaissant, ressuscité, pour mieux dire, expliquait avec volubilité, heureuse de trouver une explication :

— Jamais, madame, disait-elle, je ne serais revenue seule ici ! Le vicomte de Pleurmatin ne m'est plus rien, vous le savez, je vous l'ai juré ! Quant à Fantômas, il m'est odieux comme à nous toutes, comme au monde entier, qu'il torture et martyrise !...

Firmaine s'arrêtait soudain.

Il lui semblait véritablement, en dépit de son inconscience, que Maurice et la vicomtesse se foudroyaient du regard !

Mais il y avait mieux encore !

Ils s'étaient parlé ! leurs lèvres avaient remué !...

Ah ça, se connaissaient-ils donc ?

— Maurice ! s'écria Firmaine, soudainement alarmée...

La jeune femme, d'un geste instinctif et dans un grand désir de protection se jetait au cou de son amant, se serrait contre lui.

Maurice la laissait faire, l'œil en feu, la prunelle sombre...

Alors la vicomtesse parut ne pas pouvoir supporter ce spectacle.

La grande dame défaillait presque !

Sur le marbre de la cheminée à laquelle elle était venue s'accouder se trouvait, parmi les innombrables bibelots qui l'encombraient, un petit poignard, à lame finement aiguisée.

La main élégante et gracieuse de la vicomtesse caressa quelques instants la poignée de cette arme, cependant que Maurice la regardait faire, fixement...

Ces détails n'échappaient pas au mystérieux amant de Firmaine !

Assurément, il lisait dans la pensée de la grande dame comme dans un livre ouvert devant lui...

Qu'allait faire la princesse ? s'emparer de ce poignard, puis s'élancer vers le couple enlacé ?

Lentement, les doigts contractés de la jolie main s'alanguirent. La poignée du poignard échappa à leur étreinte, l'arme resta sur la cheminée. La princesse ramena son bras jusqu'à son cœur, dont elle comprima les battements...

Puis, sans un mot, sans un geste, comme hallucinée, sans un regard ni pour Maurice, ni pour Firmaine, elle partit de la pièce, quitta l'appartement.

Que venait-il de se passer, en réalité ?

Quel drame mystérieux s'était-il déroulé pendant la brève durée de cette scène muette ?

Seule, la princesse Vladimir... la vicomtesse de Pleurmatin et peut-être Maurice, auraient pu le dire !

En tout cas, si quelqu'un devait l'ignorer, c'était bien Firmaine...

Mais celle-ci ne songeait pas à savoir.

Cependant que son amant demeurait sombre, préoccupé, la jeune femme, ardente, amoureuse, glissait sa tête sur sa poitrine :

— Aime-moi, Maurice, aime-moi bien ! murmura-t-elle doucement...

XXIV

Vengeance de femme

— Allez ! allez ! dehors ! on ne vient pas demander la charité dans les maisons !... Puis, vous n'êtes pas honteux ? à votre âge, quand on a ses deux bras et ses deux jambes...

— Vous, mon ami, faites-moi le plaisir de vous taire !... Juve est-il chez lui ?

Le concierge de Juve ouvrit des yeux ronds comme des boules de loto...

Ça ! par exemple ! il n'en croyait pas ses oreilles !...

Voilà que cet infect voyou, ce mendiant en loques lui résistait !... Voilà qu'au lieu de déguerpir, il lui parlait sur un ton de commandement ! il se permettait de demander un locataire et de l'appeler Juve tout court, sans le moindre « monsieur » de politesse !...

— Dites donc ! vous ! commença-t-il...

Mais il s'interrompait, stupéfait plus encore. Le voyou l'avait pris par les épaules et, autoritairement, l'écartant de son chemin, passait, montait l'escalier, en grommelant quelque chose qui ressemblait fort à un mot insultant :

— Imbécile !

Le portier courut après le minable jeune homme :

— Mais enfin !... fit-il, presque alarmé...

— Enfin, répliqua l'autre, ouvrez donc les yeux, sapristi et reconnaissez-moi !... Je crois que vous m'avez vu assez souvent !...

Le concierge demeura muet d'étonnement. Oui, vraiment ; il venait de reconnaître ce voyou, cet apache déguenillé !

Quelques instants plus tard le même voyou, pénétrant dans le cabinet du policier, tendait la main à celui-ci :

— Bonjour, Juve !

— Tiens !... c'est Fandor ?... Oh ! comme te voilà fait !... pas mal ! tu es presque méconnaissable !... Mais qu'est-ce qui t'amène ? du neuf ?

— Beaucoup de neuf !...

Fandor — car l'extraordinaire voyou n'était autre que l'intrépide journaliste — jetait à la volée sur le lit la casquette de jockey qu'il portait jusqu'alors enfoncée sur son crâne. Il s'asseyait à califourchon sur une chaise, puis, nettement, sans préambule, en homme précis qui sait parler à un interlocuteur capable de comprendre rapidement, il reprenait :

— Du neuf et de l'extraordinaire, Juve !... Je crois que je vais vous surprendre, voici... je viens à la minute de croiser un mort !...

Juve sourit finement.

— Ah bah ! et qui donc ?

— Maurice !

— Tiens !... tiens !...

— Vous n'êtes pas plus stupéfait que cela !

— Fandor, tu sais bien que je me défends toujours des mouvements de stupéfaction ! Ma philosophie est stoïque... Et alors ? il était seul, Maurice ?

— Avec Firmaine !

Juve railla encore :

— Il ne s'embêtait pas !... C'est là, ton neuf ?

— Je sais autre chose, Juve...

— Quoi donc ?

— Firmaine et Maurice ont rencontré une troisième personne...

— Bon, ça !... Qui ?...

— Cette fois, Juve, je suis sûr de votre étonnement... ils ont rencontré la vicomtesse de Pleurmatin !

— Mais Fandor, il n'y a rien d'extraordinaire là-dedans !...

Le journaliste s'impatienta :

— Non, fit-il, il n'y a rien d'extraordinaire, peut-être, à ce que Firmaine et Maurice se trouvent en présence de la vicomtesse de Pleurmatin, mais j'imagine que vous serez fort intéressé d'apprendre que la vicomtesse de Pleurmatin c'est... vous m'entendez bien, Juve, la vicomtesse de Pleurmatin, n'est-ce pas ?... c'est...

Juve éclata de rire :

— C'est la princesse Vladimir, fit-il simplement.

Cette fois, Fandor, très surpris, avait bondi de sa chaise. Il prétendait étonner Juve, il devait s'avouer stupéfait !

— Vous saviez cela ? dit-il...

— Je le savais.

— Ah bien ! par exemple !... Et moi qui pensais vous apprendre des nouvelles ahurissantes !

— Mais ne sais-tu rien de plus, Fandor ?

Le journaliste sourit finement :

— Si !... je me doute de quelque chose encore, de quelque chose de peu d'importance d'ailleurs... mais enfin intéressant, cependant... Savez-vous qui c'est, Maurice ?

— Hum ! dis toujours, Fandor.

— C'est le vicomte de Pleurmatin !

Juve hocha la tête. Son énigmatique sourire au coin des lèvres, il imita l'intonation de Fandor, plaisamment et poursuivit :

— Et toi, Fandor, sais-tu qui c'est, le vicomte de Pleurmatin ?

Le journaliste, interloqué une seconde, regarda Juve sans mot dire, puis il affirma avec une interrogation dans la voix :

— C'est le prince Vladimir ?...

— Naturellement.

— Mais vous êtes donc le diable ? vous êtes donc sorcier, Juve ?

Juve haussait les épaules, froidement il bourrait sa pipe :

— Je suis policier ! dit-il.

Et soudain, pris d'un accès de gaieté, amicalement il faisait un pied-de-nez à Fandor :

— Tu n'es qu'un sale gosse... tu prétendais m'épater, c'est moi qui t'épate, c'est bien fait !... D'ailleurs voici la clef de l'énigme : j'ai vu Firmaine !

Il y avait maintenant plus d'une heure que Juve et Fandor causaient ensemble et le policier avait conté au journaliste sa visite, sa dernière visite à Firmaine qui lui avait permis, disait-il, de débrouiller bien des mystères.

— Mais toi, Fandor, demandait-il, toi, comment es-tu arrivé, puisque tu n'as pas revu Firmaine, que tu ne connaissais pas l'histoire de son rapt, à comprendre toutes ces intrigues ?

— Bien simplement, mon bon Juve.

— Raconte. Je t'écoute...

— Voici. L'autre jour, j'avais des soupçons... Il y avait des choses qui me semblaient mystérieuses plus encore que d'autres... bref, la personnalité du vicomte de Pleurmatin commençait à m'intéresser au point que je décidai de le prendre en filature...

— Sans m'en parler, Fandor ?

— Sans vous en parler, Juve, parce qu'il me semblait que mes suppositions étaient stupides... Donc, ce matin, sous ce costume, en ouvreur de portière ou en marchand de mégots, je stationnais avenue des Champs-Élysées, devant la porte du vicomte.

— Là-dessus, tu le vois sortir...

— Vous l'avez dit. Je le vois sortir, je le file...

— Et à un moment donné quelconque, dans un fiacre ou dans un hôtel...

— Dans un hôtel, Juve...

— Tu le vois entrer en vicomte de Pleurmatin et sortir en Maurice...

— C'est exactement la vérité !

— Parbleu ! Et alors, qu'est-ce que tu fais, Fandor ? Tu files Maurice ?

— D'abord, Juve, je vous avoue que je suis bouleversé par cette découverte !...

— Il n'y avait pas de quoi, pourtant !...

Fandor protestait :

— Eh si ! par exemple !... comment ! nous croyions Maurice mort...

— Tu croyais... Maurice mort...

Fandor, pour le coup, était presque en colère...

— Je ne croyais rien du tout, fit-il, puisque moi j'étais persuadé que le guillotinage de Maurice n'avait jamais eu lieu, tandis que vous, vous Juve, vous m'affirmiez, l'autre jour encore, qu'il s'agissait bien d'un crime réel... Donc, ce n'était pas moi, mais vous surtout qui auriez dû trouver invraisemblable de rencontrer Maurice...

Juve répétait encore :

— Tu n'es qu'un gosse !... J'ai cru cela, d'abord, mais après !... après !... Enfin, passe... Tu en étais au moment où tu venais de rencontrer Maurice et où tu le filais ? Où va-t-il ?

— Il se dirige vers les boulevards extérieurs, et là il rencontre...

— Firmaine, je suppose ?...

— Oui, Firmaine... qui s'évanouit, que l'on transporte chez un pharmacien, qui revient à elle, qui tombe dans les bras de son amant, avec qui elle monte en voiture...

— Alors ?

— Alors j'entends l'adresse, 366, rue de Penthièvre. Je brûle le pavé avec un taxi-auto, j'arrive à temps là-bas pour leur ouvrir la portière, et quand j'arrive, je cueille tout juste, à sa descente de voiture, la vicomtesse de Pleurmatin, bouleversée, défaite, dans un état d'énervement extrême, la vicomtesse de Pleurmatin que je reconnais nettement pour être la princesse Vladimir, d'après la photographie que vous m'avez montrée de cette dame...

— Parfait ! parfait ! approuvait Juve... Quelques minutes après, Maurice et Firmaine descendent, Maurice, que tu as identifié avec Pleurmatin !... Tu te demandes s'il n'est pas Vladimir, tu en es presque certain et tu cours l'annoncer à ton vieil ami Juve, absolument convaincu que ce vieil imbécile va crier au miracle devant ta perspicacité !...

— Hé ! confessait Fandor piteusement, c'est à peu près cela ! Mais le vieil imbécile, comme vous dites, m'a l'air d'être plus renseigné que moi... Vous avez du nouveau aussi, Juve ?...

— Du nouveau, non, mais des explications !...

— Lesquelles ?

— Dame, Fandor, à peu près toutes !...

— Vous comprenez quelque chose à ces aventures ?

Juve qui, jusqu'alors, avait fumé tranquillement sa pipe, tirant de larges bouffées qu'il s'amusait à souffler en ronds parfaitement réguliers, se retournait vers Fandor, et les mains sur les genoux, dans une attitude goguenarde, raillait :

— Ah bien !... tu en as de bonnes !... Mais maintenant que tu sais ce que tu sais, il me semble que tout cela est limpide ?...

Fandor ne se laissait point entraîner dans une diversion :

— Limpide ou non, mon brave Juve, je vous en prie, expliquez-moi les choses !

Et sur un ton de cordiale moquerie, il ajoutait :

— Dame ! tout le monde n'a pas votre génie !

Juve à nouveau se renfonçait dans le fond de son fauteuil : le policier était d'une humeur charmante ; enchanté, il sentait la revanche proche...

— Bon, répondait-il, puisqu'il faut qu'on te donne des explications, en voilà. Écoute... D'abord mon récit sera très moral, car il te mettra en garde, jeune homme, contre la plus abominable, la plus terrible, la plus affreuse des faiblesses humaines...

— Rien que ça ?

— Oui. Contre l'amour !...

— L'amour !...

— Mais parfaitement ! l'amour ! Fandor, tu ne comprends donc pas ? Toute cette tragique affaire, entends-tu, c'est une affaire d'amour !...

Fandor avait une moue furieuse :

— Allez toujours ! dit-il... jusqu'à présent, je vois bien que Pleurmatin aimait Firmaine, mais je ne vois pas pourquoi...

— Tu vas voir ! tu vas voir !... En quatre phrases, voici toute l'explication de ce mystère...

« Vladimir, après l'histoire du lit de justice en Hesse-Weimar, après celle du train perdu, était obligé de disparaître, de disparaître en tant que prince Vladimir, j'étais là-bas, moi, Juve, toi, Fandor, tu avais regagné Paris, il avait le champ libre, n'est-ce pas ?

— Certes... d'autant que la fausse dépêche m'obligeait à rester tranquille [1]...

— Vladimir, éprouvant le besoin assez naturel de voir venir les événements, décide d'abandonner toute personnalité et de se faire passer pour ouvrier. Il plonge dans la pègre, il s'y mêle, il prend la personnalité de Maurice. Bien ! En Maurice, Vladimir fait la connaissance de Firmaine, petite ouvrière honnête dont il devient follement amoureux... Mais tandis que Firmaine aime Maurice, Maurice-Vladimir, celui-ci, qui s'ennuie à vivre chichement, s'invente la personnalité de vicomte de Pleurmatin et, assuré de l'impunité, puisque je suis toujours en Hesse-Weimar, croit-il, puisque tu es toujours disparu, trouve qu'il serait beaucoup plus agréable d'avoir Firmaine pour maîtresse sous sa personnalité de vicomte de Pleurmatin, monsieur riche, que sous sa personnalité de Maurice qu'il est tout prêt à abandonner... Tu me suis, Fandor ?

— Je vous suis, Juve ! allez toujours !

— Il se passe alors une histoire très amusante. Le vicomte de Pleurmatin connaît Firmaine, devient son entreteneur, et pour tout dire, le vicomte de Pleurmatin trompe avec Firmaine l'ouvrier Maurice qui est lui-même !

---

1. Voir dans le présent volume : *Le Train perdu*.

« C'est, ajoutait Juve avec un sourire, un des rares exemples où un homme ait été amené à se cocufier lui-même...

— En effet !

— Là-dessus, mon vicomte de Pleurmatin, toujours follement amoureux de Firmaine, mais, naturellement, n'osant lui révéler qu'il est à la fois Vladimir et Maurice, ne rêve que d'une seule chose, détacher Firmaine de Maurice et se faire aimer d'elle en tant que vicomte !...

— C'est assez logique !...

— Je ne dis pas le contraire. Malheureusement, Firmaine est toquée de Maurice ! Elle n'aime pas le vicomte, qui s'en aperçoit, d'autant plus qu'il voit la femme désagréable qu'est Firmaine, maîtresse du vicomte, et la femme charmante qu'est Firmaine, maîtresse de Maurice ! Que faire ? Vladimir a une idée de génie : il se tuera lui-même, il fera disparaître Maurice. De la sorte, Firmaine ne sera qu'au vicomte de Pleurmatin et c'est bien le diable, pense-t-il, si le vicomte de Pleurmatin n'arrive pas à se faire aimer... Là-dessus, premier acte d'une tragédie, digne de Robert Houdin, dont tu as deviné le secret : crime fictif de Maurice !... Tu me suis toujours, Fandor ?

— Allez ! allez ! Juve...

— Bon ! Par malheur, un petit étourneau de ma connaissance qui s'appelle Jérôme Fandor, mais qui, obligé de disparaître, a pris la personnalité de Jacques Bernard, s'aperçoit que Maurice n'a pas été tué et a l'idée originale, pour faire monter le taux de sa littérature, de confondre son pseudonyme Olivier, poète hypothétique, avec la victime hypothétique aussi, Maurice !... Cela fait une confusion inextricable au milieu de laquelle Fantômas vient à son tour nouer une intrigue nouvelle. Fantômas veut se débarrasser de l'acteur Miquet qui l'inquiète sans doute. Fantômas, d'autre part, ne tient pas à être soupçonné de ce meurtre... Que faire ? Il n'hésite pas... D'abord il fait réapparaître Maurice-Olivier à *Littéraria* — ce qui, soit dit en passant, a bien dû stupéfier Vladimir de Pleurmatin —, puis il tue Miquet en le faisant passer pour Olivier réapparu. Naturellement, qui soupçonne-t-on alors ? Jacques Bernard... et c'est ce que veut Fantômas !...

— Oui, interrompait Fandor, mais à ce moment vous déjouez la ruse en prouvant que le mort est non pas Olivier, mais bien Miquet...

— En effet... et de plus, Fandor, il arrive que la vicomtesse de Pleurmatin, c'est-à-dire la princesse Vladimir, découvre la liaison de son mari ! Elle tente de détacher Firmaine du vicomte en se livrant sur elle à un attentat abominable et en lui faisant croire que le vicomte en est l'auteur... cela en perdant la tête, au point de révéler à Firmaine que de Pleurmatin est Vladimir, imprudence qui équivaut de sa part à celle qui consista quelques jours avant à m'écrire d'un restaurant qu'il m'était facile de retrouver, que j'ai retrouvé... et qui me permettait de l'identifier elle-même, princesse Vladimir, avec la vicomtesse...

A ce moment, Fandor interrompait le policier :

— Mais alors, il ne reste plus qu'une chose à faire ?... Juve, Juve, nous avons la victoire, il faut arrêter le vicomte...

Gravement, Juve hochait la tête :

— Arrêter le vicomte... oui... peut-être... mais il y a autre chose... Dans tout cela, vois-tu, il apparaît nettement que le prince Vladimir et Fantômas s'entendent... Pourquoi ?... C'est avant tout ce qu'il faudrait connaître...

Et, très bas, Juve ajoutait :

— Le prince Vladimir, en somme, apparaît diantrement fort... cela m'inquiète... Je me demande si...

Juve s'interrompit ; le vieux Jean, son valet de chambre, venait d'entrer.

— Qu'est-ce qu'il y a ? questionna Juve, vous ne frappez plus maintenant ?...

— Pardon ! excusez, monsieur, mais je frappe depuis un quart d'heure et, comme personne ne répondait...

— Bon ! Bon ! c'est bien ! que voulez-vous ?

— Il y a une dame au salon qui demande à vous parler...

— Qui ? Elle vous a dit son nom ?...

— Elle m'a donné ça.

Le domestique passait une carte ; Juve, y jetant les yeux, tressaillait violemment.

— Bon Dieu ! murmura-t-il, j'y vais...

Puis, se ravisant :

— Non !... nous serons mieux ici pour causer... Faites entrer cette dame, Jean !

Le valet parti, Fandor interrogeait :

— Je rêve ? mon Dieu ! je rêve ?...

— Tu ne rêves pas !

— C'est elle ?

— C'est elle !...

Les deux hommes, quelques secondes, attendirent. Fandor s'était reculé au fond de la pièce ; Juve, à grands pas, se promenait de long en large...

Enfin la porte s'ouvrait, Jean introduisait la visiteuse :

— C'est là, madame !

La femme qui venait voir Juve, c'était la princesse Vladimir !...

Le policier, cependant, s'avançait au-devant de l'arrivante, très homme du monde et feignant de trouver fort naturelle sa venue :

— Madame, déclarait-il, je vous demande infiniment pardon de vous recevoir dans ce cabinet en désordre, mais le vieux célibataire que je suis...

La princesse était tremblante, pâle comme une morte, ses grands yeux cerclés de noir, pleins de larmes, semblaient jeter des regards affolés.

Sans répondre à l'invitation de Juve, elle désigna du doigt Fandor qu'assurément elle était loin de reconnaître :

— Je veux vous parler seul ! dit-elle...

De la main, Juve faisait signe à Fandor de demeurer.

— Madame, répondait-il, parler devant moi seul ou parler devant mon ami est absolument la même chose, vous devriez le savoir... je ne doute pas que vous ne connaissiez le nom de Jérôme Fandor ?... Parlez donc, madame, parlez donc en toute confiance. Vous êtes venue ici, je n'en doute point, pour une grave confidence... je vous écoute !...

La princesse se laissait tomber dans un fauteuil, passait à plusieurs reprises sa main sur son front, les yeux clos, comme chassant un vertige :

— Je suis venue, fit-elle d'une voix sourde, je suis venue... mais je ne croyais pas que vous me reconnaîtriez...

Juve comprit qu'il fallait brusquer les choses.

— Je sais, fit-il lentement, que la vicomtesse de Pleurmatin s'appelle princesse Vladimir... je sais que la princesse Vladimir est malheureuse.

A cette extraordinaire phrase de pitié que Juve, très ému, avait prononcée d'une voix angoissée, la jeune femme répondait sans perdre de temps :

— Malheureuse ! oh ! oui, bien malheureuse !

Et, douloureuse, dans un cri, elle avouait le secret de son âme :

— Il ne m'aime plus !

— Vous a-t-il jamais aimée ?

Juve, de sa même voix ardente, grave, venait de poser cette cruelle interrogation...

Et, voyant la vicomtesse accablée, Juve songeait au martyre de cette femme coupable de rapt par amour, de cette grande dame déchue par amour et que l'amour rejetait !

Cependant, la princesse, à la demande du policier, sanglotait encore plus fort.

— M'a-t-il jamais aimée ? est-il vraiment capable d'aimer ?

Écrasée de douleur, on eût dit qu'elle se parlait à elle-même !

Et puis soudain, retrouvant son calme, d'un brusque effort de volonté, la figure contractée, mauvaise, elle poursuivit :

— Oui, il peut aimer, il l'aime, elle !...

— Il aime Firmaine !... c'est vrai, il aime Firmaine !

Juve, en vérité, retournait le couteau dans la plaie...

Au rappel de cet amour dont elle était follement jalouse, la princesse retrouvait son énergie coutumière en sentant la colère la réenvahir.

— Oui, il aime cette femme, fit-elle ; oui, il me trompe pour elle... oui, depuis longtemps il me berne, moi, moi qui ai tout fait pour lui !...

Juve inclinait la tête :

— Je vous plains, dit-il... je vous plains d'avoir aimé le prince Vladimir, madame ; il est de tels monstres que nulle affection ne saurait désarmer...

Mais la jeune femme, déjà, se redressait :

— Je ne veux pas de votre pitié ! dit-elle, je ne suis pas de celles qui permettent qu'on les plaigne !... Si je suis venue me livrer ici...

Juve secoua la tête :

— Vous ne vous livrez pas, madame !

— Allons donc ! vous allez m'arrêter... J'ai commis un crime contre Firmaine, une séquestration...

Juve secouait encore la tête :

— Vous êtes ici, madame, en parlementaire, fit-il, vous êtes une ennemie loyale, je suis un ennemi loyal aussi ! C'est librement que vous êtes venue me trouver, je vous laisserai partir libre. Je vous en donne ma parole...

La princesse, alors, regarda fixement Juve, cherchant à voir le fond de la pensée du policier. Celui-ci répéta :

— Madame, vous êtes venue ici sans doute pour vous venger de votre mari... Ne niez pas !... Croyez-le bien, je vous comprends...

La voix sifflante, la princesse avoua :

— Oh ! oui ! oui ! me venger !...

— Vous êtes venue pour m'apprendre que le vicomte de Pleurmatin était Maurice... qu'il était le prince Vladimir...

— Quoi ! vous savez tout cela ?...

— Je le sais !

La princesse s'était relevée :

— Mais vous êtes donc un génie ? Ah ! Juve ! Juve ! vous êtes aussi fort que lui... Je n'ai donc plus rien à vous apprendre ?...

— Si, madame ! interrompit Juve rudement ; et il s'agit d'une chose grave. Pourquoi votre mari est-il protégé par Fantômas ?...

Or, à la question si nette du policier, la princesse se troublait :

— Je ne le sais pas ! répondait-elle. Il y a peu de temps d'ailleurs que j'ai découvert l'alliance qui unit mon mari à celui qu'on a nommé le Maître de l'effroi...

— Cette alliance est réelle pourtant ?

— Oui... puisqu'ils doivent encore prochainement voyager ensemble !

Or, ces mots, ces derniers mots que la princesse prononçait, on eût dit que Juve les attendait !

Il bondissait littéralement vers la jeune femme :

— Madame, déclarait Juve, écoutez-moi bien... Vous voulez vous venger du prince Vladimir, n'est-ce pas ?

— Certes !

— Vous voulez qu'on l'arrête ?

— Certes...

— Eh bien, madame, apprenez ceci : votre mari serait déjà sous les verrous si je n'avais voulu le laisser libre pour servir d'appât à Fantômas...

— Mais je ne vous comprends pas !

— Vous allez saisir...

Et Juve, autoritairement, continuait :

— Quelle raison supérieure oblige Fantômas à protéger votre mari ? Je ne le sais pas... Mais ! mais vous m'annoncez, vous-même, que votre mari et Fantômas vont voyager ensemble... Ceci est de la plus haute importance ! Donnez-moi le plan de ce voyage, faites en sorte que je puisse appréhender Fantômas... au même moment j'appréhenderai le prince... et vous serez vengée !...

La vicomtesse, la princesse Vladimir, en écoutant ces paroles, avait blêmi :

— Juve, déclarait-elle, si vous avez confiance en moi, ne bougez point d'ici avant d'avoir une lettre, un mot, un avertissement écrit de ma main... Juve, je saurai où ils vont aller... je vous le dirai !... ils seront sans méfiance, vous les prendrez !... je serai vengée !...

— Vous serez vengée, oui, madame...

La princesse avançait de quelques pas vers la porte de la chambre : elle interrogeait d'une voix soudainement assourdie :

— Je suis libre ?... vraiment, vous me laissez partir ?...

— Je vous dis au revoir, madame !...

Très pâle, la femme, traîtresse pour avoir été trahie, quittait le cabinet de Juve sans ajouter un mot !

XXV

La rupture

Comme elle franchissait le seuil de la maison de Juve, la vicomtesse de Pleurmatin, instinctivement, jeta un long regard à droite et à gauche, cherchant si nulle silhouette suspecte ne s'apercevait au lointain...

Malgré elle, quoi qu'eût dit le policier, la grande dame encore croyait qu'elle allait être arrêtée !...

Mais non !... elle ne voyait que d'ordinaires passants, elle n'avait rien à craindre, elle était libre !... Juve n'avait pas menti !

La vicomtesse était dans un état d'excitation, d'affolement tel qu'elle se sentit incapable de rentrer immédiatement chez elle...

Aussi bien sa vie venait de crouler. Elle éprouvait la sensation terrible des gens qui vont mourir et qui ne peuvent plus se rattacher à rien, prendre intérêt à quoi que ce soit, se sentent déjà hors du monde, séparés de tous et de tout.

Elle remonta les boulevards extérieurs.

La vicomtesse, la princesse Vladimir plutôt, marchait à grands pas, baissant la tête, les yeux fixes. Ses lèvres étaient agitées d'un tremblement, elle se répétait à elle-même, inlassablement, comme une phrase de folie :

— Je l'ai livré ! je l'ai trahi ! je me suis vengée !

Oui, c'était vrai, elle l'avait trahi ! elle s'était vengée !

Lorsque, quelques heures auparavant, la princesse soupçonneuse s'était rendue chez Firmaine afin d'apprendre de la jeune ouvrière si celle-ci avait revu le vicomte de Pleurmatin, lorsque la coïncidence avait voulu qu'elle fût témoin de l'arrivée de Firmaine amoureusement appuyée au bras de Maurice, lorsqu'elle avait reconnu dans Maurice le prince Vladimir, son mari, la princesse, folle de jalousie, avait cru mourir de chagrin.

Elle avait tout fait, tout accepté, tout souffert pour l'amour de cet homme...

Et voilà que le bandit se raillait d'elle, se moquait de son affection, repoussait son amour, l'écrasait de son dédain !...

La princesse, pendant les quelques minutes où elle s'était trouvée en présence de Maurice et de Firmaine, avait souffert mille morts !... Elle aimait à ce point son mari qu'elle lui avait tout sacrifié, jusqu'à l'honneur de son nom... jusqu'à sa situation à la cour de Hesse-Weimar [1].

Son amour, c'était toute sa vie, plus que sa vie, sa raison de vivre !...

Et puis, subitement, tout croulait...

Elle n'avait point eu seulement la douleur, déjà âpre, de voir le prince aimer une autre femme, elle l'avait senti haineux, indifférent à son propre chagrin...

La princesse avait compris que son mari aimait véritablement, profondément Firmaine, et du choc qui était né entre son amour pour cet

---

1. Voir dans le présent volume : *Le Train perdu*.

homme et l'amour que cet homme avait pour une autre femme, une effroyable haine était née, la haine qu'elle portait maintenant au misérable qui, après l'avoir entraînée aux pires aventures, la repoussait avec un sourire de moquerie, un haussement d'épaules dédaigneux.

La princesse alors n'avait même pas eu conscience des pas qu'elle faisait...

Une autre était en elle, une femme qu'elle ne connaissait point, une femme qui, avant tout, voulait se venger.

Elle pensait, alors, que Juve allait mettre la main au collet du prince, elle voyait dans une vision d'horreur cette arrestation... et pourtant elle était sans crainte !...

La princesse était montée chez Juve, sans même penser à elle-même, préoccupée seulement de dire : le vicomte de Pleurmatin, c'est le prince Vladimir, arrêtez-le ! vengez-moi !

La clémence de Juve, l'extraordinaire loyauté du policier refusant de s'emparer de cette femme qui se livrait, se fiant à sa promesse, jetait la princesse dans un trouble extraordinaire.

Puisque le policier l'avait laissée libre, qu'allait-elle devenir ?

Pour la première fois depuis l'horrible minute où elle avait reconnu le vicomte de Pleurmatin sous les traits de Maurice, elle ne songea plus à lui pour penser à elle-même !

La grande dame frissonna devant l'inconnu qu'étaient les jours, les lendemains qui devaient suivre l'heure qu'elle vivait...

Ah ! sans doute, elle serait vengée ; sans doute, Juve, grâce aux indications qu'elle allait lui donner, s'emparerait de Fantômas et de Vladimir ; sans doute, il la laisserait libre, elle, comme il le lui avait promis...

Mais que deviendrait-elle, seule dans la vie, sans plus au cœur cet amour qui lui avait procuré à la fois de si cruelles minutes et de si fous moments de bonheur ?

La princesse Vladimir se vit entourée de l'inévitable et, pauvre femme qui n'avait été traîtresse que parce qu'elle avait été amoureuse, parce qu'elle s'était donnée, sans réserve, elle comprit qu'il lui faudrait expier terriblement ses fautes !

Puis, tout naturellement, elle songea à Fantômas !

Elle avait promis de le livrer !... Oh ! Elle n'hésitait pas ! Elle le livrerait ! mais pourrait-elle bien y réussir ?

La princesse, tout en réfléchissant, avait marché droit devant elle, en somnambule, sans même prendre connaissance du chemin qu'elle suivait. Le premier affolement passé, elle se retrouvait maîtresse d'elle-même, énergique, prête à la lutte !

Et c'était bien une lutte, en effet, qu'il lui allait falloir soutenir. Sans doute le prince Vladimir ne se doutait pas qu'elle avait vu Juve, mais son émotion ne lui avait pas échappé, lorsqu'en Maurice, il s'était trouvé devant elle...

La princesse était trop franche pour essayer de se tromper elle-même !

— Il sait, s'avouait-elle, la souffrance que j'ai eue, il sait que je suis jalouse, il va se méfier de moi... Il faudra que je ruse si je veux donner à Juve les moyens de s'emparer de lui ! Soit, je ruserai !...

Elle avait déjà traversé les boulevards extérieurs et le front baissé, sans même regarder son chemin, s'était enfoncée dans les ruelles, les rues étroites et tortueuses du quartier des Batignolles. Au coin d'une rue qu'elle ne connaissait pas, elle lut un écriteau : elle était rue des Moines...

La princesse haussa les épaules, mesura elle-même l'affolement où elle se trouvait, pour être ainsi venue se perdre en ce quartier excentrique.

La grande dame appela un fiacre...

— Avenue des Champs-Élysées ! Menez-moi vite ! Je suis pressée !

Elle avait hâte d'être chez elle, elle voulait arriver avant le vicomte de Pleurmatin...

— Vous voici ?

La princesse, ouvrant la porte de son boudoir, était accueillie par ces mots, dits d'une voix calme encore que furieuse. Le vicomte de Pleurmatin était debout au milieu de la pièce, face à la porte, les bras croisés, dans une attitude de défi !

Il poursuivait :

— Vous avez passé une bonne journée, vicomtesse ?

Sous la froide raillerie, la princesse Vladimir sentait la colère renaître en elle ! Une envie furieuse la tenaillait de prendre dans son manchon un petit revolver, bijou ciselé qui ne la quittait jamais, et de tuer cet homme, ce monstre qui lui avait fait tant, tant de mal !

Mais non !

Un grand calme soudain l'envahissait !

Ce n'était pas de sa main qu'il devait mourir ; il ne lui appartenait plus puisqu'elle l'avait livré, puisqu'elle l'avait donné à la police, aux gens de justice !

Elle affecta un grand calme...

— Si j'ai passé une bonne journée, dit-elle, peut-être !... Et vous, mon cher ?

Le prince comprit la haine de sa femme en la voyant si froidement tranquille. Il eut peur et lui-même perdant l'attitude indifférente qu'il s'était pourtant imposée, s'emporta :

— D'où venez-vous ? questionna-t-il rudement.

La jeune femme sourit avec grâce ; elle enlevait sa fourrure qu'elle déposait sur le dossier d'un fauteuil, puis, s'asseyant :

— D'où je viens ? j'ai fait des courses, des visites, toute la journée...

La banalité de cette réponse exaspérait encore le prince Vladimir.

Pour la première fois on se raillait de lui !

Il perdit toute mesure :

— Vous mentez ! dit-il, votre journée ne fut pas ce que vous dites, vous avez été chez Firmaine...

L'attaque était trop directe, la princesse, cette fois, ne put conserver l'attitude qu'elle avait choisie :

— Oui ! dit-elle rudement à son tour et d'une voix sifflante, j'ai été chez votre maîtresse et je vous y ai vu !... Vous êtes un lâche...

La grande dame commettait une faute, laissait voir sa souffrance !

Le prince sourit, tira froidement un étui à cigarettes de sa poche, y prit un mince rouleau de tabac d'Orient, l'alluma, tira une bouffée le plus tranquillement du monde, puis :

— Lâche ?... je ne sais... En tout cas, madame, il y a quelque chose que vous oubliez, c'est la lâcheté de votre propre conduite !

— La lâcheté ?

— Je l'ai dit... Pourquoi, l'autre jour, chez Durvan, m'avez-vous demandé et obtenu de moi la promesse d'un voyage à Monaco... pourquoi, le soir même, en rentrant ici, changiez-vous d'avis ?

Les yeux de la princesse étincelèrent.

Son mari savait-il donc qu'elle avait écrit à Juve ?

Elle répondit :

— Je ne vous comprends pas...

— En vérité ? railla le bandit... Eh bien ! je vais m'expliquer...

Il s'assit, croisa ses jambes et, continuant à fumer, affectant une indifférence parfaite, il reprit :

— Vous avez, l'autre jour, madame, voulu vous absenter, d'abord, pour obtenir de moi au cours de cette absence, que je renonce à ma maîtresse...

— Vous mentez!

— Je vous ai fait entendre que j'étais prêt à souscrire à votre caprice, prêt à vous procurer un plaisir, mais que je n'étais point disposé à rompre mes amours...

— Eh bien ?

— Eh bien, madame, vous êtes allée à ce moment au lavabo... Je sais ce que vous avez fait... Lorsque vous êtes revenue, une légère tache d'encre à votre main droite m'a suffi pour deviner que vous veniez d'écrire ! Nous sommes rentrés ici, vous avez dormi... J'ai été voir le chasseur du restaurant Durvan !... Vos ruses sont enfantines, madame ! A prix d'or j'ai su de cet homme ce que j'avais intérêt à savoir... et c'est pourquoi je suis parti, vous laissant à Paris, à Dijon, pour y attendre ceux que vous aviez envoyés contre moi !... Personne n'est venu, madame, je n'ai donc pas eu à gagner de bataille, puisque je n'ai pas eu à livrer combat !... Soit ! pendant ce temps, vous, vous vous attaquiez à celle que j'aime ! Dites-moi qui de nous deux se conduisit lâchement ? De moi qui courus au danger que vous aviez fait naître sur mon chemin, de vous qui, pendant ce temps, vous attaquiez à une femme, et me salissiez à ses yeux ?...

La princesse ne répondit pas...

— Vous vous taisez, poursuivit son mari après un silence qu'il éternisait à dessein. Soit ! Je prétends m'être conduit toujours vis-à-vis de vous en parfait galant homme, et je n'insisterai pas... Mais voici autre chose. Je vous le répète encore : d'où venez-vous ?...

La princesse qui, tout le temps que le bandit parlait, était demeurée debout, dans une attitude de froid dédain, se sentit tressaillir... Elle comprit la vérité.

— Vous m'avez suivie ? dit-elle.

Le prince haussa les épaules.

— D'où venez-vous ? répéta-t-il.

Alors, soudain, l'impassibilité de la jeune femme fit place à la plus effroyable crise nerveuse qu'il soit possible d'imaginer !...

La malheureuse femme tomba à genoux, se tordant les mains, cependant que les pleurs ruisselaient sur son visage.

Elle était effroyablement belle, terriblement attendrissante, tandis que joignant les mains dans un geste de supplication, elle avouait dans une prière :

— Oui ! oui ! c'est vrai, je t'ai trahi ! mais je t'aime !... Oh ! écoute, pardonne-moi !... je t'aime !... je t'aime ! Tu as tout mon cœur ! tu es mon sang ! tu es ma vie ! ne me repousse pas ! ne me tue pas !... Pitié !... pitié pour moi !... Écoute !... Pour toi j'ai tout fait !... Songe ! souviens-toi !... Rappelle-toi !... Est-il une femme au monde qui ait su aimer comme j'ai su t'aimer ?... Pitié ! pitié !... Eh ! je ne te reproche rien !... Sans doute on t'a menti !.... on t'a trompé ! Cette femme, tu crois qu'elle t'aime ?... Est-ce qu'elle t'aime comme moi ?... Ose le dire seulement !... Mais non ! tu te tais !... tu vois bien !... C'est qu'aussi je t'aime !... je t'aime !... Oh ! pourquoi ne me réponds-tu pas ?... Dis, mon âme... je t'ai trahi, je t'ai livré ; oui ! c'est vrai ! mais il n'est rien d'irréparable... Ce Juve, tu peux t'en défaire... tu peux lui échapper... Reviens-moi, je te sauverai...

Le prince, sans qu'un muscle de son visage ait tressailli, sans qu'un tremblement dans sa voix marquât la moindre émotion, se levait à son tour, et toisant du regard sa femme écroulée sur le sol, répondit :

— Vous pouvez me sauver ?... vraiment !... mille mercis, madame !... Mais croyez-vous que j'en sois à vous prier ?... allons donc !... vous imaginez cela ?...

La jeune femme, dans un râle, hurla encore :

— Quitte-la ! je t'aime ! je t'aime !... j'oublierai !...

Mais le prince riait. Il riait d'un rire joyeux, tranquille, indifférent !...

— Non ! dit-il enfin, comme faisant effort sur lui-même pour reprendre son sang-froid. Non, ne jouons pas les grotesques !... vous n'oublierez pas !... et puis peu m'importe... moi, je n'oublierai pas Firmaine !...

D'un bond, la princesse se redressait :

— Ah ! fit-elle, vous osez...

Mais il ne la laissait pas achever :

— Des menaces ? fit le prince d'un ton hautain... vous êtes armée ?... vous voulez me tuer ?... Allons, madame, voici le moment ! Tenez, je sais que votre revolver est dans votre manchon... prenez-le !... j'attends !

Et comme sa femme, blanche comme une morte, demeurait sans mouvement, le prince Vladimir, après un éclat de rire, reprenait :

— Vous voyez bien ! Voici le cas que je fais de vos désirs de vengeance !... Vous m'aimez, je ne vous crains pas !...

Mais le visage de la princesse se contractait. D'une voix changée, elle souffla :

— Je vous hais ! Oh ! je vous hais ! je vous hais ! pour la dernière prière que je viens de vous adresser et que vous n'avez pas entendue !... je vous hais parce que je vous ai aimé...

— Justement ! ponctua le prince Vladimir, toujours souriant. Vous venez d'avoir, madame, l'expression exacte ! En cette minute vous me haïssez passionnément !... c'est cela !... une haine d'amour... ce n'est pas bien méchant !... Je vous le répète, au moment de notre rupture définitive, au moment où nous nous quittons, je ne vous crains pas !...

S'inclinant, il ajoutait :

— Adieu, madame !

Mais la princesse s'était reprise :

— Peut-être, fit-elle d'une voix basse, lente et grave, peut-être avez-vous raison... Aussi bien le monstrueux génie que vous semblez être devenu, je ne veux pas essayer de le tromper... A vous de voir si je vous hais assez pour me venger, si seulement j'aurai la force de vous maudire... Mais quoi ? est-ce vraiment adieu que je dois vous dire ?... vois-je aujourd'hui, pour la dernière fois, celui qui s'appela le prince Vladimir ? qui fut le cousin du roi...

Le bandit sembla réfléchir un instant :

— Non ! fit-il enfin... ou plutôt oui !... Tenez, madame... voici quels sont mes plans et mes projets... Il est impossible, dans leurs intérêts réciproques, que le vicomte et la vicomtesse de Pleurmatin disparaissent dès ce soir. Vous n'avez, sans doute, aucune retraite assurée... J'ai besoin, moi, de me refaire une vie, et je ne suis point prêt... Madame, votre mari vous dit adieu maintenant... mais quelques jours encore, le vicomte et la vicomtesse de Pleurmatin dormiront sous le même toit... Je vous préviens loyalement qu'ici, dans cet appartement, je suis inattaquable... Je vous préviens aussi qu'un jour, un jour prochain, vous ne m'y reverrez plus !... Ce jour-là, la vicomtesse de Pleurmatin, si elle n'a pas encore disparu, devra disparaître, car elle n'entendra plus jamais — jamais, madame — parler du vicomte de Pleurmatin, ni du prince Vladimir !... Cela vous agrée-t-il, princesse ?... vous me comprenez bien ?... quelques jours encore nous demeurons ici, tous deux, libres de disparaître l'un et l'autre quand bon nous semblera...

La princesse, redevenue maîtresse d'elle-même, digne, glaciale, grande dame, inclina la tête :

— Soit, fit-elle simplement ! Adieu, monsieur !

— Adieu, madame !

Déjà le bandit avait fait quelques pas au travers de la pièce, il allait sortir, lorsque la main sur le bouton de la porte, il se retourna :

— Un dernier mot ! déclarait-il, un mot auquel je vous prie d'attacher toute votre attention. Vous me haïssez, maintenant, madame, vous roulez de sombres projets de vengeance, eh bien je tiens à vous avertir qu'il ne faut pas vous attaquer à moi !... Mon Dieu ! comment vous ferai-je comprendre cela ?... Je suis, madame, au-dessus de toutes les vengeances, je suis...

La princesse Vladimir considérait fixement son mari, elle articula lentement :

— Je sais ce que vous voulez dire, monsieur ! Vous êtes, n'est-ce pas, le lieutenant de Fantômas ?... c'est de Fantômas, c'est de votre maître que vous me menacez ?...

Or, à ces mots, le prince ricanait :

— Mon Dieu ! répliquait-il, ce n'est pas tout à fait cela, mais vous approchez un peu de la vérité !... Tenez, tout à l'heure, vous me rappeliez que j'ai été, que je suis le cousin d'un roi... Eh bien, madame, vous vous trompez, je suis mieux que cela, je suis...

Mais brusquement, le prince Vladimir s'interrompait :

— Il est inutile, coupait-il, que je m'explique plus clairement ! Adieu, madame !

— Adieu, monsieur !...

Quand la porte du salon se fut refermée, farouche, la princesse Vladimir haletait d'une voix à peine perceptible.

— Ah ! prince Vladimir ! prince Vladimir ! que m'importent vos menaces ? que m'importent vos défis ?... que m'importe votre secret ?... Je ne sais plus qu'une chose, c'est que je vous ai aimé, et que, pour cet amour, maintenant, je vous hais !...

XXVI

A « La Pêche Miraculeuse »

La foule sur le pont de Grenelle est rarement nombreuse. Si cette voie jetée sur le fleuve réunit deux quartiers importants, si la circulation s'y effectue perpétuellement, le nombre de passants à un moment déterminé de la journée plutôt qu'à un autre, est rarement suffisant pour que l'on puisse dire que cette affluence constitue vraiment de l'encombrement.

Le pont de Grenelle unit la rive gauche à la droite, et au milieu de la Seine s'appuie à l'extrémité de l'île dite des Cygnes, qui coupe le fleuve en deux parties bien distinctes.

Une grande nappe d'eau s'étend entre le pont de Grenelle et le pont Mirabeau, nappe au-dessus de laquelle se dresse la réduction en bronze de la magnifique statue de la Liberté, telle que l'exécuta dans des proportions gigantesques l'éminent sculpteur Auguste Bartholdi en Amérique.

Cet après-midi-là, le pont de Grenelle était peut-être un peu plus fréquenté qu'à son ordinaire, eu égard à des travaux nombreux que l'on effectuait dans son voisinage et des bruits de grève que l'on faisait courir un peu partout.

Des équipes d'ouvriers de tous les corps de métier allaient et venaient par petits groupes, cependant que des bourgeois, inquiets, les considéraient du coin de l'œil avec des mines sournoises. Le calme toutefois régnait. Aucune menace intempestive, aucun défi provocateur ne s'élevait de ces foules de gens qui, en réalité, ne jugeaient point nécessaire de stationner sur le pont de Grenelle.

Or, si cette attitude était parfaitement naturelle, elle semblait particulièrement déplaire à deux ou trois individus qui, stationnant au pied de la statue de la Liberté, paraissaient préoccupés, hésitants. Évidemment ces personnages voulaient faire quelque chose et ils ne voulaient le faire qu'à la condition qu'il y ait du monde pour les regarder.

Était-ce des camelots ? des joueurs de bonneteau ? des individus plus redoutables ?

On n'aurait pu le dire.

Leurs allures étaient énigmatiques et mystérieuses, leur tenue ressemblait à celle des ouvriers, mais comme on le sait, cela ne prouve jamais rien.

Cependant, l'un de ces hommes, qui demeurait obstinément accoté au parapet du pont, ayant scruté du regard tous les alentours, murmura à voix basse :

— Attention ! mon vieux, ça va être le moment...

Son interlocuteur interrogeait sur le même ton :

— C'est-y que tout le monde est à son poste ? tu sais qu'avec le froid qu'il fait, je ne tiens pas à boire un grand coup pour de bon ?...

Le premier des individus haussa les épaules, puis, s'adressant au troisième personnage qui n'avait encore rien dit :

— Toi, recommanda-t-il, tâche de ne pas manger la consigne, dès qu'il aura sauté, faudra voir à ameuter tout le monde, rapport à l'accident du copain ! Pour ceux qui connaîtraient déjà le coup, tu diras que ce copain n'a pas toute sa raison ! qu'il est épileptique ! n'importe quoi... enfin !...

L'individu désigné sous le nom vague du « copain » était fort légèrement vêtu d'un bourgeron de toile bleue et d'une paire d'espadrilles. Au cours de cette conversation il s'était peu à peu rapproché du camarade accoté à la balustrade du pont...

A son tour, il inspectait la Seine et semblait noter avec une scrupuleuse attention les positions occupées par deux ou trois péniches qui évoluaient dans le voisinage avec, à bord, non seulement le marinier, mais encore un ou deux individus qui paraissaient s'adonner aux joies de la pêche.

Le personnage légèrement vêtu venait de poser une dernière question :

— Des fois, il n'y a pas de bateaux qui viennent ? manquerait plus que je leur tombe sur la tête !...

Et comme on lui répondait négativement, enjambant le parapet du pont, l'individu s'élançait dans le fleuve en poussant un grand cri !...

A ce cri succédaient des appels alarmés ! déchirants ! effroyables ! lancés par les deux compagnons du désespéré, ce qui, immédiatement, arrêtait la circulation sur le pont et déterminait dans l'espace de quelques instants un attroupement considérable.

— Ah ! mon Dieu ! le pauvre homme ! s'écriait l'un des compères de cet étrange trio. Sûr qu'il a eu de bien grands malheurs pour vouloir se détruire ainsi !

— Si ça fait pas pitié, hurlait l'autre, en geignant, la figure dissimulée dans son mouchoir, faut-il qu'il en ait eu de la misère, le pauvre vieux, pour vouloir se foutre à l'eau !...

L'individu feignait de pleurer. Une vieille dame s'approcha, toute disposée à faire la charité, elle interrogeait :

— Que s'est-il passé ? Vous connaissez cet homme ?

On lui expliquait aussitôt l'aventure. Un pauvre chemineau, ruiné par la grève, venait de se jeter à l'eau...

La brave personne donnait aussitôt une pièce blanche qu'elle recommandait de remettre à la victime si, comme il fallait l'espérer, on parvenait à la sortir de l'eau...

D'autres passants l'imitaient ; les deux gaillards restés sur le pont, tandis que leur camarade plongeait dans la Seine, faisaient une fructueuse recette... après quoi, ils s'éclipsaient prestement, alléguant qu'ils allaient au secours de leur infortuné compagnon !

Cependant, tandis que cette petite comédie se jouait avec succès sur le pont de Grenelle, le plongeur, au moment où il s'était jeté à l'eau, avait été aperçu par les pilotes des bachots qui sillonnaient le fleuve à proximité.

Tandis que le désespéré, ou soi-disant tel, après avoir disparu dans les flots, revenait à la surface et frappait l'eau à grands coups de bras, comme quelqu'un qui sait mal nager, les péniches s'approchaient... l'individu s'accrochait à celle qui se trouvait le plus près de lui, et, non sans avoir manqué à deux ou trois reprises de retomber à l'eau, parvenait à se hisser dedans...

La péniche, chargée de son précieux fardeau, regagnait alors la rive droite, accostait au quai d'Auteuil, puis, fendant la foule qui s'était massée sur le bord de l'eau, les sauveteurs, que l'on acclamait, emportaient leur malheureuse capture, toute ruisselante, jusqu'au poste de secours voisin !

... Le père Karrec, l'homme du ponton des Bateaux Parisiens, avait assisté à cette scène et n'avait pas paru s'en émouvoir outre mesure.

Devançant la petite troupe qui se dirigeait vers le poste de secours, le père Karrec y arrivait et annonçait au marinier installé dans la cabine :

— Voilà encore un client !... votre client !

Le chef du poste, un nommé Jean-Pierre, compatriote du père Karrec, ouvrait toute grande la salle de secours réservée aux noyés, sortait d'un tiroir la feuille imprimée collée sur un carton qui comportait, en gros caractères, les instructions à donner aux asphyxiés, puis ayant jeté un coup d'œil sur le personnage qu'on lui apportait, avait un sourire significatif :

— Parbleu ! murmura-t-il, ça m'aurait étonné ! Voilà au moins cinq mois que l'on n'avait pas vu le père Bouzille se fiche à l'eau !...

Cependant, le patron de la péniche qui avait sauvé Bouzille, car c'était, en effet, le chemineau qu'on ramenait ainsi avec les apparences d'un homme à demi-noyé, déclinait ses nom et qualités, afin de figurer sur le registre des sauvetages, et surtout de toucher la prime !...

Jean-Pierre le connaissait d'ailleurs bien, c'était le tenancier du cabaret tout proche, *La Pêche Miraculeuse*, c'était l'associé de la mère Trinquette, le colosse Léonce.

— Comment ! s'écria le chef du poste en considérant l'homme, tu trafiques aussi dans ces affaires-là ! toi ! un commerçant ! un homme établi !...

Mais Léonce ne semblait pas comprendre le reproche.

— Eh bien ! répliquait-il, d'un air outragé, je suppose que tout le monde en ferait autant ! Faudrait vraiment avoir mauvais cœur pour laisser un pauvre homme se périr...

— Ça va bien ! ça va bien ! on la connaît ! poursuivit Jean-Pierre, qui, tout en échangeant avec le père Karrec un coup d'œil d'intelligence, s'occupait, sans hâte, à ranimer le noyé.

Bouzille, d'ailleurs, bien qu'un peu étourdi par le plongeon qu'il venait de faire, ne paraissait pas avoir sa santé gravement compromise !

Le chemineau, par exemple, grelottait de tous ses membres ; évidemment, avant de se jeter dans l'eau, lorsqu'il avait déclaré redouter le froid, il ne s'était pas trompé !

La température du fleuve, en effet, était assez basse !

Après quelques tractions rythmées de la langue, qui paraissaient fort désagréables au patient, et l'absorption d'un gigantesque bol de rhum qui sembla lui plaire beaucoup plus, le noyé revint complètement à l'existence et put quitter le poste de secours.

La foule des badauds demeurait toujours sur le quai, elle applaudit le ressuscité lorsqu'il parut, mais celui-ci, modeste, sans doute, se déroba aux ovations, et, d'un pas rapide, ayant revêtu des vêtements propres que Léonce lui avait prêtés, il se dirigea, accompagné de quelques amis, parmi lesquels ses deux compagnons du pont de Grenelle, jusqu'au commissariat de police !

Il s'agissait, en effet, de remplir les formalités nécessaires pour que les sauveteurs puissent obtenir la prime à laquelle ils avaient droit pour leur courageuse intervention !...

Deux heures environ après cet accident, la foule était nombreuse et bruyante au cabaret de *La Pêche Miraculeuse*.

Léonce, affairé derrière son comptoir, avait repris ses fonctions de cabaretier, assisté de la mère Trinquette, qui, malgré son grand âge, allait et venait dans la salle enfumée, encombrée de clients, avec une rapidité et une prestesse qui pouvaient étonner de sa part.

Au milieu d'un groupe de buveurs, le chemineau Bouzille, sans souci de l'auditoire et des indiscrétions qui pouvaient se commettre, discutait avec énergie et mauvaise humeur.

— C'est dégoûtant, maintenant ! le truc est éventé ! Du moment que l'on a tant de peine à se faire payer, ça ne vaut plus la peine de marcher !

L'entourage tout proche du chemineau approuvait cette déclaration ; chacun hochait la tête ; on faisait des mines déconfites ; évidemment, quelque chose de fort ennuyeux s'était produit.

Voici, en effet, ce dont il s'agissait :

Lorsque Bouzille et ses sauveteurs s'étaient présentés au commissariat de police d'Auteuil, ils avaient été fort mal reçus !

Loin de féliciter Léonce d'avoir arraché un pauvre homme à une lente et terrible agonie, le commissaire lui avait brutalement déclaré :

— Vous, tâchez de vous tenir tranquille à l'avenir ! sans quoi, je ferme votre boutique !

Quant à Bouzille, on lui avait très catégoriquement dit :

— Si jamais vous tombez encore à l'eau et qu'on vous repêche, vous serez bouclé et poursuivi comme simulateur !...

Bouzille avait bien essayé de tenir tête au magistrat et de lui affirmer avec aplomb que s'il tentait comme ça de se suicider de temps à autre, c'était parce qu'il était neurasthénique, mais le commissaire, le toisant d'un air sévère, lui avait signifié qu'il n'en croyait pas un mot et qu'il fallait que ça finisse !

La conclusion de toute cette histoire avait été que, non seulement on ne touchait pas les vingt-cinq francs, mais encore que l'on était tenu à l'œil par la police et que le truc des noyades ne pouvait plus réussir !

Il faudrait, évidemment, trouver quelque chose d'autre.

Bouzille, au fur et à mesure qu'il déplorait la triste solution de cette aventure, buvait copieusement. Il ne tardait pas à être gris...

Soudain, le chemineau, en titubant, s'approcha d'un consommateur qui occupait une table en tête à tête avec une jeune femme, tout à l'extrémité du cabaret, et semblait ne prêter qu'une médiocre attention aux affaires du chemineau, qui déterminaient la conversation générale.

A deux ou trois reprises, Bouzille interpella le consommateur :

— Eh ! là ! Maurice, écoute donc, Maurice !

Bouzille, n'obtenant pas de réponse, continua :

— D'abord, c'est de ta faute ! Tu n'es pas un frère ! Si t'étais un frère, puisque tu étais mort, fallait le rester ! Moi, il y a longtemps déjà que ça me dégoûte de faire le noyé ! Je savais bien que c'était un métier foutu !

Bouzille s'asseyait familièrement sur un coin de table, et, posant sa main sur l'épaule de l'individu qu'il avait interpellé du nom de Maurice, continuait de sa voix éraillée et pâteuse :

— Depuis que t'étais mort, j'avais trouvé la combine, je faisais visiter le théâtre du crime à des étrangers, à des Anglais ! Ça rapportait bien ! Maintenant que te voilà revenu, je suis encore dans les choux, rapport à cette histoire-là !...

L'ivresse attendrissait Bouzille qui, soudainement fort ému à l'idée de sa situation précaire, pleurait dans sa barbe embroussaillée.

Maurice, cependant, l'individu qu'il avait interpellé à nouveau, ne bronchait pas et continuait à s'entretenir à voix basse avec la jeune femme qui l'accompagnait.

C'était Firmaine, Firmaine Benoît !

La malheureuse enfant, tout à la joie d'avoir retrouvé son amant adoré, à la mort tragique duquel elle avait cru si longtemps, était, certes, à cent lieues de se douter de l'identité véritable de celui qu'elle aimait de toute la force de son âme et que rien d'ailleurs ne lui permettait de croire, de considérer comme une autre personne que le modeste ouvrier Maurice, exerçant le métier d'ouvrier ballonnier.

Maurice, en effet, était revenu.

Il avait osé là quelque chose de formidable, il avait osé sa réapparition !

Firmaine, à l'interpellation de Bouzille, avait tressailli, gênée.

— Allons-nous-en ! avait-elle suggéré à son amant ; tous ces gens-là me font peur !

Mais Maurice hochait la tête, bien décidé, semblait-il, à rester :

— Attendons encore ! déclarait-il, j'ai rendez-vous avec Isidore, le contremaître de la maison Lagrange. Il doit m'embaucher tout à l'heure, il ne faudrait pas le manquer...

Firmaine, qui comprenait l'importance de ce rendez-vous, se résignait : les deux amants reprenaient leur entretien à voix basse, sans paraître le moindrement se douter que leur attitude et surtout leur présence étaient l'objet de tous les commentaires du cabaret.

Le retour de Maurice, que l'on avait jusqu'alors pris pour le personnage découvert décapité dans le propre logement du jeune ouvrier, avait en effet provoqué une stupéfaction formidable.

Quarante-huit heures auparavant, en effet, Maurice avait réapparu à *La Pêche Miraculeuse !*

Certes, le jeune homme n'était pas un client assidu du vilain bouge, mais il y venait parfois, on l'y connaissait fort bien.

La mère Trinquette qui, pourtant, ne s'émotionnait guère des choses les plus extraordinaires, car elle en avait vu dans son existence ! avait failli s'évanouir lorsque soudain ce revenant s'était présenté devant elle.

Léonce, de son côté, en avait tellement perdu la tête, qu'il avait offert une tournée générale et gratuite à tous les consommateurs !

Puis, comme il fallait bien répondre enfin aux nombreuses questions dont on le harcelait, Maurice avait raconté une extravagante histoire :

Il avait été soudain appelé en province, auprès d'une parente malade...

Obligé de s'absenter sans pouvoir prévenir personne...

Naturellement, dans l'endroit où il était allé, les journaux parvenaient rarement. D'ailleurs il ne les aurait pas lus, si, d'aventure, il avait pu se les procurer, étant trop préoccupé pour cela !

La maladie de sa parente lui prenait tous ses instants !...

Or, voici que revenu depuis quelques heures à peine il avait trouvé son logement déménagé... Tout cela avait paru plus ou moins vraisemblable !

Deux camps s'étaient formés dans le cabaret, ayant chacun son opinion.

Les uns prétendaient que Maurice disait sûrement la vérité, qu'il ignorait tout de ce qui s'était passé et qu'assurément le gouvernement aurait des dommages à lui payer pour avoir saccagé son logement !

Mais les autres, qui avaient vu la victime décapitée et qui ne pouvaient croire au crime fictif, comme l'avaient insinué certains journaux, prétendaient qu'il s'agissait là d'une ténébreuse histoire et qu'en réalité il ne tarderait pas à en résulter de nombreux embêtements !

Cet après-midi-là, avant de venir prendre l'apéritif à *La Pêche Miraculeuse*, le fameux Maurice avait été mandé au commissariat de police pour fournir des explications, tant sur sa disparition que sur son retour.

Il y était allé.

On savait, dans le quartier, que sa conversation avec le commissaire avait duré près de deux heures.

Que s'étaient donc dit ces deux hommes ?

On en était réduit à former des suppositions car Maurice n'avait point bavardé à son retour du poste. Toutefois, le bruit s'était vite répandu, sans que l'on sût comment, ni pourquoi, qu'une enquête minutieuse allait être ouverte, qu'on allait interroger à nouveau les gens du quartier, qu'il y aurait peut-être un procès, des convocations chez le juge d'instruction... et dans l'entourage de Bouzille, on était perplexe et ému à l'idée que quelques braves gens, peut-être, pourraient être accusés de faux témoignage !

Firmaine, qui avait raisonnablement accepté d'attendre l'arrivée du contremaître, avec lequel son amant avait rendez-vous, n'eut pas à modérer trop longtemps son impatience.

Quelques instants après, M. Isidore arrivait. C'était un solide gaillard, au visage intelligent, aux yeux clairs et spirituels. En entrant il saluait l'assemblée du cabaret d'un cordial :

— Bonjour, messieurs, mesdames et la compagnie !...

Puis il allait s'asseoir à la table de Maurice, adressant un sourire aimable à la jolie compagne de son futur ouvrier.

— Alors, comme ça, interrogea-t-il, entrons immédiatement dans le vif du sujet ! Tu cherches une place dans une fabrique de ballons ? Eh bien, mon gaillard, heureusement que je te connais et heureusement aussi qu'il y a du travail, car je vais pouvoir t'embaucher tout de suite !...

Maurice avait hoché la tête silencieusement.

Aux dernières paroles du contremaître, un éclair de joie brillait sous ses paupières. Mais tout en écoutant son interlocuteur, le redoutable individu, dont le cabaret tout entier ignorait la véritable personnalité, ne perdait pas de vue un sordide mendiant qui, se glissant de table en table, s'efforçant de passer inaperçu au milieu de la foule, s'était approché de lui au point d'avoir son escabeau adossé à la chaise que lui-même occupait.

Le prince Vladimir, Maurice, était bien trop subtil, bien trop au courant des ruses policières, pour ne pas se douter que ce mendiant aux allures équivoques devait être quelqu'un qui le pistait...

Mais qui ?

Maurice n'en continua pas moins sa conversation, d'une voix assez nette, assez intelligible pour que ses paroles puissent être entendues dans son voisinage immédiat !

M. Isidore, le contremaître, expliquait de son côté, articulant fort nettement ses phrases :

— Il y a, dimanche prochain, à Boulogne-sur-Mer, une grande fête organisée par le Club Aéronautique du département du Nord, qui s'est entendu pour cela avec le Club Aéronautique de Paris. C'est une fête en l'honneur d'un nommé Blanchard qui a été, paraît-il, le premier à traverser la Manche en ballon. Cela remonte tout à fait dans les anciens temps...

— Oui, interrompit Maurice en affectant un air de candide naïveté, je crois bien que j'ai entendu parler de ça, moi aussi...

Le contremaître poursuivait :

— Cela n'a d'ailleurs aucune importance ! L'essentiel c'est qu'on a besoin d'avoir beaucoup d'hommes là-bas, parce que l'on va lâcher une vingtaine de ballons. La maison Lagrange, la mienne, la nôtre, mon vieux Maurice, si tout à l'heure on s'entend, fournit, rien qu'à elle seule, quinze de ces ballons ! C'est te dire que l'on a besoin d'avoir des hommes pour installer tout ce fourbi-là... Tes certificats sont bons et puis tu m'es recommandé par un camarade, si ça te va, je t'embauche demain matin. Le soir même nous partons pour Boulogne ; quant aux conditions...

Maurice interrompit le contremaître :

— Pour les conditions, déclarait-il, je ne serai pas exigeant ! Surtout qu'on a joliment besoin de gagner en ce moment et que j'aurai du cœur à l'ouvrage...

Désignant Firmaine, il ajoutait :

— C'est pas tant pour moi, que rapport à la petite, car, dès qu'on aura quelques sous, on va se marier tous les deux, pas vrai, Firmaine ?...

Un éclair de joie illuminait la physionomie de la jeune fille, à laquelle Isidore, le contremaître, adressait un compliment, qu'il tournait de son mieux.

— Hé ! hé ! déclarait-il en dévisageant la compagne de son futur ouvrier, je comprends qu'il soit pressé de se marier avec vous, mademoiselle ! J'ai, comme ça, une idée que vous ne vous embêterez pas tous les deux !...

Cette conversation n'avait rien que de très banal et de très ordinaire. Les habitués de *La Pêche Miraculeuse* auraient pu l'entendre et la commenter sans rien trouver à y redire... Or, cependant, les propos échangés entre le contremaître de la maison Lagrange et l'extraordinaire ouvrier Maurice, dont le prince Vladimir jouait le personnage avec un naturel parfait, surprenaient au plus haut point le sordide mendiant qui, subrepticement, s'était glissé à côté d'eux pour entendre leurs propos.

Ce mendiant-là, c'était Fandor !

Depuis plus de quarante-huit heures, le journaliste menait une existence véritablement effrayante.

Certes, il avait éprouvé une immense joie en se retrouvant face à face avec Juve et, qui mieux était encore, sur les traces de Fantômas.

Mais, si le journaliste et le policier se croyaient désormais bien près du but que quelques jours auparavant l'un et l'autre désespéraient d'atteindre, c'est-à-dire la capture de Fantômas qui devait être le maître de Maurice, il leur restait encore bien des obstacles à surmonter.

Fandor qui, désormais, incarnait aux yeux de la police et du public la personnalité de Jacques Bernard, était toujours suspect, toujours sous le coup d'être arrêté comme assassin de l'acteur Miquet...

Or, Fandor ne tenait en aucune façon à tomber, même innocent, entre les mains de la justice qui, il s'en rendait fort bien compte, aurait une peine terrible à débrouiller toute l'histoire que Fandor, pour sa part, avait volontairement très embrouillée !

Juve et lui avaient minutieusement envisagé, ensemble, toutes les faces de l'étrange situation où ils se trouvaient en ce moment.

Ils en étaient arrivés à cette conclusion, qu'assurément, en surveillant le prince Vladimir, ils retrouveraient le Maître de l'épouvante, Fantômas, puisqu'il apparaissait incontestable que le prince Vladimir était devenu le protégé, le lieutenant peut-être, de Fantômas !

Toutefois, une divergence de vues s'était alors produite entre Juve et Fandor.

Juve affirmait qu'il n'y avait qu'à attendre et qu'assurément la princesse Vladimir, jalouse comme elle l'était de son mari, s'occuperait à livrer celui-ci et, par voie de conséquence, à livrer Fantômas.

Moins convaincu, Fandor soutenait qu'une brouille entre mari et femme était toujours susceptible de ménager des surprises, qu'après tout, la princesse Vladimir était une amoureuse, qu'elle ne demandait qu'une chose : pardonner à son époux et, qu'en conséquence, il ne fallait pas trop se fier à elle !

Tandis que Juve attendait la visite de la princesse, Fandor s'occupait donc à dépister Maurice.

C'était cette filature qui l'avait conduit au cabaret de *La Pêche Miraculeuse*.

Oh ! le journaliste n'avait pas à tirer gloire de l'adresse qu'il avait déployée à cette occasion. Il était bien trop perspicace pour ne pas s'être aperçu que Maurice, ou plutôt le prince Vladimir, s'était laissé filer avec une véritable complaisance ! Plus, même : Fandor était persuadé que l'étrange individu avait fait exprès de converser à haute voix avec Isidore le contremaître et d'annoncer son départ pour Boulogne !

— Cela, se disait Fandor, c'est un défi et, ou je me trompe fort, c'est un défi sérieux !...

... Le lendemain — il était trop tard en effet, ce jour-là, pour aller voir Juve — Fandor se précipitait chez le policier.

— Juve ! Juve ! criait le journaliste en entrant dans le cabinet de travail de son ami, j'ai du nouveau ! Je suis sûr que nous rencontrerons le prince Vladimir et Fantômas à Boulogne-sur-Mer !... Vite ! vite ! faites vos malles !

Mais Fandor s'arrêtait, interloqué.

Juve, pour toute réponse, l'avait pris par le bras, l'avait forcé à regarder une chaise sur laquelle une valise, toute préparée, attendait.

— Fandor, grommelait Juve, d'une voix souriante, tu n'es décidément qu'un vaniteux !... Encore une fois, tu t'attendais à m'épater ; or, tu ne m'épates pas. Ma valise est déjà faite, mon petit... Je sais déjà qu'à Boulogne-sur-Mer...

— Pristi ! interrompait Fandor, vous êtes rapidement informé !... Comment se fait-il ?...

Juve, d'un geste, calmait le journaliste.

— C'est très simple, expliquait-il, la vicomtesse, ou plutôt la princesse Vladimir sort d'ici !... Je m'étonne même que tu ne l'aies pas croisée dans mon escalier... La vicomtesse, mon petit, a fait parler son mari, l'a épié, espionné, s'y est prise je ne sais comment, mais, enfin, connaît tout aussi bien que toi les projets de celui qui fut le vicomte de Pleurmatin. Même elle m'a dit quelque chose de plus grave, c'est qu'elle était à peu près certaine que Fantômas accompagnerait le vicomte. Cela m'a fait supposer, je te l'avoue, Fandor, que le monstre avait l'intention de nous narguer...

Jérôme Fandor, à ces mots, éclatait de rire :

— Fichtre ! disait-il, vous avez eu exactement la même impression que moi !...

Il contait alors à Juve, en détail, la visite qu'il avait faite à *La Pêche Miraculeuse*, la façon dont il avait entendu parler l'extraordinaire Maurice, le surprenant prince Vladimir.

Mais c'était soudain d'une voix anxieuse, au possible, que Jérôme Fandor concluait :

— Par exemple, Juve, ce qui me fait peur, c'est que, voyez-vous, je n'arrive pas à comprendre pourquoi Fantômas semble ainsi faire cause commune avec le prince Vladimir... il y a là-dessous un mystère, un effroyable mystère peut-être ?

Juve baissait la tête, lui aussi...

Il ne contredisait pas Jérôme Fandor !...

XXVII

Lancés dans l'espace

— *One shilling, sir !... One shilling, lady !...*

La foule des vendeuses se précipitait sur le quai au bord duquel le paquebot anglais venait d'accoster. C'était l'*Arundel*, l'un des plus récents steamers à turbine, que la Compagnie South Western Railway venait de mettre en circulation pour faire communiquer la côte française avec Folkestone.

C'était un dimanche ; le temps était admirable, la mer calme comme de l'huile ; aussi les passagers étaient-ils nombreux.

Cependant ce n'était pas l'heure habituelle de l'arrivée du paquebot correspondant avec les trains rapides conduisant à Paris...

Il s'agissait en effet d'une arrivée supplémentaire, à l'occasion des fêtes organisées à Boulogne en l'honneur des aéronautes qui avaient traversé la Manche par la voie aérienne. On avait multiplié les services de transports, aussi bien par terre que par eau.

Tout le monde, d'ailleurs, en était prévenu, et, c'est pourquoi les classiques vendeuses de poupées habillées avec le costume national des pêcheuses du Nord, les vendeuses de dentelles, les vendeuses de coquillages étaient toutes exactes à leur poste à l'arrivée du paquebot, offrant leurs marchandises aux insulaires qui débarquaient, et cela, moyennant la modique somme de 25 sous.

Les passagers de l'*Arundel* se dispersaient rapidement par la ville et, cependant que les uns allaient aussitôt, par habitude, s'enfermer dans les bars et cabarets qui avoisinent le port, les autres, les plus épris de grand air et de pittoresque, partaient en touristes et visitaient Boulogne joyeusement pavoisé de couleurs franco-anglaises.

Boulogne présentait ce jour-là, en effet, une activité, une animation des plus pittoresques. La jolie ville était en fête et, de tous les coins de la région, on avait répondu au chaleureux appel de la municipalité qui invitait tout le monde à participer à la manifestation grandiose qu'on organisait en l'honneur des Héros de l'air.

Le coup d'œil était ravissant. La mer, haute, à cette heure matinale, remplissait les vastes bassins jusqu'au ras du bord ; de coquettes barques évoluaient sur ces bassins, cependant que quelques-unes, plus audacieuses, profitant de la brise légère qui soufflait de l'ouest, s'en allaient faire un tour en mer ; le ciel était uniformément bleu et pur, au loin la ville haute s'étageait avec ses immeubles multicolores en escalier, puis de temps à autre, sur le pont de fer qui traçait à l'horizon une ligne rigide, passait en trombe un express, vomissant dans l'atmosphère un nuage de fumée blanche.

Aux conversations populaires, aux intonations traînardes du patois, se mêlaient les accents gutturaux de la langue britannique. Puis c'étaient encore les intonations traînardes des Parisiens des faubourgs ; les rues de Boulogne étaient devenues cosmopolites !

Il y avait de tout et de tous, sans compter encore les étrangers, d'autres nations que l'Angleterre, qui, dans le désir d'assister aux fêtes, ou par simple hasard d'un billet circulaire, se trouvaient occuper les grands hôtels du boulevard Maritime.

Le train de Paris à Boulogne était bondé ce matin-là. A la gare d'Amiens, de nombreux voyageurs de troisième et de seconde s'étaient installés en première, encore que les premières fussent déjà très encombrées.

Il y avait, en effet, des voyageurs partout ; dans les couloirs, debout, pressés les uns contre les autres, presque sur les marchepieds !

L'express de Boulogne avait déjà vingt-cinq minutes de retard. C'était extraordinaire sur une ligne aussi fréquentée ; on laissa donc une bonne partie des voyageurs qui n'avaient pu trouver place dans l'express, sur le quai d'embarquement, et le train partit à toute allure !...

Pour empêcher l'envahissement de leur compartiment réservé de première classe, deux voyageurs avaient eu à lutter contre d'innombrables tentatives d'une foule, séduite par les banquettes vides qu'elle entrevoyait à travers les glaces du compartiment...

Mais les voyageurs avaient été irréductibles : la pancarte « réservée » avait été apposée sur le compartiment où ils se trouvaient et un chef de train, survenu au moment propice, les avait défendus contre l'invasion !

Ces deux voyageurs, en effet, éprouvaient impérativement le besoin d'être seuls. C'était un couple étrange, sombre, mystérieux. La femme était grande, belle, majestueuse, très élégante, quoique vêtue fort simplement. Son visage disparaissait presque entièrement sous l'un de ces grands chapeaux, si fort à la mode ; son corps souple était emprisonné dans une jupe étroite, très serrée par le bas...

L'homme, âgé de quarante-cinq ans environ, était robuste et très bien décuplé. Il portait une barbe fausse, épaisse et rude ; autour de ses tempes des cheveux grisonnants bouclaient.

Les deux personnages qui se rendaient ainsi de Paris à Boulogne, n'étaient autre que Juve et la princesse Vladimir.

Ah ! certes, ce tête-à-tête qui réunissait ainsi le policier et l'épouse outragée du gentilhomme devenu criminel, était tragique, déconcertant !

Juve avait reçu, comme il l'avait dit à Fandor, la visite de la princesse. Celle-ci, fidèle à sa promesse, était venue dévoiler au policier l'intention où était le prince de se rendre prochainement à Boulogne.

Elle avait même ajouté :

— Je crois que le prince compte y rejoindre Fantômas.

Ces indications avaient été ensuite confirmées par Fandor, renseigné lui aussi par le fait de ses filatures à *La Pêche Miraculeuse*, c'est pourquoi Juve et la princesse se trouvaient ainsi réunis dans un wagon les emportant vers la ville en fête.

Ils ne disaient rien ni l'un ni l'autre, ils se taisaient, accablés par leurs préoccupations.

— Que va-t-il se passer ? songeait la princesse Vladimir.

— Vais-je réellement me trouver en face de Fantômas ? se demandait le policier en serrant les poings.

Et en même temps qu'il se posait cette angoissante question, Juve s'en posait une autre qui le torturait peut-être plus encore.

— Vais-je apprendre, songeait-il, ce qu'est devenue Hélène ? Mon pauvre Fandor va-t-il enfin pouvoir goûter au bonheur auquel il a droit ?...

Retrouver Hélène était, en effet, la perpétuelle, la constante, l'obsédante pensée de Jérôme Fandor. En vertu d'une tacite convention, il est vrai, Juve et Fandor parlaient rarement ensemble d'Hélène depuis sa sinistre disparition dans le train perdu de Barzum [1].

---

1. Voir dans le présent volume : *Le Train perdu*.

Ce n'était pas, certes, que le journaliste se fût le moins du monde détaché de la fille de Fantômas, de celle plutôt qu'il croyait toujours être la fille du bandit.

Au contraire, c'est parce qu'il lui était trop douloureux, trop pénible de prononcer son nom...

Jérôme Fandor savait qu'il ne pouvait espérer découvrir Hélène qu'à une seule condition : retrouver Fantômas, batailler contre lui ! Il avait bravement accepté cette obligation, bravement il en subissait l'âpre loi.

Dans le wagon qui filait cependant, le long de la campagne, franchissant les ponts, sautant les rivières, dévalant vers son but, Juve, l'impassible Juve, avait peine à demeurer tranquille. Par moments, il contemplait la face blanche, les traits contractés de la princesse Vladimir, qui demeurait rigide comme une statue assise en face de lui, fermant les yeux ; et à d'autres, nerveusement il se penchait à la portière, guettant malgré lui si, au lointain de la voie, il n'apercevait pas les premiers faubourgs de Boulogne, de ce Boulogne où Fantômas devait être, où sans doute il était déjà pisté par Jérôme Fandor, puisque le journaliste, en effet, était parti en avant, sur les traces de Maurice, dans l'espoir de découvrir ainsi au plus vite celui que l'on appelait l'Insaisissable.

Quelques instants plus tard, le train stoppait à Boulogne, Juve et la princesse Vladimir qui se suivaient à faible distance, évitant de se parler, ne voulant pas avoir l'air d'être ensemble, rejoignaient à l'angle du pont Jérôme Fandor toujours déguisé en mendiant.

Le jeune homme était fort nerveux. C'était en hâte qu'il mettait Juve au courant des derniers incidents surpris par lui :

— Juve, disait Fandor d'une voix blanche, l'instant décisif approche, Maurice est là, le prince Vladimir est ici, et il n'y est pas seul... Je suis certain que Fantômas est à ses côtés. J'ai surpris un regard absolument significatif...

Puis, tandis que le policier apprenait encore, sans émotion apparente, que Firmaine était désormais liée au prince Vladimir par l'indissoluble lien de la paternité — Fandor tenait ce secret d'un bavardage de l'infirmière de l'hôpital qui avait reçu Firmaine —, la vicomtesse de Pleurmatin, la princesse Vladimir était obligée de s'appuyer contre une muraille pour ne point défaillir.

Ah ! plus que jamais elle voulait se venger.

Plus que jamais on pouvait lire une haine effroyable sur ses traits contractés !...

... Oui, vraiment, l'instant décisif approchait, l'instant où Fantômas et le prince Vladimir allaient avoir à se mesurer contre leurs ennemis acharnés !

Trois heures s'étaient écoulées.

La foule, exténuée désormais, avait entendu des discours, succédant à d'autres discours...

On avait successivement promené les personnages officiels de la mairie à l'Aéro-Club, de la salle des fêtes au casino, du casino à la plage, où des courses avaient eu lieu.

Sous prétexte de fêter les aéronautes, héros de la traversée de la Manche, on avait, en effet, réuni à Boulogne toutes les réjouissances foraines possibles.

La municipalité avait, à cette occasion, satisfait bien des ambitions, exaucé bien des désirs :

Tous les officiers de réserve avaient été autorisés à se mettre en tenue. Les ministres avaient délégué des chefs de cabinet, chargés de remettre des décorations aux personnages les plus marquants. Les débitants de boissons avaient fait des affaires d'or pendant tout l'après-midi... Ils comptaient bien continuer toute la nuit !

Et c'était dans cette ville en fête, au sein de cette foule énervée et fatiguée, que le drame tragique, aux multiples péripéties, se déroulait, courait à son dénouement.

Juve, Fandor, la vicomtesse de Pleurmatin, n'avaient plus à douter, en effet.

A maintes reprises, au cours de l'après-midi, ils avaient rencontré en passant près du parc, où étaient attachés les ballons, l'ouvrier Maurice, c'est-à-dire le prince Vladimir.

D'abord, Juve et Fandor avaient cru nécessaire de dissimuler leurs sentiments.

Ils avaient pensé qu'il convenait de feindre de ne point reconnaître le jeune homme.

Puis ils s'étaient rendu compte que leur prudence était vaine, excessive, inutile... Le prince Vladimir en les apercevant, en effet, les avait audacieusement fixés... Plus, même, il avait éclaté de rire !

Ah ! certes ! le doute n'était plus permis. Pour que l'ouvrier ballonnier osât ainsi éclater de rire, il fallait bien qu'il se sentît — comme il l'avait dit à la princesse — hors de tout danger, rigoureusement inattaquable !...

Il fallait bien, comme l'avaient deviné Juve et Fandor, qu'il eût conscience d'être sous la protection du redoutable Maître de l'épouvante !...

Et tout l'après-midi, il en avait été de même. Chaque fois que Juve avait croisé le regard du prince Vladimir, dont il ne s'éloignait que le moins possible, chaque fois le policier avait trouvé le visage de l'extraordinaire personnage, impassible, ricaneur presque.

Le prince Vladimir narguait ceux qui le poursuivaient !

... Vers six heures du soir, cependant, la foule revenait du côté de la mer, s'éloignait du parc des aérostats, où elle venait d'éprouver une légère désillusion, la première de la journée.

Conformément au programme établi, en effet, le Club Aéronautique devait procéder à un lâcher de ballons. Une douzaine de sphériques avaient été gonflés dès le matin ; ils attendaient, et l'on considérait, à juste titre, leur départ comme une des attractions les plus intéressantes de la fête.

Or, malheureusement, vers le milieu de l'après-midi, le temps, radieux jusqu'alors, avait subitement changé. Le vent tournait, devenait mauvais. De gros nuages s'amoncelaient à l'horizon, et du sud-ouest, on sentait venir la tempête.

Le parc des ballons était aménagé un peu en dehors de la ville. On l'avait installé dans la grande cour d'une école, cour entourée de murs de trois côtés, et fermée, sur le quatrième, par les bâtiments eux-mêmes. L'orientation de l'école était telle, que les ballons, dans la cour, se trouvaient complètement abrités ; mais si d'aventure ils étaient déviés au-dessus des toits, si on les avait lâchés, ils auraient été entraînés vers la mer redoutable, vers le Nord embrumé.

La sagesse du comité des fêtes décidait en conséquence que le départ serait remis au lendemain, si toutefois le temps était plus propice.

A ce moment, Isidore, le contremaître de la maison Lagrange, qui avait la haute direction du parc des ballons, murmurait pensif, en se grattant le front.

— Faudrait qu'il en reste au moins un de nous pour surveiller !... Les ballons sont tout gonflés et la moindre imprudence...

Le contremaître ajoutait :

— Je sais bien qu'à huit heures du soir, on enverra les factionnaires de la troupe ; mais en attendant...

Isidore posait ces questions au milieu de son équipe d'ouvriers, escomptant que quelqu'un, de bonne volonté, se proposerait volontairement pour demeurer de garde. Le contremaître n'avait pas tort, un ouvrier sortit du groupe.

— Si vous voulez, je m'en vais rester là ?

C'était Maurice.

Isidore acceptait d'enthousiasme la proposition, et, au nom des camarades, remerciait son subordonné.

— Mon vieux, t'es un frère !... Là, vrai, tu paies ta bienvenue !...

Or, ni Juve, ni Fandor, ni la princesse Vladimir, n'avaient perdu un seul détail de ce petit incident.

Ils avaient escompté le départ du prince Vladimir... et voici qu'il restait.

Le policier, le journaliste et la grande dame se regardèrent.

Ils avaient tous les trois un peu pâli... ils sentaient l'heure proche des événements décisifs...

Assurément, le prince Vladimir venait de leur jeter le gant en s'arrangeant pour rester seul, face à face avec eux !

Il ne fallait point refuser la lutte. D'ailleurs, n'était-il pas préférable d'attaquer que d'être attaqué ?

Rapidement Juve se rapprocha de Fandor :

— L'attitude du prince est significative ! soufflait-il. Pour qu'il nous nargue ainsi, il faut assurément que Fantômas ne soit pas loin. Fouillons le parc, nous le trouverons.

L'instant était solennel et suprême...

A l'intérieur de la cour de l'école, le prince Vladimir se tenait immobile. Tout autour du mystérieux personnage, les énormes ballons oscillaient doucement. Le sol était jonché de nacelles, de filets, de cordages de toutes sortes...

Juve fit un geste...

Comme si elle avait été prise de faiblesse, au dernier moment, la princesse Vladimir s'écartait de quelques pas, déchirant de ses dents son mouchoir, sous l'emprise d'une émotion intense...

Juve et Fandor, de leur côté, armaient leurs revolvers. Les deux hommes échangeaient un regard, puis Fandor murmurait :

— Allons-y !

Ils s'introduisirent dans la cour de l'école, prêts à tout...

Assurément le prince Vladimir les attendait. Ils voulurent s'approcher de lui... C'était en le menaçant sans doute qu'on déciderait Fantômas à se révéler.

Or, à peine le policier et le journaliste avaient-ils fait quelques pas dans l'enceinte du parc, que le prince Vladimir, prudemment, reculait... effectuait une lâche retraite !

Juve ricana entre ses dents :

— Cela m'aurait étonné aussi !... Parbleu, lui n'est pas de taille ! Il se retire vers Fantômas !...

Fandor ne répondait pas...

A cet instant, qu'il vivait avec une intensité profonde, Fandor ne pensait plus à rien, si ce n'est à ce fait brutal, catégorique :

— Je vais voir le père d'Hélène ! Il faut qu'il me rende sa fille !

Le prince Vladimir, cependant, reculait toujours. Avait-il donc l'intention de tourner autour de chaque ballon, de se dissimuler derrière des paquets d'agrès ?

Brusquement, Juve et Fandor remarquèrent qu'un des ballons semblait s'élever un peu, quelques pieds plus haut que ses voisins.

Juve crut comprendre :

— Attention, Fandor ! criait-il, Fantômas doit être en-dessous...

Fandor, lui, avait une autre idée :

— Mais, bon Dieu ! non ! hurlait-il. Nous sommes roulés !... C'est le prince... C'est cette canaille qui se sauve !...

Les intentions du prince Vladimir se révélaient en effet, précises et formelles, semblait-il.

Il allait fuir en ballon !...

Indifférent à la tempête, insoucieux de la brume et de l'immensité de la nappe d'eau sur laquelle l'ouragan allait l'entraîner, il allait s'échapper...

Le sphérique qui, quelques instants auparavant, s'était légèrement surélevé au-dessus de ses voisins, les surplombait, désormais, des deux tiers de son volume...

La nuit s'était faite sombre ; Juve et Fandor ne distinguaient pas la nacelle dans laquelle devait se trouver le bandit...

Alors, au risque d'être frappés par une balle de revolver, négligeant toute prudence, dédaignant toute précaution, ils accoururent en hâte et s'élancèrent dans la direction du ballon...

Ils firent ainsi une dizaine de mètres...

Et, soudain, Juve tendait le bras, hurlait d'une voix folle d'émotion.

— Fantômas ! Fantômas ! Ah ! voilà Fantômas !...

Devant eux, en effet, l'extraordinaire bandit surgissait brusquement, immobile, les bras croisés, semblant les défier, semblant protéger, dans une pose de défi suprême, le prince Vladimir qui se tenait encore à quelques pas derrière lui...

Juve et Fandor couraient plus vite...

Vers l'Insaisissable ils se jetaient...

— Fantômas ! criait encore Juve. Défendez-vous !...

Fandor râlait une suprême prière :

— Hélène ! Hélène ! rendez-nous Hélène !

Puis, soudain, l'un et l'autre étouffèrent un juron !

Juve et Fandor venaient de se prendre les pieds dans une corde tendue à quelques centimètres du sol...

Ils roulaient sur un filet étalé sur le gazon de la pelouse... ce filet s'agitait...

A ce moment, le ballon qui jusqu'alors était monté lentement, semblait faire un bond violent, paraissait s'arracher du sol...

Il atteignait le niveau du toit de la maison, la rafale l'enveloppait, l'emportait...

— Ils nous échappent ! commença Fandor, s'efforçant de se relever...

Mais il ne continua pas...

Juve, qui allait parler aussi, se taisait pareillement !

Les deux hommes, ballottés, secoués, hurlaient d'horreur !

Dans l'espace d'une seconde, ils comprenaient la vérité, l'horrible vérité : à la nacelle du ballon, qui désormais fuyait dans l'ouragan, était attaché, au bout d'une corde robuste, un immense filet coulissant à ses extrémités...

Juve et Fandor, en courant dans la direction de Fantômas, s'étaient pris dans ce filet qui se refermait sur eux !

Ils étaient emprisonnés, incapables de faire un mouvement, et le ballon les enlevait dans les airs !

Fantômas était-il au-dessus d'eux dans la nacelle ?

Non pas.

Saluant d'un geste large, ironique et féroce, le filet refermé sur Juve et Fandor, Fantômas hurlait une dernière raillerie.

— Vous demandez Hélène, Fandor ? Hélène est ma prisonnière ! je l'ai ! je la garde !... Vous vouliez arrêter Vladimir, Juve ? Vous ne toucherez jamais à Vladimir, car Vladimir est mon propre fils !... oui, mon fils !...

Puis il courait à l'entrée de la cour de l'école où la princesse Vladimir, sinistrement émue, avait assisté aux péripéties de ce drame rapide.

Juve et Fandor avaient tout juste le temps de l'apercevoir une dernière fois :

Fantômas, d'un geste courroucé, levait un poignard...

Il frappait la malheureuse princesse, il hurlait :

— Voilà, madame, comment Fantômas se venge de ceux qui trahissent !...

Au bout de quelques secondes, le ballon et ses proies humaines n'était plus qu'un petit point noir à l'horizon. La tempête l'entraînait vers le large.

LE BOUQUET TRAGIQUE

LE BOUQUET TRAGIQUE

I

Père et fils

Fantômas cria :

— Eh bien, Vladimir, voilà de la bonne besogne !

Les deux hommes, jusqu'alors, avaient regardé le ciel chargé de nuages, et dans lequel un vent de tempête balayait un ballon qui venait de s'élever de l'aérodrome de Boulogne, ce ballon emportait à travers la nuit naissante, au-dessus de la mer en furie, deux hommes, condamnés à la mort, leurs implacables ennemis d'ailleurs, Juve et Fandor [1] !

Vladimir et Fantômas cessèrent de regarder ce tragique spectacle pour se considérer l'un l'autre.

Le Génie du crime était superbe à voir, encore tout haletant, tout frémissant, de l'apostrophe virulente et dédaigneuse qu'il venait d'adresser à ces ennemis vaincus.

A quelques mètres de lui se trouvait Vladimir, qui, depuis quelque temps jouait, aux yeux du monde, le double personnage du vicomte de Pleurmatin et de Maurice, l'ouvrier ballonnier employé de la maison Lagrange.

Fantômas cependant s'avançait d'un pas, dans la direction de Vladimir et celui-ci allait s'approcher aussi, instinctivement attiré, semblait-il, par le charme troublant qui se dégageait du Roi des bandits. Vladimir fit donc un pas en avant, franchissant les cordages, et les filets de ballons, demeurés sur le sol, mais il s'arrêta net, ne pouvant s'empêcher de proférer un cri de terreur.

A ses pieds en effet, gisait le corps inanimé ensanglanté d'une femme... C'était le cadavre de la vicomtesse de Pleurmatin, ou pour mieux dire de l'épouse légitime du prince Vladimir.

Celui-ci voyait désormais immobile, les yeux vitreux, le visage blafard, avec à la gorge, une plaie béante, celle qu'il avait épousée à la Cour de Glotzbourg, capitale de la Hesse-Weimar, celle qu'il avait peut-être même aimée !

---

1. Voir dans le présent volume : *Les Amours d'un prince*.

C'était Fantômas qui, quelques instants auparavant, pour la punir de sa trahison, pour la châtier d'avoir indiqué à Juve et à Fandor où ils se trouvaient — lui et Vladimir —, l'avait assassinée.

Le faux ouvrier ballonnier qui, machinalement, avait heurté du pied le corps de la morte, demeurait immobile, troublé malgré tout, n'osant s'avancer.

Mais Fantômas n'avait pas de semblable pudeur, et alors que Vladimir ne bougeait pas, le Roi des bandits, se penchant par-dessus la dépouille mortelle de son infortunée victime, attirait Vladimir sur sa poitrine.

Les lèvres de Fantômas se posèrent sur le front du jeune homme et, d'une voix étrangement douce et attendrie, l'insaisissable Maître de l'effroi murmura tout bas :

— Mon fils, mon enfant !...

Dès lors Vladimir, parut s'arracher d'un long rêve, et instinctivement il se recula, s'arracha à l'étreinte de l'homme terrible, qui venait de dire qu'il était son père.

— Fantômas ! Fantômas ! articula Vladimir en blémissant, qu'avez-vous dit là, est-ce possible que je sois ?...

Fantômas enjambait délibérément le corps inerte de la morte, et il se rapprochait de Vladimir ; tous deux machinalement venaient s'accoter à la nacelle d'un gros ballon, que maintenaient à terre de lourds sacs chargés de sable.

Le bandit prenait les mains du jeune homme, les étreignait à les briser.

— Vladimir ! lui dit-il, tu es mon fils, oui ! assurément c'est une étrange histoire, elle me trouble au plus haut point, depuis que j'en ai connu les détails. Je t'expliquerai bientôt par suite de quelles circonstances j'ai si longtemps perdu tes traces, ignoré même ton existence. Mais un heureux sort nous rapproche et désormais, unis l'un à l'autre par les sentiments d'affection qui remplissent nos cœurs, nous serons les maîtres invincibles de l'univers tout entier !

« Car, poursuivait Fantômas, en mettant sa main sur l'épaule de Vladimir, je reconnais en toi toutes mes qualités d'audace et d'énergie ; tu es bien le sang de mon sang !

Cependant que Vladimir tressaillait malgré tout et se sentait animé d'une sorte de folle audace, Fantômas ajoutait encore :

— L'univers est à nous !

« Vois plutôt, disait-il, en lui désignant le cadavre de la princesse gisant sur le sol, combien j'hésite peu à me débarrasser des traîtres.

« Vois plutôt, continuait-il en désignant le ciel où venait de disparaître le ballon emportant Juve et Fandor, comme je sais écarter de notre chemin, ceux qui nous veulent du mal !

« Celle que tu avais épousée Vladimir et qui voulut te livrer à la justice, est morte désormais ; nos irréductibles adversaires Juve et Fandor, le seront dans une heure... Tu es à moi Vladimir, nous ne nous quitterons plus, la route est libre... partons !

Mais le fils du bandit — puisque telle devait être la vérité ; Fantômas avait ses raisons sans doute pour prétendre qu'il était le père de Vladimir — semblait plus interloqué, plus extraordinairement surpris que satisfait de se savoir l'enfant du Génie du crime.

En réalité, si Fantômas avait transmis à son fils ses qualités d'énergie et d'audace, il avait infusé dans son sang également, son amour de l'indépendance, et son mépris pour l'autorité.

Vladimir reculait, il toisa Fantômas et articula :

— Vous êtes mon père, dites-vous, cela se peut et je ne regrette point qu'un homme tel que moi ait un père tel que vous.

Il désignait à son tour le cadavre de sa femme.

— Celle-ci est morte, fit-il, et cela vaut mieux, car elle m'obsédait de son amour, car je ne l'aimais plus.

Fantômas ricana :

— C'est moi, fit-il, qui t'en ai débarrassé, et chaque fois que tu trouveras sur ton chemin de semblables obstacles, je saurai t'en défaire. D'ailleurs une autre femme, Vladimir, te compromet et te gêne, elle aura son tour, cela ne tardera pas...

Mais brusquement Vladimir rougissait de colère, il serra les poings et toisa Fantômas.

— De qui voulez-vous parler ? interrogea-t-il avec un frémissement contenu dans la voix.

Calmement Fantômas rétorqua :

— De Firmaine ! Il ne faut pas qu'un homme comme toi, appelé à des destinées semblables aux miennes ait un amour au cœur et une femme à ses trousses. Moi-même, poursuivait-il, se passant la main sur le front, j'ai souffert de la femme comme il n'est pas permis d'en souffrir ; si lady Beltham fut jadis pour moi une compagne dévouée, une maîtresse exquise, une complice parfaite, elle m'a fait plus de mal que de bien, sa mort a rayé de mon âme tout sentiment d'amour, je veux qu'il en soit de même pour toi ; nous n'existerons plus désormais que pour livrer l'un et l'autre le grand combat de haine et de férocité à tout ce qui existe, qui vit, qui possède... Et puis j'ai des vengeances à assouvir dans lesquelles tu me seconderas [1].

Vladimir cependant n'avait prêté aucune attention aux derniers propos de Fantômas. Il n'avait retenu qu'une chose des déclarations du bandit. C'est que celui-ci voulait tuer Firmaine.

Dès lors, Vladimir se rapprocha de Fantômas.

— J'aime Firmaine, articula-t-il d'une voix sourde et décidée, j'aime Firmaine entendez-vous ? et jamais au grand jamais, vous ne toucherez à un cheveu de sa tête !

— Plaît-il ? interrogea Fantômas surpris par l'attitude de son interlocuteur. Oublies-tu donc que je suis le Maître ?

— Je n'ai pas de maître, rétorqua nettement Vladimir, et je n'en veux pas.

Les yeux de Fantômas lançaient des éclairs mais de la prunelle de Vladimir jaillit une flamme de colère.

— Je ne veux pas de maître, reprenait celui-ci, quand bien même ce maître s'appellerait Fantômas, j'aime Firmaine et je la garderai, en dépit de vous !

---

1. Voir dans la série « Fantômas » : *L'Assassin de Lady Beltham*, *La Guêpe rouge*, *Les Souliers du mort* et, dans le présent volume : *Les Amours d'un prince*, *Le Train perdu*.

— Vladimir ! Vladimir ! hurla Fantômas, tu ne sais pas ce que tu dis.
Tu oses te dresser contre ma volonté, comprends donc que c'est pour ton
bien que je te parle, et qu'il faut que cette femme périsse.

Il ajoutait sombrement :

— Elle sait trop de choses, sur ton existence passée, elle pourrait
compromettre ton existence à venir.

Mais Vladimir tenait tête au bandit.

— Je vous défie, jura-t-il, de faire le moindre mal à Firmaine.

— Est-ce donc la guerre ? interrogea Fantômas.

— Comme il vous plaira ! fit Vladimir.

Les deux hommes, un instant, demeurèrent silencieux. La nuit était
entièrement tombée, et leur discussion était sinistre, dans ce vaste parc,
au milieu duquel se balançaient les ballons secoués par un vent furieux.

Ainsi donc, le père et le fils, qui venaient de se retrouver et de se
reconnaître après avoir vécu de si longues années pendant lesquelles ils
s'étaient ignorés, se dressaient l'un en face de l'autre en implacables
adversaires.

La lutte allait-elle donc naître entre Fantômas et son enfant ?

Vladimir allait-il tenir tête au terrible bandit ?

Celui-ci ne pouvait le croire, et il déclara librement :

— Quiconque me résiste est vaincu d'avance ; j'ai dit qu'il me fallait
la mort de Firmaine, elle mourra !

— Alors, articula lentement Vladimir, je saurai me venger de vous,
Fantômas !

« Je sais que vous aimez d'un amour immense et irréductible quelqu'un
d'autre que votre fils... votre fille, Fantômas ! Donnant, donnant : si
Firmaine tombe victime de vos coups, Hélène votre enfant chérie sera la
victime que j'offrirai en échange de votre mauvaise colère.

Fantômas, un instant, haleta.

Vladimir évidemment ignorait que Fantômas savait désormais qu'Hélène
n'était point sa fille mais, encore que cette révélation ait été faite au
bandit, celui-ci n'avait pu arracher de son cœur le sentiment impérieux
qu'il éprouvait pour la jeune fille. Que ce fût son enfant ou non — et
Fantômas avait la certitude désormais qu'il n'était pas le père d'Hélène —,
le bandit ne pouvait s'empêcher d'aimer cette dernière.

Les paroles de Vladimir le troublaient malgré lui. Il avait vu son fils
à l'œuvre, il le savait capable des pires extrémités, l'enfant tenait du père !

D'autre part, Fantômas était singulièrement perplexe en entendant parler
ainsi Vladimir. Pour le menacer dans ce qu'il avait de plus cher, c'est-à-
dire dans la personne d'Hélène, Vladimir devait savoir, et cela d'une façon
précise, ce qu'il était advenu de la jeune fille si mystérieusement disparue
et que Fantômas croyait avoir cachée, dissimulée aux yeux de tous.

Ainsi donc le secret de Fantômas était aussi le secret de Vladimir.

Le bandit hésita.

Il reprit d'un ton doucereux, aimable, s'efforçant de convaincre celui
qu'il croyait si bien subjuguer, en qui il escomptait un fervent allié, et qu'il
lui fallait désormais considérer presque comme un adversaire :

— Vladimir, mon enfant, commença Fantômas, le pire des défauts,
c'est l'ingratitude ; nous, les bandits, qui avons notre honneur comme les

autres, nous nous devons de pratiquer la reconnaissance. Souviens-toi, Vladimir, que si je n'étais pas intervenu, voici une heure à peine, que si je n'avais pas découvert la trahison de ta femme la princesse, qui nous livrait à Juve et à Fandor, c'en serait fait de nous à l'heure actuelle... de toi surtout.

— Pardon, interrompit sèchement Vladimir, j'ai ma part de succès dans cette victoire que nous avons remportée sur nos ennemis communs. Si vous avez prévu l'attaque, Fantômas, c'est moi qui, en faisant tomber Juve et Fandor dans le filet accroché au ballon, vous ai débarrassé de ces adversaires. Nous sommes quittes, l'un vis-à-vis de l'autre... faisons table rase du passé.

Fantômas, cependant, encore qu'il fût exaspéré des propos que lui tenait son fils, n'y répondit pas.

Des bruits furtifs s'étaient fait entendre, et le bandit, toujours aux aguets, prêtait l'oreille, mettait instinctivement la main sur son poignard, prêt à résister, à la moindre agression.

Que se passait-il donc ?

Vladimir lui aussi avait entendu. Il écoutait à son tour. Les deux hommes remarquèrent que quelqu'un marchait non loin d'eux ; ils percevaient sur le sol le frôlement d'un pas léger...

Deux heures avant les tragiques événements qui s'étaient succédé sur l'aérodrome de Boulogne-sur-Mer, quelqu'un — une femme — se dirigeait précisément vers cet aérodrome. Elle arrivait de Paris.

Cette femme, c'était Firmaine.

Elle avait attendu quelque temps, hésitant à aller déranger Maurice dans son travail, et s'était contentée d'errer dans les rues, de coudoyer une foule en liesse, foule exubérante, gaie et joyeuse, mais assurément moins heureuse qu'elle ne l'était.

Or, tout d'un coup, une sinistre nouvelle s'était répandue dans la ville.

On parlait d'un accident, d'un drame, d'un ballon qui venait de s'envoler prématurément, et cela au milieu de la tempête.

On avait vu passer au-dessus de la ville, suspendus à une sorte de filet attaché sous la nacelle, deux hommes que ballottait l'ouragan. Et le ballon avait été emporté avec une vitesse vertigineuse, dans la direction de la pleine mer. Les hommes qu'il entraînait étaient assurément comme lui, perdus.

Désormais, la foule se ruait vers le port, pour savoir si l'on n'allait pas tenter quelque irréalisable sauvetage.

Troublée par un sinistre pressentiment, Firmaine, au lieu de suivre la foule, avait rebroussé chemin, elle s'était dirigée le plus rapidement qu'elle le pouvait vers les hauteurs où était aménagé le parc des ballons, car tout de suite elle avait pensé à Maurice et elle se demandait avec angoisse si l'un des hommes enlevés par le ballon n'était pas celui qu'elle chérissait de tout son cœur. Il y avait bien peu de chances pour cela, mais néanmoins, Firmaine était impatiente de savoir ! elle préférait la vérité quelle qu'elle fût, à l'indécision, à l'ignorance !

Firmaine était donc partie pour l'aérodrome ; elle y arrivait à la tombée de la nuit.

L'indécision de Fantômas avait été de courte durée. D'abord il avait prêté l'oreille pour identifier les bruits, qui le troublaient au moment où il était engagé dans la plus âpre des discussions avec Vladimir.

Soudain, à ses côtés, une ombre s'était profilée, une silhouette s'était précisée. Et Fantômas en l'espace d'une seconde, avait alors reconnu Firmaine. Firmaine qui approchait de lui, sans se douter du danger qu'elle courait. Firmaine qui venait tout simplement au-devant de son amant, au-devant de Maurice.

L'attitude révoltée de Vladimir avait exaspéré Fantômas. Il avait annoncé à son fils qu'il écarterait de son chemin Firmaine, comme il avait écarté, quelques instants auparavant, la malheureuse princesse.

Firmaine s'offrait à lui pour être la seconde victime et dès qu'il l'apercevait, Fantômas se précipitait vers elle, fou de colère, pour la tuer.

Devant la jeune femme interdite, dont les yeux hagards s'ouvraient démesurément à la vue du bandit, il levait son poignard ; la lame d'acier brilla dans la nuit sombre...

Mais à ce moment, Fantômas poussait un cri de douleur et reculait. Un coup de feu venait de retentir. A bout portant, Vladimir avait tiré à la face sur son père ; il avait tiré sur Fantômas...

Le bandit, sans un mot, sans un geste, tomba raide sur le sol...

Firmaine cependant, atterrée par cette scène rapide, s'était enfuie.

Au bout de quelques secondes elle était rejointe par quelqu'un qui la prenait à la taille, la serrait amoureusement contre lui.

C'était Vladimir.

— Firmaine, ma Firmaine, articula-t-il l'attirant sur sa poitrine, n'aie pas peur, c'est moi, je t'aime, je te protégerai...

Et Firmaine défaillait ; ses lèvres devenaient toutes blanches, son corps se faisait lourd, elle s'abandonna dans les bras de son amant ; et celui-ci l'emporta dans une course folle...

Au bout d'une longue demi-heure Firmaine se réveillait comme d'un effroyable cauchemar.

Elle était dans une misérable petite cabane, qu'éclairait la lueur falote d'une bougie.

Au moment où elle s'évanouissait dans les bras de Vladimir, un orage d'une violence extrême avait éclaté et son amant, fuyant en toute hâte sous la tempête, l'avait emportée dans une masure abandonnée, tout à l'extrémité du parc des ballons.

A l'abri, il la ranimait, la faisait revivre ! Firmaine tout d'abord, en voyant le visage de Maurice penché sur le sien, se prit à sourire. Elle tendit ses lèvres à son amant, mais soudain elle recula comme prise d'une terreur subite, d'une crainte effroyable.

— Mon Dieu, mon Dieu ! bégaya-t-elle, est-ce possible ? Maurice... Maurice, tu serais vicomte de Pleurmatin.

Puis elle ajoutait suffoquant d'épouvante :

— Tu es... tu es... Tu es le fils de Fantômas.

Et c'est à peine si la malheureuse pouvait prononcer le nom de terreur et d'angoisse, si elle pouvait articuler les trois syllabes tragiques et sonores qui composaient le nom du plus tragique bandit qu'il y ait au monde.

Cependant, Vladimir regardait Firmaine avec des yeux stupéfaits :

— Comment donc sais-tu, interrogea-t-il d'une voix troublée, méfiante, que Fantômas prétende que je suis son fils ? Qui t'a dit ?...

Mais Firmaine interrompait son amant, et plus blanche qu'une morte, soutenant avec peine sa tête dans ses deux mains longues et fines qui fléchissaient sous le poids, elle balbutia encore :

— Depuis plus d'une heure je vous écoute tous les deux, j'ai tout entendu, je sais ce qu'il en est...

La jeune femme poussait un hurlement d'épouvante.

— La vicomtesse de Pleurmatin... Fantômas a tué la vicomtesse de Pleurmatin, c'est-à-dire ta femme légitime... la princesse Vladimir ; c'est moi désormais qu'il a juré de tuer.

Vladimir, triomphalement, reprenait, cependant qu'il serrait dans ses bras Firmaine.

— Fantômas a tué la princesse Vladimir, ma femme... je l'ai laissé faire parce que cette mort me convenait, et elle me convenait parce que je veux être libre, libre de t'aimer, ma Firmaine, libre d'être toujours tout à toi...

« Mais, poursuivait-il en s'animant, qu'il ne s'avise plus de vouloir jamais toucher à un seul cheveu de ta tête, ou alors il aurait affaire à moi.

Firmaine cependant n'écoutait qu'à moitié les déclarations de son amant.

— Le fils de Fantômas, répétait-elle, abasourdie, épouvantée, se demandant si elle n'était pas subitement devenue folle, si elle n'avait pas soudainement perdu la raison.

Vladimir écrasait Firmaine sur son cœur.

— Le fils de Fantômas, reprit-il, oui, mais peu importe puisque je puis tenir tête au bandit et que même je triomphe de lui.

Firmaine frissonna.

— Fantômas est plus terrible que tout le monde et il fait tout ce qu'il veut, tu es son fils, Maurice, que deviendras-tu ?

— Son adversaire et son vainqueur ! Souviens-toi donc, Firmaine, de ce qui vient de se passer !

La jeune femme écarquillait les yeux.

— Il s'est passé quelque chose ? interrogea-t-elle le plus innocemment du monde comme si elle ignorait les derniers événements et notamment la tentative de meurtre dont elle avait failli être la victime une demi-heure auparavant.

Vladimir la mettait au courant.

— Firmaine, déclara-t-il doucement, Fantômas m'annonçait ton assassinat lorsque tu es apparue ; dès qu'il t'a vue, il a essayé de mettre à exécution son effroyable projet, mais j'étais là, Firmaine, je veillais, je m'attendais à cette attaque de sauvage... je suis intervenu... si tu es vivante, ma Firmaine, si je puis te serrer dans mes bras, c'est parce qu'au moment où Fantômas allait bondir sur toi, j'ai braqué sur lui mon revolver et j'ai tiré à bout portant.

— Alors ? interrogea Firmaine qui suivait fiévreusement le récit de son amant.

— Alors, conclut Vladimir, Fantômas est tombé comme une masse, sans pousser un cri, sans faire un geste.

Désormais, les deux amants s'étreignaient en silence, leurs lèvres se cherchaient, s'unissaient longuement et ils demeuraient serrés l'un contre l'autre, cependant qu'au dehors la tempête faisait rage.

— J'ai peur, murmura Firmaine.

Mais Vladimir, pour toute réponse, lui souriait tendrement.

— Tant que je suis là, déclara-t-il, tu n'as rien à craindre.

Et il ajoutait :

— Je ne suis pas pour rien le fils de Fantômas !

Vladimir redressait la tête et jetait au dehors, à l'inconnu de la nuit qui l'enveloppait, profonde et sinistre, un regard de suprême défi !

La pluie torrentielle, qui depuis plus d'une heure tombait du haut du ciel, détrempait le sol et faisait sur la terre des sillons profonds qui se changeaient en torrents.

Le parc des ballons était transformé en un véritable marécage et peu à peu les grandes sphères gonflées d'hydrogène s'aplatissaient sous le poids de l'eau qui les surchargeait.

Les abords de ce lieu abandonné de tous étaient aussi sinistres que déserts. La nuit régnait profonde et obscure ; rien ne bougeait, rien ne semblait vivre.

Cependant, à un moment donné, des paquets de cordages s'agitèrent lentement ; quelques sacs de lest furent repoussés, doucement, comme avec peine, puis une silhouette humaine surgit du sol détrempé par la pluie ; quelqu'un se dressa, un homme.

C'était Fantômas.

Fantômas méconnaissable, dont les vêtements étaient souillés de boue, détrempés de pluie ; Fantômas qui venait de passer deux heures étendu sur le sol, inerte, sans mouvement ; Fantômas qui se réveillait d'un long évanouissement.

Instinctivement le bandit porta ses deux mains à son visage. Des imprécations sourdes s'échappèrent de ses lèvres, il haleta.

— Que je souffre, bon Dieu !

Et machinalement ses doigts cherchaient ses paupières, les palpaient longuement, les pressaient sans cesse.

Fantômas fit quelques pas en titubant, puis il s'appuya sur le bord d'une nacelle, comme épuisé.

— Quelle nuit ! murmura-t-il, quelle nuit obscure et terrible !

Sous ses vêtements détrempés de pluie, le corps transi du misérable grelottait.

Des frissons irrésistibles secouaient Fantômas des pieds à la tête, ses dents claquaient, ses membres étaient endoloris, mais il n'y prêtait aucune attention. C'était sans cesse ses paupières, ses yeux que cherchaient ses mains ; l'application de ses doigts glacés sur sa face semblait lui donner un peu de soulagement.

Mais Fantômas avait une énergie farouche et encore qu'il souffrît le martyre il se prit à ricaner.

— Ah ! ah ! grommela-t-il d'un air sardonique, Vladimir veut lutter avec moi, il se croit aussi fort que moi... il a osé me frapper, il m'a visé à bout portant... j'ai senti le froid de son revolver sur ma tempe, j'ai éprouvé la brûlure cuisante de la poudre enflammée sur les paupières de mes yeux... Mais Vladimir ignorait une chose. C'est que son arme n'était point chargée... que je l'avais rendue inoffensive... bonne précaution !... Un sanglot, cependant, secouait la poitrine de Fantômas.

— C'est mon enfant, criait-il, qui a voulu me tuer, mon fils que j'aime, mon fils que je viens de retrouver...

Trébuchant au milieu des nacelles de ballons, se frayant un passage à travers les cordages et les sacs de lest, Fantômas, presque à tâtons, s'éloignait désormais du lieu tragique où tant de drames venaient de se dérouler dans l'espace de deux heures.

Et il parvenait à l'extrémité du parc, gagnait la route. La pluie cessait, et, peu à peu, le ciel se débarrassait de ses nuages ; quelques étoiles scintillèrent dans le firmament.

Fantômas, au fur et à mesure que l'obscurité s'atténuait, avait l'impression que ses yeux lui faisaient plus mal encore.

Brusquement, au détour d'un chemin, apparut une chaumière, dont les volets n'étaient point fermés. A travers les vitres de la fenêtre, passait la lueur vive d'une grande lampe allumée à l'intérieur de la demeure.

Fantômas s'arrêta net comme foudroyé par la clarté soudaine.

Instinctivement, avec une vivacité folle, il porta la main à ses yeux et conserva longtemps ses doigts serrés sur ses paupières closes.

— Malédiction, grommela-t-il, la poudre m'a brûlé plus que je ne pensais, voici que mon regard ne peut plus supporter la lumière !

Et Fantômas reculait comme il n'avait jamais reculé devant le plus grand des dangers !

La nature allait-elle vaincre celui que les hommes les plus audacieux n'avaient pu empêcher d'avancer, d'agir, quand il le voulait.

Fantômas était-il désormais infirme, aveugle ?...

II

Dans la tourmente

— Juve !

— Fandor !

Ces appels anxieux, ces cris déchirants avaient retenti, avaient été entendus, en dépit de la tempête qui faisait rage et de l'ouragan qui soufflait à grand fracas.

Le drame s'était produit avec une rapidité, une brusquerie si déconcertantes que c'était à peine si les deux hommes avaient pu se rendre compte de ce qui se passait.

Alors que conduits par la vicomtesse de Pleurmatin, le policier et le journaliste étaient arrivés à l'aérodrome de Boulogne-sur-Mer et étaient sur le point de s'emparer de l'ouvrier Maurice, en qui ils venaient de découvrir le prince Vladimir, soudain, Fantômas avait surgi et, dès lors, Juve et Fandor s'étaient trouvés en présence de ce redoutable adversaire.

Ils n'avaient pas hésité, cependant, et la lutte avait commencé ardente, suprême, lorsque l'un et l'autre étaient tombés dans le piège que leur tendait le bandit.

Ils marchaient sans défiance sur un filet de ballon, traîtreusement étendu par terre, puis, tout d'un coup ce filet se refermait sur eux, à la manière d'un sac et ils se sentaient soulevés, arrachés du sol, par une force invincible. Le guet-apens avait été bien ourdi, et ce filet suspendu à l'extrémité de la nacelle d'un ballon, soudain lâché, s'élevait dans les airs, emportant avec lui son fardeau précieux.

Le ballon s'était élevé d'un seul bond à dix ou quinze mètres du sol, puis il était resté, dans les airs, immobile quelques instants. La lourde sphère semblait hésiter sur le chemin qu'elle allait suivre ; or, pendant ce court délai, Juve et Fandor, emprisonnés dans leur filet, ne pouvaient faire un mouvement, un geste, mais ils entendaient et voyaient ce qui se passait au-dessous d'eux.

Et c'est pourquoi ils avaient été témoins du drame rapide et sanglant qui s'achevait par l'assassinat de la vicomtesse de Pleurmatin, c'est-à-dire de la princesse Vladimir, que Fantômas tuait.

Mais s'ils avaient vu cela, ils entendaient, d'autre part, quelque chose qui les surprenait au plus haut point, et les plongeait dans une stupéfaction telle, qu'ils en oubliaient, pour un instant, l'extraordinaire et critique situation dans laquelle ils se trouvaient.

Fantômas, en effet, de sa voix railleuse et pleine de menaces, leur avait crié une nouvelle à laquelle ils étaient à cent lieues de s'attendre, qu'il leur était impossible de soupçonner.

Fantômas leur avait dit :

— Le vicomte de Pleurmatin, l'ouvrier Maurice, le prince Vladimir ne font qu'un comme vous savez, mais ce que vous ignorez c'est que cet homme que vous vouliez arrêter, c'est mon fils... Vladimir est le fils de Fantômas !

Puis, le ballon entraîné par la tourmente s'était élevé dans les cieux au milieu des nuages !

Dès lors, ballotté comme un fétu de paille dans l'ouragan et la tempête, il passait avec une vitesse vertigineuse au-dessus des toits de la ville de Boulogne, puis, surplombait la mer, la mer houleuse, toute grise, surchargée de brumes et de brouillards.

Juve et Fandor étaient serrés l'un contre l'autre, enfermés dans ce filet qui se resserrait sur eux et dans lequel il leur était impossible de faire le moindre mouvement. D'un simple coup d'œil, ils s'étaient rendu compte de leur position par rapport au ballon. Le filet, dans lequel ils se trouvaient, était attaché à la partie inférieure de la nacelle par un robuste câble, long de deux ou trois mètres.

Il suffisait que ce câble vienne à se rompre ou à se détacher pour que leur chute, dans le vide, soit certaine ; d'autre part, ils se rendaient compte que si le filet dans lequel ils se trouvaient prisonniers, continuait à rester fixé au ballon, leur situation ne serait guère meilleure, car l'aérostat, entraîné par la tempête, menaçait, évidemment, d'aller se perdre au large.

En vain, les deux hommes essayèrent-ils de se hisser jusqu'à la nacelle, afin de pouvoir — suprême espérance — tirer la corde de déchirure... la chose était impossible !

Le ballon, secoué dans la rafale, après s'être élevé à une haute altitude, descendait avec rapidité ; à deux ou trois reprises, Juve et Fandor, toujours emprisonnés dans leur filet, heurtèrent la surface de la mer, touchèrent la crête des lames, furieusement soulevées par le remous. Puis le ballon rebondissait, remontait dans le ciel, pour redescendre encore comme épuisé par une lutte trop violente contre les éléments déchaînés.

— Juve, nous sommes foutus ! articula Fandor.

— Je le crois, répliqua le policier.

Et cependant les deux hommes, en dépit de leur horrible situation, ne pouvaient s'empêcher d'exprimer des sentiments qui leur troublaient l'esprit au plus haut point, au point même que la mort menaçante semblait leur indifférer complètement.

— Avez-vous entendu ? interrogea Fandor... Fantômas nous a dit que Vladimir était son fils !...

Le policier hochait la tête, cependant que, de ses bras nerveux, il s'agrippait aux mailles du filet, et essayait de s'assurer une position un peu moins fatigante que celle qu'il occupait.

— Voici déjà plusieurs mois, dit-il, que la personnalité de ce Vladimir me paraissait suspecte, je me doutais qu'il avait une origine mystérieuse ; je ne pouvais supposer, toutefois, que ce bandit avait pour père le Génie du crime...

Soudain, Fandor poussa un cri.

— Qu'y a-t-il, petit ? interrogea Juve, douloureusement inquiet, car il redoutait quelque blessure, quelque événement fortuit qui allait précipiter le drame de leur agonie.

Mais Fandor ne semblait point souffrir ; au contraire, il riait ! il riait encore, qu'il venait d'être fouetté par une lame si violente qu'elle aurait pu lui casser les reins.

— Il y a, cria Fandor d'une voix toute vibrante d'émotion, que si Vladimir est le fils de Fantômas, il se peut alors qu'Hélène ne soit pas la fille du bandit.

Hélène !

A ce nom, les yeux du journaliste, soudain, se remplissaient de larmes.

— Mon Dieu ! mon Dieu ! balbutia-t-il, je ne la reverrai jamais !... c'est fini !... fini.

Et le malheureux se roidissait : depuis de longues minutes il faisait de terribles efforts pour résister aux souffrances qu'il éprouvait, aux courbatures inouïes qui menaçaient de paralyser son corps meurtri.

Mais Juve qui se tenait d'une main au filet, de l'autre, secoua Fandor par l'épaule :

— Courage, Fandor ! cria-t-il, courage, tout n'est pas perdu...

Le policier, en l'espace d'une seconde, avait envisagé la situation.

Il s'était rendu compte que, lorsque le ballon descendait au ras des flots, le vent l'entraînait dans la direction de la haute mer ! mais il avait remarqué, en outre, que lorsque le ballon remontait à cinquante ou soixante mètres, un courant de vent contraire paraissait le ramener dans la direction de la terre.

Si donc l'aérostat pouvait se maintenir à cette dernière altitude, il avait toutes chances de revenir au-dessus du sol. Dans ce cas, on pouvait espérer un sauvetage quelconque.

Pour permettre au ballon de se maintenir dans le courant des vents favorables il fallait donc l'alléger.

En quelques mots, Juve expliquait à Fandor la situation.

Celui-ci comprenait aussitôt, et d'une voix très calme, très naturelle, il articula :

— J'en conclus, Juve, que le ballon est trop lourd, que nous allons tous les deux à une mort certaine et que si l'un de nous se sacrifie, l'autre est à peu près sûr d'être sauvé.

— C'est exactement mon opinion, approuva Juve.

Mais le policier, aussitôt, tressautait. Fandor venait de déclarer :

— Mon bon Juve, je vous dis adieu !

Et le journaliste, sortant un canif de sa poche, s'apprêtait déjà à couper les mailles du filet dans lequel il était enfermé, pour en sortir et se jeter à la mer.

— Que fais-tu, Fandor ? s'écria Juve, alarmé.

Le journaliste eut la force de sourire :

— Vous le voyez bien, Juve, si je puis m'exprimer ainsi, « j'ouvre la porte et je vous tire ma révérence ! »

Le policier s'accrochait au bras de Fandor, il lui arrachait des mains le canif avec lequel il voulait couper les mailles du filet.

— Tu ne feras pas cela, Fandor !

— Pourquoi, Juve ?

— Parce que, poursuivit le policier c'est moi qui m'en irai... tu sais bien que je suis un nageur de premier ordre, peut-être parviendrai-je à me tirer d'affaire.

Mais le journaliste souriait avec ironie.

— Regardez, fit-il simplement.

Et il baissait les yeux : Juve observa comme lui la surface de la mer en furie, au-dessus de laquelle ils se trouvaient, à quelques mètres à peine. Il apparaissait nettement qu'il était impossible de nager, voire même de se maintenir, dans ces eaux qui tourbillonnaient.

Fandor reprit :

— D'abord, vous me vexez Juve, je suis aussi bon nageur que vous.

Cependant, le policier intervenait à nouveau.

— Écoute petit, fit-il, d'une voix qui ne tremblait pas ; il faut envisager la situation, avec calme et netteté : il est bien évident que celui d'entre nous qui se jettera à l'eau, a mille chances contre une de ne pas en sortir vivant. Mais il est évident aussi que celui qui restera dans ce filet, et sera ramené par le ballon dans la direction de la terre, a quelques chances de plus de se sauver.

— C'est exact, fit Fandor, mais je ne vois pas où vous voulez en venir ?

— A ceci, fit Juve péremptoirement, c'est moi qui pars, c'est toi qui restes, j'y tiens...

— Pourquoi ? demanda Fandor, qui, désormais, immobilisant le poignet de Juve, comme Juve avait arrêté sa main tout à l'heure, l'empêchait de couper le filet pour en sortir...

« Vous n'avez pas plus de raison, poursuivit-il, de vous sacrifier que moi... tout au contraire ! Mon existence n'a nulle importance à côté de la vôtre, et vous devez vivre par devoir, Juve !... Vous êtes attaché à la poursuite de Fantômas, il vous appartient de triompher du bandit et de vous garder vivant pour continuer la lutte et la mener à bonne fin...

Mais Juve répliquait :

— Il t'appartient de vivre Fandor, parce que tu aimes et que tu es aimé. Hélène compte sur ta protection, sur ton amour, tu n'as pas le droit de mourir.

— Vous n'avez pas le droit de me quitter, Juve...

Les deux hommes se considéraient avec des larmes dans les yeux.

— Reste, Fandor, insista encore une fois Juve.

— Ne faites pas un mouvement Juve, déclara Fandor, sans quoi, je vous devance dans les flots !...

Ils étaient obligés de s'interrompre ; encore une fois le ballon, précipité sur la mer par une rafale, plongeait le filet dans lequel étaient emprisonnés les deux hommes, au cœur d'une vague. Ils en sortaient à demi étouffés, trempés, ruisselants, mais leur visage s'était rasséréné.

— Juve !

— Fandor !

Ils s'étaient compris !

Pour rien au monde ils ne s'abandonneraient, la belle lutte de générosité qu'ils venaient d'avoir leur prouvait que leurs décisions étaient aussi irréductibles l'une que l'autre ; ou ils périraient tous les deux, ou tous les deux seraient sauvés ensemble !

Hélas ! c'était la première hypothèse qui semblait devoir se réaliser.

Le ballon, que secouait la tempête, s'affaissait de plus en plus et les malheureux, transis, glacés, devenaient de moins en moins aptes à réagir, à lutter.

Au surplus, chaque minute qui s'écoulait, augmentait la distance qui les séparait de la terre ferme. A un moment donné, ils avaient eu l'impression que le tourbillon de la tempête les rapprochait de la terre, mais un autre courant les en avait éloignés ; désormais, ils se sentaient perdus, perdus dans l'immensité des flots déchaînés !

Désormais, Juve et Fandor ne disaient plus un mot ; tous deux avaient compris que l'instant suprême était proche, que l'heure fatale allait sonner ; seul un miracle pouvait les arracher à la mort, mais ce miracle, ils ne pouvaient l'escompter. La rafale se fit de plus en plus violente, et les naufragés de l'air, aveuglés par les tourbillons qui les enveloppaient, perdaient conscience !

Ils étaient sans cesse ballottés, suffoqués par les flots dans lesquels ils tombaient, ou alors, étourdis par la tempête, au milieu de laquelle le ballon désemparé les secouait par ses bonds prodigieux.

Tout d'un coup, deux cris retentirent, deux cris d'angoisse effroyable, deux cris qui n'avaient rien d'humain ; c'étaient deux hurlements qui, brusquement, s'arrêtèrent net, en même temps qu'une sorte de détonation retentissait, et que commençait une chute vertigineuse, qui durait à peine quelques secondes.

Le filet contenant Juve et Fandor était à ce moment à une dizaine de mètres environ au-dessus de la surface des flots. Or, les deux hommes venaient d'avoir l'impression très nette que le ballon se déchirait, et dès lors, que la nacelle tombait avec eux.

— Adieu, Juve !...
— Adieu, Fand...

Sur la jetée, tout à l'extrémité, sur la jetée que balayaient les lames, à l'entrée du port de Boulogne, une foule nombreuse se pressait. Elle hurlait :

— Bravo ! bravo !

Il y avait là des gens de toutes sortes, mais en plus grand nombre des marins, des pêcheurs, des gens accoutumés à la mer. Or, ceux-ci ne pouvaient se défendre de manifester leur admiration sans bornes pour le spectacle qu'ils voyaient.

Fonçant à travers les lames, une chose noire et longue qui vomissait de la fumée, semblable aux gros nuages amoncelés dans le ciel, quittait l'avant-port et gagnait la mer. Cette chose longue et noire roulait abominablement dans les flots déchaînés, apparaissait par moments, disparaissait à d'autres, semblant engloutie, puis revenait à la surface, pointait de l'avant ou roulait de l'arrière.

C'était le torpilleur 27, qui partait à la recherche des naufragés de l'air !

A peine avait-on vu de l'aérodrome s'élever le ballon emmenant Juve et Fandor, que l'on s'était rendu compte qu'il ne s'agissait là, non point d'un départ volontaire, mais bien d'un accident. Certes, on ne pouvait supposer que si ce ballon quittait un terre, avec des hommes suspendus dans un filet en dessous de la nacelle, c'était par le fait de la volonté de quelqu'un, par la volonté de Fantômas, mais on avait acquis aussitôt la certitude que les malheureux qui se trouvaient ainsi entraînés couraient les plus graves dangers.

Dans le port, il y avait quelques navires sous pression et notamment des torpilleurs, qui, depuis plusieurs jours, attendaient un temps propice pour se rendre à Dunkerque.

Jean Derval, lieutenant de vaisseau, qui commandait le torpilleur 27 avait été des premiers témoins de l'envolée tragique du ballon.

Précisément, il était à bord ; il faisait visiter son petit navire à un de ses amis, un médecin des hôpitaux de Paris, le docteur Hubert, qui s'intéressait prodigieusement à la vie originale et rude de l'équipage d'un torpilleur.

Le docteur, à ce moment, était dans les soutes, avec un second maître.

Jean Derval était remonté sur la passerelle du torpilleur. Depuis deux heures déjà, il attendait l'ordre de partir, pour gagner Dunkerque, tout l'équipage était à son poste, les feux allumés.

En voyant passer le ballon au-dessus de sa tête, Jean Derval n'avait pu s'empêcher de proférer spontanément un ordre qu'avec une régularité militaire, ponctuelle, ses subordonnés transmettaient.

Jean Derval avait crié :

— Attention ! et en avant, doucement !...

Il avait parlé presque sans s'en rendre compte, si bien qu'aussitôt après, c'était presque avec surprise que Jean Derval sentait tressaillir les flancs du torpilleur, qu'il voyait naître à l'arrière des flocons d'écume et à l'avant deux vagues, créées par l'avant du torpilleur qui fonçait dans les flots. Que faisait-il ? qu'avait-il donc décidé ?

Le commandant Jean Derval s'en rendait compte ; la chose était très simple, il partait, il sortait du port, il gagnait la haute mer, courait à la recherche, à la poursuite du ballon.

C'était insensé et périlleux, c'était un acte que, vraisemblablement il n'aurait pas accompli s'il y avait réfléchi, car Jean Derval n'avait pas le droit de sacrifier son équipage et son navire. Il estimait la tentative folle au point que lorsqu'on doubla quelques secondes après le départ l'extrême pointe de la jetée, Derval, en voyant l'état de la mer, eut une seconde d'hésitation.

Fallait-il être prudent, virer de bord et revenir ?

A ce moment quelqu'un s'approcha de lui, quelqu'un qui sortait des flancs du navire, son ami le docteur Hubert.

— Bravo Derval, lui dit-il, je viens de comprendre ce qui se passe, et j'admire votre bel acte, bravo, mon ami, je suis heureux de m'être trouvé à bord, afin de pouvoir participer au sauvetage que vous méditez...

Jean Derval regarda le docteur.

— Vous savez, lui dit-il, que si nous ne revenons pas immédiatement, c'est la course à la mort que nous allons entreprendre ? Je me demande si j'en ai le droit.

Le docteur souriait, puis, il haussa les épaules.

— Vous êtes bon marin, affirma-t-il, vous sauverez votre navire ; toutefois, si vous avez des inquiétudes au sujet de votre équipage, faites-le donc juge du cas... et vous verrez ce que vos hommes répondront.

Jean Derval se tut. Il n'avait pas besoin d'interroger ses matelots pour savoir ce que ceux-ci lui diraient.

Parbleu ! leur opinion serait unanime, il fallait, coûte que coûte, marcher, rattraper le ballon que l'on voyait au loin rasant les flots, il fallait risquer le tout pour le tout, faire l'impossible pour sauver les malheureux, perdus dans la tempête.

Et dès lors, Jean Derval, cramponné à la barre d'appui de la passerelle, se contentait de donner ses ordres.

— Forcez les feux, en avant partout !...

Dès lors, le torpilleur fonça littéralement dans la mer en furie ; il bondit sur les vagues ; toutes les membrures du navire d'acier craquaient ; on avait l'impression qu'à chaque instant le frêle et long navire allait se rompre en deux. Les matelots avaient deviné ce qu'on allait faire. Et cependant que chacun se tenait à son poste, dans les soutes, les chauffeurs ruisselants de sueur, gavaient les foyers, activaient les feux, tout le navire trépidait effroyablement.

Jean Derval ne quittait pas le gouvernail, et sans souci des précautions à prendre, sans se préoccuper des courants et des vagues, il pointait droit devant lui, au plus près, le cap sur le ballon.

Pendant trois quarts d'heure, le torpilleur luttait de vitesse avec l'aérostat désemparé ; le docteur Hubert était resté sur la passerelle à côté de son ami. Les deux hommes étaient ruisselants, aveuglés par les lames qui se brisaient, par les paquets de mer.

Mais, peu leur importait ! La chasse qu'ils livraient, était bien trop passionnante, bien trop ardente, pour troubler leur attention !...

— Docteur, proféra le commandant Jean Derval, désormais ces hommes vous appartiennent, faites au mieux.

Puis, l'officier remonté sur la passerelle commanda :

— Doucement, ralentissez les feux, nous rentrons à petite allure.

Le torpilleur 27 avait viré de bord. Et, désormais, porté par la lame, il éprouvait de moins brusques secousses qu'auparavant.

La nuit était tombée ; c'était une obscurité noire, de temps à autre percée par les feux tournants de la côte. On se rapprochait de Boulogne et Jean Derval ne pouvait s'empêcher, en dépit du terrible voyage qu'il avait encore à accomplir pour ramener son navire sain et sauf, de trépigner de joie.

La face énergique et hâlée du lieutenant de vaisseau était toute rayonnante.

— Je les ai tirés d'affaire, s'écria-t-il... j'ai pu les arracher à la mer... les malheureux ! Quelques secondes de plus et les flots les engloutissaient...

Ce que ne pensait pas le commandant Jean Derval, qui était tout à la joie d'avoir sauvé les naufragés de l'air, c'était qu'il avait fait preuve d'une audace inouïe et d'une extrême habileté.

Jean Derval, en effet, qui menait supérieurement son torpilleur, avait rejoint le ballon désemparé au moment où celui-ci, faisant explosion, tombait à la mer et s'y engloutissait. Jean Derval, dont l'œil de marin exercé, n'avait rien perdu de ce drame, repérait aussitôt l'endroit où s'engloutir le filet contenant les deux hommes. Il était arrivé droit sur ce point, ses marins merveilleusement entraînés avaient surgi avec des gaffes ; quelques secondes après, exécutant à la lettre les ordres de leur chef, les matelots amenaient sur le torpilleur le filet contenant deux malheureux hommes inertes.

On les avait descendus dans le carré des officiers, et c'est alors que Jean Derval avait dit au docteur Hubert :

— Ces hommes désormais vous appartiennent.

Puis, il était remonté reprendre la direction de son navire. Jean Derval, en effet, avait accompli son devoir, il avait arraché sa proie à la mer, désormais, c'était au représentant de la science médicale qu'il incombait de les rappeler à la vie.

— Bah ! pensait Jean Derval, c'est un bain, un bain voilà tout... ils se tireront d'affaire.

Le courageux officier à la nature si foncièrement honnête et brave, se réjouissait à l'idée qu'il allait rentrer à Boulogne, ramenant les deux êtres humains, miraculeusement sauvés !

— Jean Derval ! appela soudain une voix qui s'élevait des flancs du torpilleur.

L'officier tourna la tête ; par un des panneaux ouverts, apparaissait le docteur Hubert.

— Jean Derval, demanda celui-ci, d'une voix hésitante, quels sont les usages dans la marine lorsque, par exemple, un navire ramène à son bord, une bière, un cercueil ?...

— Je ne comprends pas ?... interrogea Jean Derval stupéfait.

— Je veux dire, précisa le docteur, n'y a-t-il pas un signe extérieur, apparent, que l'on arbore lorsque l'on a à bord d'un bateau, un cadavre, un mort ?

Cette fois, le lieutenant de vaisseau avait saisi. Il sentit son cœur battre. un grand désappointement se peignit sur son visage.

Toutefois, il n'exprima point de regrets superflus et sans utilité ; il se contenta d'articuler :

— Dans ce cas, on met le pavillon en berne.

Hubert considérait son ami, cependant que celui-ci répondait, d'un air énigmatique, un peu railleur, qui, assurément, n'était guère de circonstance dans la tragique situation.

— Eh bien, mon cher, faites donc le nécessaire !...

Sur la jetée de Boulogne, encore que la nuit fût venue, la foule était devenue plus nombreuse encore qu'auparavant. La ville entière était réunie sur le port. Elle attendait le retour du torpilleur que l'on avait perdu de vue.

Or, désormais, l'émotion allait grandissant, car à deux ou trois reprises, on avait signalé son approche. L'éclat du feu tournant, qui balayait la mer de son faisceau lumineux, avait permis de repérer le torpilleur 27, celui-ci revenait bien, il n'était plus qu'à quelques milles de distance.

De longs murmures de satisfaction, des applaudissements retentissaient et l'angoisse de la foule s'atténuait au fur et à mesure que se rapprochait le torpilleur. Mais une anxiété nouvelle troublait le cœur de ces braves gens. Le torpilleur avait-il réussi à sauver les naufragés de l'air ?

Soudain, dans la foule, des nouvelles se répandirent, et coururent de l'un à l'autre, détournant un moment l'attention du navire dont on attendait l'arrivée.

Elles étaient si extraordinaires, si stupéfiantes et si terribles, ces nouvelles, que nul d'abord ne voulait y croire, puis il fallait bien, ensuite, se rendre à l'évidence.

Alors, la foule, qui commençait à devenir joyeuse, s'épouvantait, semblait terrifiée.

Que disait-on ?

Qu'avait-on découvert ?

C'était invraisemblable, inouï !

Des gens revenaient de l'aérodrome où ils étaient accourus pour savoir ce qui s'était passé ; or, on venait de découvrir, au milieu des cordages et sacs de lest demeurés dans le parc, le corps d'une femme, d'une femme assassinée. Les uns disaient qu'il s'agissait de la vicomtesse de Pleurmatin, d'autres désignaient une certaine princesse Vladimir !

En fait, les autorités officielles avaient établi que la mystérieuse morte était une seule et même personne ; ils avaient trouvé sur elle des papiers justifiant qu'elle était la princesse Vladimir, et qu'elle portait, pour un motif inconnu, le nom de vicomtesse de Pleurmatin.

Mais, d'autres gens, qui venaient aussi de l'aérodrome, rapportaient également des choses plus inquiétantes ; ils avaient entendu des coups de feu, des détonations, le bruit d'altercations violentes, puis des voix avaient proféré un nom tragique, terrible, émouvant au possible : le nom de Fantômas !

On avait su aussi que Juve et Fandor étaient là, et l'on supposait que, vraisemblablement, ce devait être eux que le ballon tragique avait emportés.

Que s'était-il donc passé ?

Toute la population désormais tremblait d'épouvante, comme si un grand souffle de mort l'avait effleurée.

Le nom terrible de Fantômas était sur toutes les lèvres ; on se rendait compte qu'il y avait quelque chose d'effroyable, qu'on ne comprenait pas bien et que le sinistre bandit, le Génie du crime, devait être le puissant et tragique organisateur de tous les événements qui étaient survenus !

Les commentaires pleins d'angoisse allaient leur train.

Ils s'arrêtèrent brusquement.

Un coup de sifflet rauque venait de retentir, puis les projecteurs du port éclairèrent soudain une chose longue et noire qui pénétrait entre les jetées.

— Le torpilleur qui rentre ! cria-t-on.

C'était, en effet, le torpilleur 27 qui revenait au port !

Dès lors, de la foule, s'éleva spontané, sincère, un cri d'admiration ; des bravos enthousiastes retentirent.

Ils cessèrent soudain aussi pour faire place à un long murmure de désappointement !

Et, instinctivement, comme si la foule s'était donné le mot les hommes, au passage du torpilleur, se découvrirent et les femmes se signèrent, le pavillon était en berne.

Le torpilleur 27 ramenait des morts.

III

Manchot !

— Ah ! évidemment, monsieur le commissaire de police, tout cela est désastreux, épouvantable, mais enfin les ennuis que nous avons à déplorer ne sont rien à côté de la douleur que vont éprouver les infortunées familles des victimes de Fantômas... car il n'y a pas de doute, monsieur le commissaire de police, on retrouve dans cette horrible aventure la trace indiscutable du sinistre bandit. Le meurtre de cette malheureuse princesse Vladimir, sur laquelle il s'était acharné, paraît-il, et qui, sans doute pour le fuir, avait dû se dissimuler sous le nom de vicomtesse de Pleurmatin, en est la meilleure preuve. D'autre part, l'accident épouvantable que le forban a certainement déterminé et qui a occasionné la disparition de ces deux braves gens, Juve et Fandor, confirme nos hypothèses. Moi-même, monsieur le commissaire de police, je vous avoue que je suis peu rassuré, fort inquiet même, de savoir dans nos parages le Génie du crime.

L'homme qui s'exprimait ainsi disait assurément la vérité.

Malgré le calme qu'il s'efforçait d'affecter, il était certainement très troublé.

C'était M. Vialet, maire de Boulogne.

Il était dix heures du soir et le magistrat municipal était dans son cabinet, en conférence avec le commissaire de police qu'il avait convoqué d'urgence. Le commissaire de police depuis quelques heures était surmené ; il était sans cesse appelé de tous les côtés ; à peine revenu de l'aérodrome où il avait été relever le cadavre de la victime de Fantômas, et où il l'avait identifié en même temps, il s'était rendu sur le port au moment même où le torpilleur 27 revenait avec son pavillon en berne signifiant ainsi que s'il était allé, au péril de sa sécurité, rechercher dans la mer démontée le ballon perdu et ses involontaires passagers, il était revenu de son aventure dangereuse avec la triste gloire de ne rapporter que des cadavres.

Le commissaire de police, ayant vu comme tout le monde le pavillon en berne, était accouru aussitôt à la mairie où il avait trouvé M. Vialet qui, depuis plus d'une heure, le faisait chercher partout. Et, en quelques mots, le commissaire avait mis le maire au courant des derniers événements.

— Les victimes du ballon, disait-il, Juve et Fandor, viennent d'être rapportés par le torpilleur. Hélas ! à en juger par la disposition du pavillon, il y a tout lieu de croire que le navire ne rapporte que des cadavres.

Et c'est alors que le maire avait douloureusement souligné cette nouvelle information.

M. Vialet cependant reprenait :

— En tout cas, mon cher ami, fit-il en s'adressant au commisaire, les deuils successifs qui surviennent nous font un pieux devoir d'interrompre les fêtes organisées en ce moment à Boulogne. Je sais que cela fera du tort à notre commerce local, mais la bienséance veut que nous rendions ce suprême hommage, tout au moins à la mémoire d'un homme tel que Juve !

Le maire venait à peine de prononcer ces mots qu'un des employés de la mairie pénétrait dans son cabinet.

— Quelqu'un, fit le serviteur, désire parler à monsieur le maire... et tout de suite.

Il tendait une carte de visite.

M. Vialet y jeta les yeux, puis poussa un cri de surprise.

— Ça n'est pas possible, s'écria-t-il en même temps qu'il ordonnait au domestique :

« Faites entrer.

Le commissaire à ce moment se retourna ; en voyant apparaître le visiteur, à son tour, il poussa une exclamation :

— Juve ! Juve ! ah ! mon Dieu !

Le nouveau venu cependant, ne paraissait guère préoccupé de l'émotion occasionnée par son apparition.

C'était Juve, en effet, qui pénétrait dans le cabinet du magistrat municipal. Il était tout pâle et vêtu de vêtements qui ne lui allaient en aucune façon. Il portait un accoutrement mi-civil, mi-marin.

En quelques mots, il s'expliqua de sa voix calme, pondérée ; Juve articula :

— Nous l'avons échappé belle, monsieur le maire, mon ami Fandor et moi... encore un coup de Fantômas, que nous réussissons à parer. Mais j'avoue que, sans la courageuse initiative du commandant Jean Derval dont le torpilleur est arrivé juste à point, c'en était irrémédiablement fait de nous !

« Excusez ma tenue, ajoutait-il avec un sourire, les braves matelots du torpilleur et le docteur Hubert qui se trouvaient à bord m'ont fort aimablement donné ces habits de rechange sans quoi je n'aurais jamais osé me présenter devant vous !

— Ah ça ! interrompit le commissaire de police, puisque vous êtes sauvé, monsieur Juve, et votre ami Fandor aussi, quels sont donc les morts que rapporte le torpilleur 27 ?

— Aucun, heureusement, fit le policier.

— Cependant, poursuivit le commissaire, son pavillon était en berne ?

— Oui, dit Juve, c'est là une petite supercherie de ma part et aussi une précaution. Je voulais rentrer à Boulogne inaperçu pour donner le change à Fantômas qui, vraisemblablement, a su qu'on avait envoyé un torpilleur à notre recherche et qui devait être fort anxieux du résultat de la tentative.

« Désormais, comme tous les habitants de Boulogne, Fantômas doit nous croire morts, bien morts !

— Bravo ! s'écria le commissaire.

En proie à une extrême émotion, M. Vialet serrait chaleureusement les mains de Juve.

— Je suis bien heureux, bien heureux, articulait cet excellent homme, de vous savoir vivant ! Quelle existence doit être la vôtre, qui vous acharnez avec un si beau courage à la poursuite de cet effroyable Fantômas !... Je ne suis pas poltron, mais j'avoue qu'à votre place...

Juve l'interrompait avec modestie :

— C'est mon métier que j'exerce, déclara-t-il simplement, il n'y a pas lieu de me féliciter.

Cependant, le commissaire de police s'adressait à M. Vialet :

— Conformément à vos instructions, monsieur le maire, je m'en vais de ce pas, faire imprimer des affiches pour décommander les fêtes de demain.

Juve entendait cela et questionna :

— Pourquoi donc ?

— Mon Dieu, fit le maire, ces événements, ces drames sont trop émotionnants pour que la population puisse demain se réjouir encore... je sais bien que cela va nuire à notre commerce, mais enfin que voulez-vous ?

Juve intervint :

— Je veux, monsieur le maire, je vous supplie même de ne rien interrompre, bien au contraire. Il ne faut pas contremander les fêtes, cela a d'abord un intérêt industriel et commercial considérable et, en outre, cela sert mes projets. Dès demain, j'espère me rencontrer avec Fantômas, tout au moins retrouver ses traces, et j'escompte vivement l'animation créée par les fêtes pour atteindre mon but.

— Est-ce possible ? s'écria le maire, vous croyez que Fantômas aurait l'audace de rester à Boulogne ?

— J'en suis convaincu, fit Juve, lui et ses complices n'ont pas dû s'éloigner.

Les trois hommes discutèrent encore quelques instants puis, sur l'insistance du policier, M. Vialet déclarait enfin :

— C'est donc une affaire entendue. Les fêtes auront lieu, mais si jamais, monsieur Juve, on me fait des reproches à ce sujet, je dirai que c'est sur votre insistance qu'elles n'ont pas été décommandées.

Juve serrait la main de M. Vialet.

— C'est une affaire entendue, j'accepte la responsabilité de la décision que vous voulez bien prendre...

En dépit des tragiques événements de la veille, Boulogne s'éveillait le lendemain matin dans une gaieté turbulente ; le temps s'était amélioré et le ciel uniformément bleu était complètement débarrassé des terribles nuages qui l'avaient assombri la veille et qui avaient déterminé de si tragiques aventures.

Assurément chacun — car c'était là la conversation générale — déplorait l'assassinat par Fantômas de cette princesse Vladimir, et surtout la population pleurait la triste fin — car elle ignorait qu'ils étaient sauvés — de Juve et de Fandor.

Mais comme disaient les philosophes : « Que pouvait-on y faire ? L'irrémédiable était acquis. Les choses devaient suivre leur cours. »

Or, le programme des fêtes de la journée était fort chargé.

On commençait dans la matinée par des joutes à la lance, sur l'arrière-bassin du port. L'après-midi, devait avoir lieu le fameux départ des ballons qui n'avait pu s'effectuer la veille et qui paraissait certain ce jour-là, vu la clémence de l'atmosphère.

Enfin, entre temps, devait prendre place la cérémonie la plus importante du programme, l'inauguration, sur la place du 14-Juillet, de la maquette en plâtre de la statue de bronze que la ville de Boulogne, avec le concours des souscriptions privées, devait prochainement ériger en l'honneur du premier des aéronautes ayant tenté la traversée de la Manche, Pilâtre de Rozier.

C'était un statuaire connu, plein de talent, qui avait effectué le projet du monument. La maquette était enfermée sous une sorte de grande tente en toile dans laquelle devaient se prononcer les indispensables discours devant les délégations officielles, les fonctionnaires et l'élite de la population.

Cette cérémonie allait commencer à trois heures ; plus de mille personnes étaient invitées à y assister, on avait à cet effet installé, sous la grande tente, des banquettes où chacun pouvait prendre place.

Juve et Fandor, dissimulés dans la foule depuis le matin, s'amusaient à entendre les commentaires, que chacun formulait à leur égard.

Parfois même, ils prenaient part aux conversations et encore qu'ils fussent très modestes l'un et l'autre, nullement soucieux de réclame, ils ne pouvaient s'empêcher d'éprouver une douce émotion en apprenant l'estime dans laquelle ils étaient tenus tous les deux.

Avec une touchante unanimité on déplorait leur fin tragique, et Fandor s'étant permis, à un moment donné de dire dans un groupe qu'« après tout ce policier et ce journaliste que l'on portait aux nues, n'étaient pas aussi extraordinairement courageux qu'on le croyait », il avait failli se faire écharper.

Juve et Fandor toutefois, s'inquiétaient moins des commentaires que leur mort supposée déterminait que de Fantômas.

S'ils erraient dans la foule depuis le matin et s'ils se mêlaient encore à la population dans l'après-midi c'était parce qu'ils espéraient que leur implacable adversaire, que le terrible bandit, avec l'audace dédaigneuse qui lui était coutumière, ne manquerait pas lui aussi, s'il se trouvait toujours à Boulogne — et cela était présumable —, de se promener dans les rangs pressés de la population.

Dans ce cas, il était sûr de son affaire ; si Juve et Fandor le rencontraient, ils n'auraient qu'à prononcer son nom.

— Fantômas !

Ils n'auraient qu'à le désigner du geste, et vingt mille personnes aussitôt s'acharneraient sur lui.

Fantômas, toutefois, ne se montrait pas !

... Juve et Fandor étaient arrivés sur la place du 14-Juillet ; le policier désignait au journaliste la grande tente en toile sous laquelle se trouvaient la maquette de la statue de Pilâtre de Rozier et les mille invités choisis par la municipalité pour assister à l'inauguration.

— Entrons là, dit le policier. Et, justifiant d'une invitation, les deux hommes pénétraient sous la tente où régnait une chaleur étouffante.

La cérémonie commençait.

Sur une estrade joliment décorée d'oriflammes et de plantes vertes s'élevait la maquette en plâtre dont on devinait les formes sous la toile grise dont elle était recouverte.

Autour du monument, dans des fauteuils aux bras dorés, avaient pris place des personnages officiels.

Le maire présidait, ayant à sa droite le sous-préfet et à sa gauche le général commandant la brigade.

Derrière ces trois autorités s'étaient installés les députés, les conseillers municipaux et les délégués des grandes associations sportives, de l'Aéro-Club notamment ; la plupart de ces personnages devaient prononcer des discours ; ce fut le maire, toutefois, qui inaugura l'ère des allocutions.

— Messieurs, et chers administrés, déclara M. Vialet, sur la demande d'une personnalité dont je tairai le nom, mais qui était fort qualifiée pour m'adresser cette requête, les fêtes n'ont pas été contremandées et c'est ce qui vous explique pourquoi, à cette journée d'hier attristée par les deuils, succède la journée d'aujourd'hui au cours de laquelle règne la joie. Si nous avons des malheurs à déplorer, nous devons nous glorifier de ce que la générosité publique et privée nous permet de rendre un juste et éclatant hommage à la mémoire d'un héros, d'un des premiers navigateurs de l'air, à la mémoire de Pilâtre de Rozier qui, après avoir fait preuve d'un entêtement admirable et d'une audace inouïe, vint payer de sa vie, à quelque distance de notre ville, l'entreprise hardie qu'il avait tentée.

Une salve d'applaudissements soulignait le préambule de M. Vialet qui s'arrêtait un instant. Le maire allait, fort bien documenté d'ailleurs, faire pour ses auditeurs la biographie et l'histoire de ce grand ancêtre des aéronautes, que l'on commémorait ce jour-là.

Mais au préalable, sur un signe de lui, des employés qui se trouvaient à proximité de la maquette enlevaient le voile de toile grise qui la recouvrait, ce qui permettait à l'assistance d'admirer le projet du statuaire.

Les applaudissements, les cris d'admiration retentirent, car l'œuvre, en effet, les méritait.

La statue de plâtre était un peu plus grande que nature. Les traits de Pilâtre de Rozier avaient été reproduits avec une netteté remarquable. L'artiste s'était efforcé, s'aidant des documents du temps, de faire cette œuvre ressemblante et de donner au visage de l'aéronaute l'expression à la fois douloureuse et inspirée qui est celle de tous les héros, de tous les martyrs.

Comme un oiseau blessé, Pilâtre de Rozier était placé dans une position chancelante ; on avait l'impression de l'homme après la chute, cherchant à se relever et ne pouvant y parvenir.

Une de ses mains s'appuyait presque sur le sol, à côté du genou posé en terre, cependant que le bras droit se dressait vers le ciel avec un geste d'imploration.

Lorsque les assistants eurent suffisamment contemplé le projet de statue, M. Vialet reprit son discours et, pendant une bonne demi-heure, il tint les assistants sous le charme de sa parole.

Puis, ce fut le tour du sous-préfet, du général et des nombreuses personnalités qui, à un titre quelconque, avaient pris place sur l'estrade et devaient, au nom de leurs groupements respectifs, payer leur tribut d'hommage à la mémoire de Pilâtre de Rozier.

Ces allocutions diverses durèrent environ deux heures. Lorsqu'elles furent terminées, le maire, à nouveau, se leva et, de la main, fit signe qu'il avait encore quelque chose à dire.

La foule, prête à s'en aller, demeura immobile, attentive.

— Messieurs et chers administrés, déclara M. Vialet, il me reste un agréable devoir à remplir : c'est de vous informer du montant de la souscription que nous avons recueillie, tant à Boulogne que dans la France entière, pour l'édification du monument de Pilâtre de Rozier.

« Vous avez sans doute remarqué qu'à côté de la maquette de plâtre admirée par tout le monde se trouve une sorte de portefeuille qui semblait n'avoir rien à faire à proximité du monument !

« Or, ce portefeuille, messieurs, contient une somme de quarante mille francs, représentée par quarante billets de mille francs ; j'ai cru devoir l'apporter et rendre un juste hommage à la mémoire de Pilâtre de Rozier en déposant cette somme, au début de la séance, au pied du monument, avant de la remettre au statuaire en échange du travail qu'il nous fournira.

Cependant que l'on applaudissait à tout rompre et que la foule curieuse considérait le portefeuille qu'elle avait à peine remarqué jusqu'alors, M. Vialet se rapprochait de la statue.

Il prit le portefeuille, l'éleva à la hauteur de son visage.

— Messieurs, recommença-t-il, ce portefeuille contient...

Mais le maire s'arrêta net.

Son visage devint affreusement pâle, et si quelques personnes ne s'étaient précipitées pour le recevoir dans leurs bras, il serait tombé en arrière comme une masse.

Cependant, l'assistance était surprise. Un mouvement instinctif de la foule la portait dans la direction de l'estrade. Mais les agents de police chargés du service d'ordre et qui, depuis le début de la séance avaient formé un rigoureux cordon d'isolement autour du monument, empêchaient d'approcher.

Un docteur qui se trouvait à proximité — précisément le Dr Hubert — s'était précipité auprès du maire.

Il lui défaisait sa cravate, son faux col. Vialet respira profondément.

— Ce n'est rien, cria le Dr Hubert pour rassurer la foule, un simple malaise.

Les gens se rassuraient, mais aussitôt une nouvelle émotion les faisait tressaillir. Quelqu'un sur l'estrade, entre les mains duquel était tombé le portefeuille venait, en effet, de proférer ces paroles imprudentes et bien de nature à troubler tout le monde :

— Le portefeuille est vide ! Les billets de banque ont disparu !

Dès lors, ce fut le désordre le plus absolu, l'animation la plus folle.

— Que personne ne sorte ! avait crié quelqu'un.

Et le service d'ordre, fort bien organisé, s'occupait, en effet, d'empêcher qui que ce fût de se retirer de la salle.

Qu'avait-il dû se passer ? et comment avait-on pris l'argent dans ce portefeuille ?

Quel était le bandit assez audacieux, assez habile pour s'être emparé de cette petite fortune, alors qu'elle était déposée au pied de la statue et que le projet de monument était rigoureusement gardé par tout un cordon de sergents de ville ?

Il n'y avait pas à soupçonner l'honorabilité de M. Vialet, homme intègre à l'abri de tout soupçon ; au surplus, plusieurs témoins l'avaient nettement vu, au début de la séance, déposer devant la statue le portefeuille gonflé de billets, portefeuille qu'il venait de reprendre et de retrouver vide !...

Au fond de la salle, cependant, deux hommes s'entretenaient à voix basse, commentant avec précipitation ce dernier incident.

C'étaient Juve et Fandor.

Pendant la durée des discours, le journaliste et le policier avaient scrupuleusement examiné les physionomies de chacune des personnes présentes. L'un et l'autre avaient acquis la quasi-certitude que Fantômas n'était point mêlé à la foule. Mais Juve et Fandor, au moment où le maire avait poussé son exclamation, au moment où l'on avait crié de l'estrade : « L'argent a disparu ! » s'étaient dit qu'assurément leur sinistre adversaire devait être de l'affaire.

Et, au surplus, sitôt la stupeur du premier moment calmée, de la foule présente et témoin de l'accident s'élevait, comme une clameur spontanée, ce cri, cri unique :

— Fantômas ! c'est du Fantômas !

Mais, dès lors, une panique éclatait ; chacun avait peur d'être à proximité sans le savoir, du sinistre bandit qui agissait comme aurait agi un être impalpable et invisible. Oui, pour tous, Fantômas, c'était la mort qui vous frôle, le danger que l'on côtoie en aveugle, l'embûche tendue sous les pas !

En dépit des efforts de la police, la foule rassemblée sous la tente s'échappait par tous les côtés, s'enfuyait au loin.

Juve et Fandor demeuraient sur la place du 14-Juillet ; ils n'avaient pas pu résister à l'élan de la foule, ils avaient été entraînés par la vague humaine. Au surplus, le policier et le journaliste ne pouvaient rien tenter ! Comment intervenir dans un désordre semblable, au milieu d'une population véritablement si affolée !

Les deux amis se considéraient perplexes, cependant qu'autour d'eux, la foule grouillante et animée, ignorant leurs personnalités, commentait les derniers événements.

On avait reconduit le maire à son domicile, et les personnages juchés sur l'estrade s'étaient prudemment éclipsés.

La tente, quelques instants auparavant remplie de monde, se trouvait soudainement vide et rigoureusement déserte...

— Eh bien, Juve ?

— Eh bien, Fandor ?

Les deux hommes se regardaient sans mot dire, cherchant à deviner leurs intentions réciproques.

Fandor parla le premier, comme s'il répondait à une question de son ami :

— Parbleu ! articula-t-il, nous avons déjà perdu cinq minutes, rentrons sous cette tente, étudions les lieux, vérifions l'estrade, c'est là, oui là, qu'a dû se dissimuler le voleur.

C'était bien évidemment la pensée de Juve.

Le policier, déjà, se dirigeait à grands pas vers la tente que ne défendait plus un seul gardien de la paix.

Cinq minutes, avait dit Fandor, avaient été perdues, oh ! bien involontairement sans doute ; il aurait été impossible aux deux amis de ne point les perdre.

Sortis de la salle par la poussée de la foule, ils y rentraient aussitôt qu'il leur était possible.

Toutefois, c'était déjà trop de délai accordé à leur terrible adversaire, si toutefois c'était Fantômas qui était intervenu...

Tandis que la foule s'enfuyait et que les gens qui, pendant deux heures, avaient contemplé avec une déférente et respectueuse admiration le monument de Pilâtre de Rozier, lui tournaient le dos, la statue de plâtre demeurait abandonnée sur l'estrade.

Seule ?

Or, si quelqu'un s'était trouvé là, si quelqu'un avait regardé à ce moment ce qui se passait, il aurait été frappé de stupéfaction, il se serait cru l'objet d'une vision hallucinante.

Lentement, quelque chose remuait.

Certes, ce n'était pas la statue de plâtre tout entière, mais bien le bras de cette statue, le bras gauche, un bras tout blanc, qui jusqu'alors était resté rigide, immobile, comme le reste de la maquette, et qui désormais semblait s'animer, s'agiter, affecter la souplesse d'un bras vivant !

Chose plus extraordinaire encore, ce bras, doucement, diminua de longueur ; l'avant-bras disparut dans l'épaule puis le coude y passa et la main suivit. Une main aux doigts crispés, une main de laquelle se détachaient des petites écailles de plâtre sec. L'avant-bras, le coude, le poignet, la main ayant disparu, dès lors Pilâtre de Rozier apparut manchot avec un trou béant à l'épaule.

C'est à ce moment que Juve et Fandor pénétraient dans la salle :

— Juve ! s'écria le journaliste, il lui manque un bras !

Mais Juve ne répondait pas, il avait sorti son revolver, il ajusta la statue et, en plein dans la poitrine de plâtre, il déchargea son arme.

La maquette jaillit en mille morceaux, s'écroula. Fandor avait compris l'intention de Juve :

— A nous ! hurlait-il, et, trébuchant dans les banquettes qu'il enjambait, il courait à l'estrade en même temps que le policier.

Une seconde avait suffi à l'un et à l'autre, pour se rendre compte de ce qui avait dû arriver.

Parbleu ! la chose était simple ; le voleur avait dû combiner son coup, longtemps à l'avance.

Sachant sans doute que le maire avait l'intention de déposer au pied de la statue le portefeuille bourré de billets de banque, il avait pris ses dispositions pour s'approprier à la face de tous, cette petite fortune.

Juve et Fandor, sur l'estrade, et sans souci de l'œuvre du statuaire qu'ils venaient d'anéantir, repoussaient la base de la maquette, s'apercevaient comme ils le croyaient bien qu'elle était creuse et que juste en dessous, un trou avait été effectué dans le plancher.

— Malédiction, grommela Juve, nous sommes des imbéciles de ne pas nous en être aperçus alors que nous étions stupidement figés dans la contemplation de ce monument !

— Parbleu ! reprenait Fandor, c'est facile à comprendre ; à l'intérieur de cette maquette, un homme s'est introduit, et il a eu l'extraordinaire audace de substituer, au bras gauche fait en plâtre, son propre bras minutieusement fardé au point qu'on l'a confondu avec le reste de la maquette.

— Il était inutile, souligna Juve, de faire entourer le monument par un cordon d'agents, pour éviter qu'on ne l'approche, le voleur était dans la place.

— Tout de même, ajouta Fandor, c'est de l'audace ; mais il faut reconnaître que c'est merveilleusement imaginé ! Il n'y a qu'un homme au monde, Juve, qui soit capable d'avoir médité un tel coup, et surtout de l'avoir exécuté :

— Un seul homme !

Et, Fandor allait prononcer un nom, qui sans doute aussi était dans la pensée de Juve, mais il s'arrêta net.

Dans l'amas de plâtre qui gisait désormais sur le sol, le policier venait de découvrir un petit carton. Il le prenait de ses doigts tremblants. C'était une carte de visite ; sur cette carte était tracé à l'encre rouge ce seul nom, qui signifiait tant de choses et dispensait Fandor de l'articuler.

« Fantômas ! »

IV

Mystérieuse soirée

— Allons, voyons, Juve, décidez-vous, encore une fois ; il faut aller vous montrer au balcon... Cette excellente population ne se lasse pas de contempler votre sympathique physionomie...

A l'invitation de Fandor, le policier, cependant, répondait par un geste énergique de refus :

— Non, non et non... je ne veux rien savoir... je ne suis, après tout, ni un homme politique, ni un cabot en tournée ; et au surplus ces ovations ne sont justifiées par aucun succès... bien au contraire, s'ils étaient logiques, ces gens feraient mieux de m'agonir de sottises...

Fandor souriait finement :

— Certes, vous n'avez pas tort, le moment n'est guère opportun, pour vous applaudir, ce ne sont pas les victoires que nous venons de remporter qui nous donnent droit à la faveur publique.

— Hélas non ! soupira Juve.

Et le policier, s'enfonçant dans son fauteuil, comme s'il voulait s'y incruster, alluma une cigarette.

Il était neuf heures du soir environ. A l'issue de cette journée extraordinaire, au cours de laquelle, tandis que la population de Boulogne, goûtait toutes sortes de réjouissances — Juve et Fandor avaient découvert l'audacieux vol effectué par Fantômas, mais sans arriver à prendre le bandit —, les deux inséparables étaient venus s'installer dans un petit hôtel, d'une rue écartée de la ville. Ils s'y étaient logés en donnant des noms quelconques, convaincus que leur incognito ne serait pas percé.

Mais, peu à peu, au cours de l'après-midi, le bruit s'était répandu dans la ville que les soi-disant victimes, rapportées par le torpilleur 27, se portaient à merveille ! Des indiscrétions avaient été commises ; de bouche en bouche on s'était répété la chose, et vers la fin de la journée, chacun savait à Boulogne, que Juve et Fandor s'y trouvaient, et qu'ils étaient vivants !

Au surplus, l'enquête à laquelle s'étaient livrés les deux hommes, et l'aventure de la maquette de plâtre brisée par le coup de revolver de Juve avaient été pour beaucoup dans la révélation de l'existence du policier et du journaliste.

L'un et l'autre, harassés, rompus de fatigue, et satisfaits enfin d'avoir trouvé deux chambres confortables dans ce petit hôtel, n'avaient pas été médiocrement surpris lorsqu'ils avaient vu, d'abord, quelques groupes de personnes stationner devant les portes de leur demeure et échanger des paroles mystérieuses.

Ces groupes, d'ailleurs, s'étaient augmentés peu à peu ; puis, les voyageurs avaient entendu prononcer leurs noms, à voix basse au début ; on les avait criés ensuite.

La population s'était convaincue que Juve et Fandor étaient là, et elle voulait les voir, les applaudir ; la foule exigeante ne leur donnait point de répit, jusqu'à ce qu'ils fussent venus l'un et l'autre à la fenêtre esquisser quelques salutations.

Au bout de dix minutes, Juve et Fandor s'étaient imaginé qu'ils en avaient fini avec les inconvénients de la popularité. Mais il n'en était rien, bien au contraire, car les premiers curieux éloignés, d'autres étaient venus, d'autres qui avaient voulu aussi saluer les physionomies sympathiques des deux héros du drame de la veille.

Pendant plus d'une heure, Juve et Fandor, furieux contre eux-mêmes, navrés de cette popularité, faisaient la navette entre l'intérieur de leurs chambres et la balustrade de leurs balcons.

La clameur chaleureuse de la foule augmentait ; Fandor, qui revenait de la fenêtre, et avait invité Juve à y prendre sa place, insistait à nouveau auprès du policier :

— Allons, mon vieux, faites-vous une raison, il faut y aller, qu'est-ce que vous voulez ?...

Juve haussait les épaules.

— Ce qui m'embête surtout, grogna-t-il, c'est que ces braves gens nous applaudissent au moment où nous venons de faire peut-être le plus beau ratage de notre existence !

— Que voulez-vous, déclara Fandor, c'est bien là l'inconséquence des foules.

Et il ajoutait souriant d'un air ironique :

— Bah ! après tout, ils nous acclament pour notre passé... et sans doute aussi pour notre avenir...

Juve, cependant, avec des gestes lents et ennuyés, se rapprochait du balcon ; il vint s'y accoter, suivi de Fandor qui, se montrant moins, lui disait :

— C'est à vous en ce moment, Juve, que vont les ovations, moi j'ai eu mon compte tout à l'heure... veinard, va, vous êtes la vedette du jour !...

Et le journaliste, toujours blagueur, ne pouvait s'empêcher de railler son ami.

Juve, toutefois, contrairement à ce qu'il avait fait jusqu'alors, demeurait obstinément penché sur la balustrade. Il hochait la tête en signe de remerciement, d'un air vague, distrait ; mais, en fait, son regard fouillait la foule.

A mi-voix, Juve appela :

— Fandor !

Le journaliste s'approchait :

— Qu'y a-t-il ?

D'un geste discret du doigt, Juve désignait au journaliste quelqu'un, qui, au premier rang de la foule s'agitait extraordinairement, et s'époumonait à crier.

— Vive Juve ! Vive Fandor !

Il mettait dans ses acclamations un entrain véritablement touchant et exagéré aussi sans aucun doute. Fandor articula :

— On dirait un agent provocateur...

Puis il observa plus minutieusement le personnage.

— Ça c'est curieux, poursuivit-il, ce bonhomme — et il est extravagant — a quelque chose de déjà vu, de déjà connu !...

— Oui, poursuivit Juve lentement, dont le regard ne quittait pas le personnage, il me semble aussi reconnaître...

Puis, brusquement, il murmurait à l'oreille de Fandor :

— Débrouille-toi pour descendre, envoie un garçon chercher cet individu, qu'il monte nous rejoindre.

Fandor s'éclipsait aussitôt, et quelques instants après, Juve qui venait de rentrer dans l'intérieur de sa chambre, après avoir fermé la fenêtre et tiré les rideaux, pour bien faire comprendre à la foule que c'était fini et qu'il ne se montrerait plus, entendait la porte de l'appartement s'ouvrir à grand fracas.

Fandor entra, le visage rayonnant, il traînait par la main le gaillard que son ami avait remarqué quelques instants auparavant, dans les rangs enthousiastes de la foule.

Et, dès lors, Juve, en le voyant en pleine lumière poussait un cri :

— Bouzille ! c'est Bouzille !...

Il ne se trompait pas !

C'était Bouzille en effet, l'ancien chemineau, l'involontaire associé de la mère Toulouche ; c'était Bouzille que, dans de si nombreuses et si diverses circonstances, Juve et Fandor avaient sans cesse trouvé sur leur chemin, mêlé, directement ou non, à leurs extraordinaires aventures.

Après avoir proféré le nom du chemineau, Juve, cependant, demeurait abasourdi, stupéfait, en le considérant. Et d'autre part, Fandor, qui l'avait entrevu dans la pièce, l'examinait à son tour, l'air ahuri, les yeux agrandis de surprise. De fait, Bouzille, par son aspect, pouvait déterminer l'attention la plus extrême et l'étonnement le plus profond.

Certes, le chemineau avait effectué bien des métiers, et revêtu bien des accoutrements, mais ce jour-là sa silhouette était plus extravagante, plus invraisemblable, qu'elle ne l'avait jamais été.

Bouzille était chaussé de larges bottes, mal cirées, reluisant par endroits et fort graisseuses à d'autres. Au talon de l'une d'elles était fixé un éperon dont la molette avait dû être dorée autrefois ; dans ses bottes s'enfouissaient de larges culottes de velours bleu rayé ; Bouzille avait, autour du ventre, une ceinture rouge, et sur les épaules, une sorte de grand manteau drapé à l'espagnole.

Enfin la tête brune du chemineau était coiffée d'un petit chapeau mou trop étroit pour sa tête, et d'une teinte variant entre le vert et l'orangé.

Bouzille, de la sorte, était déguisé en une manière de mousquetaire, ou de brigand calabrais comme il s'en rencontre quelquefois sur les tréteaux les plus misérables des équipes foraines.

Bouzille, cependant, qui savait toujours se mettre dans la peau des personnages qu'il incarnait, avait ôté son couvre-chef, et d'un geste large et gracieux, il saluait le policier et le journaliste.

— J'ai bien l'honneur..., commença-t-il.

Juve, malgré ses préoccupations, ne put s'empêcher d'éclater de rire :

— Ah ça ! mon brave Bouzille, s'écria-t-il, qu'est-ce que cette nouvelle mascarade ?... aurais-tu donc trouvé un emploi de jocrisse dans quelque baraque de la foire pour être ainsi vêtu ?...

Le chemineau prit un air dépité :

— Eh bien, grogna-t-il, voilà les amis... Comment, je m'époumone à crier : « Vive Juve ! Vive Fandor ! » dans toute la ville, à répandre partout que vous êtes arrivés ici, à flanquer des coups de poing aux gens qui n'ont pas l'air d'avoir envie de vous acclamer... et c'est comme ça que je suis reçu ?... même pas par une engueulade !... par un éclat de rire !... Parole, c'est à dégoûter...

Mais Juve l'interrompait :

— Espèce d'animal, t'ai-je demandé de me faire de la réclame et de quoi te mêles-tu, en ameutant les populations ?

Bouzille fit un grand geste.

Puis, appuyant solennellement sa main sale sur sa poitrine, il proféra :

— Ce sont là des sentiments qui ne se commandent pas, monsieur Juve ! Vous aurez beau dire et beau faire, vous n'empêcherez jamais un honnête homme comme moi d'admirer et d'applaudir un honnête homme comme vous ! un honnête homme comme M. Fandor !...

— Oh ! oh ! fit Juve, en mettant les doigts au gousset, je sais ce que parler veut dire, et pour que tu me fusilles à bout portant de compliments semblables, c'est que tu dois avoir un trou dans ta poche et loger le diable dans ton porte-monnaie ?

— Ma foi, reconnut Bouzille, c'est précisément cela que j'allais vous dire... Et je suis bien heureux que vous ayez compris...

Bouzille tendait la main.

Juve y mit une pièce de monnaie ; le chemineau esquissa une moue.

— Vrai, fit-il, pour un particulier qui se paie des excursions en ballon et des promenades en torpilleur, vous n'êtes guère généreux, monsieur Juve...

Malgré tout, le policier était gagné par l'intarissable faconde du chemineau, et il doubla la somme.

En vain, Fandor faisait des gestes pour recommander à Juve de modérer sa générosité ; le journaliste grommela :

— Si nous le payons d'avance, il ne dira rien...

Fandor, en effet, estimait que si Bouzille s'était approché des fenêtres de l'hôtel et que s'il avait gesticulé, c'est qu'il tenait à se faire remarquer, parce qu'il avait quelque chose à communiquer à ceux qu'il appelait toujours « ses amis ».

Fandor, à son tour, l'interrogea :

— Qu'est-ce que tu fais maintenant, Bouzille ?

Le chemineau répliquait :

— J'ai une place dans la cavalerie... je suis écuyer...

Juve et Fandor se regardèrent, interloqués. Que pouvait bien signifier cette déclaration ? Elle nécessitait un commentaire.

Bouzille, d'ailleurs, ne le faisait pas attendre longtemps.

Le chemineau, sans y être invité, s'installait dans un fauteuil, il s'y carrait voluptueusement ; puis, tirant du fond de son chapeau une vieille chique de tabac, il avait, avant de la fourrer dans sa bouche, l'amabilité de l'offrir à ses hôtes.

Ayant essuyé des refus catégoriques, Bouzille mâchonna sa chique, puis reprit d'un air suffisant et presque poseur :

— Voilà la chose. Je m'en vais vous dévider ça comme une bobine de fil, mais j'irai vite tout de même, histoire de ne pas vous cavaler sur l'haricot... Vous savez que le commerce des fromages et des vieux habits... ça marche sans marcher, tout en marchant... Mais enfin, pour vrai dire, ça ne marche pas... surtout avec des types comme moi... et comme la Toulouche... C'était pas une associée sérieuse, dans un commerce sérieux... Ah ! si elle avait voulu se mettre au travail, pour de bon, sûr qu'on aurait fait des affaires d'or l'un et l'autre ; elle est rapace, moi je sais faire du boniment.

Juve, cependant, fronçait le sourcil.

— Bouzille, au fait, ordonna-t-il. Tu as quelque chose à nous dire, ne nous prends pas pour des imbéciles et raconte ce que tu sais.

Le chemineau se leva.

— Mais je vous assure, monsieur Juve, que je ne sais rien...

Et il ajoutait, non sans une certaine hésitation :

— Rien... du moins, pour le moment.

— Ah ! ah ! murmura Fandor, nous allons donc apprendre bientôt quelque chose.

— C'est selon, dit nettement Bouzille.

Dès lors, le chemineau reprenait son récit :

— Je vous disais donc que je suis comme ça devenu écuyer... C'est toute une histoire, mais je m'en vais la prendre par la fin pour ne pas vous ennuyer du commencement... Donc, il y a comme ça quelque part, dans les faubourgs de Boulogne, un manège de chevaux de bois... ça s'appelle : *Les Bucéphales.* C'est pas joli, joli... il y a mieux, mais il y a plus mal. Cependant, ce carrousel a, depuis vingt-quatre heures, quelque chose d'unique et d'incomparable : c'est un écuyer de premier ordre qui est chargé de faire la toilette des pur-sang et aussi la recette... Il allume la lumière et il tourne une manivelle qui joue de la musique... Il sert à tout, enfin, c'est un type extraordinaire qui est rudement intelligent, appelé au plus grand avenir... Voilà, c'est expliqué... je parie que vous m'avez reconnu ?...

Juve et Fandor, cette fois, se souriaient l'un à l'autre, cependant qu'ils considéraient Bouzille, qui, croisant ses jambes et faisant sonner son éperon, prenait un air de plus en plus important...

Décidément, ce Bouzille était un type inénarrable...

— Alors ? poursuivit Juve, qui fixait le chemineau d'un regard froid.

— Alors, voilà, fit Bouzille, lequel, désormais, affectait un air énigmatique, je vous dis ça comme ça... histoire de bavarder quelques instants avec des vieux copains... Y a la mère Toulouche qui est aussi de la combine... et enfin le patron du carrousel est un gaillard que vous avez dû connaître autrefois... J'vous dis toujours ça, m'sieu Juve et m'sieu Fandor, histoire de bavarder... parce que moi vous savez, j'ai jamais des idées de derrière la tête.

Les affirmations de Bouzille démentaient évidemment sa pensée, car, cependant qu'il s'exprimait de la sorte, le chemineau regardait autour de lui, semblant préoccupé, inquiet, comme s'il redoutait que quelqu'un ne fût aux écoutes et ne surprît les insinuations qu'il était bien évident qu'il faisait.

Juve et Fandor échangeaient un coup d'œil ; négligemment, le policier interrogea :

— Et alors, ce patron s'appelle ?

Ils espéraient entendre un nom tragique, un nom redouté, un nom qui, s'il avait été prononcé, les aurait fait bondir aussitôt de la pièce où ils se trouvaient pour courir au manège de Bouzille. Ils croyaient, en effet, que ce dernier allait désigner Fantômas, et que Fantômas avait adopté cette profession bizarre pour dissimuler sa personnalité.

Aussi furent-ils légèrement désappointés lorsque Bouzille eut déclaré :

— Eh bien ! voilà, mon patron, c'est un nommé le Bedeau...

Le Bedeau !

Juve et Fandor se souvenaient, en effet, de cet homme sinistre, de ce redoutable apache qui trouvait sa puissance dans la robustesse de ses épaules et dans la vigueur de ses muscles.

Le Bedeau ! homme renfermé, cruel, capable de tout, véritable brute humaine et qui n'avait d'intelligence que pour se mettre à l'abri et pour s'assurer des alibis ou des excuses lorsqu'il commettait quelque forfait.

Que pensait le Bedeau ? De quel côté se trouvait-il ? nul n'aurait pu le dire !

Assurément, le Bedeau avait été, était peut-être encore, de la bande de Fantômas ? Et cependant — ce n'était un secret pour personne — à maintes reprises le Bedeau, haineux, jaloux du Génie du crime, s'était efforcé de lui nuire, et de lui faire du tort [1].

Que fallait-il conclure de cette déclaration du chemineau ?

Juve et Fandor demeuraient perplexes, mais ils espéraient qu'à force de questions adroites, ils allaient amener Bouzille à leur dire tout ce qu'il pensait.

Le chemineau prévenait leur désir ; sincèrement — il n'y avait pas lieu d'en douter — Bouzille leur déclarait :

— Voilà en deux mots : je suis dans ce fourbi-là maintenant, et il ne s'y passe rien ; je n'ai rien à vous dire, je ne sais rien ! Mais tout de même, si je me suis arrangé pour me faire inviter à prendre un verre en votre compagnie — d'ailleurs vous ne me l'avez pas offert, ce verre —, c'est plutôt pour vous signaler que le copain Bouzille est là, toujours d'attaque et l'œil ouvert... Vous pensez bien qu'avec le Bedeau, il faut s'attendre à tout... quand on voit le louveteau, c'est que le loup lui-même n'est pas loin...

Et il ajoutait d'une voix très basse :

— Je pense bien que c'est de ce côté-là que le Fantômas interviendra quelque jour... N'ayez pas peur, je suis là et j'aurai l'œil...

Juve et Fandor s'étaient rendu compte que, pour le moment, il n'y avait plus rien à tirer de l'ancien chemineau, devenu le pittoresque écuyer du manège de chevaux de bois...

Ils l'avaient laissé partir, après s'être fait indiquer l'endoit exact où se trouvait son installation. Et désormais, l'un en face de l'autre, ils devisaient :

— Ce brave Bouzille, murmurait Fandor, il n'y a pas à dire, il nous est dévoué...

Et Juve hochait la tête...

— Sans doute, fit-il. Dès demain matin, Fandor, nous irons nous rendre compte de ce qu'il nous a dit et vérifier ses assertions. La présence du Bedeau me semble, en effet, quelque peu suspecte, il faudra voir...

Cependant Fandor bâillait à se décrocher la mâchoire, et Juve suivait son exemple.

— Allons nous coucher, déclara le policier. Nous sommes exténués, il faut prendre un peu de repos.

---

1. Voir dans la série « Fantômas » : *La Disparition de Fandor, Le Mariage de Fantômas, L'Assassin de Lady Beltham, La Guêpe rouge, Les Souliers du mort* et, dans le présent volume : *Le Train perdu.*

Les deux hommes se retiraient chacun dans leur chambre ; quelques instants après, les lumières éteintes, ils commençaient à s'endormir.

La chambre occupée par Fandor n'était pas une chambre de voyageur ordinaire ; l'hôtel était bondé, et pour satisfaire le journaliste, la patronne de l'établissement lui avait dressé un lit dans une pièce qui lui servait de débarras. Il y avait là de grandes armoires surchargées d'objets et de cartons, de malles, de boîtes de toutes sortes.

Le journaliste, en se couchant, n'y avait prêté aucune attention, mais à peine la lumière était-elle éteinte et commençait-il à s'endormir que, malgré sa fatigue, Fandor était arraché à sa torpeur par un léger bruit, bruit étrange, bizarre que le journaliste, soudainement aux aguets, ne parvenait pas à définir.

C'était une sorte de craquement qui durait quelques instants, s'interrompait, puis reprenait ; Fandor pensa :

— Cette maison est une vieille baraque, elle doit être remplie de rats !...

Et nullement désireux de livrer une chasse inutile à ces insupportables bêtes, il se retournait sur son oreiller et recommençait à dormir, lorsque, brusquement, un tapage épouvantable retentit dans la pièce.

Fandor, cette fois, bondit hors de son lit et se précipita dans la chambre. Le journaliste, aussitôt, trébuchait, tombait dans un amas de cartons et de boîtes qu'il défonçait ; il y plongeait les mains au hasard, dans l'obscurité, et se rendait compte que tantôt il prenait à pleines mains du linge, ou alors, de temps en temps, un chapeau... tantôt encore ses bras battaient le vide...

Fandor rageait mais ne s'émotionnait pas ; évidemment, l'amoncellement de cartons et de boîtes qui se trouvaient dans la pièce avait été placé dans un équilibre instable, et tout avait dégringolé.

Mais soudain Fandor sursauta ; il eut l'impression que sa main venait de se poser sur quelques chose de rude dont il identifiait facilement la forme, la nature : c'était une chaussure, un soulier.

Fandor, instinctivement, tira à lui ce qu'il tenait à la main ; or, le soulier résista et tira de son côté.

Cette fois, cela devenait mystérieux, plus grave. Fandor cria :

— Juve ! Juve !

Le policier avait été réveillé aussi par le bruit, et en hâte il avait allumé sa lampe.

Deux secondes après, Juve accourait, éclairait la pièce où se trouvait Fandor, lequel n'avait toujours pas lâché sa capture.

Or, brusquement, les deux hommes s'écriaient après avoir regardé un instant au milieu de la pièce :

— Un singe !

Puis, Juve se rapprochait d'un être agité et qui se tortillait à l'extrémité d'une jambe ou d'une patte que maintenait Fandor et dès lors, il ajoutait, quelque peu effaré :

— Ce n'est pas un singe, c'est un homme, ou plutôt c'est un gamin, un gosse !...

Fandor tirait à lui la chaussure qu'il tenait toujours ; le journaliste l'élevait à la hauteur de son visage, de telle sorte qu'il apparut soudain qu'il tenait sa capture la tête en bas ; Fandor lâcha la jambe de son prisonnier, celui-ci s'écroula sur le sol en poussant un gémissement.

Il était tombé sur la tête.

— Sapristi, cria Juve, tu vas le casser !

Et de fait, Fandor eut un remords en considérant l'être malingre et misérable qu'il venait, involontairement d'ailleurs, de traiter avec une certaine brutalité.

Les deux hommes cependant, après avoir eu pitié instinctivement de ce petit garçon, laid, aux allures souffreteuses et malingres, se méfiaient.

En somme, qu'était-il arrivé ? Ils avaient en face d'eux une sorte de gamin aux allures équivoques, au visage blafard, au regard curieux ; il pouvait avoir une douzaine d'années, peut-être plus, mais il était si misérablement construit qu'il avait l'apparence d'un enfant de huit à neuf ans au plus.

Que faisait-il là ? Comment ce gosse s'était-il introduit dans la chambre occupée par Fandor, et par suite de quel hasard avait-il révélé sa présence ? Était-ce lui qui avait déterminé volontairement la chute de tous les cartons et de toutes les boîtes ? Était-il tombé malgré lui ?

Fandor se rapprocha du gamin, l'empoigna par le bras, l'obligea à se tenir debout.

— Qu'est-ce que tu fais là ? grogna-t-il, tu es une petite canaille, tu viens dans cette maison pour voler, comment t'appelles-tu ?

L'enfant semblait fort inquiet des suites qu'allait comporter son aventure.

— Pardon, m'sieu, articula-t-il, j'sais pas comment ça se fait, on m'appelle Loupiot... j'ai pas d'autre nom...

Juve, à son tour, intervenait :

— Comment diable es-tu ici ? Allons, réponds, dis-nous la vérité...

Dès lors, le gamin esquissait une histoire embrouillée.

Deux heures auparavant, affirmait-il, il s'était engagé par hasard, dans l'hôtel... histoire de savoir comment c'était fait... puis, ayant peur d'être surpris, il avait gravi un étage, un second... quelqu'un venait derrière lui, il était entré dans cette chambre, croyant toujours qu'on le poursuivait ; il avait au hasard ouvert un grand carton qui, par bonheur, était vide, et s'était caché dedans...

Dès lors, il n'avait point bougé, s'était même endormi et ensuite, au milieu de la nuit, il venait de se réveiller, ne sachant plus où il était. Alors, évidemment, il avait eu un mouvement malheureux qui déterminait la chute de toutes les boîtes et de tous les cartons...

Le gamin — Loupiot puisqu'il se nommait ainsi — venait de débiter cette petite histoire avec une certaine assurance, mais Juve et Fandor ne paraissaient nullement convaincus ; il se pouvait fort bien qu'ils eussent affaire à un petit voleur, à un cambrioleur en herbe, encore peu expérimenté, maladroit.

Le journaliste et le policier étaient gens bien trop avertis pour croire à une aventure du genre de celle qui leur était contée. Ces sortes de coïncidences sont bien invraisemblables, et instinctivement, les deux hommes songeaient que la présence de ce gamin, dans la chambre précisément occupée par Fandor, devait signifier quelque chose.

Drôle de gamin d'ailleurs ! Il avait un aspect vraiment pitoyable, et assurément, si l'on voulait en faire un cambrioleur, c'était une bien grande maladresse, car l'enfant semblait bien chétif, bien mal constitué.

Juve et Fandor s'écartèrent un instant de lui ; ils étaient allés près de la cheminée, pour allumer, avec la lampe que portait Juve, celle que Fandor avait laissée sur cette cheminée et éteinte quelques instants auparavant.

Or, tandis qu'ils se livraient à cette besogne matérielle, un léger bruit retentit derrière eux.

Fandor poussa un cri, et Juve fut si surpris que maladroitement, il lâcha la lampe : celle-ci tomba se brisant, l'obscurité régna de nouveau, complète.

Cependant, en même temps, un bruit de carreaux brisés retentissait. Or, Juve et Fandor avaient le temps de voir le chétif gamin sauter d'un bond prodigieux jusqu'à la fenêtre, et passer à travers la vitre.

— Bougre ! cria Fandor, c'est un bel acrobate.

Et il se précipitait sur ses traces, se penchait par le trou béant fait dans le carreau, regardait à l'extérieur...

La rue était déserte ; le gamin avait disparu.

Était-il monté ? descendu ? De quel côté avait-il fui ?

Très penaud, Fandor quitta la fenêtre, revint dans la pièce. Juve, hâtivement, avait refait de la lumière, et lorsque Fandor se fut retourné, il vit le policier à genoux, lisant quelque chose.

— Eh bien ? commença Fandor, je crois que pour de la guigne, aujourd'hui... c'est de la guigne... Mais Juve l'interrompait :

— Tiens, lis, dit-il, en lui tendant le papier qu'il venait d'examiner.

Fandor obéit ; soudain ses yeux s'écarquillèrent, et il poussa un cri de joie.

— Est-ce possible, Juve ? ah mon Dieu !... ah ! quel bonheur !

Fandor venait de parcourir la phrase écrite sur le petit morceau de papier que Juve venait de trouver, placé bien en évidence et assurément laissé là intentionnellement par le gamin qui s'était enfui. Elle était ainsi conçue, ce qui remplissait d'aise Fandor.

Je vous aime... soyez prudent.

HÉLÈNE

— Juve !
— Fandor !

Le journaliste et le policier se regardaient désormais avec des yeux illuminés de joie. Fandor, avec une hâte fébrile, s'habillait. Juve, en quelques secondes, était prêt.

Dès lors, les deux hommes qui, une demi-heure auparavant, étaient terrassés par la fatigue, se sentaient éveillés, plein d'entrain.

— Juve, articula Fandor, d'une voix qui frémissait de joie, il était dit que cette journée si mal commencée, s'achèverait de la meilleure des façons, je comprends tout maintenant, Bouzille... le gosse, l'attitude mystérieuse du chemineau, et la chute volontaire évidemment du petit Loupiot, tout cela signifiait quelque chose, tout cela doit avoir un lien, ce sont des envoyés d'Hélène, c'est elle qui nous fait prévenir... elle ne doit pas être loin de nous, dépêchons, faisons vite...

Dix minutes après, deux hommes, qui avaient traversé Boulogne en courant, étaient arrivés à l'extrémité des faubourgs de la ville ; ils étaient

là sur une sorte de place absolument déserte, et se considéraient avec des
airs consternés.

C'étaient Juve et Fandor.

Il étaient venus à l'endroit indiqué par Bouzille, à l'endroit où se
trouvait, avait dit le chemineau, le manège des chevaux de bois.

Or, il n'y avait ni manège, ni rien d'autre ; Bouzille s'était-il trompé,
leur avait-il menti ?

Que signifiait encore ce mystère ?

V

Passionnément

Quelques mois s'étaient écoulés depuis les sinistres aventures survenues
à Boulogne, et à l'émoi des premiers jours, le calme avait succédé.

On n'entendait plus parler de Fantômas, et si la somme d'argent volée
audacieusement par le bandit dissimulé dans la maquette de la statue de
Pilâtre de Rozier était irrémédiablement perdue, le monstre n'avait plus
tué.

D'autre part, Juve et Fandor semblaient retirés aussi de la scène du
monde. On n'avait plus de leurs nouvelles, et la population parisienne,
primesautière, versatile, se disposait fort allègrement à oublier.

On était à l'entrée de l'hiver, huit heures du soir venaient de sonner.

Une foule élégante et nombreuse occupait la plupart des tables
du restaurant *Lucullus*, l'établissement à la mode du boulevard des
Italiens.

Un maître d'hôtel, grave et distingué, aux manières obséquieuses et
compassées, s'inclinait vers une dame qui, accompagnée de deux
messieurs, venait de s'asseoir à une des tables du centre de la salle.

Le serviteur proposait :

— Que dirait madame la baronne d'un consommé froid aux tomates,
puis d'une petite truite meunière ? Ensuite cela pourrait être une selle
d'agneau ?...

La personne interpellée, une grande et jolie jeune brune, aux cheveux
épais et noirs posa délicatement sa main sur le bras de son voisin.

— Geoffroy, mon cher époux, murmura-t-elle d'une voix douce et
harmonieuse, mais dans laquelle perçait une légère pointe d'ironie, je vous
en prie, faites attention un instant au menu que nous propose ce maître
d'hôtel.

Ce dernier reprenait, s'adressant cette fois au compagnon de la jolie
femme :

— Monsieur le baron, j'offrais à Mme la baronne de Lescaux...

Mais il s'arrêtait net, résigné semblait-il, à ne pas avoir la commande
avant que ses clients n'aient épuisé tous les sujets de conversation que
faisait naître en eux leur voisinage.

Le baron Geoffroy de Lescaux s'était retourné du côté de sa femme et
s'excusait de sa distraction :

— Pardonnez-moi, Valentine, fit-il, je regardais précisément à l'instant, ces deux messieurs qui viennent de s'installer à la table... là-bas... Ne reconnaissez-vous point le célèbre académicien Sorinet-Moroi dont les travaux d'égyptologie ont, un instant, défrayé la chronique ?...

— En effet !... et il est accompagné de son neveu... cet officier de marine dont je vous ai parlé... Jean Derval...

Le personnage qui venait de répondre, n'était autre que le jeune docteur Maurice Hubert, celui-là même qui, trois semaines plus tôt, avait prodigué ses soins à Juve et à Fandor, lors des tragiques aventures de Boulogne-sur-Mer. C'était un ami des de Lescaux qui l'avaient invité à dîner, il semblait pourtant les connaître assez peu...

Maurice Hubert acheva :

— J'irai, tout à l'heure, en partant, serrer la main de ce bon camarade... mais, en ce moment...

— Choisissons notre dîner ! ponctua le baron.

M. de Lescaux, avait un visage jovial et fort en couleur; ses joues paraissaient d'autant plus roses aux pommettes qu'elles étaient, sur le bas, garnies d'une épaisse barbe blanche. La chevelure du baron était blanche également. C'était un homme qui avait dépassé le demi-siècle et qui, certainement, aurait pu être le père de sa femme, tant était grande la différence d'âge existant entre eux deux...

Il interrogea :

— Voyons docteur, dites un peu vos préférences. Charles vient de nous proposer, je crois, une barbue ?...

Dignement, le maître d'hôtel intervint :

— Je demande pardon à monsieur le baron, mais la barbue... ce n'est pas tout à fait ce qu'il faut, en ce moment... Je m'étais permis, au contraire, de suggérer à Mme la baronne une petite truite meunière.

A son tour, la baronne interrompait :

— Pourquoi pas du homard Thermidor, c'est meilleur, à mon avis. Qu'en pensez-vous, docteur ?

— Mon avis sera le vôtre, déclara le jeune praticien.

Et le docteur, qui ne la quittait pas des yeux, ajoutait :

— Je m'en rapporte absolument à votre décision !

Charles, le maître d'hôtel, nota :

— Nous disons donc... homard Thermidor, selle d'agneau... ensuite ?... oui... je recommanderai à monsieur le baron, après, une salade de saison, le praliné Lucullus... une spécialité... c'est absolument exquis !...

D'un rapide coup d'œil, M. de Lescaux interrogeait sa femme et son invité, puis approuvait les offres du maître d'hôtel.

En homme habitué à savoir ce qu'il faut faire, il soulignait d'un trait d'ongle, sur la carte des vins que venait de lui passer le sommelier, un champagne demi-sec, de la meilleure marque.

Tandis que des garçons empressés apportaient les hors-d'œuvre, le baron de Lescaux, rappela le maître d'hôtel :

— Charles ! cria-t-il, n'oubliez pas de m'envoyer le chasseur, tout à l'heure !

Le baron de Lescaux invitait donc à dîner ce soir-là, avec sa femme, le docteur Maurice Hubert. Il avait choisi *Lucullus* pour y faire un délicat repas avant de se rendre au théâtre comme il était convenu. On était au début de l'hiver ; la saison parisienne battait son plein et il leur avait fallu retenir à l'avance pour avoir, dans ce restaurant à la mode, une table confortable, bien à l'abri des courants d'air et suffisamment éloignée de l'orchestre des tziganes, pour ne pas être incommodés par leur musique quelquefois tapageuse.

Les de Lescaux occupaient une situation importante dans la société. Leur mariage, mal assorti en apparence, avait été réalisé d'un commun accord, assurait-on, entre les époux, moins pour unir deux êtres attirés l'un vers l'autre par un penchant réciproque que pour sauvegarder les intérêts d'une immense fortune. Il était toutefois difficile, même au plus médisant, de dire que ce ménage était mauvais ; les deux époux paraissaient très empressés l'un pour l'autre, et si le baron était aux plus petits soins pour sa femme, celle-ci semblait lui être fort reconnaissante de sa délicatesse et de sa galanterie.

Peut-être seulement, les méchantes langues auraient-elles pu insinuer que le docteur Maurice Hubert était, plus que de raison, mêlé à l'intimité de ce couple, depuis peu ?

Mais que ne dit-on pas ?

En attaquant les hors-d'œuvre, le baron de Lescaux qui, non seulement était fort jovial, mais paraissait doté d'un appétit féroce, reprit, s'adressant au docteur Hubert :

— Ce Sorinet-Moroi, que je vous montrais tout à l'heure, semble vraiment bien intrigué par nos personnages...

— Allons donc ! pourquoi ?...

— Il nous dévisage sans répit !...

L'ombre d'un mécontentement passait — eût-on cru — sur le visage du gentilhomme. D'un ton froid et railleur, il reprit :

— D'ailleurs, c'est un cuistre... arrivé par les salons et les cuisines ! On cite sa goinfrerie. Au fait, je ne vous froisse pas ? vous n'êtes pas son ami ?...

— Nullement ! protesta Maurice Hubert. Je sais tout simplement qu'il y a une parenté entre lui et Derval...

— Et puis, continua le baron, qu'importent les moyens employés à notre époque d'arrivisme ? Sorinet-Moroi peut se moquer de mes médisances, sa carrière est superbe...

Avec une attention polie, mais distraite, le docteur Hubert écoutait son interlocuteur, mais ses yeux étaient fixés sur Valentine.

La jeune et jolie femme était particulièrement séduisante ce jour-là, et le cadre élégant dans lequel elle se trouvait lui seyait à ravir. Le ruissellement des lumières faisait étinceler les bijoux dont elle était parée, rehaussait merveilleusement son altière et séduisante beauté ; elle était grande, brune, bien moulée dans une robe de délicate lingerie qui, hardiment, dessinait ses formes souples ; son corsage échancré laissait voir des épaules superbes et soupçonner une poitrine de marbre.

Hubert, évidemment, était subjugué par l'ascendant capiteux et charmeur qui se dégageait de cette femme.

Cependant, inlassablement bavard, le baron poursuivait :

— Belle carrière que celle de ce Sorinet-Moroi !... Mais j'estime, mon cher docteur, qu'en ce qui vous concerne, vous n'aurez rien à lui envier, vous voilà déjà chef de clinique, à trente-cinq ans, à peine... c'est très beau, votre situation s'accroît tous les jours...

Il ajoutait avec un petit rire significatif :

— Bientôt, il va falloir songer à vous marier !

Le docteur Hubert tressaillit, cependant qu'un sourire évasif errait sur ses lèvres ombrées d'une moustache soyeuse et brune.

Il protesta :

— Vous êtes bien pressé ! J'ai tout le temps et d'ailleurs, je doute fort que je veuille me marier jamais...

Et en disant ces paroles, il fixait Valentine d'un regard tellement passionné que la jeune femme, si elle s'en était aperçue, aurait pu en être troublée ; mais l'élégante baronne, à ce moment, dégustait avec une attention minutieuse semblait-il, buvant à petites gorgées, le consommé glacé aux tomates qu'on venait de lui apporter.

Cependant, le baron qui, de même qu'il était bavard, tenait difficilement en place, poussa un grand soupir de satisfaction, en s'agitant sur son fauteuil.

— Ah ! voilà le chasseur, dit-il.

Il griffonna rapidement quelques mots sur sa carte de visite, puis la tendait au groom.

— Écoute-moi petit, tu vas aller porter ceci à mon cercle, rue Royale, et tu attendras la réponse, que naturellement, tu viendras me rapporter...

Cependant que le chasseur s'éloignait, le baron expliquait à sa femme :

— J'envoie chercher une loge pour *La Boîte à Musique*, où nous pourrons, si vous le voulez bien, finir la soirée. On y voit des choses assez amusantes, paraît-il.

Valentine approuva d'un silencieux hochement de tête.

Mais brusquement, elle tressaillit ; elle venait d'entendre les premières mesures d'un air que les tziganes se disposaient à interpréter.

Le baron ne s'apercevait toutefois point de l'émotion que cet air semblait déterminer chez sa femme, et continuait à faire à lui seul les frais de la conversation.

— Ce petit chasseur est gentil ; il a bonne tournure et l'air déluré, il ferait certainement notre affaire !...

Il se pencha de nouveau vers sa femme :

— Qu'en pensez-vous, Valentine ? Est-ce que ce gamin vous conviendrait pour remplacer l'autre que nous avons renvoyé ?...

La jeune femme s'efforça de sourire et bien que sa pensée fût ailleurs, elle répliqua :

— Mais, pourquoi pas ?... certainement... il est très bien.

De Lescaux avait fait un signe pour appeler le maître d'hôtel.

— Charles, dit-il en s'adressant à ce dernier avec une bonhomie protectrice, donnez-moi donc quelques renseignements sur ce gamin... j'ai bien envie de vous l'enlever.

Le maître d'hôtel souriait.

— Il est à monsieur le baron si monsieur le baron le désire !

Cependant, le Dr Hubert, qui n'avait pas perdu des yeux l'attitude subitement troublée de Valentine ne put se retenir de l'interroger.

D'une voix anxieuse qu'il s'efforçait de rendre calme le jeune homme déclara :

— Êtes-vous souffrante ? Chère madame, il me semble que vous avez pâli !

Valentine, en effet, était devenue toute blanche ; elle s'était arrêtée de dîner et semblait suivre avec une attention nerveuse chacune des mesures qu'interprétait l'orchestre des tziganes.

Les hommes aux vestes rouges jouaient avec conviction une mélodie étrange qui commençait à être connue dans les milieux parisiens : cela s'appelait *Passionnément*. C'était une musique douce d'abord, qui débutait en sourdine, ensuite de l'ensemble des instruments se dégageait peu à peu le motif du premier violon ; l'archet de l'exécutant faisait vibrer les cordes harmonieuses, puis c'était, dans des saccades précipitées, dont le mouvement s'accroissait sans cesse, dont l'intensité s'enflait, de véritables plaintes, de réels sanglots que traduisaient nettement les sons de l'instrument. *Passionnément* était évidemment l'expression même de son titre : c'était de l'amour, de l'amour étrange, de l'amour poignant que traduisait la mélodie !

Et cet air paraissait déterminer chez Valentine une impression considérable !

Malgré les efforts que faisait la jeune baronne pour conserver une attitude de froide indifférence, elle était certainement émue au plus haut point ! Sa poitrine se soulevait, sa respiration devenait haletante comme si elle avait eu une terrible difficulté à faire pénétrer dans sa gorge contractée l'air nécessaire à ses poumons.

Elle souriait cependant d'un sourire nerveux qui ne s'adressait à personne et à tout le monde, ses yeux perdus dans le vague fixaient machinalement une ampoule électrique qui brillait dans un angle de la pièce, à droite des musiciens...

N'ayant pas obtenu de réponse, le Dr Hubert cessait de l'interroger, et ses yeux, des yeux perspicaces de médecin et peut-être aussi d'amoureux, se fixaient désormais sur la main de la baronne, une main fine, nerveuse, élégante aux ongles rosés taillés en amande, une main aux doigts maigres et distingués, surchargés de bagues.

Le docteur considérait cette main petite et spirituelle dont les muscles se gonflaient sous la peau ; les doigts lentement se crispèrent. Était-ce la conséquence d'un mouvement réflexe ou un acte volontairement exécuté ? Peu à peu, il sembla au docteur que Valentine, qui déchirait l'enveloppe du pain que l'on avait placé à côté d'elle, froissait cette enveloppe et la faisait disparaître dans le creux de sa main.

Hubert crut qu'elle allait la repousser à côté d'elle, la laisser tomber, peut-être ? Il n'en fut rien !

La mince enveloppe de papier avait disparu dans la main de la baronne, elle ne réapparaissait pas !...

Le baron de Lescaux entamait à ce moment une grande conversation avec le petit chasseur qui revenait de son cercle.

— J'ai parlé, disait-il, à Charles, j'ai de bons renseignements sur toi, veux-tu entrer à mon service ?

Puis, sans attendre la réponse, le baron qui, vraisemblablement, n'avait pas l'habitude d'être contredit, ajoutait :

— On te donnera cent francs par mois, plus la nourriture et le vin...
logé, naturellement... Dès ce soir, tu vas aller voir mon valet de chambre,
Désiré, tu t'entendras avec lui. Est-ce compris ?

Le petit chasseur s'inclina légèrement :

— Monsieur le baron peut compter sur moi, fit-il.

Et très correctement, avec des gestes d'automate, il tourna les talons.

Le baron le rappela :

— Comment t'appelles-tu ?

— Isidore, monsieur le baron.

De Lescaux esquissait une grimace qui n'échappait point au regard
intelligent et éveillé du gamin, il ajouta :

— Mais on m'appelle surtout Zizi !

Les tziganes achevaient d'interpréter *Passionnément*.

Quelques rares applaudissements leur étaient décernés, consacrant le
charme opéré sur les auditeurs par cette œuvre originale et troublante. Les
gens du monde, surtout lorsqu'ils dînent, ne sont guère généreux de
bravos, mais les quelques éloges qui venaient distraitement de se manifester
satisfaisaient amplement les interprètes qui savaient à quoi s'en tenir sur
la réserve voulue de leur public !

Valentine, cependant, s'était peu à peu remise de l'émotion qu'elle
paraissait avoir éprouvée, mais son visage conservait les stigmates de l'effet
produit sur elle par l'étrange mélodie. Elle restait pâle et le cercle bistré
qui entourait ses yeux s'était légèrement agrandi. C'est à peine si elle avait
touché au resté du dîner qu'on lui avait servi.

Seul, d'ailleurs, le baron de Lescaux faisait honneur à ce repas délicat ;
le docteur Hubert paraissait troublé, lui aussi, et sans appétit, sans goût
pour la selle d'agneau que l'on avait servie, sans admiration pour le praliné
exquis, « spécialité de la maison », et qui méritait cependant de réels
compliments !

Le baron s'aperçut enfin de l'état de sa femme et, se penchant
affectueusement vers elle au moment où il commençait à déguster son café,
il l'interrogea avec sollicitude :

— Vous n'avez pas l'air en train, ma chère amie, seriez-vous donc
souffrante ?

Valentine fit un effort pour répondre aimablement :

— Souffrante, fit-elle, n'est pas le mot, mais je me sens fatiguée.

Elle s'adressait alors au Dr Hubert.

— Vous m'excuserez, mon cher ami, d'achever aussi brusquement notre
soirée, mais je désirerais rentrer... Geoffroy, continua-t-elle, en se tournant
vers son mari, reconduisez-moi, je vous prie, à la maison et je vous rendrai
ensuite votre liberté, si vous désirez aller au cercle, ou, mieux encore, à
cette *Boîte à Musique*, avec le Dr Hubert.

L'hôte des de Lescaux protesta :

— Le spectacle sans vous, mes chers amis, ne m'attire aucunement ;
mais puisque vous êtes souffrante, madame, je m'en vais vous demander
la permission de rentrer tranquillement chez moi.

Le Dr Maurice Hubert s'était levé, il réclamait le vestiaire, puis, se
tournant à nouveau vers Valentine :

— Vous m'excusez ? Je vais serrer la main à mon ami Derval.

Les deux jeunes gens, en effet, échangeaient un cordial bonjour, le lieutenant de marine, de sa voix grave et vibrante demandait :

— Toujours content, docteur, de vos études ? Et toujours mondain par-dessus le marché ? Peste ! mes compliments ! Vous dîniez, ce soir, avec une bien jolie femme !...

Sorinet-Moroi, qui venait d'être présenté à Maurice Hubert, s'arrêta un instant de manger pour demander lui aussi :

— En effet ! cette jeune femme qui vous accompagne est ravissante... Au fait, dites-moi donc son nom. Je ne sais pas où je l'ai vue, elle et son mari, mais en vérité, leurs traits me disent quelque chose. Je les reconnais tous les deux... sans pouvoir les reconnaître.

Maurice Hubert n'avait nulle raison d'être discret, il répondit simplement :

— La baronne et le baron de Lescaux sont fort répandus dans la société parisienne, vous avez certainement dû les rencontrer déjà. Ce sont pour moi de nouveaux amis, mais des amis qui me sont précieux...

Maurice Hubert saluait, prenait congé.

Quelques instants après, Valentine et son mari montaient dans leur automobile et le mécanicien, surpris, satisfait aussi de voir que la soirée s'achevait de si bonne heure, prenait une rapide allure pour reconduire ses patrons à leur domicile.

Le baron et la baronne de Lescaux occupaient rue Spontini, tout à côté du bois de Boulogne, un élégant hôtel particulier bâti au milieu d'un délicieux jardin dans lequel s'élevaient de grands arbres touffus qui donnaient à cette propriété une allure de campagne élégante et discrète tout à fait charmante.

Quelques instants après son départ du restaurant *Lucullus*, l'automobile venait se ranger au bord du trottoir devant la maison.

A peine le baron de Lescaux avait-il introduit sa clef dans la grille du jardin que l'on voyait l'hôtel s'illuminer ; la porte du perron s'ouvrait. Désiré, le valet de chambre, apparut digne et solennel, sanglé dans sa livrée noire. Il vint au-devant de ses maîtres, impassible et froid comme il convient à un domestique de bonne maison. Il les salua, ne manifestant aucune surprise de les voir rentrer ; un bon domestique n'est jamais, en effet, étonné de rien.

Toutefois, comme le baron s'attardait dans le hall de l'hôtel à parcourir son courrier, tandis que sa femme montait rapidement au premier étage, Désiré s'enhardit et adressa la parole à son maître.

— Il est venu, dit-il, ce nouveau groom que M. le baron a engagé au restaurant *Lucullus*. Je n'ai d'abord pas voulu croire, mais il m'a montré la carte de M. le baron et dès lors je l'ai installé... je suppose que M. le baron a vu les certificats...

Il y avait une légère nuance de reproche dans les paroles du serviteur, mais le baron de Lescaux, distrait par son courrier, ne s'en apercevait pas.

— Excellents, les certificats... excellents... c'est Charles qui me l'a recommandé.

Puis il ajoutait :

— Vous me réveillerez demain à huit heures précises, j'ai à sortir.

— Monsieur le baron veut-il que je l'aide à se déshabiller ?

— C'est inutile, Désiré, vous pouvez aller vous coucher !

Valentine, cependant, montée dans sa chambre, s'était rapidement dévêtue ; toujours pensive, lointaine, troublée depuis qu'elle avait entendu les tziganes du restaurant interpréter *Passionnément*, la belle baronne se laissait déchausser par sa femme de chambre qui, attentive et empressée, dénouait la lourde chevelure noire de sa maîtresse, la coiffait pour la nuit.

Elle avait passé à Valentine son peignoir ; elle s'offrait encore à lui rendre quelques services.

— Je vous remercie, fit la baronne, je n'ai plus besoin de vous ; vous pouvez vous retirer.

Comme la femme de chambre s'en allait, le baron de Lescaux demanda l'autorisation de pénétrer chez sa femme.

— Entrez donc, fit celle-ci, je vous en prie.

Le baron vit sa femme prête à se mettre au lit.

— Excusez-moi de vous déranger, articula-t-il, je venais prendre de vos nouvelles avant d'aller moi-même me coucher.

Machinalement il déposait un baiser paternel sur le front de Valentine. Puis, la regardant dans les yeux profondément, il interrogea :

— Vous n'êtes pas souffrante, sérieusement, ma chère amie ?

— Non, Dieu merci ! répliqua la jeune femme, un simple malaise passager, il n'y paraîtra plus demain...

— Bonsoir, Valentine.

— Bonsoir, Geoffroy.

Au bout d'un quart d'heure le silence se faisait dans l'hôtel. Valentine se retrouvait seule dans son appartement particulier ; sa chambre, son boudoir et son cabinet de toilette étaient à l'angle ouest de l'habitation et donnaient par une terrasse dans le jardin qui s'étendait assez loin derrière la propriété.

La jeune femme alla pousser le verrou de sa porte.

Mais comme elle revenait au milieu de la chambre, elle s'arrêta, pétrifiée, stupéfaite, étouffant le cri qui allait s'échapper de ses lèvres :

— Mon Dieu ! proféra-t-elle tout bas, vous ici !

Et ses yeux s'écarquillaient pour considérer avec effarement, avec une inquiétude apeurée, la vision inattendue qui s'offrait à elle.

Il faisait ce soir-là un véritable temps de printemps, très doux, légèrement orageux, et, bien qu'il fût onze heures du soir, l'atmosphère extérieure était lourde, nullement humide.

Valentine avait laissé sa fenêtre entrebâillée ; l'air extérieur pénétrant dans la pièce y apportait des senteurs des gazons tiédis toute la journée par le soleil et le parfum violent des marronniers en fleur.

Or par cette fenêtre entrebâillée quelqu'un venait de s'introduire, qui demeurait désormais immobile et tremblant, le visage contracté, anxieux de l'effet qu'il avait produit. C'était le Dr Hubert !

A l'exclamation stupéfaite de la jeune femme il rétorqua d'une voix angoissée :

— Valentine, pardonnez-moi !

La jeune femme était bien trop émue pour répondre de suite ; dans un geste d'instinctive pudeur, elle refermait le peignoir qui s'échancrait sur sa poitrine, puis, s'approchant du docteur, elle l'interrogeait :

— Que voulez-vous ?... qu'êtes-vous venu faire ? Qui vous a permis... ?

Ses yeux lançaient des éclairs indignés.

Le Dr Hubert n'en put supporter le regard ; il baissa les paupières et, sur le ton d'un enfant que l'on gronde, s'excusa humblement :

— Hélas ! Valentine, c'est fou ce que je fais... je le sais... mais voilà si longtemps que je résiste, que je lutte contre moi-même ; je vous l'ai laissé entendre... je vous ai dit même à maintes reprises combien je vous aime... je suis insensé, sans doute, mais vous excuserez sans doute semblable folie, car c'est une folie d'amour, je vous aime !... je vous aime !...

Le jeune homme haletait ! Au fur et à mesure qu'il parlait, avouait sa passion, sa voix devenait plus nette, plus précise ; il osa regarder Valentine.

Celle-ci qui s'était approchée reculait peu à peu ; son visage exprimait surtout la surprise, plus peut-être que l'indignation ! Évidemment, dans une certaine mesure, elle était touchée par l'évidente sincérité de cet homme qui n'avait pas craint, au mépris de toutes les conventions mondaines et sociales, de s'introduire chez elle pour lui confirmer, avec ardeur, sa conviction, ce que la jeune femme savait, depuis longtemps déjà !

Elle protesta, toutefois.

— Maurice, Maurice, est-ce possible ? Je n'ose en croire mes yeux ?... Vous ici ? et de cette façon ?... Je n'aurais jamais cru qu'un galant homme, comme vous, agirait avec une telle incorrection, une semblable audace ?...

Maurice Hubert s'était approché de la jeune femme et, triomphant de sa résistance primitive, il avait réussi à lui prendre la main ; il l'étreignait dans les siennes, passionnément. De sa voix grave et mélodieuse, qui cependant tremblait toujours légèrement, il reprit, fixant la jeune femme d'un regard soupçonneux :

— Valentine, jamais je n'aurais pris une décision semblable, si je m'étais contenté de vous aimer comme je vous aimais, hier encore... ce soir même... avant ce maudit dîner... mais il y a quelque chose de changé entre nous... quelque chose, du moins, de modifié en moi !...

Ces paroles mystérieuses et incompréhensibles stupéfiaient la jeune femme.

— Que voulez-vous dire ? que signifient vos propos ?

Il semblait que jusqu'alors le Dr Hubert avait fait effort pour ne point exprimer le fond de sa pensée.

— De grâce, Valentine, supplia-t-il, dites-moi d'abord si vous m'aimez ?

Et comme la jeune femme, d'un geste, protestait, il rectifia :

— Dites-moi seulement si vous m'aimerez un jour ?...

Un violent combat évidemment se livrait dans le cœur de Valentine.

Assurément la cour discrète et chaleureuse que lui faisait le brillant docteur, depuis déjà de longues semaines, n'avait pas été sans l'impressionner ; mais elle était stupéfaite et outrée de l'entretien auquel elle consentait ce soir même, de ce tête-à-tête qu'elle accordait à cet homme qu'elle recevait chez elle, la nuit, à la manière d'un amant !

— Vous aimer, reprit-elle, vous aimer un jour ? Hélas ! hélas ! je ne peux pas... qui peut dire... ?

Elle se passait les mains sur le front, puis s'étreignait les tempes avec nervosité ; ses joues, pâles jusqu'alors, s'empourpraient ; le sang affluait à ses lèvres ; son regard s'illuminait ! Elle était désormais divinement belle, cette Valentine de Lescaux, que la société parisienne, pourtant difficile et encline à la critique, avait consacrée « Reine de Paris ».

Le Dr Hubert tomba à genoux devant elle.

— Je vous en conjure, dit-il la voix frémissante, arrachez de mon cœur ce doute, qui me torture depuis ce soir et me fera commettre toutes les imprudences...

— Quel doute ? interrogea Valentine.

Le docteur se releva d'un bond, il se rapprochait encore de la jeune femme et, la fixant dans les yeux, autoritaire, impératif, il murmura :

— Je suis jaloux ; jaloux de vous, Valentine... vous en aimez un autre, vous avez un amant ?...

La baronne de Lescaux devint blafarde ; ses poings se crispèrent, son front se plissa.

— Monsieur, répliqua-t-elle d'une voix glacée, vous abusez véritablement de mon indulgence, et si j'ai pu un instant pardonner à votre incorrection par égard pour votre amour, je ne puis tolérer une minute de plus l'insulte de vos soupçons. Partez ! je vous l'ordonne !...

— Valentine ! balbutia le docteur dont le visage se décomposait, de grâce répondez-moi, rassurez-moi ?...

— Sortez ! vous dis-je.

Elle était impressionnante et tragique à voir, Valentine de Lescaux, lorsque d'un geste énergique elle désignait au Dr Hubert la fenêtre ouverte par laquelle il était entré.

Celui-ci courbant les épaules fit quelques pas pour s'en aller, mais ne pouvant s'y décider, il revint.

Valentine l'observant vit de grosses larmes qui coulaient des yeux du docteur. La douleur de ce malheureux parut l'émouvoir un instant ; elle ne répéta point son ordre.

Maurice Hubert reprit :

— Je suis jaloux !... jaloux de vous..., jaloux surtout de ceux qui vous entourent... qui peuvent vous approcher.

— De mon mari ? insinua Valentine méchamment.

Le visage du docteur se crispa ; Hubert parut souffrir vivement de cette ironie. Il répondit :

— De votre mari, oui... mais d'autres aussi... Écoutez, Valentine, ce que j'ai à vous dire, et rassurez-moi ensuite... J'ai cru voir... j'ai vu ce soir pendant le dîner, alors que vous paraissiez si extraordinairement troublée par l'air qu'interprétaient les tziganes, que vous dissimuliez dans votre main un papier... un billet... que l'on vous avait fait tenir sans doute... dites-le-moi... est-ce vrai ?

Valentine un instant s'était troublée, mais son visage reprenait aussitôt une expression de dignité froide, d'indifférence absolue.

— Un billet, moi ?... demanda-t-elle.

Puis, brusquant les choses, et nerveusement, elle poursuivit :

— Cela suffit, Maurice... il me semble que vous me faites subir un interrogatoire.

Elle s'animait en parlant, devenait hautaine, elle ajouta haletante :

— Et de quel droit, je vous prie ?

— Du droit, balbutia le jeune homme, de celui qui vous aime !

— Vous en ai-je jamais donné la permission ? questionna son interlocutrice.

Mais au fur et à mesure que cette discussion s'enflait Hubert semblait de plus en plus disposé à ne pas se laisser abattre.

— Peut-être ! proféra-t-il ; voici de longs jours que je vous dis mon amour, et vous ne m'avez pas éconduit, vous m'avez presque encouragé... si vous ne deviez pas m'aimer, Valentine, vous auriez joué là un bien vilain rôle...

— Assez ! ordonna péremptoirement la jeune femme, je ne permets à personne de juger ma conduite, ni de se faire l'arbitre de mes actes, je vous l'ai déjà dit Maurice, je vous le répète, partez... partez immédiatement.

Le docteur reculait, gagnait la fenêtre ; il articula cependant :

— Valentine, en aimez-vous un autre, serait-ce possible ?... Valentine, répondez-moi, me trompez-vous ?...

Il n'obtenait pour réponse qu'un éclat de rire strident et nerveux, la jeune femme cependant ajoutait :

— Vous tromper !... ah ça ! mais êtes-vous donc mon mari ou mon amant ?

Un cri de douleur, une appellation passionnée — le nom de Valentine balbutié à maintes reprises — se percevaient quelques instants dans la chambre brillamment éclairée.

Puis désespéré, n'osant prolonger cet entretien, le docteur Hubert retournait à la fenêtre ouverte par laquelle il s'était introduit.

Il disparut dans l'ombre, sauta de la terrasse dans le jardin, s'enfonça dans le parc.

Valentine était demeurée, très pâle, immobile au milieu de la pièce ; lorsqu'elle n'entendit plus aucun bruit, elle se rapprocha de la fenêtre restée ouverte ; tira d'abord les persiennes qu'elle assujettit solidement.

— Pauvre Hubert ! murmura-t-elle ; comme il m'aime ! il m'a été pénible de le traiter de la sorte !

La jeune femme s'arrêtait un instant, puis reprenait à mi-voix :

— Je ne puis me le dissimuler, en effet, ce garçon m'est sympathique... très sympathique.

Elle ajoutait, riant nerveusement :

— Mais, par exemple, il a des façons d'exprimer sa passion qui sont d'un autre âge... Pour un peu j'aurais cru qu'il voulait m'enlever selon la formule des chevaliers de jadis, qui ravissaient leurs maîtresses par la fenêtre des donjons au moyen d'une échelle de soie !

Elle plaisantait, mais en vain pour s'illusionner. Quiconque l'aurait observée à ce moment-là n'aurait pas eu besoin d'être bien perspicace pour s'apercevoir que la gaieté, l'entrain qu'elle simulait n'étaient que factices. Valentine, en effet, était émue, terriblement émue, troublée au plus haut point. Ses gestes saccadés le prouvaient.

La jeune femme s'approcha d'une glace, considéra longuement son visage et parut terrifiée en se voyant.

Elle était, en effet, très pâle ; elle avait les yeux cernés, tandis que ses pupilles très dilatées brillaient d'un extraordinaire éclat, sa poitrine haletait, perpétuellement oppressée et lorsqu'elle compressait son sein d'un geste machinal, Valentine sentait battre son cœur à grands coups précipités.

— Ai-je donc été si troublée ? se demanda-t-elle.

Et, terrassée par la lassitude contre laquelle elle luttait depuis si longtemps déjà, elle s'avoua enfin à elle-même :

— Oui, je suis troublée, inquiète, mortellement angoissée, même... mais surexcité de curiosité au plus haut point...

Et soudain, comme si elle revivait un rêve étrange, la jeune femme reprenait, levant les yeux au ciel.

— Qui est-ce ? Que veut-il... Que peut-on me vouloir ?... Que signifient ces attitudes étranges et mystérieuses ?... Pourquoi toujours cet air, ce *Passionnément* qu'interprètent les musiciens les plus divers et qui doit me troubler comme on l'a dit... et qui me trouble, en effet ! Oui pourquoi !... pourquoi ? qu'est-ce que cela signifie ?...

Cependant qu'elle avait proféré, balbutié à mi-voix ces étranges paroles, dont elle paraissait à peine comprendre le sens elle-même, Valentine, avec un geste d'automate, était allée s'assurer de nouveau que la fenêtre était bien fermée, que le verrou de sa porte était poussé, que nul ne pouvait entrer chez elle et encore moins, du dehors, l'apercevoir.

Lorsqu'elle se fut convaincue qu'elle était bien isolée de toutes parts, la jeune femme avisa son réticule ; elle en sortit une boulette de papier froissé.

Quelques instants, elle la conserva dans la main, hésitante.

Elle murmura, pensive :

— Les amoureux ont des yeux partout, Hubert m'a vue prendre ce papier !

La jeune femme hésitait encore ; elle voulait et ne voulait pas, à la fois, lire ce mystérieux billet dont elle avait deviné la présence sous l'enveloppe de papier huilé, dans lequel, au restaurant *Lucullus* comme dans tous les restaurants élégants, il est d'usage d'enfermer les pains.

Une horloge au lointain sonna deux heures du matin. Valentine tressaillit.

— Déjà si tard ! fit-elle.

Et cependant il ne semblait pas qu'elle songeât à aller se coucher.

Elle demeurait immobile au milieu de la pièce, sa main toujours crispée sur le billet froissé.

— Il faut pourtant, pensa-t-elle, que je sache...

Et, dès lors, prenant une décision, elle déplia la feuille de papier, l'approcha d'une ampoule électrique, ses yeux s'écarquillèrent, elle lut.

Sur le billet, figuraient simplement une date, une heure, une adresse.

Longtemps encore, Valentine demeura stupéfaite, anxieuse.

— Irai-je ? se demandait-elle. Et se roidissant contre la curiosité, elle déclarait :

— Je n'irai pas...

Mais quelques instants après encore, elle reprenait, esquissant un sourire :

— J'irai peut-être, c'est si amusant de ne pas savoir !...

Son caractère altier et hautain reprenait le dessus :

— Je n'aime pas ces ordres, grommelait-elle, je n'irai pas !...

A trois heures du matin, perplexe et nullement décidée, Valentine se coucha.

Toutefois, au préalable, elle brûlait à la flamme d'une bougie le mystérieux billet dont le contenu s'était gravé dans sa mémoire, puis de son lit, elle éteignait l'électricité face aux communicateurs placés à proximité.

L'obscurité absolue régnait dès lors dans la pièce. Valentine essaya de s'endormir, mais en vain.

Enfin lorsque l'aube parut, ses paupières se fermèrent.

La jeune femme commençait à s'assoupir.

Les dernières pensées, toutefois, qu'elle agitait trahissaient encore ses hésitations, sa perplexité.

— Irai-je... N'irai-je pas ?...

Elle frissonna...

Un instant ses lèvres balbutièrent des mots sans suite :

— J'ai peur... le passé... si c'était... Non : je suis folle !

Valentine de Lescaux avait évidemment un secret...

Quel était ce secret ?

Elle reprit, pour la centième fois, peut-être :

— Irai-je ?... N'irai-je pas ?...

VI

L'inconnu

— S'il vous plaît, monsieur, de quel côté se trouve la rue Girardon ?

— La rue Girardon, madame ?... ma foi...

L'agent, de planton au coin des boulevards extérieurs et de la rue Lepic, cherchait dans la poche de sa tunique, le petit indicateur des rues, dont l'avait gratifié la Préfecture, à son entrée au service.

Il jetait un regard admirateur, en même temps, à la fine silhouette féminine qui venait de l'interroger.

Il s'agissait évidemment d'une toute jeune femme et, bien que son visage disparût sous une voilette marron, fort épaisse, à grands ramages, il n'était point difficile de préjuger qu'elle devait être fort jolie, car il se dégageait d'elle un charme secret, prenant et attirant.

Grande, mince, très élégante, la passante attendait dans une pose non étudiée, et cependant quelque peu hautaine, quelque peu indifférente.

Or, l'agent, qui avait des lettres et qui se piquait de connaître Montmartre, fouillait, d'un gros doigt, qu'il humectait au coin de ses lèvres, l'indicateur des rues.

— Ga... Gé... Gi... Ah ! voilà !... la rue Girardon, madame, elle commence rue Caulaincourt et finit rue Lepic...

La réponse était nette, mais la passante sembla tout aussi embarrassée :

— Et la rue Lepic, monsieur, où est-ce ?...

— Ici, madame, vous vous y trouvez ; la rue Girardon doit, si je ne me trompe, être en haut de la Butte Sacrée...

Pourquoi l'agent appelait-il la Butte Montmartre « la Butte Sacrée » ?

Pourquoi souriait-il avec fatuité, en regardant la jeune femme qui le questionnait ?

Cela avait évidemment peu d'importance et la passante ne chercha point à le deviner.

— Merci, monsieur ! répliquait-elle ; est-ce loin ?

— Dix minutes de marche...

D'un léger signe de tête, la jeune femme saluait, puis elle s'engageait dans la rue Lepic, semblant pressée.

... Ce n'était assurément pas une habitante de Montmartre, et « la Butte Sacrée », ainsi que l'appelait le sergent de ville, était totalement inconnue d'elle.

En passant, la jeune femme jetait des regards étonnés aux restaurants bizarres et misérables qui se suivent dans le bas de la rue Lepic, et qui s'enorgueillissent, faute de mieux, d'avoir pour clientèle un peuple famélique d'artistes, de rapins, de littérateurs en mal de célébrité.

De temps à autre, de ses lèvres, un murmure montait, presque une exclamation :

— C'est fou ce que je fais ! c'est absolument fou ! je n'irai pas...

Au croisement de la rue des Abbesses, la jeune femme hésita encore : Devait-elle continuer la rue Lepic ? devait-elle tourner ?

Il lui semblait invraisemblable qu'elle eût à s'engager plus avant dans les extraordinaires petites ruelles qui maintenant débouchaient sur son chemin.

Elle interrogea encore :

— La rue Girardon, s'il vous plaît ?

— Tout en haut, mademoiselle !... ah ! dame ! il faut avoir du souffle pour y arriver !

A l'appellation de « mademoiselle », elle avait un peu souri, amusée sans doute, mais elle reprenait sa marche :

— Je n'irai pas !... Je n'irai pas !...

Or, plus elle s'affirmait à elle-même qu'elle ne se rendrait point au lieu où elle allait, plus sa marche se faisait rapide, plus elle semblait anxieuse de ne point s'égarer et d'atteindre réellement le but de sa course !

Cette passante extraordinaire, cette passante élégante, qui, dans un quartier pauvre et bohème, en plein après-midi, se risquait dans les ruelles de la butte Montmartre, n'était autre que Valentine, la riche et jolie baronne, qui, la veille au soir, en grande toilette, dînait au restaurant *Lucullus* ; puis plus tard, rentrée chez elle, recevait rue Spontini, le docteur Maurice Hubert, son flirt, ce flirt qui s'était permis vis-à-vis d'elle une attitude qui eût pu faire croire, alors que ce n'était point la vérité, qu'il était son amant.

Comment Valentine se risquait-elle en un pareil quartier, que venait-elle faire rue Girardon ?

Valentine, la veille au soir, s'était endormie en songeant au mystérieux billet qu'elle avait reçu, au cours de son dîner, en songeant aussi à l'extraordinaire audace dont avait fait preuve le docteur Maurice Hubert en s'introduisant chez elle.

Valentine, alors, était très troublée. Elle ne l'avait pas été moins, le matin même, en se réveillant dans sa chambre confortable, et en se rappelant, dans la douce somnolence qui suivait son éveil, les événements de la soirée précédente.

Valentine repassait dans sa mémoire les termes laconiques du billet mystérieux qu'elle avait brûlé la veille au soir :

Ils étaient ainsi conçus :

Demain, trois heures, 6, rue Girardon. Au nom du ciel, venez !

Il n'y avait rien d'autre. Il n'y avait aucun détail, aucune précision, nulle signature...

Et pourtant les termes du billet, ces termes à la fois catégoriques et respectueux, s'étaient gravés dans la mémoire de Valentine, au point qu'elle les voyait.

Qui lui avait écrit ?

D'abord, elle avait pensé, lorsque, au beau milieu du dîner, sous le papier de soie enveloppant son pain, elle avait senti un billet, que Maurice Hubert, seul, pouvait oser correspondre ainsi avec elle. Mais la visite du jeune docteur l'avait détrompée. La jalousie dont il avait fait preuve l'avait persuadée qu'il ne s'agissait pas de lui, et Valentine, de plus en plus angoissée, de plus en plus affolée de curiosité, cherchait vainement à deviner quel pouvait être son mystérieux correspondant.

L'élégante jeune femme, bien entendu, avait, à la fin, décidé qu'elle ne se rendrait pas au rendez-vous qu'on prétendait lui assigner.

Il lui eût paru monstrueux d'accepter une entrevue semblable. Mais, en même temps qu'elle arrêtait de ne point se rendre rue Girardon, elle tâchait d'imaginer qui pouvait l'y attendre, qui pouvait avoir cru qu'elle serait assez imprudente ou assez légère pour accepter une invitation qui n'était même point signée.

Valentine avait passé en revue tous ses amis, tous ceux qui, séduits par son altière beauté, s'étaient plus ou moins mis sur le pied du flirt avec elle...

Mais à évoquer les snobs qu'elle connaissait, les arrivistes qui s'empressaient dans son salon, heureux de connaître un ménage des plus fortunés, il lui avait semblé que nul d'entre eux ne pouvait être l'auteur du billet...

Qui donc alors avait écrit ?

Délaissant la recherche de la personnalité même de son énigmatique amoureux, Valentine s'était efforcée de préciser la façon dont elle avait pu séduire un inconnu peut-être, mais elle ne se rappelait nulle aventure récente, nul petit incident dans sa vie, qui lui parût susceptible d'avoir pu retenir l'attention d'un quelconque galant, de l'avoir exposé à des assiduités pareilles...

Toute la matinée, Valentine avait vaqué aux soins de sa toilette, avec sa minutie ordinaire, son élégance raffinée, puis, enfin, elle s'était mise à table, avait déjeuné en face de son mari et, distraite, d'un ton indéfinissable, simplement, avait annoncé :

— Je vais sortir à pied, j'ai la migraine, et la marche me fera du bien...

Elle avait quitté la rue Spontini bien décidée à ne pas aller rue Girardon, mais elle s'était immédiatement dirigée vers Montmartre, comme attirée, poussée, conduite par une force mystérieuse, une volonté supérieure.

Valentine était-elle bien sincère quand elle disait ne point imaginer qui pouvait lui avoir écrit ?

Si, véritablement, elle avait été surprise par l'arrivée du billet qu'on lui avait fait tenir au restaurant, elle se serait probablement trahie, il n'y eût pas eu alors seulement que Maurice Hubert pour deviner qu'elle glissait dans sa bourse en or la mince feuille de papier trouvée dans l'enveloppe de son pain.

Non ! si Valentine avait été sincère avec elle-même, elle eût convenu que depuis longtemps, depuis plusieurs semaines même, des incidents mystérieux et extraordinaires intriguaient et charmaient sa vie.

Partout où elle allait, d'abord, comme sur un mot d'ordre secret, l'orchestre entamait un air... un air étrange... extraordinairement doux et lent... un air de rêve, au rythme berceur et reposant, qui, toujours, durait, s'éternisait, semblait s'achever, puis recommençait, tant qu'elle restait au même endroit...

Cet air, on le jouait au thé qu'elle fréquentait d'ordinaire, elle l'avait entendu au bois ; les restaurants les plus huppés l'inscrivaient au programme de leur orchestre, il s'était insinué, à trois reprises, tenace, pénétrant, jusque dans sa chambre close, rue Spontini...

Un air ! c'était bien peu de chose !

Valentine, peut-être, ne l'aurait point remarqué, eût cru à la vogue passagère d'une musique à la mode, si le rythme n'avait semblé, chaque fois, annoncer pour elle de surprenants événements.

Alors que la musique se faisait berceuse, alors que les harmonies troublantes jetaient un peu d'ivresse en elle, de mystérieux envois arrivaient — envois de fleurs sortant des grands fleuristes, et que nulle carte n'accompagnait, précieux bibelots trouvés sur la table de sa chambre, invitations pour des théâtres en renom, qui parvenaient par la poste, envoyées, semblait-il, par des amis, qui jamais ne se faisaient connaître...

Valentine, d'abord, persuadée qu'il s'agissait là d'une originale façon de faire la cour, adoptée par Maurice Hubert, s'était gardée d'attirer l'attention de son mari...

Après il avait été trop tard...

Mais, désormais, elle croyait comprendre. Ce n'était pas Hubert qui était l'auteur anonyme de ces envois, sa jalousie de la veille le prouvait. Qui était-ce donc ? Personne ! un inconnu !

C'était vers cet inconnu qu'elle allait en se disant : Je n'irai pas !

Aussi bien, Valentine, depuis qu'elle avait remarqué l'extraordinaire fréquence de l'air indécis et charmeur qu'elle entendait partout, depuis qu'elle avait remarqué que, chaque fois, les mesures annonçaient une surprise nouvelle, tremblait lorsqu'elle entendait un peu, lointaine ou proche, cette mélodie...

La veille au soir elle avait pâli lorsque l'orchestre du *Lucullus*, sur ses instruments atténués de sourdines, avait préludé... Maintenant elle frémissait en se demandant si d'aventure, rue Girardon, elle allait encore surprendre les mêmes motifs musicaux.

Tout en songeant, Valentine continuait à avancer.

Elle atteignait les hauteurs de la butte Montmartre, des passants la renseignaient à nouveau, elle arrivait rue Girardon.

La toute petite rue déserte, en pente rapide, qui part du sommet de la butte et rejoint la rue Caulaincourt, l'étonna. Il n'y avait là que d'humbles maisons ; à peine un hôtel, à l'aspect abandonné, aux volets arrachés à moitié, paraissait-il de quelque importance.

Valentine s'arrêta, considéra les lieux, sourit :

— J'ai dû faire le caprice d'un artiste, murmurait-elle.

Elle fut, une seconde, sur le point de rebrousser chemin, puis, la curiosité étant plus forte que la crainte de se compromettre, elle avança encore, désireuse de s'assurer du numéro de la maison où son mystérieux correspondant l'attendait.

Valentine ne s'était pas trompée. Le numéro 6 indiqué par le billet était bien celui de l'hôtel abandonné...

— C'est une mystification ! pensa la jeune femme, qui, baissant la tête, marchant maintenant d'un pas de promenade, longeait la grille d'un jardin envahi par les folles herbes, et, sans en avoir l'air, s'assurait de l'abandon de la propriété.

— C'est une mystification, personne n'habite ici !...

Mais à ce moment ses fins sourcils se fronçaient. A l'improviste une pensée venait de lui venir, qui la faisait frémir :

— Serais-je tombée dans un piège ? murmurait-elle. Geoffroy aurait-il remarqué les assiduités d'Hubert et aurait-il voulu m'éprouver ?...

Sa nature altière, son indépendance, son caractère indomptable faisant plus alors pour la décider que n'eussent pu faire les plus tendres supplications.

— Nous verrons bien !

Et, curieuse de plus en plus pour savoir, pour ne point garder le regret d'une équivoque, Valentine rebroussa chemin, se rapprocha de la maison, posa la main sur la porte, ouvrit, entra...

La jeune femme s'était attendue quelque peu à ce que la grille fût fermée. Elle eut une émotion vive en se trouvant dans le jardinet dont les allées caillouteuses, envahies par les herbes folles, témoignaient toujours du plus lointain abandon. N'importe ! Elle était entrée, elle voulut avoir le dernier mot...

Valentine longea les allées, gravit les marches moussues d'un perron, fut à la porte d'un vestibule. Elle allait mettre la main sur le bec-de-cane, lorsque la porte, d'elle-même, s'ouvrait devant elle.

Cela lui fit peur.

— On m'attendait ? murmura-t-elle.

Elle entra. Il lui sembla d'abord que le vestibule était noir, obscur, puis la porte se referma et, à la minute même, une étrange féerie commença pour la jeune femme...

A peine la porte avait-elle claqué, en effet, repoussée par un ressort, évidemment, que Valentine voyait s'illuminer, d'une lueur bleutée, extraordinairement pâle et douce, le vestibule dans lequel elle se trouvait. La pièce était merveilleusement meublée de lourdes tentures ; d'épaisses tapisseries anciennes tombaient du cintre des plafonds, où des lampes électriques, voilées de soie bleuâtre, dessinaient des girandoles...

Sur la mosaïque du sol des tapis moelleux étaient jetés. Il n'y avait personne. Interdite, Valentine s'arrêta... elle prêta l'oreille... elle écouta... nul bruit !...

La jeune femme demeura quelques instants immobile, émue au point que son cœur battait à coups précipités dans sa poitrine. Elle était déjà prête à s'éloigner, lorsque, très lointaine et très indécise, une musique arrivait jusqu'à elle, qui la troublait infiniment...

Ah ! il n'était pas besoin à Valentine de réfléchir pour reconnaître l'air que les violons pleuraient, accompagnés des lamentations grêles des harpes... C'était *Passionnément*, l'air mystérieux, l'air que, tant de fois, elle avait déjà entendu...

Tout cela était si surprenant, si irréel, que Valentine éprouva le besoin de sortir de ce qui lui apparaissait comme un véritable rêve.

— Y a-t-il quelqu'un ?

Banalement, elle interrogeait. Sa voix tremblait...

Elle entendit une voix lui répondre, une voix qui venait jusqu'à elle, très douce et, à la fois, très lente et très précipitée :

— Soyez la bienvenue, madame ! Soyez mille fois remerciée pour avoir eu le courage de venir jusqu'à moi !... De grâce, entrez !... Je vous attendais comme on attend le jour ! Je vous espérais comme l'aveugle peut espérer la clarté !... Entrez, madame !...

En face de Valentine, au bout du vestibule, une porte encore s'était ouverte sans bruit.

La jeune femme, étonnée de n'apercevoir toujours personne, oubliant d'avoir peur, tant elle était surprise et, pourtant, frissonnante d'avoir deviné la ferveur des mots qui lui étaient adressés, traversa le vestibule, entra, pénétra dans un grand salon, illuminé, lui aussi, d'une lumière bleuâtre, très faible, très douce, infiniment reposante, une lumière de rêve. On eût dit que le clair de lune avait été emprisonné dans la grande pièce...

Et certes l'hôtel n'était pas abandonné.

Contrastant avec les lourdes et sévères tapisseries du vestibule, le salon dans lequel Valentine pénétrait était précieusement meublé dans le plus pur des styles. Ce n'étaient que statuettes aux formes minutieuses, tanagras précieux, sèvres fragiles, meubles aux délicats contours... et partout, sur les tablettes, sur les étagères, des fleurs, des fleurs inconnues et rares, des fleurs fantastiques, des orchidées aux pétales effarants...

Valentine, d'émotion, avait fait quelques pas, puis s'était laissée tomber dans un grand fauteuil. Restait-elle longtemps immobile ainsi ? Était-ce immédiatement qu'elle se relevait, qu'elle jetait, effarée, un regard autour d'elle ? Il lui eût été impossible, plus tard, de le dire !

Tout ce qu'elle voyait était si étrange, les surprises se succédaient si rapides qu'elle n'avait point le temps d'en prendre conscience.

— Madame, répétait à ce moment la même voix grave et chaude, une voix d'homme qui semblait se contenir et se forcer à demeurer calme ; madame, je vous renouvelle encore tous mes remerciements ! En venant, vous avez deviné, je pense, que vous veniez chez un homme d'honneur ; qu'il me soit permis, à la minute où je dois vous dire que je vous adore, de vous rendre grâce de ne point vous être méprise sur moi !...

Cette fois, comme réveillée de son rêve — du rêve qu'elle croyait vivre depuis quelques instants — Valentine se redressa brusquement :

— Monsieur, disait-elle, vous vous trompez étrangement sur ma démarche, je suis venue...

Elle allait achever :

« ... pour vous prier de cesser vos assiduités.

Elle n'en avait point le temps.

— Vous êtes venue, madame, en effet, reprenait la voix, et je ne vous demandais rien d'autre, et je ne veux encore rien vous demander de plus ! Vous êtes venue... vous êtes là... Ce n'est rien ! et c'est cependant un bonheur si grand que je me demande si c'est bien vous qui m'entendez, vous que je vois ?...

Mais le mot que disait ainsi la voix était véritablement maladroit !

Après avoir été comme étourdie par la surprise éprouvée, Valentine se réveillait tout à fait.

Les phrases qu'elle entendait étaient pour elles autant d'énigmes qui la forçaient à réfléchir.

— Ah ça, monsieur, interrompit la jeune femme, faisons cesser cette plaisanterie... Où êtes-vous ?

Valentine pouvait le demander à bon droit... Elle promenait, en effet, des regards affolés dans le grand salon, elle n'y apercevait personne ! elle y était seule !... Et pourtant la voix semblait tout près d'elle !

— Où êtes-vous, monsieur ? répliquait Valentine. Je suis venue ici pour avoir une franche explication avec vous !... Si vous êtes vraiment un galant homme, vous ne la refuserez pas...

Mais à ce moment elle s'interrompait.

L'air qui l'avait accueillie à son entrée dans l'extraordinaire demeure venait de reprendre avec une force soudaine, une impétuosité accrue.

Et puis, s'était-elle trompée ? Valentine venait-elle d'être victime d'une nouvelle illusion ? Il lui avait semblé que le rythme s'était précisé, comme pour étouffer un gémissement, une plainte, un cri presque, qu'elle avait, quelques secondes, entendu.

— Où êtes-vous, monsieur ? répéta la jeune femme.

La voix répondit :

— Tout près de vous !

Et comme Valentine se taisait, la voix poursuivait encore :

— Je suis si près de vous que je puis voir le battement de vos cils ! si près de vous qu'il m'est donné de me griser de votre parfum ! si près de vous qu'il me semble que le paradis — ce paradis dont je vous parlais — est ici... là où vous êtes, là où nous sommes ! Madame, je vous aime follement... si follement, même, que je ne voudrais pas, oh ! pour rien au monde ! risquer de vous déplaire en quoi que ce soit ! Vous ne me connaissez point. Vous ne savez ni qui je suis, ni qui j'ai été, ni qui je serai !... Simplement, je pense, dans votre cœur, je suis l'inconnu qui vous aime ! Ne croyez pas que je vais être assez fou pour abandonner, dès lors, le seul mérite que j'ai su m'acquérir jusqu'à présent à vos yeux ! Mon Dieu, madame, vous n'êtes pas ici parce que vous m'aimez, mais parce que vous êtes curieuse de savoir qui vous aime ! Devinez-le, madame ! Cherchez à le savoir !... qu'importe ! Je veux d'abord être connu de vous moralement, avant de vous apparaître...

Or, Valentine, à ces mots, se levait.

L'atmosphère de mystère dans laquelle elle se débattait, depuis quelques instants, lui apparaissait intolérable, puis une colère l'envahissait.

Quoi ! on l'avait fait venir à un rendez-vous et l'on refusait de se montrer ! Quoi ! on prétendait l'entretenir, ainsi, au travers d'une muraille !... d'une tenture ! On l'intriguait !...

— Votre conduite est indigne, monsieur ! murmura Valentine... je suis venue, vous avez raison, par curiosité, et aussi par peur... Je suis venue pour vous prier de cesser de m'importuner et de ne plus jamais vous permettre de me rappeler que vous vivez... adieu, monsieur !...

Mais, au moment où la jeune femme pensait se retirer, le gémissement qui l'avait déjà fait frissonner se refaisait entendre, couvert encore par la musique mystérieuse...

— Madame, supplia la voix grave qui tremblait, restez, je vous en conjure ! Ne partez pas encore ! Vous ne pouvez savoir le mal que me font vos paroles et quelle nécessité cruelle m'oblige, peut-être, à agir comme j'agis !... Je ne vous demande pas encore de m'aimer ! Seulement, parce que je suis très malheureux, je vous prie de me laisser vous aimer ! C'est si peu de chose que d'accorder seulement son indifférence... me la refuserez-vous ?... M'interdisez-vous de continuer à être invisible et présent, toujours à vos côtés ?... Tant de fois, déjà, j'ai réussi à me griser de vous, sans même que vous puissiez tourner la tête... Tant de fois vous avez entendu cet air...

Et comme la voix se taisait, l'extraordinaire musique à nouveau s'amplifiait...

On eût dit alors qu'insensiblement, d'une graduation savante, elle s'augmentait au point de devenir tonitruante. Les notes, tout à l'heure à peine perceptibles, envahissaient le salon ! Instinctivement Valentine recula.

— J'ai peur, murmurait-elle.

L'air, immédiatement, cessa ! La voix reprit :

— Vous avez tort ! n'ayez point peur !... Nul ici ne saurait tenter quoi que ce soit contre vous, car il n'est ici que moi, moi seul, et je vous aime !... Madame, promettez-moi que vous reviendrez ? que, de temps à autre, comme on va voir un malade, comme on fait une charité, vous viendrez ici, me donner la joie, quelques minutes, de votre présence et de votre voix ?...

La prière était humble, elle n'émotionnait pourtant point Valentine :

— Monsieur, répliquait la jeune femme, je n'oublie point le but de ma visite ; vous cesserez de m'importuner, vous ai-je dit... Je suis mariée et j'aime mon mari...

La voix reprit, âpre :

— C'est faux, madame !...

Valentine, lentement, interrogea :

— C'est faux ?

— C'est faux ! Vous avez aimé votre mari mais, maintenant, il vous fait peur... demain, peut-être, vous le haïrez !...

Que voulait dire l'extraordinaire interlocuteur de la jeune femme ?

Sans doute, Valentine comprenait le sens caché de ces paroles, car, frémissante, elle n'insistait pas...

— Monsieur, répliquait la jeune femme, voulez-vous, oui ou non, me renseigner sur votre identité ? Voulez-vous cesser de vous cacher ?...

Pour la troisième fois, le gémissement douloureux retentit...

— Je ne puis plus vous répondre, reprenait soudain la voix, qui semblait avoir peine à articuler ces derniers mots ; il m'est impossible de prolonger cet entretien ! Ah ! madame ! excusez-moi !... Il se passe quelque chose d'horrible dans mon âme !... Qu'importe ! ne m'interrogez pas ! Cessez de vouloir deviner ce qui est impossible à deviner ! Partez, madame ! Partez ! Mais laissez-moi croire que vous reviendrez...

Plus étrange que tout, peut-être, était la brusque décision que semblait prendre l'interlocuteur de Valentine. On eût dit qu'il renvoyait la jeune femme !

... Nerveusement, enfiévrée, la baronne de Lescaux passa sa main fine sur son front. Elle eut peur à cet instant. Elle imagina qu'elle était seule dans le grand salon, et que pourtant un danger la menaçait...

Alors, rapidement, elle se jeta en arrière, elle traversa le vestibule, franchit le jardinet, regagna la rue Girardon...

Ses nerfs, crispés depuis de longues minutes, cessaient soudain de soutenir son énergie défaillante. Elle avait peine à marcher et, en même temps, besoin de marcher, de marcher vite, très vite...

Perdue dans ce quartier désert, ne sachant plus où elle allait, Valentine, de longs instants encore, avança, droit devant elle, si bouleversée qu'elle ne pouvait point mettre ordre à ses propres pensées...

Une heure après, cependant, ayant par hasard regagné les boulevards extérieurs, Valentine comprenait qu'il importait de rentrer rue Spontini...

Plus tard, sans doute, à loisir, en se forçant à examiner sainement les choses, elle comprendrait un peu l'énigmatique aventure qu'elle venait de vivre.

Valentine voulut héler un taxi. Elle jetait au chauffeur l'adresse de la rue Spontini, elle montait en voiture...

Mais au moment où la jeune femme s'installait dans le véhicule, comme ses yeux se fixaient sur la petite glace placée sur l'un des montants de la carrosserie, elle blêmissait affreusement :

— Mon Dieu ! murmurait Valentine, mes diamants !... Où sont mes diamants ?

... La jeune femme avait mis à son cou, le matin même, une fine chaînette de platine, à laquelle étaient attachés, formant pendentif, deux superbes diamants de la plus grande valeur...

Le joyau n'était plus autour de son cou !

Le pendentif avait disparu !

Les diamants avaient été volés !

— Mon Dieu ! mon Dieu ! gémit Valentine, devenue blême, un guet-apens... c'était un guet-apens !...

VII

Les clients du ratodrome

— C'est encore toi, fripouille, veux-tu me fiche ton camp !... mes escaliers sont « faites » à c't heure, j'aime pas les propres à rien qui viennent les salir !...

Ces ordres comminatoires étaient proférés par une concierge aux allures de brave femme, mais qui corsait son attitude souriante et sa physionomie bonasse d'un aspect redoutable déterminé par le balai qu'elle tenait à la main et dont elle semblait vouloir se faire une arme aussi défensive qu'offensive.

Ses observations s'adressaient à un jeune garçon à la mine éveillée, aux yeux moqueurs, et qui s'efforçait de pénétrer chez elle ou tout au moins dans l'immeuble qu'elle avait pour mission d'entretenir et de garder.

Cet immeuble, une maison à nombreux étages et d'assez modeste apparence, se trouvait à Belleville, à l'entrée de la rue des Solitaires.

L'interlocuteur de la concierge, ne paraissait guère disposé à lui obéir. Il s'était campé en face d'elle, sur le trottoir, et vertement rétorquait :

— D'abord, la mère Landry, ça vous écorcherait-y la babillarde de m'interpeller par mes noms, prénoms et qualités ? Isidore pour vous servir, dit Zizi, le fils à son père et à sa maman... que vous connaissez bien je suppose... Ensuite apprenez que je n'en veux pas à vos escaliers... mais j'ai bien le droit d'y monter, tout de même !... je ne suis pas un clebs ni un bougnat !... pour être consigné à la porte après dix heures du matin...

— Possible, grommelait la femme, qui semblait hésiter, mais avec un gamin de ton espèce, on ne sait jamais ce qui va arriver... y a pas longtemps encore, t'es venu faire des misères à mes oiseaux ?...

— La mère Landry, interrompit le gavroche ; ça n'a rien à faire... c'est de l'histoire ancienne, et pour l'instant, mon seul désir c'est d'aller voir mes vieux... c'est-y par hasard qu'ils sont dans leur tôle ?

La mère Landry haussa les épaules.

— Tes parents, petit, sont sortis depuis longtemps...

— Ah vraiment ! fit le gamin, le contraire m'aurait d'ailleurs étonné... qu'est-ce qu'ils deviennent, mère Landry ?

— Ton père, je crois, travaille ; il a pris son fouet ce matin en s'en allant.

— Bien, approuva le gosse, faut croire qu'on lui a rendu sa roulante à la préfecture... ses contraventions sont donc levées... et ma mère ?

— Partie aussi, déclara la concierge ; on l'a transportée à l'hospice hier, mais ça n'est pas grave, ne t'inquiète pas.

— Je comprends, dit le gamin, cette sacrée Valérie s'est encore saoulée la figure... pauvre brave femme ! C'est son seul plaisir ! Faut l'excuser !

« Tout de même, poursuivait Zizi qui, familièrement désormais, s'était assis à côté de la concierge, qui cousait, installée sur un escabeau à l'entrée de la maison, tout de même ils n'ont pas de veine, mes vieux... chaque fois que l'un d'eux est libre, l'autre est bouclé pour une raison ou pour une autre... quand ce n'est pas le père Collardon qui couche à la Santé, rapport aux contraventions qu'il ramasse avec son fiacre sur la voie publique, c'est la mère Valérie qui entre à l'hospice ou à Saint-Lazare pour ses saoulographies...

— Zizi, reprocha la concierge, quand t'auras fini d'insulter ta famille...

— Mais, reprit l'incorrigible espiègle, je ne les débine pas, bien au contraire !... Seulement, voilà... je regrette pour eux ce qui arrive, car avec leurs façons de faire, ils ne doivent jamais se rencontrer ! Sûr que c'est pas de sitôt qu'ils me fabriqueront un petit frère ou une petite sœur !

— Cela suffit, coupa péremptoirement la mère Landry, qu'est-ce que tu voulais ?

Incapable de se tenir en place, Zizi s'était déjà levé ; il répliqua :

— Oh ! rien ou pas grand-chose ; je me barbais aujourd'hui, j'étais venu leur dire un petit bonjour, histoire de savoir s'il n'y avait rien de cassé... je me sauve... j'ai à faire, dites-leur que ça va toujours bien quand, par hasard, vous les verrez.

Le jeune groom s'éloignait, la concierge le rappela :

— Alors, Zizi, tu es toujours dans la même place, à ton restaurant ?

Le gavroche haussait les épaules.

— Vous voudriez tout de même pas que j'y prenne racine ? Non, chère madame, je monte en grade, me voilà passé second larbin dans une famille de luxe... chez des barons.

Et comme la mère Landry ouvrait des yeux interloqués, Zizi tout en s'éloignant, répétait d'un petit air satisfait :

— Chez des barons ! parfaitement... qui c'est qu'aurait jamais cru ça lorsqu'il y a quelques années encore, je me roulais ici dans le ruisseau, avec mes aminches !...

Zizi s'était octroyé un après-midi de congé, sans en avoir, d'ailleurs, demandé la permission à ses nouveaux maîtres ; il avait profité de la sortie d'un garçon épicier quittant l'office de l'hôtel de la rue Spontini pour s'en aller derrière lui et respirer un peu ce qu'il appelait « l'air de liberté » !

Le gamin n'avait pas hésité sur son emploi du temps ; il était parti pour Belleville ; toutefois, pendant le trajet qu'il faisait en métro, il regardait fréquemment l'heure, comme quelqu'un qui est soucieux de ne point manquer un rendez-vous. A deux ou trois reprises, il s'était répété :

— C'est aujourd'hui mercredi, « elle » m'a dit à quatre heures ; j'ai le temps sans doute, mais tout de même faudrait voir à ne pas flâner, la vieille n'aime pas qu'on lui pose des lapins.

Zizi, après sa visite rue des Solitaires, gagnait la rue de Mouzaïa, dans laquelle il flânait quelques instants, sautillant d'un trottoir à l'autre, allant se coller le nez sur les affiches posées sur les murs, courant vers la chaussée, pour voir passer un autobus, bousculant les gens, se rendant insupportable à tous ceux qui se trouvaient sur sa route.

A un moment donné, il se trouva marcher derrière une petite bonne qui portait, pendu au bras, un lourd panier.

— On va rigoler, pensa Zizi, qui, se glissant derrière la bonne, commençait à appuyer peu à peu de sa main sur le rebord du panier, le rendant de plus en plus lourd. Soudain, il pesa de toutes ses forces. La bonne lâcha son panier.

— Oh ! là, là ! s'écria Zizi, en voilà une poule !... qui a des bras en pâté de foie.

Il allait déguerpir, ne voulant pas attendre les représailles de la jeune femme, mais celle-ci s'était retournée et Zizi éclata de rire en la voyant.

— Zut alors ! fit-il, c'est encore plus rigolo ! c'est Adèle !

— Espèce d'imbécile, grondait la bonne toute rouge de colère, en voilà des manières d'aborder les gens !

Zizi s'excusait à sa façon :

— J'savais pas que c'était toi, sans ça... j'aurais fait autre chose !

— Quoi donc ? interrogea la domestique.

— Eh bien, poursuivit le gamin, j't'aurais collée par terre avec ton panier, histoire de te faire exhiber tes mollets !...

— Zizi, gronda la jeune bonne, tu es toujours de plus en plus bête !

Puis, nullement rancunière, elle interrogeait :

— Voilà longtemps que l'on ne t'a pas vu dans le quartier, qu'est-ce que tu deviens ?

La jeune fille avisait la casquette du groom sur laquelle s'enlaçait un chiffre en lettres d'or, surmonté d'une couronne.

— Mâtin ! fit-elle, t'es placé dans le monde chic ?

— Oui, reconnut Zizi qui poursuivait avec un air de suffisance :

« J'en ai des ornements sur la tête maintenant... une couronne brodée, une vraie... comme le petit Jésus ou les mignards du roi d'Angleterre.

Il continua encore, pour faire rire la petite bonne :

— Même qué je vais m'en faire broder partout, et que ma blanchisseuse en trouvera de tous les côtés, sur mes chaussettes... mes gilets de flanelle.

Étourdie, amusée par ce verbiage, Adèle, un instant interloquée, finissait par éclater de rire. Elle avait repris son panier :

— Accompagne-moi, dit-elle, un bout de chemin, on va blaguer ensemble...

Mais Zizi secouait la tête :

— Très peu ! fit-il, je ne vais pas de ce côté-là.

— A ton aise, dit la bonne, qui n'insistait pas autrement.

Zizi, toutefois, se ravisait, courait après elle.

— Tu pourrais bien me dire, Adèle, ce que tu deviens à présent ?

Il la regardait complaisamment, appréciait en connaisseur la taille élégante de la jeune ouvrière, admirait son teint, ses cheveux, savamment ébouriffés autour de son visage aux fraîches couleurs.

— T'es pas trop moche, observa-t-il... et tes amours, ça colle-t-y toujours ; avec Bec-de-Gaz et Œil-de-Bœuf ?

La petite bonne haussait les épaules :

— Oh ! articula-t-elle, ils en pincent plus pour moi que je n'en tiens pour eux... mais ça peut coller... en attendant mieux !

— Ce sacré Bec-de-Gaz, poursuivit Zizi, toujours la cosse ? toujours un poil dans la main ?

— Toujours, reconnut Adèle, quoiqu'en ce moment il s'occupe un peu... il travaille, qu'il m'a dit, au ratodrome de l'avenue de Saint-Ouen...

— Tiens ! s'écria Zizi, je m'en vais le voir... justement que j'y vais tout à l'heure... Et Œil-de-Bœuf ?...

— Oh ! Œil-de-Bœuf ! lui ! il ne se démolit pas la santé au turbin !...
Tout ce qu'il fait, c'est d'accompagner Bec-de-Gaz !

— J'vois ça ! approuva Zizi en riant.

Le groom pouvait, en effet, à merveille apprécier les qualités laborieuses
d'Œil-de-Bœuf et de Bec-de-Gaz. Élevé à Belleville, ayant passé toute son
adolescence à traîner dans les rues populeuses du quartier, il savait fort
bien ce que valaient au juste les deux apaches, les lieutenants de Fantômas,
ainsi qu'on les appelait parfois, dans le voisinage où ils étaient plus
redoutés qu'aimés...

Bec-de-Gaz et Œil-de-Bœuf jouissaient, à Belleville comme ailleurs,
d'une déplorable réputation... et Zizi, peut-être, les aurait dédaignés —
car il avait l'âme honnête — si précisément il n'avait éprouvé une assez
vive sympathie pour la commune maîtresse des deux bandits, la jolie
Adèle !...

— Et toi ? interrogea Zizi, où c'est que tu grattes ?

Adèle se redressa fièrement :

— Moi ? Ah bien ! dans le bistro du coin... j'suis servante là... on ne
me paye pas, mais « mes hommes » mangent à l'œil ! Tu comprends ?...

— Je comprends ! approuva encore Zizi ; toi, tu t'esquintes et eux, ils
s'engraissent... Décidément, les femmes sont toutes des imbéciles !...

Le groom quittait la domestique, définitivement cette fois et de son pas
nonchalant, il descendait dans la direction de la gare du chemin de fer de
ceinture, qu'il comptait prendre pour se rendre, comme il venait de
l'annoncer, avenue de Saint-Ouen.

En cours de route, Zizi justifiait sa réputation d'espiègle incorrigible,
et de perpétuel gavroche, en attachant par une ficelle deux chiens qui ne
se connaissaient pas, et en prélevant à l'étalage d'un fruitier de la rue
quelques poires que mûrissait le soleil.

Une demi-heure après, Zizi, quittant le chemin de fer, passait la barrière
d'octroi et après avoir parcouru quelques centaines de mètres dans
l'avenue de Saint-Ouen s'arrêtait à une petite porte, entrebâillée, au milieu
d'une clôture en grillage.

Une espèce de colosse placé auprès de cette entrée l'agrippait au
passage :

— Eh là, sale môme, grognait-il, c'est deux ronds pour pénétrer ici...

Zizi fouillait sa poche, payait sans discuter.

Le nouveau groom du baron de Lescaux venait de s'introduire dans un
vaste enclos, aménagé sur les terrains de zone, entre les fortifications
proprement dites et les premières maisons de Saint-Ouen.

Il y avait là, piètrement abritées par quelques arbres étiques, des
banquettes et des tables sur lesquelles étaient disposés des bouteilles et des
verres ; là buvaient des hommes aux allures de souteneurs, des filles aux
têtes de pierreuses.

C'était une sorte de cabaret champêtre avec « jardins et bosquets », et
jeux de toutes sortes ; au fond de l'enclos, on voyait, en effet, la potence
d'une balançoire, et le sol battu nécessaire au jeu de boules.

Toutefois sur la gauche se trouvait un terre-plein surélevé, entouré de
grillages aux mailles très serrées.

Une foule nombreuse et tapageuse entourait cet enclos, à la forme circulaire, et sur cette espèce de tréteau dans l'intérieur de la cage qui le recouvrait on voyait par moments des chiens qui, tout en aboyant furieusement, bondissaient dans tous les sens.

Parfois, c'étaient des applaudissements qui éclataient alentour ; d'autres fois des rires, souvent des huées, des coups de sifflet.

C'était là le ratodrome où, peu auparavant, Zizi avait annoncé à la petite bonne Adèle qu'il allait avoir sans doute l'occasion de rencontrer son amant Bec-de-Gaz.

A peine Zizi était-il entré dans l'établissement, qu'il avisait en effet le personnage.

Celui-ci, juché sur une estrade, ayant à sa portée toute une série de petites boîtes précautionneusement fermées par des grillages, haranguait la foule, d'une voix aussi faubourienne qu'éraillée.

— Approchez-vous les uns et les autres... Ce que vous avez vu jusqu'à présent, c'est comme si vous n'aviez rien vu... Les rats qu'on a zigouillés, c'est de la vermine à la manque... mais si vous avez cinq minutes à passer encore, on va vous offrir pour le même prix le plus beau des spectacles... Mesdames, et messieurs, vous allez voir travailler des artistes comme nous n'en engageons que pour les jours de fêtes, les dimanches et les lundis et aussi le 14 juillet, anniversaire de la République !...

On souriait dans la foule, on applaudissait, des approbations flatteuses soulignaient les propos du bonimenteur.

Bec-de-Gaz était en bras de chemise, avait relevé ses manches jusqu'aux coudes, et montrait des avant-bras musclés, terminés par des mains énormes, et dont la peau était toute tailladée de cicatrices, évidemment dues aux morsures des rats qu'il était chargé de surveiller et de livrer à leurs adversaires, les chiens, que leurs propriétaires amènent au ratodrome, pour les exercer au combat.

Derrière Zizi, une voix féminine avait murmuré :

— Il est rien mariolle, ce type-là, comment c'est qu'il jaspine !

Le groom se retournait et voyait une petite femme rousse à la tête de fouine, aux yeux enfoncés sous leurs orbites :

— J'la connais, pensa Zizi, c'est la poule au Patron... c'est elle qui fait « l'public content » !...

Cependant le spectacle annoncé par Bec-de-Gaz allait commencer et l'orateur qui, véritablement, avait une digne allure d'apache, brandissait au bout de son bras, une grosse boule de chair aux poils gris qui s'agitait furieusement :

— Voilà l'article, voilà l'objet, recommençait Bec-de-Gaz, regardez si c'est dodu et bien bâti ?... ça vous a des dents à couper des barres d'acier, plus vite qu'une scie mécanique, et ça se cavale à l'allure d'une 98 chevaux de course... si ces messieurs et dames veulent se rendre compte par eux-mêmes... je mets l'objet en main...

Mais le vide se faisait, autour de Bec-de-Gaz ; on poussait de petits cris apeurés, nul ne tenait à s'assurer des qualités de l'animal qu'il présentait ainsi.

C'était en effet un rat, un rat d'égout, gras, énorme, plus gros qu'une belette ; et la foule reculait, on redoutait que, par inadvertance ou par malice, Bec-de-Gaz ne vînt à lâcher cet animal dans les rangs de l'assistance...

Quelques jurons éclatèrent soudain, détournant l'attention, une voix furieuse hurlait :

— Dites donc, vous, c'est pas la peine de vous tasser comme des harengs ! Faites-nous la place, on veux voir, moi et ma moitié !

Zizi se retourna en un instant :

— Pas choisie, murmura-t-il, la société !... Ça c'est le Bedeau et la Toulouche...

Prudemment, il tournait autour de la cage, s'éloignait des arrivants...

Zizi, en effet, de même qu'il connaissait Bec-de-Gaz, à qui il venait d'adresser un sourire, et Œil-de-Bœuf, connaissait aussi le Bedeau et la Toulouche.

Le terrible apache était craint dans tout Belleville, et la Toulouche, sa compagne d'aujourd'hui, y avait à maintes reprises, trafiqué de louches opérations :

— La Toulouche ! grogna le groom en dévisageant la vieille femme, dire que voilà en vérité la fine fleur des recéleuses de la capitale... Ah ! bien ! j'ai de jolies connaissances moi !

Puis il ne s'occupait plus des assistants repris à l'intérêt du spectacle.

Zizi s'était glissé au premier rang du ratodrome, Bec-de-Gaz d'ailleurs, avait jeté le rat d'égout, dans la cage et la bête affolée tournait en rond, grimpant aux grillages, cherchant une issue pour s'enfuir.

Mais c'était en vain et plus le rat s'affolait, plus on faisait tapage autour de lui.

Si d'aventure, il restait un instant agrippé au grillage, des coups de bâtons appliqués sur ses griffes l'obligeaient rapidement à lâcher prise ; ses pattes agiles et menues s'ensanglantaient... Soudain, il y eut un grand silence, car un cocher à la face apoplectique, amenait, tenu en laisse, un robuste bouledogue à la gueule carrée, au poitrail épais, disproportionné avec le reste de son corps et aux jambes extraordinairement torses.

— Voilà le champion, déclara Bec-de-Gaz, en enflant la voix. Puis il ajoutait l'énumération des records effectués par la bête.

— Six rats, la semaine dernière, en douze secondes...

Il poursuivit, cependant qu'on applaudissait à la performance :

— C'est la première fois qu'on le fait s'attaquer aux rats d'égout, qui sont les éléphants de la confrérie... Nous allons voir qui triomphera, mais je suis bien sûr que le roi des égouts, va passer quelque mauvais instant...

D'un geste brusque, Bec-de-Gaz ouvrait une petite porte découpée dans la grille de la cage, et le chien, excité à l'idée du prochain combat, bondissait à l'intérieur de l'arène qui lui était réservée. Du premier coup, il sautait sur le rat.

Mais le chien poussait un jappement de douleur ; son adversaire venait de le mordre à la lèvre. Machinalement, le chien se frottait la gueule avec la patte, passait sur la plaie sanguinolente une langue toute rose, puis une fureur subite brillait dans ses yeux, ses crocs se découvraient, il bondissait à nouveau et hardiment, s'agrippait, la mâchoire serrée, sur la nuque grasse du rat.

En vain, dès lors, l'animal déjà presque vaincu, se tordait-il en proie à des souffrances inouïes, en vain ses griffes pénétraient-elles dans le poitrail du chien, celui-ci ne bronchait pas, se contentant de secouer rageusement la tête.

A un moment donné, le rat poussa un cri perçant puis il retomba flasque, immobile, perdant son sang par le museau et les narines.

A deux ou trois reprises le bouledogue, qui l'avait lâché, le considéra curieusement de ses gros yeux ronds, semblant mal comprendre pourquoi cet adversaire, qui résistait si furieusement quelques instants auparavant, ne bougeait plus désormais, ne résistait pas, ne l'attaquait point.

Des applaudissements éclatèrent et parmi ceux qui applaudissaient le plus chaleureusement à la victoire du bouledogue, se trouvait un personnage, dont l'apparence et la silhouette retinrent l'attention de Zizi et plongèrent le gamin dans la plus profonde admiration.

— Mince alors, pensa tout haut le groom, c'est pas pour dire, mais il dégote cet homme-là...

Le personnage dont l'allure plaisait au jeune garçon était vêtu avec la dernière recherche, sinon l'élégance du meilleur aloi ; il portait un complet marron, rayé de rouge ; une grosse chaîne de montre en or s'étalait sur son gilet, de teinte plus claire que son veston. Ses chaussures jaunes avaient des bouts vernis, et crânement sur l'oreille, il portait un chapeau melon.

Il faisait un contraste étrange et inattendu grâce à sa tenue, dans ce milieu interlope, avec les rôdeurs et les filles de barrière. Et cependant, il semblait fort à l'aise, parmi tous ces gens. Ses yeux étaient fort beaux, très noirs, son visage soigneusement rasé, à l'exception de la moustache épaisse et fournie, qu'il portait cirée aux pointes.

— Probablement un bookmaker, pensa Zizi.

Et, malgré lui, il enviait la prestance de cet homme aux épaules robustes, à la taille élevée, lorsque soudain il poussa un cri qui interrompit ses réflexions.

— Aïe ! grogna-t-il, qui c'est qui me pince comme ça dans le dos ?

Il se retourna, grogna :

— La Gadoue !

Une vieille femme était en face de lui, courbée sur une canne, enveloppée dans un châle, multicolore autrefois, mais que les intempéries, la pluie comme le soleil, avaient sans doute fait déteindre et qui, désormais, n'avait plus qu'une vague couleur verdâtre tirant sur le brun.

Elle était laide, affreusement sale. Sur sa chevelure grisonnante, un chapeau aux plumes défraîchies était posé tout de travers ; sous sa jupe dentelée, par l'usure, apparaissaient ses pieds, énormes, chaussés de souliers éculés.

La vieille avait un air farouche.

— Eh bien oui, c'est moi, la Gadoue, répliqua-t-elle ; voilà plus d'une demi-heure que je t'attends, saloperie, vaurien !...

Zizi s'excusait, subjugué malgré tout par l'ascendant que cette femme, à l'aspect sinistre, paraissait avoir sur lui.

Il prit cependant un air dégagé pour dire :

— Moi ! voilà plus de deux heures que je suis ici, à faire le poireau.

La vieille l'interrompait, sèchement :

— La ferme, tu es arrivé il y a dix minutes à peine, et t'es resté à bâiller au lieu de chercher à me trouver... je t'ai vu..., tu sais bien que je sais tout !

— Ouais ! fit énigmatiquement Zizi qui songeait à la surprise qu'il allait faire à la vieille, lorsqu'il lui annoncerait qu'il était dans une nouvelle place.

Mais, à sa grande stupéfaction, l'immonde femme, qui répondait si bien à son surnom de la Gadoue, ayant tiré Zizi à l'écart, lui fit remarquer :

— Te voilà donc chez de nouveaux patrons... rappelle-toi que je te l'avais prédit, il y a déjà huit jours.

— Nom de Dieu ! grommela Zizi, c'est pourtant vrai, comment c'est-y que tu peux tout deviner, la mère la Gadoue ?...

Mais brusquement, il éclatait de rire :

— Parbleu, poursuivit-il, c'est pas malin à découvrir j'ai plus ma livrée du restaurant, et c'est écrit sur ma casquette, que je suis placé chez des aristos.

— Est-ce écrit aussi, releva la vieille, que tu es chez un nommé Lescaux qui demeure à Passy rue Spontini ? Nie-le voir, vaurien ?...

Zizi baissait la tête.

La vieille le fit encore s'écarter de la foule puis, à voix basse, elle recommença :

— Tu vas me jaspiner tout ce que tu sais sur tes nouveaux singes.

— Zut ! coupa le groom, j'en ai marre de faire le mouchard, surtout que tu dois avoir des combines pas ordinaires pour vouloir me cuisiner comme ça...

— De quoi ?... de quoi ? fit la vieille, menaçante, prends garde à ne pas rouspéter, Zizi, ça pourrait te coûter cher !...

Résolu toutefois à employer des moyens conciliants, la Gadoue glissait dans la main de Zizi une pièce de vingt sous, ce qui atténuait les scrupules du groom ; puis la mégère insistait, la voix plus douce :

— Paraît que c'est une chouette patronne, que t'as maintenant, mon petit Zizi ?... faudrait voir à me dégoiser tout ce que tu sais sur elle... on dit comme ça qu'elle a un type, en dehors de son homme légitime ?...

Zizi allait commencer à demander à la vieille qu'est-ce que cela pouvait bien lui faire, mais un regard l'avertit qu'il fallait parler.

— Après tout, qu'est-ce que je risque ? songea-t-il.

Et il raconta :

— Sûr qu'elle doit en avoir un, et même qu'ils ne se gênent pas... ainsi le premier soir que j'étais dans la place, le type est rappliqué par la croisée et s'est amené tout de go dans le poulailler. Il s'appelle...

La Gadoue interrompit.

— Je m'en fous de son nom... je le connais, c'est le docteur... ensuite, qu'est-ce qui est arrivé ?

— J'les ai entendus qui blaguaient ensemble... même qu'ils ont eu l'air de s'engueuler... puis le type s'est débiné, toujours par la fenêtre... il a cavalé dans le jardin...

— Bon, fit la vieille, ensuite qu'as-tu vu le lendemain ?

— Le lendemain, poursuivit en hésitant Zizi, eh ben dame... voilà, le patron est sorti de bonne heure, avant même le manger de midi... il n'est revenu que tard dans la nuit.

— Et la patronne ?

— La patronne est sortie sur le coup de deux heures... justement, j'ai pu me rendre libre, j'ai cavalé derrière elle... ça m'intéressait de savoir où c'que perchait son galant...

— Et tu le sais ? interrogea la vieille.

— Oui, c'est rue Girardon, à Montmartre... même qu'en la refilant, j'ai bien eu le trac de me faire poisser par elle... elle avait l'air tout embêtée, toute chose en quittant la rue Girardon... elle a sauté dans un taxi-auto et s'est ramenée dare-dare rue Spontini.

— Rue Girardon ? répéta la vieille, étonnée, surprise, qu'est-ce qui te fait croire que c'est là qu'habite l'amoureux ?

— Rien, une supposition.

— Ah bien... C'est tout ce que tu sais ?

— C'est tout.

La vieille insistait encore :

— Que fait-elle aujourd'hui la baronne ?

— Je l'ignore, mère la Gadoue, car aujourd'hui, profitant de ce que Désiré, le maître d'hôtel, avait tourné les talons, je me suis trotté, pour venir à ton rendez-vous...

La vieille sortit de son corsage une petite montre d'argent.

— Six heures moins le quart, fit-elle, fous le camp, et vivement... J'ai besoin que tu restes encore dans cette place, tâche de t'y tenir convenablement et de te faire pardonner ton escapade... allez, débine...

Cependant, Zizi ne bougeait pas. Son regard à nouveau s'était arrêté sur le personnage élégant, au complet marron clair, qui, quelques instants auparavant, avait attiré son attention.

— Qui c'est ? demanda-t-il à la Gadoue, convaincu que la vieille devait tout savoir, tout connaître.

Elle savait en effet, elle répondit :

— Ça, fit-elle, mais c'est le Brésilien, Alphonso, un type tout ce qu'il y a de girond... et costaud... t'en fous mon billet...

— Quoi qu'y fait et quoi qu'y vend ? demanda Zizi.

La vieille, méfiante, considéra le groom, puis, après un instant d'hésitation, répliqua, haussant les épaules :

— Rien et tout... y voyage, fait du commerce... y vend des trucs défendus par la police, comme de l'opium, par exemple... ça rapporte parce que c'est interdit... y traite toutes sortes d'affaires...

Zizi eut un sourire qui signifiait qu'il avait compris le dernier sous-entendu de la vieille.

Alphonso, à ce moment, était engagé dans une grave conversation avec la petite femme rousse, la fille du patron du ratodrome. Et Zizi, en s'en allant, ne put s'empêcher de dire à la mère la Gadoue :

— J'vois ce que c'est, il traite aussi... les Blanches !...

Une heure après, le ratodrome s'était vidé, la clientèle, peu à peu disparue, allait se répandre dans les estaminets voisins, dans les cabarets borgnes qui s'alignent le long de l'avenue de Saint-Ouen.

Bec-de-Gaz, demeuré à l'établissement après le public, rentrait, une par une, les boîtes contenant les rats dans une sorte de hangar qu'il fermait à clef, puis il allait conférer avec le patron de l'établissement, le colosse qui avait perçu les deux sous de Zizi, à l'entrée de l'enclos. Il se disputait ferme avec lui pendant dix minutes, puis on se mettait d'accord sur le salaire qu'il devait recevoir.

Traînant les pieds, se dandinant, Bec-de-Gaz suivait désormais l'avenue de Saint-Ouen, dans la direction de Paris. Il avançait lentement dans la pénombre du soir, la tête basse, préoccupé... songeur, semblait-il.

Il tressaillit brusquement, quelqu'un venait de lui toucher le bras, et Bec-de-Gaz dont la conscience n'était jamais complètement tranquille, n'aimait guère ces sortes de surprises.

Il s'arrêta net, puis soupira, rassuré :

C'était la Gadoue qui l'abordait :

— Je vais te faire un bout de conduite, déclarait-elle, je rentre, moi aussi, à Pantruche...

Ils marchaient silencieux l'un à côté de l'autre quelques intants, puis la vieille insinua.

— T'as pas l'air content, Bec-de-Gaz... Ça biche donc pas les affaires ?

L'homme se redressa fièrement :

— Si, ça biche... mais tout de même, ça pourrait aller mieux...

— Combien que tu te fais au ratodrome ?

— Misère ! une pièce de cinquante sous à peu près...

— C'est pas gras, observa la vieille... et la serrurerie ?

— Oh, ça, reconnut Bec-de-Gaz, c'est un métier pour la frime, comme qui dirait l'enseigne d'une boutique dans laquelle il n'y aurait pas de denrées... Tu sais, moi... turbiner du matin au soir, c'est pas mon fort...

— J'comprends, approuvait la Gadoue, ce qu'il te faudrait, ce serait la bonne combine pour te rebecqueter d'un coup...

— Pour me rebecqueter ? murmurait machinalement Bec-de-Gaz, qui, redoutant de se compromettre, regardait la vieille du coin de l'œil, sans en avoir l'air.

Mais celle-ci, qui trottinait à côté de lui, la tête basse, les yeux fixés sur le pavé de la chaussée, poursuivait, sans paraître s'apercevoir de l'examen dont elle était l'objet :

— Ce qu'il faut pour réussir, c'est un coup, un seul mais un bon... et si j'étais sûre que t'aurais pas les foies, on pourrait faire quelque chose ensemble.

— Avoir les foies, grommela Bec-de-Gaz, je ne sais pas ce que c'est...

La Gadoue se plantait en face de lui.

— Écoute, dit-elle, en le fixant dans les yeux, j'ai ce qui faut, mais il me manque un homme comme toi, un type costaud qui ne regarde pas à faire son affaire aux gens qui rouspètent...

Légèrement, Bec-de-Gaz pâlissait.

Il balbutia :

— Des trucs où il y a du résiné, c'est toujours embêtant !... On a des histoires, je ne me vois pas encore allant éternuer dans le panier de la Veuve...

— Blagueur ! ricana la Gadoue, c'est fini ces ennuis-là ; même quand on est poissé, en mettant les choses au pire, on ne risque plus que d'aller faire un tour à la Nouvelle, d'où l'on revient, plein aux as... l'président gracie toujours...

— C'est à savoir ! contesta Bec-de-Gaz hésitant.

Mais l'immonde vieille insistait :

— C'est tout su d'avance... les juges ont le trac d'être trop sévères pour les types qui ont marché crânement, et quant au président de la Rép...

on peut être sûr de lui... c't'homme-là, c'est le bon Dieu en personne, il vous signe des grâces à tour de bras... rien à craindre que j'te dis, même dans les plus mauvais cas...

S'étant assuré d'un regard que personne, dans le voisinage, n'écoutait leur conversation, Bec-de-Gaz interrogea :

— Qu'est-ce qu'il faudrait faire, mère la Gadoue ?

Un éclair de joie brilla dans les yeux sinistres de la mégère. Elle comprenait que désormais l'apache était conquis : elle n'avait plus qu'à procéder adroitement pour se l'assurer à sa complète dévotion.

La Gadoue prit le bras de Bec-de-Gaz, l'entraîna avec elle, puis, d'un ton enjoué, expliqua :

— D'abord c'est pas pour tout de suite, et puis enfin, peut-être bien que ça pourrait se passer en douceur... sans résiné...

— Il s'agit de quoi ? interrompit Bec-de-Gaz, qui aimait les précisions.

— D'une poule ! expliqua la Gadoue, en clignant de l'œil, d'une poule dont il faudrait s'arranger. Enfin si je m'adresse à toi, c'est que, comme ça, j'ai entendu dire que t'avais travaillé dans le sérieux et que tu n'étais pas homme à renâcler...

Tout en parlant, la Gadoue clignait encore de l'œil, finement, ce qui n'était pas sans émouvoir un peu Bec-de-Gaz !

Dans l'esprit de l'apache, d'ailleurs, cette allusion à son passé devenait significative.

— Oh ! oh ! pensa Bec-de-Gaz, est-ce que la Gadoue me serait envoyée par Fantômas ? Est-ce que par hasard Fantômas ?...

Il y avait longtemps, à vrai dire, que le Maître de l'effroi avait donné de ses nouvelles à la pègre. Nul ne l'oubliait cependant et Bec-de-Gaz, en lui-même, escomptait bien, un jour, travailler encore sous les ordres de celui que l'on avait appelé le Roi de l'épouvante [1]...

— Ça pourrait coller..., commença Bec-de-Gaz.

La Gadoue ricanait !

— Parbleu, je pense bien... On recausera de ça mon fils...

Ayant quitté la Gadoue, Zizi, cependant, regagnait la rue Spontini vers les six heures, se glissant par l'entrée de service et faisant moins de bruit qu'un chat s'esquivant après un larcin !

— Ma tête à couper, se disait Zizi, que je m'en vais ramasser quelque chose de soigné comme engueulade ! Si jamais les patrons ont eu besoin de moi, et qu'on ne m'ait pas trouvé, ça va faire du vilain ! Ah ! maladie !...

Zizi, en fait, débutait mal dans sa place. Il y avait bien peu de temps encore qu'il était au service du baron de Lescaux et pourtant, il avait donné la mesure de son zèle et de ses goûts travailleurs en allant, tout l'après-midi, flâner sans s'être inquiété d'obtenir la moindre permission pour s'absenter !

— Bah ! pensait le groom, cependant qu'il se glissait dans l'office, il y a un Dieu pour les ivrognes... et puis zut ! après tout ! Si l'on me demande d'où je viens, je dirai que j'astiquais la toiture !...

1. Voir dans le présent volume : *Les Amours d'un prince*.

L'excuse évidemment était peu plausible, si peu plausible que Zizi en cherchait une autre.

— Tout de même, pensait-il encore, je pourrais peut-être faire le coup de la grand-mère malade !...

Mais à la réflexion il lui apparaissait que la chose était dangereuse !

— C'est des bêtises ! concluait-il ; faut pas que je parle de grand-mère malade... ça pourrait donner des idées aux bourgeois de s'occuper de ma famille. Or, comme elle manque de reluisant, ma famille, je ne tiens pas à la sortir !...

Mais alors qu'il réfléchissait de la sorte, Désiré, le maître d'hôtel du baron apparaissait précisément dans l'office.

L'imposant serviteur, apercevant Zizi, bondissait vers lui :

— Te voilà, maudit garnement ?

— Assurément, répondait Zizi, vous devez croire que je suis mon frère, monsieur Désiré ?

— Ton frère ? répéta le maître d'hôtel, pourquoi ?

— Dame, c'est pas moi, je suppose, que vous appelez garnement ?... Malheureusement, Désiré n'était pas en esprit de plaisanter !

— Tais-toi ! ordonnait-il rudement au jeune groom ; cesse ces facéties stupides. D'où viens-tu ?

— D'ailleurs ! affirma Zizi qui préférait évidemment rester dans le vague...

— Tu as été à la cave, n'est-ce pas ?

— Oui ! affirma le groom, sans hésiter, cette fois, car Désiré le matin même lui avait commandé d'y ranger des bouteilles, chose dont il s'était abstenu...

Or Zizi jouait de malheur. A peine avait-il mensongèrement affirmé qu'il « revenait » de la cave que le maître d'hôtel le prenait par le bras et le secouait d'importance :

— Eh bien ! faisait le serviteur, s'il en est ainsi, tu peux t'attendre à une jolie attrapade de M. le baron !... M. le baron est furieux !...

— Pourquoi ? interrogea Zizi.

— Tu as cassé sept bouteilles.

Zizi ne répondit pas...

Sa vive intelligence, à ce moment, cherchait à deviner si le maître d'hôtel était sincère ou non en l'accusant ainsi...

Zizi savait bien, parbleu, qu'il n'avait nullement cassé sept bouteilles à la cave puisqu'il n'y avait pas été. Devait-il donc comprendre que Désiré se moquait de lui ? Devait-il soupçonner, plutôt, que le domestique cherchait à faire retomber sur sa tête une maladresse qu'il était seul à avoir commise ?...

Zizi n'hésita pas :

— Les bouteilles, faisait-il enfin, oh ! les bouteilles, ça n'a pas grande valeur ! C'est le vin qui était dedans qui vaut cher... Or, je n'ai pas cassé le vin ! donc...

Zizi n'acheva pas, une bourrade de Désiré, suivie d'une paire de taloches proprement appliquées, lui apprenait immédiatement que le maître d'hôtel n'entendait rien aux distinctions casuistiques !

— Ça va ! ça va ! pensa Zizi ; jusqu'à présent il y a échange entre les bouteilles et moi ! Je vois ce que c'est ! fallait qu'il y ait quelque chose de frappé... comme ce n'est pas le champagne, c'est le fils de ma mère ! Bon ! Le compte y est ! N'en jetez plus !...

Et satisfait parce qu'il avait eu le dernier mot, Zizi quittait l'office où il laissait le maître d'hôtel, furieux, pour aller flâner ailleurs, en quelque coin tranquille...

Il était d'ailleurs près de huit heures ; on allait bientôt voir arriver les invités du dîner du soir ; forcément Désiré aurait trop à faire pour s'occuper longtemps de Zizi...

Dans sa chambre, au même moment, Valentine achevait de s'habiller.

La jeune femme, la veille, était rentrée, brisée d'émotion, de Montmartre. Elle avait eu beau réfléchir à son intrigante aventure, elle n'en avait encore démêlé ni le sens exact, ni les conséquences pratiques...

Qui l'aimait ? L'aimait-on vraiment ? Était-ce au contraire dans un guet-apens d'escroc qu'elle était imprudemment tombée ?...

Valentine se posait ces questions et ne parvenait pas à leur trouver de réponse.

Cependant le doute était difficile à conserver !

Il lui apparaissait bien, en effet, que si son splendide pendentif avait été subtilisé, ce devait être dans la maison de la rue Girardon... Dès lors, le caractère de celui qui l'avait reçu n'était point difficile à définir ! Et pourtant elle doutait !...

Valentine, d'ailleurs, alors qu'elle quittait Montmartre, avait eu l'impression qu'un personnage la suivait... n'était-ce pas plutôt celui-là le voleur ?...

Elle était fort éloignée de se douter que ce personnage n'était autre que son propre groom !

Tandis qu'elle s'habillait, cependant, la jeune femme semblait se ressaisir :

— Oh ! faisait-elle, parlant seule, d'un petit ton décidé, je vais arrêter ce que doit être ma conduite demain ; ce soir encore je prendrai d'autres bijoux et personne ne remarquera la disparition de mes « gouttes »...

Elle achevait de s'apprêter, puis ordonnait à sa femme de chambre d'aller lui préparer des fleurs pour son corsage.

— Madame ne prend pas ces... fameuses roses ? interrogeait, curieuse, la cameriste ?

— Non ! répliqua sèchement Valentine.

Et, la femme de chambre partie, la jeune baronne considérait sur un guéridon placé dans un des angles de la pièce une gerbe de fleurs extraordinaires, de fleurs invraisemblables, merveilleuses, effrayantes, pourtant, un peu de roses, mais des roses noires !

Une heure plus tôt un commissionnaire avait déposé ces fleurs rue Spontini au nom de Valentine. Elles n'étaient accompagnées d'aucune carte, l'homme n'avait pas dit qui l'envoyait...

Valentine, nerveusement, prit la gerbe, la froissa, la jeta dans sa corbeille...

— Si c'est Hubert qui m'a envoyé ces fleurs, murmurait la jeune femme, il faudra bien qu'il me le dise tout à l'heure. Je n'aime point ces plaisanteries de mauvais goût... et ces roses noires me font peur !...

Elle se taisait, une seconde, puis elle reprenait :

— Mais est-ce bien Hubert qui m'a envoyé ces roses noires ?

A cet instant la camériste, en remontant, avertissait la jeune baronne :

— M. d'Astorg est arrivé... M. le baron est averti, il vient de descendre au salon...

VIII

La maison mystérieuse

Fandor et Juve, bras dessus, bras dessous, arpentaient la rue Lafayette, faisant les cent pas, discutant avec animation.

Les deux hommes avaient déjeuné ensemble, ils allaient se quitter. Naturellement, au moment de se séparer, ils trouvaient mille choses à se dire.

Ils étaient d'ailleurs, tous les deux, fort tristes, et paraissaient fort préoccupés.

— Juve ! déclarait Fandor en haussant les épaules d'un air accablé, votre froide logique vous amènera à dire tout ce que vous voudrez, il n'en reste pas moins acquis que notre situation est effroyable ! Depuis les tragiques incidents de Boulogne-sur-Mer, nous pataugeons à l'aventure... Nous marchons au hasard... nous enquêtons à tort et à travers...

Fandor s'était arrêté, il tapait du pied, Juve, tête basse, l'écoutait sans rien répondre.

— Car enfin, continuait Fandor, nous n'avons aucune nouvelle de tous ceux qu'il nous faudrait retrouver. Fantômas s'est évanoui... Vladimir, son fils, puisqu'il paraît que c'est son fils, s'est mystérieusement perdu lui aussi... dans la foule des gens accourus à la fête, et depuis, nous n'avons pas retrouvé ses traces... Personne enfin n'a revu Firmaine... vos plus fins limiers font journellement buisson creux...

Fandor se taisait une seconde, puis, une crispation douloureuse voilait sa face, il reprenait d'une voix sourde :

— Et quant à Hélène... Quant à la fille de Fantômas... Quant à ma pauvre Hélène... Nous ne savons même pas si elle vit encore !...

Un sanglot se devinait, péniblement refoulé, dans le ton du jeune homme. L'excellent Juve, qui se mordait les lèvres de rage, voulut le consoler :

— Fandor, déclarait-il, il ne faut pas se laisser abattre !... D'abord, tu exagères, nous savons fort bien, au contraire, qu'Hélène est vivante, puisque, à Boulogne même, par cet extraordinaire gosse que tu as arrêté, par ce Loupiot, elle t'a fait tenir un message... Donc...

Mais Juve s'arrêtait de parler.

Avec une nervosité croissante, Fandor l'avait empoigné par les revers de sa redingote :

— Juve, disait le journaliste, ce message n'a fait qu'aviver mon chagrin ! Oui ! certainement ! Hélène est vivante ! Mais où est-elle ? Nous ne pouvons même pas formuler la moindre hypothèse !... Ce Loupiot, dont vous me parlez, faisait, comme Bouzille, partie du manège forain, des *Bucéphales de bois*. Or, *Les Bucéphales de bois* sont introuvables !... Vous avez fait rechercher ce carrousel par toute la France, dans le monde entier même ; il n'est nulle part !...

La voix de Fandor sombrait encore une fois dans un sanglot retenu.

— Juve, concluait le jeune homme, connaissez-vous situation plus tragique que la mienne ? Aimer comme j'aime, et craindre comme je dois craindre ?

Or, aux paroles de son ami, il semblait que Juve fît effort sur lui-même pour triompher de son propre accablement :

— Évidemment, mon pauvre petit, commençait Juve, tout cela n'est pas gai... mais enfin, rien n'est définitif ! Je change le proverbe, Fandor : tant qu'il y a de l'amour, il y a de l'espoir ! Or, Hélène t'aime et toi aussi tu l'aimes... Donc, tu dois espérer...

Juve hésitait une seconde, puis achevait :

— Parbleu, je ne voudrais pas te donner, à toi, Fandor, mon compagnon de dix ans de luttes, de banales et sottes consolations. Tout de même, rappelle-toi nos aventures précédentes : maintes fois déjà, nous avons cru avoir, pour toujours, perdu la piste de Fantômas puis, un beau jour, sa fantastique silhouette se dressait à nouveau devant nous, c'étaient de nouvelles luttes, de nouvelles batailles, parfois de nouvelles victoires !... Courage ! Fandor ! Ne te laisse pas abattre, tu aimes Hélène, et elle t'aime ; par Dieu ! il faudra bien qu'un jour ou l'autre, vous goûtiez tous les deux le bonheur que vous méritez [1] !...

Il y avait de la chaleur, une émotion profonde même, dans les paroles de Juve. Il secouait avec une cordialité paternelle la main que Fandor lui abandonnait.

— Courage, mon petit, répétait-il, il ne faut jamais se déclarer vaincu... Il faut toujours lutter, toujours être prêt à la bataille... Il faut...

— Oui ! interrompait Fandor, il faut travailler, s'abêtir à la besogne... C'est le meilleur moyen encore de ne point trop souffrir... mais je souffre, Juve... Allons ! à ce soir !

Brusquement Fandor serrait la main de son ami puis, sans ajouter un mot, s'éloignait...

Ah certes oui ! il souffrait, le sympathique jeune homme, torturé par l'amour si sincère et si malheureux qu'il éprouvait pour la fille de Fantômas, pour cette Hélène, dont il était loin de soupçonner la tragique situation...

Fandor cependant, comme il venait de le dire à Juve, cherchait à ne point se laisser abattre.

Pour lutter contre sa douleur, pour occuper son esprit, et aussi pour donner le change à ses adversaires, il s'était fait réintégrer au journal *La Capitale*, dans son poste d'informateur.

Il travaillait avec acharnement, en désespéré.

En quittant Juve, Fandor se hâta vers son labeur. Or, à peine le jeune homme avait-il gagné son bureau qu'un domestique discrètement frappait à sa porte.

---

1. Voir dans la série « Fantômas » : *La Guêpe rouge.*

— Entrez ! commanda le journaliste, qu'est-ce qu'il y a ?

— Une dame demande à voir le « rédacteur policier »...

Jérôme Fandor souriait à ce titre, qu'on lui donnait, en effet, communément dans le public, en raison de ses nombreuses aventures, en raison du rôle qu'il avait maintes fois joué dans la lutte entreprise par la société contre Fantômas.

— Quel nom, cette dame ? interrogea Fandor.

— Voici sa carte...

Le reporter considéra le bristol gravé que l'huissier lui tendait. Il lut un simple nom : « Baronne de Lescaux ».

— Faites entrer ! ordonna Jérôme Fandor à qui ce nom ne disait rien.

Et tout bas il pensait :

— Il faut que je fasse n'importe quoi ! que j'occupe mon esprit à n'importe quelle chose !... ou je deviendrai fou !...

La veille de ce jour-là, Maurice Hubert avait répondu aux reproches de Valentine, avec une indiscutable sincérité, qu'il n'était nullement l'auteur de l'envoi mystérieux de roses noires apportées à la baronne de Lescaux. Valentine d'abord n'avait pas voulu croire le jeune docteur, puis, force lui avait été de s'avouer convaincue par ses arguments et de considérer qu'il n'était pour rien, en effet, dans l'arrivée des fleurs étranges.

Or, dès lors qu'il apparaissait que Maurice Hubert n'était point l'expéditeur de l'intrigant envoi, Valentine, de plus en plus troublée, n'avait pas été longue à deviner qu'il fallait sans doute imputer celui-ci à l'extraordinaire amoureux, à l'amoureux équivoque, qui semblait la poursuivre de ses assiduités.

Toutefois la jeune femme n'avait guère été touchée par le délicat présent...

Plus elle réfléchissait, en effet, plus elle songeait aux mystérieuses aventures dont elle venait d'être victime, et plus il lui semblait indiscutable que l'homme qui la courtisait était et ne pouvait être qu'un louche escroc !

— Mon attache était solide, la chaînette de platine venait d'être vérifiée ! pensait Valentine, je n'ai donc pas perdu mon pendentif ! Il faut qu'il m'ait été volé, il faut que ce soit le mystérieux habitant de la rue Girardon qui s'en soit emparé...

Et, frissonnante, la jeune femme inventait une ténébreuse intrigue...

Assurément, on avait escompté la peur qu'elle aurait de déterminer un scandale. Le voleur s'était dit, que, venue secrètement dans sa maison, elle n'oserait pas porter plainte, et qu'en conséquence il jouirait d'une parfaite impunité...

Toutefois, si tel avait été le raisonnement du lâche individu qui avait essayé de la troubler par des mots d'amour pour profiter de son émoi en la dépouillant, si l'escroc qui se doublait d'un maître chanteur avait cru découvrir une ruse habile, il s'était en réalité profondément trompé.

— Tant pis pour moi ! tant pis pour lui ! s'était juré Valentine achevant sa toilette, le lendemain matin, et se décidant à agir.

La jeune femme connaissait, comme tout Paris, le nom de Jérôme Fandor. Elle savait de plus, probablement par des conversations de salon, que le journaliste joignait un tact parfait à son habileté professionnelle ; elle était décidée d'aller le trouver.

— C'est assurément l'homme le mieux qualifié pour m'aider ! pensait Valentine, et du reste... je le connais déjà.. sans qu'il s'en doute...

Sans hésiter davantage, prétextant une course, elle se rendait à *La Capitale*, décidée à demander conseil à celui que l'on appelait couramment le « reporter policier ».

Jérôme Fandor cependant, en voyant entrer la baronne de Lescaux, s'était levé pour l'accueillir d'un salut courtois, et lui avancer un siège.

Il s'informait alors du but de la visite de la jeune femme et, sans l'interrompre, sans paraître étonné le moins du monde, écoutait le minutieux récit que lui faisait hâtivement Valentine de Lescaux.

— Madame, déclarait enfin Jérôme Fandor, sur le ton d'une froide politesse, empreinte d'une grande courtoisie, je tiens à vous promettre mon entier dévouement, d'abord, ma plus stricte discrétion ensuite, donc, ne vous inquiétez pas du risque de scandale...

— Mais je ne m'en inquiète pas, monsieur !

— Parfaitement, madame, cela se dit !... mais, en votre for intérieur, vous êtes très émotionnée, cela se voit ! oh ! c'est naturel...

Fandor souriait, car il sentait Valentine embarrassée, puis il reprenait d'un ton fort simple :

— Seulement, si je vous promets la discrétion, il faut, de votre côté, me promettre la confiance.

— Monsieur, je crois qu'en venant ici...

— En venant ici, madame, vous pouvez avoir cédé à bien des sentiments ! Voyons, répondez-moi, je vais vous poser quelques questions... Je vous demande trois affirmations sincères...

— Parlez, monsieur ?

Fandor se renversait en arrière sur son fauteuil et, regardant Valentine bien en face :

— Avez-vous un amant, madame ?...

Or, à cette demande, brutale, Valentine naturellement sursautait ; pourtant, elle répondait avec vivacité :

— Non, monsieur !

— Tant mieux ! Autre chose : soupçonnez-vous quelqu'un ?

— Je ne soupçonne plus personne !

— Bien ! M'autorisez-vous à être aussi catégorique que possible et à tout faire pour retrouver votre bijou ? J'entends : ne tenez-vous pas à ménager le voleur et préférez-vous perdre votre pendentif plutôt que risquer voir cet homme arrêté ?

En posant cette dernière question, Fandor semblait s'occuper à fouiller dans des papiers : en réalité, le journaliste ne perdait pas de vue le fin visage de Valentine. Il lui semblait évident, en effet, que de deux choses l'une : ou la jeune femme avait été sincère en lui jurant qu'elle n'avait pas d'amant et, peu lui importerait que l'on arrêtât son voleur, ou, au contraire, elle lui avait menti et, dans ce cas, une secrète pudeur lui ferait un devoir de recommander la modération.

Mais Fandor était vite renseigné, Valentine n'hésitait pas :

— Monsieur, répliquait la jeune femme, je serais enchantée, je serais heureuse que vous arrêtiez cet escroc ! C'est un voleur et rien d'autre. J'imagine que, s'il voulait causer quelque scandale, vous sauriez en étouffer les échos et par conséquent...

— Cela suffit, madame ! interrompait Fandor. J'espère, dans quarante-huit heures, vous rapporter votre bijou. Vous avez eu affaire, j'en suis convaincu, à un maître chanteur... or, vous ne chantez pas ! Tout est donc infiniment simple !

En se levant, le journaliste marquait presque que l'audience était terminée, Valentine salua, se retira :

— Dois-je venir vous revoir, monsieur ?

— Inutile, madame, je vous préviendrai dès que mes recherches auront donné un résultat...

Un quart d'heure plus tard, tandis que la baronne de Lescaux rentrait rue Spontini, fort touchée de l'accueil qu'elle venait de recevoir, et espérant bien que le journaliste lui ferait retrouver ses diamants, Fandor se coiffait de son chapeau mou, se munissait d'une lourde canne à bout plombé, et, sifflotant, d'un bon pas, gagnait la rue Tardieu.

— Juve est-il rentré, madame ? s'informait le journaliste auprès de la concierge.

— Pas encore, monsieur !

— Alors, je vais faire un tour ; dites-lui de m'attendre, voulez-vous ?

— C'est entendu !

Fandor, en vieux Montmartrois qu'il était, n'ignorait nullement la situation de la rue Girardon. Il montait rapidement les marches qui conduisent au Sacré-Cœur, s'orientait, atteignait la maison mystérieuse.

Qu'allait donc faire le journaliste ?

Tout bonnement, il prétendait frapper à la porte du voleur de Valentine !

Par expérience, en effet, Jérôme Fandor n'avait aucun doute sur la façon dont il convenait de procéder pour retrouver les diamants de la jeune femme.

De tous les criminels, les maîtres chanteurs sont les plus lâches, et, généralement, les plus faciles à effrayer.

Fandor songeait qu'il n'aurait, vraisemblablement, qu'à avertir l'homme qui avait escroqué Valentine que celle-ci n'entendait pas se laisser faire, qu'il suffirait de lui faire peur, en un mot, pour qu'il vînt immédiatement à soumission.

— Parbleu ! murmurait Fandor, on en a vu d'autres !

Et pour commencer à impressionner les hôtes de l'hôtel mystérieux, le reporter secoua avec une vigueur inusitée la clochette qui servait de sonnette, à l'entrée du jardinet...

Malheureusement, du temps passa, la sonnette cessa de vibrer sans que personne vînt ouvrir !

— Bon ! murmura Fandor, est-ce que par hasard, ils seraient sourds, là-dedans ?

Et il carillonna plus fort... mais tout aussi vainement !

— Sapristi ! fit encore le journaliste, il faudra bien, pourtant, qu'on me réponde...

Tout en grommelant, il avait mis la main sur le bouton de la porte et tentait d'ouvrir...

La porte était fermée !

Cela laissa Fandor tout décontenancé, Valentine, en effet, lui avait dit que, la veille, elle était entrée sans difficulté dans le jardin et qu'elle n'avait pas même eu besoin de sonner. Il semblait donc que, déjà, le voleur avait changé sa manière de procéder...

— Bon, bon ! grogna le journaliste, après avoir secoué pendant quelques instants les vantaux de la porte, nous verrons bien qui aura le dernier mot !

Fandor avançait de quelques pas, considérait sous toutes ses faces le petit hôtel. Il n'y avait point de fenêtres ouvertes, les volets étaient mis partout et la maison avait un air abandonné. Fandor se recula jusqu'au milieu de la chaussée et demanda :

— Il n'y a personne ?

Puis, comme ses appels demeuraient sans écho, il cria très fort :

— Zut de zut ! j'arrive trop tard ! Allons-nous-en !

Et, avec un haussement d'épaules, il s'éloigna.

Fandor, en réalité, renonçait-il à pénétrer dans la maison mystérieuse ? Nullement !

Fandor, tout simplement, jouait la comédie.

Simple détective amateur, il n'avait pas le droit de forcer la porte d'une habitation, ainsi que peut le faire un agent de la police officielle et, forcé de battre en retraite, il avait entendu tout simplement prendre une attitude désespérée pour rassurer les habitants de l'hôtel et leur faire croire qu'il renonçait à pénétrer jusqu'à eux. Mais, Fandor n'avait pas tourné le coin de la rue Girardon, que, souriant, il hâtait le pas et, descendant des sommets de la butte, se dirigeait vers le square Saint-Pierre.

— Parbleu ! grommelait Fandor, Juve me tirera de là !

Fandor descendit en hâte les nombreux escaliers qui cascadent si pittoresquement dans les rues de Montmartre, il alla rejoindre Juve qui, par bonheur, était rentré.

En deux mots, le journaliste mit le policier au courant de la visite qu'il venait de recevoir de la baronne de Lescaux.

— C'est une affaire banale, concluait Fandor, mais après tout, cela nous intéressera toujours... et puis, cette Mme de Lescaux est sympathique, je compte sur vous, Juve.

Le policier, déjà, avait été prendre son chapeau.

— Nous allons immédiatement en terminer, déclarait Juve, avec cette tentative de chantage...

En compagnie du policier, Fandor remonta pour la seconde fois les escaliers de la butte. Juve s'arrêtait un instant à une boutique de serrurerie.

— Bonjour, disait-il, en serrant la main du patron, un gros homme répondant au sobriquet de la Tenaille, et que le policier connaissait de longue date. Venez avec moi, mon bon, j'ai besoin de vous pour enfoncer une porte...

— On y va ! on y va, patron !...

Et, s'étant armé des crochets qu'il prenait sur son établi, la Tenaille accompagnait les deux amis.

Le petit groupe arrivait, peu après, rue Girardon, devant la maison à l'intérieur de laquelle Fandor, une heure avant, n'avait pu pénétrer.

— Ouvrez ! ordonna Juve...

La Tenaille s'exécutait. Il essayait trois crochets puis la porte du jardinet cédait, habilement forcée.

— Et d'une ! constata la Tenaille.

Juve, pendant ce temps, surveillait la façade de l'hôtel.

— Très curieux ! faisait-il remarquer à Fandor ; ils doivent tous dormir là-dedans, ou bien alors...

Mais Juve n'achevait pas. Il montrait la porte du perron à la Tenaille.

— Ouvrez encore !

Il fallut moins de deux minutes de travail, car la Tenaille avait jadis tout spécialement étudié les façons de crocheter les portes rapidement et sans bruit !

— Voilà, patron !

— Très bien, merci !

Pour se débarrasser de l'ouvrier, Juve lui donnait quarante sous et le renvoyait :

— Nous n'avons plus besoin de vous...

Mais, la Tenaille parti, il restait à opérer.

— Vous êtes prêt, Juve ?

— Parfaitement... allons-y...

Instinctivement les deux hommes venaient de s'assurer que leurs brownings étaient bien armés dans la poche de leurs vestons.

Fandor, alors, poussait la porte seulement entrouverte par le serrurier.

— Au nom de la loi ! cria Juve, mais il se tut, de stupéfaction...

Valentine avait décrit à Fandor, minutieusement, avec cette habileté que les femmes apportent à de semblables peintures, le luxueux vestibule du petit hôtel, le vestibule tout tendu d'épais tapis, baigné d'une lueur bleue tombant des lampes électriques...

Or, la porte ouverte, ce que Juve et Fandor apercevaient, c'était bien un vestibule, mais un vestibule à l'abandon, sans meuble aucun, sans tentures d'aucune sorte, tout couvert de poussière, où pendaient des toiles d'araignée, ayant, enfin, l'aspect d'une pièce inhabitée depuis longtemps !

— Méfiance ! conseillait au même instant Juve, qui mettait revolver au poing...

Fandor, pourtant, se rappelant les descriptions de Valentine, traversait le vestibule, courait à la porte qui donnait dans le salon.

Fandor ouvrit d'un mouvement brusque.

— Bizarre ! criait-il à l'instant, s'immobilisant sur le seuil...

Où donc Valentine avait-elle vu, dans ce salon, des meubles rares, des bibelots précieux, tout un intérieur somptueusement aménagé ?

Tout comme le vestibule, le salon était sans meubles, sans tapis, à l'abandon, désert, inhabité, et même, semblait-il, inhabité depuis longtemps !

Juve regarda Fandor :

— Ah ça ! constatait le policier, elle s'est fichue de toi, ta baronne, mon vieux Fandor...

C'était évidemment l'explication qui venait immédiatement à l'idée. Mais cette explication n'en était pas une. Pourquoi Valentine, pourquoi la baronne de Lescaux aurait-elle inventé une fable aussi étrange que celle qu'elle semblait avoir contée à Fandor ? Pourquoi aurait-elle menti de la sorte ?

— Bizarre ! bizarre ! répéta Fandor.

Et, pour mieux se convaincre de la réalité des choses, le journaliste, en compagnie de Juve, visitait l'hôtel, du haut en bas...

— Nous devons nous tromper, disait le reporter, nous allons trouver un autre vestibule ! un autre salon !...

Mais ils ne se trompaient nullement. La visite minutieuse qu'ils faisaient de l'hôtel désert ne pouvait que les persuader davantage de l'abandon où devait être depuis longtemps déjà la maison.

De guerre lasse, alors, les deux amis redescendirent sur le perron.

— Elle est raide ! murmurait Juve.

— Elle est sévère ! constatait Fandor...

Le journaliste, soudain, fronçait les sourcils, jurait :

— Mais, bon sang ! qu'est-ce que cela peut vouloir dire ? Il est inadmissible, pourtant, que Valentine de Lescaux se soit fichue de moi à ce point ! Je ne vois pas dans quel but elle aurait agi ! Et pourtant, si elle a trouvé la maison habitée hier, si c'est là qu'hier on lui a escroqué, avec une mise en scène savante, ses deux diamants, il est inadmissible que l'on ait tout déménagé dans la journée ! D'ailleurs, nous allons bien voir...

Il y avait, en effet, un moyen simple de tirer l'aventure au clair.

En face du petit hôtel, une maisonnette s'élevait où une femme secouait des habits.

Fandor sortit du jardin, courut sous la fenêtre et demanda :

— Madame, un renseignement, s'il vous plaît ? C'est hier après-midi qu'on a déménagé, ici ?

Or, la femme, s'arrêtant de brosser ses vêtements, questionnait à son tour :

— Ici ? où, monsieur ? Personne n'a déménagé !

— Mais si, madame, insista Fandor, cet hôtel était habité, n'est-ce pas ?...

Et il montrait la maison mystérieuse. Or, son interlocutrice secouait la tête négativement :

— Si l'hôtel était habité, monsieur ? oh ! mais non ! faisait-elle. Voilà plus de dix ans que je loge dans la rue et je l'ai toujours connu comme ça, à l'abandon. On ne sait même pas à qui il appartient, dans le quartier...

— Vous en êtes certaine, madame ?

— Mais oui, monsieur, bien entendu !

Il n'y avait pas à insister davantage. Fandor le comprit.

— C'est bien ! je vous remercie !...

Puis, pour rassurer la brave femme qui semblait fort intriguée, il ajoutait :

— Nous sommes, précisément, des architectes et nous pensions... Raminagrobis !... Raminagrobis !...

Fandor achevait sa phrase en bredouillant quelque chose d'absolument incompréhensible qu'il accompagnait de son sourire le plus aimable et d'un salut fort avantageux. Cela ne voulait rien dire, mais avait l'air de tout expliquer le mieux du monde ! C'était encore un de ses bons tours !

Fandor bientôt rejoignait Juve et lui demandait :

— Vous avez entendu ?

— Oui !... Ta baronne t'a menti !

— Non ! affirma Fandor, c'est impossible !

— Alors, quelle explication donnes-tu à l'aventure ?

Juve regardait bien en face Fandor. Il vit celui-ci hausser les épaules, avancer les lèvres, faire la moue.

— Ma foi ! avouait Fandor, l'explication que je donne ? Hum ! je n'en donne pas ! C'est un mystère !

Et très sombre, très préoccupé, Fandor poursuivait :

— Dites donc, j'imagine que cette affaire est loin d'être finie ; je peux compter sur vous, Juve ?...

— Naturellement !

— Vous vous chargez d'en parler officiellement à la Sûreté ?

— Dès que tu le voudras...

— Demain, alors !

— C'est entendu !

Les deux hommes quittèrent Montmartre.

IX

Jap... Jap...

— Qu'est-ce qu'il vous demandait donc, M. Jules, l'imbécile de tout à l'heure ?

— Oh ! ma foi, pas grand-chose, monsieur Joseph. C'est un crétin qui vient toutes les dix minutes chercher des lettres à la poste restante !...

— Et alors ?

— Et alors, comme il n'y a pas eu de courrier, depuis sa dernière visite, j'ai naturellement négligé de vérifier le tas des lettres... C'est de cela qu'il a été se plaindre au receveur...

— Et qu'est-ce qu'il a dit le receveur ?

— Rien. Il a expédié le bonhomme. Pensez donc ! Il étudiait son journal de courses !...

Narguant le public, grâce au grillage de leurs guichets sur lequel ils avaient apposé un petit écriteau ironique : « Fermé », les deux employés des postes s'apprêtaient à quitter le service, leurs camarades de l'équipe de l'après-midi venant d'arriver.

Depuis le matin, aussi bien, ils n'avaient pas eu un instant de repos, une minute de tranquillité. Le bureau de poste auquel ils appartenaient, celui du tribunal de commerce, était, il est vrai, toujours chargé, toujours encombré par le public. Mais, ce matin-là, ç'avait été pire encore que de coutume !

A la « poste restante », comme c'était un samedi, des quantités de jeunes dames avaient défilé, venant chercher les épîtres de leurs amoureux, fixant les rendez-vous du dimanche... Au télégraphe, on n'avait pas arrêté, en raison d'un retentissant procès, qui valait un échange télégraphique des plus complexes entre le parquet du Tribunal de Paris et un parquet de province. Ailleurs, ç'avait été à peu près aussi intenable... et les nerfs des employés s'en étaient si bien ressentis que, toute la matinée, le receveur avait dû apaiser des clients mécontents, qui demandaient à lui parler, et cela pour déposer les réclamations les plus saugrenues.

C'en était fini, cependant, de ce rude travail. Les employés changeaient, et, comme le disait avec emphase M. Joseph : « Ça n'était pas malheureux ! »

Or, tout juste au moment où l'horloge électrique sonnait midi et, par une malchance fortuite, à l'instant précis où le receveur sortait de son bureau, l'employé chargé de la réception des tubes pneumatiques poussait une exclamation :

— Mais ils sont fous, nom d'un chien, au Central ! Ils commencent à nous embêter !...

D'un même mouvement, les employés tournèrent la tête, cependant que le receveur s'élançait en avant :

— Qu'est-ce qu'il y a encore ? vous ne pourriez pas employer des expressions plus polies ?

Piteux, l'employé se leva :

— Voyez, monsieur le receveur, déclarait-il, voilà ce que le Central m'expédie dans le dernier train !...

L'employé tendait au receveur un étroit petit cornet de cuir, l'un de ces petits cornets qui, groupés ensemble, forment les trains pneumatiques envoyés dans tous les bureaux de poste, grâce à l'air comprimé et servant à transiter, en quelques minutes, les pneumatiques, les « petits bleus », comme les a familièrement surnommés le public.

Or, ce qui motivait la colère et l'indignation de l'employé, c'est que, à l'intérieur de l'un de ces cornets, il venait de découvrir une boîte toute petite, toute fragile, mais enfin une boîte !

— Nom d'un chien ! s'exclamait, exagérant son indignation, l'employé que considérait, farouchement, le receveur, ça n'est pourtant pas malin le règlement à ce sujet : pas de corps durs dans les trains pneumatiques ! Si, maintenant, le Central expédie des boîtes, il faut s'attendre à tout ! Ah ! ils ne se gênent vraiment pas là-bas !... Car enfin, chef, si les tuyaux s'étaient obstrués, c'est nous qui aurions été embêtés !

— Taisez-vous ! interrompit brutalement le receveur.

Il avait pris des mains de l'employé la boîte apportée par le tube, il la considérait curieusement.

— C'est pourtant vrai, faisait-il, enfin je ne comprends pas qu'au Central ils aient laissé passer cet objet-là... A quel bureau cela a-t-il été mis ?

— Il n'y a pas de timbre, chef.

— De mieux en mieux !... De sorte que s'il y a une réclamation...

— Peut-être faudrait-il signaler la chose ?

— Naturellement ! Je vais téléphoner...

Faisant signe à l'employé de le suivre, le receveur rentra dans son bureau particulier. Il obtenait assez vite, par un privilège naturel, la communication avec le bureau central où passent tous les pneumatiques déposés dans les bureaux de poste, puisque les lignes de tous les bureaux aboutissent au Central, qui se charge des réexpéditions. Il se plaignait âprement :

— Allô !... vous m'entendez ?... Oui... bon !... C'est le receveur du tribunal de commerce. Allô !... dans le dernier train pneumatique, vous avez mis une boîte, et cela sans apposer le timbre !... Qu'est-ce que c'est que cette plaisanterie ?...

Naturellement, l'employé du Central auquel s'adressait le receveur du Tribunal n'était pas au courant de la chose. Il demandait quelques minutes pour faire une enquête, puis revenait enfin et la conversation reprenait :

— Allô ! Vous dites que nous vous avons expédié par tube une boîte ?

— Oui !

— Par quel train ?

Ayant consulté son employé, le receveur affirma :

— Le train n'a même pas de numéro ! C'est le dernier envoi...

Quelques instants s'écoulaient encore, puis l'employé du Central revenait au téléphone :

— Monsieur le receveur, déclarait-il, nous ne comprenons rien à ce que vous nous signalez, il n'y a pas eu d'envoi à votre bureau depuis 11 h 7... Or, d'après ce que vous me dites...

— Je vous parle du train qui arrive à l'instant même, tonna le receveur.

— Nous n'avons pas envoyé de train !

L'affirmation était si extraordinaire que le receveur s'emporta pour tout de bon :

— Dites que je suis fou, alors ! hurla-t-il dans l'appareil ; sapristi ! j'imagine pourtant que si j'ai en main un train pneumatique, c'est que vous m'avez envoyé ce train ? Il ne s'est pas introduit tout seul dans les tuyaux, n'est-ce-pas ?...

Il n'y avait rien à répondre à cela. Il y avait même si peu à dire que l'employé du Central n'insistait pas :

— On va faire des recherches, monsieur le receveur ! affirmait-il.

Puis, il devait raccrocher son appareil, car le receveur du tribunal de commerce entendait un claquement sec des plus significatifs...

— Et voilà ! faisait-il hors de lui. « On va faire des recherches » ! C'est tout ce qu'ils trouvent à dire, au Central !... Ah ! il est joli le service ! il est bien fait !... Mais qu'est-ce qu'ils font donc, les imbéciles de sous-chefs, qui sont là-bas ?...

Il ne servait pourtant à rien de s'emporter : l'employé qui n'avait qu'une idée, celle de s'en aller au plus vite, car les heures de son service étaient passées, se garda donc d'exciter la colère de son chef :

— Nous retenons le paquet ? interrogea-t-il.

Le receveur y songeait.

— Apportez-moi cette boîte.

Elle fut en un instant dans ses mains.

— Impossible de retenir le paquet ! remarquait alors le receveur, voyez plutôt : c'est adressé à M. Havard, chef de la Sûreté ! Nous ne pouvons pas prendre sur nous d'arrêter un envoi au chef de la Sûreté ! Ah ! c'est du joli ! et je voudrais bien savoir quel est l'imbécile d'employé qui s'est chargé de transmettre cela par pneumatique. C'était capable d'arrêter tout le réseau, pendant quatre ou cinq jours... car enfin, si le train s'était bloqué...

Il ne décolérait pas, l'excellent homme, il achevait, rendant la boîte à l'employé :

— Faites porter cela tout de suite, mais faites demander un reçu !... Il faut être à couvert, on ne sait jamais ! D'abord un envoi de cette nature est absolument extraordinaire, et je me demande si c'est vraiment dans un bureau de poste et de façon régulière que ce pneumatique a été déposé ! Allons ! dépêchez-vous ! Qu'est-ce que vous faites là à me regarder ?

L'employé ne demandait pas mieux que de se dépêcher, puisqu'il s'agissait de s'en aller...

— Eh ! le gosse ! appelait-il, hélant un jeune télégraphiste qui faisait de la voltige, à bicyclette, sur le boulevard du Palais.

« Porte cela, tout de suite, à la Sûreté, remets-le en mains propres, et, demande un reçu, dont nous paierons le timbre ! Allez ! cavale !...

L'ordre donné, enfin libre, l'employé sautait sur son chapeau, puis partait en toute hâte :

— Au revoir les copains ! je me débine !... Il y a le singe qui ronchonne dans sa boîte, je ne tiens pas à ce qu'il m'appelle encore !...

L'employé parti, le petit télégraphiste enfermait, dans sa sacoche, la boîte qui venait de révolutionner le bureau de poste du tribunal de commerce, et, fier de la mission qui consistait à se rendre à la Sûreté, s'éloignait en imitant, à la perfection d'ailleurs, les cris des animaux les plus divers, depuis le bœuf qui mugit, jusqu'au cheval qui hennit en passant par le rossignol, le corbeau, le cricri et le chat...

Il était, quelques minutes après, quai des Orfèvres, dans les couloirs sombres de la Sûreté, où un huissier précautionneux l'arrêtait au passage :

— Tu veux un reçu pour ça ?... Dame ! mon petit ! il n'y a que M. Havard lui-même qui puisse te le donner... puisque c'est à lui que le paquet est adressé ! Attends un peu, va... il est avec un inspecteur ; je vais te faire passer dans deux minutes...

M. Havard, chef de la Sûreté, était en effet occupé avec un inspecteur, qui n'était autre que Juve.

De grand matin, Juve s'était rendu quai des Orfèvres et, pour « rapport extraordinaire », s'était fait inscrire sur la liste des inspecteurs désirant entretenir le chef.

Juve, la veille, avait quitté fort tard Fandor. Il s'était fait donner par le journaliste les plus minutieux détails sur le récit de l'étonnante baronne Valentine de Lescaux.

Fandor avait expliqué quelle avait été l'attitude de la jeune femme, combien sa sincérité lui avait paru évidente et, petit à petit, il avait réussi à faire partager à Juve la conviction sincère où il était qu'il y avait rue Girardon, un mystère, et un mystère des moins compréhensibles.

C'était cette conviction que Juve, depuis une heure, tentait de faire passer dans l'âme de M. Havard, chef de la Sûreté.

Juve n'était pas éloquent, mais il était clair et net ; ses discours avaient toujours une précision extrême, et il excellait à faire ressortir les arguments intéressants, les détails significatifs des rapports qu'il faisait.

— Chef, disait Juve, cette baronne Valentine de Lescaux, cela ressort des renseignements personnels que j'ai recueillis ce matin, est des plus honorables. Elle est belle, riche, elle occupe une situation parfaitement claire, nette et indépendante. Rien à dire non plus du mari... les domestiques ne connaissent pas d'amants... au plus un flirt... respectueux !... C'est cette dame qui s'est plainte à Fandor, comme je vous l'ai dit, du vol de ses diamants... Mais autant tout semble clair, du côté de Valentine de Lescaux, autant tout paraît obscur dans l'aventure dont elle se dit victime... Rappelez-vous les détails, chef : histoire de la musique ! déclaration d'amour extravagante, folle ! interlocuteur invisible ! gémissements soudains et reprise de la musique ! renvoi de la visiteuse ! dans la rue, plus de pendentif !... et la dame croit avoir été suivie !...

« Il y a enfin les résultats de notre expédition d'hier, à Fandor et à moi, expédition au cours de laquelle nous avons trouvé, je vous l'ai dit encore, la maison de la rue Girardon non seulement vide, inhabitée, mais encore à l'abandon depuis des mois, des années, au dire des voisins immédiats... Comment allons-nous sortir de tout cela ?

Juve s'arrêtait, il interrogeait du regard M. Havard...

Le chef de la Sûreté, malheureusement, était tout aussi embarrassé que pouvait l'être Juve.

Assurément, Valentine de Lescaux apparaissait, de par sa situation sociale, incapable d'avoir menti. Donc, il fallait tenir ses dires pour vrais. Et, cependant, il était bien certain aussi, d'après les renseignements mêmes que fournissait Juve, que l'immeuble de la rue Girardon était inhabité depuis longtemps et que, par conséquent, Valentine ne pouvait pas y avoir vu ce qu'elle avait cru y voir !

M. Havard, soudain, eut une idée :

— Ma foi, Juve, déclarait-il, il me vient une pensée bizarre. Savez-vous ce que j'imagine ?

— Non, protesta Juve, quoi donc ?

« Alors ?

— Alors, dame ! l'opium procure des hantises, des rêves, des hallucinations... est-ce que, par hasard ?...

M. Havard, tout chef de la Sûreté qu'il était, avait un grand défaut. Il savait peu s'abstraire de ses pensées principales. Depuis quelque temps, il avait eu à diriger de nombreuses poursuites contre les fumeries d'opium qui s'étaient, en effet, multipliées dans Paris, et il se trouvait, tout naturellement, enclin à penser toujours aux affaires d'opium, aux histoires de fumeries, aux trafiquants...

Comme le disaient ses agents, « il mettait » de l'opium partout !

— Peuh ! répondait Juve, c'est bigrement vague, chef, cette indication que vous donnez ! Vous croyez que Mme de Lescaux a été tout simplement victime d'un rêve d'opium ?... Il faudrait alors qu'elle soit fumeuse... et nous l'aurions appris, que diable !...

Juve se taisait quelques minutes, réfléchissait, puis ajoutait :

— D'ailleurs, il y a quelque chose qui est difficilement explicable par la bonne drogue... J'admets encore que l'histoire de la maison habitée, de la musique, de la lumière bleue, de tout le bataclan proviennent de l'opium, il n'en reste pas moins que ce n'est pas l'opium qui a pu faire voler le pendentif !...

A cet instant précis, où Juve tâchait d'arracher son chef à une erreur d'appréciation qui lui apparaissait évidente, un huissier entrait dans le cabinet du chef de la Sûreté.

— Monsieur Havard, déclarait le brave homme, c'est un pneumatique qui vous arrive... La poste demande un reçu, rapport à ce que c'est une boîte et pas une enveloppe...

— Quoi ? demanda M. Havard qui ne comprenait pas grand-chose à l'explication du serviteur, qu'est-ce que vous me chantez là ?

L'huissier s'excusa :

— Je répète ce que le gosse m'a dit, murmurait-il.

Et cela avait, au fond, si peu d'importance que M. Havard signa le reçu sans insister autrement.

— Donnez ! cela va !...

L'huissier parti, pourtant, le chef de la Sûreté s'étonnait à son tour :

— C'est vrai, faisait-il en regardant Juve, c'est bizarre, regardez donc : on m'adresse une boîte par tube pneumatique. Je me demande à quel bureau de poste on a pu accepter cet envoi.

M. Havard faisait alors ce qu'avait fait le receveur, il cherchait un timbre sur la petite boîte, il n'en trouvait pas.

— Très bizarre, concluait le chef de la Sûreté.

Et il défaisait le paquet.

Or, la petite boîte n'était pas ouverte, que Juve et M. Havard se considéraient, aussi stupéfaits l'un que l'autre.

— Ça ! par exemple ! disait Juve...

— Bigre ! je ne m'attendais pas à cet envoi ! murmurait M. Havard.

Et il tendait à Juve ce qu'il retirait de la boîte : une petite chaînette de platine au bout de laquelle pendaient deux diamants.

— C'est le pendentif de Mme de Lescaux ?

— Ça m'en a tout l'air, répliquait Juve...

Juve sortait de sa poche la description, écrite par Fandor sous la dictée de Valentine, du bijou si mystérieusement perdu.

— Parfaitement, affirmait Juve, c'est bien cela ! c'est bien le pendentif !... Mais alors, chef, Mme de Lescaux n'a pas rêvé, bougre de nom d'un chien !... et le voleur a dû savoir que nous avons perquisitionné rue Girardon ?...

De son côté, M. Havard se perdait dans ses réflexions :

Pourquoi diable retournait-on à lui, chef de la Sûreté, et non pas à Valentine de Lescaux, les diamants volés ?

Comment le voleur s'y était-il pris pour déposer ces bijoux dans un envoi par pneumatique ?

Il risquait d'attirer l'attention, il avait mille chances pour une de se voir refuser son expédition. Et puis, que signifiaient alors les extraordinaires récits de Juve et de Fandor disant que la maison de la rue Girardon était inhabitée ?... Elle n'était pas inhabitée, puisqu'il était vraisemblable que Valentine de Lescaux y avait été dépouillée... et cela était réel, puisque, tout comme l'avait prétendu la jeune femme, le bijou avait été volé et qu'il était maintenant restitué...

— Je n'y comprends rien de rien ! déclara M. Havard.

— Je n'y comprends pas davantage ! avoua Juve.

Et après un instant de silence, il demandait :

— Qu'est-ce que nous allons faire, maintenant, chef ?

C'était bien ce que cherchait à décider M. Havard.

— Nous n'allons rien faire, finit-il par déclarer. Après tout, puisque le bijou est restitué, avant qu'une plainte régulière ait été déposée, il n'y a plus de délit. Et puis, ça doit être des affaires de femmes, ces histoires-là !... Ne nous embarquons pas en de telles aventures ! Tenez, Juve, prenez ce pendentif et allez le restituer aujourd'hui même à cette baronne de Lescaux... Je ne veux pas savoir, bien entendu, si vous aurez une gratification... c'est défendu, vous ne l'ignorez pas... mais si personne ne me le dit...

— Merci, chef ! au revoir, chef !

Tout souriant, car la restitution du bijou allait assurément lui valoir une assez forte prime donnée par la victime du vol — prime qu'il comptait partager avec Fandor — Juve serrait le petit paquet dans le gousset de son gilet, et, quelques minutes plus tard, quittait la Préfecture.

Le temps était magnifique, les berges de la Seine, tout ensoleillées, étaient hérissées par les cannes à pêche d'un grand nombre de disciples de la gaule.

— Parbleu ! songea Juve, je ne peux décemment pas me rendre tout de suite rue Spontini. Cette dame doit être à table, il est une heure moins dix... Je vais flâner un peu, puis j'irai opérer ma restitution...

A petits pas, sans se presser, Juve remonta les quais, traversa sur la rive gauche, longea les berges, jusqu'à la hauteur de l'Institut.

Or, comme il dépassait l'Académie, Juve apercevait un grand rassemblement formé autour d'un pâté de maisons, devant lequel s'empressaient des pompiers.

— Tiens ! un incendie ! pensa-t-il.

Il hâta le pas, se mêla à la foule :

— C'est le feu ? demandait-il.

— Le feu ? Vous n'êtes pas piqué ? lui répondit un ouvrier, c'est pas le feu du tout, mon vieux, c'est un trou dans la chaussée et un bonhomme qui est dedans !...

Le renseignement était vague. Juve joua des coudes, usa d'autorité et parvint aux premiers rangs de la foule.

On ne l'avait pas trompé.

Quelques instants plus tôt, en effet, une large excavation s'était creusée, à l'improviste, sur le trottoir du quai. Des passants avaient alors entendu des cris de douleur, et aperçu un malheureux blessé qui se débattait, tout au fond du trou, parmi un enchevêtrement de tuyaux et de lignes téléphoniques.

— Voilà, monsieur l'inspecteur, tout ce qu'on sait jusqu'à présent ! déclarait un agent de la paix à Juve qui s'était fait reconnaître. Les pompiers sont arrivés tout de suite, ils travaillent à dégager le blessé...

Les pompiers, en effet, appelés en hâte, comme ils le sont toujours, en toute espèce de cas, chaque fois qu'il y a un danger à courir, un sauvetage à opérer sur la voie publique, étaient descendus dans l'éboulement du sol et s'occupaient à retirer le malheureux qui, pris sans doute dans l'éboulement de terrain, gémissait lamentablement.

— Hisse, sur la droite !

— Tire, sur la gauche !

— Rangez-vous là ! nom d'un chien !

Juve voyait la manœuvre s'accomplir : quatre pompiers sortaient du fond du trou un malheureux individu dont le visage était en sang et qui poussait de lamentables cris.

Naturellement, un docteur — il en est toujours au moins un dans les rassemblements — fendit la foule, s'approcha :

— Voyons, mon brave, un peu de courage ! disait-il, en se penchant sur le blessé ; où souffrez-vous ?

L'homme, que l'on avait posé sur le sol, tenait ses deux mains sur ses yeux, il interrompit ses gémissements pour crier :

— Jap ! Jap ! au secours !

C'était là quelque chose d'incompréhensible et le médecin insista :

— Regardez-moi, vous n'êtes pas blessé aux yeux ?

— Jap ! Jap ! hurla encore l'homme.

Et ses jambes avaient des mouvements convulsifs.

Juve pourtant était derrière le docteur.

— Ah ça ! murmura l'inspecteur, c'est extraordinaire, il n'a pas l'air de vous comprendre ?

Et Juve demanda lui aussi :

— D'où souffrez-vous ? répondez donc ?...

— Jap ! Jap ! à moi ! Jap à moi !

Juve se releva découragé.

— C'est un fou ! faisait-il.

Au même instant, le docteur déclarait :

— C'est un aveugle ! ah ! sapristi.

L'homme, en effet, dont il venait d'écarter les mains de force apparaissait avec des yeux vitreux, privés de regard.

Il ne semblait pas cependant qu'il fût très gravement blessé. Son visage saignait, écorché, mais ses bras remuaient librement, ses jambes, qui tremblaient toujours ne semblaient point fracturées.

— Soulevez-le ! conseilla le docteur.

Des pompiers prirent l'individu sous les bras, le relevèrent...

— Voyons, vous pouvez marcher ?

— Jap ! Jap ! cria encore l'homme...

Cette scène ne pouvait pas durer :

— Il est fou ! il est fou ! répéta Juve.

Et, ramené par les circonstances au souci de son métier, Juve ordonnait :

— Appelez un fiacre, nous allons le conduire à l'hôpital !

On hélait une voiture, les pompiers y portaient l'individu.

— Tiens ! remarqua Juve, c'est bizarre ! Quelles drôles de fleurs ce bonhomme porte là ?

Il apercevait, en effet, à la boutonnière du blessé, pauvrement, mais proprement habillé de vêtements sombres, une fleur étrange, une véritable rose, mais une rose noire, d'un noir d'encre !

Ce n'était toutefois pas le moment de s'arrêter à semblable détail.

— A la Charité ! ordonna Juve, vite ! Réquisition de la police !

Et, tandis que, dans la foule, on commentait l'accident, tandis que les pompiers organisaient, en hâte, un barrage de cordes, pour empêcher qu'on s'approchât de trop près du trou et que de nouveaux accidents ne puissent se produire, le fiacre emportant le blessé, Juve et deux sergents de ville, roula rapidement vers l'hôpital.

Dans la voiture, Juve questionna encore :

— Eh bien, vous ne souffrez plus ? Dites-moi votre nom ? Où habitez-vous ?...

Mais à toutes ces questions, le blessé ne répondait que par son extraordinaire exclamation qui semblait être un appel ; un appel incompréhensible :

— Jap ! Jap ! à moi ! au secours !

A l'hôpital, c'était pis !

Le fiacre, entré dans la cour, des brancardiers saisissaient l'homme, le conduisaient à une salle de visite où, d'urgence, un chef de clinique qui n'était autre que Maurice Hubert arrivait.

Dévêtu, le blessé était soigneusement examiné par le jeune chirurgien :

— Rien de cassé ! une forte commotion morale ! allons ! cet individu s'en tirera.

Le docteur Hubert rassurait Juve qui l'interrogeait du regard, puis il demandait à son tour à l'individu :

— Quel est votre nom ? Voulez-vous être soigné ici ? Préférez-vous qu'on vous ramène chez vous ?

— Jap ! Jap ! répondit l'homme.

— Vous êtes aveugle ? repartait le docteur Hubert, mais ce ne sont pas vos yeux qui vous font mal... Pourquoi appuyez-vous vos mains sur vos paupières ? Vous m'entendez ?

— Jap ! fit encore le blessé.

La scène était étrange, Hubert s'impatienta :

— Une lampe électrique ! le projecteur ! commandait-il.

Une infirmière apporta une puissante lumière, qu'immédiatement le docteur Hubert dirigeait sur le mystérieux inconnu, qu'on venait de lui amener :

— Penchez la tête ! commandait-il.

Et, comme l'homme n'obéissait pas, il l'obligeait, de force un peu, à se tourner vers la lumière, dans le désir d'examiner de plus près les blessures de la face.

Or, à peine le visage du malheureux était-il atteint par la projection lumineuse qu'une crispation de douleur tortura ses traits, qu'un rugissement véritable s'échappa de ses lèvres...

— Jap ! Jap !...

L'incompréhensible appel retentissait à nouveau, puis l'homme se roidissait, s'évanouissait...

Une heure plus tard, Juve quittait l'hôpital de la Charité, prenait congé du docteur Hubert :

— Enfin, déclarait le policier au jeune chef de clinique, qu'est-ce que vous comprenez à cet accident ?...

— Rien ! ripostait le praticien, trois fois rien !... L'évanouissement n'est pas grave, assurément, et cela ne m'inquiète pas, mais je me demande si ce malheureux aveugle n'est pas fou par surcroît !... On ne peut rien tirer de lui que cet extraordinaire appel : « Jap » et je ne vois pas ce que cela signifie... « Jap » ça n'est pas un nom ? pas un surnom ? Et puis...

— Vous avez vu les roses noires ? interrogea subitement Juve.

— Les roses noires ? répondait le docteur en tressaillant, non ! de quoi parlez-vous ?

— D'une fleur bizarre que cet inconnu portait à sa boutonnière...

Juve disait cela le plus naturellement du monde, mais il ne pouvait s'empêcher de noter la pâleur soudaine qui envahissait le visage du chef de clinique.

— Eh bien, qu'avez-vous ? demandait-il.

Maurice Hubert répondait d'une voix tremblante :

— Ce bonhomme avait une rose noire à sa boutonnière ? Vous êtes certain de ce que vous dites, monsieur ?

— Absolument ! cette fleur m'a étonné, et vous-même...

— Monsieur, répliqua Maurice Hubert, ce que vous me dites est ahurissant ! Figurez-vous qu'hier, dans des circonstances extraordinaires, une de mes amies recevait un bouquet entièrement composé de roses noires, elle en fut fort intriguée !

— Comment s'appelle cette dame ? interrompit nerveusement Juve...

— C'est la baronne Valentine de Lescaux...

Rien ne pouvait surprendre davantage l'inspecteur de la Sûreté !

— Ah ! faisait-il, c'est bizarre !...

Et sans expliquer à Hubert ce qu'il trouvait de si surprenant à la coïncidence, Juve demandait encore :

— Et cette dame n'a pas découvert qui lui avait envoyé ces fleurs ?

— Non, c'est ce qui l'effrayait...

Un instant, Juve réfléchit, puis il proposa :

— Si nous retournions à la salle où vous avez examiné le blessé, nous retrouverions sans doute ces roses noires ?

Les recherches, hélas ! demeuraient vaines. Les fleurs, sans doute, étaient tombées dans le fiacre, lors de l'arrivée à l'hôpital, Juve ne pouvait en découvrir la moindre trace.

Il profitait en revanche du saisissement où était le docteur Hubert pour lui faire parler de la baronne de Lescaux.

Il l'interrogeait même si habilement que lorsqu'il s'éloignait définitivement de la Charité, Juve, de plus en plus stupéfié, hésitait à croire qu'il n'avait pas été victime lui-même d'un extraordinaire cauchemar !

— Cette madame de Lescaux ! murmurait-il, mais à entendre les renseignements qu'on donne sur elle, il apparaît qu'elle est au-dessus de tout soupçon... et pourtant, fichtre de nom d'un chien ! quelles aventures bizarres elle a !... Un bijou qui est volé, qui revient !... Une visite dans une maison habitée qui est cependant une maison abandonnée ! Des fleurs noires, qu'elle reçoit mystérieusement et dont les pareilles se trouvent à la boutonnière d'un individu qui semble fou ! Bon Dieu ! qu'est-ce que tout cela signifie ?

Quelques pas plus loin, Juve s'immobilisait, et se demandait à lui-même :

— Pourtant, sapristi, tout cela est réel ! et je suis parfaitement éveillé...
Mais alors qu'est-ce qu'il avait ce blessé, tout à l'heure, à appeler Jap ?
Jap ? Qu'est-ce que c'est ? Ah ! il faudra que je tire cela au clair...

X

L'homme au Jap

Vêtue d'un pimpant tailleur qui lui allait à ravir, fraîche au point qu'on
lui eût donné dix-huit ans, Valentine, vers onze heures du matin,
descendait l'escalier de son hôtel, arrivait sur le perron, boutonnant avec
soin de solides gants de cuir qui grossissaient un peu sa fine main mais
qui, en revanche, devaient la protéger dans l'exercice qu'elle allait
accomplir.

Valentine adorait conduire. C'était aussi une bonne amazone, elle
montait avec élégance et sûreté des chevaux réputés difficiles, mais elle
préférait à l'équitation, sport toujours un peu brutal, le charme des
promenades en voiture et elle affectionnait tout particulièrement pour cela
un petit tonneau, acheté à son intention et que l'on attelait d'un fringant
double poney qui se laissait mener facilement... tout en ayant l'air d'être
plein de sang, plein de feu, tout en faisant de perpétuels écarts, de
continuelles difficultés !...

Le temps était superbe. Un pur soleil de printemps incendiait le jardin,
Valentine respira avec délice l'air pur de la matinée :

— La voiture est prête ? demandait-elle.

Zizi, qui se tenait au bas du perron, très digne en sa livrée neuve dont
il n'était pas peu fier, répondait d'un signe de tête :

— Oui, madame la baronne. Dois-je faire avancer ?

— Bien entendu ! ripostait Valentine. Je devrais trouver la voiture au
bas du perron...

Zizi le savait bien, mais le jeune groom savait aussi qu'il venait, un
quart d'heure durant, de s'amuser avec le cocher, ce qui naturellement
avait mis en retard cet homme et fait que l'attelage n'était point prêt !

Zizi, cependant, disparaissait, courant du côté des écuries :

— Alors quoi ? criait-il. C'est y que ce sera pour cet après-midi ? La
patronne regimbe, nom d'un chien ! Elle n'est pas prête à la calèche ?...

Le tonneau était attelé. Zizi y sauta et, faisant claquer son fouet,
conduisit le véhicule jusqu'au bas du perron ; il maintenait le cheval tandis
que la jeune femme s'asseyait.

Puis, Zizi à son tour ayant sauté en voiture, et le jardinier venant
d'ouvrir les grilles, Valentine touchait légèrement du bout de son fouet
la croupe frémissante du double poney et le petit attelage, d'un trot relevé,
s'éloignait :

— Et voilà ! pensait Zizi, je me trouve avec une jolie femme dans une
voiture qui n'est pas mal ! Ma foi, c'est à peu près mon rêve... et je n'ai
véritablement pas besoin de me gêner ! Dommage, tout de même, que la
femme soit ma patronne et que l'équipage ne m'appartienne pas...

Zizi, d'ailleurs, se demandait où l'on allait. Il avait bien entendu, ce matin-là, Valentine commander à sa femme de chambre de veiller à ce que le déjeuner fût prêt très exactement pour une heure, car elle rentrerait vers ce moment en compagnie du baron de Lescaux, mais Zizi n'avait pas cru un mot de cette affirmation...

Le baron de Lescaux, il ne l'ignorait pas, était parti le matin même à cheval faire un tour au bois. Valentine pouvait bien affirmer qu'elle allait au-devant de son mari, Zizi se gardait d'admettre une hypothèse qui avait, à ses yeux, le défaut d'être beaucoup trop simple !

— Plus souvent ! pensait Zizi, qu'on s'en va retrouver le vieux mari ! Ah ! maladie ! si j'étais la dame, ce que je le sèmerais, moi...

Pourtant l'équipage se dirigeait vers le Bois. Expertement mené, il atteignait la porte Dauphine et se faufilait à travers les automobiles.

— Épatante, pensait Zizi, elle est épatante la patronne ! Elle vous conduit comme mon dab, comme un cocher de fiacre !...

N'ayant rien à faire, qu'à demeurer très digne, Zizi s'amusait à tirer la langue, lorsque Valentine tournait la tête, aux autres cochers qui demeuraient dignes et impassibles, ne pouvant, à peine de se faire remarquer, répondre au jeune groom !...

Il y avait d'ailleurs foule et, dès l'entrée de l'avenue du Bois, Valentine était obligée de faire prendre le pas à son cheval.

En files ininterrompues les voitures de maître se suivaient, cependant que, sur les trottoirs, des élégants et des élégantes, à petits pas, s'en allaient, fort occupés à se dévisager les uns les autres.

— Ah ! pensa encore Zizi, comme la voiture longeait l'allée cavalière, sur laquelle des officiers galopaient en cherchant le plus possible à se faire remarquer. Ah ça ! est-ce que par hasard ce serait véritable ? Est-ce que Valentine irait voir son vieil époux ? Ah zut ! alors ! j'aimerais mieux démissionner ! elle est trop bourgeoise ma patronne.

Or, au bout de quelques minutes de marche lente, Valentine fouettait son cheval et le lançait à nouveau au trot :

— Gare la casse ! songea Zizi. Sûrement qu'il y a quelque chose dans l'air !

Il avait vu se froncer les fins sourcils de Valentine, il devinait qu'elle devait viser à rattraper quelqu'un, quelque voiture, peut-être, entrevue dans la cohue.

Zizi ne se trompait pas. Il se trompait si peu que quelques secondes plus tard un sourire égayait son visage :

— Eh ! allez donc, c'est pas mon père, le baron de Lescaux ! Il ferait bien d'aimer les fleurs jaunes et de réfléchir qu'il vaut mieux être trompé qu'aveugle ! Voilà le gigolo !

Celui que Zizi qualifiait de « gigolo » était le Dr Maurice Hubert qui, marchant d'un bon pas, dédaignant les trottoirs encombrés de foule, se promenant évidemment par souci d'hygiène et non pour se faire voir au Bois à une heure élégante, longeait l'allée cavalière, n'ayant l'air d'attendre personne ni de guetter qui que ce soit.

Mais en dépit de l'attitude du jeune homme Zizi n'hésitait pas !

— Ça, c'est pour moi qu'il opère ! pensait le groom ; connue la comédie ! Valentine et lui, ils vont tout à l'heure avoir l'air d'être profondément stupéfaits de se rencontrer et pourtant je parierais un éléphant contre une puce qu'il s'agit bel et bien d'un rendez-vous !...

Le tonneau cependant arrivait à la hauteur du jeune docteur.

Valentine appela :

— Monsieur Hubert ? Monsieur Hubert ?...

A l'instant le docteur se retourna :

— Vous, madame ? Ah ! trop heureux de vous apercevoir !

Valentine avait arrêté son cheval, elle tendait la main au jeune homme qui s'empressait :

— Moi même ! oui ! moi en personne ! Et cela n'est pas étonnant : ne savez-vous pas que je viens souvent le matin prendre mon mari quand il descend de cheval ?

— Le baron est donc au Bois ?

— Nous avons rendez-vous ici...

— C'est ça ! c'est ça ! pensa Zizi, qui, les bras croisés sur sa poitrine dans une attitude impeccable, maintenant, jubilait intérieurement à la pensée que sa patronne se donnait beaucoup de mal pour l'abuser et que cependant il n'était nullement dupe des paroles qui s'échangeaient...

Maurice Hubert qui s'était rapproché du tonneau s'appuyait sur sa canne et paraissait vouloir longuement causer avec la jeune femme ; il demanda :

— Vous ne descendez pas faire quelques pas ?

— Comment donc ! eut envie de crier le groom...

Et il s'apprêtait déjà à ouvrir la portière. Or, Valentine secouait la tête :

— Non ! impossible, vraiment ! Je tiens à garder mon poney qui est un gentil animal, mais qui, dans le fond, est très peureux ! Je suis seule à pouvoir le conduire...

— Seule, avec les autres ! protesta mentalement Zizi.

La conversation, dès lors, s'engageait définitivement entre Valentine et Maurice Hubert.

La jeune femme ne paraissait plus avoir envie de s'éloigner, le docteur n'était plus pressé...

— On vous verra un de ces soirs à la maison ? demandait Valentine. Vous savez la nouvelle ?

— Quelle nouvelle ?

Au moment même où Valentine allait répondre, un cavalier qui n'était autre que le baron de Lescaux arrêtait son cheval et, lestement encore pour son âge, sautait à terre au pied du tonneau.

— Enchanté de vous voir, Hubert, criait-il, mais Dieu me damne, c'est stupéfiant de vous rencontrer au Bois le matin ! Vous avez donc le temps de vous promener maintenant ?

La figure de Zizi eût été à cet instant curieuse à examiner...

— Bon ! pensait le groom, voilà le jaloux ! Ah ! ça va bien, les petits pois ! Dieu du Ciel ! Ce qu'ils doivent le maudire !... Tout de même c'était donc vrai qu'elle allait le chercher le patron ?

C'était si vrai que le baron ne manifestait aucun étonnement de rencontrer sa femme. Après avoir cordialement serré la main du docteur, il s'inclinait devant Valentine et, galamment, lui baisait le bout des doigts.

— Vous êtes charmante, ma chère, et je vous remercie d'être venue me prendre !...

Hubert au même instant répondait à l'intonation railleuse qu'avait eue le baron de Lescaux en constatant sa présence au Bois :

— Mais certainement, je suis ici ! De temps à autre, baron, je ne dédaigne pas de faire un tour à pied et vous voyez que j'en suis récompensé puisque j'ai le plaisir de vous rencontrer. Au fait, vous êtes arrivé au moment où Mme de Lescaux allait m'apprendre une nouvelle...

— Une grosse nouvelle même ! reprenait Valentine. Mon oncle Favier, mon seul parent, un original mais un brave homme, vient de m'annoncer, hier soir, par dépêche, qu'il venait passer quelque temps en France. C'est un événement considérable, car l'oncle Favier, vous ne l'ignorez pas, Hubert, a de si importantes exploitations en Amérique qu'il ne peut que bien rarement trouver moyen de s'absenter...

Le cheval, cependant, du baron de Lescaux, commençait à s'impatienter. C'était un bel animal, nerveux et ardent, qui s'accommodait mal de l'immobilité où il était maintenu.

— Vous permettez ? s'excusa le baron. Je monte jusqu'au rond-point donner au lad ma monture et je reviens vous retrouver...

Il sautait en selle, piquait des deux...

— Crac ! pensait Zizi, il est discret mais imbécile, le « légitime » ! En deux temps et trois mouvements, j'imagine, les tourtereaux maintenant vont arranger un rendez-vous...

De fait, et tandis que le baron s'éloignait, Maurice Hubert, dont le front s'était contracté à son arrivée, et qui, désormais, semblait joyeux, considérait attentivement Valentine :

— Vous êtes jolie à ravir, faisait-il, vous êtes délicieuse ; mais je n'ajoute pas : ce matin, car en vérité, chaque jour, vous embellissez, je crois !...

Valentine haussait les épaules et, dédaignant de répondre au compliment, interrogeait :

— Et vous, demandait-elle, cela va toujours les études ? Vous avez toujours la direction du même service à l'hôpital ?

Or, au mot d'hôpital, le front d'Hubert se rembrunissait.

— Certes ! soupirait le jeune homme, j'ai toujours cette charge et c'est une charge très lourde. Mais, j'avais une question à vous poser...

— Laquelle, mon Dieu ? Une question à propos de l'hôpital ?

— Presque !

Hubert hésitait, ce qui donnait à Zizi le temps de réfléchir :

— Si c'est comme ça qu'ils parlent d'amour ! songeait le groom, ça n'a rien de stupéfiant ! Ah maladie ! Ils sont bien bêtes les gens riches !

Hubert, cependant, reprenait :

— Figurez-vous, chère madame, que l'on a amené, hier, à l'hôpital, un pauvre individu, un aveugle, je crois, un fou, peut-être, je n'en sais trop rien en somme, et que cet étrange personnage, victime d'un accident survenu sur les quais, portait des fleurs bizarres... des fleurs noires... des roses noires...

Valentine immédiatement répondait d'un ton fort troublé :

— Des roses noires ?...

Que voulait insinuer le docteur Hubert ?

Pourquoi lui parlait-il de roses noires, alors qu'elle-même, quelques jours auparavant, avait mystérieusement reçu une gerbe semblable ?

— Eh bien, interrogea Valentine, un peu vexée, que voulez-vous savoir ?

— Laissez-moi achever, répondait tranquillement Maurice Hubert. Naturellement en entendant parler de ces fleurs noires, de ces fleurs bizarres, que d'ailleurs je n'ai point vues, je me suis souvenu de vos reproches de l'autre soir, lorsque vous vous figuriez que c'était moi qui vous avais expédié une gerbe pareille...

— Et alors ?...

— Et alors, je me suis tout spécialement occupé de ce blessé. Or, chose curieuse, il est à peu près impossible de faire parler cet homme, d'en tirer quoi que ce soit de compréhensible. Il n'articule qu'un mot, un mot qui ne veut rien dire, que je ne comprends pas. Il répète tout le temps : « Jap »... « Jap »...

Valentine ouvrait des yeux étonnés, Zizi, de son côté, qui ne perdait pas un détail de la conversation, semblait au comble de la stupéfaction...

— « Jap », reprenait le docteur Hubert, signifie si peu de chose que je me suis demandé si, par hasard, ah ! bien entendu, tout à fait par hasard, vous ne connaissiez pas quelqu'un, un fleuriste par exemple, portant un nom de ce genre... du genre de Jap... « Jap », c'est en somme le mot que dit un homme ayant des fleurs semblables à celles que vous avez reçues... par conséquent...

Mais Valentine, de la main, interrompait son interlocuteur :

— Vous êtes fou ! faisait-elle, je ne comprends rien à ce que vous me racontez !

La jeune femme était troublée, pourtant, visiblement ; sa voix tremblait tandis qu'elle apostrophait le baron de Lescaux qui revenait enfin :

— Vous avez été long, mon cher, je vous croyais parti.

— Nullement ma bonne amie, mais j'ai tenu à faire couvrir devant moi mon pauvre cheval, il avait terriblement chaud...

Quelques instants encore, les trois amis s'entretenaient, puis, sur une invitation cordiale que le baron de Lescaux adressait au docteur, invitation à venir dîner à son plus prochain soir libre, Valentine et son mari quittaient le jeune homme, s'éloignaient au trot rapide du poney.

Resté seul, le docteur Hubert, songeur, recommençait sa promenade, marchant la tête baissée, levant sa canne, et, assenant de grands coups à de bien inoffensifs cailloux...

— « Jap » ! se répétait-il, pourquoi ce nom l'a-t-il troublée, alors qu'elle prétendait l'entendre pour la première fois ? Est-ce un nom d'abord ? est-ce une chose, jap ? Qu'est-ce que cela peut-être que « Jap » ?...

La veille au soir, c'est-à-dire quelques heures à peine après qu'on l'eut porté à l'hôpital, l'être mystérieux qui s'était évanoui lorsqu'il avait été atteint par les rayons du projecteur, l'être qui appelait « Jap » avait fort intrigué Maurice Hubert.

Juve parti, en effet, le blessé avait repris ses sens, mais son attitude avait été si curieuse qu'en réalité, ni Hubert ni les internes qui s'empressaient à le soigner n'avaient rien pu y comprendre...

Réveillé sur un lit de sangle, dans la salle du service que dirigeait Maurice Hubert, l'homme avait d'abord, avec une obstination surprenante, posé ses poings fermés sur ses yeux, des yeux d'aveugle, et cela, comme pour les préserver des rayons de lumière, qui tombaient d'une fenêtre voisine.

Il n'avait rien dit, rien prononcé d'autre que cette mystérieuse appellation de « Jap » qu'il répétait continuellement, inlassablement, sur un ton de détresse extraordinaire...

En vain, Maurice Hubert l'avait-il interrogé, en vain avait-on fouillé les vêtements dont on l'avait débarrassé, cet homme n'avait aucun papier, il ne paraissait pas étranger, et, pourtant, il se semblait pas entendre le français...

Était-ce donc un fou ? Hubert n'avait pas été loin de le croire, étant donnée son attitude bizarre, étant donnée l'incohérence de l'appel qu'il proférait continuellement...

C'était d'ailleurs bien un aveugle, et cela s'était confirmé, tout d'abord, rien qu'à la façon dont il écartait les doigts, dont il tâtait toute chose, ayant l'air de posséder le tact exquis qui est le tact ordinaire des malheureux frappés de cécité.

— Attendons ! avait fini par déclarer Maurice Hubert à ses internes ; attendons ! Il est d'ailleurs possible que cet individu soit sous le coup d'une violente commotion morale consécutive à son accident... Il importe donc de le laisser reposer... Nous verrons demain à l'interroger à nouveau...

Or, le soir même, l'étrange personnage devait encore intriguer par son attitude le personnel de l'hôpital...

A dix heures, en effet, conformément au règlement, les infirmiers avaient éteint les becs de gaz qui éclairaient la grande salle où l'individu avait été couché ; l'ombre s'était faite profonde, impénétrable, le silence même avait commencé à régner, entrecoupé seulement des gémissements des malades, des vagues plaintes qui échappaient à tous ceux qui souffraient dans le service.

Or, à l'improviste, l'infirmier de garde avait brusquement entendu un bruit extraordinaire...

Il avait paru à cet homme que quelqu'un se levait, qui courait, rapidement, le long de la salle, cherchant à s'enfuir...

— Bon Dieu ! qu'est-ce que c'est ? s'écriait l'homme.

L'infirmier se précipitait.

Il avait alors tout juste le temps de voir que l'intrigant personnage, « l'homme au Jap », comme on l'appelait, venait de sauter au bas de sa couche et s'enfuyait, en effet, courant, aussi vite qu'il le pouvait, dans la direction de la porte de la salle !

Chose curieuse, d'ailleurs, chose qui stupéfiait l'infirmier, l'individu semblait voir parfaitement et se diriger avec une sûreté complète !

Il évitait, disposée au milieu de l'allée, une table surchargée d'objets de pansement, il mettait la main sur le bouton de la porte sans avoir besoin de tâtonner !...

— Cristi ! murmura l'infirmier, ce n'est pas seulement un aveugle, mais c'est un somnambule !

L'individu ayant ouvert la porte se précipitait dans une galerie, atteignant un escalier qui communiquait avec la cour de l'hôpital...
L'infirmier le poursuivit :
— Arrêtez-vous donc ! nom d'un chien ! jurait-il.
Et il appelait :
— A l'aide ! au secours ! Il y a un malade qui a une crise !...
Or, à l'improviste, au moment où l'homme débouchait de la galerie obscure pour entrer dans un grand corridor très éclairé par de fortes lampes électriques, il se prenait à trébucher, il cessait de courir pour ne plus avancer qu'en marchant les mains tendues en avant, et gémissant lugubrement :
— Jap !... Jap !
L'infirmier, derrière lequel accouraient d'autres hommes de service, fut sur le malade en une seconde :
— Ah ça, hurlait-il, qu'est-ce qui vous a pris ? vous voyez donc clair dans le noir, mon bonhomme ? Et pourquoi vouliez-vous vous enfuir ?
Le malade répondait d'une plainte continuelle, de cette même plainte intrigante :
— Jap !... Jap !...
A ce moment, Maurice Hubert, prévenu par un garçon de salle, accourait. Le jeune docteur s'était attardé à l'hôpital pour y continuer un travail commencé, une délicate recherche effectuée au laboratoire. Il restait confondu devant les explications des infirmiers.
Le malade, d'ailleurs, s'était tu. Il tremblait maintenant, violemment, la sueur perlait à son front, il semblait dans un grand état d'exaltation...
— Couchez-le ! ordonna Maurice Hubert, et qu'on le veille toute la nuit...
On reporta le malade sur son lit.
Or, une heure plus tard, l'étrange hospitalisé blessé semblait être tombé dans une prostration extraordinaire. Sans mouvement, il reposait sur son lit et seul le halètement de sa poitrine indiquait qu'il vivait encore...
Il n'avait toujours pas dit un mot, prononcé une autre parole, il n'avait encore articulé que cette syllabe incompréhensible : « Jap ».

... C'était à cet homme que Maurice Hubert songeait, en quittant Valentine dans l'avenue du Bois où, maintenant, les équipages prenaient le trot, car l'heure du déjeuner approchait.
— J'aurais dû passer à l'hôpital ce matin, pensait Maurice Hubert ; peut-être au réveil de sa prostration, cet homme a-t-il pu fournir quelques détails sur son identité ?
Maurice Hubert ne s'avouait pas que c'était surtout parce que Juve lui avait dit que l'individu avait porté des fleurs noires, des fleurs semblables à celles qu'avait reçues Valentine qu'il s'intéressait à lui, mais cela était si vrai que, tournant avenue Malakoff, Maurice Hubert remonta vers la place Victor-Hugo. Il entra dans le bureau de poste, téléphona à l'interne de garde qui devait, à ce moment, avoir la responsabilité de son service :
— Allô ! demandait Hubert, rien de nouveau ? Le chef n'est pas venu, ce matin ?

— Non ! personne n'est venu !...

— Et le « bonhomme au Jap », comment va-t-il ?

— Oh ! très bien ! répondait l'interne, plaisantant avec une insouciance qui n'est point de la cruauté et qui s'explique par le besoin de réagir qu'éprouvent tous les médecins, oh ! il va très bien, aussi bien que possible ! Mon cher : il est mort !...

Maurice Hubert pâlit en apprenant cette nouvelle.

Il eût été embarrassé d'expliquer pourquoi elle l'affectait à ce point, et cependant elle le bouleversait !

XI

Accident et rencontres

— Ah ! sacré nom ! voilà qui est rigolo... Il n'y a tout de même que les montagnes qui ne se rencontrent pas !... quelle bénédiction !... parole !... c'est mon vieux qui passe !...

Zizi, arrêté sur le bord du trottoir, regardait un fiacre qui s'avançait vers lui en trottinant.

Le gamin continuait à monologuer :

— Pas d'erreur, c'est bien lui... je le reconnais, avec son cuir bouilli enfoncé sur la caboche jusqu'aux oreilles... et voilà Cocotte qui remorque la roulante ; pauvre canasson, il est encore plus maigre qu'auparavant !...

Le fiacre se rapprochait, c'était un vieux véhicule, d'aspect sordide, mal entretenu, à la peinture défraîchie ; il faisait, en roulant, un bruit de vaisselle et de quincaillerie du plus mauvais aloi.

Sur le siège était un gros cocher, sanglé jusqu'à la taille dans sa couverture, les épaules revêtues, malgré la température clémente, d'une épaisse houppelande à deux rangs de boutons.

— Hé ! là-bas ! Collignon ! du moins, père Collardon !...

Zizi faisait des gestes pour attirer l'attention du cocher, mais celui-ci, secouant ses rênes sur le dos du cheval, ne paraissait même pas s'apercevoir que quelqu'un lui faisait signe. Et cependant il n'était pas chargé, le drapeau rouge du compteur était levé.

Il avait l'air de ne pas entendre les appels que lui adressait le jeune groom. Mais celui-ci, soudain, eut une inspiration.

— Parbleu ! s'écria-t-il en éclatant de rire, mon dab n'y voit goutte, il faut croire qu'il est encore saoul...

Il regardait avec attention la trogne enluminée du cocher, lorsque celui-ci passait à proximité de lui.

— Parbleu ! oui ! fit-il, le vieux est encore retourné ; sûr que ça va mal finir avant ce soir et qu'il se fera poisser par les flics.

Le véhicule, conduit par le cheval plus que par le cocher, continuait à avancer à la petite allure de ces bêtes de fiacre qui ne marchent, ni ne trottent, mais vont perpétuellement au même train.

Zizi exprima un regret :

— Tout de même, voilà si longtemps que je ne l'ai pas vu, mon pauvre vieux, faudrait tout de même que je l'embrasse !

Il réfléchissait sur la solution à adopter ; il avait le temps, le fiacre n'allait pas très vite...

Soudain, sa décision fut prise. Bondissant sur la chaussée, Zizi s'élança à la poursuite de la voiture de place avec l'intention ferme de s'installer sur les ressorts arrière.

Il était environ quatre heures de l'après-midi, et ce petit incident se passait boulevard Rochechouart.

... Zizi, épris de liberté et d'une indépendance qui cadrait mal avec sa profession, s'était encore échappé de la rue Spontini, profitant de ce que le maître d'hôtel, Désiré, avait le dos tourné.

Le gamin était venu par le métro jusqu'à Clichy, comptant aller à La Chapelle, où il devait voir sa mystérieuse confidente et conseillère, la mère la Gadoue.

En attendant, séduit par le mouvement de la rue, les mille petits riens qui en font le charme et constituent la plus grande des distractions, il avait suivi à pied les boulevards extérieurs, s'avisant qu'il aurait toujours le temps de prendre, en cours de route, un véhicule quelconque pour aller dans le quartier où il avait rendez-vous.

Or, il avait eu la chance, à la hauteur du square d'Anvers, d'apercevoir le 227-35, « la roulante », comme il disait, de son excellent père !...

Désormais, Zizi, installé sur les ressorts, s'applaudissait de son stratagème.

— C'est rien farce, pensait-il, mon dab va me balader à l'œil... Pour une fois qu'il aura un client, il ne touchera pas de pèze, c'est tout ce qu'il y a de rigolard !...

Mais brusquement la situation changeait pour Zizi, qui poussait un cri, cependant que sa main droite se zébrait d'un trait rouge.

Le cocher, en effet, avait senti quelque chose d'insolite s'agripper aux ressorts de son véhicule, et se doutant bien qu'il devait transporter en surcharge quelque gamin malfaisant, il avait lancé un grand coup de fouet par-derrière.

— Ah ! le salaud ! grommela Zizi en se frottant la main sur la cuisse, il n'a pas les mouvements doux. Heureusement que ça ne va pas durer...

Zizi baissait la tête, courbait les épaules ; un nouveau coup de fouet cinglait la caisse de la voiture, à destination du client installé à l'extérieur ; cette fois, pourtant, Zizi n'était pas touché, et il murmurait, incorrigible :

— Ce qu'on va rigoler, tout à l'heure, quand le vieux saura que c'est moi qui suis accroché à la roulante !...

Mais, brusquement, un choc violent déplaçait Zizi, et n'eût été son agilité et sa présence d'esprit, le gamin aurait été projeté à terre. Toutefois le véhicule avait oscillé, puis il s'arrêtait net, après avoir éprouvé une grande secousse.

Des jurons retentirent, échappés des lèvres du cocher, cependant qu'on entendait des gémissements de douleur ; puis immédiatement la foule des passants survenait, se groupait, commentait une aventure — une fâcheuse aventure évidemment — qui venait de se produire.

Zizi avait prestement lâché ses ressorts, et par le fait de sa présence derrière le véhicule, il se trouvait au premier rang de l'attroupement qui s'était formé.

— Ah ! nom de Dieu, grogna-t-il, voilà qui n'est pas de veine...

Et en un instant il comprenait ce qui s'était passé, car il apercevait, gisant sur le sol, un jeune enfant, inerte, sur lequel venait de passer la voiture.

— Bougre de nom d'un chien ! se dit Zizi, c'est de ma faute !

Le groom se rendait compte, en effet, qu'évidemment, tandis que son père était occupé à lui lancer des coups de fouet, il n'avait pas regardé devant lui, et avait renversé quelqu'un.

C'était d'ailleurs, dans la foule, un concert d'imprécations et de reproches :

— Si les cochers s'y mettent, maintenant !... disait-on, qu'est-ce qu'on va devenir ?

— Il y avait pourtant déjà assez des automobiles et des autobus pour faire des accidents !...

Et on criait encore :

— Si c'est pas honteux ! C'est un enfant qu'il a écrasé !

Le premier de tous, cependant, Zizi s'était précipité vers la victime et la relevait.

Il voyait tout d'abord que le gosse avait une plaie au front et des écorchures aux deux mains. Toutefois, il ne paraissait pas grièvement blessé.

— Est-ce qu'il est mort ? demandait quelqu'un qui se trouvait au dernier rang du rassemblement.

Zizi, furieux, eut une remarque digne de La Palice :

— Taisez-vous donc, pocheté, s'il était mort il ne gueulerait pas comme ça !...

L'enfant, à peine relevé par Zizi, s'était mis, en effet, à pousser des cris aussi perçants que convaincus...

Zizi le réconforta d'une bourrade.

— Bon Dieu ! la ferme ! disait-il, fais donc pas tant de potin ! T'as rien du tout, espèce de braillard !...

Or, à ces énergiques paroles, le gosse semblait s'apercevoir qu'il n'avait rien, en effet !

— Toi, tu m'embêtes, ripostait-il à Zizi ; si t'étais passé sous une voiture, tu gueulerais comme moi, je pense !...

Cela dégénérait en vaudeville. Zizi retrouva toute sa bonne humeur...

Au même instant, cependant, un monsieur, coiffé d'un impeccable huit reflets, fendait la foule et, le visage congestionné de fureur, commençait à vociférer :

— C'est honteux ! On devrait les écharper !... Ce cocher marchait à toute allure ! J'ai parfaitement vu l'accident !... Emportez la victime chez le pharmacien !... Ah ! mais ça ne se passera pas comme ça !... Un agent ?... où y a-t-il un agent ?...

Zizi, à cet instant, lâcha le soi-disant blessé, qui n'avait à peu près rien, et se plantant devant le témoin furieux, d'une voix tranquille, demanda :

— Et le gardien des fous, où'c'qu'il est ? Non, mais, vous n'êtes pas piqué, des fois ?... Il allait ventre à terre, le cocher ? Eh bien ! c'est pas pour dire... mais, sur vos économies, vous pourriez bien vous payer une paire de lunettes !...

Sur quoi la foule commença à hésiter.

On balançait entre le rire et l'émotion. La répartie de Zizi semblait drôle, la mine déconfite du monsieur au chapeau de forme était plaisante ; d'autre part, on réprouvait communément la maladresse des cochers...

— C'est comme mon chien !... lâcha une commère ; un peu plus, l'autre jour, on me l'écrasait...

Zizi se retourna :

— Dame, qu'est-ce que vous voulez, pourquoi qu'il se baladait sur la chaussée, en jouant de l'accordéon ?

— En jouant de l'accordéon ? fit la bonne femme scandalisée.

Une discussion allait naître, Zizi, flegmatiquement, y coupa court :

— Il ne jouait pas de l'accordéon ? Ah ! je croyais ! C'était donc pas un chien savant ?...

Puis il avait un ton d'orgueil pour déclarer subitement :

— Ah ! là ! là ! mince de rigolade ! Pendant qu'on jacte, comment qu'il s'est débiné, l'cocher !...

Et c'était exact.

Tandis que chacun discutait, au sujet de l'accident, le père Collardon, en digne automédon qu'il était, avait tranquillement remis son cheval au trot et s'était éloigné...

Zizi, alors, posait fraternellement sa main sur l'épaule du gosse qui, tout heureux d'être le sujet d'un tel événement, continuait à pleurer pour maintenir l'attention haletante.

— Allez, quoi, commençait Zizi, chigne pas, mon vieux ! Ta beauté est pas endommagée... au contraire ! ça t'a r'fichu le nez droit !... Viens, ma vieille, on va griller une sibiche et ça sera tout...

Zizi prenait un réel ascendant sur le gamin, plus jeune que lui, qui le regardait avec admiration.

A l'offre d'une cigarette, le gosse ne pleura plus.

— Ça colle ! répondit-il.

Déjà l'attroupement se dispersait, lorsque le monsieur à chapeau haut de forme voulait trouver une nouvelle occasion de manifester son zèle :

— Du tabac ? Vous voulez fumer du tabac ?... A votre âge ?... C'est honteux !... On devrait faire une loi pour empêcher...

Zizi allait répondre, mais il n'en eut pas le temps.

Son compagnon était déjà remis de ses propres émotions. Magistralement il fit un pied de nez au monsieur trop empressé, puis il lui cria :

— Ta gueule ! eh ! fourneau ! Non ! c'qu'il est poire, ce type-là !...

Et ce fut dans un éclat de rire universel, sous les huées du public, que le monsieur s'en alla, cependant que Zizi et son nouveau camarade s'éloignaient quelque peu.

— T'as une sèche ? demandait bientôt le petit, qui ne perdait pas évidemment de vue ce motif de consolation que lui avait offert Zizi.

— Oui ! répondit le groom, exhibant un rouleau de tabac qu'il tirait de sa poche. Allume, blanc-bec ! c'est à ce bout-là qu'on met le feu, on tire à l'autre, et il n'est pas défendu de cracher !...

Un peu vexé, l'enfant répliquait :

— Oh ! je sais ! j'suis d'Pantruche !...

— T'en as bien l'air ! concéda Zizi : maigre comme un cent de clous, gueulard comme un roquet, avec ça, t'aimes le tabac... t'as les qualités du pays... Et comment que tu t'appelles, mon fils ?

Le gosse haussa les épaules :

— Je ne sais pas !

— Comment, tu ne sais pas ! commença Zizi, ah ! ben, t'es rien moche, alors !...

Mais déjà l'enfant se reprenait :

— On me nomme le Loupiot...

A quoi Zizi remarqua :

— Ça vaut mieux que de s'appeler Crétin ! Et où que t'habites ?

— Là-bas... de l'autre côté de la Butte !...

— A Montmartre, alors ?

— Oui... à Montmartre... rue Championnet.

Ils étaient arrivés tous les deux au coin de la rue Dancourt. Zizi, qui fumait consciencieusement, cependant que le Loupiot — car son compagnon était bien l'étrange gosse jadis arrêté par Fandor à Boulogne-sur-Mer — toussait à chaque bouffée de tabac, leva la main d'un air protecteur [1].

— Minute ! commandait-il, si c'est qu' tu vas rue Championnet, faut que tu cavales sur la droite. Qu'est-ce qu'elle va dire, ta mère, quand elle va te voir abîmé comme ça ?

Le Loupiot, après une quinte de toux, haussa les épaules philosophiquement :

— Elle va me battre... v'là tout...

— Ah ! fit Zizi sans se démonter, et ton père ?

— Il ne le verra pas...

— Sans ça, il te foutrait une autre raclée ?

— Probable.

Zizi cracha, puis approuva :

— T'as une famille dans le genre de la mienne ! Qu'est-ce qu'il fait, ton vieux, entre ses repas !

Le Loupiot redressa la tête.

— D'abord, mon vieux, c'est pas mon vieux, et ma vieille, c'est pas ma vieille ! Moi, j'ai pas de dab. J'suis de l'assistance. Seulement les autres, les patrons, eh bien, ils tiennent un manège...

— Un manège ? renifla Zizi, un manège de chevaux ? de vrais chevaux ?

— Non, rétorqua le Loupiot, un manège de chevaux de bois... Ça s'appelle *Les Bucéphales*.

Mais à cet instant, la méfiance envahissait le cœur de Zizi.

— Tu sais, remarquait-il, faudrait pas essayer de m'bourrer le crâne. Y a pas de manège rue Championnet...

Le Loupiot, à son tour, cracha, histoire de faire l'homme :

— J'te bourre pas le crâne, commençait-il ; si tu ne me crois pas, t'as

1. Voir dans le présent volume : *Les Amours d'un prince.*

qu'à venir, même qu'il y a une môme chez nous qui est rien gironde et que le père attache pour qu'elle ne s'en aille pas !...

A cette révélation inattendue, Zizi se sentit naturellement rempli d'une folle curiosité.

— Y a une poule à l'attache, chez toi ? Non ? pas possible ? Eh ben tu m'as l'air rien dessalé pour ton âge !... Et ta famille elle me fait l'effet de trafiquer dans de drôles de fourbis ! Allez... radinons ! on va zieuter la chose...

Zizi venait de réfléchir qu'il avait tout le temps voulu pour se rendre au *Marronnier bleu* où il comptait retrouver la Gadoue et toucher une pièce de cent sous, promise depuis longtemps. La rue Championnet n'était pas éloignée de la porte de Saint-Ouen, autant valait faire la route en compagnie du Loupiot.

Les deux gosses s'éloignèrent donc.

Chemin faisant, d'ailleurs, Zizi questionnait le Loupiot. Il ne voyait pas très bien à quoi lui serviraient les renseignements qu'il en tirait, mais, tout de même, il s'amusait fort à faire causer l'enfant.

Alors c'était vrai : il y avait une poule que son dab retenait à l'attache ?... D'où qu'elle venait, cette poule ?...

Le Loupiot ne pouvait pas renseigner Zizi.

— Je n'sais pas ! confessait-il. Mais c'est une belle jeune fille. Un soir, comme ça, le Bedeau est arrivé chez nous... « La Toulouche, qu'il a dit à ma mère, le colis est là ! C'est payé d'avance, faut voir à ce que ça ne crève pas, et surtout à c'que ça ne s'tire pas des pattes... »

Tout cela n'était pas très clair, mais Zizi, cependant, tressaillait en écoutant le récit du Loupiot.

— T'as dit que ta mère s'appelait la Toulouche ? Et que ton singe c'était le Bedeau ?...

De même qu'il connaissait Bec-de-Gaz et Œil-de-Bœuf, Zizi connaissait en effet, au moins du nom, le Bedeau et la Toulouche.

Il n'avait pas été élevé à Belleville, libre de flâner des jours entiers sur les trottoirs des boulevards extérieurs, sans entendre parler maintes fois, en effet, des tragiques personnages qui, de loin ou de près, avaient fait partie des bandes de Fantômas...

La Toulouche, oh, parbleu ! Zizi n'ignorait pas que c'était, tout comme la Gadoue, une affreuse mégère ! Quelque chose comme une recéleuse et qui pouvait, à l'occasion, ne pas s'effrayer d'un meurtre...

Le Bedeau, d'autre part, c'était l'apache redoutable, l'assassin féroce, à la cruauté froide et raisonnée, qui versait le sang, par plaisir, eût-on cru, par raffinement, eût-on pensé.

— Eh ben ! mon colon ! conclut Zizi, ta famille, vrai, elle ne doit pas figurer sur le bottin mondain ! Tout de même, mène-moi voir la poule qui est à l'engrais chez toi... Maintenant qu'on est des amis...

Deux heures plus tard, Zizi entrait au *Marronnier bleu*.

L'établissement n'avait guère changé depuis l'époque, déjà lointaine, où la bande de Fantômas y avait pendant quelque temps, établi son quartier général.

C'était toujours une guinguette sale et délabrée, établie à quelques pas du cimetière, et fréquentée par tout un monde interlope de filles, de souteneurs, d'apaches, de voleurs aussi.

En entrant, Zizi renifla avec satisfaction une bonne odeur de pommes de terre frites, qui se répandait dans l'air.

— Cristi ! murmurait-il, ça sent joliment distingué ici ! Ça m'épate même que les morts d'à côté ils ne viennent pas s'en commander pour deux ronds !...

Le groom, cependant, les deux mains dans ses poches, jetait un coup d'œil à l'entrée des tonnelles, qui garnissaient le jardin.

— Où c'est qu'elle est ma commère ? pensait-il.

Bientôt une voix le hélait :

— Arrive, nom de Dieu ! v'là deux heures que j't'attends ! Si tu crois que ça va s'passer comme ça !...

— Ça va ! ça va ! la Gadoue ! riposta tranquillement Zizi qui, reconnaissant l'appel de son extraordinaire connaissance, se glissait dans l'une des tonnelles...

— D'où viens-tu ? interrogea la vieille femme.

Zizi éclata de rire :

— D'un grenier ! expliquait-il.

La Gadoue, cependant, fronçait déjà les sourcils.

— Je ne t'demande pas de faire le mariolle, commençait-elle, réponds clairement : Pourquoi es-tu en retard ?

Zizi prit un sourire aimable.

— Sauf votr'respect, chère madame, je r'viens de faire un tour à cheval. Et ça m'a creusé l'appétit. Si vous m'offriez deux sous de frites ?...

Un coup de poing ébranla la table sur laquelle Zizi s'était accoudé.

— D'où viens-tu ? répétait la Gadoue.

Mais Zizi n'était pas en humeur de parler...

— Holà ! deux sous de frites bien tassées ! commandait-il, avec beaucoup de sel !...

Et c'était seulement quand une sorte de fille en cheveux, traînant d'extraordinaires savates rouges, et portant en guise de tablier un torchon crasseux, lui avait apporté les deux sous de frites qu'il convoitait, que Zizi consentait à répondre :

— Eh bien, voilà d'où je viens, mère la Gadoue. Ah ! c'est des choses pas ordinaires que j'ai vues !...

Zizi parlait alors de sa rencontre avec le Loupiot.

Il ajoutait :

— Et alors, mère la Gadoue, tout ce qu'il avait dit, le môme, c'était vrai. Figurez-vous qu'il m'a mené chez lui... ah ! dame ! c'est pas une tôle ordinaire ! Il habite comme qui dirait dans la moitié d'un grenier du dépôt des omnibus de la rue Championnet. Maintenant qu'il y a plus de chevaux, le grenier est censément abandonné. C'est là que j'ai trouvé les chevaux, c'est-à-dire pas les chevaux en vrai, les chevaux en bois... Vous me comprenez, hein ?

Zizi, à ce moment, tressaillit...

Il lui semblait que depuis quelques instants, la Gadoue prêtait une extrême attention à ses paroles.

Elle était pâle, ses lèvres tremblaient.

— Parle ! ordonna la mégère, parle ! qu'est-ce que t'as vu dans le grenier ?

Zizi s'exécuta :

— On entre là-dedans par une échelle, le Loupiot était devant et moi derrière... ah ! quelle veine, tout de même !... La Toulouche et le Bedeau n'étaient pas là !... Maintenant, je m'demande s'ils m'auraient pas caressé les tripes... Enfin, pour ce qui est de la poule qui est à l'attache, j'ai tout de même pu l'entrevoir. C'est une jeune fille qui est rudement bath ! le Loupiot ne sait pas qui c'est...

— Comment est-elle ? demanda la Gadoue d'une voix tremblante.

Zizi donna des détails :

— Grande, blonde, des yeux comme des portes cochères, l'air très doux, et pourtant paraissant rudement volontaire !

— Et ses frusques ?

— Chouettes... des frusques de bourgeoise...

— Où est-elle ?

Zizi se rendait à ce moment-là fort bien compte qu'il ne fallait plus plaisanter :

— Dans le fond du grenier, commençait-il. Elle est verrouillée là-dedans et elle ne peut remuer ni pieds ni pattes...

— Tu lui as parlé ? insista la Gadoue.

— Sûr que non ! protesta Zizi. Très peu pour moi de me mêler de ses affaires !... Cette pauvre poule, d'abord, elle est pas dans le grenier même, mais dans une sorte de petite pièce. Le Loupiot non plus ne peut pas lui parler. Il me l'a tout juste montrée, à travers un trou des planches... Paraît que si la Toulouche ou le Bedeau savaient qu'il connaît son existence, ils lui feraient passer le goût du sel...

Or, arrivé à cet endroit de son récit, Zizi se pencha vers la Gadoue.

— Et puis, au fait, demandait-il, qu'est-ce que ça peut vous foutre, tout ça ? Dites donc, à la maison, rue Spontini...

Mais la Gadoue haussait les épaules :

— A la maison..., disait-elle, je m'fous pas mal de ce qui s'y passe, à la maison !...

Et tandis que Zizi, ahuri, ne comprenait rien à ce qui arrivait, la Gadoue tirait de sa poche deux pièces de cent sous qu'elle lui jetait et qu'il empochait prestement :

— Allez ! débine ! disait la vieille femme, et ne dis pas un mot de tout ça à personne !... Ah ! au fait ! dans deux jours, à huit heures du soir, trouve-toi ici...

— Si je peux ! protesta Zizi.

La Gadoue le foudroya du regard :

— Il faudra que tu puisses et tu pourras ! D'abord si tu viens, y aura des sous, beaucoup de sous pour toi...

Une demi-heure plus tard, alors que Zizi, fort étonné de tout ce qu'il avait vu, au cours de cet après-midi, se dépêchait de rentrer à Paris, pour regagner l'hôtel de la rue Spontini, la Gadoue trinquait, au *Marronnier bleu*, avec un nouveau compagnon qui n'était autre que Bec-de-Gaz.

— Donc, c'est entendu, disait la vieille femme, y aura deux cents balles pour toi si tu marches ?...

Bec-de-Gaz, qui paraissait aux trois quarts ivre, répondait d'une voix grasseyante :

— Eh bien, oui ! c'est entendu ! deux cents balles pour moi... et je prête la main...

Ce même soir, vers minuit, Bec-de-Gaz faisait des confidences à son inséparable Œil-de-Bœuf :

— Mon vieux, disait-il, y a pas à se fourrer le doigt dans l'œil, la Gadoue, j'ai dans l'idée que c'est comme qui dirait une envoyée de Fantômas... C'est pour le patron que je vais travailler !...

Bec-de-Gaz était convaincu. Il demeura stupide d'étonnement en entendant la réponse d'Œil-de-Bœuf.

— Ma vieille, affirmait simplement l'apache, j'te savais gourde, mais pas à ce point ! La Gadoue est une complice de Fantômas ? Non ! tu me fais rire !...

Et comme Bec-de-Gaz voulait insister, fournir des preuves, Œil-de-Bœuf tapait du poing sur une table :

— Ta gueule, nom d'un chien ! tonnait-il, t'as pas besoin de jacter comme une pie ! j'sais ce que je pense, peut-être bien ? Mets tes pieds dans tes chaussettes et ne t'occupe pas de mes ribouis... Fais tes affaires, j'fais les miennes ! Là-dessus allons boire un coup, veux-tu ?

Bec-de-Gaz n'insista pas.

XII

L'extraordinaire vision

— Allons ! dépêchons-nous ! pressons un peu !...

— Voilà ! voilà !...

Juve qui arrivait, en courant, sur le quai de la station avait tout juste le temps de sauter dans le train du Nord-Sud dont un employé complaisant avait, une seconde, retardé le départ...

Juve était de fort mauvaise humeur.

Depuis vingt-quatre heures en effet il s'était présenté trois fois rue Spontini pour remettre à la baronne de Lescaux son pendentif si mystérieusement renvoyé à M. Havard, chef de la Sûreté. Or, il semblait que les événements se liguaient pour empêcher Juve de mener à bonne fin sa mission !

Tout d'abord il avait été retardé, le premier jour, par l'éboulement du quai, au cours duquel avait été découvert l'être mystérieux et indéfinissable qu'il avait fait conduire à l'hôpital de la Charité...

Depuis, il avait eu la mauvaise fortune de ne point pouvoir trouver Valentine à son domicile.

Deux fois on lui avait répondu que la jeune femme était sortie, et cela avait d'autant plus contrarié Juve qu'il aurait été fort heureux de pouvoir questionner la baronne au sujet du récit fait par elle à Fandor et si bizarrement contredit, en somme, par la visite que le journaliste et lui-même avaient faite rue Girardon.

Juve revenait précisément pour la troisième fois d'une visite encore inutile rue Spontini...

Bougonnant, il s'absorbait dans ses réflexions, s'y absorbait si bien qu'après avoir changé à Pigalle, au lieu de descendre du Nord-Sud à la station des Abbesses, nouvellement ouverte et la plus voisine de la rue Tardieu, il continuait jusqu'au terminus de la place Joffrin !

Or, tandis que le train l'emportait ainsi, Juve, brusquement, tressaillit, ainsi d'ailleurs que ses compagnons de route.

La lumière électrique avait fait subitement défaut, la rame du Nord-Sud s'immobilisait.

— Allons bon ! pensa Juve, j'ai décidément toutes les chances, voilà un quart d'heure de panne en perspective !...

Juve s'accoudait à la fenêtre du wagon, résigné à attendre, prêt à sommeiller.

Mais il avait à peine pris cette position nonchalante qu'il se redressait brusquement, prêtant l'oreille, devenu très pâle...

— Ah ça ! grommelait Juve, est-ce que je deviens fou, par hasard ?

Troublant le silence, subitement né dans le tunnel du Nord-Sud, où le train restait en détresse, un air musical, en effet, arrivait jusqu'à Juve, un air que Juve ne pouvait pas entendre sans frémir profondément.

— Je suis le jouet d'une illusion ! se répéta le policier.

Mais en même temps qu'il s'affirmait son erreur, Juve se levait, courait à la portière du wagon, dans lequel il se trouvait, l'entrebâillait pour mieux écouter...

A coup sûr Juve ne se trompait pas.

Ce qu'il entendait, il l'entendait très nettement...

C'était un air de musique, une mélodie lente et étrange, mystérieuse, troublante...

Au bout de quelques instants, Juve fredonna machinalement les mesures que l'on jouait, puis, incapable de se dominer, il grommela :

— Mais c'est *Passionnément*, nom d'un chien, que l'on joue là ! C'est le fameux air que la baronne de Lescaux a signalé à Fandor !... Ah ça ! qu'est-ce que cela veut dire ?...

Juve était loin encore d'être remis de sa surprise lorsque le train du Nord-Sud, à l'improviste, se remettait en marche.

— J'ai rêvé, pensait Juve, j'ai rêvé.

Mais il sentait bien qu'il se mentait et qu'au contraire, il avait parfaitement entendu l'air mystérieux résonner à ses oreilles.

Juve était encore tout ému lorsque la rame de wagons entrait en gare.

— Joffrin ! tête de ligne ! tout le monde descend ! clamait un employé.

Comme un automate, Juve sortit du wagon ; il grimpa quatre à quatre les escaliers. Une fois dehors il respira profondément.

— J'avais besoin d'air, soupira-t-il, j'étouffais là-dedans !

Puis, sans hésiter, le policier grimpa la butte.

Comme il se rapprochait de la rue Girardon, absolument déserte à cette heure tardive, il prit quelques précautions pour n'être pas remarqué des rares passants qu'il pourrait rencontrer. Juve mettait sur ses chaussures de gros chaussons de lisière, destinés à étouffer le bruit de ses pas sur le pavé de la chaussée. Il relevait le col de sa veste pour dissimuler la blancheur de son linge, puis fourrant son chapeau mou dans sa poche, il se coiffait d'une casquette destinée à lui donner l'allure d'un rôdeur, personnage évidemment moins suspect dans ce quartier qu'un individu bien habillé.

La maison mystérieuse de la rue Girardon se dressait bientôt devant lui comme une tache, obscure silhouette sur le ciel plein d'étoiles.

Juve la considéra longuement.

Elle semblait décidément bien abandonnée, bien déserte, bien silencieuse. Nul filet de lumière, nul bruit, si léger fût-il, ne s'en échappait ; il semblait que ce fût une maison de mort où rien ne vivait, où rien ne pouvait vivre !

Juve s'en rapprocha ; il avisa le long de la façade un gros tuyau de gouttière qui, partant de la corniche du toit, descendait jusqu'au sol et s'enfonçait dans le trottoir.

— C'est par là, pensait-il, que je monterai !

Il hésita encore quelques instants ; un bruit de pas lointains lui avait fait redouter la venue de quelque promeneur, puis la rue retomba dans le silence et Juve, s'étant convaincu qu'il était bien seul, que nul ne pouvait l'observer, décida d'entreprendre sa périlleuse ascension.

Le policier s'accrochait au tuyau, l'étreignant de ses bras et de ses genoux, puis avec une adresse et une vivacité de gymnaste émérite, il grimpait jusqu'au faîte de l'immeuble ; dès lors, parvenu au terme de son entreprise il s'arrêtait quelques instants accroupi dans la gouttière.

Juve regardait autour de lui, cherchant sur cette étroite toiture délabrée un endroit où se dissimuler, où s'installer commodément.

Il avisait un espace à peu près plat à côté d'une fenêtre en tabatière éclairant un grenier, et dont l'unique carreau était cassé.

Il se posta tout contre la lucarne et, résolu pour le moment à ne pas faire un mouvement, il attendit, immobile.

Au bout d'une heure, Juve commençait à s'ennuyer singulièrement. Décidément, il n'était pas servi par les circonstances ou alors, vraisemblablement, la baronne de Lescaux avait menti lorsqu'elle avait fait le récit extrordinaire à Fandor de ce qui lui était arrivé dans l'immeuble de la rue Girardon.

Mais comme il s'ancrait de plus en plus dans cette dernière idée, Juve tressaillit soudain et étouffa un juron, puis il prêta l'oreille et se sentit devenir tout pâle.

De l'intérieur de l'immeuble, des profondeurs de la maison montaient à lui des bruits, des sons harmonieux et troublants. C'était comme une plainte discrète, les sanglots atténués d'un violon... puis la mélodie s'accentuait, devenait plus vibrante, plus forte, plus certaine...

L'air qui parvenait dans le silence calme de la soirée, jusqu'à Juve, n'était point difficile à reconnaître et l'inspecteur de police, cramponné au zinc de la toiture, ne pouvait hésiter longtemps à l'identifier.

— Miséricorde ! se jura Juve, au comble de la stupéfaction, l'air que je viens d'entendre dans le Nord-Sud ! encore lui... mais c'est *Passionnément* que l'on joue là !

La découverte était étrange, si étrange que, quelques instants, Juve s'immobilisait, prêtant l'oreille, n'osant admettre le témoignage de ses sens, n'osant croire qu'il n'était pas victime d'une erreur, et que, réellement, il entendait ce qu'il croyait entendre.

Juve, toutefois, était trop actif, trop habitué à prendre de promptes décisions pour rester ainsi longtemps immobile.

— De deux choses l'une, grommelait le policier, ou je suis fou, ou il y a des gens qui jouent à l'intérieur de la maison cet air maudit, cet air que m'a signalé Fandor, cet air qui poursuit Valentine de Lescaux, et qui, semble-t-il, est un signal !...

De décider pareille chose, à tenter de connaître, au juste, ce qui se passait à l'intérieur du petit hôtel, il n'y avait pas loin...

— Qui n'a rien, ne risque rien !... finit par se déclarer Juve ; je vais tâcher de tirer l'aventure au clair...

Pour avoir pénétré, une fois déjà, dans la maison, et n'y avoir rien trouvé de suspect, rien même qui lui parût intéressant, Juve songeait qu'il devait employer d'autres moyens de perquisition que ceux qu'il avait déjà tentés.

— Quand on entre par la porte, grognait-il encore, on ne trouve rien... Or, les fenêtres sont impraticables... restent donc les cheminées !...

Juve était un acrobate prodigieux. Il appartenait à l'école des agents de la Sûreté qui, sagement inspirés, ne dédaignent point de s'entraîner aux exercices physiques, aux sports, et peuvent ainsi mettre, au service de leurs recherches policières, une habileté physique qui n'est certes pas à dédaigner.

Juve rampa le long des gouttières, parcourut le toit de l'immeuble, inspecta les cheminées, qui débouchaient autour de lui... Beaucoup étaient étroites, mais il finissait par en découvrir une dont les larges dimensions pouvaient permettre, à la rigueur, le passage d'un homme.

— Évidemment, murmura Juve, considérant le boyau qui s'ouvrait devant lui, évidemment, ce n'est pas très prudent ce que je fais là !... Mais des gens qui jouent de la musique ne doivent pas être bien dangereux, et puis, je m'en fous !...

Le policier boutonnait sa veste, enlevait le cran de sûreté de son revolver, et estimant, ainsi, avoir fait de suffisantes concessions à la prudence, enjambait le rebord de la cheminée, se laissait glisser dans le tuyau.

La descente était malaisée, et beaucoup se seraient rompu les os à tenter cette prouesse !

Quant à Juve, il s'occupait peu des difficultés, il tâchait seulement de faire le moins de bruit possible et, de temps à autre, s'arrêtant en s'arc-boutant du dos et des genoux, il prêtait l'oreille, écoutant la musique. Celle-ci ne s'arrêtait pas. Toujours les accents de *Passionnément* arrivaient à l'intrépide inspecteur...

Toutefois, au fur et à mesure que Juve descendait, et, par conséquent, au fur et à mesure qu'il s'approchait de l'endroit où devaient se trouver, fatalement, les musiciens, il remarquait avec surprise que l'intensité de la musique n'augmentait pas.

— Je me rapproche, murmurait Juve, et je n'entends pas mieux !... C'est rigolo !... Pourtant, les sacrés violonistes que je poursuis doivent être au rez-de-chaussée de l'immeuble ?

Juve n'avait pas été long, d'ailleurs, à reconnaître que la cheminée, dans laquelle il s'était engagé, devait déboucher dans l'une des pièces du rez-de-chaussée. Sa direction même l'indiquait, sa profondeur aussi, car, depuis qu'il descendait, Juve avait certainement dépassé la hauteur du premier étage.

Et puis, c'était soudain, à l'improviste — car Juve n'avait guère de point de repère pour apprécier les distances qu'il franchissait — que le policier sentait sous ses pas, le sol, le fond de la cheminée, évidemment, qui lui servait à effectuer sa périlleuse descente.

— Tout va bien ! pensa Juve, j'arrive !

Il fallait cependant savoir où il arrivait !

Allait-il se trouver, lorsqu'il soulèverait la plaque de tôle qui fermait la cheminée, face à face avec la bande d'individus qui devaient avoir fait de l'hôtel une retraite mystérieuse ?

Allait-il, au contraire, tomber dans une pièce vide ?

Juve se rappela la disposition des locaux qu'il avait déjà parcourus en compagnie de Fandor, lors de sa première et infructueuse perquisition :

— Ici, murmurait-il, ça doit être le salon. Bigre ! nous allons bien voir s'il est toujours démeublé.

A l'intérieur de la cheminée, heureusement assez vaste, Juve s'était accroupi. Il tenait son revolver de la main droite, il glissa précautionneusement sa main gauche sous les plaques de la tôle, et appelant tout son courage à son aide, commença de soulever, lentement, la trappe...

Le policier, à cet instant, entendait toujours la musique extraordinaire, l'air fameux de *Passionnément*, mais il ne l'entendait, à vrai dire, pas beaucoup plus distinctement que lorsqu'il se trouvait sur le toit du petit hôtel.

— Allons-y ! se répéta Juve ; après tout, il n'y a peut-être personne ici et j'aurai sans doute le temps de me mettre sur la défensive avant qu'on se précipite sur moi...

Brusquement, il soulevait la trappe ; impétueusement, il s'élançait dans la pièce.

Or, Juve s'attendait à trouver cette pièce meublée, et telle que Valentine l'avait décrite...

Du moment que la musique extraordinaire, la musique signalée par la baronne de Lescaux retentissait à l'intérieur de l'immeuble, Juve était bien forcé d'admettre que la jeune femme n'avait rien inventé, que ses récits étaient sincères et qu'en conséquence, tout devait être, rue Girardon, ainsi qu'elle l'avait indiqué.

Tout cela était très raisonnable, mais tout cela apparaissait immédiatement comme profondément stupide au policier !

La pièce dans laquelle il s'élançait, en effet, au sortir de la cheminée, était bien le grand salon décrit par Valentine. Mais ce grand salon était complètement démeublé, tout à fait à l'abandon, exactement, enfin, dans l'état où Juve et Fandor l'avaient déjà vu, lors de leur première visite !

Juve, à cette découverte, s'arrêta net, ne sachant vraiment plus que penser :

— Nom de Dieu ! grognait-il, mais c'est toujours la même histoire ? Et pourtant, creblotte ! on joue de la musique ici ! Il n'y a pas à dire le contraire ! on joue *Passionnément !*

Immobile, en effet, au centre du grand salon, dans l'ombre épaisse, Juve entendait toujours l'air étrange...

Il semblait lointain. Il venait il ne savait d'où, mais il était indiscutable qu'il l'entendait...

Dans ces conditions, que faire ?

Si Fandor était entêté, Juve était, de son côté, fort obstiné.

— J'en aurai le cœur net ! ronchonna-t-il ; j'en aurai le cœur net ou j'y laisserai ma peau !

Il entreprit, pour la seconde fois, de visiter de fond en comble l'hôtel.

Il parcourait les mansardes, les chambres du premier étage, les salons du rez-de-chaussée : il ne trouvait partout que des traces d'abandon, de la poussière accumulée, des pièces vides, dont le papier mural se détachait sous l'humidité, dont le plafond était taché de moisissures jaunâtres.

— Je ne rêve pas, pourtant ! se disait Juve.

Et il prêtait encore l'oreille : obsédant, l'air arrivait toujours jusqu'à lui...

— Mais où diable sont-ils, ces sacrés violonistes ?

Juve s'était assis sur les dernières marches de l'escalier et, son revolver au poing, réfléchissait, mâchonnait un bout de cigarette, qu'il ne songeait même pas à rallumer. Soudain, il lui venait une idée :

— Et les caves, nom de Dieu ?... Nous n'avons pas été voir dans les caves !

Il dut fureter dans la cuisine pour découvrir, dans une sorte de petit cabinet de débarras, l'entrée de l'escalier qui conduisait au sous-sol. Et alors, il poussa une exclamation de triomphe, vite étouffée. La porte de l'escalier entrebâillée, en effet, Juve jugeait que l'air, l'air mystérieux, lui arrivait beaucoup plus fort, beaucoup plus net !

— Cette fois, pensa le policier, je ne dois pas être loin de trouver le nid de ces oiseaux-là !

Juve n'avait pas de lumière. Il possédait tout juste, en fumeur qu'il était, une boîte d'allumettes et encore une boîte d'allumettes-tisons, c'est-à-dire de ces allumettes qui ne peuvent servir à éclairer que pendant quelques courtes secondes.

— Bah ! ça ne fait rien ! décida Juve, si les individus sont par là, c'est assurément qu'ils ont de la lumière eux... Et puis qui n'a rien ne risque rien !

C'était sa devise favorite !

Tenant toujours son revolver au poing, s'arrêtant toutes les dix marches pour prêter l'oreille, Juve entreprit de descendre l'étroit petit escalier. Or, il lui apparut bientôt, qu'assurément le chemin qu'il suivait ne devait pas conduire à de simples caves. Il avait bien descendu, en effet, une trentaine de marches assez hautes et pourtant il n'apparaissait pas qu'il arrivât au terme de sa descente...

— Où diable vais-je dégringoler ? c'est le voyage au centre de la terre que je commence !

Il descendait toujours, longtemps, interminablement même.

Un autre eût, à ce moment, rebroussé chemin. Depuis longtemps, Juve était, en effet, dans le noir absolu. Il devait tâter les murailles, à droite, à gauche, pour suivre l'escalier, qui, par moment, tournait assez brusquement et il n'avait rien qui pût le guider, hormis la mystérieuse musique qui, d'ailleurs, devenait de plus en plus distincte.

— Avançons toujours ! pensa Juve.

Puis, il lui venait soudain à l'idée qu'il négligeait une élémentaire précaution :

— Si j'enfilais mes caoutchoucs ? Je ferais toujours moins de bruit... et il n'est peut-être pas très utile de signaler mon arrivée à cent mètres de distance...

Juve s'assit, chaussa ses caoutchoucs et continua de descendre silencieusement.

Il avait négligé de compter exactement les degrés. Mais il estimait qu'il avait bien descendu près de cent cinquante marches — la valeur de six étages — lorsque enfin il sentait que le sol ferme s'étendait devant lui, qu'il était en bas de l'escalier.

Juve alors s'arrêta. Il prêta l'oreille ; la musique, beaucoup plus forte, continuait toujours...

— Il s'agit de réfléchir, pensa le policier. D'abord où suis-je ?

En dépit du danger qu'il pouvait y avoir à signaler sa présence, Juve tira sa boîte d'allumettes et craqua l'un des tisons.

La lumière, faible, ne durait que quelques secondes, mais il avait le temps de reconnaître qu'il se trouvait dans une étroite galerie souterraine, en forme de voûte, si peu haute qu'il en touchait le plafond, en levant les mains, si peu large que ses épaules frôlaient les murailles des deux côtés...

— Très bien ! murmura Juve, c'est un souterrain, ni plus ni moins !...

Il concluait :

— Il y a décidément des chances pour que tout cela me conduise en plein repaire de brigands !...

Faisant alors le moins de bruit possible, avançant à grands pas, mais à pas silencieux, Juve longea la galerie.

Il avait le soin de laisser ses mains frôler les deux côtés des murailles afin de s'assurer qu'aucune galerie transversale ne débouchait dans le souterrain qu'il suivait, et qu'il ne risquait pas de franchir un carrefour et de perdre son chemin.

L'air était lourd, rare, humide : une atmosphère de serre ; la sueur perlait au front du policier.

— Tant que j'entendrai *Passionnément*, se disait Juve, je serai sur la bonne piste...

Mais, à un moment donné, comme il s'arrêtait précisément pour prêter l'oreille, il lui semblait que la musique cessait...

— Fâcheux présage ! murmura-t-il.

Il avança pourtant. Il avança même d'autant plus vite que la galerie, dans laquelle il se trouvait, venait de s'élargir, qu'elle avait maintenant d'importantes dimensions et que, de plus, il lui semblait, au lointain, percevoir quelques bruits, des bruits de voix peut-être, des bruits de pas assurément...

Juve, cinq minutes encore, alla de l'avant. Soudain, il s'immobilisait.

Il ne pouvait se tromper...

Tout à côté de lui, un pas se faisait entendre ; quelqu'un marchait.

— Halte ! ordonna Juve.

Et en même temps, il faisait grincer le chien de son revolver en l'armant...

Mais rien ne lui répondit...

— Bon ! je suis victime d'une illusion.

Il avança encore, puis, croyant entendre à nouveau quelqu'un passer près de lui, il s'élança, en avant, les mains tendues, avec une folle audace...

Et alors, il arrivait quelque chose d'invraisemblable.

Nettement, Juve sentait qu'il agrippait le bras nu d'un homme, un bras qui se débattait, qui se dégageait avec une extrême souplesse...

En même temps, à ses oreilles, un cri retentissait ; une exclamation qui faisait frissonner Juve :

— Jap ! Jap !

De stupéfaction, l'inspecteur de la Sûreté s'était rejeté en arrière...

— Ah ça ! jurait-il bientôt, il y a quelqu'un qui est là, nom de Dieu ? Et voilà qu'on appelle « Jap » !

Bien qu'il fût dans le noir, pris d'une excitation folle, Juve se mit à courir, tendant les bras, cherchant à rencontrer encore l'homme qui lui avait échappé.

Et soudain, tout près de lui, une voix proférait d'étranges paroles :

— J'ai dit à Jap que le vaisseau amiral sortirait bientôt !

A quoi une autre voix répondait :

— C'est six fois de suite que j'ai fait le saut périlleux !...

Puis il y avait des aboiements, des bruits de pas...

Ceci se passait toujours dans le noir, et c'était hallucinant ! affolant !...

Juve, accoté contre la muraille maintenant, demanda :

— Qui est là ? qui va là ? faites de la lumière, nom de Dieu !

Il brandissait toujours son revolver, il était prêt à tirer, il s'attendait à une agression... mais le silence redevenait profond, impénétrable.

Alors, une angoisse secrète terrassa presque le malheureux policier.

Ses jambes se mettaient à trembler ; il lui paraissait que le sol tournait sous lui, se soulevait, oscillait, comme si, prodige impossible, il avait marché sur les eaux agitées d'une mer en furie...

— Mais bon Dieu de bon Dieu, qu'est-ce que cela veut dire ?

Juve faisait appel à toute son énergie, et, se mordant les lèvres, au sang, pour ne pas crier, avançait encore d'une cinquantaine de mètres. Mais alors, Juve se rendait compte, suivant toujours la muraille, qu'il venait de déboucher dans un véritable carrefour...

En tâtonnant, il trouvait un banc, un véritable banc, un banc de pierre, comme il en est le long des promenades publiques...

Or, Juve, à ce moment était si accablé, si prostré, un tel feu brûlait dans sa poitrine, qu'il s'assit pour prendre quelque repos. Et tout de suite, encore, il entendait des voix :

— En tant qu'empereur, disait quelque personnage que l'ombre empêchait de voir, j'ai décidé la prise de la Suisse ! Nous ferons le siège de toutes les montagnes ! Ah ! ah !

— Je couperai la lune en huit ! disait une autre voix, cela fera huit diamants précieux, et j'ouvrirai un magasin en pleine rue de la Paix !

— Jap m'a dit... Hé ! Hé ! Jap !

— C'est le roi des dieux, Jap !

— Rien au-dessus de Jap...

Et c'étaient des aboiements sans fin... puis comme un incessant piétinement qui rendait encore plus profond le silence, le lourd silence de sépulcre qui, par moments, régnait sur l'obscurité et oppressait Juve de terrible manière...

Le policier, pourtant, eut honte de sa faiblesse.

— Coûte que coûte, il faut que je sache ! murmurait-il ; je suis témoin de choses invraisemblables ; pas de défaillance ! Nom d'un chien !

Mais que pouvait-il faire ?

Intrépidement, Juve décida de recourir à une ruse insensée.

D'abord, il remettait au fond de sa poche le revolver qu'il tenait, tout à l'heure. Il prenait ensuite dans sa main droite, sa boîte d'allumettes et, prêt à enflammer l'un des tisons, il quittait le banc sur lequel il était assis, s'avançait au hasard, ouvrant les bras, cherchant à saisir l'un de ceux qui parlaient !...

Juve n'eut pas loin à aller, n'eut pas longtemps à attendre...

Il rencontrait assez vite, dans son extraordinaire marche dans le noir, un homme qui, en se jetant contre lui, poussait un petit cri d'effroi :

— Jap ! Jap !

— Bon Dieu, répondait Juve, renversant son adversaire d'un croc-en-jambe, qui êtes-vous ?

— Jap ! appela la voix.

Mais Juve avait frotté l'allumette-tison qu'il tenait et, tombé à genoux sur l'homme qu'il maintenait, il lui éclairait le visage...

Or, dans la lueur rapide de l'allumette, ce que distingua Juve, était extraordinaire, incroyable...

C'était bien un homme qu'il venait de saisir, qu'il venait de renverser, qui se débattait, affolé, en appelant « Jap », en criant « Jap », pour s'échapper à son étreinte.

Mais cet homme, cet homme dont Juve ne faisait qu'entrevoir une seconde à peine les traits convulsés par la peur, ce n'était pas un inconnu pour lui !

Juve avait bien peu de temps pour voir, et pourtant il était certain de le reconnaître !

C'était le mystérieux aveugle, l'extraordinaire blessé, l'homme qui avait dit « Jap » quand on l'avait attrapé dans le trou du quai de l'Académie, qui n'avait su dire que « Jap » lorsqu'on l'avait porté à l'hôpital... c'était l'homme enfin qui avait été trouvé ayant à sa boutonnière, les fleurs noires qui avaient si fort intrigué et le policier et le docteur Maurice Hubert !

— Tonnerre de Dieu ! jura Juve, au moment où le tison s'éteignait... mais qu'est-ce que vous faites là ?... qui êtes-vous au juste ?...

Hélas ! à la faveur du mouvement que la surprise venait de faire exécuter à Juve, le prisonnier s'échappait. Juve, bousculé, tombait à son tour. Il entendait alors une fuite rapide, et en même temps des cris de terreur qui retentissaient de tous côtés...

Des cris de terreur ?

Non, des cris de douleur ! des cris confus ! des cris extraordinaires, cris qui se confondaient, se mêlaient dans une immense clameur, une clameur incompréhensible :

— Jap ! Jap !

Alors, Juve sentit ses cheveux se hérisser sur sa tête. D'émotion, d'effroi, ses dents claquaient... Mais il fallait savoir coûte que coûte !

Juve n'avait plus qu'un tison. Il frotta celui-ci... une seconde il vit clair...

Et de ses yeux dilatés, le policier aperçut, alors, une dizaine d'individus, vêtus de noir, semblait-il, qui s'enfuyaient au lointain, le long d'une immense galerie, qui couraient en hurlant, en tenant, aussi, très bizarrement, leurs mains appuyées contre leurs yeux !...

Juve n'avait pas le temps d'en voir davantage ! .

Déjà le tison s'éteignait. Et c'était alors un grand renouveau de silence, une ombre plus épaisse, une solitude plus complète...

Que faire ? Que faire ?...

Juve voulut revenir sur ses pas. Il suivit, en tâtonnant, le chemin qu'il pensait avoir déjà parcouru. Trébuchant, haletant, ayant l'impression que l'air lui manquait, qu'il allait s'écrouler sur le sol, moribond. Il retrouvait l'escalier. Il entreprenait d'en gravir les degrés, il montait, il montait, interminablement...

Au milieu du grand salon délabré du petit hôtel de la rue Girardon, à quelques pas à peine de la cheminée, d'où était tombée une épaisse poussière de suie, abruti, hébété, sentant une horrible douleur à la tête, ayant, au cœur, une nausée profonde, saignant du front, les genoux écorchés, Juve se soulevait...

Il jetait, d'abord, autour de lui, des regards affolés et qui ne comprenaient pas. Le policier, assurément, doutait de ce qu'il voyait.

Puis, la pensée lui revenait plus nette, et plus précise.

Machinalement, comme font ceux qui se réveillent d'un sommeil profond, il s'attachait à regarder des détails de ce qu'il voyait : la suie tombée sur le parquet, les papiers décollés, la moisissure du plafond...

Et brusquement, enfin, Juve se réveillait tout à fait :

— Mais, se demandait-il, qu'est-ce qui vient donc de m'arriver ? Comment suis-je là ?

Il se rappelait, en même temps, l'extraordinaire aventure dont il venait d'être victime, son terrifiant voyage souterrain, le retour pénible qu'il avait fait en grimpant interminablement le long escalier...

Toutefois, il ne se rappelait pas comment il était revenu dans le salon, et pourquoi il était tombé sur le sol...

A ce moment, une nausée, un haut-le-cœur violent, le secoua...

— Sapristi ! se jura Juve, on dirait que je suis ivre ?

Il s'était assis sur son séant, il regardait encore autour de lui.

— C'est bien par cette cheminée que je suis descendu pourtant !...

Voyons, est-ce que j'ai eu un cauchemar ? Est-ce que par hasard, j'aurais rêvé ?...

Juve huma l'air...

Il lui sembla qu'une odeur fade, écœurante, flottait autour de lui. Alors, il se frotta les yeux, se mit debout, et respira très fort...

Non ! il n'était pas victime d'une illusion !

Il y avait un étrange parfum qui traînait dans l'atmosphère, un parfum grisant, lourd, pénétrant, un parfum qui entêtait, le parfum qui, sans doute, lui causait son violent malaise...

— Qu'est-ce que c'est que tout cela ? qu'est-ce qui m'est arrivé ?

Il demeurait debout. Machinalement il tira la langue, comme quelqu'un qui est brûlé, comme quelqu'un, aussi, qui a très soif...

Juve fit quelques pas. Il voulut aller à la fenêtre, pousser les volets, respirer un peu d'air pur... Mais au même moment, il tressaillit violemment...

Une étrange pensée venait de lui venir à l'esprit.

— Mais cela sent l'opium ici ! murmura Juve, cela sent terriblement l'opium !... Ce parfum-là, c'est le parfum de l'opium !...

Et il se prit à jurer, fermant les poings, fronçant les sourcils, furieux.

— Bon Dieu de Bon Dieu ! mais je viens d'être victime d'un empoisonnement par l'opium ! Ma promenade souterraine, parbleu, les bonnes gens que j'ai vus... et l'escalier... et tout le bataclan... c'est un songe d'opium ! Ah ! sacré nom d'un chien !... je n'ai pourtant pas fumé ! je ne fume jamais !...

A ce moment, un énervement fou s'emparait du pauvre Juve...

Il courait à la cuisine, il ouvrait le petit placard dont il avait gardé le souvenir, mais il n'y trouvait nulle porte descendant aux caves...

Un mur fermait ce placard, un mur solide, qui sonnait plein, aux coups violents qu'y portait Juve...

Cette constatation calmait le célèbre policier.

Cette fois le doute ne lui était plus permis. Il fallait se résigner à comprendre la vérité, et la vérité, cela apparaissait bien, était qu'il venait de connaître les effets hallucinants de la fumée d'opium...

Toutefois, s'il semblait indiscutable que son cauchemar devait provenir de l'opium, l'aventure n'en était pas moins mystérieuse pour cela. Car enfin Juve n'avait pas pris du poison ! il n'en avait pas fumé ! il n'en avait pas respiré !... et par conséquent...

— C'est inouï ! s'avoua le policier, je ne peux rien deviner... et il n'y a qu'une seule explication plausible... J'étais absolument de sang-froid, quand je me suis introduit dans la cheminée, mais sans doute, on me guettait d'en bas... Sans que je m'en sois rendu compte, on a dû me faire respirer de la fumée d'opium... j'ai dû dégringoler ici, complètement étourdi... alors mes adversaires ont dû avoir le temps de s'échapper, pendant que je rêvais des choses idiotes... et maintenant... maintenant, je n'ai plus qu'à m'en aller !...

Furieux de sa mésaventure, vexé du rôle stupide qu'il pensait avoir joué, désespéré surtout à l'idée qu'il avait été roulé, proprement roulé comme un débutant, car Juve ne se ménageait pas les épithètes vexantes, il se décidait à abandonner la rue Girardon. Il fallait aller voir Fandor, le joindre... lui conter l'histoire...

Une fois dehors, d'ailleurs, et respirant le grand air, Juve éprouvait un mieux sensible. Son mal de tête se dissipait, ses maux de cœur s'atténuaient...

— Ouf ! murmurait le policier, ça ne fait rien ! ça ne fait rien ! ils sont gentils ! car s'ils avaient voulu me tuer, ils l'auraient fait sans que je puisse remuer ni pieds ni mains !...

Mais à cet instant, comme il descendait dans la direction des boulevards extérieurs, Juve pâlissait brusquement, et, d'un geste nerveux, tâtait les poches de son veston...

— Et le pendentif de Mme de Lescaux ? murmurait-il, où est-il ? qu'est-il devenu ?... ah ! nom d'un chien !

Fébrilement, pendant près de cinq minutes, Juve se fouilla...

Mais il devait se rendre à l'évidence !... Le pendentif n'était plus dans sa poche ; les diamants lui avaient été volés à nouveau, on l'avait dépouillé !

XIII

Nouveaux mystères

Il avait l'air d'un homme ivre, le malheureux Juve, lorsque, après avoir déambulé de Montmartre et traversé tout Paris, sans paraître même s'apercevoir de l'itinéraire qu'il suivait, il était arrivé à *La Capitale*.

Juve était désormais terrassé par une inconcevable lassitude, qui lui donnait l'allure d'un homme brusquement vieilli de dix ans par quelque cataclysme.

Et lorsqu'il pénétrait dans la salle d'attente, installée dans l'antichambre de la rédaction, et que deux garçons de bureau, qui le connaissaient fort bien, le voyaient arriver, ceux-ci dissimulaient, non sans peine, leur surprise.

Ils estimaient, en effet, que quelque chose d'extraordinaire avait dû survenir à Juve, pour qu'il eût ce matin-là cette attitude bizarre, préoccupée, qui cadrait fort mal avec son caractère et ses allures habituelles.

L'un des employés, toutefois, était venu à sa rencontre :

— M. Fandor, déclarait-il, est occupé avec un visiteur ; si vous n'êtes pas trop pressé, voulez-vous l'attendre un instant ?

Juve acquiesçait d'un geste imperceptible, puis s'effondrait sur une chaise et il demeurait figé dans l'immobilité, le regard fixe. A l'ordinaire, lorsqu'il attendait son ami, il ne dédaignait pas de bavarder avec les employés, mais ce matin-là Juve demeurait obstinément muet.

Et dans la salle où il se trouvait, avec les deux hommes, le silence le plus absolu régnait, troublé simplement de temps à autre par le bruit d'une plume qui grince sur le papier ou d'un gros livre qu'on feuillette.

Cependant, le cabinet de Fandor s'ouvrait et le journaliste reconduisait jusqu'au palier de l'escalier le visiteur avec lequel il venait de s'entretenir.

Puis il rebroussa chemin aussitôt et, voyant Juve, lui faisait signe de passer dans son bureau.

A peine les deux amis étaient-ils en présence que Fandor s'approchait de Juve, lui serrait chaleureusement les mains.

— Bravo ! lui dit-il, bravo ! tous mes compliments !

Puis, lâchant Juve qui demeurait interdit, Fandor allait extraire de son tiroir-caisse un billet de banque qu'il tendait à l'inspecteur de la Sûreté.

Juve ouvrit des yeux démesurément grands en considérant ce billet, une coupure de cinq cents francs...

— Qu'est-ce que c'est ? demandait-il.

— Vous le voyez bien, mon bon, répondit Fandor en riant, vingt-cinq louis qui tombent et qui, d'ailleurs, j'ose le dire, sont fort mérités... allons, prenez-les...

Juve reculait, son visage avait une expression effarée.

— Les prendre, moi ?... Pourquoi ?...

— Mais parce qu'ils vous sont destinés ! Ils vous appartiennent.

Cependant que Fandor riait de la surprise de l'inspecteur de la Sûreté, Juve fronçait le sourcil, ne prenait toujours pas le billet de banque.

Le journaliste insista :

— Ah ! nom de nom ! il n'y a pas lieu d'avoir de scrupules... prenez ce billet, je vous prie ; c'est elle qui m'a chargé de vous le remettre...

Juve était de plus en plus abasourdi. Il interrogea sourdement :

— Elle ?... qui ?...

Fandor, lui, commençait à s'impatienter ; il haussa les épaules :

— Voyons, Juve, dit-il, vous voulez me faire marcher ? Il me semble que vous devez bien vous douter de la personne qui m'a chargé de vous remettre cette somme à titre de gratification ? c'est la baronne...

— La baronne de Lescaux ? s'écria Juve...

— Eh bien, oui ! naturellement ! c'est pour vous remercier de lui avoir rendu son pendentif...

Or, à peine Fandor avait-il prononcé ces mots que Juve bondissait comme s'il avait été brusquement frappé par quelque chose.

Il devint livide.

— Qu'est-ce que tu dis ? demandait-il.

Fandor qui, décidément, avait ce jour-là une patience inlassable, répétait, articulant nettement ses mots, pour mieux se faire comprendre.

— Je dis ceci, mon bon Juve : j'ai été chargé par la baronne Valentine de Lescaux de vous remettre cette somme de cinq cents francs de sa part, pour vous remercier de lui avoir restitué son pendentif qui avait disparu.

Juve courba la tête, puis, après un silence, il énonça lentement :

— Mon pauvre Fandor, non seulement je n'ai pas rendu à Mme de Lescaux le bijou que j'étais chargé de lui rapporter, mais encore ce pendentif que j'avais hier sur moi, a disparu... il m'a été volé...

Juve s'exprimait avec un tel accent de sincérité, il y avait dans ses paroles une gravité si profonde que ce fut au tour de Fandor d'être stupéfait.

— Qu'est-ce que vous dites ? s'écria-t-il.

— La vérité ! fit simplement Juve.

Cependant, Fandor insistait.

Il désignait un siège à son ami, s'asseyait lui-même devant son bureau.

— Voyons, voyons, reprit le journaliste, il y a un malentendu assurément dans tout cela ; vous dites que vous n'avez pas rendu à la baronne de Lescaux son pendentif ?

— Non !

— Mais elle l'a...

— Quoi ?

— Son pendentif ! nom de Dieu ! Voyons, Juve, vous ne comprenez donc rien, ce matin ?

Fandor pouvait s'énerver, gourmander son ami ; celui-ci ne ripostait pas. Il avait pris sa tête entre ses mains, semblait réfléchir profondément. Il répéta :

— Elle a son pendentif ! mais depuis quand ?

Fandor levait les bras au ciel.

— Depuis quand ? Je ne puis pas vous le dire exactement, depuis hier, depuis avant-hier peut-être ! En tout cas, j'ai reçu l'argent ce matin avec mission de vous le remettre... Voulez-vous le prendre ?

— Pardon, interrogea encore Juve, qui, désormais, fixait d'un regard singulier Fandor, veux-tu me dire quel jour nous sommes ?

— Ah ça ! pensa Fandor, qu'est-ce qu'il a donc aujourd'hui, Juve ? Il m'a l'air tout chaviré ! tout drôle !...

Le journaliste, cependant, résolu à avoir jusqu'au bout de la patience, répondait à la question :

— Nous sommes vendredi...

Juve se dressa debout, brusquement :

— Vendredi ! s'écria-t-il, non, Fandor, ne dis pas cela... pour l'amour de Dieu, nous ne sommes pas vendredi, mais jeudi !...

Considérant son ami d'un air de plus en plus stupéfait, Fandor répliqua :

— Je regrette de vous contredire, mais nous sommes vendredi, voyez plutôt...

Et pour confirmer ses dires, le reporter mettait sous les yeux de Juve un journal du matin.

Il désignait en outre le calendrier suspendu au mur...

— Voulez-vous d'autres preuves ? demandait-il.

Juve, à nouveau, s'était laissé tomber sur le fauteuil qu'il occupait et, comme un homme terrassé par quelque effroyable mystère, il murmura :

— Nous sommes vendredi... alors, qu'ai-je donc fait hier ?...

Se résignant à ne pas comprendre, Fandor ne prononçait plus une parole et, comme Juve se taisait, il y eut un long silence.

Au bout de quelque temps cependant, l'inspecteur de la Sûreté commença :

— Écoute, Fandor, il se passe des choses graves, extraordinaires... Il me semble que je perds un peu la tête...

— Ma foi, reconnut Fandor, c'est assez exactement mon opinion, que vous venez de formuler là... Mais soyez sans crainte, Juve, une tête comme la vôtre, bien plantée sur vos robustes épaules, cela se retrouve...

— Oh ! interrompit Juve, ne raille pas, je t'en prie, ce n'est pas l'heure de plaisanter !

Dès lors, l'inspecteur de la Sûreté, semblant animé d'une résolution subite, venait s'asseoir à côté de son ami.

Puis, tout bas, mais d'une voix haletante, qui tremblait par moments, il lui fit le récit des stupéfiants événements dont il avait conservé le souvenir, net et précis... Il lui racontait les choses par le commencement, son arrivée le mercredi soir — Juve était sûr de sa date — sur la toiture de la maison de la rue Girardon, puis sa descente dans l'intérieur de l'immeuble, son extravagante et mystérieuse promenade dans les sous-sols et enfin tout ce qu'il avait vu, entendu, remarqué...

Puis, il décrivait son réveil, la raideur de ses membres endoloris, la lourdeur de sa tête aux méninges fatiguées. Et enfin, sa venue directement, une heure auparavant, chez Fandor...

Toutefois, ce qui stupéfiait encore Juve, c'était que l'on fût le vendredi, il était donc resté un jour et deux nuits dans la maison de la rue Girardon.

Or, le récit de Juve semblait faire sur Fandor une impression singulière, presque pénible. Lorsque le policier eut fini de parler, en effet, le journaliste se levait et, semblant en proie à un vif énervement, considérant son ami, hésitait avant de répondre.

— Mon bon Juve, déclarait enfin Fandor, tout ce que vous me racontez est ahurissant, inquiétant, affolant... Voyons ! l'extraordinaire a ses limites !... Et je ne peux pas croire aux aventures que vous me racontez...

Juve à ce moment se redressa.

— Dis que tu me crois fou, nom d'un chien, jura le policier.

Mais Fandor déjà protestait :

— Quel vilain mot vous avez dit là, Juve ! et que vous devenez susceptible ! Fou ! parbleu, non, vous n'êtes pas fou... mais en revanche vous êtes fatigué, énervé... Tenez, si vous voulez savoir ce que je crois, je vais vous le dire... Voilà dix ans, mon bon Juve, que vous ne prenez pas une minute de repos, que vous vivez dans une perpétuelle tension d'esprit, que...

Fandor aurait continué de parler si, d'un geste, Juve ne l'avait interrompu.

— Ma parole, c'est toi qui me fais l'effet de déraisonner, Fandor !

Juve à son tour se levait. Son visage était contracté, il se mordait les lèvres...

— Car enfin, sapristi, articulait-il, ce que j'ai vu, je l'ai vu... Et ce que je n'ai pas fait, je ne l'ai pas fait !...

Fandor ne répondait rien, l'air très inquiet...

Juve prit son chapeau, se coiffa rageusement :

— Au revoir ! Tiens !... Je vais aller visiter cette baronne de Lescaux. Il faudra bien qu'elle me renseigne.

A ce moment, on frappait à la porte.

— Entrez ! commanda Fandor.

Un huissier se présentait, porteur d'une dépêche. Machinalement Fandor déchira le pointillé et lut, distraitement d'abord. Bientôt ses yeux s'écarquillèrent cependant, il devenait très pâle :

— Bigre de bigre ! grommelait-il, qu'est-ce que cela signifie ?

— Quoi ? interrogea Juve.

Fandor tendait la dépêche, sans mot dire, au policier. Juve lut à voix haute ces simples mots : *Prière de ne pas s'occuper de Jap !...*

Juve répéta, regardant Fandor :

— Prière de ne pas s'occuper de Jap ! Qu'est-ce que cela peut signifier ?

Puis, bientôt, un sourire extraordinaire, un sourire inquiétant, illuminait le visage du policier.

— Oh ! oh ! commença Juve, oh ! oh ! par exemple !...

Juve relevait la tête, considérait Fandor... Il vit la pâleur du journaliste.

Un instant, alors, l'inspecteur de la Sûreté semblait hésiter, puis il devait prendre une décision brusque, car, d'une voix ferme, il interrogeait :

— Ah ça ! Fandor, est-ce qu'une dépêche de cette nature, succédant à des aventures aussi bizarres que les miennes, cela ne te fait pas penser à quelque chose ?... à quelqu'un ?...

Juve se tut. Ce fut Fandor qui, d'une voix tremblante, achevait la phrase :

— Oui ! répondait le journaliste, voilà un quart d'heure déjà que cela obsède ma pensée ! Voilà dix minutes qu'un nom sinistre carillonne à mes oreilles... Juve, vous songez à Fantômas ?... Jap, qu'est-ce que c'est ?... Tout ces phénomènes de japisme, qu'est-ce qu'ils sont ?... Oh ! oh ! est-ce que Fantômas ?...

Sans répondre, avec une brusquerie toute nerveuse, Juve serrait la main du journaliste. Il traversait le bureau du reporter, et, à grands pas, sortait précipitamment, claquant la porte derrière lui...

Un instant interloqué par ce départ rapide, Fandor courait bientôt après le policier.

— Juve ! Juve ! appelait-il.

Mais Juve était déjà loin, il n'entendait pas !...

— Dites bien à Mme la baronne de Lescaux que c'est très important, et que j'ai absolument besoin de la voir.

— Que monsieur veuille bien attendre dans ce petit salon, je vais prévenir Mme la baronne.

Le domestique qui venait de proférer ces paroles s'éloignait, et le visiteur qui n'était autre que Juve se laissa tomber sur un canapé, il épongeait machinalement son front trempé de sueur.

— Enfin, murmura-t-il, elle est chez elle et je vais la voir !...

En quittant le cabinet de Fandor, Juve avait couru jusqu'à la rue Spontini, faisant le trajet, pour ainsi dire, au pas de gymnastique, pressé d'arriver et cependant voulant aller à pied « pour se secouer les idées » comme il disait.

Il était onze heures du matin environ, et il avait la chance d'apprendre que Valentine de Lescaux n'était pas encore sortie pour aller faire sa promenade habituelle au bois.

Quelques instants après, la jeune femme entrait dans le petit salon, elle alla au policier, lui tendit cordialement la main.

Juve s'excusa de sa démarche, puis, brusquement, interrogea :

— Enfin, madame, vous avez votre pendentif ?...

— Mais certainement, monsieur, fit Valentine légèrement interdite par cette question.

Elle ajouta :

— C'est une bonne chance qu'il ait été retrouvé, ou tout au moins que le voleur l'ait rendu, et je vous sais gré de votre complaisance... A ce propos, j'ai adressé à M. Fandor...

— Il ne s'agit pas de cela, interrompit Juve... je viens vous demander, madame, de vouloir bien me montrer votre bijou, et de l'examiner minutieusement avec moi... Si par hasard vous avez conservé la petite boîte et la ficelle qui l'entourait, lorsque cet objet vous a été rendu, je vous demanderais de me les apporter.

Valentine interrogea :

— Mais pourquoi faire tout cela, monsieur ?

— Je vous en prie, madame, supplia Juve, faites ce que je vous demande... c'est très grave.

Valentine considérait cet homme et remarquait son attitude singulière ; elle n'insista plus, s'absenta quelques instants, et revint ensuite avec le pendentif, la boîte et la ficelle, comme l'avait demandé Juve.

Le policier se précipitait sur les objets, les examinait longuement. Il tournait et retournait dans ses doigts le bijou constitué par deux gros diamants montés sur platine, et réunis par une chaînette délicatement ouvragée.

Il demanda à Valentine :

— Vous êtes bien sûre, madame, que c'est exactement le pendentif que vous aviez perdu ?

— Oh ! j'en suis absolument sûre, fit la baronne... Vous savez, nous autres femmes, nous connaissons bien nos bijoux et je vous ferai même remarquer que le diamant de gauche comporte un défaut, imperceptible mais existant néanmoins, qui me permettrait de reconnaître mon bijou entre mille...

Juve hochait la tête, tandis qu'à son tour il regardait avec attention la boîte et la ficelle qui avaient contenu le précieux joyau.

C'était lui-même qui avait mis le pendentif dans cette boîte, lui-même qui avait disposé la ficelle autour... Or, sans la moindre hésitation, le policier reconnaissait son œuvre.

Cela semblait le surprendre extraordinairement ; à deux ou trois reprises, il avait été sur le point de parler, toutefois il ne disait rien... enfin il se décida.

— Madame, demanda-t-il, en fixant Valentine de Lescaux dans les yeux, voulez-vous me répondre sincèrement ?... Écoutez bien ce que je vais vous demander : est-ce moi qui vous ai rapporté votre pendentif ?

— Je ne comprends pas très bien votre question, fit Valentine.

S'efforçant d'être calme, Juve reprit :

— Je précise, madame ; je voudrais vous demander si vous m'avez vu, de vos yeux, vous rapporter et vous rendre ce pendentif ?...

Valentine souriait :

— Non, monsieur ! vous le savez d'ailleurs aussi bien que moi, j'étais absente hier après-midi, lorsque vous m'avez rapporté cet objet, et mes domestiques eux-mêmes ne se souviendraient pas de vous avoir vu puisque par discrétion — discrétion d'ailleurs exagérée —, vous vous êtes contenté de déposer le paquet dans la boîte aux lettres...

Juve respira profondément...

— Ah ! murmura-t-il, j'aime mieux cela !...

— Qu'aimez-vous mieux ? demanda Valentine qui commençait à être surprise, presque troublée par l'attitude singulière de cet homme...

— J'aime mieux, déclara Juve, que le pendentif soit revenu tout seul... sans moi tout au moins ! Par exemple, cela ne nous explique pas...

Il s'arrêta net ; la porte venait de s'ouvrir et quelqu'un, qui vraisemblablement était assez intime dans la maison pour pénétrer dans le salon sans se faire annoncer, apparaissait.

C'était le Dr Hubert.

Le jeune médecin venait, comme cela lui arrivait parfois, demander à Valentine la permission de l'accompagner au Bois.

Il parut surpris de voir que la jeune femme avait une visite. Celle-ci s'apprêtait à présenter les deux hommes l'un à l'autre ; mais Hubert avait reconnu Juve et le saluait aimablement.

— Nous sommes déjà en relations, dit-il, et il expliquait à Valentine :

— J'ai fait la connaissance de M. Juve à Boulogne... Je l'ai revu l'autre jour, lorsqu'il est venu me conduire un malade à l'hôpital...

Puis, le docteur interrogeait la baronne sur sa santé :

— Comment vous portez-vous, ce matin ?

Et, baissant la voix, il demandait encore :

— Vos émotions, vos terreurs... j'oserais presque dire vos visions, tout cela c'est de l'histoire ancienne... n'est-ce pas ?... c'est fini, disparu, j'espère ?...

Évasivement, Valentine secouait la tête ; Hubert poursuivit :

— Depuis que votre pendentif est retrouvé, grâce à M. Juve, je compte que vous n'allez plus avoir de ces vilaines émotions, de ces fâcheuses inquiétudes ?...

— Ce serait à souhaiter, observa Juve, qui intervenait dans la conversation, si, précisément, nous pouvions expliquer les conditions dans lesquelles ce pendentif est revenu...

— Ah ! en effet ! dit Hubert, qui se méprenait sur le sens des paroles du policier ; il est bien évident que vous, qui représentez la justice, vous voulez chercher plus avant et que la restitution de l'objet ne vous suffit pas ; il vous faut découvrir le coupable, même si celui-ci s'est amendé en rendant le bijou dérobé...

Juve ne cherchait pas à faire comprendre au docteur Hubert que telle n'était pas absolument le sens de sa pensée, mais l'inspecteur de la Sûreté avait autre chose à demander au médecin.

— Monsieur, fit-il, je voudrais vous poser une question.

— Je vous en prie, monsieur, répliqua Hubert, de quoi s'agit-il ?

— Du malade, continua Juve, de cet homme que je vous ai amené voici quelques jours, et qui avait une attitude si singulière... vous vous souvenez qu'il proférait des paroles insensées, qu'il se plaignait sans cesse comme si l'air extérieur lui faisait mal, comme si la lumière l'aveuglait... qu'est-il devenu ?

Hubert fronça les sourcils :

— Ce que vous avez vu n'est rien encore, déclara-t-il ; ce malheureux-là nous a donné un mal du diable... Il a jeté le trouble dans l'hôpital, voulu s'évader, il s'est à moitié démoli dans une course folle à laquelle il s'est livré à travers les bâtiments... cela d'ailleurs ne lui a pas réussi... Vous pensez bien qu'une telle gymnastique, vu l'état où il était, ne pouvait que lui être fatale !

— Fatale ? interrompit Juve, que voulez-vous dire par là ?

Le docteur, avant de lui répondre, s'excusait auprès de Valentine :

— Je vous demande pardon de cette conversation macabre, mais je ne puis, n'est-ce pas, refuser de renseigner M. Juve.

Et dès lors, s'adressant au policier, il déclarait :

— Je veux dire tout simplement que ce malheureux est mort !

— Mort ! hurla Juve en frémissant de tout son être, ce n'est pas possible ! En êtes-vous sûr ?

— Oui ! certes ! fit Hubert, c'est un de mes internes qui a constaté le décès ; oh ! il n'y avait rien à espérer, ce malheureux était usé d'une façon générale, l'organisme ne fonctionnait plus, il ne pouvait que mourir... et il est mort.

— Mort !... reprit Juve, qui après une légère hésitation, questionnait :

— Mort et enterré ?

— Enterré ?... peut-être ! répliqua Hubert, probablement, même... car, si je ne me trompe, le décès remonte à mercredi après-midi...

— Monsieur, monsieur, intervint Juve, incapable de se maintenir plus longtemps, ce que vous dites là n'est pas possible... je l'ai vu, moi, cet homme, ce malade, et je l'ai vu jeudi... tout au moins dans la nuit de mercredi à jeudi... en tout cas, sûrement, après ce que vous appelez sa mort.

— Ah bah ! s'écria Hubert, interloqué, et d'ailleurs fort sceptique : où l'avez-vous vu ?

D'une voix presque imperceptible, Juve murmura :

— Je l'ai vu dans les ténèbres... dans la maison de la rue Girardon... Il était avec l'Amiral et le Clown... et lui aussi disait : Jap ! Jap !...

Juve, dès lors, paraissait absorbé par de mystérieuses pensées et ne s'apercevait point que le docteur le considérait avec une attention singulière, paraissait fort étonné de le voir en cet état.

Juve reprit :

— Pourriez-vous m'affirmer, monsieur, que cet homme a été enterré ?

Le docteur haussait les épaules.

— Vous l'affirmer... non !... Nous autres, médecins des hôpitaux, nous ne nous occupons guère des cadavres !... Mais enfin, je crois pouvoir dire que les choses ont dû se passer comme à l'ordinaire : ou le défunt a été enterré, ou son corps a été envoyé à la salle de dissection...

Juve se levait :

— Monsieur, fit-il d'une voix vibrante, il faut que je sache exactement ce qu'est devenu cet homme, ce mort... voulez-vous m'y aider ?

Le regard du docteur ne se détachait plus du visage de Juve dont il semblait noter avec attention les contractions multiples et nerveuses.

Maurice Hubert répliqua :

— Je vais vous aider dans la mesure de mes moyens...

Il prenait une carte dans son portefeuille, griffonnait quelques mots.

— Voici, dit-il, une recommandation pour le directeur de l'hôpital lui-même ; c'est un homme fort aimable, vous en obtiendrez tout ce qu'il vous plaira...

— Merci, monsieur, fit Juve qui prenait la carte, la mettait dans sa poche...

Le policier saluait alors Valentine de Lescaux, s'inclinait devant le docteur.

— Madame, monsieur, je vous présente mes hommages !...

Puis, il s'en allait, raide comme un automate. Le docteur le regarda partir...

Lorsque Juve eut quitté le salon, Maurice Hubert esquissa une moue inquiète.

— Cela ne va pas très bien, il m'a l'air d'être, cet homme, dans un état étrange !...

Puis, son regard s'arrêta sur Valentine qui avait légèrement pâli...

Juve était en tête à tête avec le directeur de l'hôpital.

— Merci, monsieur le directeur, faisait-il, de votre complaisance, mais je voudrais vous faire préciser encore... Que se passe-t-il, d'une façon générale, lorsqu'un inconnu vient à décéder chez vous ?

— C'est très simple, monsieur l'inspecteur de la Sûreté, il n'y a que deux solutions possibles. Nous adoptons l'une ou l'autre, suivant les besoins. Lorsque la Faculté manque de sujets, pour les travaux de dissection et les études anatomiques, lorsqu'en un mot elle nous demande des cadavres, nous envoyons les morts non réclamés par les familles à l'amphithéâtre ou alors au dépôt de Clamart, où les corps sont conservés en attendant d'être utilisés par les étudiants. Dans le cas contraire, lorsque la Faculté est suffisamment approvisionnée, nous remettons les cadavres, les morts, aux Pompes funèbres qui procèdent à leur ensevelissement...

Juve s'était documenté sur la salle dans laquelle avait d'abord été soigné le mystérieux personnage trouvé sur les bords de la Seine, puis dans laquelle il était mort.

— Qu'a-t-on fait de son cadavre ? demanda-t-il au directeur.

— Oh ! répliqua péremptoirement celui-ci, il a certainement été enterré, car, par extraordinaire, on regorge de sujets à la Faculté, et Clamart a des provisions, il est donc bien certain que, comme les autres défunts de cette semaine, la personne à laquelle vous vous intéressez a été ensevelie...

Mais Juve n'était pas encore satisfait de ces renseignements.

— Pourriez-vous me dire, demanda-t-il, à quel cimetière ?

Le directeur l'interrompait en souriant :

— Non, monsieur l'inspecteur de la Sûreté, non, vraiment, vous m'en demandez trop !... Vous imaginez bien que je ne puis vous renseigner sur ce point... nous avons une moyenne de quatre à cinq décès par jour, en ce moment, et il n'est pas d'usage que le directeur d'un hôpital aille suivre tous les convois.

Juve comprenait la petite leçon qui venait de lui être délicatement infligée ; il s'excusait de son indiscrétion.

Toutefois, il avait l'air si affecté de n'être pas mieux renseigné que le directeur de l'hôpital en eut pitié.

— Écoutez, conseilla-t-il, peut-être pourriez-vous obtenir des renseignements complémentaires en vous adressant au gardien de la salle du frigorifique ?... Cet homme-là, peut-être, s'il s'en souvient, vous dira-t-il quel est le corbillard qui a emporté le cadavre de votre homme...

Le directeur sonnait, un serviteur apparut.

— Conduisez monsieur au service de l'enlèvement des morts...

Une heure après, Juve quittait l'hôpital de la Charité. Il était soucieux, préoccupé au dernier point...

En vain avait-il interrogé, tout autour de lui, ceux qui étaient susceptibles de le documenter.

Si tout le monde avait été d'accord pour lui dire que l'homme dont il parlait était mort, et bien mort, si l'on avait été unanime à lui déclarer que, transporté au frigorifique et mis en bière, il avait ensuite été livré aux Pompes funèbres, nul ne pouvait lui donner le numéro du corbillard qui l'avait emporté, ni l'indication du cimetière dans lequel on avait conduit, pour l'ensevelir, ce cadavre inconnu dont la mort, qui ne surprenait personne à l'hôpital, semblait pourtant si douteuse et si extraordinaire à Juve, qui l'avait vu aller et venir « vivant » au milieu de toutes ces choses extraordinaires, qui se synthétisaient dans le seul mot de : Jap !...

XIV

Le japisme ?

Juve avait quitté en coup de vent l'hôtel de la rue Spontini, pour se rendre à l'hôpital de la Charité, où, grâce à la recommandation du docteur Hubert, il comptait bien avoir des renseignements précis sur le décès et les obsèques de l'« homme au Jap ».

Toutefois, tandis qu'il s'en allait, il laissait dans l'élégant hôtel du baron de Lescaux, deux interlocuteurs en tête à tête.

C'étaient la baronne et le docteur Hubert.

Ce dernier, depuis le fameux soir où, poussé par une force irrésistible et faisant preuve d'une incorrection sans pareille, il s'était introduit dans l'appartement de la jeune femme, en pleine nuit, pour s'efforcer de lui arracher un aveu dont l'ignorance surexcitait sa jalousie, n'avait plus jamais soulevé depuis lors, l'angoissant problème et s'était bien gardé de faire revenir sur ce sujet Valentine, qui, elle-même, semblait avoir oublié, ou feignait tout au moins de ne point se souvenir de cette regrettable aventure.

Dès lors, la vie ordinaire avait repris son cours.

Valentine vaquait à ses occupations de femme du monde, aimable et gracieuse avec son entourage. Hubert continuait à vivre son existence absorbante et sérieuse de chef de clinique à l'hôpital de la Charité.

Les deux jeunes gens s'étaient revus à maintes reprises ; Hubert avait dîné plusieurs fois rue Spontini, Valentine l'avait rencontré au Bois ; lorsqu'ils étaient en public, ils faisaient preuve l'un et l'autre, d'une intimité cordiale et, lorsqu'ils se trouvaient en tête à tête, le docteur Hubert se maintenait dans les limites d'une cour assidue, mais respectueuse, vis-à-vis de Valentine, cependant que celle-ci, qui accordait au docteur les prérogatives d'une sorte de galant officiel, ne cherchait pas à éveiller en lui, des sentiments plus nets ou plus précis.

Or, ce matin-là, après avoir manifesté le désir d'aller se promener au Bois, Valentine renonçant à ce projet, disait au docteur Hubert, sitôt après le départ de Juve :

— Je me sens un peu fatiguée, troublée, par cette dernière aventure, et je ne sortirai pas avant le déjeuner...

Hubert hésitait sur ce qu'il devait répondre et surtout faire. Cette déclaration de Valentine signifiait-elle qu'il devait s'en aller, ou, au contraire, que la jeune femme était prête à lui consentir un tête-à-tête, dans le calme paisible de ce petit boudoir, où elle s'était installée ?

Hubert, machinalement, se leva.

— Je ne veux pas vous importuner, commença-t-il...

Mais, comme il tendait sa main à Valentine, celle-ci la retint dans les siennes.

— Vous ne me gênez pas, mon cher ami, fit la jeune femme et au contraire, votre présence m'est agréable... je vous l'avoue, je suis depuis quelque temps inquiète, angoissée, nerveuse, j'ai besoin de repos sans doute, mais vous incarnez auprès de moi, le calme, la paix, la tranquillité.

Hubert esquissa un sourire quelque peu ironique.

Évidemment, il eût préféré que sa présence déterminât chez Valentine un autre sentiment, quelque chose de plus vif, de plus catégorique. Mais il était de ces caractères froids et entêtés, qui, à part quelques sorties brutales, agissent toujours dans l'existence avec réserve et pondération.

Certes, il aimait Valentine d'un amour profond, irréductible, sévère, mais il n'était pas de ces amoureux impatients, auxquels il faut céder tout de suite, il admettait qu'une cour comme celle qu'il faisait à la jeune femme pourrait durer longtemps, très longtemps, sans que cela eût rien d'anormal ni d'impossible. Hubert, d'ailleurs, s'il aimait Valentine, aimait aussi, et passionnément, sa profession.

La jeune femme était son flirt et sa cliente, il était l'amoureux et le médecin, et il savait, selon les circonstances, oublier l'une de ses personnalités pour ne se souvenir que de l'autre.

La visite de Juve et les quelques mots que le docteur avait échangés avec le policier avaient déterminé chez Hubert un trouble d'une nature différente, évidemment, mais presque aussi grand que celui qui agitait Valentine.

Et le médecin qui, tout heureux de l'autorisation que venait de lui donner la jeune femme, venait s'asseoir en face d'elle, laissait aller sa pensée.

— Cet infortuné policier, disait-il, est actuellement dans un état que j'hésiterai à qualifier, il est nerveux, troublé, susceptible et très émotionnable... Qu'en pensez-vous, Valentine ?

La jeune femme souriait.

— Ce n'est pas là, j'imagine, un fait isolé, et vous devez savoir mieux que personne, Hubert, que tous ceux qui pensent, qui vivent intensément à notre époque, se trouvent dans un état semblable... De plus, quoi...

— Oui, interrompit le docteur, ce que vous dites est fort exact, mais il y a tout de même des degrés dans l'émotivité... et pour en revenir à Juve, j'estime que sa nervosité actuelle, n'est guère celle d'un homme normal... Il est en train de faire une sorte de neurasthénie spéciale... que j'étudie d'ailleurs depuis quelque temps... et dont il me paraît atteint...

— Vraiment ! fit Valentine, que voulez-vous dire ?

— Je veux dire, précisa le docteur, que cet homme-là, tout robuste et tout solide qu'il est, s'il ne fait pas attention à lui-même, va finir par se détraquer... Rendez-vous en compte, Valentine, c'est un illuminé, tout au moins un imaginatif exagéré ? Il donne aux choses les plus simples un développement, une ampleur anormale, et irréelle...

La jeune femme regardait fixement son interlocuteur, elle interrogea d'une voix brève :

— Vous employez des formules trop savantes pour moi et si vous désirez que je comprenne, ne me traitez point comme un étudiant à qui vous faites un cours, mais comme une femme à qui l'on explique quelque chose...

Hubert se prit à sourire :

— Vous êtes bien trop modeste, ma chère amie, et vous m'entendez fort bien ; mais puisque cela vous intéresse, je vais mettre les points sur les I. Juve, dont je vous parlais donc, me fait l'effet, à l'heure actuelle, de subir l'influence exagérée des choses, soi-disant mystérieuses, qui paraissent se manifester autour de lui, dans vous avez noté son attitude, réellement étrange, bien extraordinaire, lorsqu'il s'est agi pour lui de vous expliquer, ou — pour être exact — de ne pas vous expliquer comment il vous a restitué votre pendentif.

— Oui, fit Valentine, eh bien ?...

— Je continue, poursuivit le docteur Hubert, en vous avouant que l'attitude de Juve m'a encore fort intrigué, et j'ose même dire, déplorablement impressionné, lorsqu'il a manifesté cette extraordinaire surprise en apprenant la mort du malheureux qu'il est venu m'amener il y a quelques jours, à l'hôpital.

Valentine pâlit légèrement :

— Vous voulez parler de cet homme qui, perpétuellement appelait autour de lui : Jap ! Jap !

Le docteur se leva.

Il regarda Valentine d'un air singulier.

— Eh bien ! oui, fit-il, c'est cela dont je veux parler.

Puis, après un silence, il reprenait d'une voix qu'étranglait légèrement l'émotion.

— Prenez garde, Valentine, il me semble que vous aussi, vous êtes sur le point de vous laisser gagner par cette hallucination... Je le sais, il y a des hallucinations collectives, et celles-ci sont d'autant plus dangereuses que l'on se base, pour affirmer ses convictions, sur les croyances des autres... Je crains, Valentine, d'avoir découvert une nouvelle manifestation de ce mal imprécis et terrible, qui rôde dans l'ombre, autour de notre humanité moderne, et affecte les aspects les plus divers... Je crains, pour tout dire, que la neurasthénie, sorte de folie douce, ne soit en train d'engendrer quelque état morbide, que l'on pourra désigner sous le nom générique de « japisme »...

— Croyez-vous, murmura Valentine, qui poursuivit, ironique, cependant que très pâle, croyez-vous que Jap n'existe pas ?...

Le docteur haussa les épaules :

— Jap ? interrogeait-il, qu'est-ce que c'est ?... Un homme ?... une femme ?... une réunion d'individus ?... une théorie ?... une pensée ?... un fantôme ?... Vous n'en savez rien, ni moi non plus !... Nul ne pourrait le dire !... Mais ce que je remarque, ce qui m'inquiète, c'est que dans les milieux les plus divers, c'est que les gens les plus opposés, les plus contradictoires, comme intellectualité, comme existence, prononcent dans les circonstances les plus variées, ce mot, ce nom... Le malheureux être de l'hôpital, parlait de « Jap », l'inspecteur de la Sûreté Juve a le nom de « Jap » sur les lèvres...

Hubert, subitement, baissait la voix puis il ajouta :

— Vous-même, Valentine, vous croyez à « Jap »...

La jeune femme tressaillit, elle était devenue livide, elle questionna, les poings crispés :

— Et vous, Hubert, n'y croyez-vous pas ?

— Non, assura le docteur nettement, mais hélas ! je crois à l'hallucination, à la folie, je crois au japisme !...

Le médecin, désormais, allait et venait dans la pièce, en proie à une émotion considérable ; depuis quelques jours, il éprouvait l'impérieux désir de formuler la pensée qui lui tenaillait l'esprit. Il éprouvait le besoin de dire ces choses, de développer la thèse qu'il engendrait, tout particulièrement devant Valentine, qu'il voulait sonder, interroger, dont il voulait connaître à ce sujet les plus intimes pensées...

Cet amoureux, s'il était aveugle en amour, était clairvoyant en physiologie et il ne pouvait se dissimuler que les troubles qui se manifestaient chez Valentine, ses pâleurs soudaines, ses émotions brusques, devaient avoir une cause que ce matérialiste comme tout médecin, rattachait à des incidents, à des phénomènes nettement définis.

Valentine, toutefois, ne répondait rien, mais le sourire ironique qu'elle laissait errer sur ses lèvres exprimait suffisamment son opinion pour que le docteur se prît à nouveau à l'interroger.

— Vous ne croyez pas à ce que je dis, observa-t-il amèrement et vous imaginez que cet homme qui vous parle de folie est peut-être plus fou que les autres ?...

Le sourire de Valentine se figea, elle parut faire effort sur elle-même pour demeurer calme, d'un signe gracieux, elle désignait à Hubert, la place vide à côté d'elle, sur le canapé qu'elle occupait, puis, lorsque le docteur s'y fut installé, posant sa main dans la sienne, elle commença :

— Je ne suis pas assez savante, mon cher ami, pour discuter ou combattre vos théories. Mais je sais une chose, mon cœur de femme, mes pressentiments ne me trompent point, c'est qu'il y a dans le japisme, comme vous dites, quelque chose de mystérieux, quelque chose, aussi, de net et de précis, que vous paraissez complètement négliger... Jap, que ce soit un être humain ou quelque chose de surnaturel, s'est manifesté catégoriquement à diverses reprises, et pour mon compte...

Valentine, subitement, s'arrêtait de parler. A l'interrogation muette du docteur, elle craignait déjà d'en avoir trop avoué. En effet, si Valentine avait mis Maurice Hubert au courant de l'extraordinaire disparition de son pendentif, elle ne lui avait rien dit de son rendez-vous de la rue Girardon, ni des propos extraordinaires qui lui avaient été tenus par le mystérieux et invisible inconnu, son interlocuteur qui s'était nettement déclaré comme l'adorateur épris, le plus enthousiaste.

Valentine, toutefois, précisait pour l'édification du docteur :

— Ce ne sont pas des idées, mais bien des faits que je veux vous signaler : mon pendentif disparu puis retrouvé, notamment... il y a d'ailleurs autre chose...

Elle se taisait encore, le docteur insista :

— Je vous en prie... parlez ?...

— Eh bien, fit la jeune femme qui triomphait enfin de ses hésitations, il y a les fleurs... Vous savez bien, Hubert, les fleurs noires ?...

A son tour, le docteur tressaillait.

Puis, soudain, ce fut l'amoureux qui le céda au médecin.

— Valentine ! Valentine ! murmura-t-il, je vous en prie, soyez franche et sincère avec moi, voici huit jours déjà, je me suis permis une attitude odieuse à votre égard... vous avez eu la grandeur d'âme de ne point m'en reparler, et moi, j'ai eu la lâcheté de ne pas m'excuser à nouveau auprès de vous... mais il faut que je revienne sur le passé, c'est indispensable... oublions « Jap » et le « Japisme » pour ne penser qu'à nous... et dès lors, vous comprendrez, Valentine, que c'est un amoureux passionné qui vous parle, mais que c'est aussi un malheureux qui souffre, qui est jaloux... Valentine, que signifie cette histoire de fleurs ? quel est l'homme qui vous les envoie ? quel est l'inconnu auquel vous devez cet hommage, si toutefois il est vrai que ces fleurs existent...

— Plaît-il ? interrogea Valentine, très hautaine.

Maurice Hubert était trop lancé pour revenir sur sa déclaration.

— Je dis, précisa-t-il, que je ne puis être jaloux que si ces fleurs, dont vous me parlez, existent réellement...

Un rire strident et sardonique lui répondit :

— Mon cher, fit Valentine, vous êtes évidemment un médecin du plus grand avenir mais, par contre, vous êtes un amoureux bien peu perspicace... après tout, doutez si vous voulez, je n'ai rien de plus à vous raconter sur ce sujet...

En proie à une extraordinaire émotion, le docteur Hubert s'agenouillait devant la jeune femme.

— Pardonnez-moi, supplia-t-il, cependant qu'il étreignait son front comme pour comprimer le battement de ses tempes, pardonnez-moi, mais je suis troublé, inquiet au plus haut point... vous m'avez parlé à maintes reprises de ces fleurs mystérieuses et mon cœur d'homme épris a éprouvé, à l'idée que quelqu'un d'autre que moi vous les envoyait, une angoissante torture ; il m'a été raconté que de semblables fleurs avaient été vues à la boutonnière du malheureux, mort avant-hier à l'hôpital... vous venez encore de me parler de ces roses noires, que vous auriez reçues ces jours derniers ?...

Valentine interrompit :

— Il m'en est arrivé hier matin même, c'est la dernière fois...

Le docteur se releva.

— Valentine, proféra-t-il solennellement, me dites-vous la vérité ?

— Je vous le jure, déclara la jeune femme.

— Valentine, poursuivit le docteur Hubert, consentiriez-vous à me montrer ces fleurs ?

Pour toute réponse, la baronne de Lescaux quittait le canapé sur lequel elle était installée. Elle se rendit lentement à une sonnette, appuya sur le bouton.

Un domestique se présenta :

— Faites venir le petit groom ! dit-elle.

Quelques instants après, Zizi surgissait.

Valentine de Lescaux lui ordonna :

— J'ai descendu hier soir dans la cave une gerbe de fleurs, ce sont des roses noires, allez les chercher, vous les apporterez ici...

— Bien madame ! répondit Zizi en s'inclinant.

Lorsque le groom fut parti, devinant la question qu'allait lui poser le docteur Hubert, Valentine expliqua :

— J'ai remarqué que ces roses, qui sont d'un extraordinaire velouté et d'une stupéfiante fraîcheur, se ternissent, se flétrissent avec une incroyable rapidité sitôt qu'elles se trouvent exposées à la lumière. Dès qu'on les laisse ou qu'on les remet dans l'obscurité, elles reprennent leur éclat, s'épanouissent à nouveau... c'est pour cela que, dans le désir de les conserver plus longtemps — car je l'avoue, elles m'intéressent — mais aussi pour ne pas les voir sans cesse devant moi — car je l'avoue aussi, elles me troublent et me font peur — je les ai descendues moi-même hier soir dans cette cave, d'où le domestique va les remonter.

Le docteur Hubert ne répondit point, mais il regardait avec une certaine émotion le visage de Valentine, dont le teint pâle se modifiait sans cesse, dont les joues se marbraient, par instants, de taches rougeâtres, de points sombres. On frappa à la porte :

— Entrez ! dit Valentine.

C'était Zizi.

Le groom arrivait les mains vides.

— Eh bien, et ces fleurs ? demanda la baronne de Lescaux.

Zizi la regarda du coin de l'œil, comme s'il pensait :

— Je ne suis pas dupe de cette histoire, et je tiens à ce que vous compreniez que vous ne m'avez pas roulé...

De son accent le plus impertinent, il répliqua :

— Madame la baronne ne doit pas être surprise que je ne rapporte rien, car il n'y a pas de fleurs dans la cave...

— Que dites-vous ? s'écria Valentine, qui sursautait...

— Je dis, madame, reprit Zizi, qu'il n'y a pas de fleurs dans la cave, et que même, il n'y a jamais dû en avoir...

Valentine s'exaspérait :

— Je les ai descendues moi-même hier soir, vous auriez dû, tout au moins, me rapporter le vase dans lequel elles se trouvaient.

Imperturbable, Zizi répliqua :

— Pas plus de vase que de fleurs, dans l'intérieur de la cave ! C'est nu comme le dos d'un ver, c'est net comme la coquille d'un œuf...

Valentine haletait...

Cependant, le docteur Hubert, qui la considérait, ne semblait pas étonné de la réponse de Zizi ; bien au contraire, il paraissait ajouter absolument foi aux déclarations formelles du groom.

— Ma chère amie, commença-t-il, ce petit doit avoir raison...

Zizi hochait la tête et d'un air satisfait, il grommela :

— Probable, que j'ai raison, c'est pas des combines, ça, que de m'envoyer chercher des fleurs qui n'existent point... et d'abord...

Zizi s'interrompait net...

La baronne de Lescaux, interdite un instant par son attitude, profondément incorrecte, réagissait contre son émotion première ; d'un geste impératif elle désignait la porte au groom :

— Sortez ! ordonna-t-elle, je n'admets point qu'on me parle sur ce ton !

Et elle ajoutait :

— Vous verrez Désiré, le maître d'hôtel, qui vous paiera ce qui vous est dû.

« Allez-vous-en !...

Zizi se recula interdit...

— Ça y est ! pensait-il, j'ai trop fait le mariolle, on me fout dehors... après tout je né l'ai pas volé...

Il prenait cependant un air cafard pour demander :

— Madame la baronne ne veut donc pas me garder à son service ?

— Non, fit nerveusement Valentine, allez-vous-en ! partez immédiatement !...

Zizi tournait les talons, gagnait l'office, assez penaud.

Il lui était fort égal de quitter l'hôtel de la rue Spontini, où il s'ennuyait ferme, mais il éprouvait une certaine inquiétude à l'idée de la façon dont la mère la Gadoue prendrait la chose.

— Bah ! se dit-il, je vais voir la vieille tout à l'heure, et d'ici là, je trouverai bien une explication pour sortir blanc comme neige de cette affaire, et lui démontrer que ce sont mes singes qui sont des mufles !...

Cependant, Valentine, après le départ du groom, avait éprouvé une émotion considérable ; à son tour, elle allait et venait dans la pièce, énervée, furieuse, semblait-il.

Le docteur, maladroitement, insinuait :

— Vous avez peut-être eu tort, Valentine, de renvoyer votre groom, sous prétexte qu'il n'avait pas remonté les fleurs descendues par vos soins dans la cave ; il était très affirmatif cet enfant. Il prétendait qu'elles n'y étaient pas, qu'elles n'y ont jamais été...

— Et alors ? interrogea Valentine, qui s'arrêtait net, menaçant de son regard irrité le docteur Hubert.

— Et alors, fit celui-ci sourdement, j'en suis à me demander si, véritablement, Valentine, vous avez reçu ces fleurs noires... ou si elles n'existaient pas, plutôt, uniquement dans votre imagination...

Valentine sursauta ; ses lèvres se crispèrent, les muscles de son cou se tendirent. Elle proféra d'une voix saccadée, nerveuse ces mots :

— Vous n'êtes qu'un imbécile !

Brusquement, elle étouffa, ses yeux se révulsèrent, ses bras s'écartèrent, battirent sa poitrine, la jeune femme tombait en arrière et s'écroulait sur le sol, en proie à une effroyable crise de nerfs...

Une demi-heure plus tard, Valentine de Lescaux revenait à elle.

Elle était étendue sur son grand lit, dans sa chambre ; à son chevet se trouvaient non seulement le docteur Hubert, mais encore son mari, le baron de Lescaux, dont le visage était contracté, l'air anxieux au plus haut point.

— Comment vous sentez-vous, ma chère ?

— Mieux ! beaucoup mieux !...

La jeune femme parlait d'une voix faible, tremblante encore...

Elle faisait un effort, pourtant, se redressait, s'asseyait à demi sur son lit. Soudain, comme Valentine levait la tête, ses yeux fixaient, dans un angle de la pièce, un troisième personnage qui la regardait avec intérêt.

Quel était donc ce gros individu, à la figure joviale, aux traits rasés, au ventre débonnaire ?

En l'apercevant, debout au pied de son lit, il semblait bien que Valentine de Lescaux éprouvât une surprise colossale.

Elle ouvrait la bouche, comme pour s'informer, mais déjà le baron reprenait la parole.

— Votre oncle ! disait-il, vous voyez votre cher oncle Favier, Valentine, votre bon oncle !...

Hubert à cet instant, qui n'avait encore dit mot, ne pouvait se retenir d'une certaine surprise en écoutant le ton tout spécial dont se servait le baron de Lescaux.

On eût dit, en vérité, qu'il y avait une menace, un ordre presque, dans ses paroles !

Valentine pourtant se remettait rapidement. Le premier étonnement passé, elle faisait fête à son parent.

— Oncle Favier, excusez-moi ! je suis tellement bouleversée...

L'oncle Favier, avec un bon gros rire d'homme satisfait de son sort, se précipitait vers sa nièce.

Il serrait la jeune femme sur sa poitrine avec tendresse, cependant que son visage hâlé, ses lèvres rasées effleuraient ses boucles brunes...

— Valentine ! ma petite Valentine ! disait-il, quel plaisir de te revoir ! de te revoir encore plus jolie qu'au jour de ton mariage.

Tandis que Valentine s'évanouissait, une voiture s'était arrêtée, en effet, devant l'hôtel de la rue Spontini.

Deux hommes en étaient descendus, qui n'étaient autres que le baron de Lescaux et un gros personnage au visage jovial, à l'allure nettement américaine, l'oncle Favier, une demi-heure plus tôt arrivé à la gare Saint-Lazare par le train transatlantique.

Le riche célibataire déclarait à sa nièce qu'après une excellente traversée, en arrivant en France, il avait eu la satisfaction de trouver, à la descente du train, le mari de sa nièce, qui était venu le chercher.

— Ce brave de Lescaux ! s'était-il écrié, toujours jeune, mais bigrement engraissé, par exemple !...

Favier, certes, était beaucoup plus jeune que son neveu. C'était un homme de cinquante ans à peine, robuste et solide, accoutumé qu'il était à vivre au-dehors, bénéficiant de l'air pur et vif, réconfortant des grandes plaines du Far West dans lesquelles il possédait des élevages, auxquels il devait son immense fortune.

Lorsque les deux hommes étaient arrivés à l'hôtel de la rue Spontini, ils appreneient que Valentine était souffrante, qu'elle venait d'avoir une crise de nerfs mais que, par bonheur, le docteur Maurice Hubert s'était trouvé là, et qu'il la soignait...

Les premières effusions passées, et voyant Valentine hors de danger désormais, Favier, machinalement, tirait sa montre.

Il interrogea le baron de Lescaux :

— A quelle heure déjeune-t-on, chez vous ?

Le baron répliqua :

— Voilà déjà une bonne demi-heure que nous devrions être à table !...

— Vraiment ? fit l'oncle d'Amérique, eh bien, mieux vaut tard que jamais, qu'en pensez-vous ?

Le docteur intervint :

— Quoi qu'il m'en coûte de faire cette interdiction, je crois préférable que Mme de Lescaux ne descende pas à la salle à manger, elle n'est pas encore bien vigoureuse, et quelques heures de repos lui sont nécessaires... Ma chère amie, continua-t-il en s'adressant à Valentine, il vous faut le calme le plus absolu et si j'osais...

— Osez donc, docteur, reprit la jeune femme qui, désormais, semblait avoir perdu toute sa belle assurance et être résignée à obéir aux prescriptions du représentant de la Faculté.

— Eh bien, continua Hubert, enhardi par cette attitude soumise, je voudrais vous donner un avis, un conseil, c'est d'aller passer quelques jours... peut-être une semaine ou deux, à la campagne... vous avez besoin de repos.

— C'est sérieux ? interrogea le baron de Lescaux, ce que vous dites là ?

— Très sérieux, fit Hubert, et je voudrais même que la baronne s'en allât quelque part où elle n'aurait ni soucis, ni préoccupations... C'est pour cela que je ne lui suggère point de s'installer dans votre propriété, là-bas, dans l'Yonne, où elle aurait encore à faire œuvre de maîtresse de maison.

— Puis-je l'envoyer dans le Midi ? demanda le baron de Lescaux.

— Non, objecta encore Hubert, la saison y est trop avancée et d'autre part la vie mondaine de la Côte d'Azur serait contraire à l'existence nettement « végétative » que je recommande à ma malade...

— Où pourrait-elle bien aller ? se demandait le mari de Valentine qui, soudain, eut une inspiration.

« Au fait, disait-il, nous connaissons de braves gens, d'anciens gardes-chasse, qui sont, désormais, installés fermiers quelque part en Normandie, près du Havre...

Valentine, qui venait d'entendre ces mots, approuva immédiatement :

— Vous voulez parler, mon ami, de ces braves Duclos qui habitent au Grand-Terreux ?

— Précisément ! fit le baron de Lescaux.

Un clair sourire alors illumina le visage de Valentine.

— Ma foi, disait la jeune femme, je ne demanderais vraiment pas mieux que d'aller passer une huitaine chez eux. Ce sont de braves gens que j'aime beaucoup, et j'aurai grand plaisir à les revoir.

— C'est en effet très compréhensible, expliquait, au docteur, le baron de Lescaux. La femme de ce Duclos est une ancienne servante de la famille...

L'oncle Favier, concluait l'entretien.

— Eh bien puisque tout est arrangé, disait-il, allons déjeuner !

— Naturellement ! ajouta le baron de Lescaux en s'adressant à Hubert, vous déjeunez avec nous, docteur ?

Une heure plus tard les trois hommes achevaient leur repas, fort gaiement, n'ayant plus aucune inquiétude sur l'état de santé de la baronne.

Surexcité par l'absorption d'une excellente fine champagne, l'oncle Favier, tapant sur l'épaule de son neveu, déclarait même avec un gros rire :

— Donc, vous allez être célibataire, mon cher de Lescaux. J'espère que vous en profiterez pour m'aider à me débaucher. Voilà près de deux ans que je suis venu à Paris et, dame... je ne connais plus les bons endroits !...

Quelques heures plus tard, en un quartier bien différent, au ratodrome de l'avenue de Saint-Ouen, Zizi, l'ancien groom du baron de Lescaux, écoutait, sans plaisir, les instructions que lui donnait son extraordinaire connaissance, la Gadoue.

— D'abord, disait la vieille femme, répondant sans doute, à quelque objection que venait de lui faire le garnement, d'abord je ne te demande pas ton avis... et ensuite, je te promets que si tu marches droit, je te donnerai dans les vingt-cinq balles...

A cette promesse mirifique, les yeux de Zizi scintillaient :

— Ça c'est un argument ! reconnaissait le groom ; ça déciderait un aveugle à voir clair ! Et alors, la Gadoue, qu'est-ce qu'il est au juste le turbin que tu veux me refiler ?

La Gadoue baissa la voix !...

Elle avait depuis longtemps entraîné Zizi à l'écart, pourtant elle tenait à multiplier les précautions !

— Eh bien, voilà, commença la mégère, c'est pas sorcier, et ça ne donnerait pas la jaunisse à un Chinois ! tout simplement, je veux que t'ailles voir ton copain, le Loupiot... Celui-là dont tu m'as déjà parlé, et que, comme ça, en douce, sans avoir l'air de rien, tu zieutes, pour te renseigner, si la jeune demoiselle est toujours dans le hangar, si les Bucéphales de bois sont toujours remisés, là où tu les as vus ?

Zizi, à cet instant, semblait hésiter beaucoup.

— Des fois..., commençait-il...

Mais Zizi à l'instant même se taisait !

Péremptoire, la Gadoue venait de tirer de sa poche une pièce de cent sous et délicatement l'avait glissée dans la main du groom !

XV

La colère de Fantômas

Trois jours plus tard, par une nuit d'encre, où des nuages épais dansaient, à ras du sol, une sarabande effroyable, sous la poussée d'un vent de tempête, à l'ombre d'une ruelle, déserte, solitaire, où l'on n'entendait guère que le clapotis d'un ruisseau dévalant des hauteurs de Montmartre, et sautant aux pavés de la chaussée, un groupe de personnages mystérieusement vêtus de noir, se réunissait furtivement.

Ils étaient là quatre ou cinq, tout au plus...

Ils s'accolaient aux murailles comme avec l'envie de se dissimuler mieux encore. Ils parlaient bas, ne faisaient point de gestes. C'était à peine si, de temps à autre, une exclamation étouffée, retentissait...

Quels étaient ces gens ?

Pour quel sombre dessein se réunissaient-ils ainsi, à pareille heure, il était tout près de minuit, en un pareil endroit, sur le versant de la Butte, où s'élèvent des masures de chiffonniers, des roulottes de saltimbanques, où s'agite toute une population à mœurs douteuses, à aspect effrayant !

Il y avait là tout simplement la Gadoue, vêtue d'un gros paletot dont le collet remonté dissimulait presque son visage, Bec-de-Gaz, qui, habillé d'une courte veste de plombier, tremblait de tous ses membres, à moitié gelé, Œil-de-Bœuf enfin, qui de temps à autre, grommelait des paroles incompréhensibles, il y avait là encore un autre personnage dont la main semblait serrer quelque objet lourd, puissant, de forme carrée, et longue...

Or, après avoir avancé quelques instants, descendu la ruelle en prenant les plus grandes précautions, et, sans trop se parler, ces personnages s'arrêtaient net, se groupaient autour de la Gadoue.

L'horrible femme venait de tousser discrètement.

— Radinez voir les aminches, commençait-elle. Maintenant on est juste au juste, à cent mètres à peine de la tôle où l'on va fricoter... Sur ce, attention à la manœuvre ! Ah !... autre chose !... T'as ton lingue, Bec-de-Gaz ?

Bec-de-Gaz, à cette demande, se contentait de hausser les épaules, de façon fort ironique :

— Probable ! répondit-il, je ne sors pas sans mes défenses, moi !

— Eh bien, tu peux l'ouvrir dans ta profonde, rapport à ce que, si des fois, y avait du vilain...

— Suffit ! affirma Bec-de-Gaz, moins rassuré peut-être qu'il n'en avait l'air...

La Gadoue, cependant, jetait des regards inquiets de tous côtés.

— C'est l'heure, murmurait-elle, et pourtant, vrai Dieu, j'entends pas la roulante ?

Tous alors restaient silencieux, l'oreille tendue, épiant le grand silence de la nuit...

On n'entendait rien, en effet, rien que le sifflement des rafales de vent, le crépitement de la pluie, qui, à grosses gouttes, s'était mise à tomber, grêlant sur les façades des maisons, cinglant au visage des nocturnes rôdeurs...

La Gadoue reprit :

— J'y avais dit d'être là, à douze plombes très exactement, or, ça vient de sonner... Y ne peut pas être loin... si, toutefois, sa rossinante ne s'est pas clamsée en chemin !...

Le groupe prêta encore l'oreille. Tout proche un grondement, comme un bruit de tonnerre, retentissait :

— Ça, c'est l'autobus de la rue Ordener, expliqua la Gadoue. C'est le dernier... on sera tranquilles.

Puis, soudain, la mégère se frottait les mains :

— Ça y est ! j'entends l'hippique !...

L'autobus éloigné, on percevait en effet, de façon assez distincte, le trottinement lent et fatigué d'un cheval qui s'avançait. Il y avait encore un bruit de ferraille heurtée, qui annonçait que ce n'était point une voiture de maître qui approchait, mais bien un fiacre, une invraisemblable guimbarde...

— V'là le colignon ! commença la Gadoue. Œil-de-Bœuf, puisque t'en es, décidément, va-t'en voir au coin si c'est bien lui... et qu'il se tienne prêt, hein ?

Œil-de-bœuf disparut dans l'ombre ; il revenait quelques instants après :

— C'est le monsieur ? interrogea la Gadoue.

— Oui ! affirma Œil-de-Bœuf. C'est le livreur !

— Alors... Tout va bien...

La Gadoue, quoiqu'elle eût dit que « tout allait bien », paraissait cependant hésiter...

— Maintenant, reprenait-elle, faudrait voir à voir à ne pas faire de gaffes... le môme dont je vous ai parlé doit m'attendre à l'autre coin de rue. Il ne sait pas de quoi qu'il retourne, et pourtant nous avons besoin de lui. Donc, méfiance !... Vous autres, suivez-moi à vingt pas derrière...

La Gadoue, à ces mots, se reprenait à marcher.

Elle allait vite, à grandes enjambées, et, de temps à autre, elle vérifiait si ses acolytes, respectueux de la consigne qu'elle venait de leur donner, l'accompagnaient ainsi qu'elle le leur avait enjoint, à une certaine distance.

La Gadoue avança de la sorte dans la nuit, pendant près de dix minutes.

La ruelle dans laquelle se passait cette scène était une ruelle infâme, bordée d'un côté par des terrains vagues, et de l'autre, par des hauts bâtiments, de grands hangars semblait-il, où ne brillait nulle lueur, où personne ne devait veiller.

Cette ruelle aboutissait brusquement à la rue Championnet. C'était vers le coin de cette rue que la Gadoue se dirigeait.

Or, la mégère atteignait à peine la voie passagère qu'elle se prenait à siffler doucement...

Et il y avait quelques secondes, tout juste, qu'elle sifflait ainsi, que, de l'ombre voisine, un nouveau personnage sortait qui s'avançait les deux mains dans les poches, se dandinant sur les hanches, et ne prenant lui, assurément, aucune précaution pour ne point faire de bruit.

— Ah ! vous v'là enfin, mère la Gadoue ! commençait-il d'une voix tonitruante, en s'approchant de la mégère. Eh bien ! vous savez, c'est pas trop tôt ! je commençais à me faire vieux, moi, à poireauter après vous ! Aussi bien, nom d'un chien, c'est pas des heures, ni des endroits pour flanquer des rendez-vous ! Qu'est-ce que vous m'voulez, encore ?

La Gadoue avait fait quelques pas à la rencontre de l'arrivant...

Brusquement elle se penchait sur lui :

— Tais-toi, Zizi, nom de Dieu ! Ne fais pas tant de potin et suis-moi ! Zizi ?

Était-ce donc bien le groom que la mégère venait de rencontrer ?

Zizi, car c'était lui, avait en effet mystérieusement reçu, un jour auparavant, l'ordre de la Gadoue d'avoir à se trouver ce soir-là au coin de la rue Championnet à minuit...

Cet ordre avait été accompagné d'une promesse d'argent, et Zizi, naturellement, s'était empressé d'y déférer.

— A coup sûr, s'était dit le gosse, la Gadoue trafique quelque chose de pas propre, mais moi, ma foi je m'en fous ! je ne ferai rien de mal... donc je peux toujours aller voir...

Au moment cependant où la Gadoue l'abordait, par cette glaciale nuit de tempête, Zizi se sentit moins rassuré.

— De quoi ? faisait-il en essayant, d'une secousse de se dégager de l'étreinte de la Gadoue car celle-ci l'avait empoigné par le bras ; de quoi ? où voulez-vous que je vienne ? et pourquoi faut-il pas que je fasse du potin ?

Le gosse, hélas ! pouvait essayer de se débattre. Comme pris par une tenaille, il se sentait saisi par la Gadoue...

L'horrible femme le tenait par le poignet, le tirait vers l'ombre de la ruelle.

— Viens ! répétait la Gadoue, je ne veux pas être vue ! viens par là...

Il fallait bien que Zizi obéît...

— Bon, faisait-il, mais lâchez-moi, je me trotte derrière vous... quoi !

La Gadoue ne le lâchait pas...

— Alors, je suis prisonnier ? commença Zizi.

La Gadoue serra plus violemment son poignet, Zizi sentit les ongles de la mégère s'incruster dans sa chair.

— Bon Dieu, vous me faites mal !

Il n'eut pas, cette fois, le temps d'ajouter un mot...

La Gadoue venait de tousser...

Et alors que Zizi ne s'y attendait point, de la ruelle sombre, des silhouettes d'hommes surgissaient, qui se jetaient sur lui, qui l'empoignaient, qui l'immobilisaient presque.

Le groom se vit perdu.

— Ah ! nom d'un chien ! pensa-t-il, la Gadoue va me faire un mauvais parti !

Mais il se trompait...

Tandis qu'une peur affreuse l'affolait, Zizi, qui instinctivement fermait les yeux et ne se débattait plus dans la crainte de s'attirer quelque mauvais coup, sentit qu'on posait quelque chose de froid sur son front.

Lentement, la Gadoue parlait alors.

— Zizi, disait l'affreuse femme, il ne s'agit pas de rouspéter, si tu gueules, si tu cries, si tu veux t'échapper, je te brûle... As-tu compris ?

Zizi comprenait d'autant mieux, qu'il devinait qu'un revolver s'appuyait sur son front.

— Bon Dieu, qu'est-ce que vous me voulez ? râla-t-il encore...

La Gadoue reprit :

— Tu vois cette échelle ? tu vas y monter... En haut tu te trouveras dans le grand grenier abandonné de la Compagnie des omnibus... Les copains vont te suivre... Tu les mèneras jusqu'à la tôle où est bouclée la poule que retiennent le Bedeau et la Toulouche... C'est tout ce qu'on te demande... Quand t'auras montré où elle est, tu pourras te débiner... Tu marches, hein ?

Certes Zizi, à cet instant, comprenait fort bien ce que voulait la Gadoue.

— Bon sang de bon sang ! songea le malheureux groom, dans quelle fichue affaire me suis-je fourré ? Ah ! bien, on m'y reprendra à raconter des histoires à la Gadoue !...

Mais il n'y avait pas à reculer.

La Gadoue le secouait toujours d'importance, en demandant :

— As-tu compris ? Veux-tu marcher, nom d'un chien ? ou je te crève ?...

Zizi, sans hésiter, décida d'obéir.

— Très peu pour moi de me faire claquer ! pensait-il, je vais toujours monter dans le grenier... après je me débinerai...

Il faisait noir, encore plus noir qu'une minute avant, car la pluie redoublait de rage.

Zizi, dont les yeux papillotaient, vit soudain droit devant lui un rond de lumière. Une lanterne sourde, brusquement démasquée, éclairait les premiers degrés d'une échelle. La Gadoue poussa le groom.

— Monte, bon sang ! et grouille !

Zizi s'assura, d'un coup d'œil encore, qu'il était inutile de vouloir fuir. Des silhouettes tragiques l'entouraient...

A la lueur de la lanterne, quelque chose de brillant scintillait qu'il identifia pour la lame d'un poignard...

— Mince ! commença Zizi, dont les dents claquaient.

— Monte ! répéta encore la Gadoue.

Alors, Zizi monta...

L'échelle qu'il gravissait pliait d'abord sous son poids, pliait encore sous le poids de ceux qui le suivaient...

En grimpant, Zizi se retourna.

La lueur de la lanterne sourde l'accompagnait dans son escalade. Elle était évidemment portée par l'un de ceux qu'il devait guider...

— Dépêche-toi, sale môme ! Allez ! hardi !

— Si tu te débines, je te flanque mon couteau dans la nuque.

Zizi, derrière lui, entendait des menaces. La peur le talonnait, il grimpait avec une agilité surprenante...

En haut de l'échelle, Zizi trouva un trou noir, une fenêtre, dont les vitres étaient cassées, qui donnait sur un vaste grenier.

Zizi entra dans le hangar.

Là-dedans, en cet énorme préau, cela fleurait encore la bonne odeur du foin et de l'avoine... Le grenier était vide, silencieux, effroyable...

— Te reconnais-tu ? interrogea une voix.

Zizi n'hésita pas :

— Oui ! le Loupiot m'a fait passer par là...

— Dépêche-toi, alors, conduis-nous...

Ce fut une promenade, une expédition insensée, qui commença alors. Zizi, suivi de trois individus dont il ne pouvait pas même voir les visages, car, prudemment, la lanterne sourde était à demi fermée, dut chercher son chemin, à travers les énormes et déserts bâtiments...

Lorsqu'il avait connu le Loupiot, lorsque celui-ci l'avait mené, par vantardise d'enfant, vers le réduit où était, en effet, retenue prisonnière une jeune fille, Zizi n'avait guère fait attention à la route suivie...

Aussi, maintenant, une angoisse terrible le tenaillait de se tromper, de ne point retrouver la cellule de la prisonnière.

— Si je les fous dedans, pensait Zizi, ils me crèveront !

Le groupe descendit des escaliers tortueux, suivit des cours désertes, remonta en d'autres étages. Brusquement, Zizi fit déboucher ses compagnons dans un nouveau grenier :

— Attention ! commandait-il, si la Toulouche et le Bedeau sont là...

Mais quelqu'un lui coupa la parole :

— T'occupe pas ! On les a éloignés ! Avance tout droit vers la poule...

Ils marchèrent encore quelques minutes. Zizi désignait enfin une soupente, fermée de quelques grosses planches.

— C'est là qu'elle est ! commença le groom.

Il allait ajouter d'autres détails : il n'en eut pas le temps !

Le malheureux Zizi, après avoir désigné la soupente, tombait brusquement sur le sol, aux trois quarts mort, assommé par un formidable coup de poing qui l'atteignait à la nuque !

Du temps avait passé...

Par les fentes du toit du grand grenier, une aube livide et sale commençait à s'insinuer en raies de lumière blafarde.

Zizi, qui demeurait étendu sur le sol, se releva, fort étonné de se trouver là.

— Ah ça ! murmurait le groom, où suis-je ?...

Puis la mémoire lui revenait :

— Ah ! zut alors ! Je me souviens !

Devant lui, la soupente apparaissait...

Le groom y courut...

Elle était vide !

— Enlevée ! commença-t-il. Ah ! sapristi !... et ils ont dû me laisser pour mort ! Ah ! les salauds !...

Zizi, un instant devant la petite pièce vide, demeurait immobile, muet de stupeur.

Soudain le groom renifla :

— Mais nom d'un asticot ! jurait-il, on dirait que...

Il humait l'air... il écoutait...

Un ronflement net distinct, un puissant ronflement parvint à ses oreilles.

— Bon ! qu'est-ce qu'il y a encore ?

Zizi sortit de la soupente, résolu à fuir...

Hélas ! comme il regardait à l'extrémité du grenier, un cri s'échappait de sa poitrine.

— Le feu ! l'incendie ! Ils ont foutu le feu au bâtiment !

Une peur affreuse le prit alors.

Perdu dans l'immense dépôt abandonné des omnibus de la rue Championnet, Zizi se rendit compte qu'il n'avait aucune chance d'être sauvé si, d'aventure, l'incendie l'empêchait de fuir...

— Mais je vais griller vif ! hurla-t-il.

Le feu avait dû couver longtemps, d'ailleurs, car il jaillissait maintenant avec une soudaine intensité...

Le plancher devenait brûlant, une fumée âcre tourbillonnait dans le grenier.

— Je... je ne peux plus passer ! râla Zizi.

Il avait couru jusqu'à l'une des sorties du grenier, il rebroussa chemin et, terrifié, s'élança d'un autre côté...

Or, tandis que Zizi courait ainsi, perdant la tête, plus mort que vif, brusquement, devant lui, à moins de vingt pas, une silhouette fantastique surgissait.

C'était celle d'un homme vêtu d'un maillot noir, les traits masqués d'une cagoule noire qui, avec une impétuosité folle, sans s'occuper des flammes tourbillonnant autour de lui, s'élançait vers la soupente en hurlant les appels désespérés :

— Hélène ! Hélène! où es-tu ? ma fille ! mon enfant ! me voilà ! Le Bedeau ! la Toulouche !... Ah ! je me vengerai !...

L'inconnu, brusquement, aperçut Zizi :

— Loupiot ! hurla-t-il, se trompant évidemment, où est Hélène ?

Zizi affolé cria :

— Partie ! volée !... emportée de force...

Or, comme il disait ces mots, l'homme à la cagoule s'arrêtait...

— Volée ? demandait-il d'une voix qui tremblait, emportée de force... tu mens ! c'est fou ! elle est là ! là... dans l'incendie !...

Il se rejetait en avant...

Et à cette minute, Zizi, soudainement, comprenait ce qui avait dû se passer...

Assurément, c'était la jeune fille ravie par la Gadoue que cet inconnu vêtu de noir voulait arracher aux flammes.

Cette prisonnière, c'était sa prisonnière...

Si la Gadoue l'avait ravie, c'était que la mégère était l'ennemie de cet inconnu !

Et encore une pensée terrifiait Zizi.

Cet homme, qui était vêtu d'un maillot noir, dont les traits se voilaient d'une cagoule noire, qui était-ce ?

Qui pouvait-il être ?

Oh ! la silhouette était légendaire ! Zizi, trop de fois, avait lu dans les journaux les récits fantastiques des horribles drames qui désolaient le monde entier, pour pouvoir s'y tromper...

Ce nom d'ailleurs que cet inconnu criait était une révélation...

Il appelait Hélène !

La jeune fille que la Gadoue avait volée se nommait Hélène !
Mais Hélène ?... c'était le nom de la fille de Fantômas !
C'était donc Fantômas qui était devant lui ?

Épouvanté, un instant, incapable de faire le moindre mouvement, Zizi contempla la fantastique scène qui se déroulait alors.

L'homme au maillot noir, l'homme à la cagoule, s'était précipité en avant.

Il franchissait d'un bond la barrière de flammes qui le séparait de la soupente, maintenant vide.

A la lueur rougeoyante de l'incendie, Zizi vit qu'il se tordait les mains...

Et, avec un inexprimable accent de désespoir, le groom entendit qu'il hurlait :

— Ma fille !... Hélène !... C'est Hélène que l'on vient de me voler !...

Puis, brusquement Fantômas, car Zizi n'hésitait pas, l'inconnu ne pouvait qu'être Fantômas, semblait se ressaisir.

— Misérables ! hurlait-il. Ah ! vous me payerez de votre vie la torture où vous me mettez aujourd'hui !... Hélène !... Hélène ! je te vengerai !...

Puis, Fantômas à nouveau traversait les flammes.

Ses vêtements par endroits se couvraient de flammèches, le pan de sa cagoule prenait feu...

— Toi ! hurlait-il en bondissant vers Zizi, tu vas mourir ! Tu vas commencer par payer pour les autres !...

— Ce qu'il y a d'épatant, c'est que quand on a soif le vin blanc, n'importe lequel, paraît absolument exquis ! Allons ! encore un coup et débinons-nous !...

Zizi vidait consciencieusement son verre, jetait treize sous, montant de son repas, sur la table du mastroquet où il venait de dîner puis, délibérément, enfonçant son chapeau sur ses oreilles, gagnait la rue, tout joyeux, fort rasséréné.

Comment Zizi avait-il échappé à Fantômas ?

Comment était-il sorti de l'effroyable incendie qui jetait des flammes si gigantesques que toute la matinée Paris n'avait point parlé d'autre chose que de cette tragique catastrophe ?

Le groom eût été en peine de le dire !

Au moment où Fantômas s'élançait vers lui il n'avait plus eu qu'une idée, celle de fuir, d'échapper, coûte que coûte, à la furie du monstre.

Comme un fou, au hasard, Zizi s'était alors précipité hors du grenier.

Il avait traversé des barrières de flammes, suivi des corridors où l'air était irrespirable...

La peur lui donnait alors des ailes, l'effroi le douait d'une agilité extraordinaire.

Zizi, parmi les bâtiments enflammés, avait fui longtemps. Il croyait toujours entendre à quelques pas de lui Fantômas se précipiter...

Quand l'asphyxie le prenait, quand des tourbillons de flammes l'aveuglaient, la pensée qu'il allait tomber aux mains de Fantômas, tant il est vrai que l'instinct de la conservation fait des miracles, suffisait à le pousser en avant...

Et c'était après vingt minutes d'une course aussi folle que désespérée que brusquement Zizi avait débouché dans une grande cour, sauté une palissade puis était retombé dans un terrain vague.

Il était sauvé !

Zizi alors avait repris haleine. Plus calme, il s'était remis à marcher. Il avait gagné les rues avoisinantes où la foule s'amassait déjà, commentant l'incendie qui faisait rage.

Mais l'incendie, désormais, était bien le dernier des soucis de Zizi !

L'extraordinaire gamin de Paris, à peine échappé au plus horrible des dangers, retrouvait, en effet, toute sa froide insouciance de gavroche...

— Ah mais ! ronchonnait alors le groom, ça ne se passera pas comme ça ! Non ! très peu !... Si la Gadoue pense que je ne me vengerai pas, moi... elle se fourre le doigt dans l'œil ! Non seulement elle m'a fait assommer, mais encore elle a voulu me faire rôtir... et, de plus, j'ai risqué de faire connaissance avec Fantômas... Ça n'est plus du jeu !...

Et toute la matinée Zizi avait erré au hasard, réfléchissant, cherchant comment « se venger ».

A midi, il déjeunait dans un bistro du quartier de l'Étoile, maintenant, à grands pas, il se dirigeait vers la rue Spontini.

— La Gadoue, en somme, venait de décider Zizi, a fait espionner mon ancienne patronne, Valentine de Lescaux. Donc, pour me venger d'elle, j'ai un moyen bien simple ; je m'en vas tout débiner à mon ancienne baronne. Probable qu'il y aura du mauvais pour cette sacrée mégère !...

Rue Spontini, cependant, Zizi perdait beaucoup de son assurance...

Il avait à peine franchi la grille du jardin qu'il songeait, en effet, à toute la difficulté qu'il allait vraisemblablement avoir à être mis en présence de Valentine de Lescaux.

— Pour sûr, estima Zizi, je m'en vas me cogner dans Désiré et Désiré me fichera à la porte !...

Voulant autant que possible éviter cette extrémité, au lieu de se diriger vers l'entrée habituelle des domestiques, Zizi longea la cour, gravit un perron, et, par une porte-fenêtre, s'introduisit directement dans un petit salon-boudoir où se tenait d'ordinaire Valentine.

— Si j'ai de la chance, songeait le groom, à cette heure-ci, je m'en vais trouver la patronne en train d'écrire son courrier...

Mais Zizi n'avait pas de chance !

Le petit salon était vide, Valentine de Lescaux n'était pas là.

— Bon Dieu ! que faire ? se demanda alors Zizi.

Il regardait machinalement les meubles de la pièce où il se trouvait. Soudain, ses yeux brillèrent...

Sur une petite table, à côté d'une paire de gants et d'une orchidée, évidemment préparée pour la boutonnière, une bourse en or était posée.

— Mince de reluisant ! estima Zizi. Et quand je pense que moi j'suis fauché...

Sans mauvaise intention, par curiosité, le groom s'approcha de la table, prit la bourse, la soupesa...

— Avec ça, supputait-il, j'pourrais vivre pendant deux mois ! Ah ! nom d'un chien !

La bourse dans sa main, Zizi maintenant hésitait...

Il était fasciné par l'idée d'un vol facile...

— Après tout, ici on m'a fichu à la porte sans que j'aie rien fait de mal... et même...

Dans l'hôtel, à quelque distance, une porte claqua.

— Bon ! on vient ! se dit Zizi en tressaillant...

Il oubliait à ce moment tout à fait pourquoi il était là, qu'il voulait se venger de la Gadoue, qu'il entendait dénoncer à Valentine de Lescaux l'espionnage dont elle avait été victime...

Non ! à cette minute, Zizi ne savait plus qu'une chose, ne voyait plus qu'une chose, c'est qu'il avait une bourse d'or dans la main, et que cette bourse représentait une fortune pour lui !

Des pas s'approchaient cependant...

— Je vais être pris ! se répéta Zizi...

Et, brusquement, il se décidait.

Zizi ne résistait pas à l'horrible tentation !

Il prenait la bourse, il traversait la pièce en courant, se jetait dans le jardin désert...

— Tant pis ! murmurait le groom, j'ai trop de malheurs, aussi, moi, depuis quelque temps ! Tout s'acharne contre moi... et pourtant, jusqu'ici, je n'ai rien fait de mal ! Bon ! je commence ! Me v'là voleur !

XVI

Le cavalier de la peur

A peine avait-il franchi la grille clôturant le jardinet de l'hôtel de la rue Spontini, que Zizi s'empressait, serrant la bourse dérobée contre sa poitrine, de s'enfuir au plus vite.

— Pas sain pour moi, l'air du quartier ! pensait-il, le bois de Boulogne, ça ne me vaut rien... c'est trop humide !...

Et s'encourageant de la sorte, il galopait, au hasard, tournant des ruelles, enfilant des rues de traverse, cherchant à brouiller sa piste, au cas improbable où on le poursuivrait...

Bientôt pourtant, Zizi s'estimait hors de danger.

— Et voilà ! se dit-il, alors, en recommençant à déambuler d'une marche moins rapide. En chopant cette bourse, j'ai évidemment assuré ma matérielle pour quelque temps. Mais, d'autre part, je me suis fichu dans une telle situation qu'il serait bigrement imprudent pour moi d'aller désormais rendre visite à Valentine de Lescaux ou à son mari...

Zizi était furieux, car il avait la rancune obstinée et tenait à se venger de la Gadoue et du danger terrible que la vieille femme lui avait lâchement fait courir...

Zizi, brusquement, rebroussa chemin.

— Oh ! oh ! pour une idée, c'est une idée, monologuait-il. Puisque je ne peux plus voir le baron et la baronne, c'est-à-dire le mari et la femme, eh bien, j'irai voir l'amant !... Ou je me trompe fort, ou il va faire plutôt une sale tête le nommé Maurice Hubert !...

Zizi entra dans un bureau de poste. Avec une belle tranquillité d'âme, il s'occupait de découvrir l'adresse du Dr Maurice Hubert. Cela n'était pas difficile. Le premier annuaire venu du téléphone renseignait Zizi et le groom se rendait chez le médecin.

Mais Zizi, bien entendu, ne commettait point la faute de demander directement à parler au docteur Hubert. Il ne se vantait pas non plus d'avoir été mis à la porte de chez Valentine de Lescaux, encore moins d'y avoir volé une bourse...

Tout au contraire, il mentait effrontément au valet de chambre du jeune docteur qui s'informait de ce qu'il désirait :

— C'est rapport à une commission ! Est-ce que je pourrais voir M. le docteur ?

Cette requête faisait que Zizi était immédiatement reçu par le jeune homme. Mais à peine Zizi était-il seul en face de Maurice Hubert que son attitude changeait. Elle était restée respectueuse jusqu'alors, elle devenait franchement insolente.

— Qu'est-ce que tu veux, petit ? questionnait le médecin, reconnaissant le jeune domestique de Valentine.

— Des explications ! riposta Zizi, et des fameuses, encore ! Monsieur le docteur, je ne suis pas content après vous !...

La déclaration était si inattendue que Maurice Hubert fut abasourdi.

— Qu'est-ce que tu racontes ? demandait-il

Mais Zizi était furieux. D'un grand signe de la main il interrompit Maurice Hubert.

— Oh ! ça va bien ! faisait-il, monsieur le docteur, faut pas faire le Croque-mitaine avec moi ! d'abord on est en république ! Ensuite, j'ai pas peur ! Enfin, vous êtes amoureux et ça fait que je vous pardonne bien des choses...

De l'ahurissement, Maurice Hubert passa à l'incompréhension absolue...

— Je suis amoureux ? répétait-il, nous sommes en république ?... Mais, tu es fou, mon garçon ?

— Possible ! ripostait Zizi ; mais j'aime pas qu'on me le dise ! Et puis, si je suis fou, vous êtes un salaud ! voilà !...

Cette fois, Maurice Hubert bondit sur le groom et le secoua d'importance :

— Mais, sacré petit, grommelait-il, qu'est-ce qui te prend ?...

— Rien ! riposta Zizi. Vous bilez pas comme ça : c'est une crise de franchise que j'ai !...

Et, échappant à la poigne du docteur, Zizi, bondissant derrière un fauteuil, déclarait :

— Parfaitement ! vous êtes un salaud ! Ce n'est pas chic d'avoir payé la Gadoue pour que je lui débine tous les trucs ! C'est pas des procédés d'amoureux, ça, c'est des façons de mouchard ! Et puis, la Gadoue, c'est encore du propre ! Un peu plus, midi cinq au lieu de midi moins le quart, et j'étais chopé, pour avoir volé l'autre demoiselle ! Monsieur le docteur, c'était de votre faute ! Voilà !...

Or, la terre se fût écroulée sous ses pas, les flammes d'un volcan eussent envahi son paisible cabinet de travail, que le docteur Hubert n'eût pas été plus surpris...

— La Gadoue ? répétait-il, qu'est-ce que c'est que cela ? Qui est-ce, l'autre demoiselle ? Pourquoi aurais-tu été pris à midi moins cinq au lieu de midi moins le quart ?...

— Des façons de parler ! répliqua Zizi. Assoyez-vous, mon prince, voilà tout le truc. Vrai de vrai, je vais vous dire ce que je sais, mais faut me donner votre parole d'honneur de me répondre avec franchise. Ça colle-t-y ?

L'argot du groom, du groom bien stylé qu'il avait vu chez Valentine et qui semblait subitement devenu un apache, l'attitude de Zizi, ses affirmations incompréhensibles, tout cela indiquait à Maurice Hubert qu'il s'était évidemment passé quelque chose de bizarre, qu'une aventure nouvelle venait d'avoir lieu et que, par conséquent, il fallait être patient et ne pas jeter immédiatement à la porte son interlocuteur. Il s'assit donc tranquillement et demanda :

— Parle ! raconte tout ce que tu veux ! Jusqu'à présent je ne comprends rien à ce que tu dis. Tâche d'être clair ! Allons ! va ! je t'écoute.

Et Maurice Hubert écoutait en effet l'étrange réquisitoire que Zizi, avec un aplomb infernal, dressait contre lui !

Le groom expliquait à Maurice Hubert qu'il était certain que la Gadoue était en réalité chargée par le jeune docteur d'espionner Valentine de Lescaux. Il ne cachait pas que lui-même avait renseigné la Gadoue. Il ne dissimulait point davantage le rôle équivoque qu'il avait joué, bien involontairement d'ailleurs, lors de l'enlèvement de la demoiselle des Bucéphales de bois. Il disait enfin, redevenu poli :

— Voyez-vous, monsieur Hubert, je veux bien croire que tout ça ce n'est pas de votre faute, mais enfin vous avez eu tort de charger une bonne femme comme la Gadoue d'épier Mme la baronne Valentine de Lescaux. Des choses comme ça, ça ne se fait pas !... Vous lui en dites trop aussi... Elle sait tout ce qui se passe à l'hôtel de la rue Spontini... C'est donc que vous la renseignez...

Or, à ces mots, Maurice Hubert éclatait ;

— Mais, bougre de nom d'un chien, hurlait-il, je n'ai jamais fait pareille chose ! Je ne connais pas la Gadoue, moi ! J'ignore absolument les louches trafics de cette femme ! Je ne suis pour rien dans tout ce qui se passe...

Et c'était au tour de Zizi de ne plus comprendre !

Si la Gadoue n'était pas en effet à la solde d'Hubert, qui donc l'employait ? Et si le docteur ne la connaissait pas, qui donc la renseignait sur les de Lescaux ?

— Monsieur Hubert, déclara Zizi, après avoir médité, ce que vous dites peut être vrai mais peut être faux ! moi j'en sais rien ! Mais il y a quelque chose de sûr, c'est que la Gadoue trafique des choses pas propres contre mon ancienne patronne ! Donc si c'est vrai que vous avez le béguin pour Mme Valentine, vous feriez bien de tirer tout cela au clair... Voulez-vous voir la Gadoue ?

Maurice Hubert n'hésita pas...

Depuis quelques instants, d'ailleurs, le jeune praticien réfléchissait aux étranges déclarations que lui faisait Zizi et plus il y réfléchissait, plus il lui apparaissait que l'attitude du groom était surprenante, équivoque même.

— Il faut en effet que je tire cela au clair ! pensait Maurice Hubert. Tout fait préjuger qu'en réalité il se trame, dans l'ombre, contre Valentine une mystérieuse machination... D'ailleurs quelle est cette autre jeune femme ?...

Maurice Hubert répondit à Zizi :

— Oui ! je veux voir la Gadoue ! Tu vas me mener vers elle... et tâche de filer droit...

Maurice Hubert se levait. Il passait dans sa chambre pour s'habiller, glissait dans sa poche un revolver, puis revenait trouver Zizi qui commençait à se demander comment toutes ces aventures allaient finir...

— Où allons-nous rencontrer cette femme ? interrogea Maurice Hubert.

— A un ratodrome... Je vais vous mener...

Zizi conduisait en effet Maurice Hubert au ratodrome où il avait coutume de rencontrer la Gadoue. Mais il se trouvait que la Gadoue n'y était pas, cela surprenait Zizi, cela n'étonnait qu'à moitié Maurice Hubert qui, dans le fond de son âme, jugeait que le groom avait dû se moquer de lui, et, peut-être, cherchait à l'entraîner dans un guet-apens...

— Eh bien, interrogeait de minute en minute le docteur, où est-elle cette mystérieuse bonne femme ?

— Pas encore là ! répondait Zizi ; attendons...

Mais comme, pour la vingtième fois peut-être, Maurice Hubert questionnait le groom, il s'apercevait que celui-ci n'était plus à ses côtés ! A la faveur d'une bousculade qui s'était produite parmi les habitués du ratodrome, Zizi s'était éclipsé...

Zizi, en effet, s'était parfaitement rendu compte que le docteur Hubert le considérait soupçonneusement, Zizi pensait bien que l'absence de la Gadoue allait faire la plus défavorable impression sur l'esprit de son compagnon. Et, sans hésiter davantage, Zizi avait décidé de faire une prudente retraite !

— Somme toute, s'était dit le groom, j'ai chopé la bourse en or de Valentine... faudrait donc pas trop attirer l'attention sur moi ! Se venger c'est bien, mais se faire choper c'est bête !...

— Vous ne voulez pas un bol de lait, madame Valentine ?

— Merci, Thérèse, ce n'est pas la peine de vous déranger...

— Oh ! ça ne me dérange pas, madame Valentine !... Et justement on vient de traire la Noiraude, si cela vous fait plaisir...

— Eh bien ! je ne dis pas non.

— Alors je vous monte tout de suite une bonne jatte.

L'élégante Valentine de Lescaux était depuis quatre jours installée en pleine Normandie à dix kilomètres du Havre, en rase campagne, au Grand-Terreux, dans une maisonnette bâtie sur la route qui joint Le Havre à Fécamp et qui sert de relais pour la poste aux chevaux, en même temps que d'auberge pour les rouliers qui passent là en grand nombre.

Comment Valentine était-elle là ?

Le docteur Maurice Hubert, effrayé de la nervosité de la jeune femme, effrayé aussi des aventures qui se multipliaient dans son entourage à Paris, avait vivement insisté auprès du baron de Lescaux pour que Valentine prît un peu de repos. Toutefois, le jeune homme n'avait pas voulu pour elle du repos factice que l'on peut goûter dans les plages à la mode, dans les villes d'eau en vedette, voire dans les hôtels confortables.

— Ce qu'il faut, avait déclaré Maurice Hubert, c'est le vrai repos, le grand repos, le repos total que l'on peut goûter en plein champ, là où les journaux arrivent avec deux jours de retard, là où il n'y a pas de Parisiens, là où il n'y a pas de villes !

Il se trouvait précisément que le baron de Lescaux connaissait au Grand-Terreux Louis Duclos, propriétaire du mastroquet, vaguement garde-chasse, un peu fermier aussi et il savait que le brave homme, un ancien cocher qu'il avait employé jadis, ne demandait pas mieux que d'hospitaliser sa femme, de la recevoir à titre de pensionnaire.

De fait, Valentine avait trouvé au Grand-Terreux, dans la maison simple mais proprette de Louis Duclos, l'accueil le plus cordial, les soins les meilleurs.

Thérèse, la jeune femme de Louis Duclos, une pimpante Normande qui n'avait pas froid aux yeux quand il s'agissait de verser des bolées de cidre aux marins qui passaient, en bombe, s'était prise d'une véritable affection pour elle. Valentine n'était pas soignée comme eût pu l'être simplement une étrangère, payant un bon prix la location d'une chambre modeste ; on la dorlotait, on avait des inventions ingénieuses pour l'entourer de mille prévenances et cela, si simplement, si tranquillement, que l'on sentait qu'il était tout naturel pour les Duclos d'être bons, d'être cordiaux, de s'empresser à faire plaisir.

Le séjour en Normandie faisait d'ailleurs à Valentine le plus grand bien. La jeune femme avait bonne mine maintenant, dormait d'un sommeil sans rêves, mangeait d'un robuste appétit. Elle ne pensait plus guère aux extraordinaires interventions de « Jap » ; elle oubliait le vol de son pendentif et les circonstances troublantes qui l'avaient accompagné ; elle oubliait encore, et cela fort heureusement, les mystérieuses fleurs noires qu'elle avait, à diverses reprises, reçues et, chaque fois, l'avaient troublée si profondément.

Ce soir-là, Valentine après avoir dîné de bonne heure était remontée dans sa chambre où, assise dans un grand fauteuil près de la croisée ouverte, elle rêvait en regardant la nuit se faire plus profonde et plus tranquille sur la campagne endormie, les champs qui s'étendaient à l'infini, la route qui se perdait au lointain.

Or, dans l'escalier de bois, qui montait du rez-de-chaussée, le pas lourd de Thérèse se faisait entendre.

La Normande arrivait tenant précautionneusement un grand bol de faïence dans lequel du lait, fraîchement tiré, moussait encore :

— Tenez, madame Valentine, disait-elle, buvez cela, prenez des forces, à Paris vous ne devez pas souvent en trouver du pareil !

Et Valentine approuvait sincèrement, car, en réalité, le lait pur qu'on lui apportait, avait un tout autre goût que celui qu'elle pouvait se procurer à Paris même en s'adressant aux fermes les plus en renom, aux nourrisseurs les plus réputés.

— Buvez, répétait Thérèse, c'est la santé qu'on boit avec du lait pareil !
Valentine rendait le bol vide ; elle riait un peu.

— Si vous continuez, Thérère, plaisantait la jeune femme, à me soigner
ainsi, vous allez sûrement me faire engraisser et ma couturière tout comme
ma corsetière me feront des reproches !...

Mais la Normande haussait les épaules :

— Ah bien ! tant pis pour elles ! répondait-elle, avec insouciance.
Voyez-vous, madame Valentine, si c'est qu'il faut être malade pour être
belle, à Paris, j'aime encore mieux rester dans mon village !...

Il y avait en effet une piquante différence entre la beauté fine et délicate
de Valentine et la robuste fraîcheur de la fille de la campagne.

Peut-être même, Thérèse avait-elle raison et sa beauté était-elle
préférable à celle de la grande dame de Paris ? Toutefois, ce n'était point
le moment d'engager une discussion esthétique ! Valentine cessait de rire
pour déclarer :

— Eh bien, nous verrons, Thérèse, peut-être bien vais-je me décider à
engraisser en effet ! En tout cas votre lait est joliment bon ! merci ! Je
vais maintenant dormir et dormir d'un seul somme jusqu'à demain
matin...

— Vous ferez bien, madame Valentine ; même, tenez, je vais dire à
Louis qu'il ferme les volets ; comme cela le grand jour ne vous gênera
pas...

Thérèse descendait au rez-de-chaussée, elle appelait son mari.

— Louis ! eh ! Louis ! viens-t'en fermer les fenêtres à notre
Parisienne !

— Voilà ! voilà !

Louis Duclos, qui fumait sa pipe, assis sur une chaise au bord de la
route, se hâtait d'abandonner son poste. Il appuyait une échelle contre
la façade de la maison, il grimpait et poussait les contrevents de la chambre
de Valentine.

— Dormez bien, madame, et, sauf votre respect, je vous souhaite le
bonsoir !

— Merci ! dormez, vous aussi...

Il n'y avait plus, dès lors, aucun bruit dans la maisonnette du Grand-
Terreux. Valentine, lentement, commençait à se dévêtir, souriante,
amusée, comme elle l'était chaque soir, par l'absence de confortable que
présentait sa champêtre installation.

Mais aussi bien, elle se moquait pas mal, à ce moment, d'être sevrée
d'un luxe qui, à Paris, cependant, lui semblait indispensable. Que lui
importait le mobilier de bois blanc puisque, sur le grand matelas bourré
de bonne laine, sous l'édredon de plumes douillet, dans les draps rudes,
fleurant bon la lavande, elle dormait comme elle n'avait jamais dormi dans
sa chambre aux murs tendus de soie ?

Et elle imaginait déjà le réveil du lendemain matin alors que poussant
les contrevents de bois et, sachant bien qu'il n'y avait point de voisins,
elle irait, demeurant en chemise de nuit, se remplir les yeux — comme
disait Thérèse — de l'immensité des champs, des plaines, des coteaux...

La maisonnette du Grand-Terreux où Valentine logeait était d'ailleurs
bâtie sur le modèle de presque toutes les fermes normandes. Les bâtiments

étaient entourés d'une sorte de petit mur fait de terre battue, allant à hauteur d'homme et que consolidaient des peupliers qu'agitait perpétuellement le vent. Il y avait devant la porte de la maison un grand terrain herbeux, planté de pommes rabougries et, seulement du côté de la façade, une grande barrière qui donnait sur la route du Havre.

Tout autour, les champs s'allongeaient à perte de vue et, perpétuellement, le vent de la mer, éloignée de cinq ou six kilomètres seulement, balayait l'atmosphère de grandes bouffées d'air salin qui laissaient aux lèvres le goût piquant du sel et l'odeur des goémons.

Valentine se couchait dans son grand lit, dont les ressorts craquaient bien un peu mais qui était si confortable, elle fermait les yeux, attendait le sommeil. Il était maintenant près de dix heures et demie, c'est-à-dire très tard, pour les habitants du Grand-Terreux, car Louis Duclos, sa femme et leurs domestiques, garçon de ferme, filles d'étables, se couchaient d'ordinaire à huit heures et demie sitôt leur soupe mangée, et, dans la nuit tombée, nul bruit ne se faisait entendre.

Or, soudain, tandis que Valentine, à moitié endormie, perdait à peu près connaissance d'elle-même, un des chiens de la ferme se prenait à aboyer.

L'animal aboyait curieusement. Il poussait d'abord de sourds grondements, puis il jappait éperdument.

La voix de Louis Duclos se fit entendre :

— Veux-tu te taire, Pataud !

Mais le chien aboyait plus fort.

— Attends voir un peu que je me lève !...

Peine perdue ! Les aboiements redoublèrent.

Étaient-ce aussi bien de simples aboiements ? Valentine, éveillée brusquement, frissonna.

— Mon Dieu ! murmurait la jeune femme, on dirait que cette bête hurle à la mort ?

Pataud, en effet, puisque ainsi s'appelait le chien, hurlait véritablement. On l'enfermait, d'ordinaire, dans la salle basse de la maison, là où Thérèse servait des bolées de cidre aux clients que le hasard amenait à son établissement, et cette pièce était située juste sous la chambre de Valentine. La jeune femme entendait que le chien faisait vacarme, courait, sautait contre la porte, semblait pris de fureur subite.

Entendait-il quelqu'un ? Flairait-il quelque chose ? Valentine finissait par s'asseoir sur son lit.

Au même moment, la voix de Louis Duclos reprenait plus forte :

— Tais-toi, Pataud ! tais-toi ! Qu'est-ce qu'il a donc cet animal-là, ce soir ?

Or, la peur ne se commande pas !

Avec une intensité folle et sans que rien, sauf les abois de la bête, pût le provoquer, un effroi terrible s'empara de Valentine. Elle imagina, en une seconde, les pires catastrophes. Des voleurs cherchant à s'introduire au Grand-Terreux; un assassinat qui se commettait de l'autre côté des peupliers, quelqu'un qui se mourait dans la cour de la ferme...

— Duclos ! Louis ! Louis !

D'une voix étranglée, Valentine appelait.

— Là ! criait la voix de Thérèse ; je te l'avais bien dit : tu as réveillé notre Parisienne !

Mais Duclos, déjà, avait dû sauter au bas de son lit, quitter sa chambre, il s'approchait de la porte de Valentine :

— Dormez donc, madame ! criait-il, c'est ce braillard de Pataud qui vous a réveillée, au moins ? Il aura entendu passer une carriole. Attendez ! je vais le corriger...

En entendant la voix de Duclos, du robuste gars, Valentine s'était rassurée.

— Excusez-moi ! répondait-elle, j'ai été sottement peureuse, et voilà tout !...

Le chien, d'ailleurs, s'était tu. Entendant se lever son maître, il avait dû comprendre qu'une correction le menaçait et, maintenant, il ne faisait plus aucun bruit.

Valentine devina que Louis Duclos qui descendait l'escalier, pieds nus, appelait la bête.

— Ici ! Pataud ! Où es-tu, maudit chien ?

Et puis, à nouveau, au même instant, c'étaient des aboiements furieux, une colère nouvelle du chien qui devait faire fête à son maître et qui, cependant, continuait à se jeter vers la porte !

Alors la peur reprit Valentine. A son tour, la jeune femme se levait. Elle passait son peignoir puis, entrouvrant la porte de sa chambre, criait :

— Qu'est-ce qu'il y a donc, Louis ?

Dans le corridor de la maison, d'ailleurs, Valentine apercevait Thérèse sortie, elle aussi, de sa chambre, et paraissant, tout comme Valentine, assez émue.

— Louis ! Louis ! appela à son tour la Normande, vois donc ce qu'a Pataud ?

Louis répondit enfin, mais sa voix était bizarre, tremblait un peu !

— Ma foi ! je n'en sais rien ce qu'il a ! Dame non ! il se démène comme un possédé !...

Les deux femmes entendirent Duclos tirer les barres de fer servant à fermer la porte de la salle du bas.

— Pour sûr, criait le Normand, il y a quelque chose de pas ordinaire !...

Mais à cette déclaration, Thérèse, déjà, se signait :

— Bonne Sainte Vierge ! disait la Normande, protégez-nous !

Puis elle se jetait dans l'escalier.

— Prends garde, mon homme, ne te fie pas à la nuit ! Des fois que ça serait des chemineaux...

Thérèse vivait en effet, comme tous les paysans des environs du Havre, dans la crainte perpétuelle des chemineaux. Elle eût été, à coup sûr, très embarrassée d'expliquer ce qu'était un chemineau, car elle désignait sous ce terme tous les inconnus qui n'étaient point marins ou laboureurs, mais, en tout cas, elle croyait fermement que les chemineaux étaient des assassins, des voleurs, des bandits !

Aussi bien, dans les environs du Havre, comme dans tous les faubourgs des grands ports, il y a perpétuellement des traîneurs de routes peu dignes d'intérêt et capables de tout, ce qui justifiait en somme les appréhensions de Thérèse.

— Prends garde, mon homme ! répétait la paysanne, as-tu ton fusil ?

— Ne t'inquiète pas, répondait Louis Duclos.

Valentine se jeta dans l'escalier derrière Thérèse.

Les deux femmes arrivèrent au moment même où Louis Duclos ouvrait la porte donnant sur la cour de la ferme. Pataud était derrière son maître, il semblait prêt à bondir, il grognait encore.

— Rangez-vous, ordonna Louis Duclos faisant d'un geste de la main écarter les deux femmes ; pour sûr, il y a quelque chose !

Dans un appentis de la maison, d'ailleurs, les filles de ferme et les gars de labour s'éveillaient, eux aussi. Par la fenêtre, Thérèse vit une lumière briller chez eux.

— C'est encore le Mathurin, je parie, qui est saoul ! grommela-t-elle.

Mais Thérèse n'achevait pas...

A peine la porte s'était-elle entrouverte, en effet, que, bousculant son maître, aboyant à nouveau comme un fou, Pataud avait foncé en avant...

La nuit était épaisse, profonde, impénétrable, mais, distinctement, on entendait marcher dans la cour de la ferme...

— Il y a quelqu'un ! gronda Louis Duclos.

Il tenait son fusil, il était brave, il avança de quelques pas...

— Qui va là ? demanda-t-il.

Personne ne lui répondit. Pataud pourtant aboyait de plus en plus fort. On l'entendait qui sautait, qui grognait, il apparaissait même qu'il luttait avec un ennemi...

— Qui va là ? répéta Louis Duclos. Arrêtez-vous ! Nom de Dieu ! j'ai mon fusil !...

Mais l'on n'entendait toujours aucune réponse...

Seul, le bruit de la lutte que le chien soutenait évidemment, devenait plus précis. Louis Duclos recula d'un pas.

— Allume la chandelle, Thérèse !

Tandis que Valentine de Lescaux défaillait d'émotion, la paysanne, surmontant son propre trouble, courait prendre un falot d'écurie qu'elle allumait.

— Tiens, Louis, mais prends garde ! Je suis sûre que c'est un chemineau !...

— C'est bon ! ripostait Louis Duclos, restez là ! je vais voir !

Son falot d'une main, son fusil de l'autre, Louis Duclos fit quelques pas. Soudain il poussait un cri, élevant sa lanterne à bout de bras...

— Ah ça ! qui êtes-vous, nom de Dieu, que voulez-vous ?...

Dans l'auréole dessinée par la lanterne, un instant, Valentine et Thérèse avaient pu voir à qui parlait Louis Duclos.

Au milieu de la cour de la ferme, il y avait un cheval que montait un cavalier, étrangement immobile, étrangement impressionnant, ayant presque une silhouette de revenant...

Aussi bien le cheval, pointant, se cabrait, ruait avec violence, se défendant contre le chien Pataud qui voulait lui sauter aux naseaux. L'homme qui montait la bête paraissait ne pas même la diriger !

— Qui êtes-vous ? répéta encore Louis Duclos.

Derrière lui, Thérèse criait :

— Méfie-toi, mon homme ! Prends garde ! Sûr que c'est un esprit !

— Revenez Louis ! Revenez ! suppliait Valentine.

Mais Louis Duclos, au contraire, avançait...

Mordu, probablement, par le chien, le cheval de l'étrange cavalier était parti au galop. Il courait maintenant vers une sorte de petite mare où l'on menait d'habitude les bestiaux boire.

Ce fut dans cette direction que Louis Duclos se précipita.

— Arrêtez-vous ! hurlait le fermier, arrêtez-vous ou je tire !...

Or, sentant le voisinage de la mare, le cheval à ce moment pivotait sur ses pieds et fonçait sur le fermier.

— Seigneur ! hurla Thérèse, sérieusement alarmée, il va se faire tuer !

Louis Duclos, cependant, s'était jeté de côté. Les deux femmes le voyaient épauler son fusil, une détonation éclatait... suivie d'un cri de stupéfaction !

Que se passait-il en effet ?

Au moment même où Louis Duclos faisait feu, visant le cheval, une lueur extraordinaire embrasait la cour de la ferme. En un instant on voyait aussi clair qu'en plein jour.

Et ce que Thérèse, Valentine, Louis Duclos et les valets de ferme, enfin accourus, apercevaient, était si étrange, si horrible aussi, qu'ils pensaient, les uns et les autres, devenir fous d'épouvante !

Le cheval blanc, atteint peut-être par les chevrotines de Louis Duclos, avait fait un bond fantastique...

Sur son dos, l'homme, le cavalier qui le montait, avait brusquement pris feu !

Il flambait comme eût flambé une torche !

Il brûlait, vraiment, comme s'il eût été enduit de pétrole, d'essence !

— Au secours ! hurla Valentine.

— A l'aide ! cria Thérèse...

Louis Duclos ne disait rien...

Le fermier regardait avec des yeux exorbités l'épouvantable accident qui se produisait...

Mais, était-il bien possible pourtant qu'un homme pût brûler ainsi ?

— Allons ! rentrez ! cria l'énergique fermier, bondissant vers Thérèse et Valentine qu'il repoussait dans la maison, fermant la porte sur elles. Rentrez et vous, les gars, main forte !...

Dans la cour de la ferme, en effet, trois valets d'écurie venaient d'apparaître. C'étaient de rudes gars de labour, des paysans normands, à l'esprit lent mais qui n'avaient point peur.

— Nom de Dieu, tonna le premier, il faudra bien que nous prenions cette bête !

Aussi bien, dans la cour, seul le chien se faisait entendre maintenant. Il n'aboyait plus, il grognait encore.

— Cherche, Pataud ! cherche !

Le chien sembla prendre le vent, puis fonça dans le noir.

— Par ici les gars !

Le cavalier avait-il fui ?

Avait-il véritablement brûlé ?

Qu'était devenu le cheval blanc ?

Louis Duclos, à la tête de ses gars de labour, fouilla, la cour de la ferme et, soudain, auprès d'un pommier, bien tranquille, bien sage, il trouvait le cheval blanc occupé à paître !

Louis Duclos avait trop l'habitude des chevaux pour hésiter plus longtemps. Il empoignait l'animal par l'oreille, il le maintenait tandis que les gars de labour arrivaient.

— Attention ! recommandait, cependant, le Mathurin, qui arrivait le dernier, voilà le cheval, mais l'homme ? L'homme qui a brûlé, où est-il ? Ils se regardaient tous à ce moment avec des yeux effarés. Ils disaient des choses stupides, le plus sérieusement du monde ; ils se demandaient les uns aux autres où pouvait être l'homme qui avait brûlé.

— Conduisez le cheval à l'écurie, ordonna Louis Duclos, nous allons chercher dans la cour !...

Maurice Hubert haletant, tremblant, dans un énervement extrême, sautait le lendemain soir à huit heures devant la porte de la maisonnette de Louis Duclos. Le jeune docteur tenait encore à la main une dépêche reçue le matin même, envoyée par Valentine, une dépêche qu'il avait lue vingt fois et qu'il ne comprenait pas et qui l'affolait :
Elle était peu explicite, elle disait simplement :

Venez d'urgence, Jap est là ! J'ai peur ! Valentine.

Or, à peine avait-il sauté de voiture, à peine s'élançait-il dans la cour de la ferme que Valentine accourait au-devant de lui.

— Eh bien ? criait Maurice Hubert.

— Merci d'être venu ! répondait la jeune baronne, serrant les mains du docteur avec une vigueur décuplée par l'émotion. Merci ! Je n'ai osé faire appel qu'à vous... et je n'attendais pas moins que votre venue.

— Mais qu'y a-t-il ? mon Dieu !

Maurice Hubert ne lâchait pas les mains de Valentine. Il fixait toujours la jeune femme et, plongeant ses yeux dans ses prunelles, il s'effrayait de voir ses traits battus, tirés, abominablement fatigués.

— Qu'y a-t-il ? répétait Maurice Hubert. Pourquoi cette dépêche ? Que s'est-il passé ici ?...

Il ne fallait pas moins de vingt minutes de causerie entrecoupée d'exclamations, de remarques, d'interruptions, pour apprendre à Maurice Hubert les extraordinaires scènes dont la ferme avait été le théâtre la veille au soir.

Valentine faisait minutieusement, en effet, le récit des événements fantastiques qui s'étaient déroulés. Elle disait l'apparition du cheval blanc, l'extraordinaire silhouette du cavalier mystérieux qui le montait. Elle disait comment l'homme avait disparu, avait été impossible à retrouver, comment, toute la nuit, vainement, Louis Duclos et ses gars de labour avaient fouillé la campagne sans pouvoir retrouver ses traces.

— Pourtant ! répétait la jeune femme, d'une voix qui frissonnait de terreur, pourtant un homme, un homme véritable, ne peut pas brûler ainsi ? C'est impossible, n'est-ce pas ?

Or, tandis que Valentine parlait, tandis qu'elle précisait les effroyables détails, tremblant encore à évoquer la nuit tragique, Hubert, petit à petit, devenait plus froid, retrouvait sa présence d'esprit.

— Voyons ! faisait-il soudain, écoutez-moi bien, Valentine, et répondez-moi très sincèrement. Ce cheval, ce cheval blanc que le fermier a attrapé, qu'est-il devenu ?

— Il est mort...

Maurice Hubert tressaillit.

— Mort, faisait-il, quand ?

— Ce matin.

— Mort de quoi ?

— Le vétérinaire ne le sait pas !

Valentine, maintenant, parlait à voix basse, avec peine, semblait-il.

— Figurez-vous, ajoutait-elle, que la pauvre bête était affreusement brûlée. D'ailleurs, vous pourrez voir son cadavre tout à l'heure, à l'écurie... Ces brûlures prouvent bien, n'est-ce pas, que le cavalier a réellement pris feu, qu'il a brûlé. Et pourtant...

Maurice Hubert haussait les épaules, Valentine continuait ;

— Cette bête était étrange, d'ailleurs. Cette nuit, quand on l'a eu conduite à l'écurie, elle est demeurée très calme... elle n'a rien fait d'extraordinaire... mais, ce matin, quand Louis Duclos a voulu l'amener par la bride à la gendarmerie, elle s'est mise, à peine dehors, à ruer, à se cabrer... elle a fini par lui échapper... Pauvre bête ! on eût dit qu'elle était aveugle, partie au grand galop, elle s'est jetée dans un arbre si violemment qu'elle a roulé à la renverse... il était impossible de l'approcher, tellement elle se débattait... elle hennissait, enfin, comme si on lui eût infligé la pire des tortures... et puis, brusquement, elle est morte !...

Valentine parlait de plus en plus bas. C'était dans un souffle qu'elle finissait par avouer :

— Mais ce n'est pas tout, Maurice, ce n'est pas tout... il y a pis !...

— Quoi donc ? mon Dieu ! interrogea le médecin.

Valentine paraissait hésiter à répondre ; elle confessait enfin :

— Figurez-vous que, ce matin, en me réveillant dans ma chambre... Oh ! j'avais à peine dormi, vous pensez bien !... j'ai aperçu, sur ma cheminée... j'ai aperçu...

Valentine s'arrêtait de parler. Il fallait que Maurice Hubert, pris à son émotion, la suppliât de continuer...

— Quoi ? qu'avez-vous vu ?

— J'ai vu... j'ai vu des fleurs noires ! des roses noires, comme celles que portait le mystérieux blessé, mort à votre hôpital !...

Alors Maurice Hubert se relevait, et, la voix brisée, lui aussi, demandait :

— Ces fleurs, où sont-elles ? Montrez-les moi ?

— J'ai eu si peur, Maurice, si peur d'elles que je les ai jetées dans le feu... je les ai brûlées !...

Valentine achevait de parler dans un grand trouble, elle s'effraya, plus encore, de la façon dont la considérait Maurice Hubert.

— Calmez-vous ! disait soudain le jeune docteur, je vous en prie, calmez-vous ! Tenez... faites-moi un plaisir... Étendez-vous sur cette chaise longue et ne bougez pas... Je vais aller faire une enquête... Je reviendrai tout à l'heure. Vous voulez rentrer à Paris, je pense ?

— Certes !

— Eh bien ! nous prendrons le train de minuit quarante à Étretat. Ne vous énervez pas, Valentine. Calmez-vous ! Oh ! pour Dieu ! calmez-vous ! J'ai prévenu votre mari que vous étiez un peu souffrante et que je venais vous chercher. Il m'aurait accompagné, s'il n'avait pas été lui-même retenu à la chambre par une très forte grippe...

Le soir même, à minuit quarante, en effet, Valentine de Lescaux et Maurice Hubert s'embarquaient à Étretat pour Paris.

Le jeune homme était songeur et triste.

Il avait minutieusement enquêté au Grand-Terreux, il avait longuement interrogé Louis, Thérèse, les gars de labour...

Or, sa conviction était faite !

En vain lui avait-on montré le cadavre du cheval blanc, dont le poil était roussi ; en vain lui avait-on fait, de tous côtés, le même récit, répété d'identiques détails, Maurice Hubert était persuadé, fort de sa science, que rien ne s'était passé, absolument rien au Grand-Terreux !

— Japisme que tout cela ! se disait le docteur. Japisme ! folie étrange ! folie contagieuse ! Valentine était atteinte de japisme quand elle a quitté Paris. Elle a, malheureusement, contaminé ces braves paysans et ils ont cru voir — comme elle a cru voir — les extraordinaires apparitions de la nuit dernière ! Il a d'ailleurs fallu, pour déclencher leur crise, un tout petit incident. Ce cheval blanc est certainement un malheureux cheval échappé d'une ferme voisine. Il est venu, tout naturellement, et par le fait du hasard, errer dans la cour de la ferme... et c'est purement le japisme, cette extraordinaire folie, qui fait que Valentine, Louis, Thérèse, et les autres ont cru apercevoir un cavalier monté sur son dos ! D'ailleurs, que vient faire l'histoire des fleurs noires et comment croirais-je ce que Valentine m'a dit ? si vraiment elle avait reçu des fleurs noires, elle ne les aurait pas brûlées ! Non ! Non ! rien de tout cela n'est vrai ! Ce sont visions de japisme et rien que visions de japisme. Mais comment guérir mon Dieu, ces effroyables hallucinations ?

Dans le train, Maurice Hubert, s'efforçait de distraire Valentine et de ne point lui parler de quoi que ce soit qui pût se rattacher aux événements qui la hantaient encore.

XVII

L'assassinat

Il y avait plus de deux heures que le café avait été pris et l'oncle Favier, pour la dixième fois, venait de remplir son petit verre, qu'il buvait, d'un seul trait, faisant claquer sa langue, en fin connaisseur qu'il était...

Aussi bien, l'oncle Favier paraissait, ce soir-là, de la meilleure humeur possible. Il était fort disposé à plaisanter joyeusement... ce qui ne laissait pas de surprendre un peu sa nièce, Valentine, encore sous le coup des émotions qu'elle avait eues tout récemment, en Normandie.

L'oncle Favier, d'ailleurs, n'avait point paru très impressionné par le récit des dramatiques événements qui s'étaient passés au Grand-Terreux...

Il avait plaisanté Valentine, affirmé que les histoires de « cavalier qui brûlait » étaient tout au plus bonnes à effrayer les enfants, puis il avait cligné de l'œil, et, souriant au baron de Lescaux, il avait entrepris une longue apologie des plaisirs de la capitale !

Il était frais rasé, l'oncle Favier, son cou d'apoplectique, apparaissait rouge et congestionné, dans l'échancrure de son faux col bas et, de temps à autre, il s'assurait, du plat de la main, de la parfaite rectitude des revers de son smoking, un smoking du meilleur effet, qui vous avait, il le disait lui-même, un petit air rajeunissant !

— Et alors, ma chère Valentine, reprenait-il, comme ça, tu tiens si fort à la santé de ton époux, que tu vas l'empêcher de venir faire une petite balade avec moi ? Voyons ! laisse-toi fléchir... autorise-le à me raccompagner, et à passer une heure avec moi, sur le boulevard !...

Valentine souriait, mais faisait « non » de la tête !...

— Vous n'y pensez pas, mon oncle ! Il est tout près d'une heure du matin. Certes, Geoffroy va vous raccompagner, mais j'exige qu'il rentre aussitôt...

— Ah ! les femmes ! les femmes ! ripostait d'un ton désespéré, en levant les bras en ciel, le réjoui millionnaire... Pourquoi, diable ! vous êtes-vous marié, de Lescaux ?

— Mais, parce que votre nièce était charmante !

— D'accord, et pourtant...

L'oncle Favier s'interrompait pour demander.

— Où vas-tu, Valentine ?

— Je vais vous chercher, mon oncle, de nouvelles cigarettes. Vous m'en avez demandé, tout à l'heure.

— C'est bien ! Mais pourquoi ne sonnes-tu pas ta femme de chambre ?

— Elle est montée se coucher, mon oncle.

— Oh ! oh ! reprenait le millionnaire, tu me réponds cela d'un drôle de ton ! Est-ce que tu voudrais, par hasard, me faire comprendre qu'il est bien tard, et que je devrais me retirer ?...

— Pouvez-vous dire !

Valentine protestait, pour la forme... car si elle avait parlé sincèrement, elle eût sans doute convenu que ses devoirs de maîtresse de maison lui apparaissaient singulièrement fastidieux, singulièrement ennuyeux, ce soir-là !...

Valentine avait peut-être pour son oncle Favier une certaine affection. Mais le bonhomme était dans le fond, si égoïste, si parfaitement infatué de lui-même, si peu tendre que l'affection de Valentine ne dépassait pas de modestes limites. Elle ne l'aveuglait pas, au point qu'elle n'eût pensé, à maintes reprises, ce soir-là, que l'oncle Favier abusait et, qu'arrivé, pour dîner, à cinq heures de l'après-midi, il restait vraiment bien longtemps rue Spontini, n'en étant pas encore parti, à une heure du matin !

Valentine, toutefois, avait à peine disparu du salon, pour passer dans un fumoir voisin, où elle allait chercher les cigarettes favorites de l'oncle Favier, que le millionnaire, posant son verre, entreprenait de danser, lourdaud et grotesque, une petite gigue, au milieu de la pièce, devant le baron de Lescaux stupéfait...

— Qu'avez-vous donc ? interrogeait celui-ci ?

— Rien ! ripostait le millionnaire, mais, tout de même, c'est fameux !...
Hé ! hé ! mon cher, si vous venez avec moi, je vais vous présenter, dans
quelques minutes, à une bien jolie fille...

— Allons donc !

— Oui ! à ma future maîtresse !... C'est une ancienne ouvrière, mais
il n'empêche qu'elle a de la ligne !... Ah ! la mâtine ! elle a de la ligne,
oui, vraiment !... D'ailleurs, mon bon, vous allez en juger. J'ai rendez-
vous à une heure et demie à la terrasse du *Lucullus*. Parbleu, vous
descendez avec moi, hein ?

— Je vous accompagnerai jusque-là, déclara le baron de Lescaux, mais
vous me permettrez de me retirer ensuite. Je ne voudrais pas laisser
Valentine seule, trop longtemps, étant donné, surtout, l'état de nervosité
où elle se trouve en ce moment...

— Bah ! bah ! Valentine ne sera pas seule ici ! Vous avez des
domestiques ?

— Les domestiques dorment, mon cher oncle. Et puis les domestiques
ne veilleront jamais sur ma femme aussi bien que je saurais le faire moi-
même... Vous me comprenez ?

— Peuh ! à votre aise...

L'oncle Favier sentait vaguement qu'il importait de ne pas insister et
qu'il eût été déplacé de tenir, coûte que coûte, à présenter le baron de
Lescaux à la jolie « Chonchon » !...

Toutefois, le millionnaire était un peu vexé par le peu d'ardeur que
manifestait son neveu par alliance à faire la connaissance de « l'objet de
sa flamme » ainsi qu'il appelait Chonchon, pompeusement.

Au moment où Valentine rentrait dans la pièce, l'oncle Favier déclara :

— Voilà mes cigarettes ? Allons !... tu es décidément une bonne enfant,
Valentine, et même une habile maîtresse de maison !... Tu me procures
une sortie parfaite. Je n'attendais plus que ces rouleaux de tabac pour
m'en aller. Donc, merci et au revoir !...

— Attendez encore quelques instants ! protestait la jeune femme ; vous
avez toujours l'air de croire que je vous renvoie, vous n'êtes pas pressé ?

— Si fait ! si fait !

Tout en affectant un air de mystère, l'oncle Favier clignait de l'œil si
continuellement qu'il était vraiment impossible que Valentine ne comprît
pas ce que cette manifestation de discrétion signifiait...

— Vous êtes incorrigible, murmurait-elle, mais tout de même vous ne
partirez pas immédiatement. Il faut encore que la voiture arrive...

— Quelle voiture ? demanda l'oncle Favier qui, se retournant, ajoutait :
Où est donc ton mari ?

— Mais il est parti, précisément, à la station de fiacres voisine. Figurez-
vous que nous sommes démontés en ce moment. L'auto est en panne, le
poney ne peut s'atteler qu'à mon tonneau, Geoffroy a été chercher une
voiture...

— J'aurais bien pu l'accompagner ! Parbleu, marcher un peu ne
m'aurait pas fait de mal...

— Mais c'est à côté, mon oncle.

— Raison de plus, alors...

L'oncle Favier, à ce moment, considérait le visage pâli de sa nièce et un apitoiement lui venait, soudain.

— Tu as l'air fatiguée, mon enfant, remarquait-il ; allons ! monte te coucher... je vais traverser le jardin et j'attendrai ton mari sur le pas de la porte.

— Le voilà, mon oncle...

On entendait, en effet, le roulement, d'une voiture s'arrêter à la grille de la rue Spontini, la voix du baron appelait .

— Oncle Favier ! nous sommes prêt ?

— J'arrive ! j'arrive !

Le millionnaire claquait deux gros baisers sur les joues de Valentine, et, sautillant plus qu'il ne marchait, traversait le jardin. Il était transporté de plaisir à la pensée de rejoindre sa « Chonchon » qu'il adorait, maintenant, de plus en plus, avec une naïveté admirable...

Toutefois, l'oncle Favier, avant de monter en voiture, contemplait à la lueur de la lanterne le cadran de sa montre :

— Nous arriverions trop tôt ! murmurait-il.

Et se jetant à l'intérieur du fiacre, il criait au cocher :

— Menez-nous à la terrasse du *Lucullus*, mais faites un détour. Je ne veux pas être là-bas avant deux heures moins vingt...

Il ajoutait :

— Avec les femmes, il faut toujours se faire attendre ! On a l'air un peu mufle, et c'est très chic !

La portière claquait, le véhicule démarrait...

Or, tandis qu'à l'intérieur du sapin, plus que probablement, l'oncle Favier développait au baron de Lescaux ses théories favorites, relativement à la nécessité qu'il y a pour un homme à se montrer un peu mufle vis-à-vis des femmes lancées, théorie d'ailleurs que le brave Favier était incapable de mettre jamais en pratique, un homme sortait de l'ombre, qui n'était autre que Juve, et Juve courait après le fiacre, puis, sans bruit, lestement, sautait sur les ressorts arrière, se cramponnant à la toiture de la voiture...

D'où venait Juve ?

Comment était-il à pareil endroit à pareille heure ?

Pourquoi, enfin, prenait-il ainsi en filature le fiacre qui emportait le baron de Lescaux et l'oncle Favier ?

Juve avait reçu, la veille, la visite de Maurice Hubert. Il avait écouté avec la plus grande attention le récit que le jeune docteur lui avait fait du séjour de Valentine en Normandie et des incidents qui avaient marqué ce séjour.

Juve avait hoché la tête — d'un air peu convaincu — lorsque Maurice Hubert avait conclu que l'histoire du cavalier blanc brûlant à la façon d'une torche, ne pouvait être explicable que par une vision de japisme...

— Oh ! oh ! s'était contenté de dire Juve... qui avait paru prêter encore la plus grande attention au récit que Maurice Hubert lui faisait, ensuite, du vol d'une bourse en or, commis rue Spontini, au préjudice de Valentine absente, au récit, encore, de l'extraordinaire attitude qu'avait eue Zizi lui contant de si extraordinaires détails au sujet de la Gadoue.

Juve, à la vérité, avait bien l'âme d'un policier et estimait, comme l'eût estimé n'importe lequel de ses collègues, que tous les événements même extraordinaires devaient avoir le plus souvent des explications simples.

— Je ne comprends pas, disait-il à Maurice Hubert, ce que signifie votre théorie du japisme. Je reconnais que je ne suis pas assez savant pour discuter pareille chose avec vous, mais, en revanche, j'avoue que la pensée d'une folie mystérieuse, d'hallucination collective et contagieuse, ne me serait jamais venue à l'idée. Cette explication-là n'explique rien ! Donc, ça n'est pas une explication ! J'aimerais mieux trouver autre chose. En tout cas, il y a un fait certain, c'est qu'un vol vient d'être commis et commis par le groom Zizi, d'après ce que croit le baron de Lescaux lui-même. Cela je vous remercie de me le signaler, car c'est un indice intéressant. Je vais m'occuper de faire coffrer Zizi, ce Zizi qui vous a déjà si curieusement parlé d'une certaine la Gadoue, dont j'ai vaguement déjà d'ailleurs entendu prononcer le nom ; bref, je vais faire toute diligence...

C'était bien pour faire diligence, que Juve ce soir-là s'était embusqué rue Spontini, et avait passé sa nuit à épier non seulement Valentine, le baron de Lescaux et l'oncle Favier, installés au salon, mais encore les allées et venues des domestiques.

Toutefois, s'il était naturel que Juve eût ainsi surveillé le petit hôtel, il eût peut-être été, lui-même, bien embarrassé de justifier la décision qu'il avait prise au moment où il s'élançait à la poursuite du fiacre emportant le baron et son oncle, au moment où il s'agrippait aux ressorts et filait ainsi deux individus qui ne pouvaient rien lui apprendre d'intéressant...

Il arrive cependant aux policiers d'avoir ainsi des inspirations subites, extraordinaires, en apparence illogiques, et qui, parfois, souvent même, donnent d'excellents résultats...

Juve, d'ailleurs, devait faire preuve d'une véritable persévérance, d'un courage très réel pour demeurer dans sa redoutable posture. Les cahots manquaient, à chaque minute, de le précipiter contre les roues du fiacre. Il n'entendait et ne voyait rien, il courait le risque d'attirer l'attention des passants attardés, et cependant il s'obstinait, il s'entêtait à rester agrippé au fiacre, comme s'il eût dû apprendre, de ce poste d'observation, les plus importants détails.

Or, le fiacre, point pressé, puisque l'oncle Favier avait recommandé au cocher de flâner un peu, faisait des détours dans le quartier de Passy, s'engageait enfin le long de l'avenue du Bois...

Juve voyait au lointain, dans la brume de la nuit l'auréole lumineuse dessinée par les grandes lampes électriques qui entourent le rond-point de l'Étoile, il pensait : « Là-haut, il faudra que j'avise une autre voiture, car je ne saurais descendre ainsi les Champs-Élysées », lorsque, tout à coup, avec une rapidité inouïe, des événements fantastiques se produisaient :

Tout d'abord, à l'intérieur du sapin, une détonation violente, sèche, nette, retentissait...

C'était la détonation d'un revolver.

Au même instant, un cri de rage, un cri de douleur et d'angoisse aussi, partait de la voiture :

— A moi ! au secours !

Puis, un râle abominable se faisait entendre... puis encore, la portière du véhicule s'ouvrait... alors un être rebondissait hors du fiacre, qui s'enfuyait en courant...

Juve n'était pas encore remis de son émotion, il comprenait encore à peine ce qui venait de se passer que le fiacre s'élançait au galop...

L'agent de police se laissa tomber sur la route...

Il criait au cocher :

— Arrêtez ! nom de Dieu ! arrêtez...

Et comme la voiture s'immobilisait, il se penchait par la portière, demeurait immobile juste le temps d'apercevoir, écroulé sur la banquette, le corps du malheureux Favier...

— Miséricorde ! jura Juve...

Et il ordonna au cocher :

— Restez là !

L'inspecteur de la Sûreté traversait l'avenue du Bois, se jetait à la poursuite de l'ombre qu'il avait vue fuir...

Mais, il se prenait, tout en courant, à réfléchir.

— Bon Dieu ! pensait Juve, celui que je poursuis, ce ne peut être que le baron de Lescaux !... Parbleu ! ils étaient deux dans la voiture ! lui et l'oncle Favier ! C'est donc le baron de Lescaux qui s'enfuit devant moi... puisque l'oncle Favier est mort...

L'ombre, que Juve commençait à serrer de près, devait à ce moment traverser la grande place nue qui s'étend devant la gare de la porte Dauphine, et la barrière du bois de Boulogne.

Le fuyard évidemment, cherchait à gagner les massifs voisins où il pourrait plus facilement échapper à toute espèce de recherches...

Or, tandis que l'assassin s'engageait sur la place, Juve pouvait, pour la première fois, distinguer sa silhouette et un nouveau juron s'échappait alors de ses lèvres :

— Tonnerre de Dieu ! mais c'est une femme ?...

C'était en effet une femme qui galopait devant l'agent !

Elle devait être assez grosse, vieille peut-être, elle était évidemment à bout de souffle et courait avec peine...

— Arrêtez-vous ! hurla Juve ou je tire !...

Il s'attendait peu à ce que la fugitive tînt compte de ses observations, il fut stupéfait de voir qu'on lui obéissait...

Ce n'était toutefois pas le moment de réfléchir... Juve, toujours courant, arrivait à la hauteur de la mystérieuse créature qui venait de commettre l'horrible meurtre du malheureux Favier...

Et à cet instant, à nouveau, il éprouvait une affolante surprise !

Cette femme qui l'attendait, pliée en deux, ayant l'air de haleter ; mais il la connaissait ; il la reconnaissait ! Juve cria son nom :

— La Gadoue ! c'est la Gadoue !...

Il ne pouvait pas, en effet, se tromper...

Zizi avait décrit la Gadoue à Maurice Hubert, qui, lui-même, avait fidèlement fait la description de la mégère, à Juve. C'était bien la Gadoue, sur laquelle se précipitait l'inspecteur de la Sûreté !

— Au nom de la loi ! commença Juve, je vous arrête !...

Mais un cri de douleur achevait sa phrase...

Juve, en effet, souffrait horriblement...

La femme, qui l'attendait, s'était brusquement relevée. Elle avait fait un geste, lancé quelque chose à la figure de Juve... Puis, riant aux éclats, démoniaque, elle s'était reprise à courir, elle disparaissait dans la direction du bois de Boulogne...

Quant au malheureux policier, force lui était bien de demeurer où il était, jurant, sacrant, pestant ! Il venait d'être aveuglé par une poignée de poivre, qui l'avait atteint dans les yeux !

Juve souffrait alors le martyre. Il devait s'essuyer soigneusement le visage, courir jusqu'à la station de voitures, qui se trouve à l'angle du boulevard Flandrin, pour y puiser un peu d'eau et se baigner les paupières avant de recommencer à voir clair...

Mais hélas, il était trop tard. Toute poursuite était vaine...

— Nom de Dieu ! jura le policier, qu'est-ce que cela peut bien vouloir dire ? La Gadoue connaissait donc l'oncle Favier puisque l'oncle Favier ne s'est pas étonné lorsqu'il l'a vue dans le fiacre en y montant ?... Pourtant j'avais bien cru entendre la voix de Geoffroy de Lescaux appelant le millionnaire quand celui-ci est monté en voiture...

Mais Juve, une fois encore, ne s'attardait pas à des réflexions stériles. Il se hâtait de s'humecter, encore, le visage avec l'eau fraîche, puis il entreprenait de regagner l'avenue du Bois, où sans doute, le fiacre l'attendait toujours. Or, Juve devait avoir une nouvelle stupéfaction. En arrivant avenue du Bois, il se rendait compte qu'il n'y avait plus personne là, le fiacre était reparti...

— Le cocher était donc un complice ? se demanda Juve.

Et il regretta amèrement de n'avoir point pensé à prendre le numéro de la voiture...

A deux heures du matin — trois quarts d'heure après ces événements tragiques — Juve sonnait à la porte de l'hôtel de la rue Spontini.

Il trouvait la maison affolée, Valentine au comble de l'angoisse...

Trois sergents de ville venaient, en effet, d'accompagner un brancard ramenant chez la jeune femme le corps de l'oncle Favier !

Juve, à son tour, pour une fois, commença à perdre la tête :

— Ah çà ! interrogeait-il, où diable a-t-on trouvé ce cadavre ?

— Aux Champs-Élysées, monsieur l'inspecteur, derrière le Grand Palais...

— Et pourquoi le ramenez-vous ici ?

— Il y avait dans sa poche une carte de visite au nom du baron de Lescaux.

— Mais le baron de Lescaux, où est-il ?

Valentine elle-même répondit :

— Je ne sais pas ! Je suis folle d'émotion ! Mon mari était parti avec mon oncle, il n'est pas encore rentré...

Tout cela était si ahurissant que Juve se demandait sérieusement s'il n'était point encore victime d'un cauchemar tragique, lorsque l'on sonnait à la porte de la rue.

Juve courut lui-même ouvrir :

— Quoi ? qu'y a-t-il ? demandait-il, d'une voix haletante.

Il vit les uniformes des sergents de ville.

Des gardiens de la paix, en effet, soutenaient par le bras, un personnage qu'ils aidaient à marcher et que Juve reconnut tout de suite :

— Le baron de Lescaux ! s'écria-t-il, vous !... vous ! Mais qu'est-il donc arrivé ?

Venant derrière les deux agents, un brigadier surgissait qui empoignait Juve par le bras et l'attirait de force en arrière !

— Pas un mot, disait-il, chut !... ne fatiguez pas ce malheureux !...

— Mais bon sang de bon sang, expliquez-moi...

— En deux mots voici.

Le brigadier faisait une pause, il toussait pour s'éclaircir la voix, et l'air important, déclarait :

— Figurez-vous que mes agents ont trouvé ce pauvre individu sur les bords de la Seine. Il gesticulait comme un fou, il hurlait un bizarre appel : Jap ! Jap !

— Alors ? interrogea nerveusement Juve en pâlissant, alors, qu'avez-vous fait ?

— Dame ! on l'a fouillé, on a trouvé son nom, son adresse, et naturellement, voyant que c'était un monsieur « bien », j'ai décidé de le faire accompagner chez lui... C'est un fou, hein ?

Juve était évidemment pris par le brigadier pour un habitant de l'hôtel. Il ne se soucia pas de se faire reconnaître tout d'abord :

— C'est un fou, disait-il, pourquoi ?... Qu'est-ce qui vous le fait croire ?

— Pourquoi disait-il « Jap » tout le temps ?... et pourquoi aurait-il cette attitude bizarre ?

Juve, d'abord, ne répondit pas.

L'inspecteur de la Sûreté réfléchissait, se demandait s'il fallait croire que réellement le baron de Lescaux avait été frappé de folie.

Mais, comme la coïncidence était étrange, qui faisait que ce malheureux devenait fou, au moment précis où un drame horrible était commis sur la personne de son oncle par alliance !

Était-ce bien une coïncidence, d'ailleurs ?

Et, puisqu'il semblait résulter des éléments mêmes du crime que Jap y était mêlé, ne fallait-il pas se demander plutôt, si c'était parce qu'il y avait eu crime, que le baron de Lescaux, témoin du meurtre dans le fiacre, peut-être, était devenu fou ?

Or, pendant que le policier réfléchissait ainsi, le brigadier brusquement le reconnaissait :

— Mais, sapristi ! disait-il, je ne me trompe pas ! Vous êtes... vous êtes Juve ! Comment diable vous trouvez-vous ici à deux heures du matin ?

Or, à cette question, Juve s'étonnait à son tour.

— Vous ne savez donc pas ce qui s'est passé ici ? interrogeait-il ?

— Non... quoi donc ?

— Il vient de se commettre un assassinat ! déclara Juve.

Et, tandis que le brigadier reculait, saisi de stupeur, Juve se hâtait d'ajouter :

— Mais, vraiment, l'assassinat n'est pas ce qu'il y a de plus mystérieux... la folie du japisme est bien autrement inquiétante !... Ah !

au fait ! Il faut absolument faire prévenir, d'urgence, le médecin de la famille... le docteur Maurice Hubert...

Une heure plus tard, en effet, Maurice Hubert appelé en hâte, arrivait rue Spontini. Le baron de Lescaux à ce moment, dormait, accablé, semblait-il, anéanti, se débattant au milieu d'horribles cauchemars et de temps à autre, murmurant tout bas, indistinctement presque : « Jap ! Jap ! »

Juve interrogea le jeune médecin, qui venait d'examiner le malade.

— Eh bien ? demandait-il, qu'en pensez-vous ?

Hubert, pour toute réponse, haussait les épaules avec désespoir :

— C'est abominable ! disait-il enfin... la folie du japisme semble chaque jour faire de nouvelles victimes. Et pourtant...

A ce moment, tout bas, ayant retrouvé son sang-froid, Juve murmurait à part lui :

— Hum !... faut-il véritablement parler ici de la folie du japisme ?...

XVIII

Parricide

Zizi n'avait plus rien du groom élégant, qu'il avait été lors de son passage, rapide, rue Spontini, au service de Valentine de Lescaux...

Sa livrée, qu'il portait encore, avait pris les apparences les plus bizarres, reçu les taches les plus diverses, son toquet était remplacé par une abominable casquette plate, graisseuse, dont le rabat pendait lamentablement sur sa nuque ; il n'avait plus qu'un faux col déchiré, il était évidemment dans la misère...

Aussi bien, au moral, comme au physique, Zizi paraissait changé. Il était moins gai que jadis, une inquiétude secrète semblait peser sur lui continuellement et il passait son temps de façon pitoyable à ramasser des bouts de cigares, étant devenu mégotier...

Zizi, d'ailleurs, ne s'illusionnait pas sur sa situation. Il se rendait compte que les « affaires » allaient fort mal pour lui et qu'à moins d'un miracle, hélas ! imprévu, il devait s'attendre aux pires catastrophes, aux pires ennuis...

Après avoir quitté subrepticement il y avait de cela plusieurs jours, Maurice Hubert au ratodrome, Zizi s'était hâté de prendre le large et de mettre entre lui et le jeune docteur, la plus grande distance possible !

— C'est pas tout ça, se déclarait-il alors, faudrait voir à démêler toutes les combines !...

Malheureusement les « combines » dont Zizi parlait étaient abominablement compliquées. Le groom ne connaissait pas — il est vrai — toutes les aventures fantastiques qui se déroulaient depuis quelque temps, mais cependant, par la lecture des journaux, par les confidences qu'il avait reçues, il avait appris suffisamment de ces mystères, pour comprendre, grâce à sa vive intelligence, toujours en éveil, qu'il se passait tout à côté de lui, auprès des gens qu'il connaissait, de bien incompréhensibles drames...

Il avait, naturellement, ouï parler de la disparition du pendentif de Valentine, et de son retour incompréhensible.

En écoutant aux portes, alors qu'il était encore rue Spontini, il avait surpris quelques phrases de Juve, parfaitement incohérentes à son avis et relatives aux mystérieuses aventures du policier.

Il savait, de même, l'étrange histoire du blessé, trouvé sur le quai de l'Académie, et mort à l'hôpital de La Pitié...

Il n'oubliait pas davantage le rapt de la jeune fille prisonnière aux *Bucéphales de bois,* rapt organisé par la Gadoue, et dont bien involontairement il s'était trouvé complice.

Enfin, par les éditions spéciales, ramassées aux terrasses des cafés, Zizi avait appris les dernières aventures, l'assassinat du malheureux millionnaire Favier, quelques instants avant que l'on retrouvât, sur les quais, le baron de Lescaux criant « Jap », l'histoire de la nuit tragique vécue au Grand-Terreux par Valentine, dont les journaux n'avaient, d'ailleurs, publié que les initiales.

Tout cela était surprenant, inquiétant, et, Zizi ne se le cachait pas, tout cela pouvait faire pressentir de véritables catastrophes...

— Valentine de Lescaux, se disait le groom, elle est dans une mauvaise passe !... Ça c'est sûr ! Mais ce qu'il y a de sûr aussi, c'est que ma situation n'est guère plus reluisante que la sienne ! Enfin, on verra bien !...

Zizi évitait désormais tous les endroits où il pouvait avoir chance de rencontrer Juve. Il fuyait soigneusement les abords de la rue Spontini, les environs de l'hôpital où Hubert devait continuer à se rendre...

— Très peu pour moi de rencontres fâcheuses ! pensait Zizi, les beaux quartiers ne me valent rien, en ce moment... Parbleu, ce qu'il me faudrait ce serait un séjour à la campagne, mais il m'est impossible de trouver une minute, pour quitter Paris !... Ah ! les affaires ! les affaires !...

En fait, ce n'étaient point les affaires qui retenaient Zizi, mais le manque d'argent. Seulement... il n'en eût jamais convenu, même vis-à-vis de lui-même...

Zizi traînait dans la pègre. Il passait son temps dans les quartiers excentriques, à Belleville, à la Chapelle, à Montparnasse. C'était tout juste s'il se risquait sur les boulevards, à la hauteur de la place de la République, histoire de ramasser des mégots qu'il revendait place Maubert, et qui lui assuraient quotidiennement les quelques sous nécessaires à son existence.

Or, un beau soir, le lendemain de l'assassinat de l'oncle Favier, Zizi apercevait, arrêté devant un mastroquet, un vieux fiacre, attelé d'un cheval étique qu'il reconnaissait immédiatement :

— Tiens ! le carrosse à mon dab !... s'écriait le groom !... Ça c'est de la veine... Si le patron n'est pas saoul comme une grive, il m'offrira bien un haricot de mouton...

Zizi s'introduisit chez le mastroquet. Il était neuf heures du soir, il y avait peu de clients, et du premier coup d'œil, le groom apercevait son père, le cocher Collardon, qui, assis derrière une grande table, tenait, de la main droite, un verre, de la main gauche, une bouteille et s'occupait consciencieusement comme le remarquait Zizi « à transvaser du liquide »...

— Bonjour p'pa... cria Zizi en entrant, alors, ça va l'aramon ?

Puis il avait une intonation respectueuse et admirative :

— Mince, alors ! tu te payes du bouché ?... C'est donc que t'es plein aux as ?...

Or, à la voix de son fils, le cocher Collardon avait lentement relevé la tête. Il dévisageait le groom d'un œil torve où l'intelligence n'allumait aucun reflet :

— Qu'est-ce que tu veux ? demandait-il.

— Tu me reconnais p'pa ?...

Un grognement affirma à Zizi que son père, en effet, le reconnaissait. C'était tout ce que désirait le groom. Il s'asseyait à la table où son père avait pris place, il commandait au vague garçon qui le regardait d'un air hébété :

— Allez, Joseph, grouille-toi ! du fromage, du pain, et un verre... C'est mon vieux qui régale !...

Mais à cette affirmation audacieuse, le père Collardon semblait se réveiller :

— Tais-toi, vermine..., grognait-il, je ne t'ai pas invité ! Ah ! maladie !... Est-ce que tu t'imagines que je m'en vas, comme ça, dépenser mes sous pour un pouilleux de ton espèce ?...

— Grouille-toi, Joseph ! répéta Zizi.

Les garçons de mastroquet répondent tous au nom de « Joseph » par habitude, et ne se formalisent point, d'un tutoiement. Mais le « Joseph » du mastroquet hésita à satisfaire Zizi :

— Qui c'est qui raque ? demanda-t-il.

Zizi fut péremptoire :

— Le vieux !

Et comme son père allait encore protester, Zizi ne lui en laissait pas le temps :

— T'as l'air en bonne santé, p'pa. Et ton cheval ? Il est gras à la façon d'un squelette ! Parbleu, tu dois faire des bénéfices considérables, tu peux donc bien me flanquer un gueuleton de douze sous par le travers de la figure. Et d'abord, si tu me versais à boire ?

Zizi avait été lui-même prendre un verre sur le comptoir. Il forçait son père à lâcher, un instant, le litre qu'il tenait, il se versait une large rasade de vin rouge et l'avalait d'un trait :

— Fameux ! affirma Zizi...

Il claquait encore la langue de satisfaction, puis frappant sur l'épaule de son père :

— Et alors, p'pa Collardon, comment va maman ?

— Je n'sais pas, grogna le cocher.

— Elle est donc à Saint-Lago ?

— Juste...

— Et tes contraventions, p'pa ?

— Fous-moi la paix ! hurla le cocher.

Il avait pris son fouet, son inséparable fouet, posé derrière lui, contre le mur, il le faisait claquer :

— D'abord, d'où que tu viens ?

— De chez moi, répliqua Zizi, de la rue...

— Et qu'est-ce que tu fais maintenant ?

Zizi ne voulut pas se compromettre. Il eut un sourire équivoque, et se coupant une large tranche de pain, annonça :

— Tu le vois bien, p'pa, je mange !... Allons ! à ta santé !

Il trinquait avec son père, puis il l'interrogeait :

— Tu lis les journaux, p'pa ? T'as vu tout ce qui se trafique en ce moment ? Au fait, est-ce que tu connais le cocher qui transportait le bonhomme assassiné avenue Dauphine ?...

Or, à la question de Zizi, le père Collardon tapait un coup de poing sur la table :

— Tais-toi donc, morveux ! faisait-il, parle pas si fort !...

Or, l'émotion de son père était pour Zizi une véritable révélation...

— Des fois, faisait-il d'une voix tremblante, c'était pas toi, p'pa, ce cocher-là ?

Le père Collardon, pour toute réponse, se versait à boire. Il vidait son verre, rageusement, puis fixant son fils :

— Tu es donc de la rousse, sacredié, que, maintenant, tu m'interroges ?

Il n'en fallait pas plus pour fixer les idées du malheureux Zizi. A coup sûr, son père devait avoir trempé dans l'assassinat de l'oncle Favier...

— P'pa, affirma Zizi, je ne suis pas d'la rousse, et j'me contrefiche de la préfecture. Seulement, des fois, au ratodrome, j'avais entendu dire cela...

— Au ratodrome ? demanda Collardon, où ça ?

— Avenue de Saint-Ouen... où on voit la Gadoue ?...

— Tu la connais donc ?

— Dame ! plutôt !...

A nouveau, le père Collardon buvait. Il semblait maintenant à moitié ivre et pris d'une colère aveugle :

— Eh bien, la Gadoue, veux-tu que je te dise, Isidore, tout ça, c'est une salope ! Voilà ! Elle m'a fait faire des fourbis du diable et elle n'a pas raqué en quantité !... A ta santé...

Le père Collardon buvait sec, mais il était aussi fort généreux car, à chaque verre qu'il s'octroyait, il en offrait un à Zizi.

Trois litres vides déjà voisinaient sur la table, le cocher en commanda un quatrième, ajoutant :

— C'est comme l'histoire de la course qu'elle m'a fait faire l'autre nuit... Ça valait mille balles, nom d'un chien, et c'est tout juste si j'ai pu toucher quarante-cinq francs !... Ah ! maladie ! ça ne se passera pas comme ça, aussi !...

Il buvait encore, puis s'accoudant sur la table, fixant son fils, il répétait :

— Ça ne se passera pas comme ça !...

Or, Zizi, tout le temps que son père parlait, réfléchissait profondément...

Comment se faisait-il que le père Collardon traitât de « salope » la même mégère que lui-même haïssait si profondément ?

Connaissait-il donc la Gadoue ?

Était-il en relations avec les ravisseurs de la prisonnière des *Bucéphales de bois* ?

Zizi, malheureusement, n'avait plus ses idées bien nettes. Il avait bu beaucoup, il buvait encore, et, cependant, il lui semblait qu'il apprenait ou qu'il allait apprendre des choses fort intéressantes...

Que son père ait été le cocher du fiacre dans lequel avait trouvé la mort l'oncle Favier, cela n'étonnait pas beaucoup Zizi. Le père Collardon était évidemment homme à tout faire, et la Gadoue — puisque la Gadoue était l'assassin, au dire des journaux — pouvait fort bien l'avoir pris comme complice. Mais il apparaissait que Collardon avait été au hangar de la rue Championnet. Cela intéressait bien davantage Zizi !

Le groom eut vaguement conscience qu'il importait, avant tout, pour obtenir plus de détails, d'éviter que son père n'achevât de s'enivrer complètement.

— Si qu'on allait manger des escargots aux Halles ? proposait-il, sans insister davantage. Ça colle-t-y, p'pa ?

Collardon n'était plus en état de résister.

— J' m'en fous !... répondait-il à son fils...

Puis, pris d'un chagrin subit, il demandait :

— C'est vrai que c'est moi que je raque ? Alors tu ne peux pas inviter ton vieux père, tu ne peux pas venir en aide à mes infirmités ? Mais, malheureux, à ton âge...

Zizi lui coupa la parole :

— Paye donc, papa ! t'occupe pas de mon état de fortune. Et puis pour ce qui est de tes infirmités, elles ne te gênent pas beaucoup !...

Le père Collardon se levait. Il mettait la main dans la poche énorme de la houppelande. Soudain, il poussait un juron :

— Mais bon sang de sacrédié ! qu'est-ce que c'est donc que ça ?

Au même moment, Zizi s'étonnait :

— Mince de rien ! s'écriait le groom, t'as qu'ça de rente ?

Le père Collardon, en effet, en sortant de sa tunique la blague à tabac dont il avait fait depuis longtemps sa bourse, laissait tomber sur le sol une série de papiers qui étaient tout simplement des titres de rente, de véritables titres de rente.

— C'est plus fort que de jouer aux bouchons ! déclara Collardon en regardant les papiers épars sur le sol et que Zizi ramassait péniblement ; c'est pas à moi tout ça !...

— C'est pas à toi ?

— Non ! bien sûr !

Et le cocher ajoutait naïvement :

— A qui que qu'ça peut-être ? Tiens ! y a de l'écriture dessus... c'est p't'être marqué ?

Zizi, cependant, déchiffrait, péniblement, car décidément, l'ivresse commençait à lui tourner la tête, les lignes inscrites sur les titres de rente...

Les noms qu'il put lire le firent frissonner :

Ces titres avaient été en la possession de l'oncle Favier !

— Bon sang ! cria Zizi, en regardant son père, avec un effroi subit, mais tout cela, c'est ce qui a été volé par la Gadoue, dans les affaires où il y a eu du « Jap ». Comment qu'c'est dans ta poche ? T'es donc un assassin ?

Zizi parlait bas. Le garçon du mastroquet lisait, à l'autre bout de la salle, le papier graisseux d'un journal qui avait servi à envelopper de la charcuterie. Il ne prêtait pas, heureusement, attention à ce que disaient ses deux clients. Or, le père Collardon à l'apostrophe de son fils, devenait cramoisi :

— Un assassin, moi ? ripostait-il, mais j'crois que tu m'manques de respect ?... t'oublies donc que j'suis ton père ?... et que tu m'dois l'jour et la lumière ?...

Puis, il niait, avec sincérité :

— Non, je n'suis pas un assassin ! Possible que j'aie prêté mon fiacre à la Gadoue pour esquinter le vieux Favier ! possible que j'aie été vider le cadavre derrière le Grand Palais ! possible que je donne, de temps à autre, un coup de main aux mecs... mais je suis pour rien dans les crimes... J'oserais pas ! Et puis, c'est pas à moi, ces papiers-là !...

— Alors, pourquoi qu'ils étaient dans ta profonde ?

— Je ne sais pas ! affirma Collardon, qui commanda :

— Un litre !... un litre à seize, nom de Dieu ! et presto !...

Zizi et son père trinquèrent encore...

Zizi, dès lors, ne raisonnait plus avec une grande netteté. Quant au père Collardon, il semblait, au contraire, retrouver un peu de sa lucidité coutumière :

— Vois-tu, disait-il à Zizi d'un ton de voix pleurard et que l'ivresse empâtait un peu, vois-tu, tout ça, c'est des choses que je ne comprends pas !... Ces papiers-là y sont pas à moi. Donc faut qu'on me les ait mis dans ma poche. Et si on me les a mis dans ma poche, sûr de sûr, c'est pour me faire avoir des histoires ! Tiens si jamais j'avais rattrapé une contredanse, et qu'on m'ait fichu au poste ce soir, on m'aurait trouvé ça d'ssus et je n'y coupais pas, d'un procès sérieux...

Zizi, cependant, tournait lentement les feuillets des titres. Soudain le groom pâlissait affreusement...

Sur le dos de l'un des papiers, il y avait, tracée d'un large trait rouge, comme si on l'eût écrite avec un doigt trempé dans du sang, une inscription extraordinaire : « Justice de Jap ! »

— Qu'est-ce que ça veut dire ? pensa Zizi.

Il vidait son verre, puis se levait en titubant :

— P'pa, faut qu'on se cavale ! raques-tu ?

— Je raque, concéda Collardon père...

Il payait, en effet, il sortait du mastroquet, aux côtés de son fils...

Mais à ce moment, quittant la salle surchauffée, pour la rue glaciale, Zizi éprouva un subit malaise.

— Je ne sais pas ce que j'ai..., murmurait-il, mais maintenant... maintenant...

Alors le père Collardon toisa son fils :

— Parbleu ! t'es saoul !...

Et, digne et paternel, il poussa son rejeton à l'intérieur de son fiacre, qui, quelques instants après, démarrait péniblement...

A trois heures du matin, Zizi se réveillait, stupéfait, sur un matelas posé à terre.

— Où diable suis-je ? se demanda le groom...

Il se soulevait, regardait avec ahurissement la pièce dans laquelle il se trouvait...

— Cré mâtin ! ronchonna Zizi, hier soir, j'étais saoul comme une bourrique, et j'parie que p'pa m'a ramené chez lui... allons ! c'est pas encore un mauvais homme que mon dab !...

Zizi reconnaissait, en effet, le logement paternel.

Évidemment, il avait dû apparaître à Collardon père que son fils était si complètement gris qu'il importait de ne pas le laisser à la rue. C'est assurément pour cela que le cocher avait reconduit son fils chez lui...

Zizi, d'ailleurs, voulut immédiatement tirer l'aventure au clair. Il n'était pas déshabillé, il se leva. Marchant alors sur la pointe des pieds, Zizi traversa la chambre, dans laquelle il se trouvait et s'approcha du lit, où devait, dans son idée, reposer son père...

Or, Zizi n'avait pas fait trois pas qu'il paraissait prêt à défaillir :

— Du sang ! s'écriait-il... ah !... sacrebleu ! Et mon père qui est mort !... Mais fichtre de fichtre !...

Du sang était, en effet, par terre, étendu en larges flaques. Du sang avait jailli contre les murailles...

Zizi, d'émotion, demeura immobile quelques secondes.

Puis, il se traîna jusqu'au lit. Le père Collardon y était couché. Il avait les yeux clos, il était immobile, il avait au cou une grande plaie qui avait dû saigner abondamment.

— Nom de Dieu ! murmura encore Zizi, mais qu'est-ce qui a fait cela ? Que s'est-il passé ?...

Il tremblait violemment. Il se sentait épouvanté par ce mystère nouveau...

Et Zizi, alors, se demanda subitement si ce n'était pas lui qui, dans un délire d'ivresse, avait commis le crime !

Car c'était évidemment un crime. Le père Collardon avait dû être frappé pendant son sommeil...

Zizi se rappelait vaguement, d'ailleurs, qu'au moment où il était rentré avec son père, il avait dû, violemment, se disputer avec lui...

Et dès lors, de plus en plus épouvanté, il reconstituait le drame...

Parbleu, son père s'était couché, lui-même s'était endormi... puis il avait dû se réveiller et, ivre encore, bondir sur le malheureux et lui porter l'affreux coup de couteau qui l'avait tué...

— C'est épouvantable ! pensa Zizi, c'est horrible !...

Mais il avait, évidemment, plus de peur que de chagrin !

Zizi, en effet, ne pouvait guère aimer son père. Il le savait capable de tout ; il avait appris, la veille au soir encore, qu'il avait trempé dans un assassinat récent ; il ne pouvait trop le plaindre et même, malgré lui, il songeait que le cocher était, en somme, un misérable. Pourtant Zizi s'affola :

— J'ai tué mon père, se répétait-il, je suis un parricide !...

Et, à cette idée, ses cheveux se dressaient sur sa tête... Brusquement la réaction se fit. Après être resté d'abord paralysé de stupeur, Zizi comprenait qu'il importait d'agir...

— Si l'on me trouve dans cette chambre, pensa-t-il, on devinera tout de suite que c'est moi qui ai fait le coup !... J'aurai beau jurer que j'étais ivre, mon affaire sera bonne ! Faut que j'm'en aille !

Il quittait la chambre précipitamment. Dans la cuisine Zizi se débarbouilla, enleva les taches de sang qui avaient giclé sur lui ; puis il sortit, dégringola l'escalier... se perdit dans les rues...

Zizi marcha deux heures de suite. D'abord il s'était éloigné, avec une horreur instinctive, du quartier abominable où il pensait avoir commis un crime. Bientôt il revint sur ses pas.

Zizi avait très mal à la tête, ce qui était assez naturel après son ivresse de la veille. Même, il devait se rendre compte que ses idées n'étaient pas fort nettes. Il éprouvait une grande peine à réfléchir, à se rappeler les incidents de la soirée précédente. Par instants, il s'étonnait de n'être pas plus ému, alors qu'il venait de tuer son père...

Cependant, au fur et à mesure que les rues retrouvaient leur animation, que Paris se réveillait, Zizi éprouvait de plus en plus une horrible angoisse...

C'est que, quelques heures plus tôt, lorsqu'il avait vu son père assassiné, Zizi avait été littéralement « abruti » par la surprise, comme on l'est par un coup violent. Il n'avait compris qu'à demi...

Maintenant, au contraire, il comprenait mieux ce qui s'était passé, et les conséquences inévitables que cela allait avoir pour lui.

D'ailleurs, une surprise nouvelle l'immobilisait encore ! Comme il mettait la main dans sa poche, pour y chercher un mégot et tenter de se redonner un peu de courage au moyen de quelques bouffées de tabac, il découvrait, enfoncée dans son veston, une liasse de papiers dont la seule vue le faisait tressaillir...

— Quoi ? s'écriait Zizi, voilà que j'ai volé les titres que portait mon vieux ?...

Et il songeait alors, avec une émotion grandissante, à tout ce que l'aventure avait d'étrange.

Son père lui avait juré, la veille au soir, que ces papiers ne lui appartenaient pas...

Le vieux cocher avait affirmé qu'il devait être victime d'une vengeance, qu'on avait dû lui glisser les valeurs dans la poche, pour le faire arrêter...

Et voilà que désormais c'était lui, Zizi, qui possédait ces titres ! Pourquoi ? comment était-ce possible ?

Zizi, encore, réfléchissait à l'inscription mystérieuse qu'il avait vue sur la liasse : « Justice de Jap ! » Cela surtout était incompréhensible !

— Ma foi ! pensa Zizi, j'admets à la rigueur qu'un complice de mon dab lui ait collé ces chiffons compromettants dans la profonde, histoire de le faire pincer — et c'eût été justice —, mais je me demande comment il se fait que c'est moi maintenant qui retrouve tout cela dans ma poche. Je ne l'ai pourtant pas volé !

Zizi, à ce moment, était revenu, tout naturellement, dans la rue des Solitaires. Il avait grand-peur d'être arrêté, et pourtant une force impérieuse l'attirait vers la maison du crime !

Prudemment, cependant, il inspecta de loin l'aspect de la rue.

Au premier coup d'œil le malheureux gosse frémissait :

— Bon Dieu ! voilà que l'affaire est découverte ! Tout ce tas de bonnes gens qui stationnent devant la porte de mon dab est évidemment en train de commenter le malheur... Ah ! sapristi ! qu'est-ce que je vais devenir ?

Il éprouvait, à cet instant, le malheureux Zizi, une violente envie de s'enfuir. La curiosité pourtant le tenaillait.

— Faudrait que je sache, tout de même, grommelait-il, si on me soupçonne déjà ?

Il restait, là, hésitant... Une réflexion soudain le rassura :

— Après tout, pensait-il, personne ne m'a vu rentrer avec mon dab ; la mère Landry roupillait, cette nuit... donc je ne risque rien à aller prendre des nouvelles ?...

Et, follement audacieux, Zizi s'avança.

Il joua des coudes, entra dans la maison du crime, apostropha la concierge, qui, pâle comme une morte, était affalée plutôt qu'assise dans un fauteuil au fond de sa loge.

— Ça va, la pipelette ?

La concierge se redressa comme poussée par un ressort.

— Ah ! bon Dieu ! jurait-elle, il ne manquait plus que toi !

Puis elle éclatait en sanglots, brave femme malgré tout.

— Mon petit, c'est un rude malheur qui vient d'arriver... la police sort d'ici, ton père a été assassiné !

La mère Landry, sur ces mots, sanglotait plus fort encore. Zizi, blême d'émotion, s'agrippa à une tenture pour ne point choir...

— Mon dab a été assassiné ? répétait-il.

Et il ajoutait, car cela surtout le frappait :

— La police sort d'ici ? C'est bien vrai ? Qu'est-ce qu'elle a dit ?

La mère Landry cependant, cherchait des paroles de condoléances.

— Faut pas te frapper ! disait la brave femme, après tout, vois-tu, ton père, c'était rien qu'un pochard, mon garçon !... Mais tout de même faut le respecter... Des fois... ta mère ne sait encore rien !...

Zizi d'une voix haletante interrompit :

— Mais qui c'est qu'a fait le coup ? Qu'est-ce qu'elle dit la police ?

Sans l'écouter, la mère Landry continuait à chercher des consolations :

— Et puis, vois-tu, faisait-elle, maintenant qu'il est mort, le pauvre homme, paix à ses cendres ! comme on dit ; le vin ne lui fera plus mal !... Ah ! tu demandes des détails ? Eh bien, voilà : ce matin en me levant j'ai trouvé sa porte ouverte. Je suis entrée, ah ! le coup que ça m'a fait, tout de même !

— Oui ! oui ! pressa Zizi, et alors ?

— Et alors j'ai sauté chez le commissaire, rapport à ne pas avoir des ennuis...

La mère Landry se mouchait bruyamment, puis continuait :

— Une heure après, y a un inspecteur de police, un certain Juve — paraît même qu'il est célèbre —, qui s'est amené ici en compagnie d'un journaliste, un nommé Fandor...

Zizi, en entendant ces noms, devenait de plus en plus pâle.

Quoi ? le hasard avait voulu que ce fût Juve qui fût chargé d'informer relativement à la mort de son père ?

Le groom, défaillant, pensa :

— Je suis foutu !

Pourtant, il s'efforçait de faire bonne contenance :

— Et qu'est-ce qu'il a dit, Juve, mère Landry ?

La concierge leva les bras au ciel :

— Ah çà ! c'est le plus fort ! clamait-elle. Figure-toi que lui et son ami, ils ont fouillé partout, reniflé sous tous les meubles... Ils disent des choses bien stupéfiantes.

— Lesquelles ?

— Juve, comme ça, prétend que ton père n'est pas rentré seul. Il dit qu'il trouve des traces d'un second personnage, d'un gosse...

— Pas possible ! c'est idiot..., affirma Zizi qui sentait la vie l'abandonner.

— Comme je te le dis ! répéta la concierge. Et puis encore Juve affirme que ton père a été assassiné par Fantômas !... Oui, t'entends bien... par Fantômas !...

En prononçant le nom d'effroi, le nom tragique, la voix de la mère Landry tremblait...

Zizi au contraire retrouvait quelque assurance.

Ce n'était donc pas lui qu'on soupçonnait ? c'était Fantômas ?

Il interrogea encore :

— Vous ne savez rien d'autre ?...

— Si ! et quelque chose de cocasse... Précisément ce matin, ton père a reçu une lettre... Ah ! le pauvre cher homme, en voilà une qu'il ne lira jamais !... D'ailleurs, elle n'était pas pour lui !...

— Comment elle n'était pas pour lui, madame Landry ? Qu'est-ce que vous me chantez ! Faites voir ?...

La concierge fouillait dans un casier, pendu au mur de sa loge.

— Regarde plutôt, disait-elle, c'est une carte postale... et c'est marqué sur l'adresse : « M. Havard, chef de la Sûreté, chez le cocher Collardon. » Tu vois ?

Elle tendait la carte à Zizi.

Le groom d'une main tremblante la prit, la tourna et retourna. Soudain il poussait un cri de stupéfaction.

— Ça, c'est plus fort que tout ! par exemple !

Il était devenu très rouge, un flot de sang avait envahi ses joues.

— Tu comprends ? interrogea la mère Landry.

Zizi relisait la carte : « Jap a fait justice, n'inquiétez personne. » Brusquement alors, le groom rendit le petit carton à la concierge.

— Ma foi ! disait-il, ça me semble bien embrouillé, cette affaire ! Le bonjour à vos pigeons, mère Landry ! je vas m'occuper de passer chez le notaire...

Et profitant de l'ahurissement de la brave femme, qui commençait à trouver que Zizi avait une attitude bien étrange, le groom s'éloignait...

Zizi, à vrai dire, avait hâte de quitter la maison du crime.

— Dans tout cela, se disait-il, il y a la moitié des événements qui est incompréhensible et l'autre moitié qui est inquiétante. Le mieux que j'aie à faire, c'est de tâcher de ne pas y être mêlé !

Puis, il réfléchissait encore :

— Par exemple, qu'est-ce que ça veut dire ? « Jap a fait justice. » Ah çà ! est-ce que Jap serait un monsieur qui aurait eu intérêt à punir mon père de ce qu'il a fait de mal ? Jap a fait justice... bon ! mais il a fait justice de quoi ?... de sa complicité dans l'assassinat du bonhomme

Favier, ou de sa complicité dans le rapt de la prisonnière des *Bucéphales de bois* ?

« Enfin tout de même, ce coup-là, j'aime mieux que ça soit pas moi qui l'ai fait. Maintenant je m'en lave les mains !... C'est toujours pas moi qu'ai zigouillé mon dab ! puisque Jap a écrit que c'était lui...

Zizi s'arrêtait pour mieux réfléchir :

— Au fait, remarquait-il, c'est que, dans l'histoire, moi aussi je me trouve puni... car me voilà, d'une part, bigrement compromis, et d'autre part, bien embêté en raison des papiers que j'ai dans ma poche !...

Zizi s'était repris à marcher. Il ajoutait bientôt :

— Il est vrai que moi aussi, j'ai aidé au rapt de la jeune fille... C'est peut-être pour cela que je suis dans de mauvais draps ?...

Le groom tournait toutes ces pensées dans sa tête puis semblait brusquement prendre une suprême décision :

— Fantômas ! Juve et Fandor disent que c'est Fantômas qui a tué mon père ! Ma foi, moi, je veux bien ! mais tout de même, il me semble plutôt que ce serait Jap ? Seulement, voilà, qui est Jap ? Ah ! tant pis ! c'est aux policiers à débrouiller l'affaire... l'essentiel c'est que c'est pas moi !...

Zizi, à ce moment, entrait dans un café.

Il commandait un petit verre, demandait ce qu'il fallait pour écrire, et glissait sous enveloppe les titres de rente si mystérieusement tombés en sa possession.

— Complétons la justice de Jap, se disait Zizi, en nous arrangeant de façon à ce que tout cela arrive aux mains de qui de droit.

Sur l'enveloppe, il écrivit comme adresse :

Monsieur Juve, inspecteur de la Sûreté.

XIX

Une accusation grave

— Tu disais, Fandor ?...

— Je ne disais rien ! Continuez, Juve... car, si je vous interromps tout le temps, il est évident que nous n'arriverons pas à faire de besogne utile. D'ailleurs vous m'avez prévenu que vous étiez pressé ?

— En effet !...

Juve était debout dans le cabinet de Fandor et semblait de la plus souriante humeur. Il y avait à peine quelques minutes qu'il s'entretenait avec son ami mais cependant, il l'avait informé qu'il était venu le trouver pour lui demander « un service », un « grand » service, il lui restait à s'expliquer :

— Mon bon, commençait Juve, sais-tu que tu m'as mis sur la piste d'une étrange affaire, le jour où tu es venu me chercher pour entrer dans le petit hôtel de la rue Girardon où, prétendait la baronne de Lescaux, un vol avait été commis ?...

— Je ne le sais que trop ! ripostait Fandor. Depuis ce moment tout va de mal en pis. Les plus extraordinaires aventures se succèdent : vous enquêtez, j'enquête de mon côté, tout le monde enquête même, et personne ne comprend rien...

— Oh ! tu t'avances beaucoup ! coupa Juve en souriant. Es-tu bien sûr que personne ne devine quoi que ce soit à ces énigmes ?

— Dame ! Vous-même, qu'avez-vous deviné ?

— Rien et beaucoup de choses ! D'abord je sais qu'il y a une bonne femme, la Gadoue qui a tué un millionnaire, Favier...

— Oui, mon cher, vous savez cela, mais vous n'en êtes pas plus avancé !

— C'est à voir ! Enfin, je connais un certain Zizi qui a, si je ne m'abuse, dérobé une bourse en or rue Spontini ; je te l'ai déjà expliqué...

— Parfaitement ! Mais ceci ne touche en rien au japisme ?

— C'est encore à voir !...

Juve répondait d'un ton si dubitatif et en laissant entendre de façon si formelle qu'il soupçonnait bien des choses que Fandor demeurait interloqué.

Après avoir réfléchi quelques instants, le reporter interrogea :

— Sûrement, mon vieux Juve, vous méditez quelque chose ! Vous avez des idées de derrière la tête ! Puis-je savoir ?...

— Pas encore ! décidait Juve qui, riant tout à son aise, s'excusait :

— Oh ! je ne fais pas de mystère avec toi, Fandor, mais ce que j'invente est si extraordinaire que je ne veux pas t'en parler avant d'être sûr de mon fait !... A propos, tu as lu les journaux ? Tu as vu que tout le monde parle de japisme à propos de l'assassinat de Collardon et que nul ne veut croire à une intervention de Fantômas ?

— Oui, répondait Fandor, qui ajoutait d'un ton convaincu :

— Le japisme est une folie étrange !...

— Ou une bande de malfaiteurs bigrement bien organisée et s'occupant à punir de rudes misérables... car, entre nous, le cocher Collardon n'était guère intéressant...

Mais Juve à ces mots s'arrêtait, puis, reprenait, très vite, comme s'il regrettait d'avoir été trop bavard :

— Mais il ne s'agit pas de cela en ce moment !

— De quoi s'agit-il donc ? protesta Fandor.

— D'une arrestation à faire et que je vais te confier...

— C'est que je ne suis pas de la Sûreté !

— Cela n'a aucune importance ! Voici mon mandat d'amener. Occupe-toi de cueillir l'individu, amène-le chez moi, et c'est moi qui le conduirai au poste...

— Très bien !

Cette façon de procéder n'était peut-être pas très régulière, car, en réalité Juve n'avait pas le droit de charger son ami Fandor d'opérer une arrestation. Mais ce n'était point le moment de s'embarrasser du respect des formes.

Juve avait évidemment besoin d'être libre cette après-midi-là. Il devait, d'autre part, effectuer une arrestation : tout était donc pour le mieux s'il trouvait moyen de faire exécuter l'arrestation par son ami et par conséquent de garder sa liberté.

— Qui s'agit-il d'aller appréhender ? interrogea cependant Fandor.

— Tu le verras sur le mandat ! ripostait en riant encore Juve. C'est le nommé Zizi. Tu vois que l'opération n'est pas dangereuse ?

— Et où se cache-t-il, ce garçon ?

— Je sais par des indicateurs que tu le trouveras aux environs de la place Maubert vers les sept heures et demie, huit heures du soir. De là, il file dans la direction du Jardin des Plantes. Arrête-le sans scandale, hein ?

— Bien entendu !

— Et amène-le moi tout de suite... Ah ! au fait, si je n'étais pas chez moi, attends-moi ou reviens demain... Il est probable que je ne perdrai pas mon temps...

Fandor remarquait à nouveau l'air satisfait qu'affichait Juve, puis prenait son chapeau.

— Eh bien ! je m'en vais immédiatement courir après votre gosse ! déclarait-il ; quant à vous, bonne chance !

Les deux hommes descendaient ensemble rue de Rivoli et se séparaient au Châtelet.

— De quel côté allez-vous ? demandait Fandor.

— Je rentre chez moi !

— C'est donc chez vous que vous allez travailler ?

— Oui et non ! J'attends des visites...

Et sur un nouveau sourire énigmatique, Juve s'éloignait définitivement, cependant que Fandor traversait la Seine, remontait le boulevard Saint-Michel pour se rendre à la place Maubert et y guetter Zizi.

Fandor, d'ailleurs, n'était nullement embarrassé à l'idée d'avoir à reconnaître l'ancien serviteur de Valentine de Lescaux...

Intrigué, lui aussi, par les mystérieuses affaires du japisme, il avait mené, depuis les premiers jours, une enquête officieuse que lui avait facilitée Juve et, en surveillant l'hôtel de la rue Spontini, il avait eu plusieurs fois l'occasion d'apercevoir le jeune homme. Fandor pensait donc que l'arrestation de Zizi n'offrirait et ne pouvait offrir aucune difficulté...

En tout cas, Juve l'avait fort exactement documenté. A sept heures dix, tout juste, alors que Fandor attablé à la terrasse d'un mastroquet voisin, vidait consciencieusement un savoureux bock de bière brune, le jeune groom faisait son apparition sur la place Maubert.

— Voilà mon gibier ! pensa le journaliste.

Il réglait son dû et, sans se hâter, traversait la chaussée dans l'intention d'aller trouver Zizi et de l'inviter à le suivre...

Malheureusement, place Maubert, à ce carrefour où se donnent rendez-vous à certaines heures tous les pauvres diables qui exercent dans Paris la peu lucrative profession de « ramasseur de mégots », un journaliste aussi célèbre que Fandor ne pouvait passer inaperçu...

Au moment où l'ami de Juve traversait la chaussée, un coup de sifflet retentissait donc, strident, prolongé, qui faisait immédiatement dresser la tête aux misérables vagabonds qui flânaient là, assis sur le coin d'un trottoir, attendant l'heure de la bourse des mégots...

Or, Zizi, ainsi que tous, entendait le coup de sifflet.

Depuis qu'il vivait dans la pègre, Zizi avait appris bien des choses et notamment qu'un tel signal n'annonçait d'ordinaire rien de bon...

Zizi se relevait donc, regardait de tous côtés, apercevait Fandor qu'il avait déjà entrevu aux environs de la rue Spontini, et, sans demander son reste, se défilait prestement...

— Dommage, tout de même ! pensa Zizi, d'être obligé de cavaler devant la rousse, alors qu'on a rien sur la conscience... ou si peu de chose ! C'est pas de veine d'être plus innocent que père et mère et d'avoir toujours la frousse d'être poissé ! Enfin ! faut se faire une raison !...

... Zizi se résignait ou non, à son triste sort, mais il se hâtait de fuir.

Les environs de la place Maubert lui étaient familiers. Il prenait par une série de petites ruelles tortueuses et sales, il passait au travers de maisons à double issue, il dégringolait vers la Seine, arrivé sur le quai il se retourna.

— Suis-je toujours filé ?

Au lointain il crut entrevoir le chapeau mou que portait Fandor.

— Décidément, y a des punaises dans la friture ! murmura Zizi, indiquant ainsi, pittoresquement, qu'il estimait que les événements tournaient mal...

Zizi longea le quai, passa le Petit-Pont, courut derrière Notre-Dame, traversa encore la Seine et revint sur la rive gauche.

— Est-ce qu'il est toujours là, le mec ?

A moins de cent mètres encore, il aperçut Fandor.

— Ça va bien ! pensa Zizi, ça va très bien pour le moment ! Mais j'ai peur que ma maladie ne se complique ! Il a l'air de coller, rudement, ce sacré journaliste...

Fandor, de fait, mettait à poursuivre Zizi une habileté consommée.

Il eût même, depuis longtemps, arrêté le jeune groom s'il l'avait voulu, mais il se souvenait des recommandations de Juve, le priant d'éviter tout scandale. C'était pourquoi il ne se pressait pas.

— Ce gamin n'est pas de force à lutter avec moi ! pensait Fandor, c'est un débutant du crime, il ne sait point couper une piste, je le pincerai quand bon me semblera !

Et Fandor, sans se hâter, continuait à filer Zizi, riant de voir avec quelle exactitude Juve l'avait documenté, car, ainsi que l'avait dit le policier, Zizi se dirigeait vers le Jardin des Plantes.

— Je le prendrai dans le jardin, décida soudain Fandor ; à cette heure il n'y a plus, là-bas, grand monde et personne ne me verra lui mettre la main au collet...

Trois quarts d'heure plus tard, Fandor était, en effet, dans le Jardin des Plantes. Toutefois, il avait perdu beaucoup de son impassibilité souriante, il grognait, au contraire, il jurait sourdement, il paraissait furieux !

Fandor se rendait compte qu'il venait d'être joué de la belle manière !

Quarante minutes avant, il était encore sur les talons de Zizi, il voyait parfaitement le groom, il s'apprêtait à l'arrêter et puis, subitement, le gamin avait disparu, s'était éclipsé, s'était même évanoui, et cela, si complètement que Fandor n'avait pas la moindre idée de l'endroit où Zizi pouvait être !

— Pourtant, il n'est pas monté au ciel ! finissait pas grogner Fandor. Il était devant moi au coin de cette allée, il faut donc qu'il ait été se cacher soit dans ce bâtiment, soit dans ces massifs. Or, le bâtiment est fermé et il n'y a personne dans les massifs !...

De guerre lasse, après avoir fureté partout, Fandor avisa un gardien du jardin :

— Vous n'avez vu passer personne ? demandait-il, vous n'avez pas aperçu un gamin vêtu d'une vieille livrée marron, coiffé d'une casquette de jockey et paraissant chercher à se dissimuler ?...

Fandor, tout en questionnant, laissait entrevoir au brave gardien la carte d'agent de la Sûreté, l'« œil » ainsi que cela s'appelle en argot populaire, que lui avait prêtée Juve.

Mais le gardien secouait la tête négativement :

— Non, monsieur l'inspecteur ! répondait-il ; je n'ai vu personne ! absolument personne ! D'ailleurs, où le gamin se serait-il caché ? Derrière les massifs ? On le verrait ! Le musée est fermé depuis cinq heures... et ma foi, il n'y a pas d'autres endroits ?...

— Là-bas, qu'est-ce qu'il y a ? interrogea Fandor, pointant sa canne vers le lointain...

— C'est la fosse aux ours, monsieur l'inspecteur, votre gamin n'a pas été se cacher avec eux ? hein ?

— Non ! répondait Fandor, vexé. Pourtant, allons voir.

Le journaliste, en compagnie du gardien, s'avança jusqu'à la fosse aux ours. Il se penchait par-dessus la balustrade et, naturellement, il haussait les épaules de dépit : dans la fosse, Fandor apercevait, tout juste, un ours solitaire accroupi contre le mur, qui grognait sourdement...

— Si votre fugitif avait sauté aux côtés de Martin, plaisantait le gardien, il y a gros à parier que, tout le premier, il aurait appelé à l'aide. Dame, ça n'est pas des bêtes accueillantes !...

A quoi Fandor, rageur, répondait :

— Évidemment ! mais après tout, tant pis ! On le repincera ailleurs, ce garnement. Pardon de vous avoir dérangé, gardien, et au revoir...

Fandor saluait, s'éloignait...

Or, tandis que Fandor poursuivait Zizi et manquait l'arrestation du gavroche, que faisait Juve ?...

Juve s'était hâté de rentrer chez lui. Il avait baissé les volets des fenêtres de son cabinet de travail, allumé sa lampe, disposé un fauteuil à contre-jour, où il avait pris place mis, au contraire, en pleine lumière, un autre fauteuil qu'il préparait, évidemment, à l'intention de la « visite » qu'il avait annoncée à son ami Fandor.

Cette visite ne tardait pas. A dix heures et demie, très exactement, Juve se trouvait en tête à tête avec Valentine de Lescaux qu'il avait, le jour même, convoquée par une dépêche pneumatique.

— Vous m'avez demandée, monsieur ? interrogeait Valentine, comme Juve lui désignait le fauteuil, placé en pleine lumière et la priait de s'asseoir. Auriez-vous donc quelque chose à me communiquer ? Auriez-vous découvert le voleur de mon pendentif et ce que c'est que le japisme ?...

— Madame, répondait brutalement Juve, d'une voix qui était presque insolente, je n'ai rien découvert de tout cela, mais, en revanche, j'ai trouvé qui a causé la mort de votre oncle Favier.

Or, en entendant ces mots, Valentine blêmissait affreusement...

Depuis la mort de l'oncle Favier, en effet, la jeune femme vivait dans des transes trop explicables.

Cette mort, en effet, était restée des plus mystérieuses. Nul n'avait pu en donner une explication plausible. Valentine avait seulement appris de son mari des détails absolument inouïs et qui lui faisaient, chaque fois qu'elle y réfléchissait, la plus grande peur...

Le baron de Lescaux prétendait, en effet, qu'il était bien monté dans la voiture, que c'était bien lui qui avait appelé l'oncle Favier, mais qu'il n'en savait pas davantage !

— J'ignore tout de ce qui s'est passé ensuite, déclarait-il. A peine avais-je pris place dans ce fiacre maudit, affirmait-il, que j'ai dû être endormi par un soporifique violent, car je n'ai même pas eu conscience de la façon dont les agents m'ont retrouvé et arrêté sur les berges de la Seine. De même, je ne sais pas du tout pourquoi je disais « Jap, Jap »... puisqu'il ressort des témoignages que je prononçais ces mots !

Et voilà que Juve prétendait, lui, avoir appris du nouveau relativement à cette histoire invraisemblable !

— Mon Dieu ! demanda Valentine de Lescaux, parlez vite, monsieur ! Vous me faites mourir d'impatience ! Vous dites que vous avez découvert qui avait causé la mort de mon pauvre oncle ? Parlez ! parlez ! c'est la Gadoue, n'est-ce pas ?

— Vous le demandez, madame ?

— Certes !

— Eh bien, je dois vous apprendre d'abord que la Gadoue a eu une complice, la véritable coupable... car c'est cette complice qui a préparé et voulu le crime... Vous en doutiez-vous ?

— Non !... mais parlez ! parlez !

Juve se renversa en arrière. Il articula lentement :

— La femme qui a provoqué l'assassinat de M. Favier, la femme qui s'est employée à l'attirer dans un guet-apens, la femme qui a occasionné sa mort, en un mot, c'est...

— C'est qui ? râla Valentine.

— C'est vous, madame !

Et au même moment, Juve tirait de sa poche un revolver qu'il braquait sur Valentine, tout comme s'il se fût attendu à ce que la jolie créature se jetât sur lui.

Or, à l'affirmation de Juve, Valentine avait paru défaillir.

Un instant, elle demeurait sans répondre, comme accablée, comme anéantie, par la formidable accusation qui venait d'être formulée, puis, soudain, elle protestait avec indignation :

— Mais c'est fou, monsieur, ce que vous dites ! Vous ne pouvez pas croire une chose semblable ? Vous ne pouvez pas m'accuser d'assassinat ? Moi ! moi ! avoir tué mon oncle ! Ah ! c'est abominable !...

— Je suis de votre avis ! riposta froidement Juve.

— Et pourquoi m'accusez-vous, grand Dieu ? ripostait Valentine. Comment avez-vous pu me soupçonner ?...

— Parce que j'ai eu des preuves, madame...

— Des preuves ? C'est impossible !

— Mettons des présomptions, mais ma conviction est à peu près établie...

Et, comme, muette de stupeur, Valentine se taisait, incapable de répondre, Juve continuait :

— Voyons, madame, raisonnons ! Votre oncle Favier était, n'est-il pas vrai, immensément riche, et vous pouviez, il y a quinze jours, escompter légitimement être son héritière, puisque vous étiez sa seule parente ?...

— Mais, monsieur, ce n'est pas une raison !...

— Si ! madame, c'est une raison ! La mort de votre oncle Favier devait vous enrichir. Eh bien, vous m'avouerez que cela déjà est grave ? Mais il y a plus : j'aurais compris que vous attendiez avec impatience le décès de ce parent, je comprends mieux encore pourquoi vous avez été conduite à le hâter par un assassinat !... Vous m'écoutez, madame ?

— Il me semble que je vis un abominable cauchemar !

— Hélas, vous ne rêvez pas, madame ! Il y a mieux, disais-je, et voici pourquoi. Je suis persuadé, madame, que votre oncle Favier vivrait encore si vous n'aviez pas appris, comme je l'ai appris moi-même, hier, au cours d'une enquête, qu'il avait l'intention de changer son testament et de faire un gros legs, peut-être même un legs universel, à une maîtresse, à une certaine Chonchon, qu'il connaissait depuis peu... Vous comprenez maintenant, madame, je pense, comment je raisonne et pourquoi je raisonne ? Vous vous êtes dit, vous et votre mari...

— C'est infâme, monsieur ! criait Valentine.

— Vous vous êtes dit, reprenait Juve, sans même hausser la voix, qu'il importait de supprimer au plus vite votre oncle afin qu'il n'ait point le temps de changer ses dispositions testamentaires ! Il fallait qu'il meure vite ? Vous l'avez tué ! Voilà ! Oh ! cela a été très bien combiné...

Juve faisait une pause, puis reprenait, fixant la malheureuse Valentine de Lescaux :

— D'ailleurs, madame, je vous avoue qu'il y a fort longtemps que je vous observe. Voulez-vous savoir pourquoi vous avez ainsi retenu mon attention ?

— Parlez, monsieur...

— Eh bien, voici. D'abord l'histoire de votre pendentif était fort bien imaginée, car, bien entendu, le vol n'a jamais eu lieu.

— Jamais eu lieu ? répéta Valentine comme un écho, mais vous-même, monsieur Juve, vous avez été...

— Moi, madame, interrompit le policier, sur un ton qui n'admettait pas de réplique, j'ai tout simplement été roulé par vous ! Vous m'avez fait prendre de l'opium et voilà tout ! D'ailleurs Jap n'a jamais existé ! Jap... c'est une invention ! Votre invention !... Et si vous voulez savoir le fond de ma pensée, je vous dirai que Jap n'est, en somme, qu'un personnage imaginaire, destiné à masquer la personnalité de Fantômas... votre maître !

Valentine de Lescaux était, à ce moment, si pâle, si affolée qu'elle pouvait à peine faire « non » de la tête...

Juve, machinalement, lui avançait un fauteuil :

— Je suis sûr de ce que je prétends, disait-il, comme je suis certain, d'autre part, que le cocher Collardon a été tué sur l'ordre de Fantômas. C'était sans doute un complice gênant...

Juve, ayant dit, se taisait, fixant toujours la baronne. Celle-ci le regardait avec des yeux fous, n'ayant plus l'air de comprendre ses paroles. A la fin la malheureuse demanda :

— Mais, alors, vous m'arrêtez ?

Or, à cette question, Juve sembla avoir quelque peine à réprimer un sourire !

— Mon Dieu, non ! disait-il. Je ne vous arrête pas encore...

Et comme Valentine le regardait toujours, de telle façon qu'il semblait que la folie commençait à hanter son cerveau, Juve poursuivait :

— Je ne vous arrête pas encore, parce que je n'ai point pu voir le juge d'instruction aujourd'hui et obtenir un mandat d'arrêt ! D'ailleurs, à vrai dire, je reconnais que je n'ai pas encore de preuves formelles de votre crime. Non ! je ne vous arrête pas madame, et vous pouvez vous retirer, et rentrer chez vous... mais...

Et Juve insistait, tout particulièrement, sur ces mots :

— Mais je vous prie de vous tenir à ma disposition ! Vous voudrez bien prier également M. de Lescaux de passer me voir dès demain matin. Si, par hasard, j'apprenais que vous vous disposiez à vous éloigner, bien entendu, je prendrais immédiatement des mesures qui seraient de nature à vous en empêcher. Votre intérêt est donc de rester tranquillement chez vous, vous me comprenez bien, madame ?

Affolée, Valentine faisait « oui » de la tête. Juve pousuivait encore :

— Donc, rentrez à votre domicile et attendez que je vous fasse savoir mes intentions ! Je tenais à vous avertir qu'il était temps, pour vous, de faire très attention.

« J'ajoute que je souhaite me tromper et que je désire vivement que vous soyez innocente !... Vous pouvez vous retirer, madame !...

Valentine se levait alors, comme se fût levé un automate...

Elle ne trouvait pas un mot pour répondre. Elle n'avait même plus la force de protester !

— Adieu, madame ! répétait Juve, en ouvrant la porte à Valentine.

La jeune femme eut un véritable râle inarticulé :

— Je ne suis pas un assassin ! je ne suis pas une meurtrière !...

Or, à peine la porte de l'appartement s'était-elle refermée sur la jeune femme que Juve poussait un « ouf » fatigué !

Il s'épongeait le front où la sueur perlait, jetait sur son lit son énorme revolver — qui n'était pas chargé — puis il monologuait :

— La pauvre petite ! c'est abominablement cruel ce que je viens de faire... mais je n'avais pas le choix des moyens. Et dire, Dieu du Ciel ! que je suis, maintenant, à peu près persuadé qu'elle n'est pour rien dans la mort de son oncle !... qui ne serait pas son oncle... Dire que j'ai tout le temps parlé contre ma pensée !... Parbleu ! je le sais bien que le pendentif a été volé ! je le sais bien que Jap et Fantômas n'ont rien à voir avec la Gadoue !... et que Collardon a payé de sa vie une complicité gênante !...

Juve restait un instant silencieux, puis, il reprenait :

— Ah ! si seulement, cette petite baronne de Lescaux, j'avais pu la faire pleurer... ou la jeter sous un tuyau d'arrosage... ou la forcer à marcher vite... avec n'importe quoi enfin qui ait pu lui enlever son maquillage...

Brusquement, Juve haussait les épaules :

— Bast ! disait-il, on ne fait pas d'omelette sans casser des œufs ! Il est vrai que tout cela n'explique pas le japisme ?... à moins que... En tout cas ne perdons pas de temps...

Juve prononçait, en vérité, d'étranges paroles...

Sa conduite aussi était surprenante...

Il s'habillait en un tour de main, dégringolait l'escalier.

Juve était dans la rue trois minutes, peut-être, après Valentine.

A peine parvenait-il sur le trottoir, d'ailleurs, qu'il regardait de tous côtés, et sautait dans un fiacre...

XX

Une cachette imprévue

Tandis que Juve, après avoir reçu la visite de Valentine de Lescaux, prononçait d'étranges paroles et semblait commencer à deviner quelque chose aux intrigantes et terrifiantes aventures qui, depuis plusieurs mois, le passionnaient, que devenait Fandor ?

Le journaliste, après avoir salué d'un coup de chapeau rageur le brave gardien du Jardin des Plantes, s'était éloigné à grands pas, renonçant en apparence à poursuivre le mystérieux Zizi qui, si habilement et de si incompréhensible façon, lui avait échappé au moment où il croyait, de la meilleure foi du monde, qu'il était définitivement en son pouvoir.

Jérôme Fandor, cependant, renonçait-il réellement à accomplir la mission dont Juve l'avait chargé ? Renonçait-il à arrêter Zizi ?

Il eût fallu peu le connaître, pour le croire !

Jérôme Fandor n'était pas garçon à abandonner si facilement une poursuite commencée, à s'avouer si rapidement vaincu !

— Que diable ! grommelait-il en s'éloignant et en ayant bien soin de ne pas tourner la tête, ce sacré groom n'est pas monté au ciel ! Un aviateur ne l'a pas chopé au passage ! Il est entré dans le jardin, donc il doit y être encore !...

Fandor, il est vrai, devait achever son raisonnement par une phrase dubitative.

— Il y est encore, murmurait-il, à moins qu'il n'en soit sorti !...

C'était là une vérité de La Palice, et personne n'aurait pu prendre Fandor en flagrant délit de légèreté !

Toutefois, plus il y songeait et plus le reporter se persuadait que Zizi n'avait point dû sortir du Jardin des Plantes.

Le groom avait continuellement marché devant lui. Fandor ne l'avait perdu de vue qu'une seconde — alors qu'il dépassait la fosse aux ours —, il était inadmissible qu'il ait eu le temps de s'enfuir, inaperçu.

Mais qu'avait-il pu devenir ?

— C'est bien simple, se répéta le reporter s'arrêtant derrière un fourré pour réfléchir..., à gauche, Zizi avait un bâtiment qui est fermé ; à droite, se trouvait la fosse aux ours... J'étais derrière lui, et devant lui le gardien barrait le passage... donc il est rentré sous terre !

Mais cela n'était pas une explication satisfaisante, car il n'est guère coutume, Fandor se l'avouait à lui-même, que la terre soit assez complaisante pour s'entrouvrir et fournir des cachettes sûres aux fuyards du genre de Zizi !

— Allons ! allons ! je déraisonne ! conclut Fandor.

Bientôt il changeait d'avis.

— Au fait, je suis assez bête... il y a une explication à laquelle je n'ai point pensé et qui, pourtant, s'impose...

A ce moment, Fandor consulta sa montre :

— Dix heures et demie ? c'est parfait ! on ne va pas tarder à fermer les grilles...

Jérôme Fandor sortit du Jardin des Plantes, se promena de long en large, attendit.

Il n'attendit pas très longtemps. Un quart d'heure à peine en effet après, Fandor constatait que les portes du jardin public se fermaient, au moins dans la partie qui n'est guère réservée, en tant que passage, aux allées et venues du public.

— De mieux en mieux ! songea le journaliste, il ne s'agit plus maintenant que de tenter une expérience décisive, et de s'assurer, de façon certaine, si je suis le dernier des idiots ou le plus habile des détectives !

Fandor, à ce moment, faisait hâtivement quelques pas sur les quais, suivant la clôture du Jardin des Plantes. Il jetait de temps à autre des coups d'œil interrogateurs à la grille, il avait l'air d'en calculer la hauteur.

— Bah ! décidait le journaliste, c'est un jeu d'enfant, et n'était le risque de s'empaler tout vif, de se faire arrêter comme voleur, cela ne vaudrait pas même la peine d'en parler !...

Le journaliste, à cet instant, ôtait sa veste, qu'il roulait soigneusement et la glissait entre deux barreaux à l'intérieur du jardin.

— J'aurai les mouvements plus libres ! remarqua-t-il.

Un instant encore, Fandor observa le voisinage, les quais déserts, le jardin tranquille...

— Allons ! le sort en est jeté !...

Cette fois, il empoignait à pleines mains deux barreaux de la grille, et par une gymnastique hardie, s'aidant des genoux et des pieds, grimpant comme l'on grimpe à une corde lisse, il se hissait vers le faîte de la clôture...

Fandor avait tant de fois réussi de semblables tours qu'il n'avait véritablement pas exagéré en constatant que, pour lui, franchir la grille du Jardin des Plantes était un véritable jeu d'enfant.

Sans même paraître essoufflé, sans même donner la moindre impression de fatigue, il atteignait le haut de la grille, s'y accrochait avec ses talons, puis, merveilleusement souple, enjambait les pointes acérées qui la terminaient, et tranquillement se laissait glisser à l'intérieur du jardin.

Où donc allait Fandor ?

Quel projet méditait-il ?

Le journaliste avait à peine repris pied dans les fourrés qu'il saisissait sa veste et, se baissant, s'éloignait de la bordure de la rue, d'où il courait évidemment le risque d'être aperçu par n'importe quel passant.

Ayant échappé à ce danger, Fandor s'orientait.

Son escalade venait de le conduire dans une des parties les plus sombres du Jardin des Plantes, derrière les serres.

— Très bien ! apprécia Jérôme Fandor ; avec un peu de chance et un peu de veine, je crois que j'éviterai que Juve me traite d'imbécile !

Il renfilait son veston, avec une visible satisfaction, car la soirée était fraîche et, sans même prendre de grandes précautions, il se reprit à avancer.

— Mâtin de mâtin ! murmura bientôt Fandor, si ce que j'imagine est vrai ce n'est tout de même pas un imbécile que ce sacré gosse... Seulement, voilà, est-ce que je ne deviens pas complètement louf ?...

En trois minutes de marche, l'intrépide jeune homme aurait atteint les fosses aux ours, c'est-à-dire l'endroit précis où Zizi avait disparu, s'était « volatilisé » pour ainsi dire.

Jérôme Fandor n'hésita pas. Il n'avait aucun regard pour le bâtiment du musée hermétiquement clos et où il estimait que Zizi n'avait certainement pas pu entrer pour se cacher. Il courait au contraire se pencher sur les fosses aux ours.

A cet instant, Jérôme Fandor monologuait :

— A coup sûr, il *doit* y avoir une cabane où ces sales bêtes *doivent* se mettre à l'abri... Mon bonhomme se sentant poursuivi, et peut-être, ayant de graves méfaits sur la conscience, a *dû* risquer le tout pour le tout, sauter dans une fosse et s'enfermer dans la cabane... Enfin ! nous allons bien voir !

La supposition était, à la rigueur, plausible, bien qu'elle fût quelque peu téméraire.

Il eût, en effet, fallu beaucoup de courage à Zizi pour oser ainsi sauter dans une fosse aux ours, et risquer une lutte mortelle avec l'un de ces terribles animaux.

Fandor, toutefois, était si brave qu'il supposait toujours la bravoure chez les autres.

Son hypothèse eût été vraie que Fandor n'en aurait pas été autrement étonné !

Par malheur, au moment même où le journaliste se penchait sur la première fosse aux ours, il devait se rendre compte de toute l'inanité de ses suppositions.

— Zizi n'est pas caché dans la cabane, parce qu'il n'y a pas de cabane ! Voyons plus loin...

Fandor se penchait successivement sur deux autres fosses et, n'y apercevant que des ours solitaires, il devait dès lors se rendre compte qu'il s'était purement et simplement trompé.

— Pas de veine, décidément ! je vais encore faire buisson creux !

Patient et tenace, cependant, Jérôme Fandor allait examiner la dernière fosse.

C'était la plus obscure de toutes ; elle se trouvait en quelque sorte en rentrant, à l'ombre d'un grand bâtiment qui empêchait la faible clarté lunaire d'y pénétrer.

Penché sur le trou, Fandor, d'abord, ne vit rien.

— J'aurais dû emporter un lumignon ! ronchonna-t-il.

Mais, au même moment, il se rejetait en arrière, surpris, malgré son sang-froid, par un rugissement formidable, un grondement effrayant...

— Oh ! oh ! gouailla Fandor, on dirait qu'il n'est pas commode, l'ours qui habite là-dedans !

Et, rappelé à ses souvenirs de gavroche parisien, Fandor hélait :

— T'es là, Martin ?... allons ! fais le beau, mon vieux ! grogne encore !...

Or, tout comme s'il eût compris l'ordre qui lui était donné, l'habitant de la fosse gronda à nouveau...

Cependant, phénomène curieux, Fandor au même instant, éclatait de rire :

— Ah çà ! par exemple, elle est bien bonne ! murmurait le journaliste.

Et avec une audace insensée, Jérôme Fandor enjambait la balustrade, s'apprêtait à sauter !

— Une ! deux ! trois ! cria-t-il, veux-tu te rendre, Martin ?...

L'ours grogna, Fandor eut un nouvel éclat de rire.

— Mon petit, commençait-il, il faut jouer à tout le monde ce tour-là, mais pas à moi ! Tu grognes bien, je le reconnais, mais tout de même tu ne grognes pas de façon naturelle !

Et, après avoir prononcé ces paroles, Fandor sautait dans la fosse, courait à l'ours, qu'il apercevait tapi dans un coin, immobile, le guettant sans doute...

— Bas les pattes, n'est-ce pas ? ordonnait Fandor qui avait tiré son revolver. Bas les pattes et tâchons d'être raisonnable !

... Il était en vérité stupide de parler ainsi à un ours, et Fandor devait perdre toute raison pour vouloir converser avec celui qu'il avait appelé « Martin »...

Le journaliste toutefois n'était pas fou, et était loin d'agir à la légère.

Comme il finissait de parler, en effet, l'ours qui, jusqu'alors, était demeuré immobile, l'ours qui ne grognait plus, semblait se lever péniblement.

Phénomène curieux, par exemple, il se levait de bizarre façon. Sa tête continuait à reposer sur le sol, ses pattes de derrière aussi, c'était son dos qui se soulevait.

Au même moment d'ailleurs, une voix piteuse, une voix où se devinait le plus pur accent parisien, s'informa :

— Alors, quoi, m'sieu Fandor, c'est-y, des fois, qu'on ne peut pas être tranquille ? Voilà, maintenant, que vous embêtez le pauvre monde... tout comme votre ami Juve ?... Qu'est-ce que vous me voulez, à moi ?

Tout autre eût été surpris, Fandor, lui, riait franchement...

— Ne fais pas de manières, disait-il, sors de là-dessous, et viens causer.

Assurément, le personnage avec lequel s'entretenait Fandor devait comprendre, qu'en effet, il était profondément inutile, étant donné les circonstances de continuer à « faire des manières »...

Devant Fandor, l'ours s'agitait encore.

Mais était-ce bien un ours ?

C'était tout simplement une peau, une peau d'ours qui, bientôt, retombait sur le sol, cependant qu'à genoux apparaissait à côté d'elle le groom Zizi, tout souriant, et pourtant assez ému...

— Ma foi, disait Zizi, sortant de son invraisemblable cachette, j'aurais jamais cru que vous auriez deviné que je faisais l'ours !

— Imbécile ! éclata Fandor, c'était pourtant bien simple ! Tu t'étais couché en long... jamais un ours véritable ne fait cela ! Tous les ours dorment en rond.

Et cette explication donnée, au hasard d'ailleurs, Jérôme Fandor, à son tour, interrogea :

— Mais, par exemple, il y a quelque chose que je ne comprends pas et que tu vas me dire... Comment diable as-tu trouvé cette cachette ? qu'est-ce qui t'a donné l'idée ?...

Zizi, avant de répondre, eut, à son tour, un accès de gaieté :

— Oh ! ça, commençait-il, c'est toute une histoire... Sauf vot' respect, depuis que je ne suis plus en place, je bouffe de la vache enragée... je traîne un peu partout et je couche où je peux. Vous voyez ça d'ici ?

— A peu près, répliqua Fandor, et alors ?

— Et alors, comme ça, j'ai fait la connaissance du bonhomme qui est chargé de l'entretien des ours... Et voilà !... Figurez-vous, m'sieu Fandor, qu'un jour de bombe, il a, sans le vouloir, empoisonné l'un de ses pensionnaires en lui donnant, dans la pâtée, de la mort aux rats. Naturellement, le bonhomme avait la trouille d'être fichu à la porte ! « Vous bilez pas, que je lui ai dit, écorchez votre ours, laissez la peau dans la cage, je me charge de le remplacer »...

— Et tu le remplaces ? questionna Fandor.

— Tout juste ! expliqua encore Zizi. Quand je n'ai rien à faire, je reste toute la journée sous la peau. Je grogne quand il vient des militaires et des nounous... je me tords quand ce sont des amoureux. La nuit je vadrouille, ou encore je reste sous ma peau d'ours...

Zizi, à cet instant, disposait artistement la dépouille qui lui servait depuis quelques jours de cachette, en apparence, inviolable.

— Aujourd'hui, faisait-il, puisque le malheur veut que vous ayez débiné le truc, c'est fini... je m'en vais ! Ah ! à propos, pourquoi que vous me couriez sur les chausses ?

Zizi était, en réalité, beaucoup moins inquiet depuis qu'il causait avec Jérôme Fandor.

Son esprit vif, son intelligence éveillée lui avaient tout de suite permis de deviner que le journaliste n'était pas très en colère contre lui...

— Après tout, pensait Zizi, peut-être bien que ce n'est pas rapport à l'histoire de la bourse en or que l'on me court après, et, dans ce cas, ma foi, je ne vois pas pourquoi on pourrait m'embêter ?...

Par malheur pour lui, cependant, Fandor n'était pas non plus très bien renseigné.

Le journaliste se doutait bien que Juve ne devait pas, en réalité, rechercher Zizi seulement pour la fameuse histoire de la bourse qui ne méritait pas, en somme, qu'on y attachât trop d'importance, mais, d'autre part, il ignorait ce que Juve voulait apprendre de Zizi.

Fandor essaya donc d'une diplomatie habile.

— Tu demandes pourquoi je t'ai poursuivi, commença-t-il, il me semble mon gaillard que tu dois t'en douter.

C'était, en somme, retourner au groom, le question que celui-ci avait posée !

Zizi ne le comprit pas. Il essaya, lui aussi, de ruser.

— Probable ! commença-t-il, que c'est rapport aux histoires de mon ancienne patronne ?...

— Tiens ! tiens ! pensait Fandor au même moment, est-ce que Zizi saurait quelque chose là-dessus ?

Le journaliste affecta une parfaite bonhomie :

Il n'aurait d'ailleurs pas été fâché, tout au fond de lui-même, le brave Fandor, de jouer un bon tour à Juve, en cuisinant le groom, avant que le policier ne fût tenté de le faire parler !

Fandor répliqua :

— Ma foi, c'est bien possible ! En tout cas, ce n'est pas ici un endroit pour causer, sortons d'abord de la fosse, tu connais le chemin, je suppose ?

— Parfaitement ! affirma Zizi.

Il guidait, en effet, Fandor vers l'un des coins de la fosse, où des crampons de fer étaient scellés dans la muraille de distance en distance.

— Il n'y a qu'à monter par là, expliqua Zizi, suivez-moi !

Mais Fandor ne l'entendait pas ainsi.

— Pardon ! remarqua le journaliste, mais comme je ne tiens pas à ce que tu te trottes, je vais passer le premier !

Dix minutes plus tard, Zizi et Fandor, sortis de la fosse, quittaient le Jardin des Plantes, par une petite porte dérobée dont Zizi connaissait le loquet. Le journaliste tenait le groom par le bras, il prenait garde à ce que son prisonnier ne s'échappât point, mais, cependant, il ne le brusquait en aucune façon.

Zizi, d'ailleurs, une fois pris, semblait vouloir être très sage.

En quelques mots, il venait de confier à Fandor qu'un de ses plus grands rêves était réalisé, puisqu'il avait le plaisir de lui causer...

— Ma foi, disait Zizi, depuis le temps que je lis dans tous les journaux vos aventures à vous et à Juve, ça me tracassait joliment de faire vot'connaissance ! Dame ! j'aurais mieux aimé une autre présentation. Mais après tout, il faut se contenter de ce que l'on a !...

Fandor se moquait de ces remarques. Bien autre chose l'intéressait. Il aiguilla la conversation.

— De sorte, mon cher Zizi, commençait le journaliste, que tu ne sais pas pourquoi je t'ai pisté ?

A cet instant, le groom recommença à faire la grimace :

— Heu ! riposta-t-il, je vous l'ai dit ! Probablement que c'est rapport à Mme de Lescaux, mon ancienne patronne..., ou encore rapport à Jap ?...

— A Jap ? repartit Fandor en tressaillant. Ah ça ! est-ce que tu connais Jap, par hasard ?

Zizi comprit au même instant qu'il venait de toucher, sans le savoir, à un sujet d'entretien qui devait passionner Jérôme Fandor...

— Je le connais sans le connaître ! expliquait-il ; tout de même je sais qu'il fait la cour à Valentine de Lescaux, et que ça embête pas mal le baron Geoffroy !

Zizi se taisait un instant, évitant d'entrer en de plus amples détails... mais Jérôme Fandor questionnait :

— Comment sais-tu cela, nom d'un chien ?

C'était une naïveté. Elle fit tordre de rire l'excellent Zizi :

— M'sieur Fandor, disait le groom, vous en avez de rudement bonnes et de terriblement sucrées par moments !... Voyons, vous savez bien que j'ai été domestique chez les de Lescaux ?

— Oui, approuva Fandor, eh bien ?

— Eh bien, parbleu, j'écoutais aux portes !...

Il n'y avait rien à dire à cela, et Fandor se garda d'une admonestation qui eût été déplacée...

Fandor, d'ailleurs, avait, à cet instant, le pressentiment que Zizi, s'il le voulait, pouvait lui apprendre bien des choses intéressantes, bien des choses demeurées mystérieuses.

Ce n'était donc pas le moment de se poser en grincheux !

— Mon petit, déclara le journaliste, qui tenait toujours Zizi par le bras, par mesure de prudence, tu m'as l'air d'être moins bête que la majorité des gens intelligents !... On pourrait peut-être s'entendre ?... Je dois te mener chez Juve, mais si tu me dis des choses intéressantes, si tu me racontes tout ce que tu sais au sujet de Jap, et même au sujet de la Gadoue, la bonne femme qui a tué Favier, je te promets que Juve ne t'arrêtera point...

L'offre était tentante, si tentante que Zizi se sentit profondément troublé.

— Qu'est-ce que je risque, pensa le groom, à dire tout ce que je sais ? rien ! Et même, puisque je veux me venger de la Gadoue, est-ce que je ne trouve pas, en ce moment, une excellente occasion de le faire ?

Zizi, brusquement, se décida :

— Vous me donnez votre parole d'honneur que je n'aurai pas d'embêtements ?

— Je te la donne ! affirma Fandor.

— Alors ça pourrait coller... seulement, dehors, c'est pas un endroit pour jaspiner... Voulez-vous qu'on entre dans un bistro ?

— Non, riposta Fandor... faisons mieux... je vais t'emmener chez moi...

Une heure plus tard, il arrivait que Jérôme Fandor et Zizi étaient devenus les meilleurs amis du monde.

Phrase par phrase, mot par mot, le journaliste avait, en effet, entièrement confessé le groom, entièrement obtenu de celui-ci le récit complet de ses aventures.

Jérôme Fandor, dès lors, se sentait à la fois fou de joie et fou d'inquiétude...

— Mais il n'y a pas de doute, disait-il, il n'y a pas de doute ! La jeune fille que la Gadoue a fait voler... c'est Hélène ! c'est ma chère Hélène ! c'est ma fiancée !

Et, comme Zizi hochait la tête approbativement, Jérôme Fandor qui semblait ne plus tenir en place, tirait de son bureau une grande feuille de papier blanc.

— Zizi, commençait-il, je te donne ma parole que Juve ne t'embêtera pas... D'abord, je ne te livrerai pas à lui... ensuite, puisque tu n'as pas encore rendu la bourse que tu as volée à Valentine de Lescaux, on s'arrangera pour la lui faire rendre... Donc, ne t'inquiète pas pour cela... Mais en revanche, aide-moi, aide-moi tant que tu le pourras, c'est peut-être ma vie, c'est mon bonheur sûrement que tu tiens à ta merci...

Et, s'armant d'un crayon, Fandor continuait :

— Voyons, qu'est-ce que tu m'as dit de nouveau, aujourd'hui ?

Clairement, nettement, Jérôme Fandor notait alors les principaux détails qu'il venait d'apprendre de la bouche de Zizi.

— Premièrement, disait-il, tu établis que Jap a fait la cour à Valentine de Lescaux et que cela a beaucoup ennuyé le baron Geoffroy...

« 2. Tu prétends que la Gadoue a fait enlever Hélène, retenue prisonnière aux *Bucéphales de bois*... D'après toi, Hélène a été emportée par ton père, le cocher Collardon, et tu ne sais pas où elle a été mise...

« 3. Tu affirmes que Fantômas, s'apercevant du rapt de sa fille, était furieux... Ce n'est donc pas lui qui donnait des ordres à la Gadoue...

« 4. Enfin, il n'y a pas de doute pour toi ; ton père a été tué par Jap... et non pas par Fantômas... c'est bien cela ?

Zizi faisait signe que oui, et Fandor, dès lors, relisant les notes qu'il venait de prendre, réfléchissait, monologuant tout haut.

— Mon Dieu ! mon Dieu ! murmurait le journaliste, qui diable pourrait débrouiller cette intrigue ? qui pourrait, de tout cela, tirer la vérité ?... deviner où est Hélène ? deviner qui est Jap ?...

Puis, Fandor passait à un autre ordre d'idées.

— Ce qu'il y a d'extraordinaire, monologuait-il encore, c'est que pour moi, à coup sûr, Jap doit être Fantômas... Jap, en effet, punit ceux qui s'acharnent sur Hélène, il a tué le cocher Collardon... Mais, d'autre part, Jap n'a rien, semble-t-il, de commun avec Fantômas... Les procédés de Jap ne sont pas les procédés de Fantômas... Jap semble plutôt être un étrange fou qu'un bandit !... et puis, si Jap était Fantômas, pourquoi diable ferait-il la cour à Valentine de Lescaux, ce qui déplaît au baron Geoffroy ?

Fandor se prenait le front à deux mains. Suffoqué par l'émotion il grommelait d'une voix tremblante :

— Je deviens fou ! je deviens fou !...

Et, comme Zizi le regardait sans mot dire — se demandant comment tout cela allait finir — il arrivait que, brusquement, Jérôme Fandor bondissait à travers la pièce, se frottant les mains, semblant joyeux.

— Ah çà ! faisait-il, au contraire ! c'est très simple ! je comprends ! tout est limpide !...

Jérôme Fandor, d'une exaltation folle, passa bientôt à un sang-froid absolu.

— Zizi, ordonnait-il, il faut maintenant avoir confiance en moi !... Je vais te laisser ici... tout seul... attends-moi... je vais allez voir Juve, je vais demander ta grâce. Sans aucun doute, je l'obtiendrai, et je te jure, qu'ensuite, toi, Juve et moi, nous ferons de la bonne besogne !...

Par malheur, lorsque trois quarts d'heure plus tard, Jérôme Fandor arrivait rue Tardieu, il apprenait que le policier n'était point chez lui...

Juve n'était pas rentré, en effet, depuis l'instant où il était sorti, se précipitant sur les traces de Valentine de Lescaux...

XXI

La Gadoue et le baron

Émue au dernier point, haletante, Valentine de Lescaux après avoir quitté le policier Juve, était directement rentrée chez elle. Il pouvait être environ minuit et demi, une heure du matin ; l'hôtel de la rue Spontini était silencieux, plongé dans l'ombre. Nul bruit ne se percevait au dehors, et, lorsque la jeune femme se fut introduite d'abord dans le jardin, puis ensuite, au rez-de-chaussée de l'hôtel, elle ne remarqua aucun indice de nature à lui apprendre si quelqu'un veillait encore.

Valentine, après avoir machinalement refermé la porte, au verrou, montait l'escalier conduisant au premier étage. Elle parvint sur le palier, se dirigea dans l'obscurité, avec l'assurance très naturelle des gens qui vont et viennent dans des lieux qui leur sont familiers.

Valentine se dirigeait du côté de son appartement ; toutefois, elle s'arrêta net et porta la main à sa poitrine, comme pour comprimer les battements de son cœur.

Elle venait d'apercevoir un léger filet de lumière qui filtrait sous la porte d'une pièce voisine ; cette lumière provenait des appartements de son mari.

Serait-il donc là ? se demanda-t-elle.

Et, incapable d'hésiter, tant elle était, ce soir-là, impulsive, nerveuse, la jeune femme frappa à la porte d'un coup sec.

— Entrez, fit une voix.

Valentine obéit, ses yeux papillotèrent, éblouis par la brusque transition qu'on leur imposait ; la baronne, en effet, passait brusquement de l'obscurité à la pleine clarté.

Le baron était là dans son cabinet de travail où d'ailleurs il ne travaillait guère ; il était sur un canapé d'angle, fumant paisiblement une cigarette.

La pièce était inondée de lumière, le baron de Lescaux était en habit ; il devait être rentré depuis quelques instants à peine, car, à côté de lui, sur le canapé, se trouvaient son pardessus et son chapeau.

Geoffroy de Lescaux parut très surpris en voyant entrer Valentine à cette heure tardive dans son appartement ?

— Comment ? s'écria-t-il stupéfait, vous arrivez du dehors ?... Je m'imaginais que depuis longtemps vous étiez couchée ?

— J'avais la même pensée, répliqua Valentine, je ne me doutais guère que vous étiez encore sorti ce soir...

— Est-ce un reproche ? interrogea le baron de Lescaux. Je viens tout simplement de mon cercle, où j'ai passé la soirée...

Valentine fronça le sourcil.

— Je n'ai pas d'observation à vous faire, articula-t-elle, mais vous me permettrez de m'étonner, dans une certaine mesure que, quarante-huit heures après les obsèques de mon oncle... de notre oncle, vous ayez repris la vie mondaine que vous avez l'habitude de mener...

Le baron de Lescaux rougit imperceptiblement et esquissa un haussement d'épaules.

— Je n'ai rien fait de mal, murmura-t-il ; aller au cercle, pour un homme, ce n'est pas sortir, et au surplus ce que je pourrais faire ou non ne ressusciterait pas ce malheureux...

Valentine, d'un geste nerveux et saccadé, avait enlevé son chapeau, dépouillé le manteau qui l'enveloppait. Elle jetait le tout sur un meuble et apparaissait, désormais, devant son mari, magnifiquement belle, moulée dans une robe étroite qui dessinait hardiment des formes de femme bien faite et majestueuse.

Chose extraordinaire, le grand deuil allait merveilleusement à cette brune au teint mat, aux yeux noirs comme du jais qui pétillaient sans cesse d'un éclat étincelant.

Valentine de Lescaux, cependant, était très pâle, encore très émue de l'entretien qu'elle venait d'avoir avec le policier Juve.

Le baron de Lescaux remarquait son état, s'enquérait de sa santé.

— N'êtes-vous pas souffrante ? demanda-t-il.

— Il ne s'agit pas de cela, fit sèchement Valentine qui, modifiant en effet l'orientation de la conversation, venait se placer devant son mari. Elle se tenait debout, tandis qu'il restait assis, elle croisait les bras sur sa poitrine ; d'une voix anxieuse, elle interrogea :

— Geoffroy, que pensez-vous de la mort de mon oncle ?

Son interrogation avait une intonation tragique et mystérieuse, que le baron de Lescaux ne parut point remarquer.

— Ce que j'en pense ? fit-il, rien...

Il ajoutait, cependant, après une hésitation :

— C'est évidemment un bien grand malheur, une effroyable aventure, mais hélas ! nous ne sommes pas responsables et ce qui est écrit au livre du Destin doit s'accomplir...

— N'avez-vous, poursuivit Valentine, aucune idée, aucun soupçon sur la cause mystérieuse et tragique de la mort de mon oncle ?

— Non, fit nettement le baron de Lescaux, vous savez que j'ai été moi-même l'objet d'une fort singulière agression...

Valentine l'interrompait :

— Si vous n'avez pas d'opinion sur le meurtre de mon oncle, il y a d'autres gens qui ont à ce sujet des soupçons, voire même des convictions bien arrêtées !

Le baron de Lescaux regarda sa femme avec étonnement :

— Que voulez-vous dire, Valentine ? Précisez...

La jeune femme était émue de plus en plus ; elle sentait combien ce qu'elle avait à dire était à la fois formidable et difficile. Cependant, sa résolution était prise, il fallait parler, et elle le fit.

En phrases brèves, hachées et précipitées, mais fort nettes, catégoriques, Valentine racontait à son mari l'entretien qu'elle venait d'avoir, les propos que lui avait tenus, que lui tenait encore quelques instants auparavant le policier Juve.

De Lescaux paraissait sceptique, mais troublé malgré tout. Lui qui laissait toujours s'éteindre sa cigarette, vu le calme imperturbable avec lequel il fumait, consumait son tabac avec une extraordinaire intensité. C'était évidemment là l'indication d'une modification dans son état physique. Le baron, cependant, haussait les épaules :

— Théorie de policier, grommela-t-il, à laquelle je vous conseille de ne pas prêter plus d'attention qu'il ne faut.

Valentine, perplexe, interloquée, questionnait encore son mari :

— Irez-vous demain matin au rendez-vous de Juve ? demanda-t-elle.

Évasivement, le baron répliqua :

— Il se peut, je n'en sais rien encore...

Puis il baissait les yeux, se taisait, et Valentine le considérait désormais en silence, le visage contracté.

Certes, l'accusation portée contre elle par l'inspecteur de la Sûreté lui avait paru aussi odieuse qu'absurde.

Elle savait fort bien qu'elle était innocente et qu'elle ne pouvait en rien être soupçonnée d'avoir, à un titre quelconque, causé, ou même favorisé la mort de son oncle.

Mais, au fur et à mesure qu'elle considérait son mari, et qu'elle se rendait compte de son attitude, non seulement troublée, mais encore hésitante, embarrassée, une pensée lui venait à l'esprit, qu'elle voulait d'abord chasser, estimant qu'il était ridicule de s'y arrêter, invraisemblable de la retenir.

Mais cette pensée, malgré elle, s'affirmait dans son esprit, y grossissait, devenait pour ainsi dire unique, écartant toutes les autres.

— Mon Dieu ! songea Valentine, se pourrait-il que l'auteur du crime, que le meurtrier de mon oncle Favier, soit dans mon entourage intime ?...

Et sur ses lèvres, venaient ces mots :

— Mon mari ne serait-il pas l'assassin ?

Valentine, enfin, venait de formuler mentalement la chose terrible ! c'était fait désormais, elle ne pouvait plus dominer sa pensée, ni la retenir. Et celle-ci se précisait à ses yeux, à la manière de la silhouette d'une chose vague, que l'on ne veut point regarder au premier abord, qui, peu à peu, s'impose à la vue, la fascine, l'éblouit.

— Mon mari serait-il l'assassin de l'oncle Favier ?

La baronne de Lescaux, alors, poursuivait malgré elle son raisonnement et tout un monde de choses inaperçues, insoupçonnées jusqu'alors, se précisait.

En réalité, l'aventure survenue au baron, son époux, au cours de la nuit tragique, était demeurée mystérieuse, inexpliquée.

Certes, au premier abord, on avait cru qu'il avait été, lui aussi, touché, fâcheusement affecté par une de ces manifestations multiples de cette chose singulière qu'on appelait le japisme. Mais, en réalité, rien ne le prouvait ; de même qu'il y a des folies réelles, il y a aussi des simulateurs !...

Ce n'était pas sans un certain mouvement d'effroi et de terreur que la jeune femme considérait désormais le baron de Lescaux.

Celui-ci, d'un geste machinal, lissait lentement sa grande barbe blanche : il n'interrogeait pas, il ne questionnait plus, il attendait, se rendant évidemment compte du trouble qui agitait sa femme, mais paraissait ne point vouloir, ne point oser l'interroger sur les causes de son émotion.

Valentine, cependant, faisait effort et, ce soir-là, elle se sentait décidée à tout. Elle voulait savoir, faire la lumière à n'importe quel prix.

Elle interrogea d'un ton dur, sec et cassant :

— Vous étiez parti avec mon oncle, on vous a entendu vous entretenir avec lui dans la voiture, dans le mystérieux fiacre où il avait pris place avec vous et avec vous seul... Est-ce exact ?

— Oui, répondit doucement le baron.

Valentine s'épongea le front, avec le fin mouchoir de batiste qu'elle serrait dans sa main nerveuse :

— C'est exact, n'est-ce pas ? reprit-elle, puis ensuite le policier Juve, qui était monté sur les ressorts de la voiture, entendait une détonation suivie d'un râle, le dernier cri proféré par mon malheureux oncle... A ce moment, du véhicule, sautait une vieille femme qui s'enfuyait à toute allure. Est-ce exact ?

Doucement, le baron intervenait :

— Ce doit être exact, fit-il, puisque M. Juve affirme que les choses se sont passées de la sorte, mais je l'ai déjà dit, je le répète encore, au moment de la détonation, c'est-à-dire lors de l'agression contre votre oncle, je n'étais plus dans la voiture... à ce que je crois...

Valentine se rapprochait de lui, le fixait de son regard.

— Vous n'y étiez plus, répéta-t-elle, qu'étiez-vous donc devenu ? A quel moment précis prétendez-vous avoir quitté mon oncle, et pour quel motif ?... puisqu'il était entendu que vous deviez passez la soirée ensemble...

Le baron de Lescaux se redressa, et d'un ton hautain demanda :

— Ma chère, on dirait que vous me faites subir un interrogatoire à la manière d'un juge d'instruction. Il me semble, poursuivit-il, d'un ton sec, que j'ai fourni suffisamment d'explications à ce sujet, pour qu'on me laisse tranquille...

— Ah ! je vous en prie, s'écria Valentine en se tordant les bras, ne le prenez pas sur ce ton-là. Bien au contraire, si j'interroge, si je veux obtenir des précisions, c'est afin de pouvoir me convaincre moi-même de votre innocence, c'est pour chasser le doute qui naît en mon esprit, qui s'y affirme, qui règne sur ma raison en maître... De grâce, Geoffroy, précisez...

Le baron de Lescaux levait les bras au ciel.

— A mon tour, je vous en prie, Valentine, cessons cet entretien qui n'aboutira à rien... J'ai dit tout ce que je pouvais dire, et si d'aventure on m'interroge encore, je n'aurai rien de nouveau à répondre... N'oubliez pas qu'il s'est passé des choses mystérieuses lors de cette nuit tragique, j'en ai été moi-même victime, j'ai été, moi aussi, tout comme le policier, l'objet d'une agression à la fois effroyable et incompréhensible.

Valentine l'interrompait :

— Ah ! fit-elle, vous voulez parler ?...

Elle s'arrêta, inquiète, n'osant achever sa pensée.

Mais le baron de Lescaux n'avait pas le même scrupule.

— Oui, continua-t-il, je veux parler de Jap et de ce cri extraordinaire qui a retenti à mes oreilles, de ce mot que j'ai moi-même proféré ensuite malgré moi sans m'en rendre compte... Jap !... Jap !

— Taisez-vous, s'écria Valentine, il y a là un mystère que nous ne pouvons plus comprendre, et au surplus, ce n'est pas la question...

Changeant de ton, elle suppliait :

— De grâce, Geoffroy, écoutez-moi bien ; il importe que nous parlions l'un et l'autre sans réticence ; il faut que nous soyons d'accord pour savoir ce qu'il importe de répondre à ceux qui bientôt, demain peut-être, vont nous interroger en nous suspectant...

Elle était très émue en disant ces paroles, le baron de Lescaux, au contraire, affectait un calme imperturbable :

— Il y a diverses choses, en effet, contre nous, dit-il, et peut-être contre vous Valentine, d'une façon toute particulière...

— Quoi donc ? interrogea la jeune femme.

— Ceci, simplement, dit le baron : la mort de votre oncle vous est profitable.

— Profitable à moi ? à quel titre ?

— Oh, c'est bien simple... vous en héritez !

Valentine devint toute pâle, elle ne pouvait articuler une parole. C'était vrai, en somme, ce que lui disait son mari... Elle le savait d'ailleurs, qu'elle héritait de son oncle, mais cela prouvait-il qu'elle fût pour cela responsable de sa mort ?

Valentine, en outre, ne pouvait imaginer que son mari fût assez odieux, assez ignorant de son honnêteté à elle, pour oser soutenir, ne fût-ce qu'un instant, semblable opinion.

Elle s'épouvantait d'avoir entendu formuler cette insinuation par cet homme.

Valentine, à cet instant, marchait brusquement vers son mari. C'étaient des yeux flamboyants qu'elle dardait sur lui, des yeux qui semblaient chargés de menaces.

— Écoutez-moi ! commençait-elle.

Le baron, cette fois, jetait sa cigarette.

— Mais je vous écoute ! répondait-il.

Valentine haussa les épaules.

— Vous rappelez-vous, commençait-elle d'une voix sourde et torturée, certaines scènes tragiques qui se déroulaient, il y a quelques mois, à Boulogne-sur-Mer ? Baron de Lescaux, vous rappelez-vous qu'il y avait alors en présence une malheureuse jeune fille qui s'appelait Firmaine Benoît, un misérable qui se nommait le prince Vladimir, qui s'était fait appeler le vicomte de Pleurmatin, l'ouvrier Maurice, qui était en réalité le fils de Fantômas [1] ?...

D'un ton excédé, le baron de Lescaux affirma :

— Je me rappelle fort bien de tout cela ! Où voulez-vous en venir ? pourquoi remuer de fâcheux souvenirs ?

— L'ouvrière Firmaine, Geoffroy, avait adoré jusqu'alors l'ouvrier Maurice, continuait la baronne. Et cette ouvrière frémissait de honte, d'horreur, en apprenant que ce Maurice qu'elle chérissait, était le fils de Fantômas... et...

---

1. Voir dans le présent volume : *Les Amours d'un prince.*

— Et, poursuivit d'une voix nette le baron de Lescaux, il arrivait que le fils de Fantômas, comme vous dites, persuadait Firmaine qu'il voulait vivre honnêtement désormais.

— C'est cela ! reprenait Valentine en ricanant. Vous avez la mémoire fidèle, Geoffroy !

A ce moment, Valentine de Lescaux, une fois encore, plongeait son regard dans le regard de son mari...

— Le fils de Fantômas, râlait-elle brusquement, c'est vous ! et Firmaine Benoît c'est moi ! Vladimir, vous m'aviez juré de devenir honnête homme ; Vladimir, c'est par amour pour vous que j'ai consenti à devenir la baronne de Lescaux, au moment où vous deveniez le baron de Lescaux en volant les papiers d'une famille disparue... L'oncle Favier n'est pas mon oncle ! Nous sommes des imposteurs tous les deux ! Parbleu ! quelle angoisse vous avez eue, l'autre jour, quand une lettre nous a appris le retour de cet oncle d'Amérique dont nous ne soupçonnions pas même l'existence... D'abord Vladimir, vous avez eu peur !... Vous avez pensé que nous allions être démasqués... puis, vous avez voulu jouer le tout pour le tout... Vous m'avez dit : « Ce bonhomme sera dupe de la chose ; il vous prendra pour sa nièce, comme il me prendra pour son neveu !... »

— Eh bien ? fit d'une voix sifflante le baron de Lescaux, qui était, en effet, le prince Vladimir, le fils de Fantômas, tout comme Valentine était en réalité Firmaine Benoît ; eh bien ? quelle conclusion tirez-vous de tout cela ?

La jeune femme se tordit les mains !

— La conclusion que j'en tire ? râlait-elle, c'est que vous êtes toujours un misérable ! c'est que vous ne m'aimez plus ! c'est que vous êtes un monstre ! c'est que vous m'avez menti !

Or, à ce moment, le bandit qu'était en réalité le faux baron de Lescaux se départait brusquement de son calme.

Il empoignait sa femme par le bras, il la secouait rudement.

— Firmaine ! ordonnait-il, en voilà assez ! Peut-être me suis-je joué de vous, mais vous n'êtes pas sans reproche non plus !

— A votre tour de préciser ?

Valentine de Lescaux s'était rejetée en arrière, elle toisait son mari...

— Ce sera facile ! continuait le fils de Fantômas. Par amour pour vous qui êtes ma maîtresse, je devais devenir honnête homme, soit ! Mais il était entendu aussi, je pense, que vous deviez m'être fidèle ; or... vous avez un amant !

— Ce n'est pas vrai ! cria la jeune femme, Hubert...

— Il ne s'agit pas d'Hubert ! coupa court le faux baron. Hubert n'est qu'un flirt, je veux parler de Jap !

— Mais Jap n'est pas mon amant !

— Je n'en sais rien !

Le fils de Fantômas détachait alors lentement ces mots :

— Je sais que vous vous êtes rendue chez lui, que c'est chez lui que vous avez perdu votre pendentif, je sais...

Il allait dresser un terrible réquisitoire, mais Firmaine, qui, depuis si longtemps, déguisait sa personnalité sous le nom de Valentine de Lescaux, ne lui en laissait pas le temps.

Habile, comme le sont toutes les femmes en pareil cas, elle coupait court aux reproches qu'on lui adressait par une crise de colère nouvelle.

— Si j'ai été au rendez-vous que me donnait Jap, rue Girardon, criait-elle, c'est que, déjà, Vladimir, je sentais que vous ne m'aimiez plus ! C'est que j'étais lasse de notre existence de faussaires, c'est que j'avais besoin d'aimer vraiment !...

Elle allait parler encore, hurler de folles menaces, mais son amant ne lui en laissait pas le temps.

— Oh ! laissons cela ! faisait-il sardoniquement, ce n'est d'ailleurs point ce qu'il s'agit d'éclaircir en ce moment. Cette discussion a commencé au sujet des soupçons que forme, dites-vous, le policier Juve. Eh bien, s'il vous plaît de le savoir, ces soupçons me touchent peu. Le cas échéant, je prouverai mon innocence. Je n'ai qu'un argument à invoquer, mais il est péremptoire. Juve lui-même a établi que le criminel qui assassina Favier n'est pas un homme mais une femme, une vieille femme, cette personne énigmatique qui répond au nom de la Gadoue et qui se sauva, hors du véhicule, quelques instants après le coup de revolver. Cela seul, il me semble, doit suffire à m'innocenter ?

Il y eut un grand silence, pendant lequel les amants se considérèrent avec des yeux étincelants de haine.

Puis, brusquement, Firmaine semblait jouer son va-tout :

— Et qui prouve, disait-elle, que vous n'êtes pas cette femme ? Pour moi qui sais que vous êtes le fils de Fantômas, pour moi qui vous ai vu prendre les personnalités du prince Vladimir, du vicomte de Pleurmatin, de l'ouvrier Maurice, du baron de Lescaux, je vous crois fort capable de vous être encore grimé pour créer le personnage de la Gadoue !...

Firmaine, à cet instant, frémissait toute...

Elle contemplait son amant avec des yeux exorbités...

Or, à son énervement, le fils de Fantômas opposait un calme impassible, ironique.

A l'extraordinaire accusation de sa maîtresse, il répliquait tout d'abord, simplement, serrant les dents, d'une voix sifflante :

— Firmaine, vous êtes folle...

Mais celle-ci ne se calmait pas.

— Folle ? hurla-t-elle, en lançant sur son interlocuteur, qu'elle considérait désormais comme un adversaire, des regards chargés d'épouvante, c'est facile à dire, peut-être, mais il importe de le prouver... Il importera surtout pour vous, de prouver que mon accusation est fausse.

— Firmaine, interrompit encore le faux baron, écoutez-moi bien. Si jamais, au grand jamais, vous proférez une accusation pareille, que dis-je, si jamais vous insinuiez cette effroyable calomnie, devant qui que ce soit, je vous jure que je vous ferai enfermer.

La jeune femme, alors en proie à une angoisse inexprimable, se tordait les bras.

— Me faire enfermer ? protesta-t-elle, voilà tous vos arguments, voilà votre unique défense ; c'est tout ce que vous trouvez à dire ?... Oh ! je sais, la puissance de cette menace, et l'effroyable autorité que vous donne la loi...

« Tout, d'ailleurs, poursuivait-elle, écartant les bras, et regardant alentour comme si elle voulait chasser de son voisinage de fantasmagoriques apparitions, tout semble se liguer contre moi depuis quelque temps...

Et la malheureuse balbutiait :

— Les fleurs noires... les fleurs noires... Jap : le japisme, les visions... les angoisses, puis aussi la mort qui rôde autour de moi... la ceinture de mystères inexplicables qui se resserre sans cesse, qui m'étreint, qui semble devoir m'étouffer, me prendre à la gorge... Ah !

Et la fausse baronne de Lescaux avait un instant l'impression qu'elle allait suffoquer...

Mais, soudain, la présence d'esprit lui revenait. Et, menaçant du geste le baron qui la suivait de son regard, inquiet, troublé, semblait-il, elle proféra d'une voix vibrante :

— Je maintiens ce que j'ai dit ! Vous êtes capable de tout ! Je crois que la Gadoue, c'est vous !

Or, brusquement, Firmaine, alors, voyait son amant éclater de rire.

— Allons ! disait tranquillement le fils de Fantômas, puisqu'il faut vous l'avouer, je ne nierai pas plus longtemps ! Vous avez bien découvert mon secret. D'ailleurs, je m'y attendais, et je ne regrette pas que vous soyez au courant... je veux tout vous dire, parce qu'il est nécessaire qu'il y ait désormais entre nous une entente absolue, complète...

— Une entente ? balbutia Firmaine.

— Taisez-vous, ordonna impérativement le bandit, vous parlerez ensuite...

Puis, il continuait, se rapprochant de la jeune femme :

— J'ai tué le bonhomme Favier, c'est exact... la vieille femme qui se fit son meurtrier, c'est moi...

— Misérable ! commença Firmaine.

Mais le fils de Fantômas l'interrompit encore :

— Le fait est accompli, n'en parlons plus ! La mort est irrémédiable, laissons le passé, envisageons l'avenir... Votre intérêt, ma chère, est de ne point ébruiter cette aventure, qui vous rendrait aux yeux du monde aussi odieuse que ridicule... Vous me perdriez sans vous sauver ; or moi, je veux vous sauver sans me perdre... écoutez... vivons d'accord, suivons ensemble parallèlement le cours de nos existences ; c'est la fortune assurée pour vous, pour moi, c'est la liberté d'agir, de faire ce qui nous conviendra.

« Le fait que je suis le fils de Fantômas, mais que je passe pour le baron de Lescaux, déroute merveilleusement tous ceux qui recherchent l'auteur de l'assassinat de votre oncle, gardons nos masques. Nul ne saurait soupçonner que la Gadoue, c'est moi...

Jusqu'alors Firmaine s'était contenue, mais elle se révoltait désormais, contre l'ignoble association que lui proposait ce monstre effroyable.

Se faire la complice de son faux mari ?... ne pas venger la mort de Favier ?

Cela, non, jamais, celle qui avait été la douce Firmaine Benoît n'y consentirait !

Elle éprouvait, rien qu'à la vue de son amant, qui la sollicitait de sombrer avec lui dans la turpitude et dans le crime, une effroyable horreur, un insurmontable dégoût !

— Arrière ! cria-t-elle, écartez-vous... fuyez... c'est tout ce que je puis vous dire !

Et elle fermait les yeux, étendait les bras.

Le faux baron de Lescaux n'avait pas le temps de répondre à Firmaine, tout à coup, il bondissait, se ruait sur la fenêtre en hurlant : malédiction !

Puis avec une agilité surprenante, il se relevait, bondissait, sautait par la fenêtre dont la vitre volait en éclats.

Quelqu'un, toutefois, se précipitait à sa poursuite.

Quelqu'un que nul n'avait vu jusqu'alors dans la pièce, mais qui, brusquement, avait surgi de derrière une portière, où il s'était tenu dissimulé, écoutant toute la conversation.

Ce personnage traversait la pièce, avec la rapidité d'un éclair, puis disparaissait par la fenêtre, derrière le faux baron de Lescaux.

Firmaine, malgré son émotion, et les terreurs qu'elle venait de vivre, l'avait toutefois reconnu au passage, et, cependant qu'elle gisait sur le sol, prostrée, haletante, elle balbutiait ce simple nom :

— Juve, c'est Juve !

XXII

Affolements

A cet instant tragique, l'horreur et l'incompréhension se partageaient l'âme de Firmaine.

Ce que la malheureuse jeune femme venait d'apprendre était si inouï, si stupéfiant qu'elle doutait presque de l'aveu qu'elle venait d'arracher à son amant, au fils de Fantômas, à la Gadoue aussi, puisque la Gadoue n'était autre que le baron de Lescaux !

Elle prenait d'ailleurs peu de temps pour réfléchir.

Haletante, comprimant de ses deux mains les battements désordonnés de son cœur, elle se précipitait vers la fenêtre, par laquelle le faux baron et le policier s'étaient élancés.

Qu'allait-il se passer dans le jardin paisiblement endormi de l'hôtel ?

Quelle lutte horrible allait mettre aux prises le défenseur du bon droit et le criminel ?

Valentine, une angoisse horrible la torturant, prêta l'oreille. Tout d'abord, elle n'entendait rien. Dans le jardin tranquille, où la nuit mettait une ombre impénétrable, aucun bruit ne retentissait, aucune lutte ne semblait se dérouler !...

Il a fui ! pensa-t-elle.

Mais à cet instant, un râle, un cri de douleur, de surprise aussi, déchirait lugubrement le silence !

Alors, Firmaine qui sentait ses cheveux se dresser sur sa tête, qui pensait vivre mille morts, se boucha les oreilles !...

Elle ne voulait plus entendre : elle ne voulait plus savoir, elle comprenait que l'irrémédiable avait lieu ! que le faux baron de Lescaux devait s'efforcer de tuer Juve, cependant que l'inspecteur de la Sûreté, implacable, devait tenter de capturer le bandit...

La peur, à cet instant, tenaillait si bien Firmaine qu'elle se sentait une âme impitoyable. Elle ne frémissait pas à la pensée des dangers que courait Juve ; elle s'effarait seulement à l'idée que, s'il n'était point victorieux, elle allait de nouveau se trouver en face de Vladimir, de son amant...

Firmaine, qui s'était éloignée de la fenêtre, y revint, poussée par une force plus violente que sa volonté...

A nouveau, elle écouta ; à nouveau, ses yeux fouillèrent l'ombre.

Elle ne vit rien, elle n'entendit rien...

Le râle qui l'avait émue, l'appel suprême qui avait retenti jusqu'à ses oreilles, s'était tu. Maintenant, la nuit se refaisait impénétrable, mystérieuse, indifférente aussi au drame qu'elle couvrait de son manteau d'ombre...

Longtemps, alors, Firmaine demeurait immobile, n'osant risquer un mouvement, n'osant tenter un geste, s'attendant à voir réapparaître ou son amant, ou Juve...

Mais le jardin demeura silencieux, calme, désert...

Alors, après avoir eu peur de savoir, Firmaine se sentit affolée à la pensée qu'elle ignorait comment s'était terminée la lutte qui avait pris naissance sous ses yeux...

Une anxiété fébrile s'emparait d'elle. Elle ne pouvait plus rester en place...

La jeune femme se jeta hors de son salon. Elle apparut un instant, vivante silhouette de l'effroi, sur le perron du petit hôtel, puis elle descendit dans le jardin.

Firmaine frissonna au vent du soir. Elle avançait à petits pas. Parfois, elle courait...

Ceux qui s'étaient battus ne pouvaient pas être loin ! Elle allait les voir, les retrouver !

Et, soudain, elle songeait que si le fils de Fantômas avait été plus fort que Juve, il avait dû s'enfuir, laissant derrière lui, au tournant d'une allée, un cadavre, le cadavre de l'agent de la Sûreté ! Cette pensée était horrible. Elle paralysait quelques secondes Valentine, mais une fois encore, la peur de l'obscurité, la peur du silence, la reprenait tout entière.

— Il faut savoir ! murmura-t-elle.

Firmaine avança encore. Elle traversa, tout entier, le jardin ; elle parvint, sans avoir rien vu, sans avoir rien entendu, jusqu'à la grille de fer forgé qui bornait la propriété le long de la rue Spontini...

La porte était fermée, la jeune femme s'en étonna :

— Ils ne sont donc pas partis ?

Pourtant, dans le jardin, à coup sûr, il n'y avait plus personne !

Mais Firmaine n'avait pas la force de raisonner encore. Elle ne cherchait pas à comprendre ce nouveau mystère. Elle ouvrit la porte, elle passa dans la rue, et, nu-tête, sans avoir jeté seulement un manteau sur ses épaules, plus belle encore que d'ordinaire, car sa peur la parait d'une farouche splendeur, elle se prit à s'enfuir, courant aussi vite qu'elle le pouvait, talonnée par la pensée que, peut-être, son amant allait essayer de la rejoindre, elle n'était plus capable de vouloir autre chose que s'éloigner, quitter la maison maudite où elle venait de vivre de si terribles instants d'horreur !

Elle courut, ainsi, au hasard des rues aristocratiques, qui, à cette heure avancée de la nuit, semblaient endormies, si longtemps qu'à la fin, accablée de fatigue, épuisée, elle se retrouvait dans une avenue, dont elle ignorait complètement le nom...

Que faire ? Où aller ?

Firmaine, qui frissonnait, se demanda, une seconde, si elle ne devait point retourner rue Spontini. Mais la seule pensée de se retrouver en ces lieux tragiques l'affolait...

Elle eut un sourire. Elle dit un nom :

— Hubert ! Hubert me sauvera !...

La jeune femme commença à marcher plus lentement. Elle finit par rencontrer un fiacre, elle héla la voiture, jeta l'adresse au cocher :

— Avenue Victor-Hugo ! vite ! il y a un bon pourboire !...

Quelques instants plus tard, Firmaine sonnait à la porte du docteur...

Elle s'inquiétait peu à cet instant, l'élégante Parisienne, de tout ce que pouvait avoir de surprenant, de louche aussi, de compromettant en un mot, la visite qu'elle faisait à pareille heure, en pareil costume...

Seulement, une angoisse nouvelle s'emparait d'elle. Hubert allait-il être chez lui ? Allait-elle avoir la malchance qu'il fût, au contraire, sorti, ou encore à son hôpital ?

Valentine pensa crier d'émotion, lorsqu'elle entendit un pas s'approcher de la porte, lorsqu'une voix, la voix d'Hubert, s'informa :

— Qui est là ? qui demande-t-on ?

— Ouvrez ! ouvrez ! c'est moi !...

A travers la porte, elle entendait une exclamation de stupeur. Puis des serrures grinçaient... en pyjama, effaré, elle aperçut enfin la silhouette robuste du docteur Hubert, qui, certainement, n'était pas encore couché, et devait travailler dans son cabinet.

— Mon Dieu ! s'informa le médecin, qu'y a-t-il donc encore ? C'est vous, Valentine ?... Parlez ! parlez !... vous me faites peur...

Il devait, hélas ! au même moment, comprendre que la jeune femme était hors d'état de lui répondre. Il vit qu'elle n'était plus guère qu'une pauvre femme affolée, qu'elle titubait en marchant...

Alors, sans plus insister, Hubert fit entrer celle qu'il croyait se nommer la baronne de Lescaux.

— Venez ! reposez-vous, calmez-vous !... Vous voici chez moi et vous y êtes à l'abri de tout danger ? Non ! ne me racontez rien !... attendez quelques instants !...

Il la conduisait dans son cabinet de travail, une pièce confortable, assourdie de tapis épais, de tentures sombres, où l'abat-jour vert de la lampe laissait filtrer un éclairage discret et familier...

Or, tandis que le Dr Hubert, ému au plus haut point, bouleversé, imaginait un secret drame de ménage, l'ancienne ouvrière Firmaine se dressa soudain :

— J'ai peur ! hurlait-elle, les traits révulsés et tremblant violemment, j'ai peur !... Ah ! c'est horrible !... Hubert !... Hubert ! Mon mari est un monstre ! Geoffroy c'est la Gadoue... et c'est lui qui a tué l'oncle

Favier !... Et moi, je ne suis pas la baronne de Lescaux, mais Firmaine Benoit...

Elle avait parlé très vite, elle avait parlé avec une fougue violente, Hubert la considéra en silence...

Il n'avait point compris !

Il n'avait compris qu'à demi ce que venait de lui dire la jeune femme, mais, hélas ! cela lui suffisait, à lui, docteur, pour imaginer en un instant une effroyable et nouvelle tragédie.

— Valentine est folle ! pensa-t-il... Ah ! c'est horrible.

Il n'eut pas le temps de répondre, Firmaine reprenait :

— C'est Juve qui a tout découvert. Il s'est jeté sur mon abominable mari ! Il s'est enfui, il l'a poursuivi... je ne sais pas où ils sont ! Ah, j'ai eu peur !... j'ai peur encore !...

Un flot de sang maintenant, empourprait le visage de la jeune femme. La fièvre faisait ses yeux brillants. Elle frissonnait une seconde avant, et il apparaissait qu'elle étouffait désormais...

Alors, lentement, doucement, avec des gestes d'ami, Maurice Hubert la poussa vers un grand divan qui meublait le fond de son cabinet de travail...

— Allons ! faisait-il, en prenant une voix douce, la voix que l'on emploie pour raisonner les enfants, allons ! allons ! Valentine... ne pensez plus à ces choses ! C'est fini : voyons, reposez-vous, là ! étendez-vous ! Je vais vous donner quelque chose à boire... vous m'expliquerez tout, ensuite...

Quelques secondes, il laissait la jeune femme, seule, dans son cabinet, il passait dans sa salle à manger, préparait un verre d'eau, y versait quelques gouttes d'un calmant, puis revenait :

— Buvez !... vous sentez-vous mieux ?...

Firmaine s'apaisa.

La fièvre, qui tout à l'heure encore la surexcitait, semblait s'abattre subitement. Elle passait d'un énervement fou à une prostration profonde.

— Merci ! murmurait-elle, merci ! Vous êtes bon... mais, m'avez-vous comprise ?...

Il voulut savoir à son tour :

— Non ! que disiez-vous, Valentine ?

— Que cette nuit a été abominable ! Écoutez-moi ! J'étais tranquille, lorsque j'ai été interrogée par Juve, qui m'accusa d'avoir tué mon oncle Favier pour en hériter...

— L'imbécile ! le misérable !...

— Non !... il rusait !... Il voulait me pousser sans doute à questionner mon mari... mais je n'ai pas compris sa ruse ! Maurice, je suis rentrée rue Spontini... j'ai eu une scène violente avec Geoffroy, il m'a tout avoué, il a reconnu que c'était lui qui avait tué mon oncle, et puis...

— Calmez-vous, Valentine !...

— Et puis, Juve est apparu. Juve, au moment où Geoffroy, ou Vladimir, avouait, s'est jeté sur lui... et je me suis enfuie, moi, je suis partie...

— Calmez-vous ! répéta Maurice Hubert.

Il la forçait à achever le verre d'eau qu'il lui avait préparé...

Puis, sans répondre à l'horrible récit qu'elle venait de lui faire, il se levait, et allait baisser la lampe. Il revenait près de la jeune femme et s'agenouillait aux côtés du divan sur lequel il l'avait fait étendre. Or, les yeux de Firmaine commençaient à papilloter...

Une lourde somnolence s'emparait alors de la jeune femme.

Elle voulait encore parler, mais les mots s'embarrassaient sur ses lèvres. Comme si une ivresse subite avait eu raison d'elle, Valentine se renversait en arrière, laissait aller sa tête gracieuse sur les coussins du divan.

Bientôt, sa respiration devenait régulière, elle dormait...

Alors, Maurice Hubert se releva...

Il contempla son amie en songeant qu'il avait eu raison de mêler un soporifique à la boisson qu'il lui avait fait prendre, puis, très pâle, tremblant un peu, il revint s'asseoir derrière son bureau.

— Hélas ! pensait alors Maurice Hubert, véritablement désespéré, cela devait arriver !... Cette pauvre malheureuse, après les angoisses qu'elle a connues ces temps derniers, devait évidemment voir sombrer sa raison !... Ah ! le japisme !... quel savant posera jamais son étiologie ?... quel savant dira jamais le mystère de son origine... et l'épouvante de sa conclusion ? Cette femme était pondérée. Voici maintenant que c'est une folle, une folle qui se débat au milieu d'hallucinantes fantasmagories !...

Car, à cet instant, Maurice Hubert ne doutait point que Valentine ne fût véritablement folle. Il ne pouvait expliquer que par une crise aiguë de japisme le récit troublant qu'elle venait de lui faire.

Et, cependant, une secrète angoisse, par moments, le faisait tressaillir. Bien qu'il fût fort de sa science, bien qu'il eût confiance en son diagnostic, il commençait peu à peu, à se demander s'il ne se trompait point ? s'il ne fallait pas, au moins, vérifier les dires de Valentine ?

Puis il réfléchissait encore...

Si Valentine était là, c'était, bien évidemment, que le baron de Lescaux ne devait point se trouver à Paris. Si la jeune femme, sous l'influence de sa crise, s'était enfuie, comme une véritable somnambule, de la rue Spontini, pour accourir chez lui, c'était, sans doute, qu'elle était seule, que personne n'avait pu la protéger, la soigner, la retenir...

Devait-il, dès lors, courir au petit hôtel, donner l'alarme, apprendre aux domestiques que la baronne était chez lui ?

Fallait-il ainsi compromettre celle qui s'était réfugiée chez lui ?

Quelle que fût la hâte qu'il éprouvait à éclaircir le mystère, le jeune docteur conclut qu'il devait, avant tout, patienter, attendre...

Immobile, réfléchissant, il passait sa nuit à veiller le sommeil de son amie qui, vaincue par le stupéfiant, reposait sans bouger...

La nuit s'achevait lentement. L'aube s'annonçait par des lueurs rougeâtres. Puis, c'était le petit matin pâle, le grand jour, enfin, l'éclatante lumière de la matinée...

A sept heures, Valentine dormait toujours.

Maurice Hubert cependant, venait d'entendre ses domestiques arriver. Il quittait, marchant sur la pointe des pieds, son cabinet de travail. Puis, il avertissait son vieux valet de chambre, un homme qu'il employait depuis de longues années qu'« une dame » reposait dans son cabinet de travail, qu'elle était malade, qu'il ne fallait point l'éveiller...

Et, ces recommandations faites, Maurice Hubert sortait, se jetait dans une voiture, se faisait conduire rue Spontini...

Le docteur trouva l'hôtel dans le calme le plus parfait. Des domestiques faisaient le ménage, fenêtres ouvertes, un jardinier ratissait soigneusement l'allée qui courait au bas du perron...

Maurice Hubert entra. Il courut jusqu'au perron, il interrogea un valet de chambre :

— M. de Lescaux est-il ici ? j'ai besoin de lui parler d'urgence !...

Mais le domestique, poliment, répondait :

— Monsieur sera au regret... monsieur n'est pas là, non plus que madame...

Maurice Hubert s'attendait à cette réponse... Pourtant il pâlit un peu. C'était nerveusement qu'il interrogeait :

— Vous savez, sans doute, où est monsieur ? En voyage, j'imagine ?

Le domestique secoua la tête et répondit d'un ton de voix indéfinissable, surpris un peu :

— Je ne crois pas que monsieur soit en voyage... et je ne sais pas où il est !... Monsieur a dû sortir, hier soir, très tard, avec madame, car, lorsque j'ai eu terminé mon service il était encore au fumoir à attendre madame..

Alors Maurice Hubert se trahit...

Incapable de feindre la tranquillité plus longtemps, il demanda d'une voix haletante :

— Vous n'avez rien vu d'extraordinaire ici, n'est-ce pas ?... vous n'avez rien remarqué d'étrange ?... parlez ! répondez !...

Le valet de chambre le considéra, effaré :

— Si ! monsieur ! avouait-il ; oh ! est-ce que vous savez quelque chose ? Est-ce qu'il serait arrivé un accident ? Ce matin, j'ai trouvé la croisée du salon ouverte... des chaises étaient renversées... enfin, le jardinier m'a fait remarquer, dans les plates-bandes, des traces de pas... on eût juré que quelqu'un avait sauté par les fenêtres...

— Ces traces ? hurla Maurice Hubert, où sont-elles ? Montrez-les moi !

Il courait au jardinier, mais l'homme s'excusait :

— J'en demande bien pardon à monsieur, mais tout est déjà remis en ordre !... C'est ratissé !...

Alors, Maurice Hubert n'en demandait pas plus. Laissant les domestiques stupéfaits et lui-même à la fois épouvanté par ce qu'il apprenait, et, ravi, parce qu'il commençait à se demander si Valentine était bien folle, ou si, au contraire, elle ne lui avait pas dit la vérité, il s'élançait à nouveau vers sa voiture. Il hurlait une adresse :

— A la préfecture !...

Le taxi-auto qui emportait le docteur n'était même point arrêté quai de l'Horloge que le jeune homme avait sauté sur le sol, qu'il grimpait déjà quatre à quatre l'escalier des bureaux de la Sûreté.

— M. Juve ? criait-il à un huissier qui s'avançait au-devant de lui, il faut absolument que je puisse le voir ! c'est urgent ! dites-lui mon nom : docteur Maurice Hubert...

Mais l'huissier, de la main, interrompait le médecin :

— M. Juve n'est pas venu ce matin ! disait-il ; il n'est pas là ; il n'est pas non plus chez lui, car je viens de téléphoner de la part du chef, et personne n'a répondu...

Le désespoir, cette fois, se peignit sur le visage du jeune docteur...

Il avait pensé rencontrer Juve et savoir enfin, par lui, les détails de la nuit précédente. Or, l'agent de la Sûreté n'était pas là.

A qui devait-il donc s'adresser ? Qui pourrait le renseigner ? Qui pourrait, en lui confirmant les paroles de Valentine, le délivrer de l'angoisse où il était de la croire folle ?

Maurice Hubert, d'abord, redescendit lentement, puis soudain se reprit à courir...

A son chauffeur, il donnait une nouvelle adresse :

— Rue Bergère, je ne sais pas le numéro ! je vous arrêterai... Il faisait stopper la voiture à la porte de Fandor.

Il lui fallut peu de temps pour monter jusqu'à l'appartement du reporter. Mais les secondes qui séparaient son coup de sonnette de la venue du journaliste lui paraissaient interminables.

— Monsieur, commença Maurice Hubert, en tremblant...

Il n'achevait pas. Le reconnaissant au même instant, Fandor s'était précipité vers lui :

— Eh bien ? interrogeait le reporter, que venez-vous m'apprendre ?... Vous avez du nouveau ? vous savez ?...

— Je ne sais rien ! répondit, affolé, Hubert. Vous n'avez pas vu Juve ?

Fandor, pour toute réponse, commença par se frotter les mains :

— Pas encore ! déclarait-il, mais il fait du bon travail !... Là-dessus, soyons de sang-froid ! Moi, voici tout ce que je sais : j'ai reçu, ce matin, une dépêche de Juve m'avertissant qu'il était sur la piste du baron de Lescaux, qui ne fait qu'un avec la Gadoue, il espère bien l'arrêter, ce qui nous mettra immédiatement sur la piste de Jap qui existe vraiment et doit être... mais n'anticipons pas... Et vous, docteur, que savez-vous ?

Maurice Hubert, en écoutant Fandor, venait d'éclater d'un rire nerveux.

Il prenait les mains du reporter, il les serrait d'une étreinte joyeuse, il disait enfin :

— Je ne sais qu'une chose, moi, c'est que, si vous avez reçu cette dépêche-là, c'est que tout ce que m'a dit Valentine est vrai... c'est qu'elle n'est pas folle, c'est que Jap existe... que ce n'est pas une hallucination...

Fandor répondait en tressaillant légèrement :

— Ah ! oui, Jap existe... et peut-être qu'il cache même une personnalité terrible !... un monstre abominable !

Puis, soudain, il s'interrompait :

— Tenez, docteur, excusez-moi, mais je ne puis vous recevoir plus longtemps !... Ah ! si vous saviez ! si vous saviez !...

Et, repoussant Maurice Hubert stupéfait, Fandor ajoutait :

— Tenez, soyez chez Juve ce soir à huit heures... nous vous dirons tout !

XXIII

La camisole de force

Hubert venait de quitter Fandor...

Hubert n'avait dès lors qu'une idée : son regard, instinctivement, se portait du côté de Passy.

Il ne songeait plus qu'à retourner à son domicile pour y retrouver Valentine, savoir de ses nouvelles et, en même temps, lui crier la joie qu'il éprouvait, lui exprimer la satisfaction immense, inimaginable qu'il ressentait depuis quelques heures, depuis quelques instants surtout, à dater du moment où le reporter lui avait démontré que, loin d'être victime d'une hallucination, la baronne de Lescaux lui avait dit, au contraire, la stricte vérité.

Et, machinalement, le docteur Hubert remontait dans son véhicule. Déjà il avait donné l'adresse au mécanicien, lorsque soudain son regard s'arrêta sur l'une des horloges pneumatiques du boulevard.

— Sapristi, fit-il... et l'hôpital ? Je ne puis me dispenser d'y aller !

Respectueux observateur de son devoir, le docteur Maurice Hubert disait alors au conducteur :

— Menez-moi à la Charité.

Et cependant qu'il se rejetait sur la banquette moelleuse du véhicule, Hubert songeait qu'il allait s'arranger pour distribuer, le plus rapidement possible, la besogne journalière à ses internes, afin de n'avoir à faire, lui personnellement, que l'indispensable. Certes, Hubert était passionnément épris de sa profession, mais, ce matin-là, la science médicale n'avait que la seconde place dans son cœur, et il eût volontiers envoyé à tous les diables l'hôpital et les malades.

Hubert avait lâché son taxi-auto ; il traversa rapidement la cour de l'hôpital, monta deux étages.

— Fixe ! voilà le patron ! s'exclama une voix joyeuse, alors qu'Hubert s'approchait de la porte conduisant à la salle Esculape, où se trouvaient ses collaborateurs. Il sourit malgré lui en apercevant Alberet, l'un de ses plus jeunes internes, garçon de grand avenir, qu'il affectionnait particulièrement et en qui il avait la plus haute confiance.

— Vous avez toujours douze ans, reprocha-t-il en lui serrant la main.

Puis, il pénétrait avec Alberet dans la petite salle qui précédait la salle commune du service, local habituellement réservé aux grands malades mais vide ce jour-là. Hubert interrogea :

— Rien de particulier, cette nuit ? Vous n'aviez pas de cas nécessitant mon intervention spéciale ?

— Non, fit Alberet qui, d'une voix tonitruante, et pour s'assurer qu'on n'avait besoin de rien appelait :

« Birage !

C'était l'interne provisoire ; le jeune homme accourut rejoindre Alberet et le docteur Hubert. Les trois hommes causaient quelques instants, puis, le chef de clinique, car Hubert était chef de clinique, disait à Alberet :

— Je crois bien que ce matin je ne ferai pas la leçon des étudiants...
vous me remplacerez.

— Ah sapristi ! fit celui-ci, c'est embêtant, ils sont tous venus exprès
pour vous entendre, patron ; on avait annoncé que vous feriez
particulièrement ce matin un exposé de la conférence que vous devez
donner ce soir à la Sorbonne.

Hubert considéra son interne d'un air égaré :

— La conférence ? quelle conférence ? interrogea-t-il.

— Eh bien, poursuivit l'interne en éclatant de rire, car il croyait que
le chef de clinique voulait plaisanter, vous savez bien, patron, cette
fameuse communication que vous avez décidé de faire sur la maladie
nouvelle, sur votre découverte du japisme, ses origines, ses causes et ses
manifestations... Ce doit être très intéressant, on ne parle que de cela dans
les milieux médicaux...

Hubert semblait se souvenir en effet, mais il hocha la tête en souriant :

— Je ne ferai pas cette conférence, dit-il, de même que je ne ferai pas
ma leçon, ce matin.

Et il ajoutait, stupéfiant ses auditeurs :

— Si vous saviez comme je me fiche de tout cela maintenant... et
d'ailleurs, le japisme... le japisme...

— Patron, poursuivit Alberet, si vous ne faites pas votre leçon ce matin,
venez au moins le dire à vos auditeurs, car il y a non seulement des
étudiants qui comptent sur votre bonne parole, mais encore des docteurs
établis qui sont venus, tels, notamment, que des spécialistes des maladies
mentales... Je crois qu'il serait nécessaire, indispensable, que vous veniez
vous-même dans la salle leur expliquer...

Hubert parut réfléchir un instant, puis il se décida :

— Vous avez raison, Alberet, il est en effet plus correct que je procède
de cette façon ; et au surplus, les déclarations que je vais faire sont
tellement graves, tellement extraordinaires qu'on n'y croirait certainement
pas si quelqu'un d'autre venait les faire à ma place, en mon nom !

La décision d'Hubert était prise et le brillant chef de clinique, quittant
brusquement la petite salle où il s'entretenait avec les internes, montait
encore un étage pour gagner la pièce où étaient déjà réunis ses auditeurs.
En gravissant l'escalier, Hubert fredonnait un air à la mode, cependant
qu'il gesticulait, marmottait tout seul, riait presque haut.

Birage toucha le bras de son collègue Alberet :

— Et bien, mon cher, il est de bonne humeur le patron aujourd'hui...

Alberet approuvait :

— Jamais je ne l'ai vu comme cela !...

Et ils suivaient le chef, étonnés, amusés par l'attitude du docteur Hubert
qui était fort différente de celle que le distingué praticien avait
ordinairement.

Ils pénétrèrent derrière lui dans la salle où attendaient déjà depuis
quelques instants une vingtaine d'étudiants et de docteurs.

Ceux-ci s'inclinaient respectueusement. Le murmure des conversations
cessait soudain à l'entrée du chef de clinique, puis ses familiers
s'approchaient de lui et Hubert, distrait, souriant toujours, serrait
cordialement les mains qui se tendaient vers lui avec déférence.

On faisait cercle et Hubert, sans préambule, commença :

— Mes chers amis, dit-il, je m'en vais vous en apprendre une bien bonne... tenez-vous bien pour m'entendre, car vous allez être abasourdis... Vous n'ignorez pas les études importantes, assidues, que j'ai faites, personnellement et avec le concours de mes collaborateurs sur une manifestation nouvelle de la neurasthénie que l'on appelle le japisme. Nous avons vu autour de nous, ou pour mieux dire « cru voir » des sujets atteints de ce délire halluciné qui, tout en se manifestant de façons diverses, affecte une origine et une cause uniques. Quelques observations, fort intéressantes j'ose le dire, ont été recueillies à cette occasion par mes soins et ceux de mes dévoués subordonnés. Je me proposais, ainsi qu'il a été annoncé dans les journaux, de faire, sur le japisme, une conférence ce soir, à la Sorbonne ; cette conférence n'aura pas lieu...

Hubert se tut un instant.

Alberet regardait Birage d'un air consterné, il murmura à son oreille :

— Vraiment, le patron en a de bonnes comme il dit, annoncer cette conférence puis décider soudain qu'elle n'aura pas lieu, et cela, le matin même du soir où elle doit être faite... c'est un peu cavalier de sa part... surtout qu'il n'a pas l'air ennuyé du tout... bien au contraire !

— Assurément ! fit Birage qui, stupéfait lui aussi, regardait Hubert.

Le jeune chef de clinique avait les yeux levés au ciel, son regard brillait d'une façon étrange, il donnait l'impression d'un homme qui vit un rêve extraordinaire et délicieux.

Comme il s'était tu, les auditeurs chuchotaient à voix basse autour de lui et le regardaient avec des mines surprises. Quelqu'un, élevant la voix, interrogea :

— Alors, docteur, cette conférence, vous la ferez quel jour ?

Nettement, Hubert répliqua en fixant son interlocuteur :

— Je ne la ferai pas pour cette bonne raison que je n'aime point parler de choses imaginaires ; or il est bien évident maintenant que le japisme n'existe pas... n'a jamais existé !

Ce fut un éclat de rire général, discret et sceptique.

On comprenait que le chef de clinique voulait plaisanter et qu'il convenait de trouver très drôle cette plaisanterie, certains, cependant, s'étonnaient qu'un personnage aussi sérieux que le docteur Hubert s'amusât à des farces semblables, véritable gageure de collégien.

Hubert, cependant, parut fort étonné de l'incrédulité de son auditoire ; il jeta sur le groupe un regard circulaire, surpris :

— Cela n'a rien de drôle, observa-t-il avec humeur. Je vous dis que le japisme n'existe pas... j'ai de bonnes raisons pour le savoir.

— Patron, interrompit Alberet qui, eu égard à son intimité avec le chef de clinique, pouvait se permettre une telle observation, grâce à vos travaux et à vos études, le corps médical n'en est plus à se demander aujourd'hui si le japisme existe ou non. Des cas ont été reconnus nets et formels, des exemples ont été mis au grand jour, le japisme existe.

Hubert foudroya son interne du regard :

— Je vous dis, reprit-il, d'une voix sèche et autoritaire, que le japisme n'existe pas !

Un auditeur s'écria :

— Décidément, le docteur Hubert est entêté ce matin et il veut se moquer de nous !

Mais le chef de clinique ne semblait guère disposé à plaisanter :

— Quel est l'insolent, interrogea-t-il, fouillant la foule d'un regard courroucé, qui s'est permis de parler de la sorte ?

L'« insolent » était fort ennuyé que ce propos ait été entendu. Il allait toutefois s'excuser de cette interruption imprudente, mais Hubert ne lui en laissait pas le temps et, redevenant soudainement grave, le chef de clinique reprit :

— Non, messieurs, je vous assure que le japisme n'existe pas et n'a jamais existé. Je vous disais à l'instant que je ne ferai pas cette conférence à la Sorbonne... c'est une erreur, je viens de changer d'avis... je la ferai, je parlerai au contraire, vous entendrez mon amende honorable ! Vous y entendrez, messieurs, le docteur Hubert, chef de clinique à la Charité, le docteur Hubert, ici présent, déclarer de la façon la plus formelle que la maladie dont il a, un par un, révélé les symptômes, que la folie morbide dont il a indiqué les manifestations, n'existe en réalité que dans l'imagination d'un maladroit, d'un homme qui a pris des vessies pour des lanternes !...

— Mon cher maître, s'écria Alberet qui commençait à s'alarmer de la tournure étrange prise par la conversation, je vous en supplie, soyez moins énigmatique et précisez-nous, tout au moins, les motifs qui vous déterminent à retourner ainsi votre veste et à détruire en quelques mots une théorie, une thèse si laborieusement échafaudée par vos soins ! La japisme n'existe pas, dites-vous ? ; or, voici près d'un mois que chaque jour vous en faites apprécier les manifestations et que, même, dans certaines circonstances, trop rares malheureusement, vous nous montrez ses indiscutables manifestations sur des sujets qui en sont atteints !

Hubert avait écouté son interne avec un sourire sceptique, il répliqua :

— Je croyais au japisme jusqu'à hier soir... mais je vous assure que, parfois, la nuit porte au conseil et, pour ce qui me concerne, la nuit dernière m'a prouvé que le japisme n'existait pas !...

Les gens, consternés, répétaient autour d'Hubert :

— C'est extravagant ! extraordinaire, ce qu'il nous dit là !... le japisme existe pourtant ?...

Le chef de clinique paraissait animé d'une vive colère, il serra les poings ;

— N'existe pas ! vous dis-je, et voilà tout !

— Mais c'est un cataclysme, s'écria Birage... que va-t-on en penser à la Faculté ?... Vos déclarations, docteur, vont faire un scandale énorme dans les milieux médicaux ?

— Eh bien ! s'écria le docteur Hubert, voilà qui est le cadet de mes soucis... le japisme, je m'en moque comme de ma première culotte... L'essentiel, voyez-vous, c'est que la femme que j'aime n'en soit pas atteinte... et je suis sûr désormais qu'elle n'est pas folle... Tout ce qu'elle m'a dit est vrai !... Oh ! c'est une histoire affreuse, extraordinaire... mais je vous assure que j'en suis bien content et que ce qu'il vient de m'arriver me fait entrevoir le suprême bonheur !...

On écoutait, atterré, dans le plus profond silence, les propos du docteur...

Que signifiait soudain cette déclaration ? On se demandait si l'on avait bien compris.

Hubert poursuivit encore, ne paraissant point s'apercevoir de la stupéfaction qui se peignait sur tous les visages.

— Oui, continuait-il, la femme que j'aime n'est pas folle et mieux encore je puis l'aimer sans arrière-pensée !

Brusquement, le docteur se retournait. Quelqu'un venait de le tirer par la manche, c'était Alberet.

— Que voulez-vous ? demanda-t-il.

L'interne était très pâle, il expliqua à voix basse :

— Mon cher docteur, je voudrais vous parler en particulier... venez, je vous en prie !

Mais Hubert secouait la tête :

— Je n'ai pas d'ordres à recevoir de vous, fit-il, laissez-moi tranquille... je prétends expliquer à mon auditoire les motifs pour lesquels le japisme n'existe pas et je veux leur donner les bons conseils nécessaires pour leur éviter de se rendre ridicules à l'avenir, en soutenant dans leur entourage la réalité de cette maladie !

Hubert avait beau crier ces choses d'une voix de stentor, nul ne l'écoutait plus. Dans la salle où il faisait cette étrange conférence, étudiants et docteurs allaient et venaient, agités, troublés au plus haut point, et sur les lèvres de chacun se précisait la même pensée :

— C'est épouvantable !... c'est effrayant !... le docteur Hubert a perdu la raison !

Alberet, cependant, s'efforçait d'entraîner avec lui le chef de clinique. Il disait aux gens qui conversaient :

— Taisez-vous, messieurs ! taisez-vous , je vous en prie !

L'interne voulait à tout prix éviter que le docteur Hubert n'entende les propos que l'on tenait à son sujet, mais Alberet ne pouvait l'empêcher.

Soudainement, l'un des commentaires que l'on formulait sur Hubert vint à l'oreille de ce dernier.

— Qu'est-ce que vous prétendez ?... qu'est-ce que vous racontez ?... hurla-t-il... J'ai perdu la raison ?... Je suis fou ?... Vous osez dire que je suis fou ?... moi qui viens de faire la plus grande découverte qu'il soit possible d'imaginer ?... moi qui ai le courage et l'audace de venir publiquement m'accuser d'avoir fait erreur ?... moi qui viens reconnaître simplement, modestement, qu'une maladie que je croyais avoir diagnostiquée n'existe pas ?... Vous appelez cela de la folie ?... Tas d'imbéciles !... de crétins !... N'avez-vous pas honte de tenir à mon égard de semblables propos ?... Moi, l'honnêteté, la franchise... Je perdrai mon nom et mon titre, ma réputation s'il le faut... peu m'importe !...

« Oui, poursuivait-il encore en s'animant de plus en plus, que m'importe, d'abord, puisque la femme que j'aime a toute sa raison ?... ce qui m'occasionne le plus grand bonheur que l'on puisse imaginer... et ensuite, le devoir de tout honnête homme n'est-il pas de dire la vérité ?... Or, cette vérité, je vous le répète, la voici : le japisme n'existe pas !... Arrière !... Voulez-vous me lâcher, misérables ?... Que faites-vous ?... Au secours !... on m'assassine !... mais qu'est-ce que cela signifie ?...

Alors que le docteur Hubert achevait son extraordinaire discours, il s'était senti soudain appréhender par les épaules, immobiliser pour ainsi dire, ligoter. Une douzaine de mains robustes s'étaient abattues sur lui, le maintenaient. C'est alors qu'il s'était écrié :

— Lâchez-moi... Que me voulez-vous ?...

Nul ne lui obéissait ; au contraire, on le serrait de plus près !...

Hubert épouvanté, abasourdi de ce qui se passait, ne comprenait d'abord rien à l'agression dont il était l'objet, mais tout d'un coup, il se rendit compte de ce qu'il advenait.

Deux infirmiers étaient survenus, appelés en hâte, deux solides gaillards, qu'Hubert connaissait bien ; et ceux-ci, de force, sur les instructions d'Alberet, l'enveloppaient d'une sorte de gilet qu'on laçait solidement dans son dos !

Aussitôt, Hubert était réduit à l'immobilité ; ses bras étaient emprisonnés sous ce vêtement, le docteur ne pouvait plus faire un mouvement, mais il avait compris !... Dès lors, au paroxysme de la colère et de la terreur, il hurlait :

— La camisole de force !... vous m'avez mis la camisole de force !... Vous êtes des monstres !... des bandits... me prenez-vous donc pour un fou ?...

Alberet entraînait le docteur :

— De grâce, supplia-t-il, restez tranquille !... calmez-vous !...

Mais Hubert, congestionné, les yeux hors de la tête, criait plus fort encore :

— Me calmer ?... me taire ?... lorsque je tombe dans un guet-apens !... lorsque je suis ligoté par des misérables !... ah ! non ! par exemple !

Et, de plus belle, Hubert criait :

— Au secours !... au secours !... lâchez-moi, bandits, assassins !...

Une heure après ce pénible incident, tout l'hôpital était encore bouleversé ; partout, on commentait la navrante aventure qui venait d'arriver ; l'on formait les suppositions les plus extraordinaires, mais toutes se résumaient à cette conclusion :

— Le docteur Hubert a perdu la raison !

Et parmi ceux, hélas ! qui étaient les plus affirmatifs, se trouvaient ceux qui le connaissaient le mieux, c'est-à-dire son interne Alberet et Birage, le provisoire !

Tous deux étaient revenus, après une assez longue absence ; ils avaient gagné la salle de garde, autour d'eux on s'empressait pour avoir des renseignements, des nouvelles...

— Alors, interrogeait-on, que s'est-il passé ?

Alberet était très pâle, très ému, Birage, fort troublé aussi, se tamponnait perpétuellement les yeux aux paupières rougies.

Alberet, toutefois, expliquait à ses collègues anxieux l'issue du drame dont ils avaient connu, en témoins, les débuts :

— Et bien, leur déclara-t-il, lorsque nous avons eu entraîné le docteur Hubert hors de la salle où il le faisait... sa conférence, nous l'avons mis, Birage et moi, dans une voiture d'ambulance sur l'ordre, d'ailleurs, du directeur de l'hôpital, puis, nous sommes allés le conduire à...

Alberet s'arrêta, il lui semblait si terrible de prononcer le mot qu'il allait dire, qu'il hésitait malgré lui.

— Continuez ? demanda-t-on de toutes parts...

Faisant effort, Alberet poursuivit d'une voix haletante :

— Je vous disais... nous sommes allés le conduire à... du moins dans le service du Dr Dieuleveult...

Ce nom tombait comme un glas funèbre sur l'assistance.

Le Dr Dieuleveult était trop connu, trop célèbre pour que l'on pût ignorer la nature des maladies qu'il traitait.

Le Dr Dieuleveult, c'était le maître incontesté, l'éminent praticien, l'incomparable spécialiste des maladies mentales... C'était lui qui dirigeait, au point de vue médical, l'hôpital de Sainte-Anne, la maison des fous !...

Rien que son nom, balbutié par Alberet, glaçait d'émoi l'assistance.

— Et alors, interrogea-t-on encore, qu'a dit le professeur Dieuleveult ?...

Alberet ne répondait pas, mais Birage, qui sanglotait toujours, balbutia :

— Il a fait comme nous, messieurs, lorsqu'il a vu le Dr Hubert, lorsqu'il l'a examiné, il a tourné la tête... et il a pleuré !...

XXIV

La fin d'un rêve

Valentine de Lescaux, ou pour mieux dire Firmaine, après avoir dormi quelques heures d'un sommeil profond dans la chambre où l'avait installée le Dr Hubert, se réveilla fort engourdie.

Tout d'abord, la jeune femme souriait comme à un rêve, éprouvait une émotion douce. Elle se souvenait du tendre accueil que lui avait réservé son ami au moment où elle était venue, haletante, se jeter dans ses bras, puis lui demander protection et appui.

Il l'avait réconfortée avec des paroles cordiales, il l'avait cajolée, pressée sur son cœur, cependant qu'elle donnait libre cours à son trouble. Il lui avait fait prendre un calmant, qui lui accordait le repos, et désormais, Firmaine se réveillait, délicieusement émue au souvenir des heureux instants qui avaient précédé son somme ! Mais son esprit faisait un retour en arrière, et, dès lors, le cœur de la jeune femme se serrait.

Pourquoi était-elle donc venue ainsi au milieu de la nuit demander la protection du Dr Hubert ?

Au premier moment, elle ne pouvait s'en souvenir, mais au bout de quelques instants, la mémoire lui revenait.

Et, dès lors, Firmaine tressaillait. En effet, si elle était venue, si elle s'était sauvée de chez elle, c'est parce qu'un drame venait de s'y dérouler, et que l'hôtel de la rue Spontini venait d'être le théâtre d'incidents dramatiques au plus haut point.

Oh ! cette soirée ! Firmaine la revoyait désormais.

C'était d'abord son entretien avec Juve, les menaces du policier, puis le tête-à-tête émouvant qu'elle avait eu avec son amant, avec Vladimir, c'était encore l'irruption soudaine du policier, qui s'élançait à la poursuite de l'amant de Firmaine à nouveau démasqué... de l'amant de Firmaine, le fils de Fantômas dont la jeune femme venait d'apprendre en l'espace de quelques secondes, les nouveaux forfaits, les plus récentes atrocités [1].

Et, dès lors, Firmaine, qui s'était réveillée souriante, se sentait reprise par sa torpeur inquiète et s'y abandonnait, car elle voulait à toute force ignorer, oublier ce qui s'était passé.

La jeune femme, cependant, dont les yeux ouverts s'habituaient à l'obscurité qui régnait dans la pièce, regardait, la tête légèrement inclinée, l'oreiller blanc, la chambre qu'elle occupait.

C'était une petite pièce élégante, meublée avec goût ; Firmaine, machinalement, en détaillait l'ameublement lorsque soudain son regard se fixa. Sur un fauteuil, non loin d'elle, se trouvait quelque chose d'étrange, qu'elle définissait mal. Elle regarda plus attentivement, ses lèvres balbutièrent :

— Mon Dieu ! est-ce possible !

La jeune femme venait en effet de remarquer que l'objet étrange qui attirait son attention n'était autre qu'une gerbe de fleurs.

Toutefois, ces fleurs faisaient sur Firmaine un effet extraordinaire, elle ne définissait pas leur teinte, et, tout d'abord, croyait que leur uniformité de couleur provenait de ce qu'elle les voyait dans la pénombre. La jeune femme, d'ailleurs, saisie de crainte, se refusait à admettre ce qui, dans sa pensée, devait être l'exacte vérité.

Firmaine avait peur de voir encore de ces fleurs tragiques et surprenantes, comme elle en avait déjà vu à maintes reprises, comme elle en avait reçu en diverses circonstances.

Firmaine avait peur des fleurs noires, des fleurs noires de Jap !

Or, au fur et à mesure qu'elle écarquillait les yeux, que son regard s'immobilisait, la jeune femme devait, de plus en plus, se convaincre que ses appréhensions étaient justifiées.

C'étaient bien des fleurs noires qu'il y avait sur le fauteuil.

Mais Firmaine devait avoir une nouvelle confirmation de ses craintes. Firmaine regardait le tapis de la pièce ; elle voyait encore, jonchant le sol, quelques roses effritées, quelques pétales répandus çà et là, pétales de fleurs noires, boutons de roses noires.

Instinctivement, Firmaine s'assit dans le grand lit où elle reposait ; ses mains, machinalement, frôlèrent les draps qui la recouvraient ; elle poussa un cri ; la paume de ses mains venait de rencontrer quelque chose de soyeux, de velouté et de froid en même temps.

C'étaient encore des pétales de roses, c'étaient encore des cœurs de roses noires !

— Mon Dieu ! mon Dieu ! balbutia Firmaine, qui, de ses deux mains, comprimait son front.

Elle cherchait à savoir si elle dormait encore, si elle était éveillée, si ces apparitions étranges étaient réelles, et si elle était encore plongée dans le rêve ? Il n'en était rien, Firmaine était bien éveillée.

---

1. Voir dans le présent volume : *Les Amours d'un prince.*

D'un bond, elle se leva, inquiète, troublée au plus haut point, et d'une voix pleine d'angoisse, elle appela :

— Hubert !

Sa voix résonna sourdement dans le silence du petit appartement du docteur.

Firmaine prêta l'oreille ; elle ne perçut aucune réponse.

Tout d'un coup, elle rougit, elle se rendit compte qu'elle était debout à demi-nue dans cette pièce et qu'elle avait appelé le docteur... Le jeune homme pouvait d'un instant à l'autre apparaître.

— Je suis folle, pensa Firmaine.

Et instinctivement, cependant que ses épaules frissonnaient, elle regardait autour d'elle, cherchait quelque vêtement dont elle pût s'envelopper.

Assurément, Hubert avait pensé à tout, car Firmaine découvrait, disposé sur une chaise, une sorte de peignoir qui semblait lui être destiné.

La jeune femme s'en revêtit.

Elle éprouva une certaine volupté à serrer son corps dans le souple et doux vêtement qui lui apportait de tièdes chaleurs.

Puis, ayant chaussé ses pieds nus de sandales, elle s'avança, jusqu'à l'extrémité de la chambre. La porte en était ouverte et donnait sur un petit couloir que, machinalement, Firmaine suivit.

Chose étrange, ce couloir était semé de fleurs, de fleurs noires, semées comme si elles traçaient un chemin, comme si elles indiquaient une route à suivre.

De plus en plus troublée et curieuse à l'extrême, Firmaine suivait les traces des fleurs, s'appliquant à marcher dans le sillage des pétales de roses. Elle traversa ainsi tout l'appartement, se rendant compte qu'il était vide, que le docteur Hubert, qu'elle avait appelé à deux ou trois reprises, était absent.

A un moment donné, à l'extrémité du couloir, les traces de fleurs s'arrêtaient net devant une porte.

Firmaine s'arrêta aussi, elle allait rebrousser chemin, lorsque tout d'un coup elle tressaillit, son cœur battit avec violence, elle avait entendu quelque chose, comme un soupir, comme un gémissement très doux, très lointain !

Or, ce n'était pas la première fois qu'elle entendait ce soupir, ce gémissement !

Déjà, à maintes reprises, semblable plainte — car ce ne pouvait être qu'une plainte — était venue frapper son oreille.

Et Firmaine, soudain, songea à cet être mystérieux et énigmatique, à ce personnage invisible qui lui avait fait savoir à maintes reprises qu'il était épris d'elle, et qui, depuis de longues semaines, avec une délicatesse exquise, se manifestait mystérieusement à elle, sous les dehors d'un invisible et passionné amoureux.

La porte devant laquelle se trouvait Firmaine parut s'ouvrir d'elle-même ; la jeune femme se rendit compte qu'elle donnait sur l'entrée de la cave ; une bouffée d'air froid lui monta au visage et, instinctivement, Firmaine recula, elle avait peur de ce trou sombre qui se présentait béant devant elle. Cependant, après avoir reculé, elle s'en approcha de nouveau, c'est qu'en effet pour la seconde fois, elle venait d'entendre le soupir ; un soupir humain, profond, angoissé et plein d'amertume, un soupir cependant, dont les vibrations tremblaient, comme tremblent des halètements d'espérance.

Dès lors, Firmaine n'hésita plus.

— C'est Jap..., Jap..., se dit-elle.

Et malgré elle, comme irrésistiblement, malgré les angoisses, les frayeurs terribles qu'elle avait pourtant vécues depuis plusieurs semaines, dans la devination mystérieuse de cet être toujours invisible et toujours présent, malgré encore son aventure de la rue Girardon, Firmaine n'eut plus à cette instant qu'une pensée, un désir fou :

— Je veux, murmurait-elle, voir Jap... savoir qui est Jap !...

Tout à coup, il sembla à la jeune femme que, tout à côté d'elle, une voix étrangement douce murmurait son nom :

— Firmaine !

Comme hypnotisée, la jeune femme descendit quelques marches, lentement, elle arrivait au bas du petit escalier qui conduisait à la cave. Soudain, elle tressaillit.

Quelque chose, quelqu'un avait effleuré son bras. Firmaine ne résista point. Elle sentit qu'une main cherchait la sienne, et quelques instants après, dans ses doigts tremblants, cette main mettait une gerbe de fleurs ! Firmaine ne pouvait les voir dans l'obscurité, mais elle se rendait compte que ce devait être encore une de ces extraordinaires et respectueuses manifestations de Jap.

Assurément, il venait de lui donner des roses noires !

Firmaine avançait toujours, guidée par la main mystérieuse. Celle-ci s'était affirmée sur la sienne, un peu plus audacieuse, plus autoritaire ; une autre main était passée autour de sa taille, et elle sentait le long de son corps souple, le frôlement doux d'un autre corps.

Firmaine, de plus en plus surprise, et délicieusement troublée, se laissait faire. Il lui sembla que, sur ses épaules, on jetait une sorte de manteau qui l'enveloppait, épousait ses formes, et le contact de ce vêtement était délicieusement voluptueux, exquis.

Cependant, une voix, une voix qu'elle connaissait, pour l'avoir déjà entendue à diverses reprises, lui murmurait tout bas :

— Abandonnez-vous, Firmaine, ne résistez point.

Firmaine, brisée, étourdie comme dans un rêve, obéissait, ne résistait pas !

Le mystérieux être qui l'avait approchée, qui l'avait prise ainsi, la serrait désormais doucement dans ses bras, puis lui faisait comprendre qu'elle devait s'asseoir, s'allonger. Dès lors, Firmaine, enveloppée dans ce grand vêtement si doux, qui gênait un peu ses mouvements, s'étendait sur une sorte de couche, étroite et satinée.

Il lui parut qu'elle était immobilisée là, et cependant elle n'en éprouvait aucune crainte, aucun regret, tant elle se sentait incapable du moindre effort.

— Jap ! articula-t-elle, est-ce vous, Jap ?

Et, comme un murmure indistinct lui répondait, elle rappela :

— Rue Girardon, ne m'avez-vous pas parlé d'amour ? n'ai-je pas entendu une musique exquise et délicieuse ?... Oh ! Jap ! Jap !...

Firmaine était toujours plongée dans la nuit, et ses deux mains étaient abandonnées à celles du mystérieux personnage qui l'avait guidée dans ce lieu.

Elle ne cherchait pas à comprendre, elle n'avait aucune crainte, aucune émotion. Soudain, les mains qui tenaient les siennes se retirèrent, et Firmaine qui demeurait étendue, là où on l'avait installée, interrogea d'une voix balbutiante :

— Où allez-vous ? ne me quittez pas...

Mais soudain, elle poussa un cri, un déclic sec avait retenti et, dès lors, une lampe s'allumait, lampe électrique qui projetait son faisceau lumineux, d'abord sur Firmaine, laquelle en demeurait tout éblouie, et ensuite sur le mystérieux personnage qu'elle devinait être Jap, mais qu'elle n'avait jamais vu, qu'elle voyait enfin !

Firmaine essaya de remuer, de s'agiter, elle ne le put ! Il lui sembla qu'elle éprouvait une lassitude immense, que chacun des mouvements de son corps lui était pénible, que ses membres étaient lourds, lourds !

Elle avait en face d'elle un homme drapé dans un grand manteau noir, qui recouvrait une sorte de maillot moulé sur un torse robuste.

La face du mystérieux personnage était dissimulée derrière une cagoule, et à la vue de cette silhouette légendaire, Firmaine abasourdie, balbutia :

— Fantômas !

Était-ce possible ?

Rêvait-elle, était-elle éveillée ?

Firmaine aurait été incapable de le dire tant elle était à la fois terrifiée et surprise par l'extraordinaire apparition qui surgissait devant elle.

En réalité, la jeune femme était moins épouvantée qu'intriguée.

Évidemment, du premier coup, elle avait reconnu Fantômas. Mais, aussitôt, une question se posait à son esprit.

Firmaine émue, le cœur battant, interrogea :

— Fantômas, Fantômas... car c'est vous, je vous reconnais, seriez-vous donc Jap ?

La voix de Fantômas se fit entendre, ce n'était plus celle du mystérieux amoureux de Firmaine, mais bien la voix nette et bien timbrée, claironnante même, du Génie du crime.

— Jap, articula-t-il, c'est moi...

Firmaine, cependant, hésitait à le croire.

Non, cela ne devait pas être possible, et si Fantômas avait pris la place de Jap, ce devait être assurément après quelque horrible forfait ?

— Fantômas, insista Firmaine, je ne puis me convaincre, Fantômas, être Jap... c'est impossible.

Mais le bandit avançait vers la jeune femme.

D'une voix qu'il modifiait avec une aisance parfaite, d'une voix qu'il savait faire douce et prenante — la voix de Jap autrefois — il répéta à son oreille les propos enflammés, des paroles éprises, de ces mots inoubliables qu'il avait su dire la première fois que Firmaine était venue au rendez-vous de la rue Girardon.

Oh ! il n'y avait pas de doute, assurément, Fantômas et Jap ne faisaient qu'un !

Pendant les quelques instants que parlait Fantômas, Firmaine, abasourdie et délicieusement surprise, se laissait prendre à la musique caressante et aux propos d'amour que lui tenait le bandit.

Comme il se taisait un instant, elle interrogea, troublée au plus haut point.

— M'aimez-vous donc, Fantômas ?

Pour poser semblable question, il fallait qu'à cette minute, Firmaine fût vraiment hypnotisée, affolée par la voix si charmeuse du Génie du crime ! Hélas ! Firmaine oubliait, à cet instant, les terribles incidents de Boulogne, elle oubliait qu'elle avait échappé par miracle à la mort dont la menaçait Fantômas.

Firmaine ne se souvenait plus que, seul, Vladimir, qu'elle croyait alors être l'ouvrier Maurice, l'avait sauvée du bras meurtrier de Fantômas !

Non ! comme toutes les femmes, Firmaine se laissait prendre au charme profond et cajoleur des paroles d'amour, les mots de passion lui étaient murmurés par le plus redoutable des bandits, mais qu'importait !

Firmaine voulait croire à l'amour de Jap ! même si Jap était Fantômas.

Il y eut un grand silence, puis une interjection sinistre et catégorique retentit brutalement et se répercuta sous les voûtes de la cave.

Désormais, ce n'était plus Jap qui s'exprimait, mais bien le Génie du crime ; sa voix n'était plus caressante ni douce, elle était impérative, terrifiante, autoritaire.

Et cependant que Firmaine se tordait dans un soubresaut de surprise, Fantômas tonna :

— Non ! je ne vous aime pas...

Firmaine se sentit défaillir. Une seconde, elle eut l'impression qu'elle venait de vivre un rêve délicieux, mais que, soudain, la réalité s'offrait à elle, comme une vision d'horreur ou de cauchemar.

Elle avait peur de deviner quelque misérable machination du bandit, elle avait le secret pressentiment qu'elle était victime de quelque guet-apens bizarre et terrifiant.

Se roidissant cependant contre l'émotion, elle interrogea :

— Fantômas, Fantômas, qu'est-ce que tout cela signifie ? de grâce, parlez, je veux savoir !

Le bandit s'était rapproché d'elle, et désormais, orientant sa lampe électrique sur le visage de la jeune femme, qu'il aveuglait à demi, cependant que lui-même restait dans l'ombre, il répéta de sa voix étrange et terrible :

— Tu veux savoir, Firmaine... tu veux savoir pourquoi Jap était Fantômas, pourquoi Fantômas vient de se faire connaître à toi ?...

— Je le veux... je le veux, balbutia Firmaine.

Fantômas eut un rire sardonique.

— Mieux vaudrait, poursuivit-il, pour toi, l'ignorer...

Et Firmaine, intriguée au plus haut point, hurlait :

— Non, non, Fantômas, je veux savoir, savoir à tout prix !

Et, en effet, le désordre naissait dans l'esprit de la jeune femme ; elle avait cru toutes sortes de choses, elle avait interprété Jap de diverses façons, s'imaginant tantôt que le mystérieux hôte de la rue Girardon n'était autre que le Dr Hubert, se figurant parfois qu'il s'agissait là d'un tiers inconnu, croyant encore que peut-être même Jap n'était qu'une

personnalité intrigante, imaginée par Vladimir ; or, voici qu'elle venait de
découvrir soudain que ce délicat amoureux, que ce délicieux amant n'était
autre que l'être le plus terrifiant et le plus redoutable qu'il y eût au monde,
Fantômas !

— Était-il possible qu'un être aussi cruel, aussi farouche que Fantômas
pût être en même temps le tendre, le poétique Jap ?

Hélas ! Firmaine aurait dû connaître suffisamment Fantômas pour
savoir qu'il était capable de tout.

La jeune femme était si anxieuse de savoir, de comprendre, qu'elle ne
se rendait aucunement compte de l'état dans lequel elle se trouvait ; elle
ne s'apercevait point qu'au fur et à mesure que le temps passait, le
moindre mouvement lui devenait de plus en plus pénible et difficile.

Il lui fallait déployer une vigueur anormale pour soulever simplement
ses bras ; elle était étendue au milieu de moelleux coussins, semblait-il,
mais elle aurait éprouvé la plus grande difficulté à s'en extraire.

Firmaine ne remarquait rien de tout cela, elle avait les yeux braqués sur
la forme imprécise que dessinait, sur le fond noir de la cave, la silhouette
noire du bandit.

— Dites, dites, Fantômas ? interrogea-t-elle encore.

Fantômas commença :

— Te souviens-tu, Firmaine, de ce soir tragique à Boulogne-sur-Mer ?

Il s'arrêta ; Firmaine tressaillit.

Pourquoi Fantômas évoquait-il ces heures lointaines et détestables ?
pourquoi Fantômas voulait-il la faire se souvenir précisément d'une
circonstance où la jeune femme avait été en opposition nette avec le sinistre
bandit ? Où tous deux s'étaient disputés, l'une son amant, l'autre son fils,
lutte poignante dans laquelle, par extraordinaire et par le hasard des
circonstances, c'était Firmaine qui avait triomphé !

D'une voix presque imperceptible, car cette évocation la troublait au
plus haut point, Firmaine susurra :

— Oui, je me souviens...

Fantômas reprenait, dissimulant sous une intonation aux apparences
calmes la sourde colère qui grondait dans sa poitrine :

— Eh bien, dit-il, ce soir-là, j'ai été blessé par mon fils... Vladimir a
déchargé sur son père son revolver à bout portant.

La main de Fantômas s'appuyait sur celle de Firmaine et cependant que,
d'un geste instinctif, le bandit serrait le poignet de la jeune femme, il
gronda encore :

— J'ai failli devenir aveugle, par ta faute, Firmaine, tout au moins à
cause de toi.

La jeune femme, dans ces dernières paroles, devinait une sinistre
menace, elle se sentit pâlir, elle ne répondit rien.

Fantômas, au surplus, reprenait :

— Dès lors, la lumière du jour me devint insupportable, il me fut
impossible de vivre comme avant, au grand soleil, de regarder mes ennemis
face à face... tout cela, Firmaine, à cause de toi... et si je souffrais de cette
infirmité effroyable, mon cœur saignait à l'idée que c'était à mon fils que
je devais ce malheur... il me fallait fuir la clarté... j'ai donc vécu caché
dans l'ombre... une préoccupation hantait mon esprit particulièrement...

je souffrais de savoir que Vladimir t'était cher, Firmaine, et je souffrais encore plus de le voir partager ton amour... Il me fallait à toute force vous détacher l'un de l'autre.

« Je connais le cœur de la femme, je sais qu'il est accessible à toutes les audaces, ouvert à toutes les compromissions... je n'ignore pas sa duplicité, sa félonie ; j'ai voulu troubler ton cœur, Firmaine, et j'ai réussi... Jap a su se faire aimer de celle qui se prétendait uniquement éprise de Vladimir : nieras-tu donc ta trahison vis-à-vis de mon fils, misérable ?...

— Fantômas, Fantômas, balbutia Firmaine, je n'ai pas aimé Jap... c'est la curiosité, le seul désir de savoir qui a... ne croyez pas...

Fantômas l'interrompait :

— Il n'y a pas que Jap, articula-t-il, il y a le Dr Hubert, chez lequel tu te trouves en ce moment, le Dr Hubert ton amant...

— Non, hurla Firmaine, je ne suis pas la maîtresse d'Hubert.

— Il le deviendrait, ricana Fantômas, si on te laissait faire.

Mais Firmaine se révoltait :

— Non, non, protesta-t-elle, croyez-moi, Fantômas, je vous jure... peut-être ai-je été coquette, inconséquente par moments, mais, malgré tout, j'aime Vladimir...

Fantômas gronda :

— Tu l'as menacé hier, tu lui as reproché d'être le fils de Fantômas !

Firmaine bégayait :

— Je l'aime malgré tout... je le sens, je vois clair désormais, dans mon âme : quoi qu'il arrive et quoi qu'il fasse, Vladimir est tout pour moi, je lui appartiens de toute ma pensée... je suis la chair de sa chair, le sang de son sang...

— Bravo ! hurla Fantômas, je ne te croyais pas, Firmaine, aussi violemment éprise, aussi ardente.

— Je l'aime, je l'aime, articulait la jeune femme qui s'efforçait, mais en vain, semblait-il, d'agiter ses bras.

Brusquement, Fantômas changea de ton :

— Tu l'aimes, soit... je veux bien le croire... tant pis pour toi... écoute...

Il s'arrêta ; Firmaine interdite, prêtait l'oreille, anxieuse de savoir ce que signifiait ce nouveau préambule étrange.

Fantômas poursuivit d'un ton soucieux :

— Ce qu'il ne faut pas, ce que j'interdis absolument, c'est que Vladimir t'aime... or, il est épris de toi... j'ai essayé de détourner sa pensée, je n'ai pas encore réussi complètement... que tu l'aimes, peu m'importe, mais qu'il t'aime... ça jamais !...

Cependant Firmaine se révoltait :

— Vladimir m'aime comme je l'aime, et rien ne peut nous séparer.

— Si, fit Fantômas, tragiquement, la mort !...

« Seule, reprit-il, cependant que Firmaine l'écoutait atterrée, seule la disparition irrévocable de l'être aimé peut atténuer les sentiments d'amour que l'on éprouve à son égard... Or, ajouta-t-il énergiquement, je veux mon fils à moi, à moi seul...

Et il avait prononcé ces dernières paroles avec une énergie si farouche, que Firmaine comprit qu'il allait se passer quelque chose d'effroyable, de terrible...

Et elle faisait effort cependant pour voir clair dans son propre cerveau, il lui semblait qu'elle était étourdie par une sorte de brouillard à travers lequel elle voyait Fantômas, puis Jap, puis le docteur Hubert, puis Vladimir ; autour d'elle, c'étaient des roses à profusion... des roses noires... elle sentait avec acuité le parfum prenant de ces fleurs extraordinaires... puis tout cela s'évanouissait et elle se retrouvait immensément lasse et fatiguée, étendue sur des coussins moelleux, face à face avec Fantômas...

— Je veux mon fils à moi seul !... avait articulé le bandit.

Et dès lors, comme Firmaine lui demandait d'une voix tremblante ce qu'il allait advenir d'elle, Fantômas nettement rétorqua :

— Tu vas mourir...

— Oh ! hurla Firmaine qui sentait sa gorge se serrer, ce n'est pas possible, je suis folle, je rêve...

Et elle avait des contorsions effroyables, elle s'agitait désespérément, épouvantée, à l'idée de la mort toute proche, sentant que la folie la gagnait.

Et cependant, pour s'agiter pour remuer même, il lui fallait déployer une vigueur extraordinaire, anormale, exténuante.

Firmaine, jusqu'alors, ne s'était point rendu compte de l'état bizarre dans lequel elle se trouvait. Désormais, l'horreur d'une mort prochaine l'aurait évidemment empêchée d'y prêter attention, si Fantômas n'était, odieusement, cyniquement, intervenu.

— Firmaine, articula-t-il, ne bouge point. Plus tu t'agites, plus tu remues, plus tu aggraves ton agonie.

Le monstre faisait remarquer à la jeune femme qu'elle était pour ainsi dire immobilisée, liée des pieds à la tête dans cette sorte de manteau que le bandit avait jeté sur ses épaules au moment où elle entrait dans la cave et dont les plis, souples, flottants, à ce moment, depuis lors, peu à peu, se resserraient sur elle.

Quel était encore ce nouveau supplice, imaginé par Fantômas ?

Fantômas avait revêtu la jeune femme d'un grand manteau composé d'un tissu élastique qui sans cesse se rétrécissait, le manteau aux plis amples qu'il avait jeté sur ses épaules une demi-heure auparavant devenait, désormais, une tunique ajustée, moulant les formes gracieuses du corps de la jeune femme.

Firmaine qui, maintenant, comprenait et tressaillait d'horreur, se rendait compte que, bientôt, cette tunique deviendrait un étau !... Oui, elle se rendait compte de la difficulté croissante qu'elle éprouvait à faire le moindre mouvement ! Elle comprenait pourquoi elle ne pouvait bouger et pourquoi, plus elle se remuait, plus les mouvements lui étaient difficiles.

Au fur et à mesure, en effet, que son corps s'agitait, le manteau terrible se resserrait de plus en plus, comprimait ses membres, s'appesantissait sur ses flancs et sa poitrine.

— Fantômas ! Fantômas, grâce, grâce ! que vais-je devenir ?

— Une morte ! déclara le bandit.

Et, avec une cruauté suprême, il éclairait Firmaine, de façon à ce qu'elle puisse connaître les détails du guet-apens dans lequel elle était tombée.

La jeune femme s'était rendu compte qu'elle s'était étendue sur des coussins moelleux au contact soyeux et qui semblaient si doux qu'elle eût éprouvé une grande peine à s'en arracher or, voici qu'elle comprenait désormais ce qu'était le meuble bizarre dans lequel elle avait été installée.

Il était capitonné à l'intérieur ; il se relevait autour d'elle en bords rigides et étroits.

Firmaine était enfermée, étendue de tout son long dans une bière, dans un cercueil !

Cette fois, l'émotion fut trop forte. Firmaine sentit sa raison chavirer, un brouillard rouge, puis noir, lui passa devant les yeux.

La malheureuse s'évanouit.

Fantômas, les bras croisés, le regard fixe et indifférent, allait assister aux contorsions suprêmes de la malheureuse, aux dernières manifestations de son énergie ; il la considéra encore quelques instants, ses traits se détendirent, son visage contracté par l'angoisse affecta un air de paix sereine que lui accordait son évanouissement aux apparences semblables à celles de la mort.

Le sinistre bandit articula, haussant les épaules.

— Après tout, je n'ai pas de raison de la torturer... Certes il faut que je la chasse de mon chemin pour que Vladimir soit libre et tout à moi, à moi seul... mais il n'est pas nécessaire qu'elle souffre.

De sa main, Fantômas frôla la main de Firmaine, il s'aperçut qu'elle était déjà froide.

— Serait-elle morte ? se demanda-t-il, morte de peur ?

Fantômas hésita une seconde, puis il sortit des plis de son grand manteau noir une longue aiguille d'acier, qui scintilla dans la projection lumineuse de sa lampe électrique.

Fantômas, posément, avec le plus grand calme, chercha sur la poitrine de Firmaine la place du cœur.

Dès lors, lentement, il enfonça l'aiguille, à travers la tunique, puis la chair, l'acier s'enfonça dans le corps de la malheureuse. Les lèvres de Firmaine frémirent un instant d'un tremblement nerveux, puis elles devinrent toutes blanches...

La tendre maîtresse de Vladimir, par l'irréductible et farouche volonté de Fantômas, n'était plus qu'un cadavre !

XXV

Le maître de tous

Tandis que ces effroyables événements se passaient, tandis que Fantômas, faisant à nouveau preuve de la froide férocité qui lui était coutumière, laissait encore un cadavre sur sa route, qu'était-il advenu de Juve ?

Le policier, au moment où il s'élançait sur le baron de Lescaux, qu'il reconnaissait pour être Vladimir, c'est-à-dire le fils de Fantômas, était partagé entre la rage et l'effroi.

Il n'avait pas perdu un mot de la discussion tragique qui avait, un instant, dressé l'un contre l'autre les faux époux devenus les deux complices.

Juve n'avait pas été étonné d'apprendre qui se cachait en réalité sous la personnalité du baron et de la baronne de Lescaux. Le jour même en effet, tandis qu'il questionnait Firmaine, tandis qu'il s'efforçait de la terrifier dans le but de l'amener à avoir une explication décisive avec son mari, Juve avait soupçonné que cette Valentine de Lescaux qu'il regardait était maquillée, dissimulant, grâce à des artifices ingénieux, les traits véritables de Firmaine Benoît.

En revanche, Juve avait été stupéfié d'apprendre que la Gadoue et le baron de Lescaux ne faisaient qu'un !

Il savait depuis longtemps que la Gadoue était coupable du meurtre de l'Américain Favier, il frémissait en apprenant que cette Gadoue était le baron Geoffroy et que le baron Geoffroy, après avoir volé les papiers de la famille de Lescaux — une famille probablement éteinte — avait eu l'audace de réaliser un assassinat dans les conditions tragiques qui avaient accompagné le meurtre de l'oncle Favier.

— C'est bien le fils de Fantômas ! se disait Juve en frémissant, cependant qu'il écoutait les dernières paroles de l'assassin.

Les événements, toutefois, se précipitaient si rapidement que Juve n'avait guère le temps de réfléchir.

Sur une dernière parole de froid dédain, de mépris sanglant, échappée à Valentine, le baron Geoffroy s'élançait sur la jeune femme...

Juve fut en un instant entre les deux adversaires !

Déjà, il pensait appréhender le meurtrier, lorsque celui-ci d'un brusque bond évitait son étreinte et, avec une souplesse, une agilité qu'expliquait sa jeunesse réelle, encore que sous les traits du baron de Lescaux il semblait un homme d'âge, sautait par la fenêtre, tombait dans le jardin, s'enfuyait...

Juve était heureusement toujours prêt aux pires éventualités. Il n'y avait que quelques secondes que le baron Geoffroy avait quitté la pièce que, déjà le revolver en main, il s'élançait sur ses traces.

— Arrêtez-vous ! ordonnait Juve, arrêtez-vous, ou je tire !

Hélas ! cette menace restait vaine...

Le baron de Lescaux fuyait toujours. Il fuyait d'ailleurs, semblait-il, avec un parfait sang-froid, une grande habileté. Il ne se jetait pas droit devant lui mais, bien au contraire, zigzaguait sur la chaussée, passait d'un trottoir à l'autre, et Juve immédiatement comprenait le sens de cette manœuvre :

— Je ne peux pas tirer ! clamait-il, mes balles pourraient se perdre... Je risquerais un accident !

Dans la nuit sombre, la poursuite, ardente, se continua longtemps.

Le baron Geoffroy profitait avec avantage de la solitude déserte du riche quartier de la rue Spontini.

Il allait, sans paraître s'essouffler, et tout ce que Juve pouvait faire, était de ne point perdre du terrain.

Juve, toutefois, ne désespérait pas.

Fatalement, pensait-il, le hasard de cette course folle va m'amener à rencontrer des sergents de ville, des passants, j'appellerai au secours, on me prêtera main forte...

Or, comme le fuyard, à moins de cent mètres peut-être du policier, atteignait le boulevard Flandrin, il semblait à Juve qu'il se fatiguait, que la distance, entre eux, diminuait.

— Je le tiens ! pensa le policier.

Il se hâta plus encore...

Déjà il entendait la respiration essoufflée du baron, déjà il le menaçait de son revolver, lorsque, à l'improviste, une scène étrange se déroula...

Brusquement, paraissant sortir de sous terre, car à côté de Juve se trouvait une excavation pratiquée dans la chaussée, une bande d'individus se précipitait sur le policier et le baron...

Et, tandis que les uns s'emparaient de Geoffroy de Lescaux, et le ligotaient avec une dextérité surprenante, l'entraînant au loin, les autres appréhendaient Juve, le garrottaient brutalement !

Affolé, le policier sentait qu'on jetait un bandeau sur ses yeux...

Puis, brusquement, il avait la sensation de descendre, d'être emporté dans un trou... de crouler dans un abîme !

Nettement alors, il entendait ceux qui le portaient franchir un escalier aux marches interminables, cependant que de sourds murmures parvenaient à ses oreilles, murmures où, comme un *leitmotiv*, revenait un lancinant appel :

— Jap ! Jap !

Juve était conduit enfin — il le supposait du moins, car ses pieds ne touchaient pas le sol, et il avait toujours son bandeau — sur des eaux silencieuses et paisibles. Le balancement ne pouvait lui laisser aucun doute.

Puis un choc suivi de plusieurs autres lui faisaient comprendre que le bateau dans lequel il se trouvait venait d'aborder un ponton sur un quai...

On l'emportait alors, à nouveau, et il éprouvait une impression de froid très caractéristique... Il se rendait compte qu'il devait être dans quelque souterrain, au fond d'une cave...

Juve fut alors déposé sur un sol dur et humide, puis on détachait ses liens : ses bras et ses jambes étaient libres.

Juve, en l'espace d'une seconde, fut debout...

Il arracha le bandeau qui lui couvrait les yeux, chercha ses agresseurs du regard...

Il ne vit rien ! Il était plongé dans l'obscurité la plus absolue !

Combien de temps le policier restait-il là ? Une heure ? Un jour ? Une nuit ?

Il avait peine à se l'imaginer ! Le temps lui semblait interminable...

Tout d'abord, comme un fou, il marchait à tâtons, cherchant à s'enfuir, mais ses mains, étendues en avant, lui permettaient de reconnaître qu'il se trouvait à l'intérieur d'un cachot, d'une prison, dont les murs, faits de pierre, épais et rigides, semblaient infranchissables.

Au bout de longues heures, Juve, que torturait l'angoisse, se sentait enfin envahi par une somnolence irrésistible à laquelle il cédait.

Le policier s'éveillait, longtemps plus tard, car sa montre était arrêtée.

Dans la pièce où il se trouvait filtrait, désormais, une légère lueur. Elle venait du plafond et, en levant les yeux, Juve avait un véritable sursaut d'épouvante.

La lueur qui pénétrait jusqu'à lui, en effet, qui éclairait la sorte de cachot dans lequel il gisait prisonnier, n'était pas immobile, fixe, comme les projections lumineuses habituelles. Elle tremblotait perpétuellement au contraire, et Juve, prêtant l'oreille, écoutant avec attention, croyait percevoir, au-dessus de lui, comme le bruissement doux d'une eau courante...

Tout cela était-il possible ?

— Je rêve ! murmurait le policier. Il ne peut pas y avoir de l'eau au-dessus de moi ?

Pourtant, ses yeux s'habituant à l'obscurité, Juve voyait que sa cellule ressemblait à une cave fermée par des murs de pierre dans lesquels était percée une porte.

Le plus étrange était le plafond.

Ce plafond était transparent. Il était constitué par une vitre épaisse, et cette vitre, à en juger par ce qu'il voyait, devait servir de lit à une rivière, à un canal !...

Longuement, Juve considéra ce spectacle inexplicable.

Des ombres, par moment, passaient au-dessus de sa tête, ombres aux formes oblongues, et le policier se rendait compte que ce devait être des barques qui voguaient à la surface de l'eau...

Affolé, Juve, alors, se tordit les mains :

— Où suis-je ? se demandait-il. Je deviens fou !

Puis, il se ressaisissait, il raisonnait :

— Parbleu ! je suis tombé dans un piège infernal ! Me voici aux mains du fils de Fantômas, de Fantômas peut-être, car le fils et le père doivent s'entendre ! Sans doute je suis destiné à périr, ici, de faim ?...

Mais Juve se trompait...

Dans son émoi, il n'avait point remarqué tous les détails de sa cellule. Comme son regard sondait encore une fois les coins d'ombre, il découvrait, dans un angle, une cruche pleine d'eau claire, une grosse miche de pain.

Juve se rassasia... Puis, étendu sur le dos, les yeux fixés au plafond, il regarda encore, il écouta.

Or, peu à peu, le silence qui l'environnait cessait.

Ce furent d'abord des bruits imperceptibles mais qui bientôt augmentèrent.

Non loin de lui, derrière la porte de fer qui fermait sa prison, des pas se faisaient entendre, des paroles incertaines retentissaient...

A deux ou trois reprises, Juve se rendit compte que l'on prononçait un nom mystérieux et hallucinant :

— Jap ! Jap !

« Jap » était prononcé sur les tons les plus variés, tons aux nuances respectueuses, appellations craintives, évocations violentes...

Le malheureux policier, pris d'une hantise, finissait bientôt, lui aussi, par crier !

Il se levait, faisait quelques pas dans sa cellule, se pinçait le bras pour s'assurer qu'il était vivant, qu'il ne rêvait pas, puis, à deux ou trois reprises, il se surprenait à crier :

— Jap ! Jap !

Et, dès lors, une sueur froide coulait sur son front. Juve se disait :

— Ah ça ! suis-je, comme d'autres, atteint d'hallucination ? La folie du japisme ?...

Mais soudain son sang se figea dans ses veines :

Il venait d'entendre quelque chose..., le rythme lent d'une musique qui s'accentuait peu à peu... dont la mélodie se précisait...

Juve, abasourdi, stupéfait par cette nouvelle découverte, murmura :

— Toujours cet air ! c'est *Passionnément* !

Le policier éprouvait en cet instant une angoisse effroyable...

Il rapprochait les événements dont il était actuellement témoin des aventures qu'il avait vécues lors de ses premières recherches relatives au pendentif de Valentine de Lescaux.

Il pensait aussi à Fandor qui ne devait pas savoir où il était, qui ne pouvait pas venir à son secours !

Ah ! si Juve avait su qu'une dépêche était arrivée au journaliste, lui disant de ne point s'inquiéter, « d'attendre », s'il avait su que cette dépêche était signée « Juve », son angoisse eût été encore plus terrible !

Et longtemps, longtemps, le policier demeurait, ainsi, en cette effroyable situation. Il avait épuisé son pain, bu toute l'eau fraîche de sa cruche. La soif et la faim commençaient à le faire souffrir... Soudain, Juve se prit le front à deux mains :

— Ah çà ! déclarait-il à haute voix, suis-je donc condamné à mourir d'inanition et vais-je ne rien tenter pour me défendre ?...

Il éprouvait à ce moment comme un brusque renouveau d'énergie. Après avoir été victime d'un accablement profond, voilà qu'il se sentait pris d'une nouvelle vigueur, d'une ardeur renouvelée...

— Je lutterai !

Juve, comme un fou, bondissait vers la porte de sa cellule. Il l'examinait attentivement...

Elle était solide, elle semblait défier toutes les attaques.

Juve, pourtant, éclata de rire :

— Allons ! tout n'est pas perdu ! murmurait-il. Les imbéciles m'ont bien enlevé mon revolver, mais ils ne m'ont pas entièrement désarmé !

Juve se livrait alors à une étrange besogne. Il se déchaussait, il empoignait le talon de sa bottine et, faisant effort, il le dévissait.

La bottine de Juve était truquée...

Dans le talon de son soulier, Juve trouva une mince lame de scie, qu'il portait toujours ainsi, dissimulée pour l'éventualité d'une fuite ou d'un besoin quelconque de cet instrument...

— Avec cela je sortirai ! dit-il, en brandissant le minuscule outil.

Et Juve, alors, se livrait à un travail insensé.

Patiemment, habilement, il entreprenait de scier l'attache des gonds qui fixait la porte de fer de sa cellule. Cela semblait une œuvre impossible, mais il n'y avait véritablement rien d'impossible à l'énergie décuplée par la fureur du malheureux Juve !

La lame de la scie, d'abord, mordait à peine sur le métal ; puis elle traçait un léger sillon brillant, puis enfin, lentement mais sûrement, elle se frayait un chemin...

Après des heures d'effort, Juve eut scié les deux gonds. Il lui suffisait alors, de peser sur la porte pour la faire écrouler, pour être libre...

Tout autre que Juve n'eût pas hésité un instant, Juve, au contraire, eut le courage de réfléchir.

Le policier d'abord se rechaussa. Il se contraignit ensuite à marcher quelques instants pour reconquérir la pleine liberté de ses mouvements, car la position qu'il avait prise, pendant son labeur, avait endormi ses membres...

Et c'était seulement quand il se sentait en pleine possession de lui-même qu'il se rapprochait de la porte, y collait son oreille, écoutait...

Le silence, à nouveau, s'était fait impénétrable.

Juve, alors, certain que nul ne veillait à côté, se décida.

Il appuya son épaule contre le battant de fer, et pesa sur lui de toute sa force...

Les derniers liens d'acier qui maintenaient les gonds cédèrent. La porte se détacha, tomba. Juve, d'un bond, la franchit...

A cet instant, le policier se rendit compte qu'il débouchait dans un étroit couloir, intensément obscur.

Il le suivit à l'aventure...

— Ici, j'allais mourir de faim, pensait-il, là où je vais je recevrai peut-être un coup de revolver... Mort pour mort, j'aime mieux la mort rapide !

Juve avança ainsi pendant près de cinq minutes. Soudain, il s'arrêta. Devant lui, une vague lueur se devinait au lointain !

Des bruits de voix en même temps parvenaient à ses oreilles.

Juve frémit :

— Allons ! se dit-il, je ne puis m'y tromper, j'arrive à quelque salle commune de ce repaire souterrain. L'instant décisif approche ! avançons !

Il avançait, en effet, mais il s'était couché à plat ventre : il rampait.

Il fallut vingt minutes à Juve pour arriver au bout de la galerie. Et, quand il put jeter un coup d'œil dans la grande salle qu'il avait devant lui, une grande salle toute baignée d'une lumière bleue, infiniment douce, extraordinaire, Juve crut que son cœur allait cesser de battre dans sa poitrine, que son cerveau allait éclater sous son crâne, tant il éprouvait de surprise, d'émotion, d'horreur, à contempler ce qu'il contemplait, à entendre ce qu'il entendait !...

Dans la grande salle, il y avait deux hommes.

L'un était debout. Il portait un maillot noir, collant à son corps souple et vigoureux ; ses traits se dissimulaient sous une cagoule aux plis flottants, et cet homme, Juve le reconnaissait, ne pouvait pas manquer de le reconnaître.

C'était le Roi de l'effroi ! le Maître de l'épouvante ! le Génie du crime ! c'était Fantômas !

Le second personnage était assis ligoté sur une chaise de bois. Son visage, Juve le reconnaissait aussi. Il était plein d'une fureur aveugle, ses yeux lançaient des éclairs, ses lèvres étaient pâles, son front blême...

— Mon Dieu ! murmura le policier, c'est le prince Vladimir ! C'est Geoffroy de Lescaux ! J'ai devant moi les deux plus grands monstres de la terre, Fantômas et son fils !

Juve se taisait cependant, retenait le cri de rage qui lui était monté aux lèvres...

Avant tout, il voulait savoir pourquoi Fantômas semblait ainsi menacer son fils, pourquoi le prince Vladimir paraissait écumer de colère.

Et Juve écouta.

C'était Fantômas qui parlait. Sa voix, impérieuse, décelait une volonté farouche, ses gestes mesurés prouvaient, cependant, qu'il était maître de lui, qu'il commandait. Aucun emportement ne l'aveuglait :

— Vladimir, disait Fantômas, tu exiges des explications. Soit. A l'heure où ta révolte doit se terminer par la plus entière soumission, je tiens à te dire ce que j'ai fait et comment je t'ai vaincu !...

A ce moment, une exclamation échappait aux lèvres du prince prisonnier.

— Mon père ! râlait Vladimir, tant que je vis je ne suis pas vaincu !

Mais, à cette dernière bravade, Fantômas haussait les épaules.

Il dédaignait de répondre. A peine un sourire hideux passait-il sur son visage. Le monstre était peut-être satisfait de voir son fils aussi indomptable !

Fantômas, cependant, reprenait :

— A Boulogne-sur-Mer, Vladimir, ton coup de revolver me brûlait horriblement les yeux... Oh ! mes félicitations !... Tu avais bien préparé ton assassinat !... Tu n'hésitais pas à me tuer !... Hélas ! Vladimir, tu n'avais pas songé que je ne suis point homme à me laisser surprendre à l'improviste !... Les cartouches de ton revolver étaient sans balle, tu m'as blessé, tu ne m'as pas tué !...

Fantômas ricanait, tandis que le prince Vladimir crispait les dents, de rage...

Fantômas reprit :

— Blessé terriblement, sans argent, je trouve moyen de voler les sommes recueillies pour le monument de Boulogne-sur-Mer. Je rentre à Paris. Que faire ? Mes yeux, terriblement meurtris, ne peuvent plus supporter la lumière. La moindre lueur me cause une douleur intolérable. Vladimir, je n'hésite pas ! Jusqu'à ma guérison complète, je vivrai dans l'obscurité !

« Par prudence, je possède, rue Girardon, une maison truquée dont les caves se prolongent à l'infini dans les carrières de Montmartre... là où nous sommes...

« C'est dans ces caves, Vladimir, que je décide de vivre !

« Fantômas était l'homme de la lumière. Fantômas va disparaître, pour ressusciter sous une autre forme.

« Paris, désormais, ne va plus parler de Fantômas ! Il va trembler lorsque l'on nommera Jap !...

Fantômas éclatait de rire, se croisait les bras, toisait son fils :

— Jap ! disait-il nettement, c'est moi ! Jap, c'est l'incarnation du crime obscur, de l'ombre, mais aujourd'hui, mes yeux sont guéris, et je puis, si je le veux, reprendre la lutte sous le nom de Fantômas ! Écoute, maintenant :

« Tandis que je décide de vivre dans le noir, je ne perds point de vue, cependant, Vladimir, que je veux te vaincre, te détacher de cette Firmaine que tu aimes mieux que moi, moi ton père, que tu aimes jusqu'au parricide !

« Or, j'ai des complices partout. Je sais que tu es devenu le baron de Lescaux, soit ! Je te déclare la guerre, je vais te combattre !

Fantômas, à cet instant, faisait une pause.

Son rire cynique ébranlait encore une fois les échos retentissants de la grande salle.

— C'est alors, continuait-il, que commencent les aventures les plus étranges. Je réunis tous les aveugles de Paris, j'en fais mes esclaves, je fonde, dans ce souterrain, le Royaume des Larves. Je suis, pour eux tous, le Maître suprême, pitoyable et terrible à la fois. Ils aiment Jap ! Ils me sont dévoués jusqu'à la mort !... Ils vont me servir.

Fantômas parlait toujours d'un ton calme, sa voix, cependant, décelait une émotion intense.

— Et la lutte se poursuit, faisait-il, formidable. Pour te conquérir, il faut que je te détache de Firmaine, pour te détacher de Firmaine, il faut que je me fasse aimer d'elle.

« Parjure, tu la haïras, je me promets à moi de la rendre parjure !...

Comme s'il faisait alors le récit d'une aventure fantastique, irréelle, Fantômas continuait :

— L'or que je sème à pleines mains, mes complices, qui ont des instructions précises, font que l'on joue partout un air de musique *Passionnément* qui n'a d'autre but que de troubler, par sa persistance douce, l'âme de ta maîtresse.

« Quand je la sens émue par cet amour, qu'elle devine, rôdant autour d'elle, je lui donne un rendez-vous. Elle y vient. Peut-être arriverai-je à me faire aimer d'elle si le malheur ne voulait qu'elle perde chez moi un bijou précieux. Valentine me croit un voleur !... c'est fâcheux pour ma cause ! Je renvoie tout simplement au chef de la Sûreté le bijou trouvé chez moi... Hélas ! les événements se compliquent. Valentine a prévenu Fandor. Intrépide, ce maudit journaliste, que je hais, se lance à ma poursuite. Juve veut visiter ma maison de la rue Girardon, je te laisse venir... Son cadavre me gênerait, en ce moment... Je me contente de l'étourdir par des émanations d'opium, je le laisse aller... Ce n'est pas lui que je combats ! C'est toi !...

Or, à cet instant, le prince Vladimir se départait enfin de son farouche silence :

— Moi aussi, je te combats, Fantômas ! hurlait-il, tu dis ce que tu as fait, tu oublies ce que j'ai tenté ?

Mais Fantômas, de la main, interrompait son fils :

— Non pas ! disait-il, je sais qu'à ce moment, tu commences à t'émouvoir. Les fleurs noires, des fleurs de souterrain, que j'envoie à ta maîtresse, que tu trouves, par hasard, dans la cave et que tu détruis, te donnent l'éveil. Tu me devines acharné contre toi, tu acceptes la lutte...

Fantômas s'arrêtait de parler. Encore une fois, il toisait son fils. Lentement il articulait :

— Mais on ne me trompe pas ! Tu deviens la Gadoue ? je le sais, Vladimir ! Tu veux contre moi employer des armes semblables à celles dont j'use... tandis que je m'attaque à ta maîtresse, tu oses t'attaquer à ma fille ! Tu as éloigné Firmaine en Normandie où un mannequin de cire m'aide à jouer une fantastique apparition. Tu voles Hélène, tu l'emportes...

« Oh ! Vladimir ! à ce moment je deviens fou de rage.

« Moi, Fantômas, être battu par toi, mon fils ? non ! jamais !

« Je suis le Maître de tout et de tous ! Quoi qu'il dût arriver, je te le prouverai...

« ... Vladimir, à cet instant, tu assassines Favier pour te procurer l'or indispensable à payer tes complices. Moi, je commence à me venger. Je tue, tout d'abord, le cocher Collardon, complice stupide, qui a emmené dans sa voiture ma malheureuse enfant... J'épargne son fils Zizi car j'espère, par lui, jeter la police à tes trousses... Juve, malheureusement, devine à peu près la vérité... Il presse ta maîtresse, celle-ci te fait la scène terrible que tu sais... Juve, à ce moment, s'élance à ta poursuite.

Mais les liens du prince Vladimir semblaient craquer sous l'effort de ses muscles !...

Furieux, le fils de Fantômas hurla :

— Misérable ! misérable ! c'est toi qui a ruiné mon bonheur !

— Peut-être ! railla Fantômas.

Et, lentement, le Maître de l'effroi continuait :

— J'étais caché dans ton salon quand tu pâlissais sous les insultes dont t'abreuvait Firmaine... je riais ! J'avais rêvé de te voir haïr cette femme et je te voyais souffrir par elle, j'étais un peu vengé déjà...

Fantômas ricanait encore, puis d'un ton devenu très calme, narguait son fils, le vaincu...

— Derrière Juve, je me précipite... Mes larves sont embusquées un peu partout dans Paris. Tu fuis vers le boulevard Flandrin ? Bonne affaire ! Je prends les devants. Invisible, car je chemine par des rues de traverse, je préviens mes hommes. Quant toi et Juve vous arrivez au point fixé par moi, vous êtes pris, saisis, emportés... Juve va mourir de faim dans un de mes cachots, et toi, toi, mon fils, tu es à ma merci !...

Fantômas, pour ajouter ces derniers mots, avait soudainement pris un ton d'orgueil, un ton de défi :

— Tu es à ma merci ! répétait-il.

Il pâlit, brusquement, recula trois pas en arrière...

Dans une contorsion suprême, le prince Vladimir venait de briser ses liens !

Il se dressait maintenant farouche devant son père, il hurlait une réponse folle :

— Non ! Fantômas ! je ne suis pas à ta merci ! J'ai un otage qui fait que tu dois céder à mes volontés ; Hélène est ma prisonnière !

Et d'une voix plus calme, d'une voix dont certaines intonations rappelaient étrangement les propres accents de Fantômas, le fils du monstre continuait à son tour :

— Moi aussi, j'ai pris mes précautions ! Qu'il m'arrive malheur, Fantômas, ou qu'il arrive malheur à Firmaine et, je te le jure, ta fille mourra... Vie pour vie ! voilà ce que je te propose !

Or, à cet instant, il semblait véritablement que ce fût Fantômas qui soit le vaincu de l'horrible lutte qui dressait, l'un contre l'autre, le père et le fils.

Le bandit avait pâli...

Ce que disait Vladimir, était-ce vrai ?

Fallait-il le croire ?...

Fantômas frissonnait, se rappelant que quelques minutes avant, il massacrait, sans pitié, la malheureuse Valentine de Lescaux, Firmaine...

Hélas ! la vie de sa fille, la vie d'Hélène, allait-elle, comme l'en menaçait Vladimir, payer la vie de cette malheureuse victime ?

Fantômas se dompta pourtant :

— Vladimir, insinua-t-il, nous ne pouvons pas être ennemis ! Le monde est à moi, je suis le Maître ; mais tu pourrais être mon premier lieutenant. A nous deux, il n'y aurait rien d'impossible !

Et plus bas, Fantômas continuait :

— Écoute, tu viens de dire, vie pour vie ! Soit ! J'accepte le marché... Aimes-tu toujours Firmaine ?...

— Toujours ! affirma le prince Vladimir.

— Elle te hait, cependant !

— Que m'importe !

Fantômas se tut un instant puis reprit :

— Eh bien ! soit. Vie pour vie ! Rends-moi Hélène, je te rendrai Firmaine...

Juve, cependant, n'avait pas perdu un mot, pas perdu un geste de Fantômas et de son fils...

Écrasé contre le sol, mêlé à l'ombre, haletant, fou de rage, il avait assisté à cette lutte de géants.

Juve eût donné mille vies pour pouvoir s'élancer en avant, sauter à la gorge de Fantômas, empoigner Vladimir.

Oh ! les arrêter ces hommes qui étaient de véritables Génies diaboliques, de véritables Dieux du crime !

Oh ! les prendre ! les livrer à la justice ! au couperet du bourreau !...

Et, par moment, Juve, en dépit de sa volonté, s'apprêtait à bondir.

Il était sans arme, mais la colère ne lui permettait pas de réfléchir.

Que lui importait la mort, d'ailleurs ? Pour une fois Fantômas était, sans défiance, à quelques mètres de lui... N'allait-il pas en profiter ?

Et pourtant Juve demeurait immobile...

Il se domptait véritablement, il se forçait à rester impassible, à attendre...

— Arrêter Fantômas, c'est bien ! pensait Juve, mais si Vladimir m'échappe, c'en est fait d'Hélène !... et Fandor l'adore... et je veux le bonheur de Fandor !

C'était, en effet, la pensée du danger couru par Hélène tombée aux mains de Vladimir qui retenait Juve !

C'était le sentiment de l'horrible situation de la malheureuse jeune fille qui le contraignait à demeurer là où il était, sans rien faire, sans rien tenter !

Fantômas, cependant, venait de proposer :

— Soit ! vie pour vie ! rends-moi Hélène et je te rendrai Firmaine.

Juve n'entendit pas ce que répondait le prince Vladimir. Il comprit cependant que celui-ci acceptait le pacte. Fantômas, en effet, lui faisait signe de le suivre... les deux hommes traversaient la grande salle...

Sans doute, ils allaient quitter le souterrain ! Sans doute, Vladimir une fois dehors, allait guider son père vers sa prisonnière !

Juve alors se releva.

Fou de témérité, il entreprenait de suivre les deux monstres !
— Tout n'est pas perdu ! râlait Juve. Que je sache seulement où est Hélène, et, par Dieu, rien ne me retiendra plus : je serai libre de faire... mon devoir !

XXVI

La victoire de Fantômas

Fandor n'avait point menti en annonçant au docteur Maurice Hubert qu'il avait « du bon travail » à faire, en lui donnant rendez-vous, pour le soir même, à huit heures, chez Juve.

Fandor, à vrai dire, ne comprenait pas encore grand-chose aux événements qui se passaient.

Il était naturellement abusé par la dépêche qu'il avait reçue, dépêche qui était signée « Juve » et dans laquelle le policier — ou plutôt Fantômas, car c'était Fantômas qui avait envoyé ce télégramme — lui annonçait être sur la piste du baron Geoffroy identifié avec la Gadoue, et, de plus, lui enjoignait de rester tranquille.

Fandor, cependant, et bien qu'il respectât d'ordinaire les ordres de Juve, n'entendait pas le moins du monde demeurer inactif en les circonstances présentes.

C'est que de son côté aussi, les événements marchaient avec rapidité, c'est qu'il se sentait pris dans un engrenage. C'est qu'il était, en quelque sorte, contraint d'aller de l'avant, sans avoir en somme la faculté de réfléchir ou d'hésiter !

Lorsque Fandor, en effet, pour sortir du jardin des Plantes, avait fait prisonnier Zizi, lorsqu'il l'avait conduit chez lui, et avait obtenu du groom des renseignements fort intéressants et fort imprévus, Fandor s'était rendu chez Juve.

Juve n'était pas à son domicile. Fandor était donc retourné rue Bergère, pour y retrouver Zizi. C'était à ce moment-là que Fandor avait reçu la dépêche de « Juve », c'était le lendemain matin qu'il avait renseigné le docteur Hubert et lui avait assigné un rendez-vous auquel, d'ailleurs, pas plus le malheureux praticien, que le journaliste, que Juve, même, ne devait se rendre...

Au cours de la nuit qui avait séparé l'arrivée de la dépêche de la visite du docteur Hubert, Fandor avait pris, en effet, de graves décisions.

Il avait retrouvé à son domicile, en revenant de chez Juve, le groom Zizi, qui l'avait très fidèlement attendu, respectant, en cela, la parole donnée.

Et Zizi qui avait réfléchi, pendant l'absence du journaliste, avait, tout de suite, fait à Fandor une proposition que le reporter acceptait, le cœur battant...

— Voyez-vous, m'sieu Fandor, avait commencé Zizi, je ne prétends pas que je pige énormément à toutes les aventures qui vous intéressent... Les histoires de Fantômas et de Jap, c'est trop compliqué pour moi... mais il y a quelque chose, en revanche, qui me paraît net, clair, rond comme une roue, et carré comme une galette... c'est que, d'une part, vous êtes un chic type — puisque vous ne m'avez pas fait coffrer — et, d'autre part, que je me suis conduit comme un salaud, puisque j'ai été indirectement la cause des aventures de votre fiancée !...

A cet instant, naturellement, Fandor était devenu tout oreilles. Dès lors qu'on lui parlait d'Hélène, rien ne pouvait le laisser indifférent.

— Explique-toi ? demanda-t-il au groom, où veux-tu en venir ?

— A ceci, répliquait Zizi... Tout à l'heure, vous m'avez fait l'honneur d'avoir confiance en moi. Pendant que vous alliez chez Juve, vous m'avez laissé seul ici, vous fiant à ma parole... ceci m'encourage à vous faire une proposition... Voulez-vous, monsieur Fandor, me laisser tranquillement m'en aller ? J'ai comme une idée que je pourrai trouver assez facilement mon ex-camarade Loupiot. Je sais que, depuis l'incendie de la rue Championnet, il n'habite plus avec la Toulouche et le Bedeau... je sais qu'au contraire, il est devenu l'associé d'un certain Bouzille qui, maintenant, exploite avec lui un fonds de mendicité... Or, Bouzille était un camarade intime, en ces derniers temps, de mon honorable père... peut-être ben par conséquent qu'il sait où la jeune fille a été conduite prisonnière [1] ?...

Zizi n'avait pas fini de parler que Fandor, devenu blême, lui accordait tout ce qu'il demandait...

— Tu t'imagines que par Bouzille, faisait-il, tu connaîtras la retraite d'Hélène ?... Oh ! dans ce cas, vas-t'en ! cours où tu voudras ! fais pour le mieux ! Je donnerais ma vie pour savoir où est ma fiancée !...

A cela, Zizi, beaucoup moins nerveux que Fandor, répliquait tout simplement qu'il n'était nullement question de risquer sa peau, pour retrouver Hélène...

— J'ai dans l'idée, moi, disait le groom, que ça peut se faire sans grande difficulté. C'est bien le diable si Loupiot et Bouzille, par un côté ou par un autre, n'ont pas des renseignements là-dessus... Donc, attendez-moi et ne vous faites pas trop de bile, je vais tout mettre en œuvre pour vous rendre service !...

En temps ordinaire, évidemment, Fandor, élevé à l'école de Juve, c'est-à-dire à l'école de la méfiance, n'aurait peut-être pas attaché trop d'importance aux promesses de Zizi. Mais il en était arrivé à un tel degré d'exaspération, il souffrait tellement depuis quelque temps de la tragique situation où il était, ne sachant même pas ce qu'était devenue Hélène, qu'il ne pouvait raisonner froidement sur ce sujet !

Fandor se confiait donc à Zizi, laissait le groom partir, attendait, comme il l'avait promis, le retour de cet extraordinaire ambassadeur...

Fandor avait naturellement offert à Zizi de l'accompagner, mais celui-ci avait décliné l'offre :

— Très peu ! avait répliqué Zizi, moi ce que je peux dire ou demander, ça n'a pas d'importance et personne n'y fera attention... Vous, au contraire, on vous sait trop copain avec Juve, on ne vous ferait aucune confidence !...

_____

1. Voir dans le présent volume : *Les Amours d'un prince.*

Zizi partit cependant, Fandor recommença à s'inquiéter.

Il avait supposé que le groom retrouverait aisément la piste de Bouzille et du Loupiot et, en réalité, il ne devait rien en être, car les heures succédaient aux heures, sans que Zizi réapparût...

Vers la fin de la journée, pris d'un véritable désespoir, Fandor n'était pas loin de soupçonner une nouvelle catastrophe.

— J'ai laissé partir Zizi, disait-il, parbleu ! c'est enfantin ! je me suis laissé prendre à une ruse grossière ! ce maudit groom ne reviendra pas !...

Et, de plus en plus angoissé, Fandor, dès lors, commençait à s'agiter nerveusement dans son modeste logement, guettant les bruits de l'escalier, croyant toujours entendre le pas de Zizi, bondissant à la fenêtre, surveillant le passage des voitures et, de minute en minute, se répétant :

— Mon Dieu ! qu'est-ce qui est arrivé ? Zizi ne revient pas, et je n'ai plus de nouvelles de Juve !

Il était très exactement onze heures du soir lorsque Fantômas, ayant conduit son fils hors du souterrain, le suppliait de le renseigner.

— Dis-moi, sommes-nous loin de l'endroit où Hélène est retenue prisonnière ? Prends pitié de moi ! Réponds-moi !

Ah ! certes, le Maître de l'épouvante n'avait plus rien de la superbe arrogance dont il fait preuve quelques heures plus tôt, alors que, dans la grande salle aménagée au fond des carrières de Montmartre, il menaçait le prince Vladimir et lui affirmait, sur un ton de défi, qu'il était le Maître de Tous et de Tout.

Fantômas, maintenant, semblait à bout d'énergie. Une effroyable peur le torturait en effet.

Son fils avait-il dit vrai ? Était-il exact que le prince Vladimir avait confié Hélène à des complices munis d'instructions sévères ?

Était-il exact qu'au cas où malheur arriverait à Firmaine, ceux-ci devaient tuer Hélène ?

Et Fantômas frissonnait d'autant plus qu'il se disait, avec une évidente raison, qu'à coup sûr le meurtre de Firmaine devait être maintenant connu, que des éditions spéciales de journaux avait dû l'apprendre au public, et qu'en conséquence, si le prince Vladimir n'avait pas menti, les complices de son fils avaient eu tout le loisir possible pour venger sur Hélène la mort de la jeune femme.

Mais, hélas ! Fantômas avait beau questionner le prince Vladimir, celui-ci, fou de rage d'avoir été vaincu, pris par son père, se vengeait en gardant un impénétrable silence.

— Suivez-moi ! se contentait-il de répéter, je vous mène vers Hélène, vous me mènerez ensuite vers Firmaine !

Et pour une fois, il fallait bien que Fantômas acceptât les conditions qu'on lui imposait, il fallait bien qu'il baissât la tête, qu'il se tût, qu'il se résignât à l'inévitable...

Fantômas et son fils étaient sortis des caves souterraines par la maison truquée de la rue Girardon. Fantômas avait pris un malin plaisir à faire remarquer au prince Vladimir que l'escalier conduisant à son mystérieux repaire avait été savamment agencé par lui. Il suffisait, en effet, d'une simple manœuvre pour en masquer l'entrée, alors qu'en temps ordinaire, l'escalier se terminant par une simple porte donnant au fond d'un placard de la cuisine du petit hôtel, il était possible, par un jeu de contrepoids, de faire descendre, aux lieu et place de la porte, tout un pan de mur, habilement construit qui sonnait plein et ne pouvait permettre de deviner la présence du souterrain. C'était à cela que Juve s'était trompé jadis...

Rue Girardon, Fantômas devenait silencieux.

C'était Vladimir, maintenant, qui choisissait son chemin, et il conduisait Fantômas tout en haut de la Butte, jusque vers la vieille église de Montmartre, dont les pierres, patinées par le temps, s'adossent au gigantesque réservoir d'eau.

— Venez ! répétait Vladimir...

Il guidait Fantômas vers une sorte de maison délabrée, à l'aspect populeux et pauvre.

Sur le seuil, Vladimir railla :

— Fantômas, vous m'avez vaincu, c'est possible !... mais ma défaite n'est pas sans gloire ! J'avais deviné depuis longtemps que vous vous cachiez aux environs de la rue Girardon, mais vous, vous n'auriez jamais soupçonné que j'avais eu l'audace de choisir, comme cachot à votre fille, cette vieille maison située à quelques pas seulement de votre repaire !

— Est-ce donc ici qu'est Hélène ? interrompit Fantômas d'une voix tremblante.

Vladimir répondit sans hésiter :

— C'est là !

Le fils de Fantômas précédait alors le Maître de l'effroi dans un étroit couloir, tout suintant d'humidité, qui aboutissait à un escalier aux tournants roides, aux marches branlantes.

— Montons ! disait-il.

Ils montèrent.

La maison comportait trois étages. C'était au troisième palier seulement que Vladimir s'arrêtait. Il avait tiré de sa poche un trousseau de clés et choisissait un passe-partout ressemblant à ceux qui sont ordinairement fabriqués pour les coffres-forts. Bientôt, il l'introduisait dans une serrure plantée au bas d'une porte d'apparence très solide...

A ce moment, le cœur de Fantômas battait à grands coups dans la poitrine du monstre.

Allait-il véritablement retrouver sa fille ? Allait-il, au contraire, être mis en face d'un cadavre inanimé ?

La porte s'ouvrit. Fantômas eut l'impression que la pièce était noire, d'un noir d'encre. Déjà, cependant, Vladimir avait tourné le bouton d'un commutateur électrique. Une lueur vive éclaira le réduit...

Et c'était alors un cri de joie, un cri de folie, qui s'échappait des lèvres du Maître de l'épouvante :

— Hélène ! Hélène ! mon enfant ! Ah ! la victoire est à moi ! elle vit ! elle vit !

Puis, Fantômas, au même moment, se ressaisissait...

Il retrouvait un peu de son épouvantable sang-froid pour fixer Vladimir qui, les bras croisés, demeurait immobile à côté de lui.

— Misérable ! hurlait Fantômas, avoir osé cela !...

Et de sa main, le Maître de l'épouvante désignait devant lui la malheureuse fiancée de Fandor !

Ah certes ! il fallait en effet que le prince Vladimir eût conçu une effroyable haine à l'adresse de son père, pour avoir torturé, comme il la torturait, la malheureuse Hélène, dans le seul but d'atteindre Fantômas au cœur !

La situation de la jeune fille était abominable.

Hélène était seule dans la pièce. Elle était bâillonnée, un bandeau voilait ses yeux. Il lui était impossible de faire le moindre mouvement, car la malheureuse jeune fille était étroitement ligotée à un lit de planche, sur lequel ses membres délicats se roidissaient...

— Misérable ! répéta Fantômas.

Mais, Vladimir éclatait de rie :

— Ce n'est pas à vous, mon père, répondait le jeune homme, qu'il appartient de me parler de cruauté ! Vous en vouliez à ma maîtresse, je m'attaquais à votre fille !... Le combat était égal, vous le voyez, œil pour œil, dent pour dent !... Toutefois, j'avais à cœur de ne point tomber dans les fautes que vous commettiez... Vous, Fantômas, vous aviez confié votre fille à la Toulouche et au Bedeau. Sans l'imbécillité de ces gardiens, que je pus écarter, qui parlèrent, jamais je n'aurais pu vous prendre votre enfant... je n'ai pas voulu, moi, confier ma prisonnière à qui que ce soit ! Hélène était seule ici. C'est moi-même qui ai matelassé les murs de cette pièce, c'est moi-même qui venais de temps à autre apporter à votre fille les provisions qui la contraignaient à vivre, à souffrir encore !...

Et Vladimir, après un nouvel éclat de rire, ajoutait :

— Vous avouerez, enfin, que je ne vous avais pas menti ! Si vous ne m'aviez pas proposé le pacte que nous avons consenti tous les deux, si vous n'aviez point voulu me rendre Firmaine, votre fille serait morte ici ! un de mes complices l'aurait exécutée... un de mes complices qui sont le Temps, la Faim, la Soif !...

Vladimir parlait avec une férocité sans bornes.

Il semblait bien que ce fût lui véritablement qui avait la victoire sur Fantômas...

Le fils se révélait, on l'eût cru, plus terrible que le père !

Fantômas, cependant, n'avait rien répliqué...

Il s'était élancé vers la couche où reposait la malheureuse Hélène. Il déliait les cordes qui immobilisaient la jeune fille, il lui murmurait à l'oreille :

— Hélène ! Hélène ! pardonne-moi ! Dis-moi que tu veux m'aimer !... Dis-moi que tu veux encore croire que je suis ton père !...

Mais sans doute, la jeune fille avait trop souffert depuis quelque temps ?

Les mains fines et blanches que Fantômas pressait, étaient glacées... les bras s'abondonnaient...

Quand le bandit souleva le corps léger, il eut l'horreur de voir la tête se renverser en arrière...

— Hélène ! Hélène ! râla le monstre...

Fantômas avait recouché sa fille sur son lit de torture. Il posait son oreille contre la poitrine, il était aussi blême que la malheureuse enfant...

Puis, brusquement, il se redressait. Un peu de sang, à nouveau, semblait courir sous sa peau. Ses yeux jetaient des éclairs.

— Elle vit ! articula-t-il en marchant vers son fils... Vladimir, Hélène est vivante ! tu m'entends ? vivante ! ce n'est qu'un évanouissement passager qui la prive de sentiment !...

Or, Fantômas parlait à ce moment sur un ton si extraordinaire, d'une voix si vibrante que le prince Vladimir, le fils du bandit, eut soudain peur ! Quelle fureur nouvelle s'était emparée, en effet, de Fantômas ?

Pourquoi tremblait-il ainsi, tout secoué d'un accès de colère qu'il semblait ne plus pouvoir dompter ?

Vladimir interrogea :

— Sans doute, Hélène vit ! Parbleu ! que trouvez-vous d'étrange à cela ? Je pense bien que Firmaine...

Le prince Vladimir cherchait ses mots. Lui aussi devenait très pâle. Il frissonnait maintenant comme avait frissonné son père ! Ah ! c'est qu'en vérité l'assassin de Favier ne pouvait guère se tromper sur les sentiments de Fantômas !

Redressé maintenant dans un sursaut d'orgueil, le Maître de l'épouvante paraissait le contempler avec un dédain suprême...

Et c'étaient, en effet, des paroles de dédain qui s'échappaient soudainement pressées, haletantes, des lèvres de Fantômas !

— Hélène vit ! disait le Génie du crime ; tu m'as rendu Hélène vivante !... oh ! Vladimir !... décidément, tu n'es point de taille à lutter avec moi ! et, bon gré mal gré, il te faudra te courber sous ma loi !... Tu m'as rendu Hélène vivante, mais tu l'as torturée... eh bien ! écoute ! tu vas expier ! Je vais te punir de ton audace ! Oui, tu m'as rendu Hélène vivante, mais moi je te rendrai Firmaine, morte ! je l'ai assassinée... de mes propres mains ! assassinée chez le docteur Hubert !...

Fantômas, maintenant, se croisait les bras. Un sourire au coin des lèvres, il contemplait l'effroyable pâleur de son fils.

Les traits contractés de celui qui avait été le prince Vladimir, qui, deux jours avant, était encore le baron Geoffroy de Lescaux, exprimaient une horrible douleur ; Fantômas paraissait s'en délecter !

— Il faut, avec moi, articulait-il encore, lentement, rompre ou céder !... Nulle volonté n'est plus forte que la mienne. Par ruse ou par violence, je sais être et rester le maître ! Allons ! Vladimir, accepte ma loi ! Je te dis que j'ai la victoire... Firmaine est morte, et Hélène est vivante !

Mais c'était là, en vérité, un défi trop osé...

Fantômas, enivré par le triomphe, bravait trop ouvertement son fils !

Vladimir, d'abord, sous le coup de son effroyable angoisse, était demeuré immobile, muet, comme paralysé...

Il sembla qu'une seconde le misérable allait mourir de rage, de honte. Mais son visage, blême un instant avant, s'empourprait :.

— La victoire ? hurlait-il, non, vous ne l'avez pas encore ! Firmaine est morte... soit ! Hélène va mourir !

D'un élan insensé, le prince Vladimir se jetait en avant...

Il bousculait Fantômas, il allait passer !

Déjà, ses doigts serraient la gorge d'Hélène toujours inanimée...

Il y eut soudain, dans la pièce, un cri terrible :

— Arrière ! misérable !

Puis, ce fut la détonation sèche de deux coups de revolver !

Puis, une rumeur... un brouhaha, puis plus rien !... un silence impénétrable ! à peine troublé par un râle, une respiration étouffée...

— Hélène ! Hélène !

Dans la pièce, tout à l'heure encore emplie de tumulte, Fandor, qui gisait sur le sol, se soulevait péniblement.

Le jeune homme sentait quelque chose de tiède, de chaud, qui coulait sur son front.

Était-il blessé ?

Il se rappelait, tout juste, avoir reçu un violent coup sur la tête au moment où il faisait feu.

Mais qu'était-il arrivé ?

Fandor appelait toujours : « Hélène ! Hélène ! » mais en même temps, il cherchait à remettre ordre dans ses idées :

— Voyons ! c'était bien cela ? Guidé par Zizi et par le Loupiot, Fandor était arrivé à Montmartre... il s'était précipité vers la maison où Hélène était retenue prisonnière, maison que Bouzille, toujours en train de fureter, avait découverte en suivant un jour les allées et venues du baron Geoffroy...

Lorsque Fandor avait eu gravi les trois étages de la maison, il avait tout juste aperçu, par l'entrebâillement de la porte, un homme qui se précipitait, le poing levé, sur la malheureuse Hélène, étendue, immobile...

Fandor, d'un bond, s'était jeté en avant, faisant feu par deux fois !

Il avait eu — croyait-il — dans une vision rapide, l'impression que trois personnages se trouvaient dans la chambre, en plus de la jeune fille...

Qui donc étaient ces trois hommes ?...

Et Fandor, qui se souvenait péniblement, continuait à appeler, à genoux maintenant :

— Hélène ! Hélène !

Tandis cependant que le jeune homme sentait la folie rôder autour de lui, tandis qu'il pensait si vite, qu'il n'avait plus le temps de savoir ce qu'il pensait, un bruit — le bruit du râle — parvenait à ses oreilles.

Cela, tout à fait, le tira de son abrutissement :

— Mon Dieu ! hurla Fandor, qui ai-je blessé ?

Dans sa poche, le journaliste sentait la lampe électrique qui ne le quittait jamais.

Il la prit, pressa le déclic... son premier regard fut pour le lit de planche sur lequel, un instant, il avait aperçu le gracieux visage de sa fiancée...

Hélas ! le lit était vide ! Hélène n'était plus là !

Fandor, alors, promenait la faible projection de sa petite lampe...

Un cri, cri d'horreur, lui échappait. Un instant avant, le journaliste se demandait qui il avait blessé... Hélas ! il ne pouvait douter plus longtemps, maintenant !

Au travers de la porte, à quelques pas de lui, il voyait un corps, le corps d'un enfant, que secouaient d'horribles convulsions :

— Le Loupiot ! bégaya Fandor ! c'est ce pauvre petit que j'ai atteint !

Trébuchant, à moitié fou, Fandor se précipitait vers le mourant...

Mais en avançant, voilà qu'il apercevait, le front tourné vers le sol, le corps d'une nouvelle victime...

Cette fois, le sang de Jérôme Fandor ne fit qu'un tour !

Littéralement il suffoquait ;

— Juve ! Juve ! Ah mon Dieu ! est-ce que ma seconde balle l'aurait tué ?

Et Jérôme Fandor tombait à genoux, près de son fidèle ami...

Oh ! maintenant, il reconstituait le drame.

A l'instant où lui-même s'élançait pour sauver Hélène, Juve, caché probablement dans la pièce, bondissait lui aussi.

Et c'était la Fatalité qui avait voulu le terrible dénouement du moment tragique !

Fandor avait tiré, mais, dans la lutte, ses coups avaient dévié...

Le Loupiot tombait, blessé à mort, Juve s'écroulait, grièvement frappé peut-être.

— Juve ! Juve ! hurlait Fandor, par pitié, m'entendez-vous ?

Il avait soulevé le corps du policier. Il eut une grande joie, une joie telle que son cœur cessa de battre, car, à son appel, Juve avait fait un léger mouvement...

— Partis ! murmurait le policier, ils se sont enfuis !...

Mais cela importait peu à Fandor, en ce moment !

— Par pitié, qu'avez-vous ? répétait le journaliste.

Juve s'éveillait tout à fait...

L'évanouissement dont il sortait le laissait encore hagard. Pourtant, il balbutiait :

— Rien !... je suis touché... au bras... je crois... rien !... nous aurons notre revanche !...

Et, comme Jérôme Fandor allait questionner encore, à l'improviste, un cataclysme nouveau se produisait.

Il semblait une seconde que la maison tout entière tremblait sur sa base, se balançait...

— Mon Dieu ! mon Dieu ! cria Fandor, pris de vertige...

Le reporter n'acheva pas : avec un fracas formidable la vieille bâtisse s'écroulait...

Et Jérôme Fandor, à demi évanoui, à demi conscient, avait l'impression qu'une énorme vague d'eau l'emportait, le roulait comme un fétu !

Fantômas, en s'enfuyant, venait de faire sauter le réservoir d'eau de Montmartre.

Sa victoire était-elle donc définitive et complète ?

Juve et Fandor devaient-ils mourir ensemble, broyés ?

LE JOCKEY MASQUÉ

I

Une réunion à Auteuil

— ... Et comment qu'y s'y balade dans la première, le p'tit cheval du marchand de coco ! !... Le gagnant à tous mes clients ! meilleur que du champagne !... j'ai du rhum, j'ai du kirsch.. j'ai du marc... j'ai du rhum à 90 degrés... encore un walk-over !...

Un groupe se formait, intrigué et amusé. Les gens qui cependant allaient affairés sur la pelouse s'arrêtaient comme malgré eux et considéraient avec une violente envie de rire le personnage extravagant qui proférait d'une voix tonitruante cet extraordinaire discours.

Si les propos de l'orateur étaient dignes de retenir l'attention, sa tenue, son aspect extérieur n'étaient pas moins remarquables.

Le personnage, un individu d'une cinquantaine d'années, aux cheveux grisonnants longs et bouclés, à la barbe roussâtre, et tout embroussaillée, s'agitait avec une vivacité de jeune homme, et semblait danser de tout son corps maigre et fluet, dans des vêtements beaucoup trop larges pour lui, et dont les couleurs multiples et variées lui donnaient une allure de pantin de carnaval.

L'homme avait, en outre, pendu dans le dos, une sorte de grand cylindre de cuivre, enveloppé d'une ceinture de velours rouge. Un tuyau, terminé par un robinet et partant du cylindre de cuivre, arrivait à la hauteur de la hanche gauche du faiseur de boniments.

Lorsque celui-ci avait achevé sa tirade, il faisait, d'un geste automatique et majestueux, le simulacre d'ouvrir le robinet de son réservoir métallique et d'en verser le contenu dans une espèce de tasse en zinc aux parois cabossées.

Toutefois, s'il ne remplissait pas le bol de métal de l'un des nombreux liquides qu'il annonçait, c'était par mesure de sagesse et d'économie.

L'homme, en effet, n'ouvrait son robinet et n'emplissait la tasse de zinc que lorsqu'un client se présentait et réglait d'avance le prix de la consommation d'une modeste pièce de dix centimes.

La foule, cependant, se délectait volontiers au spectacle gratuit procuré par cet individu qui, depuis la première course jusqu'à la dernière, allait et venait sans lassitude sur l'hippodrome d'Auteuil.

Il passait d'un endroit à l'autre, offrant sans cesse sa marchandise, criant à tue-tête :

— J'ai du rhum, j'ai du kirsch, j'ai du marc, j'ai du rhum à 90 degrés !

Et pour forcer la main à la pratique, sachant qu'il s'adressait à une clientèle d'amateurs de chevaux et, surtout de parieurs, il ne manquait jamais d'ajouter, d'un air mystérieux et satisfait, cependant qu'il se haussait sur la pointe des pieds pour voir passer le peloton des chevaux sur la piste :

— Et comment qu'il se balade le petit cheval du marchand de coco !

Puis, d'un air tranquille et modeste, comme si c'eût été pour lui une habitude, il ajoutait, haussant négligemment les épaules :

— Le gagnant à tous mes clients.

Le marchand de coco était allé voir sauter le mur en pierre, et, désormais avec la foule qui s'empressait du côté de la rivière pour y voir repasser les chevaux, il s'empressait lui aussi.

Ses petites jambes trottinaient dans la boue, cependant que sur son dos quelque peu voûté, le grand réservoir cylindrique agitait son couvercle de cuivre, à la manière d'un chapeau chinois.

Tout en s'époumonant, l'extraordinaire personnage continuait :

— Et comment qu'il se balade... j'ai du rhum, j'ai du kirsch, j'ai du marc.

Soudain, le caricatural personnage cessa de poursuivre son boniment et demeurait immobile, les talons enfoncés dans la boue grasse de la pelouse, en face d'un grand individu qu'il dévisageait d'un air sympathique et narquois.

Ce dernier n'hésita pas un instant.

A peine avait-il aperçu le marchand de coco, qu'il s'écriait d'une voix profonde et caverneuse que cependant il voulait rendre enjouée :

— Bouzille ? c'est toi Bouzille ?... Ah ! par exemple, mon vieux, ça n'est pas ordinaire.

C'était en effet Bouzille qui, désormais, sur les champs de courses tenait le rôle de cet important personnage qu'on appelle le marchand de coco, personnage indispensable, imposant et remarquable par sa tournure et ses accessoires, personnage utile à l'occasion, connaissant son programme comme personne, et capable de donner d'excellents renseignements, des tuyaux de premier ordre, à quiconque, comme il le disait, était son client.

Bouzille, ancien chemineau, Bouzille qui avait perpétuellement côtoyé dans des aventures extraordinaires Fantômas et sa bande, Bouzille qui, dans sa longue carrière de vagabond, avait exercé toutes sortes de métiers, Bouzille était désormais le seul, l'unique marchand de coco, le marchand le plus populaire sur les champs de courses de Paris et des environs [1].

Le bonhomme, de son côté, toisant son interlocuteur, s'écria lui aussi :

— Bec-de-Gaz !... comment, c'est toi ?...

Puis, d'une voix plus basse, comme par discrétion et tact pour ne point froisser le personnage auquel il avait à faire, il interrogea en hésitant :

— T'as donc fini de tirer ta condamnation ?...

Si Bouzille était marchand de coco sur la pelouse d'Auteuil, Bec-de-Gaz,

---

1. Voir dans le présent volume : *Le Bouquet tragique.*

le célèbre apache, était en liberté et assurément c'était encore là une chose plus extraordinaire que de voir l'ancien chemineau établi dans le commerce.

C'était bien cependant Bec-de-Gaz, l'homme de Fantômas, Bec-de-Gaz, l'audacieux cambrioleur, l'être qui, avec son complice et intime ami Œil-de-Bœuf, était capable de commettre les pires infamies, sans jamais éprouver le moindre remords de conscience.

Bouzille, cependant, avait la générosité d'offrir à Bec-de-Gaz un verre de coco, et comme l'apache, par discrétion, feignait de mettre la main à la poche, Bouzille l'arrêtait dans ce geste généreux.

— Pour toi, c'est à l'œil, faisait-il... D'ailleurs, pour ce que ça me coûte... de l'eau de Seine à discrétion et deux sous de racine de réglisse...

Bouzille, cependant, interrogeait :

— Alors, ça va toujours ?... Rien de changé ?...

— Les copains, les amours, rien de changé, répondit Bec-de-Gaz, en se dandinant comme un arbuste secoué par le vent. Œil-de-Bœuf est toujours le même, plus licheur que moi.

— Et Adèle ? interrogea Bouzille.

— Adèle, fit Bec-de-Gaz, ça boulotte. Nous sommes toujours en ménage.

— On m'a dit comme ça, fit Bouzille, qu'elle était dans le commerce, elle aussi...

Bec-de-Gaz prit un air important :

— Nous deux, Œil-de-Bœuf, déclara-t-il pompeusement, on a lancé notre femme et à cette heure, au jour d'aujourd'hui, Adèle a une voiture au mois.

— Ce n'est pas possible ?... fit Bouzille d'un air incrédule.

— Même, poursuivit Bec-de-Gaz, en esquissant un sourire, elle la pousse tous les jours devant elle, depuis la rue Cadet jusqu'à la pointe Saint-Eustache. Elle est marchande des quatre-saisons.

Bouzille éclatait de rire.

L'idée qu'Adèle avait une voiture au mois, mais que cette voiture n'était autre qu'une charrette à légumes, l'amusait infiniment.

Il lança un coup de poing dans la poitrine de Bec-de-Gaz...

— Sacré farceur !... répliqua-t-il.

Cependant, Bouzille quittait brusquement son ami.

— Les affaires, tu comprends..., articula-t-il d'un air entendu, ça ne peut pas se négliger. Il faut que je sache ce qui se passe.

Laissant Bec-de-Gaz s'orienter du côté des guichets du Pari mutuel, où le grand bandit espérait pouvoir faire, grâce à la bousculade de la foule, quelques porte-monnaie bien garnis, Bouzille courait dans la direction de l'arrivée.

Une foule trépidante et hurlante était massée le long des barrières. Des exclamations violentes s'échappaient de toutes les bouches, les gens s'agitaient, et cependant que les spectateurs placés au premier rang s'écrasaient contre les barricades qui les séparaient de la porte, derrière eux, des gens affolés ne pouvant point voir l'arrivée de la course sautaient en l'air pour tâcher de découvrir, ne fût-ce qu'un instant, qu'une seconde, la casquette bariolée du jockey sur lequel ils avaient mis leur chance.

Et au fur et à mesure que le peloton de tête des chevaux s'approchait du poteau d'arrivée, les cris devenaient de plus en plus perçants, les exclamations de plus en plus violentes.

— C'est Marocain !... Marocain, tout seul..., criait-on.

Et les partisans de Frivola hurlaient à leur tour :

— Frivola, comme elle veut !...

— Et les doigts dans le nez... oui, monsieur.

Une troisième rumeur survenait :

— Kid va passer !... comment qu'il gagne les mains basses...

Mais une autre vague de hurlements répondait à la première :

— Pensez-vous ? il est à la cravache depuis le dernier tournant !...

Cependant, la voix tonitruante de Bouzille surmontait tout ce vacarme, et le marchand de coco imperturbable, sans rien voir de la course et sans se compromettre d'ailleurs, hurlait à tue-tête gagné par l'entrain des voisins :

— Et comment qu'il se balade, le petit cheval du marchand de coco...
Le gagnant à tous les clients !...

Cependant, si la foule s'animait à la pelouse, une assemblée nombreuse et élégante était installée au pesage.

C'était, en effet, ce jour-là, une des plus belles réunions d'Auteuil, car on allait, au cours de la journée, voir se disputer le Prix de la Ville de Marseille, dans lequel une quinzaine de chevaux de trois ans étaient engagés.

Les deux premières courses étaient déjà terminées et, désormais, il allait se passer au moins quarante minutes avant que l'on vît sortir sur la piste les concurrents de la Ville de Marseille.

Les jockeys aux longs corps maigres et efflanqués arrivaient, s'apprêtant à passer sur la bascule avec leur selle et les plombs qu'ils ajoutaient ou qu'ils retiraient pour avoir la charge réglementaire.

Pendant tous ces préparatifs, les paris s'engageaient et, au fur et à mesure que tel ou tel cheval était prêt, la cote, établie par les calculateurs du Pari mutuel, circulait de main en main.

Au début, on donnait Sckamb, le cheval de H. W. Maxon, le célèbre milliardaire américain, comme devant être l'un des gagnants.

Toutefois, un groupe d'amateurs qui s'étaient adroitement glissés au premier rang de la barrière séparant le public du pesage des jockeys entendait quelqu'un, un homme connu compétent, déclarer d'un air très entendu et mystérieux :

— Cette course-là, c'est pour Pervenche...

Les personnages qui avaient écouté ce propos en faisaient leur profit.

Ils allaient jouer quelques billets de mille sur Pervenche, et dès lors, la cote du favori précédent, s'élevait aussitôt.

— Pour peu que cela continue, pensait-on... Sckamb va faire 8 contre 1 au moment du départ...

Il y avait encore d'autres chevaux sur lesquels se répartissait l'argent des parieurs, et si, à la pelouse c'était surtout les guichets à cinq francs que l'on assaillait, au pesage, le bureau des paris à vingt-cinq louis l'unité était pris d'assaut par une clientèle élégante, aux poches bourrées de billets de banque.

Les paris s'égalisaient au surplus, Sckamb, après avoir vu monter sa cote, par suite d'un courant d'opinions très favorables, subitement nées en faveur de Pervenche, était redescendu à égalité, c'est-à-dire à la même cote que l'autre favori.

Le temps passait rapidement, et une première cloche sonna, annonçant que le moment était venu d'entrer en piste.

Dès lors, ce fut une ruée vers les tribunes. Chacun voulait être bien placé ; au bout de cinq ou six minutes, il ne restait dans le voisinage du Pari mutuel que quelques parieurs retardataires et hésitants, qui n'avaient pas encore marqué leur choix, ou alors quelques subtils joueurs qui allaient rapidement s'assurer du cheval le moins joué et risquer le gros coup en misant sur le moins favori.

A l'entrée du petit escalier conduisant à la tribune réservée aux membres du Jockey-Club, deux hommes qui s'en approchaient d'un pas précipité faillirent se heurter, et après avoir voulu passer tous les deux en même temps, ils s'arrêtaient.

— Après vous, comte.

— Je n'en ferai rien, monsieur...

Ces deux hommes étaient deux des personnalités les plus marquantes, sinon du monde habituel des courses, tout au moins de la saison qui s'achevait.

L'un et l'autre faisaient partie du Jockey-Club depuis déjà plusieurs mois, et ils y avaient pris une place si prépondérante que, depuis trois semaines, tous deux avaient été élus membres du Comité.

C'était, d'une part, le comte Mauban, homme élégant, distingué, correct, qui portait les favoris à l'autrichienne et dont la chevelure ondulée rappelait les élégances du second Empire.

Quel âge pouvait avoir le comte Mauban ? Il se prétendait jeune, mais à voir la teinte d'ébène de sa barbe et de ses cheveux, bon nombre de gens perspicaces estimaient qu'il devait se teindre, pour dissimuler de fâcheuses et inexorables flétrissures du temps.

L'homme qui s'était arrêté pour le laisser passer avait une tout autre allure.

Celui-là avait une tête toute blanche, mais rasée comme à la tondeuse, son visage glabre était brique, l'homme perpétuellement vêtu d'un complet bleu, croisé, ne portait jamais de pardessus quelle que fût la température, c'était un milliardaire américain, bien connu dans les milieux élégants de Paris pour avoir une fortune immense et une superbe écurie de courses, c'était en effet le richissime Harry William Maxon.

L'Américain, cependant, avait insisté :

— Passez donc, mon cher collègue !...

Mais comme le comte Mauban faisait un geste de violente protestation, Maxon lui déclarait avec un indéfinissable sourire :

— Il semble, décidément, que nous sommes destinés à perpétuellement nous barrer le chemin.

Puis, il ajoutait d'un air enjoué :

— Si j'étais en ce moment sur le dos de mon cheval Sckamb, et vous à la place du jockey qui monte votre jument Pervenche, nous ne nous ferions pas de semblables politesses.

Les deux hommes, en effet, étaient propriétaires l'un et l'autre des deux chevaux que leurs performances antérieures et la rumeur publique avaient nettement consacrés favoris, dans le prix de la Ville de Marseille qui allait se disputer.

En présence de l'entêtement de l'Américain, le comte Mauban, cependant, décida de passer.

— C'est pour vous obéir, déclara-t-il aimablement.

Puis il ajoutait :

— Je fais d'ailleurs les vœux les plus sincères pour que vous soyez satisfait des résultats de la course qui va se disputer et dans laquelle nous sommes adversaires.

En dépit du ton de politesse, sur lequel ces propos étaient formulés, il semblait que le comte Mauban dissimulait en son for intérieur un secret ressentiment.

Son regard, quelque peu énigmatique et fuyant, s'était, au cours de ce bref entretien, à maintes reprises, promené sur l'Américain, comme s'il avait voulu, à toute force, lire dans ses yeux ses pensées.

Mais, ce dernier n'était pas homme à se laisser deviner aussi facilement. Il avait conservé vis-à-vis de son interlocuteur une face impassible, une physionomie cordiale et réjouie ne montrant rien de ses appréhensions.

En réalité, H. W. Maxon pouvait avoir des inquiétudes et des émotions.

Malgré son immense fortune, c'était un homme intéressé et qui, lorsqu'il jouait, jouait avec l'espoir bien arrêté de gagner de l'argent.

Il avait mis une somme considérable sur son cheval Sckamb dont il escomptait la chance, très réelle dans la course.

Mais, en même temps, et sans que le comte Mauban s'en doutât, il avait joué ferme, malgré ses belles cotes, la pouliche de son collègue, qui allait être son plus gros adversaire dans cette épreuve.

Montant à la tribune des membres du Jockey-Club, quelques instants après le comte Mauban, Maxon cependant se disait :

— Je suis bien sûr que si je lui avais proposé de me laisser gagner cette course, à la condition que je retirerais ma candidature à la présidence du Jockey-Club, Mauban aurait accepté.

Les deux personnages n'étaient pas, en effet, uniquement adversaires par leurs chevaux, sur les hippodromes du steeple, mais encore ils étaient, l'un et l'autre, désireux d'arriver à la situation la plus enviée et la plus estimable que puisse espérer un propriétaire de courses : président du Jockey-Club.

L'un et l'autre convoitaient, en effet, la présidence de ce cercle si choisi et si fameux, qu'il faut, pour y poser sa candidature, avec quelque chance de succès, justifier, soit de quartiers de noblesse indiscutables, soit d'une situation sociale des plus importantes et du meilleur aloi.

Maxon venait à peine de monter le petit escalier, qu'une femme à la toilette tapageuse, au chapeau orné de plumes extravagantes, qui venait de s'installer dans un des rangs supérieurs de la grande tribune, faisait avec son face-à-main d'écaille des signes amicaux à un jeune homme qui, monocle à l'œil, jaquette sanglée à la taille, regardait tout autour de lui dans la foule élégante, et cherchait évidemment à distinguer quelqu'un qui le remarquât.

Le jeune homme vêtu à la dernière mode paraissait d'ailleurs fort connu.

Lorsqu'on ne le saluait pas le premier, il allait vers les groupes, s'inclinait imperceptiblement, et dès lors, des mains se tendaient vers lui, des têtes se découvraient, de jolies femmes lui adressaient de gracieux sourires.

Se voyant appelé par la dame au chapeau empanaché de plumes, le jeune homme élégant feignit d'abord de ne pas s'en apercevoir ; puis, pensant que son attitude dédaigneuse avait assez duré, il daignait s'approcher.

Son interlocutrice éventuelle avait, d'ailleurs, fait quelques pas dans sa direction.

— Bonjour, prince..., articula-t-elle à voix haute, afin que dans le voisinage, on l'entendit proférer ce titre.

Le jeune homme s'inclinait, lui prenait la main, y déposait avec un air discret, un léger baiser.

— Chère madame, dit-il, je vous présente mes hommages.

Cependant son interlocutrice, lui passait familièrement son bras sous le sien.

— Écoute donc, Crécy-Melin, donne-moi des tuyaux. Je viens de voir passer tout à l'heure le comte Mauban et l'Américain Maxon, qui se faisaient des amabilités comme deux chiens en faïence pourraient se regarder, je voudrais bien savoir ce que l'on dit... Qui va être nommé président ?

Le jeune homme interrogé, le prince de Crécy-Melin, prince authentique sinon très fortuné, considéra son interlocutrice, remarquant à part soi qu'elle était effroyablement fardée.

— Qu'est-ce que ça peut bien te faire ?... interrogea-t-il.

Si le prince tutoyait ainsi cette personne au grand chapeau, c'est qu'il n'avait pour elle qu'une médiocre estime.

La personne en question, qui portait un nom pompeux, mais imaginaire, avait été connue par toute la génération précédente sous le sobriquet de Zouzou... elle avait été jolie, fraîche et jeune en son temps, ses formes, désormais empatées et lourdes, avaient été gracieuses, élancées. Cette ancienne cocotte, qui désormais se préoccupait surtout de ne recevoir chez elle que des gens d'une absolue correction, tout au moins en apparence, avait été jadis une demi-mondaine des plus lancées, et des mieux connues, sur le boulevard, au temps du Café Anglais et du restaurant Durand.

— Qu'est-ce que cela peut te faire ?... interrogeait à nouveau le prince de Crécy-Melin.

— Je veux savoir, insista l'ex-demi-mondaine, qui sera nommé président du Jockey-Club ? Tu comprends, j'inviterais dès à présent à mes fêtes celui qui a le plus de chance, ce qui fait que, lorsqu'il sera nommé, une partie de cette gloire rejaillira sur mes salons.

— Invite les deux candidats, répliqua le prince.

La vieille dame fardée haussa les épaules.

— C'est trop facile. Dans une affaire comme celle-là, il faut que nous autres, gens du monde, nous prenions nettement position, et que nous ayons, comme sur le champ de courses, nos favoris.

Le prince de Crécy-Melin comprenait que Zouzou disait juste.

Après avoir réfléchi quelques instants, il articula :

— C'est assez délicat. Tous deux ont des chances. Le comte Mauban représente au Jockey-Club, si je puis m'exprimer ainsi, ce qu'on appelle à l'Académie : le parti des ducs, c'est-à-dire la tradition d'autrefois, l'aristocratie conservatrice et intransigeante, la vieille formule des cols empesés et des gens à la poignée de main difficile. D'autre part, H. W. Maxon synthétise assez exactement l'esprit nouveau, le modernisme, l'homme d'affaires parti de peu de chose, mais qui, par son intelligence et son activité, peut prétendre aux plus hautes situations.

« Certes, au Jockey-Club, on est très retardataire et très fermé aux idées nouvelles, surtout aux gens nouveaux ; néanmoins, je crois que Maxon, bien qu'il soit l'opposé de Mauban, a énormément de chances d'être élu président.

Zouzou avait écouté attentivement le prince de Crécy-Melin.

— Conclusion, fit-elle, en femme pratique qu'elle était, habituée à parler net : c'est Maxon qu'il faut attirer chez moi ?...

— Oh ! mais, s'écria le prince, je ne dis pas cela du tout. Les millions de Maxon font peur, et cet homme que l'on ne voit jamais qu'en veston ou en habit, qui ignore l'art des transitions, constituées par la jaquette et le smoking, est bien de nature à scandaliser les vieilles barbes du comité du Jockey-Club. Tandis que Mauban, qui a conservé la silhouette des hommes du second Empire, qui est titré, qui ne possède pas d'automobile et qui vient à Auteuil dans une voiture à deux chevaux, est bien l'homme qui offre des garanties sérieuses de respectabilité et de bon ton, convenant à une maison comme le Jockey...

— Alors, reprit la demi-mondaine, c'est Mauban qui doit être mon candidat ?...

— Oh ! s'écriait encore le prince de Crécy-Melin, je ne dis pas cela du tout.

Il allait se lancer dans un commentaire nouveau, lorsque Zouzou, impatiente et moqueuse à la fois, l'interrompit :

— Non, mon cher, fit-elle, tu pourrais m'en raconter comme cela pendant deux heures, sans que j'en sois plus avancée... Tu me fais l'effet d'un Normand qui ne dit ni oui, ni non. Parbleu ! j'en savais aussi long que toi, c'est Mauban qui sera nommé président, à moins que ce ne soit Maxon... et si c'est Maxon, ce ne sera pas Mauban.

Le prince de Crécy-Melin, qui s'était éloigné de quelques pas, et machinalement suivait les mouvements de la foule désormais intéressée par la course qui achevait de se disputer, lança pour répondre aux reproches de la demi-mondaine :

— Il y a encore une hypothèse, c'est que Mauban et Maxon soient battus tous les deux.

Et cette phrase était d'autant plus amusante qu'elle était proférée au moment précis où une clameur tumultueuse s'élevait sur le champ de courses.

Elle était faite, cette clameur, de ces cris de désespoir et de colère, qui retentissent sur les hippodromes chaque fois que les favoris choisis par la foule semblent devoir ne point gagner.

Or, le prix de la Ville de Marseille s'achevait au milieu d'une agitation indescriptible. Pendant les deux tiers de la course, on avait eu l'impression normale, d'ailleurs, que l'épreuve allait se disputer entre Pervenche et Sckamb.

Tout d'un coup, les deux chevaux, qui avaient mené le train en tête du peloton, avaient ralenti leur allure, et les jockeys, au dernier tournant, les prenaient à la cravache.

Mais, en dépit des efforts de leurs cavaliers, les deux favoris se voyaient distancer par un cheval à grosse cote qui, en foulées gigantesques, gagnait visiblement sur eux une distance considérable. Il arrivait avec cinq longueurs d'avance au poteau, ce cheval sur lequel bien peu de gens avaient compté.

Aux hurlements de l'instant précédent, succédait un silence navré.

Ils étaient bien rares, ceux qui avaient joué ce vainqueur dont beaucoup, à ce moment seulement, apprenaient le nom.

C'était Court Après, un cheval qui n'avait rien donné jusque-là, une bête que personne ne soupçonnait.

Quelques instants après, on affichait le rapport du Mutuel et, cependant que les gens atterrés doutaient encore de leur défaite, quelques heureux bénéficiaires du ticket correspondant à Court Après apprenaient avec une joie folle que, pour cinq francs, le gagnant rapportait sept cent trente-quatre francs vingt-cinq.

— Une paille, avait articulé Bec-de-Gaz sur la pelouse, cependant que Bouzille se démenant toujours, et offrant aux passants sa marchandise, reprenait de plus belle :

— Et comment qu'y s'balade dans la première, le p'tit cheval du marchand de coco...

« Meilleur que du champagne, j'ai du rhum, j'ai du kirsch... j'ai du marc... j'ai du rhum à quatre-vingt-dix degrés !...

Aux tribunes du pesage, chacun faisait, contre fortune, bon cœur.

Le prince de Crécy-Melin se rapprocha de Zouzou et d'un air négligent lui glissa à l'oreille :

— Cette course me coûte cinq cents louis. Je ne jouerai plus cet après-midi.

Zouzou considérait son interlocuteur avec un air de pitié.

— Cinq cents louis..., songea-t-elle, quand je pense qu'il y a des jours où il n'a pas vingt-cinq francs dans la poche, et quand il les a, c'est qu'il est riche...

Zouzou, ne disait rien ; mais elle serrait précieusement dans sa main gantée dix tickets du Mutuel, dix billets correspondant au cheval gagnant.

Elle les avait pris par hasard, comme elle faisait toujours aux courses, lorsqu'elle jouait. Or, voici qu'elle avait une veine insensée, et que son pari lui rapportait une petite fortune.

L'ancienne demi-mondaine avait un cœur excellent. Certes, elle savait bien que le prince de Crécy-Melin n'avait pas joué cinq cents louis pour cette bonne raison qu'il n'avait jamais possédé pareille somme ; mais elle pensait que tout de même il avait peut-être perdu le peu d'argent qu'il possédait.

— Il faut que je lui fasse gagner sa vie..., pensa-t-elle.

L'ayant pris à part, Zouzou demanda au prince :

— Au fait, est-ce que tu conduis toujours des cotillons dans le monde ?

— Mais certainement…, rétorqua le prince. Que veux-tu que fasse un homme de ma situation et de mon milieu, s'il ne conduit pas les cotillons ?…

— Évidemment…, reconnut Zouzou, vous autres, personnages de la haute noblesse, il ne vous est pas permis d'avoir des métiers comme tout le monde…

Le prince rectifiait :

— Ce n'est pas un métier que je fais, c'est un sacerdoce que j'exerce.

— Cours toujours, mon vieux…, pensait Zouzou, qui proposa à haute voix :

— Je donne un bal la semaine prochaine. Je te préviens de suite qu'il y aura de tout, comme à l'ordinaire, des gens chics et d'autres qui ne le sont pas. Des femmes honnêtes et surtout des grues… mais on ne s'embêtera pas et puis, je peux dépenser beaucoup. Veux-tu conduire le cotillon ?

A cette question si nettement formulée, le prince ne répondit pas tout de suite.

N'était-ce pas se compromettre, que d'accepter semblable proposition ? Le prince de Crécy-Melin, conduisant officiellement le cotillon du bal donné chez Zouzou, cela ne ferait peut-être pas très bien aux yeux du monde.

Néanmoins, le prince hésitait.

Zouzou leva soudain ses scrupules.

— Bien entendu, fit-elle, si tu acceptes, c'est toi qui te chargeras de toutes les acquisitions, moi je ne m'occupe jamais de ces bêtises, car je n'y connais rien.

Le prince questionna :

— Combien comptes-tu dépenser pour les accessoires de la fête ?

— Ce qu'il faudra, répondit Zouzou, dix mille ou quinze mille francs.

Le prince dissimula un sourire de contentement :

— Eh bien, fit-il, j'accepte de conduire le cotillon, j'irai te voir demain, nous causerons de tout cela.

Le personnage se retirait, joyeux. Ce célèbre conducteur de cotillons gagnait à exercer ce sacerdoce, bon an mal an, de quoi subvenir aux frais de son existence.

Les choses étaient délicatement faites.

Certes, il ne recevait point les cachets, comme un maître à danser, on le chargeait simplement d'acheter les accessoires de cotillon ; il avait son fournisseur habituel, il s'entendait avec lui.

— A dix pour cent, pensait le prince de Crécy-Melin, c'est une affaire de quinze cents francs ; cela vaut bien que je m'encanaille dans les salons de Zouzou.

Cependant, la réunion d'Auteuil s'était rapidement achevée. La dernière course avait été disputée après le prix de la Ville de Marseille, au milieu de l'indifférence générale.

Le crépuscule commençait à tomber, et le brouillard du bois couvrait déjà d'une brume grisâtre les extrémités les plus lointaines du champ de courses.

A la sortie de l'hippodrome et particulièrement du côté de la gare d'Auteuil, une animation soudaine naissait dans la foule des cochers, des mécaniciens et des postillons disponibles.

C'était à qui attirerait la clientèle, par ses appels et ses exclamations.

— Vingt sous la place Clichy, Pigalle, Barbès...

— Par ici les boulevards, Château-d'Eau, la Bastille...

Et c'était des bousculades, des grappes humaines qui s'accrochaient aux flancs des véhicules, le long des marchepieds qui accédaient aux banquettes, perchés tout en haut des ressorts au-dessus des roues énormes.

Les grelots des chevaux tintaient joyeusement, au milieu du murmure confus des moteurs d'automobiles qui se mettaient toutes en route en même temps.

Une jeune femme dans la foule semblait perdue. A deux ou trois reprises, elle avait essayé de grimper dans une tapissière et elle en avait été repoussée ; n'osant pas insister, désormais elle allait et venait sur la route encombrée de véhicules, semblable à un jeune oiseau effarouché.

Elle était toute charmante, brune aux yeux clairs, au teint coloré, à la silhouette gracieuse, à la nuque et à la gorge dissimulées sous une épaisse fourrure grise.

Elle allait faire une nouvelle tentative auprès d'un char à bancs déjà plein, lorsque soudain, elle tressaillit, quelqu'un venait de lui toucher le bras.

La jeune femme se retourna, elle vit à côté d'elle un homme élégant, au visage aimable, qui pouvait avoir vingt-deux ou vingt-trois ans à peine.

Sur ses cheveux très blonds, au reflet doré, était posé d'un air crâne un chapeau haut de forme.

— Madame, fit le jeune homme en saluant respectueusement, je vois que vous êtes embarrassée pour rentrer à Paris, vous plairait-il que nous prenions une voiture à plusieurs personnes, cela n'aurait rien de compromettant ?...

La jolie femme rougissait.

— Monsieur, articula-t-elle, je ne demande pas mieux à la condition que d'autres personnes se trouvent avec nous.

Son interlocuteur faisait un signe à un taxi.

La voiture s'arrêtait aussitôt, et la jeune femme machinalement y montait.

Mais à peine était-elle installée dans la voiture que celle-ci, sur un signe du jeune homme, démarrait.

Entre-temps, l'élégant personnage s'était installé dans le taxi à côté de sa jolie compagne.

— Impossible, fit-il d'un air mutin, de trouver d'autres personnes pour partager la voiture avec nous. J'en suis désolé, madame, vraiment désolé.

Son air triomphant et son visage radieux d'une joie juvénile exprimaient toutefois le contraire de ses paroles.

La jeune femme, cependant, rougissait jusqu'à la racine des cheveux de ce tête-à-tête soudain, avec cet inconnu.

— Mais, monsieur, articula-t-elle, de quel côté allez-vous ?

Imperturbable, le jeune homme répliquait :

— Exactement du même côté que vous... madame.

Puis il ajoutait avec une légère intonation moqueuse :

— Par exemple, vous seriez bien aimable de me dire où nous allons tous les deux, pour que je prévienne le mécanicien qui ne s'en doute pas.

II

L'amant de Geogeo

— Il n'est venu personne, Joseph ?

— Personne pour quoi faire ?

— Pour me demander, parbleu, espèce de gourde !...

— Ah ! ma foi, monsieur, il fallait le dire, sans quoi comment voulez-vous que je comprenne... Il passe tellement de monde entre cinq et huit heures ici que je ne peux pas tout savoir...

— Eh bien, il n'est encore que quatre heures et demie...

— Eh bien, justement, monsieur, monsieur doit comprendre rien qu'à mon air qu'il n'est venu personne le demander, mais que monsieur ne se fasse pas de bile, ce doit être encore une petite femme qu'attend monsieur, et monsieur sait bien que les petites femmes sont toujours en retard...

— Hélas ! Joseph, les grandes aussi...

— Moins, monsieur, beaucoup moins. J'ai l'habitude des rendez-vous, pas pour mon compte malheureusement, mais tout de même, à force d'en voir, j'ai fini par me former des idées, eh bien, je crois pouvoir affirmer à monsieur que les femmes dont la taille ne dépasse pas un mètre cinquante-quatre, y compris les talonnettes et les plumes du chapeau, n'arrivent en général aux heures fixées qu'au bout de quarante minutes, tandis que les grandes sont au plus en retard d'un quart d'heure à peine. Mais tout cela n'est pas intéressant, je vois que monsieur est distrait... que dois-je servir à monsieur ?...

— Un porto sec, Joseph, il sera bien temps lorsque je ne serai plus tout seul de boire une infusion d'eau chaude pour être à la mode.

Ce petit dialogue avait lieu dans la salle du fond d'un thé discret de la rue Caumartin.

L'établissement, de l'extérieur, n'attirait point l'attention.

C'était une petite boutique aux panneaux peints en brun mordoré, les glaces de la devanture étaient garnies à l'intérieur de petits rideaux opaques qui dissimulaient les consommateurs aux regards curieux des passants ; l'inscription qui surmontait la façade était un nom anglais dans lequel se retrouvaient les mots « thé » et « five o'clock », c'était un de ces établissements à la mode comme on en voit s'ouvrir partout dans Paris, qui remplacent avantageusement, assure-t-on, le café, en ce sens que les femmes du monde peuvent, sans déchoir, venir y passer une heure avant le dîner, avec leurs amis.

Les deux personnages qui s'étaient entretenus dans la salle du fond n'étaient autres que le maître d'hôtel de l'établissement que la moitié de Paris connaissait par son prénom, Joseph ; personnage populaire et bien parisien que ce Joseph, homme aimable, dégourdi, débrouillard, connaissant des potins comme une gazette au courant des petites histoires de chacun, mieux documenté sur le quartier qu'un commissaire de police, et plus bavard qu'un échotier.

Il s'intéressait d'ailleurs à ses habitués, et Joseph constituait une force en ce sens que, lorsqu'il changeait d'établissement il emmenait avec lui un contingent sérieux de clients qui le suivaient là où il allait.

Joseph venait de s'entretenir sur un ton à la fois familier, respectueux et protecteur, avec un homme très jeune aux cheveux d'un blond éclatant, à la physionomie rayonnante, à la tenue des plus recherchées.

Ce client que Joseph connaissait pour l'avoir vu il y avait de cela cinq ou six ans, alors qu'il était encore collégien, fréquenter les quais en compagnie de sa mère, s'appelait Max de Vernais.

Max de Vernais appartenait à une bonne famille bourgeoise dont la particule n'était rien moins qu'authentique ; pendant quelques années, les de Vernais avaient fait élégante figure dans la société parisienne.

Puis, le père de Max, gros brasseur d'affaires à la Bourse, était mort subitement, frappé d'une congestion à la suite d'un dîner trop copieux fait, assurait-on, en cabinet particulier avec nombre de jeunes femmes.

Mme de Vernais qui, jusqu'à la mort de son mari, s'était montrée parisienne et mondaine jusqu'au bout des ongles, s'était alors retirée à la campagne et, depuis, vivait dans une de ses propriétés de la Dordogne, en châtelaine attristée, ne pouvant se consoler de la perte de son époux.

Max de Vernais s'était donc trouvé au sortir du régiment seul à Paris, et à la tête d'une fort jolie pension que lui servait sa mère.

Ce jour-là, Max de Vernais, en dépit de l'air de béatitude qui illuminait son visage, avait une grande préoccupation et, après avoir pris un air mystérieux pour demander à Joseph « si personne n'était venu pour lui », il finissait, ne pouvant plus y tenir, par lui raconter en détail le motif qui l'amenait au thé de la rue Caumartin.

— Figurez-vous, Joseph, déclarait-il, que je suis amoureux, amoureux fou.

— Ah ! bah ! fit le serviteur qui affectait un air intéressé, monsieur va peut-être se marier ?...

Max haussait les épaules...

— Voyons, Joseph, perdez-vous la tête, me marier à vingt-quatre ans, avec une pension comme celle que m'envoie ma mère, et la figure que j'ai... Non, non, je veux profiter de la vie auparavant. Certes, je suis amoureux, mais c'est pour le mauvais motif...

Joseph lui lançait un coup d'œil d'intelligence :

— Comme je comprends monsieur... je disais cela tout à l'heure pour les principes... mais monsieur a raison, la petite fête, les aventures, il n'y a que cela de vrai... Ainsi, moi-même, tout modeste serveur que je suis...

Il allait commencer le récit d'une aventure quelconque qui lui était arrivée, mais Max de Vernais, égoïstement, l'interrompait :

— Vous savez, Joseph, reprenait-il, tenant à parler avec son interlocuteur de ce qui l'intéressait, lui, et non pas de ce qui pouvait intéresser le maître d'hôtel, vous savez, qu'il ne s'agit pas d'une demi-mondaine, d'une grue, c'est une femme chic que j'attends...

— Une artiste peut-être ? interrogea Joseph.

— Oh non, fit Max de Vernais, mieux que cela. Un véritable petit bijou, quelque chose d'honnête et de naïf, une simple bourgeoise, mon cher, mais une bourgeoise, une vraie...

Joseph insinuait d'un air connaisseur :

— Comme qui dirait une bourgeoise de derrière les fagots.

— Précisément, mon cher. Figurez-vous que j'ai fait sa connaissance avant-hier en revenant des courses. Nous étions tous les deux, cherchant un véhicule près de la gare d'Auteuil pour rentrer à Paris, je l'avais remarquée déjà au pavillon, mais j'étais au pesage, bien entendu, et j'étais venu dans l'enceinte des places à cinq francs pour jouer un cheval qui, d'ailleurs, n'a pas gagné. J'avais vu cette petite femme qui n'est pas comme les autres... puis, je l'avais perdue de vue. Croyez-vous que je la retrouve à la fin de la réunion dans la foule, près du chemin de fer d'Auteuil, c'est de la veine, pas vrai ?... J'ai vu tout de suite à qui j'avais à faire, elle cherchait à monter dans une de ces paulines qui font le service...

Joseph interrompait son interlocuteur :

— Je vois ça d'ici, articula-t-il, cependant qu'il ajoutait d'une voix tonitruante :

— Allons ! par ici, vingt sous les boulevards, Château-d'Eau, la Bastille.

— C'est ça précisément..., fit Max, je me précipite, je lui glisse à l'oreille : « Voulez-vous, madame, que nous prenions un taxi-auto ensemble »... et, pour ne pas l'effaroucher, j'ajoute : « Nous demanderons à d'autres personnes de monter avec nous pour qu'on partage les frais du fiacre. »

Joseph s'intéressait prodigieusement au récit de Max.

— Et, naturellement, une fois votre bourgeoise embarquée dans la voiture, vous ne demandez à personne de vous accompagner, vous dites au mécanicien : « En route et en quatrième vitesse. »

— C'est cela même, Joseph.

Le maître d'hôtel reprenait cependant :

— Sans doute la chose est amusante, mais c'est un jeu à se faire flanquer des paires de gifles.

— Bah ! poursuivait Max enjoué, lorsqu'une femme vous frappe, elle vous donne le droit de l'embrasser après...

— Et alors ? interrogea Joseph, vous avez reçu des claques !...

— J'en ai reçu, fit Max, au bas de la rue Mozart...

— Et, poursuivait le serveur, vous l'avez embrassée ?

— En arrivant au Trocadéro.

— Ensuite ? poursuivait Joseph, quand vous vous êtes quittés ?

— Eh bien, fit Max, nous avons pris rendez-vous pour ce soir cinq heures.

Le maître d'hôtel regardait un petit cartel pendu au mur, dans la salle du thé, encore vide.

— Il n'est que cinq heures cinq, et puisque monsieur attend une petite femme, il ne la verra guère avant six heures moins le quart.

Mais à ce moment même, la porte en tourniquet donnant sur la rue pivotait sur son axe, et une gracieuse silhouette féminine pénétra comme un coup de vent à l'intérieur de l'établissement.

Max rougissait jusqu'à la racine des cheveux.

— Vous avez perdu... Joseph, articula-t-il, car la voici.

Le jeune homme, cependant, s'avançait d'un pas empressé vers la nouvelle venue.

Celle-ci était complètement dissimulée sous une épaisse voilette, elle portait un élégant complet tailleur bleu qui, bien que coupé très droit, à la mode du jour, était suffisamment étroit pour permettre à l'étoffe de souligner les formes gracieuses de la jeune femme.

Max s'était avancé vers elle le sourire aux lèvres, il éprouva une seconde de dépit.

La jeune femme, sans prendre le temps de répondre aux aimables souhaits de bienvenue que lui adressait son interlocuteur, déclarait d'une voix précipitée :

— Oh ! monsieur, c'est vraiment insensé ce que je fais là... je ne sais pas comment j'ai pu accepter ce rendez-vous et si je suis venue, c'est uniquement pour vous dire que je m'en vais... Il ne faut pas vous tromper sur mon compte, je ne suis pas ce que vous croyez...

Et elle semblait prête à rebrousser chemin. Max, cependant, lui prit la main.

— Je vous en supplie, articula-t-il, ne partez pas tout de suite. Restez un instant, une seconde... Laissez-moi vous regarder...

— Non, non, faisait la jeune femme éminemment troublée, c'est impossible ! J'ai l'air de venir à un rendez-vous...

Une fois encore, elle faisait mine de s'en aller, et Max, hésitant, ne savait comment la retenir lorsque Joseph survint.

Joseph, de son coup d'œil perspicace, avait jugé la situation et se rendait compte que s'il n'intervenait pas, la partie était mal engagée pour le jeune amoureux.

Affectant un de ces airs impassibles et méprisants, qui vous glacent jusqu'aux moelles, et comme seuls savent en avoir les maîtres d'hôtel, il articula, toisant le couple des pieds à la tête :

— Monsieur et madame ne peuvent pas s'en aller avant d'avoir pris le thé que monsieur a déjà commandé pour madame...

Puis, il tournait les talons et allait au comptoir de l'établissement annoncer d'une voix vibrante :

— Servez le thé commandé.

— Un thé, un pour deux, répondait une voix qui venait des profondeurs du sous-sol.

— Vous voyez bien, suggéra Max de Vernais, qu'il nous est impossible de partir, nous aurions l'air de mufles, il faut au moins prendre cette consommation.

Ce motif semblait décider la jeune femme. Elle venait d'entrebâiller sa jaquette, laissant apparaître sa taille souple, sa gorge rebondie moulée dans une chemisette de lingerie.

— Je veux bien, articula-t-elle tout bas, asseyons-nous, mais un instant seulement...

Dès lors, Max se rendait compte que, grâce à l'autoritaire intervention de Joseph, il avait fait un grand pas vers la victoire.

Vingt minutes après, les deux jeunes gens, toujours seuls dans la salle du fond, goûtaient, en bavardant avec animation.

De plus en plus rassurée, la jolie bourgeoise avait enlevée sa jaquette, ôté sa voilette et, après le thé, les petits gâteaux, on avait bu du porto sec, ce qui mettait aux yeux du couple une brillante excitation.

Max avait pris la main de sa voisine :

— Je sens, murmurait-il doucement, lui parlant le plus près possible de son oreille, qu'elle avait délicate et nacrée comme un coquillage, je sens que je vais vous aimer, Georgette.

La jeune femme sursauta :

— Comment savez-vous mon nom ?

— Hélas, fit Max, je ne connais que votre prénom... Vous portiez l'autre jour une petite broche en argent qui figurait les lettres de ce nom. J'ai supposé que c'était le vôtre.

— Vous avez eu raison, fit la jeune femme en rougissant.

Max s'enhardissait.

— Et je suis sûr qu'il s'harmonise à merveille avec votre nom de famille... Dites-moi, qui êtes-vous ?... comment vous appelle-t-on ?...

— Oh ! interrompit la jeune femme, vous ne le saurez jamais... jamais...

Dix minutes après, cependant, Max était complètement renseigné.

Georgette était la fille d'un commerçant du Marais, elle avait épousé, il y avait de cela quatre ans, un homme de quinze ans plus âgé qu'elle, un personnage grave et sévère, un fonctionnaire. Il était employé dans une administration de l'État, partait pour le bureau vers onze heures du matin, et n'en sortait qu'à cinq heures, mais il ne rentrait au domicile conjugal que vers huit heures, car, au préalable, il allait régulièrement faire sa partie au café.

Le personnage s'appelait Simonot, Georgette Simonot était le nom de sa femme.

Max, avec la plus grande attention, avait écouté ce récit, se distrayant cependant à faire autour de sa compagne des travaux d'approche et d'attaque nullement équivoques.

Si la jolie brune aux yeux bleus lui plaisait, il était incontestable que Max, avec sa jolie figure, son air juvénile et presque enfantin, son élégance naturelle, exerçait un prestige incontestable sur la petite bourgeoise, femme de fonctionnaire.

Et Georgette qui avait promis de s'en aller en arrivant, qui avait juré de ne rien dire sur elle et sur son existence, était encore là à six heures du soir, et elle avait ouvert tous les secrets de son intimité à ce jeune et galant homme qu'elle connaissait depuis deux jours.

Tous deux désormais se taisaient.

Joseph, qui, de temps à autre, les avait surveillés de l'œil et avait su apporter le porto au moment propice, affectait discrètement de ne plus revenir dans le salon de thé.

Georgette était désormais tout contre Max, et, grisée par les paroles troublantes que lui murmurait le jeune homme, délicieusement impressionnée par le contact de ce bras nerveux qui entourait sa taille, elle se laissait aller à ce rêve idéal et charmant que conçoivent tous les êtres au moment où ils s'éprennent de quelqu'un.

A deux ou trois reprises, les lèvres de Max s'étaient égarées sur la nuque frémissante de la jeune femme qui n'avait point résisté.

Brusquement, le galant séducteur réglait les consommations puis, prenant par le bras Georgette, il l'entraînait hors du thé.

Une voiture stationnait sur le trottoir, Max y faisait monter la jeune femme, jetait une adresse au cocher.

— Mon Dieu !... murmura Georgette qui toute grisée se laissait étreindre dans les bras du jeune homme, où me conduisez-vous ?... qu'allez-vous faire de moi ?

Et Max, après lui avoir fermé la bouche d'un baiser, lui déclarait d'un air inspiré :

— Ce que je veux faire de vous, Georgette, ma maîtresse, ma maîtresse adorée...

Il était sept heures et demie environ, huit heures moins le quart peut-être, dans une chambre de l'hôtel des Deux Mondes dont les fenêtres s'ouvraient sur la gare Saint-Lazare, une jeune femme tout ébouriffée, les yeux battus, les pommettes roses, achevait en hâte de se vêtir.

Enfoncé dans un fauteuil, et fredonnant un air à la mode, un jeune homme suivait du regard les gestes gracieux que faisait la jolie personne pour faire disparaître, peu à peu, tous les trésors de chair dont la nature l'avait dotée, sous la cuirasse du corset, sous le chaste enveloppement de la jupe et de la jaquette.

Elle avait à peu près achevé de se vêtir ; elle vint vers le jeune homme et, se penchant sur son visage comme pour solliciter une caresse, elle articula :

— Tu vas me mépriser, Max... Je suis pourtant une honnête femme...

— Georgette ! Georgette ! protesta le jeune homme, n'emploie pas de si vilains mots... loin de te mépriser, je t'estime plus, au contraire... ah ! si tu savais combien je t'aime... combien je suis fou de joie à l'idée que tu as consenti à devenir ma maîtresse !

Les deux amants, qui, une heure auparavant, s'étaient rencontrés au thé de la rue Caumartin, s'étreignaient tendrement dans les bras l'un de l'autre, puis Georgette, installée sur les genoux de Max, articulait avec une moue charmante :

— Tu sais que c'est la première fois... je te jure, qu'à part mon mari, je n'ai jamais eu d'amant...

Max souriait d'un air méfiant :

— C'est bien vrai, ce mensonge-là ?

— Oh ! peux-tu croire le contraire ? reprenait la jeune femme.

— Cependant, poursuivit Max, il m'a semblé, lorsque l'autre jour je t'ai aperçue pour la première fois aux courses, que tu n'étais pas toute seule. Je t'ai vue deux ou trois fois parler à des messieurs, à l'un d'eux notamment, un homme brun à grosses moustaches, avec qui tu avais l'air d'être joliment bien.

Le visage de Georgette s'empourprait :

— C'était peut-être mon mari..., articula-t-elle.

Max fronça le sourcil :

— Mais non : tu viens de me dire à l'instant qu'il ne venait jamais aux courses et que c'est précisément pour te distraire de ta solitude que tu te rendais de temps à autre sur les hippodromes.

Et taquin il insistait :

— Tu vois bien que je te prends en flagrant délit de mensonge...

Georgette, cependant, secouait la tête, puis, d'un air taquin, elle aussi, elle interrogea :

— Serais-tu jaloux ?

Max, pour toute réponse, embrassait à nouveau sa maîtresse puis il reprit :

— Eh oui ! sans doute, je suis jaloux, jaloux parce que je t'aime et que je ne te connais pas encore suffisamment... Sais-tu bien que tu me fais l'effet d'une énigme vivante, avec tes cheveux noirs et tes yeux clairs qui vous regardent sans que l'on sache ce qu'ils veulent dire, on a l'impression d'être en face du sphinx.

Georgette éclatait de rire :

— Tiens ! c'est gentil cette comparaison... le sphinx. Je suis ton petit sphinx... répète-le encore...

— Oui, ma chérie, faisait Max, tu es mon petit sphinx en sucre, et que je ne demande qu'à dévorer de baisers.

Mais brusquement, Georgette s'arrachait aux étreintes amoureuses du jeune homme.

— Je suis folle, dit-elle, en se passant la main sur le front, cependant qu'un regard sombre obscurcissait l'éclat de ses yeux.

— Encore les remords ?... interrogea Max.

— Non..., fit naïvement Georgette, des remords, c'est fini !... La chose est faite, il n'y a plus moyen de revenir là-dessus... mais ce qui m'ennuie surtout, c'est l'heure... je vais être bien en retard pour rentrer à la maison...

Et dès lors, précipitant la fin de sa toilette, elle piquait les épingles de son chapeau dans son opulente chevelure, mettait en hâte un peu de poudre sur son visage, se passait de la pommade rose sur les lèvres.

Elle ajustait d'un geste rapide et gracieux son épaisse voilette, puis, comme Max voulait l'embrasser :

— Non, non, fit-elle, c'est fini... Maintenant je suis arrangée, plus moyen.

Toutefois, pour consoler Max qui semblait désespéré, elle lui tendait sa main gantée que le jeune homme portait aussitôt à ses lèvres.

— Quand se reverra-t-on ?... interrogeait-il.

Georgette parut réfléchir un instant :

— Veux-tu après-demain cinq heures ? On s'attendra dans la salle des pas perdus de Saint-Lazare, quand je reviendrai des courses...

— Mais ! s'écria le jeune homme, ne pourrions-nous pas y aller ensemble ?

Georgette, nettement, secouait la tête.

— Non, non, fit-elle, je ne le veux pas. C'est impossible. Il ne faut pas que nous y allions ensemble et même, si jamais nous nous y rencontrions, promets-moi de ne pas m'aborder.

— Pourquoi ? interrogea Max, décontenancé.

Georgette ne répondit pas, elle venait d'écarter le rideau de la fenêtre qui donnait sur la cour de la gare Saint-Lazare, elle voyait la grande horloge, en même temps qu'elle entendit sonner huit heures.

— C'est affreux ! balbutia-t-elle, je vais être abominablement en retard. Adieu !

Elle traversait la pièce en courant.

Sur le seuil de la porte, elle répéta encore :

— Surtout, Max, tiens ta promesse ! je te défends, entends-tu bien, de venir aux courses après-demain, si tu veux que nous continuions à être amis, il faut m'obéir...

Et la jolie femme avait disparu depuis un bon quart d'heure déjà, que Max, demeuré nonchalamment étendu dans le fauteuil le plus confortable de la pièce encore tout imprégnée du parfum de sa nouvelle maîtresse, se demandait :

— Qu'est-ce que cela peut bien être que cette petite femme-là ? On dirait une bourgeoise que l'on conquiert aussi facilement qu'une grue et elle a des pudeurs et des scrupules que la plus honnête des femmes n'aurait pas...

— As-tu bien dormi, ma Geogeo ?

Quelques paroles inarticulées, un long bâillement suivi d'un profond soupir répondaient à cette question.

Puis, tout retomba dans le silence pendant quelques instants.

Cette interrogation était posée dans une chambre assez coquette, correctement meublée, une chambre au quatrième étage de la rue des Batignolles, chambre à deux fenêtres donnant sur le devant.

D'un grand lit de milieu, quelqu'un soulevait précautionneusement les couvertures pour s'en extraire, sans déranger sa voisine et se lever.

C'était un homme laid, ridicule dans sa chemise qui bombait sur un ventre proéminent. Le personnage, après s'être frotté les yeux de ses deux mains qu'il avait larges et velues, s'en fut en titubant de sommeil, jusqu'aux fenêtres dont il ouvrit les rideaux.

Les persiennes n'étant pas fermées à l'extérieur, le jour pénétra dans la pièce, venant frapper directement le lit, ce qui arracha à la personne qui s'y trouvait encore un grognement nerveux et rageur.

Le gros homme, qui s'était levé, ne s'en émut pas.

Il alla jusqu'à la porte de la chambre, et appela :

— Angèle ! apportez-moi les journaux.

Il attendit quelques instants, prenait par la porte entrebâillée des feuilles que lui tendait une bonne, puis il revenait à côté de son compagnon, ou pour mieux dire de sa compagne qui dormait toujours.

Le gros homme avait relevé son oreiller et, désormais assis sur son séant, il commençait à lire avec un calme satisfait les dernières nouvelles que lui apportait son journal quotidien.

L'homme soupirait à haute voix :

— C'est égal ! c'est bon le dimanche, on peut rester au lit jusqu'à midi, tandis que les autres jours, il y a ce sacré bureau.

Cependant, la personne qui dormait à côté de lui commençait à s'éveiller et à geindre.

— Tu es assommant, Paul, tu bouges toujours le matin... même le dimanche...

— Ma bonne Geogeo, c'est parce que j'ai l'habitude de me réveiller tous les jours à la même heure...

La voix aigre de sa compagne rétorquait avec humeur :

— Réveille-toi si tu veux, mais ne bouge pas. A-t-on idée d'ouvrir comme ça brusquement les rideaux... Le jour vous frappe en pleine figure ; je suis sûre que je vais être malade toute la journée, j'ai déjà des douleurs dans la tête...

Le gros homme prit une mine contristée.

Il lâcha avec regret le journal dans lequel il commençait la lecture d'un article intéressant, et se pencha vers sa compagne :

— Ma bonne Geogeo, commença-t-il.

Et il voulut l'embrasser.

Mais sa voisine le repoussait :

— Laisse donc... tu es assommant, avec ta barbe pas faite, tu me piques... D'abord, je ne veux pas que tu me parles le matin, tu vois bien que je dors...

— Bon, consentit le gros homme, qui, dès lors n'insistait pas et reprenait son journal.

Sa compagne, sa femme, après quelques soubresauts sous les couvertures, semblait avoir trouvé la position cherchée pour s'endormir à nouveau et, avec une béatitude certaine, Paul passait de l'article de tête aux dernières nouvelles imprimées à la troisième page.

Le gros homme, qui lisait avec attention, accompagnait de temps à autre sa lecture de petits monosyllabes approbateurs et critiques qui traduisaient ses sentiments.

De dessous les couvertures, une voix monta tout ensommeillée :

— Paul ! Qu'est-ce qu'on donne dans le journal pour la troisième à Auteuil ? C'est-y Fil de Fer II ou la Déroute qui est favori ?...

Paul se pencha vers sa compagne :

— Je n'en suis pas encore là, ma bonne Geogeo...

La voix répondait avec humeur :

— Je me demande ce que tu peux bien lire dans le journal... Voilà plus d'une heure que tu froisses du papier comme pour m'empêcher de dormir et tu ne sais même pas quels sont les pronostics...

— Qu'est-ce que tu veux, ma Geogeo, moi, ça ne m'intéresse pas... je ne vais jamais aux courses...

— Égoïste, va ! Je m'intéresse bien à tes affaires, moi...

— C'est naturel, tu es ma femme.

— Eh bien, toi, n'es-tu pas mon mari ?

La voix de Geogeo reprenait :

— D'abord, qu'est-ce que tu lisais ? Encore des saletés.. probablement, les hommes, ça n'aime que les histoires dégoûtantes !...

Mais l'excellent époux qu'était Paul Simonot protesta :

— Pas du tout, ma bonne Geogeo, j'étais plongé dans la lecture d'un crime que l'on vient de découvrir : il y a des détails affreux... Décidément, les bandits deviennent d'une audace de plus en plus extraordinaire...

Il semblait que Geogeo s'intéressait médiocrement à la rubrique des drames...

La jeune femme, car c'était une jeune femme, une brune aux yeux clairs, qui n'était autre que Georgette Simonot, s'était enfoncée à nouveau sous ses couvertures et, d'une voix pleine de sommeil, elle demanda à son mari :

— En deux mots, de quoi s'agit-il ?

Paul était très heureux d'intéresser sa femme.

— Je vais te lire cela, dit-il, d'un bout à l'autre ; d'abord, voici le titre :

Une crime mystérieux dans la forêt de Saint-Germain. Un pendu découvert par la gendarmerie, l'identité du mort.

Le brave Paul commençait alors la lecture des détails que publiait le journal.

— A peine avait-on détaché le pendu, disait-il, que l'on découvrait aisément son identité. Son portefeuille resté dans la poche gauche de son vêtement contenait en effet des cartes de visite et des pièces authentiques au nom de René Baudry... Il faut croire...

Paul s'arrêtait soudain.

Georgette, tout d'un coup, venait de bondir hors du lit.

Désormais, elle se dressait toute pâle à côté de son mari, droite et mince dans sa grande chemise de nuit. Ses yeux venaient de s'ouvrir hagards et ses lèvres soudainement décolorées s'agitaient d'un tremblement nerveux.

— Qu'est-ce que tu dis ?... balbutia-t-elle.

Paul Simonot considéra sa femme avec stupeur :

— Ne t'émotionne pas comme ça, ma Geogeo..., commença-t-il.

Mais la jeune femme lui arrachait le journal des mains.

Et cependant qu'elle cherchait à la feuille l'endroit où se trouvait le récit du crime, elle articulait machinalement :

— René Baudry... René Baudry... ça n'est pas possible !... ça n'est pas...

Mais soudain elle poussait un cri déchirant.

Son regard venait enfin de se poser sur les lignes imprimées relatant le drame de Saint-Germain ; il n'y avait pas de doute ; au récit qu'en faisait le reporter, il était bien évident que la victime, que l'homme trouvé pendu dans la forêt et détaché une fois qu'il était mort, s'appelait bien M. Baudry, M. René Baudry.

— Geogeo ! supplia le brave Paul, qu'as-tu donc, ma bonne ?... Il ne faut pas être aussi nerveuse...

Mais, à son tour, M. Simonot poussait un grand cri.

— Ah ! mon Dieu ! fit-il, que se passe-t-il ?

En même temps il levait les bras au ciel, abasourdi parce qu'il voyait Georgette Simonot battre l'air de ses bras, puis tomber raide à la renverse, évanouie.

III

Le pendu de Saint-Germain

Dans la nuit du vendredi au samedi, c'est-à-dire entre la première rencontre de Max de Vernais aux courses d'Auteuil avec Georgette Simonot, et le soir où la jeune femme, sortant des bras de ce nouvel amant, était rentrée en retard au domicile conjugal, deux hommes s'acheminaient vers la forêt de Saint-Germain, venant de Maisons-Laffitte ; ils marchaient à grands pas, en gens pressés, fumant de gros cigares, échangeant de ces phrases d'amabilité qui ne signifient pas grand-chose et qui souvent interrompent, pour les masquer, les discussions les plus furieuses.

— Vraiment, vous ne voulez pas que nous prenions une voiture ? demandait l'un d'eux.

— C'est absolument inutile...

— Vous savez que nous avons loin encore des maisons...

— Parbleu ! je connais le chemin, mais cela m'est indifférent.

— Marchons alors !

Ils venaient de tourner sur la droite, quittant la grand-route pour prendre une petite sente qui devait, par un raccourci, les amener à la Croix-de-Noailles.

L'un d'eux était vêtu d'un complet à carreaux, portait un chapeau melon enfoncé sur l'oreille ; l'autre, en apparence plus gentleman, avait une jaquette, vêtement assez étrange en cette saison, fin d'octobre, où il ne faisait pas chaud ; son pantalon s'enfonçait dans des bottes à l'écuyère, sa main tenait une cravache, il avait le pas lourd et légèrement vacillant de l'homme de cheval.

— Marchons ! avait accepté l'homme au complet à carreaux. Après tout, puisque vous m'offrez un verre de vin, je ne vois pas pourquoi je ne ferais pas le petit effort de vous accompagner...

Le gentleman avait eu un sourire indéfinissable en entendant parler d'un « verre de vin ».

Il était évidemment plus délicat que son compagnon et ce devait être une consommation quelque peu différente qu'il avait proposée.

Il était à ce moment tout près de dix heures du soir. La forêt de Saint-Germain, ce samedi-là, était déserte ; à peine de temps à autre les deux hommes entendaient-ils, sur la route voisine, le grondement d'une automobile passant, lancée à toute vitesse, et projetant sur les taillis la lueur aveuglante de ses deux phares électriques.

La voiture éloignée, le silence se refaisait plus profond, l'obscurité plus impénétrable, et les deux hommes ne pouvaient guère entendre que le bruit des feuilles mortes qu'ils écrasaient sous leurs pas en marchant, ou encore le frôlement des branches que le vent agitait tout en haut de la futaie.

Après avoir marché quelque temps en silence, profondément songeurs, semblait-il, le gentleman, tapotant nerveusement sa botte du bout de son stick, interrompit les réflexions de son compagnon.

— Ainsi, dit-il, vous ne voulez pas être raisonnable ?

L'autre haussait les épaules :

— Eh ! eh ! ce n'est pas dit. Raisonnable ? Si... je le suis, et c'est plutôt vous, mon cher, qui voudriez profiter des circonstances...

— Mais vos prétentions sont exorbitantes...

— Ce n'est point mon avis.

— Voyons, vous demandez trente mille francs ?... Trente mille francs, c'est une somme, que diable !...

— J'en tombe d'accord avec vous !

— Et votre cheval ne les vaut pas...

— Si fait.

— Il n'a jamais couru.

L'homme au complet à carreaux éclata de rire.

— Mon cher, faisait-il énigmatiquement, si ma bête avait couru, l'achèteriez-vous ?

La question était simple ; pourtant elle faisait tressaillir le gentleman.

— Vous avez des insinuations surprenantes, repartit-il, je ne vous comprends pas...

Puis, après avoir haussé les épaules, de façon un peu rageuse, il finissait par demander encore :

— A vingt mille, voyons, vous acceptez ?

— J'ai dit trente coupures, et pas une de moins...

— Je monterai jusqu'à vingt-cinq.

L'homme au complet à carreaux éclata brusquement de rire.

— Ma foi, mon cher, disait-il, vous marchandez à merveille, mais vous perdez votre temps... Trente mille francs et pas un sou de moins ; d'ailleurs vous connaissez la bête... Une avant-main merveilleuse, les membres sains et nets, des tendons qui ne craignent rien, un arrière-train infatigable...

Il prenait un temps, puis il ajoutait :

— Et puis une robe, une robe qui a bien son prix, hein ?

Dans ces derniers mots, il semblait que le bonhomme mît une intonation mystérieuse, ironique un peu.

Le gentleman tressaillit encore :

— Vous êtes un sot, faisait-il, la robe n'a aucune importance.

Mais il ne parlait pas avec assurance et, au bout de quelques instants, reprenant de lui-même le sujet de ses préoccupations, il questionnait encore :

— Voyons... faites-moi vingt-huit mille, ce sera bien assez !

— Non, c'est trente, n'insistez pas, c'est fini...

L'homme au complet à carreaux sifflait trois mesures d'un air de chasse, puis, brusquement, posait sa main sur l'épaule de son compagnon de route...

— D'ailleurs, cher monsieur, je suis persuadé que vous avez l'argent sur vous... Vous êtes tout décidé, vous savez parfaitement que mes prétentions ne sont pas exagérées, et par conséquent...

— Soit, interrompit froidement le gentleman ; aujourd'hui, Baudry, vous abusez de la situation, je vous repincerai...

— Mais non, mais non, je n'abuse pas...

Le gentleman haussa les épaules...

— Ne discutons pas à nouveau, conclut-il. Je vais vous régler, car j'ai, en effet, l'argent sur moi, et l'affaire sera faite.

— Quand vous voudrez, cher monsieur...

Les deux hommes, à la sortie du sentier, débouchaient au carrefour qui porte le nom de Croix-de-Noailles, en raison du monument qui orne son centre.

Un petit café était là, une guinguette dont les tables étaient installées en plein vent : du bout de son stick, le gentleman l'indiqua :

— Voulez-vous que nous traitions ici ?... Inutile que vous m'accompagniez jusqu'à la maison.

— C'est ma foi parfaitement juste...

Ils étaient, quelques secondes après, l'un et l'autre installés devant deux chartreuses, et le garçon, sur la prière de l'homme au complet à carreaux, que son compagnon avait appelé Baudry, apportait ce qu'il fallait pour écrire :

— Nous disons trente mille..., reprenait alors Baudry, et je vous cède en toute propriété la valeur du cheval. Il me semble inutile, n'est-ce pas, ajoutait-il avec un petit ricanement, que je vous demande de me réserver un ou deux des produits. Nous ne faisons pas une vente ordinaire...

— Mais si, que diable !

Le gentleman venait de répondre sur un ton d'énervement certain.

A coup sûr, les insinuations que multipliait son compagnon lui étaient profondément désagréables.

Il continua d'un ton sec :

— Je ne sais pas ce que vous avez, à faire des sous-entendus continuels, que diable ! j'imagine que l'affaire est assez simple : vous avez un cheval qui me plaît, qui est à l'entraînement, je l'achète, je vous le paye trente mille francs, cela n'a rien de mystérieux...

L'homme au complet à carreaux souriait toujours, n'ayant point l'air très convaincu :

— A votre aise, dit-il enfin. Mettons que je suis un imbécile et mettons surtout que je n'ai point visité vos écuries, que je n'y ai pas vu par conséquent...

— Cela va bien..., coupa le gentleman.

Il avait tiré un portefeuille de sa poche, il y prenait une liasse de billets de banque, qu'il comptait soigneusement.

— Tiens, remarqua Baudry, il y avait là trente-cinq billets, vous étiez décidé à payer plus cher... Allons ! vous voyez bien que je ne suis point si sot que vous voudriez le faire croire.

Le gentleman ne répondait pas, il avait tendu les trente billets de banque à son compagnon, qui les faisait prestement disparaître dans sa poche.

— Voici l'acte de vente, cher monsieur.

— Merci.

Le gentleman lisait soigneusement le papier qui lui était tendu, puis, l'ayant plié, très soigneusement, le glissait avec une visible satisfaction dans la poche de sa veste.

— Votre entraîneur, demandait-il, ne fera point de difficulté pour me livrer la bête ?...

— Assurément non.

— Alors... nous n'avons plus rien à nous dire.

Assez brusquement, et même avec une impolitesse non déguisée, le gentleman se levait, jetant quelque menue monnaie sur la table, pour payer le garçon de la guinguette, qui sommeillait à quelque distance, renversé sur deux chaises et pestant fort en lui-même sur la présence de ces deux consommateurs qui retardaient l'heure de la fermeture...

René Baudry se levait lui aussi.

— Nous n'avons plus rien à nous dire, en effet, disait-il, souhaitons-nous le bonsoir et quittons-nous... Vous rentrez toujours à Maisons-Laffitte, je pense ?

— Oui, et vous retournez à Saint-Germain ?

— En effet... Bonne route !

— Bonne route !

Sans se serrer la main, les deux hommes se quittaient.

Ils venaient de conclure une affaire importante, la vente d'un cheval de course, et, naturellement, ayant essayé l'un et l'autre de se duper, ils étaient l'un et l'autre furieux de n'avoir pu y réussir.

Comme le gentleman s'enfonçait dans le bois, Baudry lui jetait un regard de mépris.

— Imbécile ! murmurait-il, s'il croit qu'il tient mon cheval, il se trompe. Et puis d'ailleurs, j'ai parfaitement deviné ses intentions ; il faudra qu'il marche droit, ou bien, j'imagine qu'avec deux petits mots glissés au président du Jockey, je le remettrai à la raison...

Le gentleman, de son côté, songeait en termes méprisants à ce Baudry qu'il venait de quitter.

— Un sot ! murmurait-il, il m'a demandé trente mille francs !... Parbleu !... étant donné mes projets, j'aurais facilement payé son cheval cinquante ou soixante mille et même plus. Bah ! il est vrai que...

Il cessait de penser à la transaction qu'il venait de conclure pour hausser les épaules.

— Quel drôle d'individu que ce Baudry ! se déclarait-il à lui-même, on ne peut pas savoir au juste qui il est... aujourd'hui il avait la tenue d'un maquignon ; certaines fois, tout au contraire, je l'ai croisé sur le boulevard prenant des allures de noceur et de fêtard. Comment a-t-il ce cheval d'ailleurs ?... Qu'en voulait-il faire, lui ?... Bah ! après tout, cela m'intéresse peu !...

Vingt minutes plus tard, René Baudry, qui avait continué à boire à la guinguette, s'étant assis à nouveau après le départ du gentleman, allumait un cigare qu'il tirait de sa poche, et, ayant payé le garçon, reprenait la route de Saint-Germain.

Il avait mis les deux mains dans ses poches, car la nuit se faisait humide et froide ; il sifflotait un air joyeux et, somme toute, songeait avec plaisir aux trente billets de mille francs que contenait désormais son portefeuille.

— Décidément, je ne suis pas un imbécile !

Il marchait d'un bon pas, mais, soudain, fronçait les sourcils, en jetant un regard inquiet aux fourrés qui l'entouraient.

— Il fait bigrement sombre ici... et c'est peut-être imprudent ce que je fais, de m'en aller à pied jusqu'à Saint-Germain tout seul avec trente mille francs sur moi...

Quelques instants plus tard, il ajoutait :

— D'autant plus qu'à la guinguette on a parfaitement pu voir que je recevais cet argent et que, par conséquent, l'on pourrait me suivre.

René Baudry se retourna, jetant un regard rapide aux profondeurs obscures de sa route.

— Allons ! je deviens peureux, dit-il ; que diable ! c'est le cas ou jamais de répéter la plaisanterie : « Quand on est dans un endroit désert, il est stupide d'avoir peur, il n'y a pas d'assassin où il n'y a personne... »

Il riait d'un bon grand rire, le rire jovial d'un homme qui voit la vie en rose, pressant le pas, sifflotant toujours, s'amusant à traîner ses pieds dans les feuilles mortes, ce qui produisait un froufrou soyeux, il poursuivait sa route.

René Baudry eût été moins tranquille, moins satisfait de son sort et eût certainement fait moins de bruit avec ses pieds, eût sifflé moins joyeusement, si, au moment où il s'était retourné, il avait pu distinguer, à quelque distance de lui, l'ombre noire d'un homme qui s'était vivement rejeté en arrière, se dissimulant derrière un tronc d'arbre.

Quel était donc cet inconnu ?

René Baudry, en quittant le petit café, avait tout juste passé devant lui.

L'individu l'attendait ou semblait l'attendre, embusqué sur sa route, appuyé contre un arbre et si immobile, si mêlé à la nuit, qu'il eût fallu des yeux de lynx pour le découvrir ainsi tapi dans les broussailles.

René Baudry, cependant, l'avait à peine dépassé que l'homme s'était départi de son immobilité.

A vingt mètres derrière le bizarre maquignon, il marchait désormais.

Cependant, loin de traîner les pieds dans les feuilles mortes comme le faisait René Baudry, l'inconnu marchait soigneusement au contraire sur la mousse des bas-côtés.

Il avançait sans bruit, furtivement, réglant son allure sur celle de René Baudry ; il avait l'air de le pister et, par moments, on eût entendu en l'écoutant bien près comme un ricanement furtif s'échapper de ses lèvres.

Depuis dix minutes cependant, René Baudry à grands pas s'éloignait de la guinguette.

Il était maintenant en plein bois, fort éloigné de toute habitation, en l'un des endroits de la forêt de Saint-Germain qui est le plus désert, une fois la nuit tombée.

René Baudry, qui venait de jeter son cigare, s'arrêtait un instant pour en allumer un autre.

Il ne possédait, par malheur, que des allumettes-bougies et le vent qui s'était levé l'empêchait de mettre son projet à exécution.

— Sapristi ! jurait-il, l'État ne peut donc pas fabriquer des allumettes de bonne qualité ?...

Entêté comme un fumeur, il s'était rapproché d'un gros arbre et tâchait de se servir du tronc comme d'un abri et profiter d'une accalmie pour enflammer son cigare.

L'homme qui le suivait depuis quelques instants se reprenait alors à rire.

— Je crois, murmurait-il, que voilà décidément le moment d'agir.

Il avançait à grands pas, précautionneusement, ne faisant toujours pas le moindre bruit.

— Nous allons rire..., disait-il encore.

Il était maintenant prêt à frôler le fumeur toujours sans méfiance.

Et c'était soudain, avec une impétueuse brusquerie, dans le bois profond, dans le bois désert, dans cette forêt endormie, une scène d'intense horreur.

— Hop ! avait crié l'inconnu.

A cet appel, René Baudry, surpris, voulait se retourner.

Il n'en avait pas le temps.

Au même moment, une corde s'enroulait autour de son cou.

L'inconnu s'était jeté sur lui. Il l'avait pris comme dans une sorte de lasso, il le renversait à terre d'une saccade, il l'étranglait lentement.

— Au secours ! hurlait René Baudry.

Mais l'appel suprême s'étouffait dans sa gorge. Sous l'effort de son meurtrier, la corde qui lui entourait le cou pénétrait profondément dans sa chair, broyait ses os, lui coupait toute respiration.

Le malheureux René Baudry entendait, dans sa tête le sang battre à grands coups. On eût dit une volée de cloches ; puis il avait l'impression étrange qu'il flottait dans le vide. En même temps, il étouffait. Pour aspirer une dernière gorgée d'air, la langue sortait démesurément de sa bouche. Ses membres, en même temps, avaient d'étranges convulsions. Tombé sur le sol, il battait l'air de ses bras, cependant que ses jambes se repliaient sous lui, cependant que ses reins s'arquaient.

Mais cette agonie ne durait que peu d'instants.

L'étrangleur, faisant preuve d'une force surhumaine, réussissait vite son œuvre de mort.

A genoux, à côté de la tête de sa victime, il avait enroulé autour de ses poignets les deux bouts de la corde et y faisait effort de tous ses muscles.

Après une dernière convulsion, il semblait que le corps de René Baudry se roidît une dernière fois, puis aucun mouvement ne l'agitait plus, aucun râle ne sortait plus des lèvres inertes ; véritable loque, l'homme au complet à carreaux gisait mort désormais sur le sol.

Le meurtrier alors ne desserrait pas tout de suite son étreinte.

Serrant toujours la corde, il attendait quelques instants.

Et seulement quand il s'était bien convaincu que sa victime avait rendu le dernier soupir, il relâchait un peu les liens, abandonnant le cadavre, éclatant de rire, d'un rire hideux, lugubre, sinistre...

— Et voilà, faisait-il, cela n'a pas été long ni difficile !

Puis, après un instant de silence, il ajoutait :

— Voyons les poches, et préparons la mise en scène.

En deux tours de main, en homme fort expert, l'assassin retournait les vêtements de sa victime.

Il trouvait très vite dans la poche intérieure du veston la grande enveloppe contenant les trente mille francs que le malheureux Baudry avait reçue quelques instants avant.

Cela fait, et l'enveloppe mise dans sa propre poche, l'assassin continuait à dépouiller sa victime.

Mais la dépouillait-il vraiment ?

Il inventoriait plutôt le contenu du portefeuille dont il déchirait certains papiers, les menus objets enfin qui se trouvaient dissimulés dans les goussets du pantalon, dans les poches du gilet.

Chaque objet était par lui minutieusement examiné à la lueur d'une petite lampe électrique, puis replacé à l'endroit même où il avait été trouvé.

Probablement satisfait du résultat qu'il avait obtenu en dépouillant sa victime de l'enveloppe aux trente mille francs, l'assassin respectait la montre en or, le canif en argent, le porte-monnaie où se trouvaient trois louis, et de la menue monnaie.

— Allons ! cela va bien, reprit-il enfin en se redressant et en se frottant les mains, je n'ai point perdu ma nuit.

L'assassin ne marquait nul trouble, nulle précipitation, nulle fièvre.

Il agissait posément, avec des gestes assurés, en homme pressé assurément, mais en homme que rien n'affole.

Il avait fouillé le cadavre sans dégoût, sans émotion, il le portait maintenant jusqu'au pied d'un petit arbre, avec une tranquillité parfaite, et comme s'il se fût agi là d'un paquet fort ordinaire.

Le cadavre posé dans l'herbe cependant, l'assassin se livrait désormais à une assez surprenante besogne.

Il enlevait son vêtement, qu'il accrochait à une branche d'arbre, puis, ayant déroulé une grande corde qu'il portait autour de sa taille en guise de ceinture, il grimpait à un arbre.

L'assassin passait sa corde par-dessus une branche assez forte ; cela fait, l'ayant accrochée, il redescendait sur le sol.

Que méditait-il donc ?

Au bout de la corde, l'homme préparait un nœud coulant, il le glissait autour du cou de sa victime, puis, faisant effort, se servant de la branche comme d'une poulie, il pendait sa victime.

Le cadavre une fois pendu se balançait lugubrement en l'air ; l'assassin attachait le bout de corde, reprenait son vêtement, le renfilait avec une tranquillité toujours parfaite.

— Allons, disait-il, en époussetant un peu son pantalon verdi de mousse au cours de son ascension... Voilà de la bonne besogne de faite... et je n'ai plus rien qui m'empêche de rentrer chez moi.

Le meurtrier jeta un court regard au cadavre qui se balançait dans la nuit, puis, haussant les épaules, riant, il lui décocha un ironique salut.

— Dormez bien, mon vieux, et n'ayez pas le vertige, la corde est solide, vous ne tomberez pas.

Après cette funèbre raillerie, le misérable, tournant les talons, s'enfonça dans le sentier, marchant vite, il se dirigeait vers la guinguette, vers la Croix-de-Noailles, où sans doute il allait prendre l'une des routes qui mènent soit à Maisons-Laffitte, soit à Paris, soit à Saint-Germain, soit à Bougival.

— C'est un pendu, monsieur le gendarme, vite, vite, venez. Ah ! il n'est pas beau, je vous assure... Comme ça, c'est le père Janfieu qui l'a vu ce matin...

Dans la paisible petite gendarmerie qui se trouve à l'extrémité de Maisons-Laffitte, un gamin d'une dizaine d'années, tout en sueur, hors d'haleine — car il avait évidemment couru longtemps — expliquait aux gendarmes la funèbre trouvaille que l'on venait de faire.

— Vite, vite, criait-il, le père Janfieu comme ça n'était pas sûr qu'il était mort. Mais il n'a pas voulu le décrocher rapport aux histoires que ça ferait, paraît-il... « Cours ! » qu'il m'a dit, et me voilà...

Le brigadier, tout botté, tout éperonné, prêt à partir dans quelques instants en tournée politique, ce qui consistait à remettre toute une liasse de papiers à de multiples électeurs ayant obtenu des sursis régimentaires, était précisément en train, dans la salle basse de la gendarmerie, de déguster un savoureux café au lait que venait de lui préparer sa femme.

Le brigadier, qui portait le nom retentissant d'Hégésippe Turbolin, avait un caractère doux et un insatiable appétit.

Au récit de l'enfant, deux sentiments prirent naissance en lui.

C'était d'abord l'ennui qu'il éprouvait à devoir s'occuper d'une affaire aussi grave que celle dont on lui parlait. C'était, enfin, le regret profond d'abandonner son café au lait.

Sa bouche pleine, mais essuyant ses formidables moustaches du revers de sa manche, Hégésippe Turbolin demanda des renseignements.

— Et où c'est qu'il est, ton pendu ?

— Dans le sentier de la mare, monsieur le brigadier, au milieu.

— Ah ! et comment qu'il est habillé, ton pendu ?

— Chiquement, monsieur le brigadier, c'est un monsieur chic.

Le brigadier cassa du pain dans sa tasse.

— Eh bien ! voilà, conclut-il, sa curiosité une fois satisfaite, c'est pas moi que ça regarde, j'ai rien à faire avec un pendu... Va-t'en au commissariat de police...

La réponse était surprenante, elle désespéra l'enfant.

— Mais s'il n'est pas mort, conclut le petit avec une candeur naïve, faut pourtant se dépêcher de le décrocher...

Il allait insister, le brigadier ne lui en laissa pas le temps.

— S'il n'est pas mort, tant pis pour lui, fit-il, la consigne, je ne connais que la consigne. Un gendarme, ça n'est pas fait pour décrocher les pendus. C'est l'affaire au commissaire, moi j'ai ma tournée...

Il avala une gorgée de café au lait, puis, considérant l'enfant :

— Ah ça ! m'entends-tu ? Va-t'en chez le commissaire !

Hégésippe Turbolin accompagnait ces mots d'un geste si impératif que le gamin n'hésitait pas.

— C'est bon, lançait-il avec cette impétueuse franchise de l'enfance qui n'hésite pas à narguer l'autorité lorsque l'occasion s'en présente, c'est bon... je m'en vais chez le commissaire. Seulement, s'il mange son chocolat, bien sûr qu'il ne voudra pas se déranger lui non plus...

Puis, sans demander son reste, il disparaissait pour courir au poste de police.

En cet endroit, cependant, d'autres difficultés devaient faire perdre patience au jeune employé du père Janfieu.

On ne déjeunait pas au commissariat de police, pour la bonne raison qu'il n'y avait personne, à part un brave gardien, plus garde champêtre que policier, lequel était si troublé par la nouvelle que, pendant cinq minutes, il ne trouvait rien d'autre à dire qu'une lamentable exclamation :

— Un pendu dans la forêt ! Ah ! mon Dieu, c'est-y malheureux !...

Et inlassablement il répétait :

— C'est-y malheureux de se périr, tout de même...

S'étant suffisamment lamenté cependant, le bonhomme allait aviser le commissaire de police des incidents qui se passaient.

Le magistrat dormait encore.

Il ne comprenait pas d'abord ce qu'on lui disait, puis quand il avait compris, il se mettait dans une colère folle :

— Alors quoi, on venait le chercher pour décrocher les pendus, maintenant !... C'était toujours la même histoire, le vieux préjugé subsistait... On n'osait pas couper la corde pour ne pas avoir d'ennuis, les malheureux pouvaient bien crever, parbleu ! sans que personne n'intervienne. Eh bien ! il était intelligent, le père Janfieu ! il était malin, le brigadier de la gendarmerie !... Si le hasard voulait que des journalistes apprennent le temps perdu, on rééditerait certainement la chanson de Mac Nab.

Cependant qu'il fulminait ainsi, le magistrat, naturellement, perdait du temps ; c'était seulement quand il avait menacé toutes les autorités de la ville des foudres administratives, des rapports les plus catégoriques, qu'il se décidait à sauter au bas de son lit en criant :

— Eh bien ! j'y vais, moi, décrocher le pendu, j'y vais, parbleu !... Mais il lui fallait bien s'habiller pour sortir !...

Cela prenait un bon quart d'heure, il fallait encore vingt minutes pour décider le corps des pompiers à prêter son brancard qui allait être évidemment nécessaire pour ramener le cadavre, dix autres bonnes minutes étaient encore indispensables pour trouver deux hommes qui voulussent bien faire office de brancardiers...

Et comme il y avait loin, enfin, du poste de police à l'endroit où se trouvait le pendu, c'était seulement à huit heures du matin que les autorités faisaient leur apparition sur les lieux tragiques.

Naturellement, il y avait foule au pied de l'arbre fatal.

Le père Janfieu, qui avait donné l'éveil, était un brave cantonnier qui, depuis vingt ans, balayait la route de Pontoise et s'étonnait en toute candeur d'y trouver toujours de la poussière...

Il avait donné l'alarme à la guinguette, averti tous les passants, dépêché son petit messager ; maintenant il pérorait, expliquant les choses.

— Parfaitement, je venais comme ça, sans penser à mal, et puis, tout d'un coup, crac, qu'est-ce que je vois ?... le particulier qui se balançait à sa branche... Bon !... que je me dis... En v'là un qu'a fait le grand saut dans l'Éternité...

Le mot était destiné à produire une vive impression sur l'auditoire, mais c'est à ce moment précis qu'arrivait le commissaire de police.

Naturellement, chacun suivit des yeux les gestes du magistrat.

Une effervescence vive d'ailleurs se manifestait alors dans les groupes. Qu'allait-on faire de la corde ?... Est-ce que le commissaire allait l'emporter ?

Mais de bonnes âmes affirmaient :

— Oh ! il n'emportera pas tout... voyons ! il nous en donnera bien un petit bout, ça porte bonheur, ma foi ! et puis c'est de la vraie... on ne peut pas dire le contraire.

Il eût été difficile en effet de mettre en doute la réalité des événements.

Le pendu était pendu et bien pendu. Son corps se balançait mollement au bout de sa corde, et, par moments, il y avait des cris d'effroi qui s'élevaient du public, lorsque le hasard du balancement laissait entrevoir la face toute violacée, toute gonflée, défigurée par la langue énorme, baveuse qui pendait entre les dents serrées recouvertes d'une mousse blanchâtre.

En arrivant, le commissaire demandait cependant :

— Est-ce qu'il vit encore ?

Mais, vraiment, il ne vivait plus !... D'un coup d'œil, le commissaire s'en aperçut :

— Qu'on le dépende, commandait-il, qu'on coupe la corde...

Vingt sauveteurs de bonne volonté s'avancèrent.

Couper la corde ? Personne ne demandait mieux, on allait même la couper en petits morceaux et se la partager immédiatement, puisqu'il est de notoriété que la corde de pendu porte chance et bonheur.

Tandis qu'on se disputait cependant ces lugubres trophées, le commissaire de police examinait lentement le cadavre.

— Je ne le connais pas, disait-il, pourtant...

A haute voix, il demanda :

— Est-ce que quelqu'un reconnaît le mort ?

Un homme au visage rasé, un lad venu de Maisons-Laffitte sans doute, répondit sobrement :

— Je crois qu'il s'appelle René Baudry. C'est un parieur, on le voyait souvent sur les hippodromes.

Déjà, le commissaire notait la déclaration.

— Fouillez le cadavre, commandait-il au garde champêtre.

Et comme l'opération s'effectuait, comme on tendait au magistrat tous les menus objets, qui garnissaient les poches du mort, le magistrat remarquait :

— Une montre en or, le porte-monnaie garni, allons !... c'est bien un suicide, c'est bien volontairement que ce bonhomme-là s'est pendu...

A onze heures du matin, la foule était intense au pied de l'arbre tragique.

Le cadavre, depuis longtemps, avait été emporté au commissariat de police. La corde elle-même, divisée en mille morceaux, avait disparu complètement, mais il restait l'arbre et chacun tenait à le regarder, à le toucher, à l'examiner, comme s'il eût présenté réellement un aspect extraordinaire...

A ce moment, un homme, un tout jeune homme à la figure éveillée, au geste vif sautait d'un taxi-auto, fendait la foule, bousculant les assistants :

— Rangez-vous donc, tas de ballots !... Eh bien, oui, quoi... faites-moi la place... Je ne suis pas là pour m'amuser, moi... je suis journaliste. Où est-il, le pendu ?...

Quelqu'un cria :

— Il est au poste, monsieur, on l'a emporté...

Le journaliste qui arrivait distribuait encore deux bourrades pour être au premier rang.

Il jetait un coup d'œil rapide sur l'arbre, un autre coup d'œil le renseignait sur la nature et le caractère du rassemblement.

Son crayon courut alors sur une feuille de papier.

« Foule stupide et curieuse, notait le reporter, têtes d'idiots très amusants... rappeler la chanson célèbre... »

Il s'arrêtait un instant d'écrire pour demander :

— A quelle heure a-t-on trouvé le pendu ?...

— A cinq heures et demie, monsieur.

— A quelle heure l'a-t-on décroché ?...

— Vers les dix heures et demie, monsieur...

Le crayon nota encore :

« Titre pour l'article : *On laisse toujours mourir les pendus.* »

Rapidement, le jeune homme remettait son portefeuille dans sa poche, puis regagnait son taxi-auto.

— Allez vivement..., disait-il au cocher, conduisez-moi à Maisons-Laffitte, au commissariat. Après quoi, nous retournerons au journal...

Le chauffeur devait connaître son client, car il acquiesçait :

— Oui, monsieur Fandor, c'est entendu...

IV

Les présumés coupables

Paul Simonot, en constatant l'évanouissement de sa femme, perdait de plus en plus la tête, et le brave homme se demandait quelle conduite il importait de tenir...

Il avait rapidement sauté au bas de son lit, et bien qu'en chemise, bien que grelottant, il s'empressait à donner à la jeune femme les soins les plus énergiques.

— Georgette !... appelait-il, Georgette, qu'est-ce que tu as ?...

Georgette demeurait immobile, inanimée, et c'était bien en vain que l'excellent Paul Simonot, armé d'une serviette de toilette, qu'il avait été tremper dans l'eau froide, bassinait les tempes de sa femme, ou encore, la frappait avec vigueur de la paume des deux mains.

— Réveille-toi, ma petite, réveille-toi... Tu m'entends ?...

Il n'était pas loin de désespérer, lorsqu'un coup de sonnette retentissait dans le petit appartement.

Paul Simonot, au beau milieu de son effarement, songea que c'était peut-être du secours qui lui arrivait. La bonne était là d'ailleurs, il allait l'appeler, il l'enverrait chercher un médecin.

Toujours en chemise, et toujours grelottant, Paul Simonot se précipita vers la porte de sa chambre qu'il ouvrit, criant à tue-tête :

— Vite, Angèle, dépêchez-vous !... madame vient de se trouver mal...

La porte de la chambre ouverte, Paul Simonot, toutefois, demeurait muet de stupéfaction, écarquillant les yeux à la vue des personnages qui venaient de sonner de si bonne heure à son domicile.

Il y avait la concierge de l'immeuble, dont la figure était curieuse, respirant une certaine inquiétude, il y avait un monsieur totalement inconnu de Paul Simonot, mais dont la qualité de commissaire de police se devinait à l'écharpe tricolore qu'il portait à la main, il y avait enfin un gardien de la paix qui se tenait au port d'armes, très impressionné, semblait-il.

Devant ces trois arrivants, la bonne, Angèle, s'effarait, bégayant, se troublant, ne sachant plus ce qu'elle disait.

— Angèle, appela Paul Simonot, d'une voix impérative, qu'est-ce que l'on veut ?...

Le commissaire de police écarta la bonne d'un geste, et s'avança vers le mari de Georgette :

— Je suis le commissaire de police, déclarait-il... Vous êtes bien M. Simonot ?

Au comble de l'ahurissement, le brave bureaucrate pouvait tout simplement hocher la tête d'un signe affirmatif.

— Oui, sans doute.

— Et Mme Simonot sans doute est avec vous ?...

— Ma femme !... assurément, mais que me voulez-vous ?...

— Veuillez me conduire auprès de Mme Simonot...

Cette demande était si stupéfiante que le bureaucrate recula de deux pas, sans avoir l'air de comprendre.

Pourtant une expression de colère finissait par se lire sur sa face d'ordinaire bonasse.

— Vous conduire auprès de ma femme ? protesta-t-il. Ah ! non. Elle est encore couchée d'abord ; et de plus, elle est malade, et puis, et puis... qu'est-ce que vous lui voulez ?...

Le commissaire de police, très correct, mais très autoritaire, avait mis le chapeau à la main, mais avançait de deux pas.

— Je vous suis, monsieur..., déclara-t-il.

Et se tournant vers le gardien de la paix, il ajoutait :

— Gardien, veillez à la porte.

Tout cela était si extraordinaire, si imprévu, que le malheureux Paul Simonot, ne comprenant rien à ce qui se passait, n'essayait pas de discuter.

Le pauvre homme battait en retraite devant le commissaire de police, et perdant presque la notion exacte des événements :

— Mais monsieur, bégaya-t-il. Ma femme... ma femme...

En reculant ainsi, toutefois, Paul Simonot venait d'atteindre le milieu de sa chambre. Le commissaire, de son côté, venait de pénétrer dans la pièce.

Il tressaillit en apercevant Georgette Simonot qui n'avait pas encore ouvert les yeux.

— Oh ! oh ! dit-il d'un ton sarcastique. Il paraît que l'on s'évanouit ici, lorsque la police arrive.

Cette remarque avait le don d'exaspérer Paul Simonot.

— D'abord, commençait-il, je vous prie de vous en aller... Ensuite, qu'est-ce que vous voulez ? Enfin, bon Dieu, laissez-moi soigner ma femme.

A ce moment, le commissaire de police, tranquillement, posait son chapeau sur un meuble, et s'approchait du lit.

— Voyons, femme Simonot, commença-t-il brusquement, ne faites pas de simagrées, et réveillez-vous...

Ces paroles étaient tout juste prononcées et le bureaucrate avait à peine eu le temps de sursauter, pâle de rage, prêt à protester encore une fois, très violemment, contre la violation de domicile dont il était victime, que précisément sa femme ouvrait les yeux.

Georgette demandait d'une voix mourante, bégayant à moitié :

— Mon Dieu ! que se passe-t-il ?... Paul, qu'est-ce que tu m'as dit ?

Puis, la jeune femme apercevait au même moment le commissaire de police.

Elle n'avait pas encore très nettement repris ses esprits, mais tout de même, il lui apparaissait étrange qu'un inconnu fût ainsi dans la chambre conjugale et y eût l'air si à l'aise.

Georgette Simonot tenta un petit cri effarouché, ramena pudiquement jusqu'à son cou les couvertures en désordre, et demanda enfin :

— Qui est ce monsieur ?... Que se passe-t-il ?

L'ahurissement des deux époux touchait déjà à l'extrême. Il devait grandir encore, lorsque l'instant d'après, le commissaire de police s'asseyait tranquillement dans un grand fauteuil et, d'une voix indifférente, ordonnait :

— Allons, dépêchons-nous !... Habillez-vous tous les deux, et que cela ne traîne pas... Croyez-vous que j'ai ma matinée à perdre.

Cet ordre sèchement donné, le commissaire avait croisé les jambes et semblait attendre qu'on se décidât à lui obéir.

Paul Simonot, cependant, revenu de son étonnement, recommençait à protester.

— Bougre de nom d'un chien ! jurait-il, mais enfin que se passe-t-il et qu'est-ce que vous voulez ?...

Et, comme toutes les natures faibles, qui deviennent terribles lorsque la rage les prend, le brave Paul Simonot, furieux, ajoutait :

— Répondez-moi, ou tout commissaire de police que vous êtes, je vous flanque à la porte !

Paul Simonot paraissait si décidé que le commissaire de police se releva :

— N'aggravez pas votre cas, faisait-il, d'un ton bienveillant, n'insultez pas un magistrat en fonction, habillez-vous, et venez.

— Où ? râla Paul Simonot.

— Au poste de police.

— Mais pourquoi ?

— On vous le dira là-bas.

La stupéfaction du brave homme était si intense, qu'il demeurait immobile.

Le commissaire de police reprit :

— Allons, dépêchez-vous.

Et en se tournant vers Georgette :

— Vous aussi, femme Simonot, levez-vous...

Georgette, toutefois, écoutait ces étranges paroles, la bouche ouverte, les yeux écarquillés.

Elle consulta du regard son mari.

— Paul, faut-il obéir ?...

— Oui, lève-toi, déclara d'un ton grave le malheureux époux. Lève-toi... mais ça ne se passera pas comme cela !... Ah ! par exemple, elle est raide, je voudrais bien savoir pourquoi la police ?...

Les deux époux furent prêts en même temps...

Le commissaire se leva.

— Vous y êtes ? demanda-t-il. Voulez-vous une voiture ? Je vous préviens que vous aurez à la payer.

Paul Simonot tonna encore.

— A la payer ?... ah ! bien, vous en avez de bonnes... Je ne sais pas si je paierai la voiture... mais vous paierez le dérangement de notre matinée. Ça, je vous le jure.

Il ouvrait la porte de sa chambre, en même temps, il criait :

— Angèle, allez chercher un fiacre.

Quelques minutes plus tard, les deux époux descendaient sous la porte cochère, tandis que les voisins, accourus sur les paliers, guettaient leur descente ; tandis que le concierge, à l'intérieur de la loge, susurrait à un locataire :

— Bien sûr, ils ont dû faire quelque chose de pas propre, dans des combinaisons à la Bourse...

Vingt minutes plus tard, le courtier et sa femme arrivaient au poste de police.

— Enfin, vous allez me répondre, s'exclama Paul Simonot.

Le commissaire de police le toisa.

— Attendez, dit-il.

Et il commençait par ordonner :

— Gardien, veillez sur la femme. Nous allons cuisiner l'homme...

Et, tandis que Paul Simonot sursautait encore, voyant avec terreur sa femme s'effondrer sur un banc de bois, le commissaire de police poussait le courtier dans son cabinet où deux hommes graves discutaient, semblant attendre.

— Voilà, disait le commissaire en entrant. Voilà le gibier.

L'un des deux hommes alors, ayant d'un coup d'œil inspecté l'arrivant, allait s'asseoir derrière le bureau, et immédiatement s'adressant à Paul Simonot :

— Vous savez pourquoi vous êtes ici ? demanda-t-il.

— Non, rugit le malheureux. Et même je me propose de déposer une plainte...

— Assez...

Paul Simonot, stupéfait de l'interruption, demeura un instant bouche bée, puis reprit véhément :

— Comment ? assez... Ah ! mais vous ne m'imposerez pas silence à la fin. Qu'est-ce que c'est que cette comédie ? Pourquoi vient-on m'arrêter chez moi quand je me réveille ?... Qui êtes-vous d'abord ?

Déjà le monsieur grave s'inclinait :

— Je suis, déclara-t-il, le commissaire central, délégué aux recherches de la Sûreté.

Il ajoutait désignant son voisin :

— Monsieur est le chef de la Sûreté.

Mais ces titres n'impressionnaient guère Paul Simonot, qui frappait un grand coup de poing sur la table :

— Chef de la Sûreté... ou commissaire central, je m'en fiche, déclarait-il. J'exige qu'on me dise ce que l'on me veut, que l'on me réponde nom d'un chien ou sans cela...

Il s'interrompit lui-même, surprenant un coup d'œil échangé entre les trois personnages qui l'observaient.

— Pourquoi suis-je ici ? répéta-t-il plus calme. Pourquoi m'a-t-on arrêté ?

Ce fut le commissaire de police, délégué aux recherches de la Sûreté, qui répondit. Il le fit d'une voix sèche, cassante, nette :

— Vous êtes inculpé, déclarait-il, d'assassinat... avouez-vous ?...

— Moi ? moi ?... bégaya follement ému Paul Simonot dont la face était devenue livide.

Le commissaire central poursuivit :

— Vous connaissez René Baudry, n'est-ce pas ?

— René Baudry ?...

Cette fois, Paul Simonot prononçait ce nom, d'une voix étranglée par la frayeur.

René Baudry... mais c'était le nom de l'homme trouvé pendu dans la forêt de Saint-Germain... C'était en entendant prononcer ce nom que Georgette s'était évanouie !...

Ah çà ! que voulait dire cet imbroglio ? Que signifiait cette étrange aventure ?

L'attitude du bureaucrate n'échappait pas toutefois au magistrat.

Le commissaire central reprenait déjà...

— Voyons, vous voyez bien que vous connaissez René Baudry ?... Votre trouble le prouve, vous l'avouez, hein ?...

Paul Simonot devint pâle de fureur.

— C'est faux ! hurlait-il... Jamais je n'avais entendu ce nom, je le jure sur mon honneur.

Mais, encore une fois il s'arrêtait net de parler.

— Très bien, avait dit le chef de la Sûreté. Inutile d'interroger monsieur plus longtemps... Puisqu'il veut faire la forte tête, nous le materons facilement.

Et s'adressant à Paul Simonot ahuri, le chef de la Sûreté ajoutait :

— Huit jours de cachot vous feront parler, mon garçon... Nous allons vous mettre au secret.

Il faisait un geste, et, tandis que deux agents entraînaient par le bras le malheureux homme, deux autres gardiens de la paix introduisaient dans le cabinet du commissaire de police Georgette Simonot.

La jeune femme n'avait rien de l'attitude furieuse de son mari. Elle paraissait plutôt accablée, anéantie.

Bientôt, d'ailleurs, le commissaire central interrogeait d'une voix douce :

— Voyons, madame, vous savez pourquoi vous êtes ici ?

— Non, fit Georgette Simonot. Je n'ai rien à me reprocher.

— Je l'espère pour vous, acquiesça le commissaire de police, mais il faudrait l'établir. Vous allez être franche, n'est-ce pas ?

— Oui, monsieur le commissaire, répondit-elle.

— Attendez-vous, madame, à répondre d'abord à mes questions, vous parlerez ensuite. Dites-moi, vous connaissez René Baudry ?

Une courte hésitation passa sur le visage de Georgette Simonot.

— Non, dit-elle.

Le commissaire central sourit.

— Allons, allons, fit-il, ne commencez pas à mentir. Avouez que vous connaissez René Baudry.

Georgette Simonot, à ce moment, tordait nerveusement dans ses mains un délicat mouchoir de dentelle.

Elle parut vouloir se taire, puis, enfin, bégaya quelque chose d'incompréhensible.

— Je ne peux pas vous répondre.

Mais le commissaire insista :

— Pourquoi cela ? demandait-il prenant un air aimable. Je vous assure qu'en étant franche, vous simplifierez de beaucoup votre cas. Tenez... voulez-vous que je vous aide ?... René Baudry était votre amant, n'est-ce pas ?

Le magistrat parlait d'un ton insinuant, jouant avec un coupe-papier, évitant de regarder la jeune femme.

Celle-ci se troubla de plus en plus.

— Je suis mariée, monsieur, commençait-elle.

Mais le chef de la Sûreté lui coupait la parole.

— C'est entendu, fit-il péremptoire, votre mari n'en saura rien.

Or, il semblait que c'étaient là les mots que Georgette Simonot attendait précisément. Elle fit encore une objection :

— Mais il peut m'entendre...

Le chef de la Sûreté sourit encore.

— Aucunement ; soyez tranquille. Il est en prison.

Alors Georgette Simonot joignit les mains.

— En prison, lui ! Ah ! Pourquoi ? C'est un si brave homme.

La jeune femme, évidemment, commençait à perdre la tête.

Le commissaire central en profita immédiatement.

— Assurément, déclara-t-il, c'est un très brave homme... Mais il ne s'agit pas de cela. René Baudry était votre amant ?

Georgette Simonot baissa les yeux pour répondre très bas, mais très distinctement :

— Oui, monsieur.

— Depuis longtemps ?

— Depuis un an environ.

Le commissaire prit une courte note, puis demanda encore :

— Vous n'aviez pas d'autre amant ?

— Oh ! non, monsieur.

— Des amis peut-être ?

— Très peu.

Cette fois, un vrai sourire passa sur les lèvres des trois magistrats.

Assurément, la petite bourgeoise qu'ils avaient devant eux et qui prenait des airs si prudes était en réalité une véritable courtisane. Elle avait un amant, elle voyait des amis, cela était significatif.

Les trois magistrats, pourtant, se faisaient de plus en plus aimables.

Le commissaire central reprit :

— Vous savez que René Baudry a été assassiné ?... Vous avez lu le journal, on a retrouvé un exemplaire de *La Capitale* dans votre chambre ?... Vous reconnaissez le fait, n'est-ce pas ?

Georgette Simonot reprit :

— Mon mari, dit-elle, me lisait précisément ce dramatique incident, quand on est venu le chercher. Mon mari ne connaissait pas René Baudry ; mais moi, en l'entendant lire le journal et en reconnaissant le nom de mon amant, je me suis troublée et je me suis évanouie.

Elle allait parler encore, le commissaire l'en empêcha.

— Votre mari, disait-il, ne connaissait pas René Baudry... Hum ! ce n'est pas sûr. Mais, dites-moi : est-ce que sa voix tremblait pendant qu'il vous lisait le journal ?...

— Non, monsieur, pourquoi ?...

A cette question, le commissaire central perdit patience.

— Parce que, déclarait-il brutalement, vous nous jouez une comédie effroyable, madame. Votre mari connaissait votre amant, vous avez eu une scène de jalousie avec lui et c'est votre mari qui a tué René Baudry, et si je l'inculpe, lui, d'assassinat, vous, je vais vous accuser de complicité.

Tandis que Georgette Simonot éclatait en sanglots, le commissaire central achevait :

— D'ailleurs, vous n'êtes pas au bout de vos surprises... allez, madame, tout se sait... on ne déroute pas facilement la justice. Vous feriez bien mieux d'être franche et d'avouer immédiatement.

Il sonnait, appelant un agent.

V

Nouvelle arrestation

En quittant le sentier tragique, où la foule regardait avec curiosité l'arbre qui avait servi de potence au malheureux pendu, Fandor s'était fait conduire le plus vite possible au commissariat de Maisons-Laffitte, dans l'espoir de trouver quelques détails susceptibles de lui permettre de documenter le reportage qu'il faisait pour le compte de *La Capitale*.

Mais, comme il arrive souvent en matière d'enquêtes journalistiques, Fandor devait ce matin-là jouer de malheur.

En arrivant au poste de police de Maisons, il apprenait tout d'abord que le cadavre n'était plus là. Les chinoiseries administratives, réglant les attributions de compétence, avaient décrété que le corps du pendu serait transporté au commissariat de Saint-Germain, seul qualifié pour mener l'enquête.

Et naturellement en vertu d'une jalousie bien naturelle, on était furieux au commissariat de police de Maisons-Laffitte.

Fandor, d'abord fort mal reçu, avait toutefois l'habileté d'exploiter cette jalousie, pour se faire donner des renseignements.

— C'est idiot, déclarait-il au commissaire de Maisons, de ne point vous avoir chargé de l'affaire, puisque vous avez fait toutes les constatations...

Et sournoisement il demandait :

— C'est un crime ou un suicide ?

— Un suicide, répondait nettement le commissaire. Pendre un bonhomme, ce n'est pas un procédé d'assassin.

Fandor n'était pas convaincu de la chose, mais il n'engageait aucune discussion à ce sujet.

— On le connaît ? demandait-il, ce suicidé...

— Il paraît que c'est un certain René Baudry.

— Ah ! ah !

Et en causant ainsi, sans en avoir l'air, Fandor obtenait tous les détails voulus.

Se jugeant alors assez documenté, Fandor regagnait son taxi-auto, où, avec un soupir de résignation, il s'asseyait, en jetant une nouvelle adresse.

— Au commissariat de Saint-Germain, et vite...

Fandor remplissait ses devoirs de reporter avec une véritable conscience.

— Il faut que je voie le mort, déclara-t-il.

Mais il ne devait pas le voir.

Au commissariat de Saint-Germain, on l'informait que le corps avait été transporté à la morgue, qu'il était actuellement dans un frigorifique, et qu'en conséquence, il était invisible.

Fandor, en revanche, obtenait d'autres détails fort intéressants.

— C'est un suicide ? demandait-il.

Le commissaire de police secouait la tête :

— Non, c'est un crime..., déclarait-il nettement.

A cette réponse, naturellement, Fandor sursautait.

On lui avait si bien affirmé le contraire jusque-là, qu'il avait le droit d'être surpris.

— Qu'est-ce qui vous fait croire cela ?

— Une remarque très simple, affirma le commissaire de police... Quelqu'un qui se suicide attache la corde à une branche, grimpe sur cette branche, passe le nœud autour de son cou, et se jette dans le vide... C'est bien cela, n'est-ce pas ?

— Oui, affirma Fandor.

— Eh bien, mon cher monsieur, j'ai eu la curiosité d'aller voir l'arbre tragique. Or, j'ai pu me convaincre que la branche qui a servi de potence portait nettement les traces du frottement réitéré d'une corde... En d'autres termes, j'ai acquis la conviction que l'individu retrouvé mort avait été attaché et tué à l'aide de la corde fatale, au bas de l'arbre, et qu'ensuite, mais seulement ensuite, on l'avait hissé en l'air. Vous voyez que ce ne peut pas être un suicide, mais qu'il s'agit bien d'un crime.

La remarque était intéressante, Fandor était bien obligé d'en convenir.

Au surplus, le journaliste, quelques minutes plus tard, donnait encore une nouvelle preuve de son honnêteté professionnelle.

D'un air navré, en effet, il regagnait son taxi-auto, disant au chauffeur :

— Mon vieux, nous retournons près de l'arbre, on n'en finira pas avec ça...

Fandor ne croyait pas si bien dire.

Arrivé près de l'arbre, il commençait par examiner la branche, et, nettement, remarquait l'exactitude de la remarque faite par le commissaire de police de Saint-Germain.

— C'est un crime, se dit le journaliste.

Puis, il examina l'herbe, et bientôt tressaillit.

— Oh !... oh !... voici des traces de pas, des traces de lutte, on dirait...

Soudain, une exclamation lui échappait, exclamation de surprise...

— Tiens... tiens... ah ! sapristi...

En se baissant, Fandor venait d'apercevoir, brillant parmi les hautes herbes, un petit objet d'argent qu'il ramassait en hâte, qu'il examinait avec soin.

C'était un mignon porte-crayon, délicatement ciselé, un bijou d'orfèvrerie, que surmontaient deux initiales.

Et c'étaient ces deux initiales qui retenaient l'attention de Fandor.

— Ah çà ! se disait le journaliste, le mort s'appelait René Baudry, et sur ce crayon, je trouve M. D. V., donc ce ne sont pas les initiales du mort...

Fandor méditait quelques instants, puis il reprenait :

— Parbleu ! voilà qui pourrait bien faire singulièrement progresser l'enquête... Il y a eu crime, c'est incontestable... mais comme on a retrouvé la montre et le porte-monnaie du mort, il apparaît que le vol n'était pas le mobile du meurtre. De plus, si le vol n'était pas le mobile du crime, c'est que l'assassin est un homme, sinon riche, du moins aisé. Or, je retrouve un objet semblant appartenir à un bonhomme à particule... M. D. V... il me semble bien que ces trois initiales indiquent un nom noble...

Poursuivant ses déductions, Fandor ajoutait bientôt :

— Et puis enfin, je n'imagine pas que ce soit les habitants d'alentour, des paysans ou des cantonniers, qui aient perdu ce joli crayon.

Pour la quatrième fois, Fandor regagna son taxi-auto, et pour la quatrième fois, il soupirait en donnant son adresse :

— A Paris, à la préfecture !... ou plutôt, non... tenez rue Tardieu, au 1 *ter*, nous allons passer chez Juve.

A *La Taupe*, restaurant à la mode de Montmartre, de joyeux dîneurs sablaient, vers les quatre heures du matin, de nombreuses coupes de champagne.

Ils s'étaient mis à table, vers les dix heures du soir, et, depuis lors, les vins généreux s'étaient succédé si bien que ces dîneurs qui, insensiblement, étaient devenus des soupeurs, en étaient arrivés à la plus folle gaieté, voire à la pire incohérence...

C'étaient, d'ailleurs, de très jeunes gens, tous un peu snobs, aimant à faire la fête : Luigi Reverdi, un Italien, très fier de mettre sur ses cartes : attaché au consulat du Brésil, mais qui, en réalité, vivait de ses rentes ; Roger Beaumont, un étudiant en droit, dont les études ne devaient pas être absorbantes ; Max de Vernais enfin, le jeune amoureux qui, récemment, avait fait la connaissance de Georgette Simonot, aux courses d'Auteuil.

Les trois jeunes gens, assurément, n'étaient point seuls. Sur les genoux de Max de Vernais, Micheline de Valenciennes, une sémillante brune, s'appliquait consciencieusement à dépouiller son ami d'occasion d'une superbe épingle de cravate, que le jeune homme, un peu gris, se refusait à lui donner.

Clara Montorgueil, une blonde épaisse et opulente, avait pris, tout au contraire, sur ses robustes genoux, le mince Luigi, qu'elle étouffait en le couvrant de caresses et d'exclamations assourdissantes.

Un peu plus loin, enfin, Roger Beaumont se disputait avec sa maîtresse Liane d'Issy, qui prétendait l'empêcher de boire, sachant qu'il avait le vin mauvais.

Et les quolibets se croisaient, les toasts se succédaient ;

— A la santé du pôle nord !... proposait Roger Beaumont. On lui doit bien cela, car sans ses glaces, le champagne ne serait jamais aussi bon.

— A ma santé, répondait prosaïquement la grosse Clara Montorgueil ; je vous trouve de rudes salauds, vous autres, y en a pas un qui porterait à notre santé !...

Max de Vernais, qui prétendait aux élégances suprêmes, et voulait toujours avoir le dernier mot, se levait en titubant :

— Jamais de la vie, disait-il, c'est mon toast qu'il faut adopter, messieurs, puisque nous faisons une orgie, je vous propose de boire à la décadence universelle !...

Juste à ce moment, deux coups discrets étaient frappés à la porte du cabinet :

— Entre, sommelier, ordonna Micheline de Valenciennes.

Mais ce n'était point le sommelier qui entrait, c'était un maître d'hôtel, impassible, grave, aux allures suprêmement correctes.

— Monsieur de Vernais, appelait-il.

— Eh bien ? demanda le jeune homme.

— Il y a deux personnes qui demandent à vous voir.

Le jeune homme fit une grimace, se débarrassa de sa maîtresse et, prudemment, il interrogea :

— Deux personnes ?... ce n'est pas un renseignement... Quelles sont ces deux personnes ?... pas des créanciers au moins ?

Le maître d'hôtel ne se troubla pas :

— Non, monsieur.

— Des hommes ou des femmes ?

— Des hommes, monsieur...

— Des copains, alors ?

Le maître d'hôtel se pencha vers le jeune homme, et, tout bas, lui murmura quelque chose.

Le maître d'hôtel, toutefois, n'avait point fini de parler, que déjà Max de Vernais éclatait de rire :

— Ah ça ! dit-il, en se tournant vers ses amis, entendez-vous, vous autres ? Savez-vous qui me demande ?

On l'interrogea curieusement :

— Non... qui donc ?

— La police, mes amis... Il paraît que ce sont des inspecteurs de la Sûreté.

Et, se tournant vers le maître d'hôtel, dans un grand éclat de rire, Max de Vernais ordonnait :

— Eh bien, faites monter ces messieurs, quand la police me cherche, j'entends qu'elle me trouve, parbleu ! Je n'ai rien sur la conscience, et je trinquerai volontiers avec ces bizarres visiteurs.

Deux minutes plus tard, tandis que les rires fusaient toujours dans le cabinet particulier, où l'on trouvait très amusante cette intervention inopinée de la police, les deux inspecteurs annoncés faisaient leur apparition.

Ils ne manifestaient nul étonnement, en constatant le désordre joyeux de la table, ils saluaient, s'informant...

— Monsieur de Vernais est ici ?

— C'est moi-même, déclara le jeune homme, comme vous le dites...

Le plus âgé des deux inspecteurs s'avança tranquillement alors.

Il avait mis le chapeau à la main, il eut un sourire un peu froid pour déclarer :

— Vous m'excuserez, monsieur, de venir vous troubler, alors que vous êtes en si joyeuse compagnie... Il s'agit d'un renseignement à me donner, d'un renseignement grave... Puis-je vous demander si ceci vous appartient ?

L'inspecteur de la Sûreté tendait un petit objet au jeune homme, celui-ci sursautait.

— Ah ! mille tonnerres ! déclarait-il, je vous crois, c'est mon crayon, il y a deux jours que je l'ai perdu.

Le jeune homme n'avait pas fini de parler, qu'un étrange éclat brillait dans les yeux du fonctionnaire de la préfecture.

— Monsieur, reprenait l'inspecteur de la Sûreté, puisque ce crayon est à vous, je vous prie de me dire deux mots à l'écart...

Mais Max de Vernais ne l'entendait pas ainsi :

— Inutile, déclara le jeune homme, je n'ai pas de secrets pour mes amis... Parlez... Que voulez-vous savoir ?

Mais, instinctivement, Max de Vernais demandait :

— Mais comment diable m'avez-vous retrouvé ?

— Par votre bijoutier, monsieur. Cet orfèvre se rappelait parfaitement vous avoir vendu ce crayon, et, dès lors, il n'était pas difficile d'aller chez vous, d'y connaître votre cercle, et de retrouver le cocher qui vous a amené ce soir à *La Taupe*.

Cette déclaration était faite d'un ton tranquille, et, désormais, au milieu d'un profond silence ; car chacun écoutait, avec un peu d'émotion, ces étranges paroles.

Max de Vernais, brusquement, s'impatienta.

— Tout cela ne me dit pas, reprit-il, pourquoi vous courez après moi... Parlez donc !

Un sourire encore passa sur le visage du policier.

— Pouvez-vous me dire, demandait-il, ce que vous avez fait l'autre jour, en sortant de l'hippodrome d'Auteuil ?

A cette question, Max de Vernais tressaillait tant soit peu.

— Hum ! commençait-il, en jetant un coup d'œil à sa maîtresse. Hum ! c'est bien délicat de vous répondre.

— Il le faut, pourtant.

Avec une grimace, le jeune homme affirma :

— Eh bien ! tant pis, cassons les carreaux, j'étais avec une femme, monsieur...

— Quelle femme ?

Max de Vernais, cette fois, toisa l'inspecteur.

— J'étais avec une jeune femme, une jeune femme de mes amies, une femme mariée, honnête ; j'imagine que vous ne me demanderez pas son nom ?

Le policier eut encore un sourire sarcastique.

— J'y suis obligé, monsieur...

Max de Vernais se redressa.

— Si pourtant je refusais de vous répondre ?...

— Je vous arrêterais, monsieur...

— Moi ? m'arrêter ?... mais vous ne savez donc pas qui je suis...

L'inspecteur de la Sûreté sourit : il sourit cette fois largement, tranquillement, en homme amusé par tant de naïveté.

— Je sais parfaitement qui vous êtes, dit-il, et je sais aussi qui je suis. Monsieur de Vernais, je me nomme Juve et vous devez savoir que le policier Juve, quels que soient ses sentiments personnels, a toujours exécuté les missions dont il était chargé.

Au nom qui tout à coup était prononcé ainsi au milieu de ces joyeux dîneurs, succéda un silence profond ; chacun regarda avec admiration et respect l'homme qui venait de parler !

Tous connaissaient naturellement la réputation mondiale du grand détective, tous savaient quelle lutte gigantesque, lutte de chaque jour, de chaque heure le populaire inspecteur français livrait au plus redoutable des bandits, à l'effroyable Fantômas, et Juve, car c'était bien lui, reprenait cependant d'une voix douce mais ferme [1] :

— Voulez-vous me suivre maintenant, monsieur ?

Max de Vernais haussa les épaules...

— Drôle d'aventure..., murmura-t-il.

Puis, il se tournait vers ses amis :

— Dites donc, je vous quitte... je ne sais pas ce qui m'arrive, mais je veux tirer cela au clair. Au fait, vous ne rentrez pas vous coucher, voulez-vous que nous prenions rendez-vous à sept heures du matin au Bois ?... Une tasse de lait au Pré Catelan nous ferait du bien...

Nul n'avait encore eu le temps de répondre que Juve, toujours froid, interrompait :

— C'est bien inutile, monsieur... Vous ne serez pas à sept heures du matin au Bois !...

— Mais... pourquoi donc ?

— Parce que nous ne vous interrogerons pas avant dix heures...

— Mais alors, vous m'arrêtez ? s'écria Max de Vernais au comble de la stupéfaction, semblait-il.

Juve s'inclina :

— Oui, je vous arrête.

Et il ajoutait avec un soupir :

— J'exécute un ordre du chef de la Sûreté.

---

1. Voir dans le présent volume : *Le Train perdu, Les Amours d'un prince, Le Bouquet tragique.*

Le commissaire de police, qui interrogeait Georgette Simonot, arrêtée elle aussi comme prévenue, le lendemain matin de la découverte du pendu de Saint-Germain, déclarait à la jeune femme :

— Vous n'êtes pas au bout de vos stupéfactions...

Bientôt, en effet, Georgette Simonot sursautait de surprise. La porte du cabinet venait de s'ouvrir, deux agents introduisaient un jeune homme, en habit de cérémonie, un jeune homme que Georgette reconnaissait avec un cri stupéfait !

— Max de Vernais. Vous ici ?

Le prisonnier n'était pas moins abasourdi.

— Vous, madame ? Ah çà ! comment se fait-il ?...

Mais, déjà, le commissaire central les interrompait :

— Vous vous reconnaissez..., constatait le magistrat, c'est déjà l'essentiel... mais il y a mieux. Monsieur, voulez-vous avouer que vous êtes l'amant de cette jeune femme ?

Max de Vernais, qui, depuis sa brusque arrestation, marchait de surprises en surprises, retrouva tout son sang-froid d'homme du monde :

— Ce n'est pas à moi de répondre, déclarait-il. Je dirai ce que dira madame.

A cette réplique, le commissaire souriait :

— Femme Simonot, ce sera donc vous qui nous direz la vérité... Monsieur est votre amant ?...

Très pâle, Georgette rectifia :

— Non, monsieur. C'est un ami, rien qu'un ami, je l'ai vu une seule fois.

La réplique était un peu raide, Max de Vernais fit la grimace.

— Et cela me vaut sans doute, demandait-il, d'être impliqué dans une affaire d'adultère ?...

Il fut foudroyé de surprise lorsque le commissaire central lui eut répondu brusquement :

— Cela vous vaut d'être accusé de meurtre. Vous êtes devenu l'ami de madame, vous avez appris qu'elle avait un amant régulier, vous l'avez tué... Vous êtes l'assassin de René Baudry !...

Le sol se fût entrouvert sous ses pas que Max de Vernais n'eût pas montré une plus grande surprise.

— Moi ? protesta-t-il, c'est idiot !... c'est inepte cette affaire-là !... Je ne connais même pas René Baudry.

Il allait encore plus s'emporter, le commissaire de police, d'un geste, lui imposa silence.

— C'est ce que nous allons voir..., déclarait le magistrat.

Et il achevait, parlant bas au commissaire central :

— L'assassin est évidemment ou le mari, ou cet ami de rencontre. En tout cas une confrontation s'impose. C'est bien votre avis, monsieur le chef de la Sûreté ?

Les deux commissaires se tournaient vers un homme dissimulé dans l'embrasure d'une fenêtre.

Ce dernier se dirigeait vers l'appareil téléphonique et déclarait simplement :

— Oui... mais toutefois je téléphone à Juve qu'il nous rejoigne, cette affaire est mystérieuse, je vais certainement la lui confier...

C'était M. Havard, chef de la Sûreté, qui parlait ainsi !

VI

Les personnalités du mort

— Alors, monsieur Dubois, quoi de nouveau ?

— Ma foi, monsieur Vérin, pas grand-chose de neuf pour le moment, si ce n'est que cette affaire me donne un tintouin du diable et que je n'en ai pas dormi de la nuit. Voyez-vous qu'il arrive quelque chose !...

— Que pensez-vous qui puisse arriver ? Nous n'avons rien à craindre !...

— Sait-on jamais, monsieur Vérin... quand une histoire commence à être extraordinaire et compliquée, on peut être assuré que plus ça va et plus les embêtements augmentent...

— Enfin, monsieur Dubois, il est plus facile cependant de garder les morts que de conserver les vivants.

— Je ne dis pas le contraire... je ne dis pas le contraire... mais je voudrais bien pourtant qu'on en finisse !...

Cette conversation s'échangeait entre deux vieux petits hommes, aux allures modestes, qui venaient de se retrouver dans une grande salle surchauffée par un poêle à charbon dont les cendres nombreuses s'éparpillaient sur le plancher.

M. Dubois et M. Vérin étaient tous deux des fonctionnaires municipaux de la ville de Saint-Germain. Dubois était dans l'administration depuis sa plus tendre jeunesse, il avait désormais cinquante-trois ans. Son collègue, M. Varin, avait vécu quinze ans au régiment ; pendant ce laps de temps, il avait été sergent-major puis, avec sa retraite, on lui avait donné un emploi civil, qu'il remplissait désormais depuis une dizaine d'années.

Les deux hommes avaient un poste que leurs collègues de l'administration appelaient à bon droit : une sinécure.

Ils étaient en effet, à eux deux, chargés de garder la morgue de Saint-Germain.

La ville de Saint-Germain est une cité à l'ordinaire paisible et élégante, les crimes y sont bien rares, et, lorsque d'aventure quelque habitant vient à décéder, il a toujours un domicile, il est généralement connu, et le transfert de son corps à la morgue serait donc bien superflu.

Tout d'abord la morgue de Saint-Germain n'avait été constituée que par une unique pièce qui servait de bureau à MM. Vérin et Dubois, puis un beau jour, la municipalité avait voté un nouveau crédit, pour construire une morgue rationnelle et pratique conçue selon les préceptes d'hygiène et d'antisepsie, désormais à la mode.

Ce n'était pas sans une certaine appréhension que MM. Dubois et Vérin avaient vu venir, tout un hiver, des ouvriers du bâtiment qui construisaient une grande baraque aux murs de briques rouges, au toit d'ardoises bleues, baraque à l'intérieur de laquelle on installait de nombreux appareils, des tuyauteries considérables, et que l'on meublait de grandes dalles de marbre, au-dessus desquelles on disposait des tuyaux d'eau avec des robinets en pomme d'arrosoir. Puis ces grands travaux terminés, les ouvriers s'en étaient allés, MM. Dubois et Vérin avaient fermé à clé les portes de la nouvelle construction et, peu à peu, avaient repris leur existence paisible, jouant à l'écarté, du matin jusqu'au soir, l'hiver dans leur bureau copieusement chauffé aux frais de la municipalité, et l'été dans le petit jardinet à l'ombre et au frais sous la tonnelle.

La superbe installation de la morgue nouvelle n'avait pas attiré les « clients », et, les deux employés avaient retrouvé leur calme après cette redoutable alerte.

Or, depuis quarante-huit heures, encore qu'ils ne voulussent rien en montrer, Vérin et Dubois étaient fort troublés, très ennuyés.

Cette fois ça y était !

La grosse affaire redoutable était survenue, il y avait un mort à la morgue de Saint-Germain, et un mort pas ordinaire, non point un vague chemineau ramassé sur la voie publique, ou quelque défunt sans importance et rigoureusement anonyme, mais un pendu, un vrai pendu, un pendu, en outre, qui aux dires des magistrats ne s'était pas pendu lui-même mais avait été assassiné.

Ainsi donc, MM. Vérin et Dubois se trouvaient indirectement mêlés à un crime et intéressés aux nombreuses enquêtes qui allaient en résulter.

Le commissaire de police de Saint-Germain leur avait fait apporter le cadavre de la malheureuse victime détaché de sa branche d'arbre, à la forêt de Saint-Germain.

Ce magistrat avait ordonné aux employés de la morgue :

— Vous connaissez votre devoir et votre service, il s'agit de conserver ce mort jusqu'à ce que la justice ait donné l'autorisation de le faire enterrer.

Bien entendu, MM. Vérin et Dubois avaient répondu qu'ils connaissaient leur métier, et qu'on n'avait rien à craindre, que le pendu ne s'abîmerait pas ; toutefois, une fois le commissaire de police parti, ils s'étaient regardés atterrés, ne se doutant en aucune façon de ce qu'il fallait faire pour conserver en bon état un cadavre qui se désagrège.

Toutefois, les appareils signalés dans un placard d'instructions relatives aux frigorifiques avaient été supprimés et remplacés par d'autres, le commissaire leur avait dit.

— Vous mettrez ce cadavre dans le frigorifique, et ils l'avaient en effet enfermé dans une sorte de grande caisse doublée de métal, ressemblant à un énorme cercueil, mais ils n'avaient pas su comment faire pour produire le froid ; enfin, grâce aux relations de Vérin qui connaissait un employé de la glacière, ils avaient pu installer l'appareil frigorifique.

Le lendemain matin à l'aube, MM. Dubois et Vérin étaient venus voir si le mort était toujours froid, désormais, il ne se passait pas d'heures sans que l'un d'eux n'allât s'assurer du fonctionnement des appareils frigorifiques.

Toutefois, c'était là du travail et ces fonctionnaires s'en plaignaient, ayant pris la douce habitude de ne s'occuper qu'à deux choses : leur partie d'écarté et leur repas.

Ce matin-là, Vérin et Dubois étaient fort affairés, et vaguement inquiets.

L'un et l'autre avaient revêtu l'uniforme, mi-civil, mi-militaire, que leur octroyait la municipalité, et qu'ils devaient arborer dans les grandes occasions.

On avait fait la toilette de l'immeuble, astiqué les cuivres, ratissé les allées du jardin.

De la sorte, en somme, le lugubre local finissait par avoir un petit aspect agréable et radieux qui contrastait étrangement avec sa véritable destination.

Qu'allait-il donc se passer ?

La veille au soir, le commissaire de police était venu prévenir Vérin et Dubois que, le lendemain, la Sûreté parisienne amènerait à la morgue de Saint-Germain les individus arrêtés sous l'inculpation d'avoir assassiné l'infortuné Baudry...

Après avoir passé le pont qui traverse la Seine au Pecq, un taxi-automobile ralentit son allure pour monter la fameuse route de Saint-Germain.

Le véhicule dansait sur les pavés, secouant ses voyageurs à la manière d'une salade dans un panier.

Ils étaient quatre dans le véhicule, un homme en outre se tenait sur le siège, à côté du mécanicien. Les quatre personnages à l'intérieur du taxi n'avaient pas échangé dix paroles depuis le départ de Paris.

C'étaient, d'une part, M. Havard, chef de la Sûreté, et l'un de ses subordonnés, l'inspecteur Michel.

En face d'eux, sur la banquette, se tenaient deux hommes aux allures tout à fait différentes.

Le plus âgé, personnage ventripotent, aux cheveux gris, à la face débonnaire et navrée, qui, sans cesse, reniflait bruyamment et dont les paupières laissaient couler des larmes, n'était autre que Paul Simonot, le mari de Georgette ! Le pauvre homme n'était pas encore revenu de l'ahurissement que lui avait procuré son arrestation brutale et soudaine.

Depuis la veille, Paul Simonot, que l'on avait fait coucher au Dépôt, ne cessait de répéter d'une voix balbutiante :

— Hélas ! hélas ! je suis une victime de plus des erreurs judiciaires !...

Il ne protestait pas outre mesure contre son arrestation, il prétendait n'avoir rien compris à ce qu'on lui reprochait, ne pas savoir du tout quel était l'homme qu'on l'accusait d'avoir assassiné, et, surtout, ce qui le désolait, c'était qu'on lui ait raconté que sa femme, Georgette, avait un amant, voire même plusieurs.

— Simonot, disait-on, vous avez tué cet amant par jalousie.

Et Simonot était désespéré à l'idée qu'on lui prêtât de semblables sentiments !

S'il avait appris que sa femme le trompait, il se serait contenté de lui faire des reproches, il l'aurait suppliée de rompre avec son amant, mais jamais il ne lui serait venu à l'idée d'aller se battre avec cet homme, et encore moins de l'assassiner lâchement.

Simonot, toutefois, avait beau penser ces choses, il estimait bien difficile de convaincre la justice.

— C'est la fatalité..., pensait le pauvre homme, qui m'a conduite là où j'en suis... espérons que le hasard me tirera d'affaire...

L'autre personnage assis sur la banquette à côté de Simonot, c'était le jeune Max de Vernais...

Celui-ci, après avoir pris d'une façon fort joyeuse l'extraordinaire aventure qui faisait qu'on l'arrêtait, était devenu très sombre et très préoccupé.

Le fait qu'on avait découvert à côté du mort le petit crayon qui lui appartenait l'avait jeté dans un trouble indicible et littéralement affolé.

Certes, Max de Vernais ne pouvait, ne voulait pas supposer qu'on le garderait longtemps sous les verrous.

Il était certain, assurait-il, de faire éclater son innocence, certain qu'on comprendrait qu'il n'avait aucun rapport avec ce René Baudry, dont il n'avait jamais entendu parler.

Mais, néanmoins, un fait était indiscutable, lui et le pendu avaient la même maîtresse ; or, il était bien certain que si Max ne comparaissait point devant les assises sous l'inculpation formelle d'assassinat, il allait néanmoins être mêlé à cette tragique affaire, il allait y jouer un rôle dont l'importance, si minime qu'elle puisse être, n'était pas pour le satisfaire autrement.

Et puis, Max redoutait surtout le moment présent, avait excessivement peur du voisin à côté duquel il se trouvait.

Le jeune homme, au cours de ses aventures amoureuses, n'avait pas encore connu de femmes mariées.

Le mari, il imaginait cela comme étant un être redoutable, implacable et terrible !

Le mari, c'est l'effarant personnage qui, lorsqu'il vous surprend en flagrant délit avec sa femme, a le droit de vous dicter la conduite à suivre, de vous imposer les conditions du duel...

Or, c'était ce personnage redoutable que Max imaginait synthétisé en la personne du gros Paul Simonot !...

Le jeune fêtard qui, jusqu'alors, n'avait vu dans ses aventures amoureuses que du plaisir et de la gaieté, se disait désormais que, s'il parvenait à s'arracher bientôt des griffes de la justice, il pouvait être sûr, lui, Max, que Paul Simonot n'aurait rien de plus pressé que de venir lui déclarer sitôt libre :

— A nous deux, maintenant, monsieur de Vernais...

Cela avait d'ailleurs déjà commencé la veille au dépôt.

Au cours d'un accès de colère, Simonot n'avait-il pas déclaré en regardant farouchement Max :

— Être trompé par ce René Baudry que je ne connais pas, passe encore, puisqu'il est mort, mais être fait cocu par ce gamin, ça, c'est plus dur que tout !

Cependant, le taxi-auto parvenait au haut de la côte, et le mécanicien, s'arrêtant au poste de l'octroi, demandait au préposé la direction de la morgue.

Les employés de l'octroi fournissaient le renseignement et le véhicule, traversant la ville, se rendait dans les quartiers neufs, tout à l'entrée de la forêt.

Derrière le taxi en venait un autre dans lequel était un seul voyageur.

Ce personnage fumant cigarette sur cigarette semblait profondément réfléchir et ne prêter qu'une médiocre attention au parcours qu'il effectuait.

Le voyageur de cette seconde voiture était le journaliste Jérôme Fandor, qui avait décidé de venir lui aussi à Saint-Germain pour assister à la confrontation ordonnée par le Parquet.

Parti depuis quarante minutes environ de Paris, les deux taxis s'arrêtaient ensemble à la porte du sinistre établissement municipal sur le seuil de laquelle, en entendant arriver les voitures, accouraient aussitôt Vérin et Dubois.

— Ces messieurs, sans doute, viennent pour la confrontation ? interrogeait Dubois à qui M. Havard, qui aimait assez en imposer aux gens, avait tendu sa carte de visite en descendant du taxi.

Quelques instants après, M. Havard, l'inspecteur Michel et Fandor étaient réunis dans la grande salle au milieu de laquelle se trouvait la boîte de métal contenant le cadavre de René Baudry.

Le commissaire de police de Saint-Germain arriva sur ces entrefaites, il s'inclina respectueusement devant le chef de la Sûreté :

— Je suis à vos ordres, messieurs, j'ai même amené mon secrétaire afin qu'il puisse prendre les notes voulues, et enregistrer la déclaration des criminels...

— Dites des inculpés, monsieur, fit en souriant M. Havard. Certes, nous avons des soupçons sur les personnes qui ont été arrêtées, mais rien ne prouve encore qu'elles soient certainement coupables.

Le commissaire, qui s'épongeait sans cesse le front, approuvait M. Havard.

— C'est une affaire entendue, déclarait-il, quoique un inculpé devienne bien souvent un coupable.

M. Havard cependant s'approchait de Fandor :

— Mon cher ami, articula-t-il, je m'en veux d'être obligé de vous faire cette observation, mais vous savez que les règlements sont formels... Nul, s'il n'est directement intéressé à l'affaire, ne peut assister à une confrontation comme celle à laquelle nous allons procéder...

Fandor s'inclinait :

— Je n'insiste pas, M. le chef de la Sûreté, et je me retire... j'attendrai dans la pièce voisine. Toutefois, il me serait bien agréable, et vous pouvez l'ordonner en vertu de votre pouvoir discrétionnaire, d'être à un moment donné, à mon tour, moi aussi, mis en présence du cadavre de René Baudry, je n'ai malheureusement pas vu le mort et, si vous m'accordez la faveur de faire sa connaissance, peut-être pourrai-je en tirer quelque enseignement.

M. Havard serrait la main de Fandor.

— Mais comment donc, mon cher ami ! c'est une affaire entendue : je vous ferai appeler immédiatement après qu'auront défilé devant le cadavre de René Baudry les deux inculpés.

Fandor, dès lors, se retirait et, dans la grande salle, M. Havard, le commissaire de police, son secrétaire et l'inspecteur Michel se groupaient les uns à côté des autres, cependant que Vérin et Dubois procédaient à l'ouverture du coffre dans lequel était enfermé le cadavre de René Baudry.

— J'aime pas voir ces choses-là, murmurait Vérin tout en déboulonnant les vis qui serraient le couvercle.

— Moi, poursuivait Dubois sur le même ton, c'est pas que j'en aie peur, mais ce que je redoute surtout c'est d'y penser la nuit, rapport aux cauchemars.

Le couvercle, enfin, était enlevé.

Au fond de son grand coffre, le mort apparaissait rigide et bleui par le froid. Il avait conservé son aspect primitif et, en l'apercevant, Vérin et Dubois échangèrent un coup d'œil de satisfaction.

Décidément, l'employé de la glacière qu'ils avaient consulté ne s'était pas moqué d'eux : le mort était bien conservé.

M. Havard s'approcha du coffre avec le commissaire de police :

— Monsieur le commissaire, demanda-t-il, ce cadavre que vous avez devant vous est bien, n'est-ce pas, celui de l'individu que l'on a trouvé pendu dans la forêt de Saint-Germain ?...

— Sans le moindre doute, monsieur le chef de la Sûreté. Je reconnais notamment...

Et il allait se lancer dans des explications nombreuses ; mais M. Havard l'interrompait.

Se tournant vers Michel il ordonna :

— Faites entrer Max de Vernais.

Quelques instants se passaient dans le silence, puis le jeune élégant pénétra dans la grande salle.

Instinctivement il frissonna. Depuis que le coffre mortuaire était ouvert, un froid terrible s'en dégageait.

Max fit quelques pas en avant, puis s'arrêta hésitant.

M. Havard, prit la parole :

— M. Max de Vernais, lui dit-il, l'instant présent est d'une grande importance, il faut que vous parliez franchement. Dites-nous la vérité, la vérité sans ambages et soyez assuré que la Justice, toujours bienveillante pour ceux qui lui parlent franchement, sincèrement, vous en tiendra compte.

En même temps, M. Havard poussait insensiblement Max dans la direction du grand coffre.

Puis, brusquement, se retirant, il laissa le jeune homme face à face avec la boîte ouverte ; Max, de ses yeux écarquillés, considéra le cadavre.

Le chef de la Sûreté ne perdait pas un seul de ses gestes, ni de ses expressions.

— Eh bien ? interrogea M. Havard, le reconnaissez-vous ?...

Le chef de la Sûreté, en son for intérieur, n'était guère convaincu de la culpabilité du jeune homme.

Encore qu'il eût contre celui-ci des présomptions assez graves, le sachant l'un des amants de Georgette Simonot, déjà maîtresse du malheureux assassiné, M. Havard était un homme bien trop accoutumé à ces sortes de coïncidences pour y ajouter beaucoup de foi.

Il fut donc extraordinairement surpris, lorsqu'il entendit Max pousser un grand cri, puis balbutier d'une voix épouvantée :

— Je le connais ! je le connais !...

Le chef de la Sûreté se précipita vers le jeune homme :

— Alors dites-nous la vérité complète. C'est vous, n'est-ce pas, qui avez assassiné René Baudry ?...

Max considéra le chef de la Sûreté avec stupéfaction.

Il parut sortir d'un long rêve, il articula lentement :

— Mais, il ne s'appelle pas René Baudry !...

— Vous le connaissez donc ? s'écria le commissaire de police.

Max passa la main sur son front :

— Je vous jure, assura-t-il, que je n'ai jamais vu Baudry, mais l'homme, dont vous me montrez là le cadavre, je le reconnais parfaitement pour être un certain Jules, que j'ai rencontré bien souvent dans les restaurants de nuit.

M. Havard, considéra son inspecteur Michel, puis le commissaire, puis Max avec un air abasourdi, enfin il insista :

— N'essayez pas d'égarer la police en compliquant les choses... Vous prétendez que ce cadavre, est celui d'un nommé Jules... c'est bien vague. Vous pourriez nous fournir de plus grandes précisions sur cet homme ?...

— Assurément, déclara Max, qui peu à peu redevenait plus calme. Ce Jules, je le reconnais parfaitement. Nous avons été en relations ensemble à maintes reprises... c'est l'employé, ou tout au moins le courtier d'un certain prêteur d'argent ou pour mieux dire d'un usurier qu'on appelle Minima...

Le chef de la Sûreté connaissait fort bien le nom de Minima, sobriquet d'un banquier véreux qui prêtait à la petite semaine ; à plusieurs reprises la Sûreté avait eu affaire à ce personnage.

La déclaration faite par Max était bien de nature à surprendre le chef de la Sûreté.

Toutefois, il était facile de contrôler cette affirmation.

M. Havard faisait signe à Michel :

— Emmenez-le, articula-t-il, en désignant Max...

Quelques instants après, dans la grande salle qui devenait de plus en plus froide, le commissaire de police introduisait Simonot.

Celui-ci, d'une voix larmoyante, suppliait le chef de la Sûreté :

— C'est bien pénible pour moi, monsieur, que de voir cet homme qui a été pendu et qui est mort. Évidemment c'était l'amant de ma femme, mais tout de même j'aurais préféré faire sa connaissance dans d'autres conditions... Qu'est-ce que vous voulez ! ça vous fait tout de même quelque chose de savoir qu'un de ses semblables a été assassiné, même si ce semblable vous a trompé... On a beau dire, moi je ne suis pas d'un caractère...

— C'est bien... c'est bien..., interrompit M. Havard, approchez-vous...

Simonot, toutefois, ne bougeait pas, il tremblait sur place :

— Dites-moi, interrogea-t-il, est-ce que je ne vais pas avoir trop d'émotion ? Si j'allais m'évanouir... Pour peu que ce mort me regarde...

Mais, brusquement, M. Havard poussait le gros homme en face du coffre contenant l'infortuné pendu...

Avant de l'avoir bien vu, Paul Simonot poussait un cri d'effroi, puis, se risquant enfin à regarder, en écartant ses doigts dont il s'était masqué la figure, il laissa échapper ces exclamations :

— Ah ! par exemple !... je le connais, mais ce mort ne s'appelle pas Baudry comme vous dites... je sais qui c'est... très bien... voilà même quatre jours à peine nous prenions encore ensemble l'absinthe au Café des Négociants !... ah ! par exemple, si j'aurais pu me douter...

M. Havard s'était approché de Paul Simonot :

— Ah ! vous le connaissez, qui est-ce ? Quel est son nom ?

— Mais c'est Arthur ! répondit sans hésiter le gros bureaucrate.

— Arthur ? s'écria M. Havard.

— Oui, précisa M. Simonot... Arthur !... Tout le monde le connaît boulevard des Batignolles au Café des Négociants. Vous n'avez qu'à vous renseigner auprès du patron, auprès des habitués. Demandez après Arthur, le gérant de propriétés qui prend son absinthe à la table du coin et fait sa manille avec M. Simonot... mettez les clients du Café des Négociants en présence de ce cadavre, comme j'y suis en ce moment, et tous vous diront ce que je viens de vous dire...

— Alors vous ne reconnaissez pas cet homme pour être René Baudry ?

— Jamais vu René Baudry, connais pas. Mais pour ce qui est d'être Arthur, ça j'en mettrais ma main au feu...

— C'est bien... retirez-vous...

Havard d'un geste nerveux faisait signe au commissaire de police de reconduire Paul Simonot dans la petite salle, qu'il venait de quitter quelques instants auparavant.

Le chef de la Sûreté se promenait dès lors, perplexe et furieux ; il allait et venait dans le grand local, grommelant :

— C'est insupportable !... incompréhensible cette histoire-là...

Il s'arrêta soudain :

— Qu'est-ce qu'il y a ?

Son visage s'adoucit. La porte venait de s'entrouvrir, la tête de Fandor apparaissait :

— Eh bien ? interrogea le journaliste.

— Entrez donc..., fit Havard.

Puis, lorsqu'il fut en face de Fandor :

— Cela se complique, mon cher ami, lui déclara-t-il, voilà que ces imbéciles ne veulent pas reconnaître René Baudry, l'un d'eux prétend qu'il s'appelle Jules, et l'autre que c'est un nommé Arthur, qu'est-ce que vous en pensez ?...

Fandor, instinctivement, s'était rapproché du coffre contenant le mort. Le journaliste avait l'habitude de ces sortes de spectacles et il n'avait pas d'émotion superflue à l'ordinaire.

Toutefois, après avoir jeté un coup d'œil sur le cadavre, il ne put s'empêcher de tressaillir, mais cela ne dura qu'une seconde.

L'instant d'après Fandor, regardant M. Havard, réprimait une violente envie de rire :

— Eh bien quoi... qu'est-ce que vous avez ?... demanda le chef de la Sûreté d'un ton bourru. Ça vous amuse ces affaires-là ? Vous trouvez que c'est comique ?...

— Non, fit Fandor en se mordant toujours les lèvres, jusqu'à présent ça n'est pas très drôle, mais ça va le devenir !...

Le journaliste avait un air énigmatique et railleur, M. Havard s'exaspéra :

— Eh bien quoi, voyons... que voulez-vous insinuer ?

— Peu de chose, fit Fandor, mais ceci simplement, je le connais moi aussi ce mort...

— Eh bien tant mieux..., fit Havard, c'est bien René Baudry, pas vrai ?...

— René Baudry ?... répéta Fandor, connais pas... jamais vu...

— Alors ?... insista le chef de la Sûreté, Max de Vernais avait raison... serait-ce ce Jules, employé de l'usurier Minima ?...

Fandor, imperturbable, poursuivit :

— Ignore... n'ayant jamais eu de rapport avec ce personnage...

— Alors quoi ? quoi ? Vous connaissez le mort sous le nom d'Arthur, le gérant de propriétés, habitué du Café des Négociants ?...

Fandor secouait la tête :

— Je ne suis pas assez chic pour avoir de semblables relations, il ne me servirait à rien de connaître un gérant de propriétés... Si je possédais des immeubles, je les gérerais moi-même et comme je n'en possède pas...

— Je vous en supplie, interrompit Havard qui s'exaspérait et devenait écarlate, cessez vos plaisanteries, Fandor, ou je vous étrangle sur place.

— Ce serait bien ! pour un chef de la Sûreté, grommelait Fandor entre ses dents.

Mais Havard poursuivait :

— Vous n'allez pas, j'espère, compliquer cette affaire, qui l'est déjà très suffisamment... Voyons... voyons... de quoi s'agit-il ?... quel est, d'après vous, ce mort ? Répondez, nom de Dieu... et nettement.

— Soit, fit Fandor...

Et dès lors, levant la main, le journaliste prenait un ton solennel :

— Sur mon honneur et sur ma conscience, moi, Jérôme Fandor, déclare de la façon la plus formelle que le mort du sexe mâle en face duquel j'ai l'honneur de me trouver en ce moment est un certain Henri, connu dans les salles de rédaction, les bars du faubourg Montmartre et autres salons où l'on cause, en qualité de bookmaker de petite envergure, prenant des paris aux journalistes, extorquant de l'argent pour le jouer, aux filles du faubourg, vivant d'une existence aussi peu claire que mal définie... Quant à être le certain Henri dont je vous parle, il n'y a aucun doute à cet égard-là. Interrogez tout le faubourg Montmartre... on sera unanime à vous dire que c'est la vérité...

M. Havard ne répondait pas à la harangue burlesque de Fandor, il s'était laissé tomber sur une chaise, machinalement, il comptait sur ses doigts.

— René Baudry, un... Jules l'usurier, deux... Arthur, le gérant de propriétés, trois... et enfin Henri, le bookmaker, quatre... eh bien ! voilà qui promet du temps avant que nous ayons découvert la véritable personnalité de cet homme, et démasqué ses assassins !...

VII

La protection de Georgette

— Eh bien alors, docteur ?...

— Eh bien, monsieur Juve, la chose est très simple, voulez-vous vous guérir ?...

— Pardieu, je le crois bien que je veux me guérir...

— Alors, il faut rester tranquille...

— Et si je bouge ?

— Eh bien vous ne guérirez pas ; c'est très simple et très net, comme vous le voyez...

— Très simple et très net en effet..., répliquait Juve, mais alors, docteur, il ne me reste plus qu'à vous obéir ?...

— Oui, répondit le praticien.

— Et c'est là la sagesse ?

— La blessure que vous avez reçue au cours de votre dernière aventure lorsque vous étiez je ne sais où, dans les profondeurs de la butte Montmartre, et que vous receviez des trombes d'eau sur la tête, est une plaie qui pourrait devenir grave, si on n'y prêtait pas attention... Vous avez, du côté gauche, sous la troisième côte, un point douloureux qui m'inquiète et c'est pourquoi je vous impose les plus grands ménagements. Mais, ayez patience, cela finira bien par s'arranger...

Juve avait pris une mine dépitée.

— C'est assommant !... grogna-t-il, on ne peut jamais être tranquille... Enfin, que voulez-vous... je ferai le nécessaire !...

Le docteur qui, familièrement, s'était assis sur le coin de la table, en face de laquelle Juve avait pris place dans un fauteuil, interrogea le célèbre policier :

— Vous n'avez pas grand-chose en ce moment que je sache... votre irréductible adversaire Fantômas ne fait plus parler de lui !...

— Sans doute, interrompit Juve qui, s'il avait su quelque chose de Fantômas, ne l'aurait en tout cas point communiqué à ce docteur, mais il n'y a pas que lui... Et précisément, je m'occupe en ce moment d'une affaire assez compliquée...

Le docteur hocha la tête d'un air d'intelligence :

— Je sais, articula-t-il, le mystérieux pendu de Saint-Germain.

— Mystérieux est le mot, fit Juve. Figurez-vous, docteur, que cet homme que l'on avait tout d'abord identifié pour être un certain René Baudry, sur l'existence duquel on était d'ailleurs assez peu documenté, est désormais reconnu par trois personnes différentes qui, chacune, lui attribuent une autre personnalité. Cela résulte des confrontations qui ont eu lieu hier... je n'ai pas pu m'y rendre, car j'obéissais déjà à vos recommandations, mais mon ami Fandor m'a rapporté les détails de la scène, il en a même fait un grand article dans son journal *La Capitale*, et, désormais, je suis perplexe, je vous avoue que ces histoires me troublent profondément.

Cependant le docteur serrait la main du commissaire.

— Eh bien ! dit-il en guise de conclusion, la recherche de ce mystère vous occupera pendant les heures de repos que je vous impose ; et je suis convaincu que vous finirez bien par débrouiller ce problème qui, d'ailleurs, commence à passionner l'opinion publique. A bientôt, mon cher Juve, je viendrai vous revoir demain...

Le célèbre inspecteur de la Sûreté était allé reconduire le docteur jusqu'à la porte de l'appartement.

Rentré dans son cabinet de travail, Juve maugréa :

— Je commence à en avoir par-dessus la tête de tous ces charlatans, avec leurs prescriptions et leurs mesures de prudence. Eh bien, s'il faut que je vive en infirme, autant crever tout de suite...

« Il est vrai, reconnaissait bientôt le policier en poussant un soupir, que cet homme a raison... Fantômas nous laisse tranquilles en ce moment... nous n'avons plus de ses nouvelles ; mais ce n'est pas pour me rassurer... je sais, par exemple, que, chaque fois que ce sinistre personnage semble avoir disparu, c'est qu'il manigance quelques nouveaux méfaits. Enfin ! peu importe, attendons les événements... attendons que j'aie revu Fandor. A chaque jour suffit sa peine.

Juve venait d'achever le petit discours qu'il s'adressait à lui-même lorsqu'un coup de sonnette retentit, à la porte de son appartement.

Quelques instants après, le vieux domestique introduisait dans le bureau du policier un homme essoufflé, c'était l'inspecteur Léon...

— Salut, patron ! fit-il en s'adressant à Juve.

Puis il ajoutait d'un air enjoué :

— On n'a pas idée d'habiter un perchoir pareil... Votre cinquième de la rue Tardieu me fait l'effet d'être le plus haut de tous les cinquièmes du monde...

— Pourquoi cela ? interrogea Juve. N'avez-vous donc pas pris l'ascenseur ?

— Et pour cause !... fit Léon, on a oublié d'en poser un. Mais je m'explique... pour arriver jusqu'à vous, il faut d'abord grimper la moitié de la butte Montmartre, et puis ensuite cent vingt-trois marches de vingt-six centimètres chacune, ne dites pas le contraire, Juve, je les ai comptées...

De son air impassible, Juve interrogeait Léon :

— Est-ce pour me raconter pareille sornette que vous êtes venu me voir ?...

— Non pas, fit le jeune inspecteur, je viens de la part de M. Havard... Le chef de la Sûreté désire vous confier une mission.

— Je suis à ses ordres, fit Juve, de quoi s'agit-il ?

— C'est bien simple... tout d'abord, êtes-vous au courant de l'affaire de Saint-Germain ?...

— Probable. C'est moi qui ai été chargé d'arrêter Max de Vernais...

— Alors, vous n'ignorez pas, mon cher patron, qu'elle se complique singulièrement, non seulement du fait que le pendu a quatre personnalités, mais encore des alibis formels ou à peu près formels, qui ont été fournis par les inculpés Paul Simonot et Max de Vernais. Déjà, hier soir, la Sûreté générale, d'accord avec le juge d'instruction, a fait relâcher Georgette Simonot, et voici qu'on veut remettre en liberté nos deux gaillards, Paul Simonot et Max de Vernais.

— On n'a peut-être pas tort..., articula Juve.

— Mais, poursuivit Léon, M. Havard et le juge d'instruction estiment que ces deux hommes doivent rester sous la surveillance de la police. On a pensé, Juve, que vous étiez tout indiqué pour garder à votre disposition ce mari et cet amant, qui pourraient bien, si l'on n'y prenait garde, prendre la poudre d'escampette dans le cas où l'affaire tournerait mal pour eux.

— Merci de l'idée..., fit Juve avec humeur. Me prend-on, à la préfecture, pour une bonne d'enfants ?...

Léon dissimulait un sourire, puis il ajouta :

— Jamais M. Havard n'aurait eu semblable idée, si celle-ci ne lui avait été suggérée par Fandor.

— De quoi se mêle Fandor ?... articula Juve grognon.

— Fandor a prétendu, poursuivit Léon, que vous seriez satisfait d'avoir à surveiller les deux gaillards une fois qu'ils seraient en liberté. Il assure qu'à les fréquenter, vous apprendrez des choses que nul autre que vous ne pourrait connaître. Bref, c'est lui qui a insisté pour que M. Havard me charge de venir faire cette démarche auprès de vous...

Juve ne répondait plus rien.

L'argument, le motif, que lui donnait Léon, lui paraissait d'ores et déjà très suffisant, pour ne point refuser.

Il comprenait que, si Fandor avait suggéré de lui donner à lui, Juve, semblable mission, c'est que le journaliste devait avoir ses raisons pour cela !...

Mais, ce qui agaçait Juve, c'était que Fandor ne fût pas venu lui-même lui en parler.

Depuis les aventures de Montmartre, Fandor se faisait de plus en plus rare chez Juve ; il avait sans cesse des allures mystérieuses, il semblait cacher quelque chose, le policier s'en inquiétait.

Il ne voulut rien montrer du fond de sa pensée à l'inspecteur Léon.

Et dès lors, il lui répliquait :

— Réflexion faite, c'est une affaire conclue, j'accepte ; je m'occuperai volontiers de surveiller Paul Simonot et Max de Vernais.

« Mais il y a une objection à cela, c'est que, par ordre du médecin, je dois bouger le moins possible.

Léon se gratta le nez, ce qui était signe chez lui d'une grande perplexité.

— Évidemment, ce n'est pas trop commode, surtout lorsqu'il s'agit de gens qu'on a mis en liberté provisoire.

L'inspecteur eut une insinuation :

— Si on insistait auprès de M. Havard pour qu'il les garde en prison ?...

Juve haussa les épaules :

— Vous êtes dur, Léon, et l'on voit bien qu'il ne s'agit pas de vous !... J'ai fait de la prison, moi, Juve... lorsque l'on me prenait pour Fantômas... et je vous assure qu'on ne s'y amuse pas [1].

« Non, il faut lâcher ces braves gens, au surplus, j'ai une combinaison dans la tête, qui permettrait de tout concilier, leur liberté relative, avec les exigences de ma santé qui m'imposent de bouger le moins possible.

— Je savais bien, déclara Léon, que vous trouveriez quelque chose..., que s'agit-il donc de faire ?

— Voilà, expliqua Juve : M. Havard, en apprenant à Max et à Simonot qu'ils sont libres, va leur dire que c'est à une condition : il leur imposera une résidence, et cette résidence sera l'appartement meublé qui m'appartient et se trouve ici dans ma maison, sur le même palier que mon propre appartement... leur prison sera tout de même ainsi plus agréable que les cellules de la Santé. D'autre part, quand ils voudront aller se promener, je compterai sur vous, Léon, pour ne pas les quitter d'une semelle.

---

1. Voir dans la série « Fantômas » : *Le Policier apache*, etc.

Juve, en effet, avait définitivement loué et meublé le petit logement contigu au sien, dans lequel il s'était trouvé, si tragiquement d'ailleurs, en prise avec le Maître de l'effroi.

Léon approuvait la proposition de Juve :

— C'est épatant ! déclarait-il, vous avez toujours quelque chose de malin et d'adroit à proposer... Je m'en vais aller en référer à M. Havard, mais je suis convaincu qu'il acceptera.

La concierge de la rue Tardieu était aux cent coups. Elle discutait avec le vieux domestique de Juve.

— Certes ! criait-elle, M. Juve est un bon locataire qui donne de bonnes étrennes... mais tout de même, il a des idées pas ordinaires..., quand je pense maintenant qu'il fait venir chez nous des repris de justice, et qu'il installe des criminels dans l'appartement meublé à côté du sien, je vous assure que depuis hier soir, j'en ai les sangs retournés, et que je ne me sens plus d'appétit.

Le vieux domestique de Juve souriait. Ce n'était pas un homme que l'on étonnait facilement, il en avait tellement vu depuis qu'il était au service de son maître que rien ne le surprenait !...

Il essaya de calmer la concierge.

— Voyons, madame, faisait-il, vous devriez être heureuse, au contraire... Si ces deux personnes que M. Juve a installées hier soir dans l'appartement meublé qu'il vous a loué sont des malfaiteurs, vous pouvez être certaine qu'ils ne commettront aucun crime, tant que le patron les surveillera... Au contraire, c'est la meilleure garantie de sécurité que nous puissions avoir... Voyons, vous êtes la concierge la plus heureuse du monde, vous avez la police à domicile.

La concierge, qui s'était interrompue de balayer sa cour, recommença lentement son travail, toutefois elle était rassurée.

— Après tout, fit-elle, vous avez peut-être raison. Mais enfin, dans l'avenir, M. Juve ferait beaucoup mieux de prendre des pensionnaires un peu moins mal notés que ce M. Simonot et ce M. Max de Vernais.

Depuis la veille au soir, en effet, les deux malheureux personnages qui avaient été inculpés dans l'assassinat de René Baudry étaient les hôtes involontaires de Juve.

Ils avaient été si contents d'apprendre que la justice, tenant compte de leurs alibis respectifs, consentait à les relâcher, qu'ils avaient souscrits à toutes les exigences de M. Havard, lequel approuvait complètement le projet de Juve.

Il avait donc été entendu que Simonot et de Vernais se rendraient directement, au sortir de la Santé, à l'appartement meublé de Juve.

Ils y étaient arrivés tous les deux à la même heure, conduits par l'inspecteur Léon. Juve, avec son plus aimable sourire, leur avait déclaré :

— Vous êtes ici, messieurs, chez moi, et comme chez vous... Je reçois des quantités de journaux... il y a des cigarettes sur la table, des allumettes dans le tiroir... du vin dans le placard de la salle à manger, et mon vieux domestique vous confectionnera vos repas, avec l'habileté d'un cordon bleu... Si je ne suis pas importun, je viendrai volontiers de temps à autre, bavarder avec vous... J'espère, d'ailleurs, que cette petite existence ne se prolongera pas indéfiniment et que vous serez complètement libres le jour où nous aurons découvert l'assassin de René Baudry !...

Abasourdis, les deux hommes avaient remercié Juve de l'amabilité avec laquelle il les traitait, et chacun d'eux se retirait dans sa chambre respective, en se lançant des coups d'œil farouches et peu sympathiques.

Le lendemain matin, Paul Simonot en s'habillant se disait :

— Je m'ennuie bien tout seul, et rien n'est pénible comme de conserver perpétuellement le silence. Or, j'ai pour compagnon un homme avec lequel décemment je ne puis lier conversation, puisqu'il paraît que cet homme a été l'amant de ma femme...

Max de Vernais, d'autre part, cependant qu'il achevait sa toilette, s'était dit :

— Je ne suis ni bavard, ni curieux, mais cependant la solitude me pèse, et j'échangerais bien quelques idées avec n'importe qui... malheureusement je ne puis tout de même me lier d'amitié avec ce gros bonhomme que j'ai trompé depuis trois jours à peine et qui doit être furieux contre moi...

Max de Vernais et Paul Simonot devaient cependant se rencontrer pour prendre leur petit déjeuner du matin ; ils venaient tous les deux au même moment dans la salle à manger.

Leur couvert était mis l'un à côté de l'autre. Dès lors, évitant de se regarder, chacun d'eux plongea le nez dans son bol de café.

Paul Simonot l'ayant goûté le trouvait amer ; il chercha le sucre ; le sucre était à côté de Maxi et, comme Max ne regardait pas Simonot, celui-ci ne pouvait faire comprendre ce qu'il désirait.

— Il faut pourtant, pensa-t-il, que je lui adresse la parole ; en tout cas, cela n'engage à rien.

Et s'efforçant de prendre une voix aimable, Paul Simonot articula :

— Pardon, monsieur, pourriez-vous me passer le sucrier ?...

Max leva la tête.

— Avec plaisir, répondit-il, cependant qu'il passait le sucrier au mari de Georgette.

Une seconde après, les deux hommes, qui avaient simultanément porté leur tasse à leurs lèvres, les reposaient dans la soucoupe.

— C'est brûlant..., fit Max de Vernais.

— J'allais le dire..., laissa échapper Paul Simonot.

Puis, ils se regardèrent avec méfiance ; ils continuèrent à se rendre quelques petits services, le beurre, le pain passèrent d'une main dans l'autre.

Max articula :

— Pas mauvais du tout, ce café-là...

Et Paul Simonot, qui venait de songer au petit déjeuner que, quelques jours auparavant, Georgette lui apportait encore dans son lit, laissa échapper d'un ton rempli d'ironie amère :

— La tasse de thé que vous avez offerte à ma femme vous a peut-être semblé meilleure encore.

— Bon ! pensa Max qui pâlissait, nous y voilà... Dans cinq minutes, il va me jeter une carafe à la tête, et je vais être obligé de riposter en me servant des assiettes comme de projectiles...

Le jeune homme, cependant, cherchait à répondre quelque chose et ce fut une bêtise qu'il articula :

— Oh ! vous savez, je n'ai pas fait grande attention, j'avais la tête ailleurs.

— Naturellement, monsieur, naturellement, gronda Paul Simonot en fronçant les sourcils. Vous aviez la tête ailleurs... Parbleu ! c'est ma femme qui vous la tournait, la tête... eh bien, cela vous a réussi... et de débaucher une honnête personne, cela vous a conduit en prison, cela vous a mené jusqu'au crime...

— Ah ! pardon, interrompit Max, vous exagérez un peu. Je ne discute pas, en ce qui concerne Georgette, du moins, pardon, Mme Simonot, mais pour ce qui est d'avoir assassiné un homme... cette accusation ne tient pas debout en ce qui me concerne... je n'avais pas lieu, moi, d'être jaloux, puisque c'est avec moi qu'elle trompait l'autre...

— L'autre ? l'autre ?... hurla Simonot... c'est moi dont vous parlez ?

— Mais non, fit Max, de Jules...

— Vous voulez dire d'Arthur ?...

Cette fois, Max avait une folle envie de rire, il précisa :

— Je ne veux parler de personne, après tout, cela ne me regarde pas... vous faites ce qu'il vous plaît...

— Eh bien !... hurla Simonot en levant les bras au ciel. Ça c'est un peu raide, par exemple !... On m'arrête, on me fait des reproches sanglants, on me dit que je suis certainement une brute sanguinaire qui a tué l'amant de sa femme par jalousie, puis voici que l'on découvre que je n'ai pas touché un seul cheveu de la tête de cet homme avec qui j'ai joué tant de fois à la manille au Café des Négociants et dès lors, on insinue que je suis un sale individu, un mari stupidement aveugle. Ah ! non, véritablement, cela est de trop !...

Les yeux de Paul Simonot lançaient des éclairs, et, machinalement, sa main s'était crispée sur le goulot d'une carafe.

— Cette fois, ça y est ! pensa Max, les projectiles vont pleuvoir.

Il s'emparait à son tour de la cafetière.

— Ne commencez pas, monsieur !... cria-t-il, sans quoi...

Mais soudain, la porte s'ouvrit, quelqu'un parut. C'était Juve...

Le policier feignit de ne s'apercevoir de rien.

Il alla aux deux hommes, leur tendit cordialement la main :

— Eh bien, messieurs, avez-vous bien dormi ? Et le café au lait vous convient-il ? Si l'un de vous préfère du chocolat, il n'y a qu'à le dire.

Paul Simonot et Max de Vernais s'étaient calmés. Juve, cependant, prenant un air soupçonneux, leur dit en fronçant les sourcils.

— J'espère que vous allez être bien gentils, je vous préviens d'ailleurs que la maison est tranquille... on n'aime pas le tapage.

Mais Paul Simonot rétorquait au policier :

— Nous causons simplement... Monsieur me parlait de Georgette, ma femme, et moi... moi... je lui en parlais aussi...

Cependant, la veille au soir, Georgette Simonot, également en liberté provisoire, était rentrée toute seule dans son petit appartement de la rue des Batignolles.

— Ouf ! avait-elle fait en se laissant tomber sur une bergère.

Puis, la jeune femme avait éclaté en sanglots.

Depuis quarante-huit heures qu'elle était relâchée, elle n'avait plus rien à craindre pour ce qui la concernait.

Toutefois, le motif de son arrestation avait fait un scandale énorme, non seulement dans tout Paris ; mais encore dans le quartier, dans sa rue, dans sa maison, ce qui était beaucoup plus grave et beaucoup plus ennuyeux.

Lorsqu'elle était revenue pour la première fois à son domicile, elle avait dû le gagner au milieu d'une double haie de commères, qui l'avaient dévisagée d'un air peu aimable, et qui avaient accompagné son passage des propos les moins flatteurs.

Elle avait entendu que l'on disait autour d'elle toutes sortes de choses déplaisantes ; une grosse vieille dont la lèvre supérieure s'ombrait d'une tache noire articulait d'une voix grasse :

— J'en ai bien connu des hommes dans ma vie qui auraient voulu me débaucher, mais on a une conscience ou on n'en a pas. Ils en ont été pour leurs frais ; sûr que ce n'était pas comme avec madame...

Une autre commère, aux yeux de fouine, grognait entre ses dents noires :

— On lui aurait donné le bon Dieu sans confession, ça vous a des airs de sainte nitouche et ça trompe son mari... ça égorge son amant, ça vous mettrait le feu aux quatre coins de Paris, histoire de chauffer son fer à friser...

Et Georgette, dont le cœur battait très fort, était montée chez elle toute rougissante, puis s'était enfermée dans son appartement vide.

La jeune femme était encore, surtout, très abasourdie des extraordinaires aventures qui lui étaient survenues et des effroyables inculpations qui, un instant, avaient pesé sur sa jeune tête.

Elle avait cru vivre un rêve, ou plutôt un cauchemar.

Or, désormais, elle se ressaisissait !...

Elle comprenait tout d'abord que René Baudry était mort, bien mort, mort pendu, haut et court !...

Pourquoi ce drame ?... ce meurtre ?

Depuis six mois qu'elle connaissait Baudry, elle avait éprouvé d'abord pour cet homme un petit sentiment d'amour qui s'était vite transformé en une habitude, elle allait voir son amant trois fois par semaine comme un comptable va à son bureau...

Ce qui l'ennuyait surtout désormais, c'était, non pas tant la mort de Baudry, que le fait qu'elle n'allait plus savoir comment occuper ses soirées de cinq à sept, les jours où il n'y avait pas de courses à Auteuil. Car Georgette était une assidue des hippodromes.

Georgette se rendait compte aussi que, si son mari était relâché, il n'en était pas moins prisonnier, chez le policier Juve.

Elle ne tenait pas, outre mesure, à se retrouver en présence de Paul Simonot, mais elle regrettait qu'il ne fût pas là pour préparer le feu, allumer les lampes et attacher ses bottines...

Paul Simonot était, en effet, un excellent mari, qui remplissait à merveille auprès de sa femme le rôle d'une femme de chambre.

Enfin, Georgette déplorait de n'avoir pas connu plus longtemps ce gentil petit blondinet qui répondait au nom de Max de Vernais.

Toutefois, elle était décidée à ne pas faire un pas pour le revoir, car au fond, elle lui en voulait un peu, s'imaginant qu'il était la cause indirecte, sinon volontaire, des ennuis qu'elle avait éprouvés.

Georgette songea longtemps à ces trois hommes qui occupaient chacun une place différente dans son existence.

Elle éprouvait, en évoquant leur souvenir, une lassitude extrême, un ennui profond. Il lui semblait qu'elle était arrivée à la fin d'une étrange page de son existence, et qu'il importait de tourner au plus vite cette page, afin de commencer un chapitre nouveau, de remplacer le passé désagréable et ennuyeux par un avenir tout à fait différent.

Georgette était encore dans ces dispositions d'esprit lorsqu'elle s'éveillait le lendemain matin.

— Que diable vais-je faire dans ma journée ? se demandait-elle en s'étirant dans son grand lit, surprise malgré tout de ne pas trouver à ses côtés le gros corps de son mari, ronflant comme à son ordinaire.

Un coup de sonnette, retentissant à la porte, l'obligea à se lever en hâte. S'enveloppant dans un peignoir, Georgette s'en fut ouvrir.

Elle se trouva en présence d'un garçon livreur qui apportait une superbe gerbe de fleurs.

— De la part de M. Florestan d'Orgelès, déclara-t-il.

Puis, ayant remis les fleurs et une carte de visite, il tourna les talons et descendit.

Georgette considérait, perplexe, ce bouquet et le bristol sur lequel était gravé le nom que venait de prononcer le garçon livreur.

Toutefois, il y avait quelque chose d'écrit au dos de cette carte. Georgette lut :

Quelqu'un qui vous aime, et qui s'émeut de vous savoir en butte aux sarcasmes de la foule voudrait vous mettre à l'abri comme un bijou précieux dans un confortable écrin. Florestan d'Orgelès vous attendra ce soir au coin de la Madeleine et du boulevard Malesherbes à six heures précises.

Il ne tiendra qu'à vous d'être ce soir dans votre nouveau domicile, un petit hôtel entouré d'un jardin, rue Lalo, près du Bois de Boulogne.

A deux ou trois reprises, Georgette relisait la suscription de cette carte :

— C'est pas pour dire, fit-elle, mais c'est gentiment tourné... malheureusement, je ne connais pas ce monsieur, et je n'irai pas à son rendez-vous.

La jeune femme cependant, passant dans la chambre à coucher, regardait la pendule.

— Il n'est que neuf heures du matin... comme ce sera long d'attendre jusqu'à six heures du soir !...

Dès quatre heures de l'après-midi, Georgette était habillée, prête à sortir, elle avait changé trois fois de chapeaux, mis et enlevé vingt-cinq voilettes différentes, elle s'était enfin décidée et, désormais, assise sur le bout d'une chaise, elle ne voulait point froisser sa jaquette, elle songeait :

— Florestan d'Orgelès ! un joli nom. Un homme chic sûrement et riche, c'est sûr... puisqu'il parle d'un petit hôtel... Jeune aussi, c'est certain...

Georgette mettait la main sur son cœur qui battait.

— Mon Dieu ! articula-t-elle en se souriant dans une glace, je crois que je l'aime déjà… Oh ! Florestan !… Florestan, murmurait-elle… Que tu me plais, que tu es beau…

Elle s'arrêtait…

— Dire que cet homme va être mon amant, j'en suis sûre, je l'adore déjà… et je ne sais pas s'il est brun ou blond…

Florestan était blanc, tout blanc, comme la neige ; il avait de longs cheveux d'argent et une jolie barbe nacrée, très soignée d'ailleurs, qui, peignée en éventail, élargissait le bas de son visage.

Car, Florestan, Georgette n'y avait pas songé un seul instant, était un homme âgé. A en juger par son physique, il pouvait avoir tout près de la soixantaine ; il était vêtu avec recherche et élégance, et, si ses cheveux étaient blancs, sa barbe aussi, son teint était d'une pureté et d'une clarté vraiment extraordinaires.

Ses yeux spirituels scintillaient avec feu, et Georgette, lorsqu'elle l'avait rencontré, s'était dit, laissant parler spontanément son cœur :

— Le voilà, le petit vieux bien propre de mes rêves…

En effet, lorsqu'à six heures exactement, Georgette avait été au rendez-vous, elle avait aperçu un beau vieillard qui la saluait cérémonieusement.

— Je suis, avait dit ce personnage, M. Florestan d'Orgelès…

Et, dès lors, Georgette avait rougi jusqu'à la racine des cheveux.

— Ma foi, monsieur, avait-elle répondu, je m'en doutais en vous voyant.

Puis la conversation s'était aussitôt engagée, cordiale et sympathique.

Au bout de dix minutes, M. Florestan d'Orgelès suggérait :

— Voulez-vous, perle délicieuse, faire maintenant la connaissance de votre écrin ?…

Georgette avait compris qu'il s'agissait d'aller voir le petit hôtel de la rue Lalo, elle s'était empressée d'accepter !…

VIII

Retour au passé

Mais que s'était-il passé depuis l'effondrement du réservoir d'eau de Montmartre, il y avait de cela quelques mois ?

Si le policier Juve devait garder la chambre, et, en raison de ses contusions, s'abstenir de toute fatigue, de toute démarche exagérée ; si Fandor, sain et sauf, redevenu journaliste, car il ne voulait à aucun prix vivre aux crochets de Juve, avait repris son métier d'informateur, comment les deux hommes pouvaient-ils s'être échappés de l'effroyable catastrophe qui, quelques semaines plus tôt, avait failli leur coûter la vie en donnant à Fantômas, au monstre sinistre, au Génie du crime, une victoire complète et définitive [1] ?…

---

1. Voir dans la série « Fantômas » : *Les Souliers du mort*, et dans le présent volume : *Le Train perdu, Les Amours d'un prince, Le Bouquet tragique*.

L'effroyable aventure qui avait terminé les sanglantes péripéties du bouquet tragique de roses noires ne s'était pas achevée sans une horreur sans nom !...

Fantômas, dupant son fils Vladimir, avait tué la pauvre et jolie Firmaine, sa maîtresse.

Puis le Monstre de l'effroi se faisait conduire près d'Hélène, dans la maison de la rue Girardon. Là, il trouvait celle qui passait pour sa fille ligotée sur un lit de torture ; à cet instant, tandis que Juve, échappé des carrières de Montmartre, s'élançait à la poursuite de son éternel adversaire, tandis que Fandor, conduit par le groom Zizi, risquait la mort en appelant : Hélène !... Hélène !... des détonations d'armes à feu retentissaient, et avec un bruit effroyable la maison entière s'écroulait, emportée, semblait-il, par une énorme vague d'eau, une vague qui ruinait le sol, dévalait de Montmartre.

Fandor, affolé, clamait avec une épouvante indicible :

— Juve ! Juve ! vous êtes donc tué ? Hélène ! Hélène ! où êtes-vous ?

Juve, à moitié évanoui, paraissait incapable de comprendre ce qui se passait.

Devant lui, gisait le cadavre du malheureux enfant qui avait guidé Fandor, la douce et tendre Hélène avait disparu, Fantômas et Vladimir s'étaient enfuis !...

Fandor, en cet instant où la mort semblait peser sur lui dans l'avalanche qui l'emportait, alors qu'il semblait qu'aucun moyen de salut ne pût réussir, avait un cri superbe :

— Quand même, hurlait-il, quand même elle m'a sauvé !...

C'était à Hélène qu'il pensait !

C'était presque une dernière pensée qu'il envoyait à la jeune fille, car, au même moment, tout s'écroulait, une solive énorme, détachée du plafond, heurtait le journaliste à la tête, le renversait sur le sol... Les mains crispées sur le bras de Juve, perdant connaissance à son tour, Fandor n'était plus qu'une épave qui s'engloutissait dans le sol, creusé, miné, fouillé par l'avalanche.

Cependant que le journaliste perdait ainsi conscience du monde extérieur, une clameur s'échappait de toutes les poitrines des habitants de Montmartre.

Dans l'émotion de la minute qu'ils vivaient, Juve et Fandor n'avaient pas entendu, n'avaient point remarqué une formidable explosion qui faisait trembler toute la butte Montmartre sur sa base.

Cette formidable commotion avait cependant pour effet d'attirer dans la rue tous les voisins. Des femmes se jetaient par les fenêtres ; des hommes, affolés, fonçaient droit devant eux, hagards, livides, et des cris incohérents se faisaient entendre.

— C'est un tremblement de terre !...

— C'est un cyclone !...

Puis, à ces cris d'effroi, des cris de détresse avaient succédé, cris déchirants de ceux qui se trouvaient pris dans l'extraordinaire avalanche, de ceux qui étaient emportés par la vague d'eau, broyés sous les maisons écroulées, étouffés dans la profondeur des caves qui s'ouvraient béantes, comme au temps des trappes, où guettait la mort.

Dans Paris, la stupeur était extrême !

— Qu'est-ce qu'il y a ? Que se passe-t-il ? Telles étaient les exclamations angoissées dont chacun s'interpellait.

Dix minutes plus tard, tandis que la foule s'affolait, les rues de Paris étaient silllonnées du passage rapide des sauveteurs, prévenus télégraphiquement, appelés par le téléphone ; toutes les casernes de pompiers envoyaient leur matériel de secours, et la rumeur, la sinistre rumeur se propageait :

— Montmartre est ruiné... Les gigantesques réservoirs de la ville viennent de faire explosion...

Paris donnait alors le spectacle toujours émotionnant de sa solidarité, de son dévouement.

De toutes parts, la foule se ruait vers le lieu du sinistre.

Et ce n'était point seulement un but de curiosité malsaine qui portait les citadins vers le quartier de la ville que l'on disait anéanti, c'était plutôt un mouvement spontané, irréfléchi, qui conduisait les passants au lieu de la catastrophe, qui transformait les badauds ou les curieux en sauveteurs volontaires, prêts à se dévouer, quel que fût le danger à courir.

Par bonheur, et comme il arrive toujours, la catastrophe avait été exagérée.

Certes, le spectacle du quartier éprouvé était lamentable.

Mais enfin il se limitait !...

Ce n'était pas toute la butte Montmartre qui avait souffert, ce n'était point tout un quartier qui s'était écroulé, c'était seulement — et il fallait s'en féliciter — un assez large espace occupant le versant de la butte qui domine Paris du côté du Sacré-Cœur.

Là, par exemple, l'aspect des lieux était effroyable.

Les réservoirs de la ville qui entourent le Sacré-Cœur et sont, par beaucoup, considérés comme une dépendance de la basilique, avaient, en se crevant, déversé sur la capitale l'immense approvisionnement d'eau qu'ils contenaient en leurs flancs.

Cette eau, soudainement lâchée, avait bondi en cascades immenses, suivant la pente du sol ; elle avait tout rasé sur son passage, tout nivelé : les maisons, les bâtis pittoresques du panorama, les marchands de médailles et de souvenirs, les bâtiments du funiculaire, les marches des escaliers qui conduisent au monument du chevalier de La Barre...

L'eau avait épuisé seulement sa force aveugle en se heurtant, rue Antoinette, aux bâtiments de l'école communale d'abord, aux maisons en bordure ensuite.

Si le square Saint-Pierre était ravagé, la rue de Steinkerque, la rue d'Orsel n'avaient éprouvé aucun dommage.

Une angoisse folle, toutefois, étreignait bientôt les cœurs de tous les assistants.

Sous les ruines qui s'amoncelaient de toutes parts, combien d'êtres vivants avaient dû trouver la mort ?... Combien d'appels désespérés s'étouffaient sans doute ?

Les secours se multipliaient ; en quelques instants, des hommes étaient arrachés aux décombres, de grands cris d'horreur secouaient la foule, lorsque des civières passaient portées à bras et dont les draps se rougissaient de taches de sang.

Brusquement, une consternation nouvelle éclatait.

Après l'eau, après l'avalanche, un nouveau sinistre se déclarait.

Le feu faisait son apparition ; vers le ciel, des flammèches rougeâtres jaillissaient en bouquets d'étincelles.

— Arrière ! Arrière !

De toutes parts, on repoussait tout le monde et c'était soudain, alors que l'incendie faisait rage, alors que les pans de murs noircis par les flammes s'écroulaient avec un bruit sinistre, que, d'une maison ruinée, balayée la première par les eaux échappées, un homme apparaissait, un jeune homme, Fandor, et Fandor portait dans ses bras le corps inanimé de Juve, le portait avec rage dans une exaspération de dévouement, franchissant le brasier, allant tomber enfin au pied des sauveteurs attendus.

Par miracle, Fandor n'était pas blessé.

La poutre qui l'avait heurté à l'instant suprême du cataclysme lui avait en réalité sauvé la vie.

Elle s'était, en effet, arc-boutée contre des pans de muraille, avait retenu l'avalanche un instant, un très court laps de temps.

Fandor et Juve, protégés quelques minutes, n'avaient pas été écrasés et, patiemment, tenacement, faisant preuve d'une audace inouïe, Fandor avait réussi à se frayer un chemin parmi les décombres, à se sauver, à sauver Juve.

On couchait le policier, évanoui encore, sur une civière.

Fandor refusait toute aide, c'était lui qui secondait les brancardiers, il faisait conduire Juve chez lui, rue Tardieu ; c'était seulement lorsqu'un médecin, accouru, décidait que le policier était peu grièvement blessé, qu'il s'en tirerait avec un repos d'un mois peut-être, que Fandor acceptait qu'on s'occupât de lui et qu'on pansât son front meurtri.

Fandor, d'ailleurs, ne tenait pas en place. Rassuré sur le sort de son ami, il vivait dans une angoisse horrible.

Qu'était devenue Hélène ?

La jeune fille avait-elle été entraînée par Fantômas et Vladimir ? s'était-elle sauvée, au contraire ?

Fandor, le front bandé, sortait de l'appartement de Juve.

Il éprouvait un impérieux besoin d'action, il rêvait déjà d'une enquête minutieuse. Hélas ! dans toute la foule qui grouillait autour de la butte, comment opérer ?

Comment même concevoir une recherche quelconque ?

— Je tenterai l'impossible, se disait-il.

Rue Tardieu, entraîné par la foule des curieux, il allait être emporté vers les hauteurs de la butte, lorsque soudain un cri, une exclamation de bonheur et de joie lui échappait.

Devant lui, appuyée contre l'un des arbres du square Saint-Pierre, joignant les mains, le contemplant avec un visage hagard, il apercevait Hélène.

D'un seul coup alors, en l'espace d'une seconde, Fandor retrouvait toute sa vaillance, toute son énergie, toute sa force :

— Hélène ! Hélène !...

Il appelait la jeune fille d'une voix blanche, il se frayait, devenu brutal, un chemin à travers la foule pour la rejoindre.

— Hélène ! râla Fandor, vous êtes sauvée, mais vous n'êtes point blessée ?

La jeune fille, à ce moment, paraissait prête à défaillir.

Elle s'abattait tremblante, secouée par un sanglot nerveux, dans les bras de Fandor.

— Ah ! mon ami... mon ami.

Et les larmes l'étouffaient.

Elle ployait, abandonnée dans les bras du journaliste, et sa fragilité faisait trembler le jeune homme, lui faisait mal, le grisait aussi.

Une seconde, qui leur parut avoir l'éternité d'un siècle, ils restaient ainsi enlacés, indifférents au flot du peuple qui déferlait contre eux, les bousculait, les entraînait.

— Hélène !

— Fandor !

Et le journaliste reprenait bientôt :

— Ah ! c'en est donc fini... des horribles journées d'angoisse que nous avons souffert... nous pouvons donc nous aimer. Vous voici donc retrouvée, arrachée aux mains de ces misérables...

Mais il s'effrayait déjà.

Il voyait Hélène pâlir davantage encore. La jeune fille secouait la tête, elle disait lentement :

— Non, Fandor, nous ne pouvons pas nous aimer, nous ne devons pas nous revoir.

Ce soir-là, le journaliste s'était réveillé, car c'était véritablement un rêve qui l'avait grisé jusqu'alors dans le tranquille appartement discrètement installé au sein d'une vieille demeure du faubourg Saint-Germain.

Il était chez Hélène.

C'était là que la jeune fille l'avait conduit. C'était son « home », c'était la retraite mystérieuse qu'elle s'était préparée depuis longtemps, où elle vivait encore, avant d'être tombée au pouvoir de Vladimir, vengeant sur elle les tortures que Fantômas imposait à sa propre maîtresse Firmaine.

Hélène avait reconquis sa liberté.

Hélène était maîtresse d'elle-même.

Pourtant, elle affirmait à Fandor, murée semblait-il dans une obstination douloureuse, qu'ils ne pouvaient se revoir, qu'ils n'avaient pas le droit de s'aimer.

Quel était ce nouveau mystère ?

Énergique, vaillant, fou d'amour, Fandor s'emportait.

Il se faisait tour à tour doux et humble, menaçant et frémissant. Il priait, il suppliait.

— Hélène ! Hélène ! notre amour jusqu'alors a été assez malheureux, des obstacles sans nombre, des angoisses sans fin, des terreurs sans merci nous ont fait acheter suffisamment cher notre droit au bonheur... Hélène, Hélène, il faut que nous nous aimions.

Mais toujours la jeune fille, comme une folle, répétait :

— Vous aimer ? Non. C'est impossible !

Il arriva qu'elle ajouta cette phrase suprêmement énigmatique :

— Fandor, je ne peux pas vous aimer ; je vous aime trop pour cela.

Et dès lors, Hélène devait livrer son secret.

Fandor ne voulait point la quitter sans savoir ce que signifiait ce paradoxe vraiment compliqué : « Mon amour pour vous fait obstacle à notre amour. »

Il était devant sa fiancée comme devant un sphynx dont il voulait deviner la secrète et troublante énigme.

— Hélène ! supplia Fandor, dites-moi pourquoi vous ne pouvez point m'aimer ? Dites-le-moi, si vous ne voulez point que je devienne fou.

Et c'était avec une angoisse fébrile qu'il apprenait alors la douloureuse raison d'une obstination qui le peinait si fort.

— Rappelez-vous, disait soudain Hélène, les heures tragiques du train perdu. Rappelez-vous que, pendant de longues nuits, alors que vous et Juve vous cherchiez le convoi si fantastiquement disparu, je luttais, moi, avec mon père, avec celui du moins qui passe pour mon père, avec Fantômas [1].

Dans un sanglot, la jeune fille achevait :

— Fandor, j'ai juré à Fantômas de ne point vous épouser. Je tiendrai mon serment, il y va de votre vie. Fantômas a juré qu'il vous tuerait si je devenais parjure.

L'émotion produite par ce que l'on appelait la « Catastrophe de Montmartre » était longue à se calmer.

Le cataclysme avait fait de nombreuses victimes. Plus de vingt tombes s'étaient refermées sur ceux qui avaient été éprouvés, sans l'avoir cependant mérité, par la colère de Fantômas.

Une enquête ordonnée par le gouvernement avait amené naturellement la découverte de la sinistre vérité, car Juve, blessé, immobilisé sur son lit, mais fort conscient, avait parlé, avait raconté l'épouvantable histoire, l'effroyable, l'extraordinaire aventure du bouquet tragique de roses noires.

La malheureuse maîtresse de Vladimir, Firmaine, devenue Valentine de Lescaut, avait été découverte morte, au domicile du docteur Hubert, interné comme fou à Saint-Anne.

On avait su, enfin, ce que cachaient d'horrible les mystères de japisme. Les cavernes décrites par Juve avaient été ruinées lors de l'explosion des réservoirs de Montmartre ; mais cette explosion elle-même avait été expliquée ; si le public n'en avait pas été averti, les autorités officielles savaient, elles, que la catastrophe était due à la monstrueuse audace de Fantômas, et que c'était le bandit qui, en s'enfuyant avec son fils, avait fait sauter à la dynamite la muraille du réservoir, lâchant ainsi sur Paris la vague d'eau dévastatrice.

Puis les jours avaient passé.

Dans les soucis quotidiens de l'actualité dévorante, Paris, qui a un peu la mentalité charmante et futile d'une femme, oubliait vite la commotion douloureuse et terrible d'un de ses quartiers.

Seuls les acteurs du drame étrange en parlaient encore avec un tremblement dans la voix, une pâleur sur le visage.

— Et Fantômas, disait Juve, qui se remettait petit à petit, qui

---

1. Voir dans le présent volume : *Le Train perdu, Les Amours d'un prince, Le Bouquet tragique.*

commençait à pouvoir sortir, appuyé sur un bâton... et Fantômas, qu'est-il donc devenu ?... Peut-il réaliser en ce moment son monstrueux génie, sa formidable et toujours renaissante audace ? Et Vladimir, qu'en a-t-il fait ?

Fandor, qui passait le plus fort de son temps en compagnie de Juve, qui accourait rue Tardieu chaque fois que son métier de journaliste lui laissait un moment disponible, Fandor répétait :

— Fantômas ?... nous n'en avons plus de nouvelles... Il se tait !...

— Il se tait ?... reprenait Juve... Ah ! Fandor, il y a des moments où je me sens frémir en pensant qu'il réapparaîtra à coup sûr, et qu'après quelques jours de trêve, plus puissant, plus fort, plus surnaturel si je peux dire, il se dressera devant nous, devant nous qui le combattrons jusqu'à la mort !...

Entre eux, d'ailleurs, Fandor et Juve parlaient peu d'Hélène.

Le policier savait, bien entendu, que la jeune fille était sauve ; il n'ignorait pas que Fandor l'avait retrouvée !...

Il soupçonnait même que le journaliste la voyait de loin en loin... mais il ne connaissait pas les raisons qui rendaient souvent Fandor soucieux, qui paralysaient encore l'amour des deux jeunes gens, cet amour qui était si grand, si sincère, si malheureux aussi !...

Discrètement, Juve évitait de questionner Fandor !...

Discrètement, Fandor ne voulait pas avertir Juve du pacte que la malheureuse Hélène avait dû conclure avec Fantômas !...

Le journaliste connaissait assez l'affection de Juve, en effet, pour ne point douter que le policier, afin d'assurer le bonheur d'Hélène et de son cher Fandor, risquerait une suprême partie contre Fantômas, afin d'anéantir le monstre, afin de délier par une victoire définitive la douce Hélène...

— Je ne veux pas envoyer Juve à la mort..., se disait Fandor, et c'est désormais un duel à mort entre Fantômas et moi, l'un de nous deux est de trop, il ne faut pas qu'il continue à ruiner mon bonheur, à faire triste et angoissée la vie de ma fiancée, de ma chère Hélène...

Oh ! quelles étaient tristes et douloureuses, les heures pourtant désirées que Fandor passait auprès de sa fiancée !...

Comme l'amour d'Hélène éclatait superbe et formidable dans toutes ses attitudes, dans l'angoisse qu'elle éprouvait aussi à recevoir le jeune homme !...

En vain Fandor la suppliait-il de l'aimer !

— Que m'importe la vie, jurait-il. Soyons heureux... Pourquoi voulez-vous d'ailleurs que Fantômas soit plus fort que moi, et que ce soit lui qui me tue ?... Je saurai me défendre !... Aimons-nous... aimons-nous sans crainte, sans restriction...

Mais Hélène, à ces moments-là, secouait tristement la tête, son joli visage prenait une expression de tendresse infinie, ses yeux se remplissaient de larmes :

— Mon ami, disait-elle, d'une voix qui tremblait, vous oubliez que Fantômas est le maître de tous, le maître de tout, que rien ne peut se passer sans son ordre et sans sa permission, et que, si je consentais au bonheur de vous aimer, je payerais ce bonheur de la plus effroyable façon : en vous perdant !...

Placés ainsi dans un dilemme effroyable, les deux fiancés devaient, pour satisfaire à l'implacable Génie du crime invisible, mais rôdant sans doute autour d'eux, se cacher pour se voir, éviter, lorsqu'ils se voyaient, de goûter à la coupe enchantée de l'amour !

Hélène fuyait Fandor !

Fandor, lorsqu'il guettait Hélène, sentait son cœur se serrer effroyablement.

Il sentait si bien l'inquiétude de la jeune fille, il comprenait si parfaitement dans sa candeur d'amoureux les émois que la fille de Fantômas pouvait nourrir à son égard, qu'il se demandait en tremblant à chaque fois :

— La retrouverai-je ?... La verrai-je encore ?... Ne va-t-elle pas s'enfuir ?... ne va-t-elle pas, pour me sauver, me ravir le pauvre bonheur que je possède ?... le bonheur de la voir ?...

Et c'était dans de pareilles inquiétudes, tandis que Juve était préoccupé du silence de Fantômas, que Fandor, atterré de la situation où il se trouvait vis-à-vis d'Hélène, que les semaines se succédaient, s'ajoutant les unes aux autres, interminablement !...

Fandor était triste, Juve était sombre !

Voilà véritablement quel était l'état d'âme des deux amis, le jour où ils se trouvaient, tous les deux, amenés à s'occuper des affaires mystérieuses de Saint-Germain, affaires banales, peu intéressantes, croyaient-ils du moins...

IX

L'assassin de Baudry

Qu'était cependant devenu le misérable assassin du pendu de la forêt de Saint-Germain ?

Après qu'il eut accompli, avec une maîtrise effroyable, son forfait, l'homme qui venait de tuer s'était éloigné à pas lents à travers la forêt de Saint-Germain, dans la direction de la Croix-de-Noailles.

L'assassin n'avait d'abord marqué nul trouble ; toutefois, au fur et à mesure qu'il s'éloignait, sa démarche perdait de son assurance, un énervement le prenait qui précipitait sa course, hâtait son pas, le faisait haletant, lui mettait un essoufflement aux lèvres.

Cet homme, qui n'avait point frémi à l'heure du crime, semblait désormais trembler, tenaillé par le remords.

Était-ce bien pourtant le remords, la conscience du crime abominable qu'il venait de commettre, qui le faisaient ainsi frissonner, défaillir presque ?

En arrivant à la Croix-de-Noailles, l'homme ralentissait sa marche.

D'un coup d'œil, il inspectait le grand carrefour, paraissant s'assurer que nul être humain ne s'y trouvait, que personne ne pouvait observer ses faits et gestes.

Il se rassura vite. La place était déserte, le monument de pierre qui en occupe le centre se dressait solitaire, projetant sur le sol, à la clarté blafarde de la lune, une ombre fantastique et menaçante.

— Personne ! murmura l'assassin. Allons ! tout est pour le mieux et tout pourra se passer le plus aisément du monde.

En monologuant, il débouchait des fourrés, apparaissait au clair de lune, le col du vêtement relevé, les mains enfoncées dans les poches, marchant tête basse, le dos voûté, sans bruit, avec cette allure à la fois équivoque et significative du criminel qui fuit, qui se félicite de son crime, et qui, pourtant, frissonne de peur.

Dans l'ombre du sentier, l'homme eût été impossible à reconnaître.

En traversant la Croix-de-Noailles, en franchissant la grand-route, il se trouvait, au contraire, tout baigné de l'aube lunaire, et cela eût suffi pour permettre à un passant de remarquer l'altération profonde de ses traits.

Cet assassin avait un visage énergique. Les traits étaient réguliers, le nez mince avait une courbure qui donnait quelque chose de féroce à l'aspect de la physionomie ; point de moustache ni de barbe ; les yeux brillants étaient profondément enfoncés sous les arcades sourcilières, leur fixité était étrange et ajoutait encore à la cruauté du visage, où la bouche aux lèvres fines gardait un rictus ironique et mauvais.

Quel était donc cet homme ?

Sa jaquette, ses bottes, son vêtement de coupe soignée l'eussent certainement fait reconnaître du garçon de la guinguette qui, quelques instants avant, avait servi des consommations à deux clients, car cet homme, cet assassin qui s'enfuyait, n'était autre, en effet, que le gentleman qui, quelques instants auparavant, avait payé comptant trente mille francs au malheureux René Baudry, pour l'acquisition d'un cheval de course, somme dont il avait, du reste, dépouillé le cadavre qu'il laissait derrière lui.

Le gentleman, l'assassin, allait toujours sans tourner la tête.

En homme qui connaît la forêt, il n'avait nullement paru hésiter sur la route qu'il devait prendre. A la Croix-de-Noailles il avait tourné sur la gauche, il suivait maintenant le chemin de Maisons-Laffitte, il le suivait à grands pas, laissant sonner ses talons contre le sol, sifflotant presque, masquant sans doute sa peur sous une indifférence affectée.

Mais avait-il réellement peur, ce criminel ?

Certes, une crise d'effroi l'avait secoué jusqu'aux plus profondes fibres de son être, lorsque, son œuvre de mort terminée, il avait repris sa route.

La pâleur, cependant, s'effaçait déjà de son visage, son front, livide quelques instants plus tôt, se colorait sous l'influence de la marche rapide. Il n'y avait bientôt plus rien de saccadé ni de nerveux dans son allure ; vingt minutes après avoir dépassé la Croix-de-Noailles, l'homme s'arrêtait, monologuant de la voix ordinaire d'un paisible passant.

— Ah çà ! si je fumais une cigarette !...

L'assassin eut vite tiré de sa poche un étui d'argent orné d'un gigantesque chiffre, d'un B qui devait être son initiale...

Il prenait une cigarette orientale, cherchait des allumettes.

Mais comme sa main fouillait dans son vêtement, un large sourire distendait ses traits.

— Un joli coup, disait-il à voix basse, un joli coup, en vérité, et qui, de toutes façons, va m'être vraiment profitable... D'abord, j'ai trente mille francs dans ma poche, trente mille francs habilement repris à l'imbécile que j'ai accroché dans la forêt, ensuite, je me suis assuré de sa discrétion certaine... enfin j'ai le cheval...

L'assassin se frotta les mains de plus en plus joyeux, il répéta :

— J'ai le cheval, et la combinaison projetée va merveilleusement réussir...

Il riait maintenant à grands éclats, tirant d'irrégulières bouffées de sa cigarette, sinistre dans sa joie.

— Parbleu ! ils pourront bien s'entêter au Pari mutuel, à ponter tant qu'ils voudront, je ne craindrai rien avec ce cheval-là, à moins que...

Sur ses lèvres, deux noms passaient, deux noms qu'il disait avec une certaine rage.

— Harry William Maxon et Florestan d'Orgelès pourraient nous ennuyer.... mais bast !... nous les mettrons à la raison...

Il riait encore, lentement, en homme qu'une pensée secrète amuse infiniment, puis, comme il ne pleuvait plus, il abaissait le col de sa jaquette, et, marchant vite, continuait à foncer dans la nuit noire, sifflotant un air de chasse, battant la mesure par moments, de sa main droite.

Une demi-heure de marche rapide amenait l'assassin aux premières habitations de Maisons-Laffitte. Il tournait le long d'une ruelle, gagnait alors une route, plantée d'arbres, bordée, semblait-il, de vastes terrains où s'élevaient des petites maisonnettes, peu hautes, bâties en briques et merveilleusement entretenues.

— Fichu temps ! grommelait-il bientôt. Il fait meilleur être chez soi que dehors...

Puis, il eut encore un éclat de rire pour ajouter ces simples paroles, qui devenaient terribles en raison de leur sens tragique :

— Il est vrai que ce soir, j'avais de la besogne à faire, qui ne pouvait pas attendre.

L'assassin s'arrêtait quelques minutes plus tard à la barrière blanche d'une grande cour toute semée de sable fin.

Habitait-il là ?

Sans doute ! car il tirait de sa poche un trousseau de clés dont l'une faisait jouer la serrure.

L'assassin, bientôt, refermait la barrière blanche et, d'un pas assuré, traversait la cour.

Bientôt, il obliquait sur la droite, se rapprochait d'une bâtisse, une écurie, ainsi qu'il était facile de le deviner à la forme.

L'homme appela brusquement :

— Oh là ! qui est de garde ?

Un instant plus tard, une voix répondit avec un fort accent anglais :

— Présent ! qui appelle ?

— Moi, fit l'assassin, qui pour préciser sa situation indiquait :

« Je suis à la troisième stalle, devant Flaing...

— Fort bien... voici. Qu'y a-t-il pour votre service ?...

L'individu, qui répondait au meurtrier, devait sortir de l'ombre. Il apparaissait brusquement, portant à la main une épaisse lanterne, un véritable falot à verre bombé, protégé par un grillage.

L'assassin demanda :

— Ici, rien de nouveau ?

— Rien de nouveau, patron...

— Ils dorment bien ?

— Assurément. Toutefois, Pégasse s'est pris dans son bat-flanc.

— Vous l'avez retiré ?

— Oui, patron.

— Et Victoire II ?

— Les tendons vont mieux, patron... Au galop du soir, la boiterie disparaissait.

— Bien, les trots ?

— Point mauvais. Très réguliers.

— Et les lads dorment ?

— Oui, patron.

— Les jockeys ?

— Rentrés eux aussi.

L'assassin eut un claquement de langue satisfait.

— All right !... Joé, vous reprendrez votre garde dans une minute, mon garçon... Éclairez-moi.

L'assassin, qui parlait sur un ton de commandement à l'homme venu à son appel, fit un geste désignant le falot.

— Je tiens à voir les pur-sang... les portes sont fermées, hein ?

— Certainement, patron. La brume est froide ce soir. Justement il ne faut pas les enrhumer.

Les deux hommes s'enfonçaient dans le noir, marchant côte à côte dans l'auréole tremblante du falot, que portait toujours le second personnage.

La promenade de l'assassin dura quelques instants.

Le falot s'était d'abord dirigé sur le côté gauche de la cour.

Dans sa lueur s'était dessinée la porte vernie d'une somptueuse écurie. Le meurtrier l'avait repoussée, et, comme son compagnon haussait la lanterne, il avait d'un claquement de langue approuvé l'ordonnance des choses.

La porte donnait sur un box et dans ce box l'assassin avait pu voir un cheval merveilleux, une bête de race et de sang qui, debout, ne dormant point, avait henni de plaisir en recevant sa visite.

Le falot continua sa promenade sur la gauche.

D'autres boxes étaient visités successivement, puis l'assassin, toujours suivi de son compagnon, pénétrait dans une écurie commune où une dizaine de bêtes sommeillaient encore, les unes debout, les autres couchées sur une litière merveilleusement faite, bordée à la main, nettoyée avec des soins extrêmes, une litière qui sentait bon la chaude et puissante odeur des riches écuries.

Un quart d'heure plus tard, l'assassin, monté sur les degrés d'un perron somptueux, renvoyait le porte-lanterne.

— Cela va, Joé. Bonne nuit, mon garçon.

— Bonsoir, patron.

Le meurtrier avait mis la main sur la poignée d'une porte ; il allait s'introduire dans un petit pavillon visiblement destiné à l'habitation, lorsque le porte-lanterne le rappelait :

— S'il vous plaît, monsieur Bridge, suivez-vous l'entraînement demain matin ?...

— Certes.

— Quels chevaux ?

— Les yearlings.

— C'est entendu, monsieur Bridge.

Joé disparaissait. Seule, la lueur de son falot s'éloignant à travers la cour dans la direction des boxes de pur-sang indiquait sa présence ; l'assassin, celui qu'il avait appelé « patron », qu'il avait nommé « Bridge », ne s'attardait pas à le suivre des yeux, il ouvrait la porte du pavillon, la refermait sur lui, murmurant à part soi :

— Parbleu ! il fait bon de rentrer et retrouver son home, quelle vilaine nuit, mais quelle nuit utile.

Bridge ?

Tel était le nom que venait de prononcer le garçon d'écurie !

Il n'était certes pas un des parieurs habitués des hippodromes parisiens qui n'eût pu citer avec orgueil les hauts faits de la carrière de ce Bridge assassin, et pourtant connu dans tous les milieux comme un homme fort honorable, comme un homme favorisé par la fortune !

— Bridge, eût-on dit, était à l'heure actuelle le meilleur entraîneur, le plus habile manager de Maisons-Laffitte et de Chantilly...

Il n'y avait certainement pas six mois que cet inconnu, un beau jour, avait sollicité et obtenu sa licence, puis, à coups d'argent, semblant manier l'or avec une prodigalité folle, avait fait surgir la somptueuse installation que représentait son écurie, son écurie d'entraînement, l'écurie Bridge, désormais célèbre dans le monde entier.

Le nouvel entraîneur, au surplus, avait rapidement fait ses preuves.

En quelques mois, il avait réussi à monopoliser toutes les grandes victoires.

Il avait forcé l'attention, d'abord, par une magnificence sans bornes.

On citait les acquisitions, faites par lui, des meilleurs chevaux de l'année. On rappelait surtout avec admiration comment cet inconnu, plus habile, semblait-il, que les plus vieux praticiens d'entraînement, avait réussi par de retentissantes victoires, d'inespérés triomphes, à se faire une popularité extraordinaire.

M. Bridge comptait désormais dans le monde de l'entraînement, comme une personnalité des plus importantes.

Peut-être le jalousait-on, mais surtout, on l'admirait !...

Nul n'avait comme lui des écuries merveilleusement tenues, nul ne pouvait revendiquer une aussi rigoureuse méthode pour l'entraînement des bêtes, un flair aussi certain pour découvrir parmi les poulains ceux qui devaient devenir des cracks.

Et c'était même parmi les jockeys, parmi les cravaches les plus réputées que l'on s'arrachait à prix d'or, une émulation ardente ; chacun voulait avoir monté pour Bridge ; chacun tenait à avoir passé sous sa coupe ; on se targuait d'être son élève, on revendiquait de monter à ses ordres.

C'était pourtant ce Bridge, cet entraîneur qui pouvait traiter de pair avec les propriétaires les plus riches et les plus cotés, c'était ce manager, célèbre, fortuné, triomphant, qui venait de rentrer chez lui, tête basse, le dos fuyant, revenant de la Croix-de-Noailles, revenant du sentier sombre, où, férocement, il avait commis un crime, un assassinat, tuant sans pitié, lâchement, pour voler les trente mille francs semblait-il.

X

Scott le jockey

— Avec tout cela ça n'est pas clair ! Et, comme vis-à-vis de moi-même je n'ai aucun motif de me mentir, comme la sincérité s'impose en face de mon stylographe, comme le papier blanc que j'ai sous la main réclame la vérité, je peux confesser tout haut, à très nette et très intelligible voix, que cette affaire est mystérieuse et que chacun patauge de la plus belle façon à son sujet... Quand quelqu'un s'appelle René Baudry pour la justice, Jules pour Max de Vernais, Arthur pour Paul Simonot et Henri pour moi, c'est exactement comme s'il ne s'appelait rien du tout, comme s'il n'avait aucun nom, comme si c'était M. Personne, M. Quelconque ou autre individu vague...

Un coup de poing formidable ponctuait ces discours que Jérôme Fandor, seul dans son cabinet de travail à la rédaction de *La Capitale*, s'adressait à lui-même.

Jérôme Fandor était venu au journal avec l'intention bien arrêtée d'écrire un long et minutieux papier sur l'affaire de Saint-Germain dont les échos intéressaient d'autant plus le public qu'elle paraissait chaque jour plus mystérieuse, chaque minute plus incompréhensible.

Jérôme Fandor devant la page blanche, était cependant resté court, ce qui ne lui arrivait pas souvent.

— Qu'est-ce que je vais raconter ? s'était avoué le journaliste en veine de franchise. Des boniments à la graisse d'oie, ou des inventions à la sauce piquante ? Après tout, je n'ai rien à dire au lecteur, à ce pauvre lecteur, je n'ai rien à lui dire, parce que je ne sais rien...

Et, après un instant de silence, Jérôme Fandor ricanait.

— Je ne sais rien, mais j'ai une consolation, c'est qu'à vrai dire, personne n'est plus documenté que moi, personne, pas même Juve...

En réfléchissant, Fandor, par manière de distraction, faisait tourner d'un doigt, en un équilibre plus qu'instable, l'encrier plein d'encre qui se trouvait au coin de son bureau.

Naturellement, une catastrophe inévitable ne manquait pas de se produire.

Le jeune homme perdait prise, l'encrier roulait, se renversait, un énorme pâté tacha le bureau, qui d'ailleurs en avait vu bien d'autres !...

Fandor n'était pas homme à se troubler pour si peu :

— Voilà, constata-t-il simplement en examinant le flot noir, que le tapis de son bureau buvait avec avidité. Voilà l'image de cette affaire, c'est du noir, rien que du noir... Or, dans le noir on n'y voit goutte...

Il réfléchissait quelques minutes, se levait, puis, rageusement, allait décrocher son chapeau, enfiler un paletot.

— Quand on est dans le noir, se déclarait-il à lui-même, il n'y a qu'un moyen d'en sortir, c'est de faire la lumière... Allons acheter deux sous de bougie.

Ce que Jérôme Fandor appelait « acheter deux sous de bougie » consistait à faire une enquête.

Le journaliste, il est vrai, depuis le début de l'affaire de Saint-Germain, n'avait point cessé d'enquêter.

C'était grâce à lui que la piste de Max de Vernais avait été découverte.

C'était grâce à lui que l'on avait pu savoir la dernière identité du mort mystérieux !...

— René Baudry, avait déclaré Fandor, Jules de chez Minima, Arthur, pas du tout, la victime ne s'appelle pas ainsi, c'est Henri, c'est un preneur de paris, c'est un bookmaker.

Mais ces renseignements, cette affirmation nouvelle n'avaient nullement permis de débrouiller l'intrigue qui passionnait la police, et tout spécialement énervait Juve.

Si Fandor rageait d'ailleurs — et il rageait ferme ce jour-là — c'est que, précisément, plus les enquêtes se multipliaient et plus il apparaissait que l'affaire se compliquait.

On avait d'abord cru qu'il s'agissait d'un suicide, puis on s'était rallié à l'hypothèse d'un crime.

Le crime s'était expliqué tout d'abord par la jalousie du mari. Puis, il avait fallu admettre la colère possible d'un amant.

Désormais, tout était remis en question, et, non seulement on n'était point près de découvrir le meurtrier, mais on ignorait les mobiles de son crime, on ignorait, ce qui était plus fort encore, l'identité exacte de la victime, de ce cadavre que personne ne connaissait sous le nom dont on l'avait étiqueté d'abord et que chacun affirmait reconnaître sous un nom différent...

Comment débrouiller tout cela ?

Que faire ?

Que tenter ?

En sortant de son cabinet de travail, Jérôme Fandor, qui était un peu l'enfant gâté de la rédaction de *La Capitale*, en raison de son talent reconnu, et des succès multiples de journalisme qu'il avait maintes fois remportés, se dirigeait vers le bureau du secrétariat général.

M. de Panteloup était toujours à son poste.

Fandor entrebâilla la porte, salua d'un sourire, et tout de suite questionna :

— Dites donc, vieux, que dit la jauge ?

— Basse, fit M. de Panteloup qui semblait attendre une autre demande...

Ils parlaient tous deux argot de métier.

M. de Panteloup, en qualité de chef des informations, disposait, en effet, d'une certaine somme fixe avec laquelle il devait assurer à forfait les frais de déplacement des informateurs du journal.

La « jauge » était haute quand il y avait beaucoup de fonds disponibles, basse au cas contraire.

Mais Fandor ne se troublait pas, il savait qu'en principe, M. de Panteloup répondait toujours que la « jauge » était basse. Cela ne prouvait rien.

Fandor insista donc.

— On ne peut pas s'offrir un taxi ?

— Pour aller où ?

— A la Croix-de-Noailles.

M. de Panteloup n'hésita pas.

— Allez, allez, Fandor, si c'est pour l'affaire de Saint-Germain, je vous vote tous les crédits possibles...

Fandor prit son sourire le plus aimable, et s'informa :

— Ça va jusqu'au combien, tous les crédits possibles ?... Quarante sous ou cent cinquante francs ?

— Jusqu'à vingt-cinq louis !...

— Fichtre ! répliqua Fandor, vous êtes généreux aujourd'hui.

Il refermait la porte, quittait le journal, préoccupé.

— De Panteloup vote vingt-cinq louis, diable, il s'agit de se débrouiller alors, et de trouver du nouveau. Un crédit comme cela, c'est significatif.

Une heure plus tard, à Saint-Germain, à la Croix-de-Noailles, Fandor était fort mélancolique.

Il venait de visiter successivement le commissariat de Maisons-Laffitte, le commissariat de Saint-Germain, dans l'espoir d'y apprendre quelque nouveauté, mais il était ressorti des deux postes de police rigoureusement bredouille.

La chasse aux nouvelles s'annonçait mauvaise ; on n'avait rien à dire, on ne savait rien, l'enquête policière pataugeait ; depuis la confrontation générale, aucun fait nouveau ne s'était produit.

— Menez-moi à la guinguette de la Croix-de-Noailles, avait alors ordonné Fandor à son chauffeur.

Et, pendant que la voiture filait, Fandor imaginait par la pensée son pauvre Juve enfermé chez lui, jouant aux cartes avec Paul Simonet et Max de Vernais, puisque les événements avaient fait du mari et de l'amant de Georgette les hôtes du policier.

— Juve ne s'amuse pas, pensa Fandor, mais moi, je m'embête.

Fandor allait à la guinguette par acquit de conscience.

On avait vite identifié, au cours de l'enquête policière, que la victime avait été boire une consommation la nuit même du crime, au cabaret champêtre.

La déposition du garçon était formelle à ce sujet. Ce digne employé ajoutait de plus que la victime était en compagnie d'un autre personnage.

Mais ce personnage, il affirmait l'avoir vu partir dans la direction de Maisons-Laffitte, alors que la victime était retournée vers Saint-Germain et, de plus, il en donnait un signalement qui changeait perpétuellement.

Fandor, pour la dixième fois, essaya de faire bavarder le garçon.

— Enfin, lui disait-il, sapristi... vous devriez bien savoir si le second bonhomme était grand, petit, gros, mince, blond, noir, châtain, vert, jaune, rouge ou bleu ?

Il parlait sans la moindre conviction. Sachant fort bien que le garçon n'avait rien vu et que ses demandes devaient forcément être vaines.

Fandor s'attirait d'ailleurs cette réplique :

— Ma foi, monsieur, je ne peux rien vous dire. Dame ! n'est-ce pas, je ne pouvais point me douter qu'il fallait regarder les clients ; il était tard, je dormais à moitié, je leur ai machinalement servi ce qu'ils demandaient, donné de quoi écrire et puis...

Or, brusquement, Fandor sursauta :

— Mais, bougre d'âne !... cria-t-il, vous n'aviez jamais dit cela ? Ils ont écrit... Qui a écrit ?

— Le petit qui est mort, je crois...

Fandor se grattait le front.

Une enquête à la poste était bien difficile.

Rien ne prouvait, d'ailleurs, que ce fût une lettre qui avait été écrite...

D'autre part, si ce n'était pas une lettre qui avait été rédigée quelques instants avant le meurtre, qu'était-ce donc ?

Une instruction ? Une note ? Une recommandation ?...

Fandor, à tout hasard, demanda :

— Bougre d'âne, apportez-moi donc tous les buvards de la maison, toutes vos plumes, tous vos encriers...

La demande était extraordinaire, le garçon ouvrit des yeux ronds.

Depuis quelques jours cependant qu'il était continuellement interviewé par des journalistes, le garçon de la guinguette s'était résigné à tout.

Fandor, spécialement, lui faisait l'effet d'un brave type.

Il riait toujours, l'appelait continuellement « bougre d'âne », inventait des questions incohérentes, mais laissait de riches pourboires.

Il avait donc plaisir à lui donner satisfaction !...

— Ma foi, monsieur, annonça le garçon, pour vous donner tous les encriers, ça ne sera pas difficile, nous n'en avons qu'un... le voici. Quant aux sous-main, il y en a deux, mais je me demande qu'est-ce que vous voulez chercher...

— Bougre d'âne, taisez-vous !... ordonna Fandor. Je ne cherche rien du tout... Seulement, je veux voir.

Fandor, en possession des deux sous-main de la petite guinguette, les examinait avec une attention émue.

— Dire, pensait-il, que la main du meurtrier a peut-être frôlé ce morceau de carton, dire qu'il a été écrit là-dessus quelque chose qui, peut-être, donnerait la clé du mystère, et qu'il n'y a aucune trace, aucun indice à retrouver...

Il avait ouvert les sous-main, il feuilletait les enveloppes, les enveloppes jaunes ordinaires, le papier quadrillé, de mauvaise qualité, taché, sali...

De guerre lasse, Fandor repoussa le tout.

— Tenez, reprenez votre matériel, bougre d'âne...

Mais comme le garçon tendait la main, Fandor sursautait :

— Ah ! nom d'une pipe !

Et, soudain, il hurlait :

— Vous avez bien une glace, parbleu ! Apportez-moi une glace...

Le garçon n'était pas revenu de sa stupeur que Fandor se saisissait d'une feuille de papier buvard, se levait très énervé.

— Une glace ? il y a une glace dans la maison ?

On le conduisit devant un petit miroir, accroché au mur de la guinguette.

Le journaliste, alors, étala devant ce miroir la feuille de papier buvard qu'il tenait à la main.

Son doigt soulignait quelques jambages qui demeuraient sur le papier rose, marquant évidemment une page d'écriture qui avait été épongée à la hâte.

Dans le miroir, les caractères se retournaient, redevenaient lisibles, et ce que Fandor lisait le rendait très attentif.

C'était d'abord une signature, point complète peut-être mais facile à deviner. Il y avait la fin d'un prénom, « ...né », le commencement d'un nom propre « Baudr... »

Fandor n'avait pas vu cela, qu'il s'esclaffait :

— Est-ce assez évident, cria-t-il, « né » c'est la fin de René et « Baud... » c'est le commencement de Baudry.

La feuille tremblait dans ses mains, cependant qu'il déchiffrait, regardant toujours au miroir, les caractères zigzagants.

Fandor lisait ces mots, qui n'avaient pas encore de sens pour lui :

A monsieur... ge... Je vends en toute propriété... cheval... nement... le prix... trente mille... tant...

Mais ce sens s'imposait vite à sa pensée.

Et Fandor, tout haut, le reconstituait :

— A monsieur, un monsieur dont le nom finit par ge, je vends en toute propriété mon cheval... mon cheval X... en cours d'entraînement, ou sans entraînement, moyennant le prix de trente mille francs comptant.

Fandor s'épongea le front où perlait la sueur :

— Et, achevait-il, et c'est signé René Baudry... et je connaissais René Baudry sous le nom d'Henri, pour être mêlé au monde des courses... Décidément j'ai bien fait de venir ici, ça se débrouille, ça se débrouille !...

Trois jours après la découverte du buvard, découverte dont Fandor n'avait parlé qu'à Juve, car il l'estimait trop importante au point de vue policier pour la publier dans un article, Bridge, l'entraîneur, descendait à cinq heures du matin, dans la cour de son écurie d'entraînement, botté, cravaché, prêt à monter sur le double poney dont il se servait le plus ordinairement pour aller surveiller le travail des lads, entraînant au trot les poulains de deux ans.

Bridge était, comme tous les matins, de fort mauvaise humeur.

Cet homme autoritaire, qui conduisait à la cravache tout un peuple de garçons d'écurie, de lads, d'apprentis jockeys, de jockeys même, avait le réveil désagréable.

Une contrariété de plus, ce jour-là, assombrissait son front.

La veille, les trots du soir avaient été mauvais et, par malheur, Capricieuse, une jument pur-sang, était devenue boiteuse.

La contrariété du maître retombait naturellement sur les serviteurs.

Bridge tempêtait...

— Allons, garçons, hurlait-il, du nerf, nom d'un chien ! Dieu vivant ! ces chevaux ne sont pas sellés... Enlevez-moi ces surfaix... Et voilà maintenant que Flaing n'a pas les jambes bandées... Parbleu ! vous voulez encore qu'un tendon lui saute... les étriers courts, Jimmy !... Vous imaginez-vous que les bêtes vont s'habituer à la selle de course avec des étriers de cette longueur !

Il faisait quelques pas, arrivait à la hauteur de l'écurie des pur-sang. Ses yeux tombaient sur un tas de crottin qui souillait la paille.

Bridge, à cette vue, devint pourpre de rage :

— Et cela ? demandait-il, la cravache levée, c'est peut-être fait pour rester là ? Qui s'occupait des pur-sang, cette nuit ?... Parbleu ! je veux le savoir. Allons vite... au rassemblement. Mais, misérables lads, vous ne voyez donc pas ce crottin ?...

Bridge tempêtait très fort, mais tempêtait sans émouvoir personne, pour la bonne raison que les lads, voyant la mauvaise humeur du patron, feignaient de s'affairer à l'autre bout de la cour, à seller les chevaux.

Or, comme Bridge, au comble de la rage, allait chercher l'un de ces garçons pour le ramener par les oreilles à l'écurie des pur-sang, il se trouva, pivotant sur ses talons, face à face avec un individu modestement habillé, qui, la casquette à la main, paraissait attendre son bon plaisir pour le saluer.

Bridge dévisagea l'inconnu d'un coup d'œil.

— Qui demandez-vous ? fit-il brusquement. Je ne veux personne ici, ça n'est pas public ma maison...

Le visage de l'inconnu demeura froid, impassible :

— Master Bridge, déclarait-il lentement, avec un étrange accent qui surprenait au premier abord... Master Bridge est-il ici ?...

— C'est moi... que me voulez-vous ?

L'inconnu s'inclina :

— Enchanté, je suis Scott...

Mais, après s'être nommé, l'arrivant devait reconnaître que son nom ne semblait produire aucun effet sur le propriétaire de l'écurie d'entraînement.

Pour se faire mieux reconnaître, Scott précisa :

— Je suis votre nouveau lad, je viens pour l'engagement...

Cette fois, Bridge comprit.

— Bon ! dit-il. C'est vous qui m'êtes recommandé par Smith ? Ça va... enlevez-moi ce crottin.

Scott, posément, avait remis sa casquette.

Le nouveau lad considéra successivement Bridge, le pur-sang qui ruait, le tas de crottin qui souillait la litière.

— Eh bien ! entendez-vous ? jura Bridge. Qu'est-ce que vous avez à bayer aux corneilles ?

Scott, tranquillement, repartit :

— J'entends, mais je ne vois pas la pelle...

Un nouvel éclat de colère lui répondit :

— La pelle ?... il faut une pelle à monsieur ! ah ça, d'où venez-vous donc ? le crottin, ça s'enlève avec les mains... voilà, je n'aime pas les rouspéteurs...

— Moi, riposta le lad, je n'aime pas les gens grossiers...

Il fallait évidemment peu connaître Bridge, pour lui répondre sur ce ton. Oser le braver en face était quelque chose d'inouï ! Refuser de lui obéir tenait au miracle. Bridge, lui-même, parut un instant abasourdi en entendant la réponse qui venait de lui être faite.

Il reprenait vite son sang-froid cependant. Marchant sur Scott, l'entraîneur lui mit la main sur l'épaule :

— Tu es un idiot, garçon..., déclara-t-il, prenant le tutoiement familier du patron envers un jockey affectionné. Mais tu as du toupet... quelle taille ?

Le lad haussa les épaules.

— La bonne..., déclarait-il.

Bridge sourit :

— Ton poids ?

— Celui qu'il faut.

Un éclair passa dans les yeux de l'entraîneur. Il se recula, considéra le nouveau lad avec curiosité, puis demanda encore :

— Tu maigris donc ?

— A volonté.

Bridge, cette fois, siffla deux mesures d'un air de chasse.

Un instant, ses lèvres s'ouvraient comme s'il eût voulu poser une question qu'il hésitait à formuler.

Ce fut une gronderie qu'il prononça d'un ton rude :

— Mon garçon, tu es un imbécile.

Puis, il ajoutait immédiatement :

— On fera peut-être quelque chose de toi.

Et, redevenu rageur, Bridge ordonnait, s'adressant à un lad :

— Vous, Lamp, vous enlèverez ce crottin... Ah ! au fait, je vous charge de dresser ce Scott... Vous le mettrez à la jument noire, celle qui rue... s'il n'est pas tué à la fin de la semaine, c'est qu'on en fera quelque chose...

Jamais Bridge n'avait si aimablement engagé quelqu'un !...

XI

Le « Francin » de Fantômas

Le cabaret du père Korn existait toujours [1].

Toutefois le célèbre établissement de la rue de la Charbonnière avait, depuis quelques années, perdu, dans une certaine mesure, de son cachet pittoresque et aussi de son allure redoutable.

L'établissement ne servait plus comme par le passé de repaire aux plus sinistre apaches, et le commissaire de police du quartier de la Goutte-d'or n'avait guère plus d'une ou deux plaintes par semaine contre ce cabaret, alors qu'autrefois, c'était par trois ou quatre que parvenaient chaque jour les dénonciations contre ce bouge où se préparaient, du soir jusqu'au matin et du matin jusqu'au soir, les combinaisons les plus louches, lorsqu'il ne s'agissait pas des plus sanglantes préméditations.

---

1. Voir dans la série « Fantômas » : *Juve contre Fantômas*.

Le père Korn, à mesure qu'il était devenu vieux, s'était-il donc fait ermite ?

Aux gens perspicaces la chose pouvait paraître improbable, et à juste titre en effet.

En réalité le père Korn avait fini par être « brûlé » dans les milieux d'apaches qui, pendant de longues années, étaient venus se réfugier chez lui, soit pour combiner leurs mauvais coups, soit pour se mettre à l'abri des poursuites.

Mais s'il était suspect aux malfaiteurs, le père Korn l'était devenu également à la police qu'il renseignait.

A force de trahir les uns et les autres, et de ne le faire qu'à moitié pour se ménager les policiers et les malfaiteurs, le père Korn avait fini par n'inspirer confiance à personne.

Les apaches avaient choisi d'autres lieux de réunion, et la police avait déserté le cabaret de la rue de la Charbonnière, pour suivre son interlope clientèle.

Au surplus, le père Korn avait vendu la moitié de son établissement, c'est-à-dire qu'il avait sous-loué la boutique qui donnait sur le boulevard de la Chapelle.

Dès lors le bouge de la rue de la Charbonnière, qui s'appelait toujours *Au rendez-vous des aminches,* n'avait plus qu'une seule et unique issue, ce qui rendait l'établissement peu fréquentable pour les gens qui ont à redouter des interventions subites de la police, et qui éprouvent sans cesse le besoin de se dissimuler et de perpétuellement — lorsqu'ils entrent dans un établissement — pouvoir s'en aller par une issue qui n'est pas celle par laquelle ils sont entrés.

Le père Korn se contentait d'ailleurs de la situation, ayant vieilli, éprouvant un désir moins vif que lorsqu'il était jeune de faire fortune, et trouvant en somme fort agréable de voir son établissement vide à minuit, ce qui lui permettait d'aller se coucher au lieu de l'obliger comme jadis à rester ouvert jusqu'à sept heures du matin.

La clientèle s'était quelque peu modifiée comme d'ailleurs le quartier.

Aux vieilles maisons louches et malsaines, qui étaient dans l'entourage du cabaret, des architectes avaient substitué des constructions neuves, de véritables immeubles bourgeois.

Et, comme le disaient, non sans une certaine ironie, les vieux habitués de ce quartier si mal famé, « la rue devenait bourgeoise... elle s'encanaillait ! ».

De nouveaux clients, des petits boutiquiers, des employés en retraite, qui venaient faire la manille entre cinq et sept chez le père Korn, l'avaient même — c'était là un signe des temps — sollicité à diverses reprises de changer le titre de son établissement *Au rendez-vous des aminches* par une enseigne plus correcte, qui aurait pu être conçue ainsi : *A la réunion des amis.*

Le soir cependant, de préférence le samedi ou le lundi, le père Korn voyait pourtant revenir de vieilles connaissances.

Il avait gardé un petit noyau de fidèles, qui n'était intermittent dans son établissement que lorsque des absences leur étaient imposées par les tribunaux.

C'est ainsi que parfois, dans la salle enfumée du bouge, le père Korn entendait une voix caverneuse retentir et lui commander :

— Un saladier de rouge, père Korn !

Et dès lors le vieux marchand de vins tressaillait, car cela lui rappelait les heures héroïques, les grandes époques où, sans cesse persécutés par la police, des apaches redoutables, tels que le Bedeau, le Barbu, des filles terribles, telles que la Grande Ernestine, combinaient les coups les plus effroyables au nez et à la barbe des agents impuissants à les dompter !...

— Un saladier de rouge, père Korn !

... Ce soir-là, un samedi, la commande avait été passée par une voix faubourienne éraillée.

Le père Korn avait souri joyeusement.

Un groupe de consommateurs venait d'arriver dans son établissement et, parmi ceux-ci, se trouvaient des lieutenants du Bedeau et du Barbu !

Deux types aux silhouettes caractéristiques, qui n'étaient autres que le célèbre Bec-de-Gaz et le non moins populaire Œil-de-Bœuf.

Les deux inséparables, toutefois, menaient depuis quelque temps, semblait-il, une existence bourgeoise ; ils vivaient maritalement avec l'ancienne bonne Adèle.

Comme ils le disaient, « ils avaient fait une fin à la manière des gens de la haute » ; seulement, n'étant pas riches, ils n'avaient qu'une femme pour eux deux.

Adèle venait de s'asseoir à la table du fond du cabaret, et Bec-de-Gaz avait commandé le saladier de rouge.

Le père Korn s'empressait à les servir, lorsque soudain un grand tapage se fit à l'entrée de l'établissement dans lequel trois personnages s'efforçaient de pénétrer.

Il semblait que ce fût quelque chose de difficile pour eux, car après avoir ouvert le battant de la porte, et essayé de passer tous les trois de front, ils s'étaient résolus à reculer, pour que chacun passât à son tour.

Mais personne ne voulait entrer le premier ; la porte resta donc ouverte quelques instants.

Puis les trois hommes, se résolvant en même temps à entrer, chacun d'eux se présenta ensemble dans l'étroite embrasure.

Enfin, à force de se bousculer, ils finirent par s'introduire dans l'établissement et dès lors on s'aperçut que deux de ces hommes sur trois pleuraient à chaudes larmes.

Ils avaient des figures luisantes, illuminées, des yeux brillants et des gestes hésitants.

Ils étaient sordidement vêtus, laids et comiques à la fois.

Ils étaient en outre effroyablement ivres, et incapables, semblait-il, de proférer des paroles compréhensibles.

Leur compagnon toutefois paraissait plus solide sur ses jambes et, à le considérer, on le reconnaissait aussitôt.

Il avait un visage orné d'une barbe rousse hirsute, et une chevelure ébouriffée ; puis il portait, fixé à son dos par des bretelles, un grand cylindre de métal entouré d'une sorte de ceinture de velours.

On ne pouvait s'y tromper, c'était Bouzille ! Bouzille, l'inénarrable chemineau, qui désormais remplissait les fonctions honorifiques et lucratives de marchand de coco sur les champs de courses.

Bouzille déposait son cylindre de métal dans un coin de l'établissement à côté du comptoir du père Korn.

Il recommanda au mastroquet :

— Je vais te laisser ma cave en consigne jusqu'à demain, je viendrai la prendre avant de partir pour les courses... faudra voir à gaver ma cafetière, avec du Château la Pompe de derrière les fagots !...

Puis, cette recommandation faite, Bouzille, qui distribuait des petits sourires protecteurs à tous les consommateurs, annonça en désignant ses deux compagnons ivres, qui s'étaient affalés sur une banquette et s'étreignaient tendrement par les épaules, en pleurant toujours à chaudes larmes :

— C'est des revenants !... ces deux pantes-là, c'est Dégueulasse et Fumier [1] !

Dès lors c'était un murmure intéressé dans la foule des consommateurs.

Et particulièrement à la table de Bec-de-Gaz, Œil-de-Bœuf et Adèle, on se souvenait de ces deux caricaturaux personnages, qui jadis avaient été mêlés à d'étonnantes et singulières aventures, et qui, unis comme les doigts de la main, amis comme des frères, avaient été perpétuellement, par le hasard des circonstances, séparés l'un de l'autre malgré la grande amitié qui les unissait.

C'était des gens extraordinaires à vrai dire, que Dégueulasse et Fumier.

Depuis leur plus tendre enfance, ils avaient été affectés à de viles besognes, sans cesse employés à remuer les ordures, ou à faire l'office de boueux.

Chaque fois qu'ils avaient voulu s'élever dans le niveau social, adopter une profession plus noble, leur inconduite notoire et leur saleté invétérée les avaient fait retomber dans leur premier métier.

Et désormais, s'étant résignés, ils y croupissaient.

Bouzille venait de rencontrer, au coin du boulevard et de la rue de la Charbonnière, Dégueulasse et Fumier qui se retrouvaient l'un et l'autre, après cinq ou six ans de séparation.

Comme ils étaient également ivres, Bouzille avait suggéré que le meilleur moyen de célébrer cette heureuse rencontre, était encore d'aller boire quelque chose de plus.

Et c'est pourquoi le trio s'était introduit, non sans difficulté, dans le cabaret du père Korn.

Bouzille au surplus avait deviné que Dégueulasse et Fumier avaient quelque argent et c'est pourquoi le marchand de coco, toujours heureux à l'idée qu'on pouvait boire pour rien, avait suggéré d'entrer chez le bistrot.

Bouzille, qui admirait la richesse de Dégueulasse et de Fumier, lesquels possédaient chacun, en pièces de deux sous, la valeur de trois ou quatre francs, n'était pas peu étonné de voir qu'à la table de Bec-de-Gaz et d'Œil-de-Bœuf on consommait du vin bouché.

Il y avait dans une assiette des ronds de saucisson fort appétissants, dans une soucoupe des radis, du beurre, et encore, dans un plat voisin, du cervelas.

_____

1. Voir dans la série « Fantômas » : *La Mort de Juve*.

— C'est pas possible, songeait Bouzille, ils ont fait un héritage pour s'envoyer comme ça de l'aramon et du « tire-fiacre » de première qualité...

Faire un héritage, dans l'esprit de Bouzille, signifiait qu'évidemment Bec-de-Gaz et Œil-de-Bœuf avaient dû faire un mauvais coup, dévaliser quelqu'un pour posséder de quoi payer le superbe festin qu'ils étaient en train de déguster.

— A moins, imaginait encore Bouzille, qu'ils ne soient décidés à se débiner sans rien raquer, ce qui est dans les choses assez naturelles de leur part.

Bouzille, curieux de sa nature, était étonné de la placidité tranquille avec laquelle le père Korn servait tout ce qu'on lui commandait à la table où trônait l'ancienne bonne Adèle.

— Décidément, estimait Bouzille, le vieux bistro devient bien toquard, et ne tient plus sa maison ! Autrefois, jamais il n'aurait servi à bouffer ou à ficher comme ça à Bec-de-Gaz ou à Œil-de-Bœuf.

Et Bouzille, avisant le père Korn qui passait à côté de lui, l'interrogea à mi-voix :

— Tu fais donc du crédit maintenant, ou alors, c'est toi qui les régales ?...

Et il désignait le trio, suspect, à ses yeux.

Mais le père Korn n'était pas si naïf que le supposait Bouzille. Il secoua la tête, et clignant de l'œil répondit à l'ancien chemineau :

— Penses-tu !... dans c't'affaire-là, je marche sur le velours, ils ont raqué d'avance, deux thunes !...

Bouzille en demeurait abasourdi.

Comment Bec-de-Gaz et Œil-de-Bœuf pouvaient-ils avoir autant d'argent ?

Il les observa quelques instants encore avec minutie, et remarqua notamment qu'Adèle était vêtue de neuf, qu'elle avait un corsage d'une propreté impeccable, une jupe à la mode et des souliers vernis qui reluisaient.

Bouzille sentait sa curiosité surexcitée au plus haut point, et cependant que ses camarades Dégueulasse et Fumier trinquaient sans interruption, mêlant leurs larmes attendries au vin qu'ils buvaient, Bouzille se demandait, songeant à Bec-de-Gaz et à Œil-de-Bœuf :

— Comment se fait-il qu'ils soient au pèze comme cela ?

A ce moment les deux apaches et leur maîtresse se levaient et se disposaient à quitter l'établissement du père Korn.

Ils s'en allaient sans se faire remarquer, presque furtivement ; Bouzille s'étonnait de plus en plus de ces allures inaccoutumées.

— Quand l'équipe se met à boire, pensait-il, il est rare qu'elle se débine avant la fermeture du bistro, et surtout avant d'avoir fait du tapage, jusqu'à ce qu'elle obtienne un litre de vin par-dessus le marché... il faut donc qu'il se passe quelque chose de pas ordinaire.

Bouzille n'y pouvait plus tenir.

— Attendez-moi, dit-il à Dégueulasse et à Fumier, je ne fais qu'aller et venir.

Et dès lors descendant la rue de la Charbonnière derrière Œil-de-Bœuf et Bec-de-Gaz, qui tenaient chacun un bras d'Adèle, il les suivait jusqu'au boulevard, où régnait un tapage assourdissant d'orgues de Barbarie et de pianos mécaniques, car c'était l'époque de la fête.

Bec-de-Gaz et Œil-de-Bœuf, naturellement, se rendaient près des baraques avec leur maîtresse ; il y avait foule sur le boulevard.

Il était environ dix heures du soir.

Bouzille, qui lui-même avait quelque peu bu, était légèrement ébloui par les lumières qui scintillaient autour de lui, quelque peu troublé également par les fumets des vins qu'il avait absorbés.

Il ne tardait pas à perdre dans la foule le trio qu'il suivait. Au surplus, son attention avait été attirée et retenue par la facétieuse parade que faisaient sur une estrade un jocrisse et deux pitres aux visages enfarinés, qui débitaient des quantités de sornettes, pour la plus grande joie des badauds.

Les meilleures choses cependant ont une fin et, la parade finie, les pitres et le jocrisse invitaient la foule des badauds à pénétrer moyennant deux sous à l'intérieur de leur théâtre.

— C'est le moment de s'en aller, pensa Bouzille, qui ne tenait nullement à payer quoi que ce fût pour un spectacle.

Et tandis que d'autres auditeurs de la parade, plus généreux ou plus curieux que Bouzille, pénétraient dans la baraque, celui-ci s'en allait le long de la foire, en quête d'un nouveau plaisir gratuit.

Bouzille venait de passer quelques instants en contemplation devant une grande roue dentée, qui tournait horizontalement et était surchargée de vaisselle multicolore que l'on pouvait gagner, mais que le plus souvent on ne gagnait pas.

Il avait copieusement ri des physionomies confuses et ridicules des bonnes gens du massacre, sur lesquels on tape avec des boules pleines de son, puis il avait encore musé devant une boutique où l'on débitait de la guimauve, lorsqu'il s'arrêta net et se glissa dans un petit couloir obscur, entre deux baraques foraines.

Bouzille, en effet, venait d'apercevoir, se profilant dans le reflet d'un réverbère, une silhouette massive et bien connue de lui ; celle de la mère Toulouche.

— Ah bon sang de bon sang ! lui cria Bouzille, voilà plutôt une paye que je ne t'ai rencontrée, la vieille... Que diable as-tu bien pu devenir ?

Et Bouzille s'avançait souriant ; malgré tout il avait conservé à l'égard de la sinistre mégère, de la vieille receleuse, qui n'avait pas reculé jadis devant des crimes, une indulgente et sincère sympathie.

Bouzille, à plusieurs reprises, avait été le collaborateur de la mère Toulouche lorsqu'elle se livrait à des opérations n'ayant rien de par trop illicite, et ne méritant point la cour d'assises ni même la police correctionnelle.

Bouzille même avait épousé la mère Toulouche, sinon devant la loi du moins au cours d'un festin avec des amis, un soir au bord de la Marne ! Cette union matrimoniale n'avait d'ailleurs pas duré ; les époux, ou soi-disant tels, s'étaient séparés ; toutefois, ils étaient restés sympathiques l'un à l'autre, et si Bouzille éprouvait une certaine satisfaction à revoir la mère Toulouche, celle-ci ne paraissait pas autrement ennuyée de retrouver l'ex-chemineau, désormais marchand de coco sur les champs de courses.

La mère Toulouche avait aperçu Bouzille et, sans perdre son temps à des congratulations inutiles, elle le prit aussitôt à témoin dans l'affaire qu'elle négociait précisément à ce moment.

— Crois-tu, fit-elle d'un air indigné en s'adressant à Bouzille, que Petit-Piquant veut m'estamper ?... Non mais, ma parole, on dirait qu'il me prend pour une marchande de cerises !...

La mère Toulouche s'indignait de plus en plus, au fur et à mesure qu'elle parlait.

Après avoir levé les bras au ciel, elle enfonça ses deux poings sur ses hanches qu'elle avait flasques et énormes, et tonitrua derechef.

— Tout de même, est-ce que j'ai l'air d'un ballot, qu'on veut m'arranger comme l'enfant qui vient de naître ?...

Bouzille plaçait enfin un mot.

— Sûr, fit-il sentencieusement, qu'il ne faut pas se laisser faire !

Cette déclaration lui attirait un mauvais regard de la part du personnage avec lequel s'entretenait la mère Toulouche et que celle-ci avait qualifié de « Petit-Piquant ».

Petit-Piquant était un être bizarre.

Il était mal vêtu, maigre, de taille exiguë ; il avait les épaules en forme de toiture, une bouche édentée, un crâne chauve, que surmontait un béret sale ; tout son luxe était constitué par ses chaussures.

Celles-ci, à vrai dire, n'étaient point fines, mais garnies d'épaisses semelles renforcées par de nombreux clous et lacées avec des cordons robustes qui s'enroulaient autour de la cheville.

Cet homme, qui portait une sorte de sac sur le dos, s'appuyait sur un bâton de houx, terminé par une pointe de fer aiguisée.

C'était évidemment cette arme offensive et défensive, tout au moins bâton de promenade, qui valait à son propriétaire le nom de Petit-Piquant.

La mère Toulouche expliquait à Bouzille :

— Tu sais qu'il est toujours dans le commerce des vipères, mais voilà-t-y pas qu'il me demande une pièce de seize sous pour chacune de ces sales bêtes qu'il me livrerait vivantes ?...

Petit-Piquant, avec la ténacité têtue d'un Normand qui vend ses pommes, hochait la tête en insistant :

— Une pièce de seize sous, pas moins et c'est donné, la mère Toulouche... Pense donc, la vieille, seize sous la vipère tout vivante ! c'est pour rien. Surtout que j'ai des risques à les apporter... on peut être mordu... faut les nourrir, avoir un sac où les enfermer... tout ça, ça coûte !...

La mère Toulouche rétorqua, furieuse :

— Tu les revendras après qu'elles auront servi, et tu feras encore cinq sous de profit par tête de serpent... Faut me déduire ça sur le prix, faut me laisser la bête à onze sous pièce.

Mais Petit-Piquant était irréductible.

— Seize sous, répétait-il, pas un de plus, pas un de moins.

La Toulouche eut un geste majestueux de souveraine pour le congédier.

— Tu peux cavaler, Petit-Piquant, grogna-t-elle. J'aimerais mieux crever que de payer tes bestioles à un prix pareil !

Peut-être espérait-elle que cette attitude énergique allait déterminer Petit-Piquant à revenir sur sa décision.

Il n'en fut rien.

Le marchand de vipères s'en alla le long du boulevard, de son pas menu et tranquille, nullement au regret, semblait-il, de n'avoir pu traiter cette affaire.

Mais pourquoi la mère Toulouche avait-elle besoin de vipères vivantes ?

C'est ce que Bouzille lui demandait sitôt après le départ de Petit-Piquant.

— Ça, fit la vieille, c'est toute une histoire.

Les yeux de Bouzille pétillèrent, il aimait savoir ce qui se passait, il était toujours à l'affût, aux écoutes, Bouzille aurait fait un excellent journaliste.

Il se frotta les mains et dit :

— Tu vas me raconter ça, la mère Toulouche.

Mais la vieille le toisait :

— D'abord, demanda-t-elle, c'est-y que tu es au pèze ?

— Non, répondit par principe Bouzille, qui interrogea ensuite :

« Pourquoi ?

— Parce que, fit la mégère, ça va me coûter de la salive à te jacter toute la combine... alors faudrait voir à me rincer la dalle, si tu veux que je me mette à table !

Bouzille n'était pas avare, il réfléchit un instant, puis haussant les épaules d'un air dédaigneux :

— J'suis toujours bon pour un litre à douze, fit-il.

Et dès lors, empoignant la mère Toulouche par le bras, il l'entraînait jusqu'au mastroquet voisin.

La fête cependant battait son plein, et devant une petite baraque simplement éclairée par des torches de résine, un homme à la voix enrouée, au torse moulé dans un dolman bleu ciel orné de tresses jaunes, faisait un appel convaincant à la foule.

— Entrez, messieurs, entrez, mesdames. C'est ici que vous allez voir le véritable dressage en férocité. Les tigres des forêts indiennes, les serpents à sonnettes du Brésil et du Centre africain, les chacals de la Sibérie et les ours blancs du Pôle ne sont rien à côté de Sultan, le lion du désert, que vous verrez travailler en liberté avec son dompteur, dans la cage, derrière le comptoir !

« Et ce n'est pas vingt sous ni cinq francs que coûte comme il en est digne ce merveilleux spectacle, mais simplement deux sous, deux sous !... La modeste somme de dix centimes !... Il faut véritablement avoir tué père et mère, ou être plus fauché que les blés au mois de septembre pour n'avoir pas dans sa poche de quoi s'accorder ce plaisir à la fois si instructif et sensationnel, que procure le dressage, en férocité unique au monde, de Sultan, le roi du désert, par le professeur Mario, qui a travaillé devant les cours les plus élégantes de l'Europe, devant les empereurs des pays les plus lointains et les plus somptueux, comme devant les présidents des républiques les plus modernes et les plus civilisées... Allons, messieurs, allons, mesdames, cela ne coûte que dix centimes, deux sous ! Et l'on commence tout de suite.

Un formidable roulement de tambour accompagnait cette péroraison.

Puis le personnage au torse moulé dans un dolman bleu ciel quittait l'estrade pour passer à l'intérieur de la baraque.

Vraisemblablement, c'était lui le dompteur qui, après avoir annoncé en termes pompeux le dressage de Sultan par le professeur Mario, allait pénétrer dans la cage.

Au bas des marches de planches, auprès desquelles s'étaient groupés les badauds, se trouvaient deux hommes et une femme.

— On y va ? interrogea l'un d'eux.

Mais la femme n'y tenait pas.

— Très peu, fit-elle, hochant la tête, j'aime pas voir ces trucs-là. Des fois que le type viendrait à se faire bouffer par le lion, j'aurais des émotions.

Les compagnons de la femme haussaient les épaules.

— C'est malheureux, observa l'un deux, d'être traqueuse comme ça.

Et il ajoutait, après avoir consulté du regard son compagnon :

— On y va, nous autres... t'as qu'à nous attendre, si tu veux pas venir.

La femme grognait mais suivait les deux hommes, et le trio s'introduisit dans la baraque.

Les personnages qui le composaient n'étaient autres qu'Adèle et ses deux amants, Œil-de-Bœuf et Bec-de-Gaz.

Dans la baraque ils se trouvaient seuls.

Le local réservé au public était fort exigu, et l'on était pour ainsi dire le nez collé sur les barreaux rouillés d'une petite cage aux dimensions très restreintes, au fond de laquelle gisait un malheureux animal souffreteux, qui n'avait du lion que le titre, et dont les flancs battaient la fièvre, cependant que son œil à demi éteint considérait d'un air morne le maigre lot de spectateurs qui venaient le contempler.

Œil-de-Bœuf et Bec-de-Gaz causaient mystérieusement, cependant qu'Adèle se tenait le plus près possible de la sortie, par prudence.

Œil-de-Bœuf disait à Bec-de-Gaz :

— Ça c'est du gibier dans nos prix, il n'a pas l'air trop giron, le copain, et sûr que son patron le bazarderait à bon marché...

— C'est à voir, répliqua évasivement Bec-de-Gaz, on va lui en toucher deux mots tout à l'heure, lorsque le spectacle sera fini.

Trois ou quatre voyous pénétraient à la suite du trio dans la soi-disant ménagerie où l'on montrait encore un veau à cinq pattes et un perroquet affligé, assurait-on, de deux cents années d'existence.

Le dompteur, toutefois, ne paraissait guère désireux de commencer la représentation pour un aussi modeste auditoire, et laissant les spectateurs dans la salle, en tête-à-tête avec le veau à cinq pattes, le lion fatigué et le perroquet au regard sournois, il était retourné sur l'estrade recommencer son boniment.

Bec-de-Gaz était venu se planter en face du lion.

Il essayait de fixer son regard, voulant obliger la bête à tourner la tête, à baisser les yeux.

Or il n'y parvenait pas, ce qui l'agaçait.

— Crois-tu, fit-il en s'adressant à Adèle, qu'il en a du culot de me regarder comme cela... Tout de même on a beau dire, c'est bien des bêtes féroces, c'est plein de vice, ces quatre pattes...

Mais Adèle haussait les épaules.

— Penses-tu seulement qu'il s'occupe de toi. Il a l'air à moitié crevé... on dirait même qu'il est presque aveugle.

— C'est vrai, reconnut Œil-de-Bœuf, il m'a l'air plutôt fadé... sans doute que le régime de la ménagerie ne lui convient pas.

Les deux hommes, en effet, au fur et à mesure qu'ils considéraient le lion, se rendaient compte que la malheureuse bête, fiévreuse, usurpait assurément sa réputation de farouche férocité.

S'enhardissant, Bec-de-Gaz passa le manche de son couteau à travers les barreaux et toucha la patte du lion.

Il s'attendait à ce que celui-ci donnât un coup de griffe ou poussât un rugissement, il n'en fut rien.

N'ayant nulle envie de se fâcher, et ne voulant même pas jouer, comme eût fait un caniche, le lion se retira dans le fond de sa cage, ferma les paupières et poussa un profond bâillement.

— Mince alors, fit Bec-de-Gaz, comment qu'il est doux !

— Trop doux, reconnut Œil-de-Bœuf.

Bec-de-Gaz reprenait :

— On est refaits. Ça ne valait pas la peine de dépenser deux ronds chacun pour venir voir ce chien crevé... Sûr que son patron nous le donnerait pour pas cher, mais qu'est-ce qu'on en ferait. Une bête comme ça ne peut seulement pas se tenir debout sur ses pattes...

Les places étaient payées, on resta tout de même pour voir le spectacle, qui d'ailleurs fut lamentable.

Au bout de vingt minutes, le dompteur, qui n'avait réussi qu'à racoler deux soldats et une pierreuse — et cela en donnant l'entrée gratuite à la femme et en réclamant un sou seulement aux soldats —, s'était décidé à entrer dans la cage où sommeillait le lion.

Le dompteur avait tiré deux ou trois coups de revolver à blanc qui ne troublaient point le sommeil léthargique de la malheureuse bête, et c'était seulement à force de coups de fouet nombreux et répétés qu'il finissait par obtenir du lion une sorte de rugissement ressemblant à une plainte d'enfant nouveau-né.

— ... Et voilà, messieurs et mesdames, avait alors proféré d'un air satisfait le dompteur... c'est pour avoir l'honneur de vous remercier.

Dans la rue Bec-de-Gaz haussait encore les épaules.

— Ah là là, malheur, grognait-il, comment qu'il nous a eus, le dompteur de caniche ! Mince alors, il n'a que la peau et les os, son lion, et encore j'en voudrais pas pour descente de lit, tellement c'est pourri de vermine, et mangé aux vers tout vivant.

— Quand je pense, poursuivait Œil-de-Bœuf, qu'on voulait acheter ce numéro-là, comment qu'on aurait été reçus par le patron ?...

Mais à ces mots, Bec-de-Gaz redevenait sérieux, il bourra d'un coup de poing son compagnon.

— Tu pourrais pas jacter plus fort encore, interrogea-t-il, c'est-y que t'es chargé de faire connaître à tout le quartier les projets du grand Dab ?

Précisément Adèle avait entendu les propos d'Œil-de-Bœuf.

— De quoi qui retourne ? questionna-t-elle. T'as l'intention d'acheter des lions à c'te heure... mince alors, pourquoi fiche, ce serait-y pour aller faire ton persil avec sur le boulevard de Ménilmuche, ou dans la rue de la Glacière ?

Œil-de-Bœuf et Bec-de-Gaz étaient fort agacés qu'Adèle ait entendu quelque chose.

Ils la rudoyèrent en lui recommandant :

— Si on te le demande, la môme, tâche de répondre que tu n'en sais rien... Ça c'est des trucs qui ne regardent pas les gonzesses... à chacun son métier.

— Ça va, ça va, fit Adèle, qui ne voulait pas d'histoires.

Au surplus, elle venait d'arriver avec ses amants devant un grand manège de chevaux de bois.

Elle les avait pris tous deux par le bras, et elle sollicita d'un air aimable :

— Œil-de-Bœuf, Bec-de-Gaz, voyons, tâchez d'être un peu Régence... moi j'ai envie qu'on me paye pour deux ronds de tourniquet.

Œil-de-Bœuf et Bec-de-Gaz voulaient être « Régence », ils offraient à Adèle un tour de chevaux de bois.

Cependant que la fête foraine remplissait de ses échos tintamarresques le quartier de la Chapelle, et que les nombreuses lumières des baraques illuminaient tout le boulevard, au Jardin des Plantes à onze heures du soir, c'était le silence absolu, l'obscurité la plus complète.

Depuis la tombée du jour, les grilles du vaste enclos avaient été fermées.

Pendant une heure ou deux les gardes, seuls alors, s'étaient occupés de rentrer les animaux dans leurs demeures respectives, et de leur donner leur nourriture quotidienne. Après quoi, chacun étant chez soi, l'hippopotame enfermé dans sa niche, les crocodiles mis à part et les singes parqués dans leur cage, les gardiens s'en étaient allés à leur tour, et les vastes jardins étaient vides.

Quelle extraordinaire nuit aurait été celle qui aurait vu les portes des cages s'ouvrir et tous les fauves sortir, errer en liberté dans le vaste jardin !

Toutefois, rien de semblable n'était à craindre, les demeures des uns et des autres étaient solidement cadenassées, et l'éléphant lui-même, s'il avait eu la lubie d'aller faire un tour de promenade dans les allées désertes du parc, se serait heurté à d'infranchissables clôtures, dont sa robustesse n'aurait pas pu triompher.

Au surplus les fauves domestiqués avaient depuis leur capture pris des habitudes bourgeoises.

Ils avaient leur repas à des heures régulières ; s'ils ne connaissaient plus le plaisir de la chasse, ils ignoraient le souci de la faim lancinante lorsqu'elle n'est pas assez tôt assouvie, leurs estomacs s'étaient domestiqués comme eux.

Ce soir-là toutefois, dans la vaste construction à l'intérieur de laquelle sont aménagées les cages des fauves les plus féroces, deux hommes s'introduisaient furtivement.

Était-ce des gardiens qui venaient faire une ronde ?

Assurément non.

Car ces nocturnes visiteurs s'avançaient en hésitant, l'oreille aux aguets, l'œil inquiet et troublé, le revolver au poing.

C'était deux êtres aux allures farouches, et si la police était subitement intervenue, si par hasard des hommes comme Juve, ou même comme Léon et Michel s'étaient soudain trouvés en face de ces individus, ils auraient reconnu que l'un d'eux n'était autre que l'un des apaches, les plus redoutables, les plus mal réputés, que le terrible Bedeau, l'homme aux larges épaules, à la force colossale, l'homme qui avait tellement tué en frappant la tête de ses victimes sur les bords du trottoir, qu'on l'avait surnommé le Sonneur, puis que de « Sonneur » on avait fait « le Bedeau ».

C'était en effet le Bedeau qui s'avançait avec une prudence extrême dans le couloir qui séparait les deux rangées de cages où dormaient les fauves. Le Bedeau, toutefois, ne paraissait pas anxieux ni troublé.

Il plaisantait avec son compagnon.

— Vois-tu, Ma Pomme, disait-il, y a qu'une chose dans la vie, c'est d'avoir du culot. On croit comme ça que c'est difficile d'entrer dans les endroits défendus, quelle bêtise... Regarde, vois comment qu'on s'est amenés dans le Jardin des Plantes, droit comme des I, beaux comme des fleurs... avec du culot, te dis-je...

Le fait est que le Bedeau et son compagnon n'avaient pas manqué d'audace.

Pour pénétrer dans le Jardin des Plantes, ils avaient imaginé de passer par-dessus les grandes grilles qui séparent le jardin du quai bordant la Seine.

Mais comme il fallait franchir ces grilles sans attirer l'attention, ils étaient arrivés, l'un et l'autre vêtus de blouses blanches, et porteurs d'une immense échelle double, aux barreaux de laquelle étaient suspendus des pots de peinture et des pinceaux.

Ayant choisi leur endroit pour passer, ils avaient simulé un travail quelconque, et s'étaient — pour donner l'illusion complète — amusés à badigeonner en vert quelques-uns des barreaux de la grille.

Puis à un moment, comme ils avaient disposé leur échelle double de part et d'autre de la grille, ils étaient descendus le plus naturellement du monde à l'intérieur du jardin.

Dès lors ils étaient dans la place ; ils demeuraient cachés dans un fourré jusqu'à ce que le dernier gardien ait quitté définitivement les abords de la maison où étaient parqués les fauves. Alors les apaches s'introduisaient dans la longue galerie.

Le Bedeau était accompagné d'un jeune homme à la tête en pain de sucre, au nez retroussé, aux yeux percés en vrille.

Cette tête pointue était supportée par un long cou décharné qui surplombait deux épaules maigres, étroites et tombantes.

Le compagnon du Bedeau répondait dans la pègre au sobriquet de Ma Pomme : nul ne savait réellement son nom, nul n'aurait été capable de dire quelles étaient ses origines. Mais peu importait au surplus.

Bouzille, qui savait tout, aurait simplement pu raconter qu'à plusieurs reprises, il l'avait entrevu ce nommé Ma Pomme sur la pelouse des champs de courses, faisant les porte-monnaie, volant des réticules, des parapluies, de menus objets, et gagnant modestement sa vie en effectuant des rapines peu rémunératrices.

Ma Pomme suivait le Bedeau dans la grande galerie que remplissait une odeur âcre et forte de fauve.

On entendait de puissantes respirations, des grognements rauques de temps à autre.

— C'est ici, articula le Bedeau d'un ton gouailleur, que sont les bestioles... on va pouvoir faire son choix dans le troupeau sans se gêner. Et le jour où il faudra venir chercher les clients pour les amener au Patron, on saura déjà où se trouvent leurs appartements.

— Tout de même, observait Ma Pomme, il en a des idées pas ordinaires, le Patron... Jour de Dieu !... Quand il m'a agriché sur la pelouse à Auteuil alors que j'étais en train d'essayer de lui faire son porte-pèze, je m'attendais pas à ce que j'aurais à travailler pour son compte.

Le Bedeau hochait la tête.

— Quand on peut se passer de Fantômas et éviter de le connaître, c'est ce qui peut arriver de mieux, mais quand on tombe dans ses pattes, sous sa coupe, vaut encore mieux être de ses copains que de ses ennemis.

Et poussant un profond soupir, le Bedeau ajoutait :

— J'ai assez payé pour le savoir !

Toutefois le sinistre apache chassait ses pensées mélancoliques, et recommençait à plaisanter.

— Tout ça c'est des bestioles à la manque, comme qui dirait des gars à la redresse, qui seraient devenus pleins aux as, et plus traqueurs que les bourgeois !...

« Écoute donc, Ma Pomme, depuis qu'on est rentrés dans cette tôle, ils ont tous clos leurs becs, si bien qu'on entendrait chanter une mouche.

En effet un silence profond, un silence impressionnant régnait dans la grande galerie, où venaient de s'introduire si mystérieusement le Bedeau et Ma Pomme.

Le Bedeau haussait les épaules :

— Des bêtes féroces, fit-il d'un air de dédain, des fauves, ça ?... Ah zut alors, très peu !... Le moindre mignard de Ménilmuche, quand il a l'âge de tenir un flingue, ou de tripoter un rigolo, est plus farouche que ces poilus-là...

Et le Bedeau, par manière de plaisanterie, grommelait entre ses dents, s'amusait à imiter le cri du lion, le rugissement du tigre.

Il venait de sortir de sa poche une petite lampe électrique qu'il alluma.

Le Bedeau promena le faisceau lumineux de sa lampe autour de la galerie et l'arrêta sur une cage plus vaste que les autres et qui cependant semblait vide.

Le Bedeau s'approchait.

— Alors, interrogea-t-il d'une voix gouailleuse, c'est y qu'on a donné congé ? Monsieur est sorti ?

Mais il s'arrêtait net, et reculait vivement.

Du fond de la cage une masse énorme venait de bondir et se précipitait le long des barreaux qui un instant semblaient fléchir sur l'effort de la poussée.

En même temps un rugissement formidable retentissait. On eût dit un coup de tonnerre se répercutant à l'infini comme un écho dans des cavernes profondes.

C'était un rugissement qui se prolongeait, allait en s'atténuant, mais qui vous restait dans les oreilles.

Et en même temps, dans le faisceau lumineux de la lampe allumée par le Bedeau, apparaissait la silhouette majestueuse, royale, superbe, magnifique d'un lion à la tête énorme, à la crinière d'or, aux yeux étincelants, dont les lèvres haineusement retroussées découvraient des dents blanches aux pointes acérées.

Une langue rouge pendait comme une tache de sang hors de cette bouche immense et monstrueuse, au fond de laquelle résonnait la voix grondante du roi des animaux...

Leur première émotion passée, le Bedeau et Ma Pomme se considérèrent.

Ils avaient été surpris, ils étaient tout pâles. Certes il n'y avait pas de danger pour eux et néanmoins ils tremblaient. La grille qui les séparait du lion superbe et redoutable leur paraissait une barrière insignifiante que, d'un simple coup de patte, le puissant fauve aurait pu écarter.

Le lion avait donné l'alarme et dès lors les autres bêtes s'éveillaient.

On entendit le tigre, l'hyène et les grognements de l'ours. Mais les manifestations de ces derniers n'étaient rien à côté de la protestation du lion, qui semblait, furieux, dire à ces hommes placés en face de lui : « De quel droit êtes-vous venus troubler mon sommeil ? »

Au surplus le Bedeau compris la majesté solennelle du roi du désert, que sa prison mesquine n'abaissait point.

Et dès lors cessant de railler, le Bedeau ôta sa casquette, cependant qu'il murmurait, s'adressant à Ma Pomme :

— Tire aussi la tienne, car vois-tu celui-là, il a encore plus d'allure que nous !

Et il ajoutait :

— Voilà le copain qu'il faut pour le Patron, à le regarder, on dirait que c'est... le frangin à Fantômas !!

... Que pouvaient bien signifier cependant ces propos mystérieux ? Pour quel motif la mère Toulouche avait-elle voulu acheter des vipères vivantes ?

Pourquoi Œil-de-Bœuf et Bec-de-Gaz avaient-ils songé à acquérir une bête féroce à la fête de la Chapelle.?

Dans quel but enfin le Bedeau, accompagné de Ma Pomme, était-il venu nuitamment visiter les fauves du Jardin des Plantes ?

XII

Sur la pelouse

— Montez donc, ma bonne dame, et vous aussi, ma petite demoiselle, il ne faut pas se gêner, et chacun doit s'entraider. Quand on est dix dans un wagon, il y a bien place pour douze... Surtout que ces messieurs ne refuseront pas de vous prendre sur leurs genoux.

C'était un jovial personnage à la face couperosée, aux cheveux roux, qui s'exprimait ainsi, au moment où le train de ceinture se dirigeant vers le Point-du-Jour s'arrêtait à la station du Pont-de-Flandre.

Il était une heure un quart de l'après-midi, et, contrairement à ce qui se passe d'ordinaire, le circulaire était pris d'assaut par une foule empressée et nombreuse de gens qui, à aucun prix, ne voulaient rester sur le trottoir.

Or, il était difficile de se caser, dans les compartiments qui regorgeaient de voyageurs, même en première classe, le train était complet.

Cela, d'ailleurs, arrivait, à cette même heure, environ trois fois par semaine. Le circulaire, en effet, est fort pratique pour les gens qui, moyennant une somme modique, veulent se rendre par ce moyen de locomotion au champ de courses d'Auteuil.

Ce jour-là, la foule était plus nombreuse encore qu'à l'ordinaire, car le temps était superbe et on annonçait une réunion des plus intéressantes.

Sur l'invitation du jovial personnage à la figure couperosée, une dame à cabas, accompagnée d'une jeune fille qui pouvait avoir de seize à dix-huit ans, était donc montée dans un compartiment de seconde qui, cependant, était déjà au complet.

On se serrait toutefois, pour faire place aux nouvelles venues, puis, ce petit incident ayant déterminé un certain entrain, la conversation s'engageait.

Au surplus, l'homme à la figure joviale paraissait être, en même temps qu'un incorrigible bavard, un joyeux garçon, et il déchaînait un éclat de rire général lorsque, le sifflet de la locomotive ayant retenti, il imitait, en soufflant de toutes ses forces, le son de la trompette du chef de train, donnant le signal du départ.

— Et voilà ! fit-il d'un air satisfait de l'effet qu'il avait produit, comment arrivent les accidents. Si j'avais fait marcher mon nez, je veux dire ma trompette, cinq minutes auparavant, le « dur » se mettait à démarrer et il laissait sur le trottoir toute sa clientèle.

On l'approuvait en riant, il continua :

— C'est égal ! on fait recette et la journée sera belle à Auteuil. Moi, voilà plus de quinze jours que je me prépare pour cette réunion.

Il se penchait vers sa voisine, une grosse femme enveloppée d'une grande pèlerine noire, et lui murmurait à l'oreille :

— J'ai un tuyau épatant dans la troisième. C'est le frère d'un jockey qui, connaissant le fils de mon marchand de vin, lui a passé ça en douce. Il y a trois jours. Aussi quelle bombe si le dindon ramasse la bonne place !

On l'écoutait avec attention : certes, chacun des gens qui se trouvaient dans le wagon s'imaginait connaître, par suite d'une combinaison quelconque, le gagnant de chaque course, mais on n'était pas fâché de recueillir les renseignements que pouvait posséder autrui sur les chances d'un autre concurrent.

Toutefois, l'homme jovial affecta soudain un air attristé.

— Ça n'avance pas... on dirait qu'on est dans le tramway, et ce n'est pas pour dire, mais on se fait des cheveux dans des roulantes pareilles, y a pas à dire, ça manque de distractions.

Quelques personnes approuvaient, d'un léger hochement de tête.

— Si seulement, affirma un grand vieillard maigre à la figure osseuse, on avait un jeu de cartes, on pourrait s'occuper jusqu'à Auteuil.

Cette idée frappait, semblait-il, l'esprit de l'homme à la face joviale.

— Ah ! par exemple ! s'écria-t-il, vous faites joliment bien de m'y faire penser... J'ai justement un jeu sur moi : seulement voilà, j'ai peur qu'il ne soit pas complet ; pas moyen de faire une manille, des fois qu'il manquerait le manillon, ce serait une sale affaire... Et puis, on est trop nombreux pour cela, et chacun doit vouloir profiter de la partie.

— Mais cela ne fait rien, on pourra toujours essayer de se distraire.

Avec une dextérité remarquable, le personnage avait sorti de sa poche, tout d'abord, un journal plié en long ; il l'assujettissait sur ses genoux, prenant les deux extrémités du journal sur ses jambes, de façon à tendre le papier et à en faire une sorte de tablette.

Puis, il sortait de sa poche, non point un jeu complet ou même incomplet, mais trois cartes en tout et pour tout : trois as, deux noirs et un rouge.

D'un geste accoutumé, il pliait les trois cartes, en prenait deux entre le pouce et l'index de la main droite, cependant qu'il gardait l'autre dans la main gauche.

Puis, avisant le vieux monsieur à la figure osseuse, il lui disait :

— Vous qui avez l'air de vous y connaître, monsieur, je m'en vais vous faire un petit pari, si vous le voulez bien ?... Vous voyez bien, la rouge entre les deux noires, n'est-ce pas ?... je la tiens pour le moment dans la main droite, bien !... je vais la faire passer à gauche. Vous la suivez toujours ? La voici de nouveau à droite, au milieu ; à gauche, encore au milieu, à droite, où est-elle ?

Cependant qu'il parlait, le jeune homme, avec une dextérité merveilleuse, avait fait passer les cartes l'une au-dessous de l'autre, ses gestes étaient lents, précis, le jeu semblait fort simple.

Il s'agissait en somme, tout simplement, de suivre des yeux la carte rouge, et de dire où elle était.

Le vieux monsieur s'intéressait à la partie, lorsque le jeune homme lui demanda : où est la rouge ? Le vieillard un instant hésita, puis désigna la carte de droite.

Dans le compartiment, d'autres personnes avaient suivi le manège ; elles étaient toutes d'avis, comme le vieux monsieur, que la carte était à droite.

— Pariez-vous quelque chose ?... demanda le jeune homme.

— Deux francs, répondit l'homme.

Une dame intervint :

— Je mets deux francs aussi, sur la carte de droite.

Puis, ce fut la mère de la jeune fille qui était montée à la gare du Pont-de-Flandre, qui pariait également deux francs.

On tourna la carte, un cri de joie s'échappa de l'assistance ; les parieurs avaient gagné. Le jeune homme à la face joviale paya sans rechigner.

— Je croyais bien, articula-t-il, que vous n'en aviez rien vu... Mais vous ne refuserez pas de me donner ma revanche.

Dès lors, il recommençait, annonçant ses coups comme un faiseur de boniments.

— Voici la rouge entre les deux noires, suivez-la bien, messieurs, mesdames, elle passe à gauche, à droite, au milieu, encore une fois, changeons-la de place, au milieu, à gauche et à droite, et voilà ! je la pose et je la dépose, mesdames et messieurs... où est-elle ?... où est la rouge ?

Cette fois, il semblait à l'assistance que le jeune homme avait dû plus mal jouer encore que la fois précédente.

Tout le monde l'avait suivie cette carte rouge, on savait à merveille où elle se trouvait. C'était impossible de s'y tromper et cependant que le jeune homme qui paraissait ne se douter de rien demandait à ses voisins :

— Voyons, messieurs, mesdames, qu'est-ce qu'on parie ?

Sept ou huit personnes intervenaient, l'œil allumé. Le vieux monsieur, plus que les autres, était enthousiasmé.

— Je parie vingt francs ! fit-il, sur la carte du milieu.

Deux ou trois voix s'élevèrent :

— Moi, j'en parie dix...

— Moi, j'en tiens dix aussi...

Le jeune homme, qui ne sourcillait pas, acceptait les paris :

— Posons la revanche sur table, messieurs, mesdames, là sur mes genoux, devant la carte.

Il y avait en tout quatre-vingt-dix francs.

Dès lors, le jeune homme à la face joviale retourna la carte sur laquelle on avait tant parié, et que tout le monde s'imaginait être la rouge.

Ce fut une exclamation de stupeur.

On s'était trompé, la carte du milieu était noire, la carte rouge se trouvait à droite, le personnage qui tenait les cartes la montrait.

Cependant, le train ralentissait ; quelqu'un, dans le fond du wagon, grogna :

— Encore un bonneteur, encore un filou.

Mais le jeune homme ne relevait pas cette insinuation.

— Allons ! la revanche, messieurs, mesdames, proposa-t-il.

Il n'insistait pas.

D'un rapide coup d'œil, il se rendait compte que, désormais, les voyageurs lui étaient hostiles.

Il ne s'agissait plus, pour lui, de continuer la partie, mais sans doute d'éviter les reproches des demandes de remboursement.

A ce moment, quelqu'un d'exercé se serait rendu compte que le jeune homme faisait un signe au vieux monsieur.

Celui-ci, ayant sans doute compris, se levait furieux.

Il s'adressait au bonneteur :

— C'est indigne, monsieur, commençait-il, de nous avoir ainsi trompés... On croyait que vous étiez un maladroit et, au contraire, vous jouez supérieurement... Je ne vous réclame pas mon argent, puisque vous l'avez gagné et que le jeu est le jeu, mais enfin, vous ne m'y reprendrez plus...

Le jeune homme se levait à son tour :

— Monsieur, je ne vous permets pas de me faire de semblables observations, on a joué pour s'amuser, j'ai perdu d'abord, j'ai gagné ensuite, c'est l'effet du hasard...

— C'est possible, monsieur, mais n'empêche que vous me faites l'effet d'un drôle d'individu...

— Monsieur, cela ne se passera pas comme cela !...

— A votre aise, monsieur...

— Monsieur, nous allons nous expliquer tout de suite au poste si cela ne vous déplaît pas ?...

Le train, en ce moment, arrivait en gare de Courcelles-Ceinture.

Il n'était pas encore arrêté que les deux personnages qui venaient de s'invectiver se précipitaient vers la portière et bondissaient hors du wagon.

Leur départ avait été si rapide que nul n'avait songé à s'y opposer.

C'était seulement une fois qu'ils avaient disparu, qu'ils s'étaient bien égarés dans la foule, encombrant le trottoir de la gare, que, dans le compartiment, les gens se disaient en se regardant d'un air piteux :

— Nous avons été roulés, c'étaient deux compères, deux joueurs de bonneteau.

Si ce petit incident, si fréquent dans les trains qui conduisent aux courses, avait causé quelque ennui aux imprudents qui avaient parié avec le dangereux personnage, il avait, d'autre part, fort égayé un jeune homme blond, aux traits distingués, à la moustache fine, qui, carré dans un coin du compartiment de seconde, avait suivi cette petite scène d'un œil amusé, sans toutefois faire un geste, ou un mouvement.

Ce jeune homme n'était autre que Jérôme Fandor !

Jérôme Fandor se rendait aux courses d'Auteuil, ce qui, d'ailleurs, n'avait rien d'extraordinaire ; toutefois, il y avait un fait surprenant, dans la façon d'agir du journaliste.

Pour se rendre à Auteuil, il était allé prendre le train de ceinture à la gare de Belleville.

Quel était donc son but ?

Pourquoi Fandor procédait-il ainsi ?

Comme l'avait remarqué Juve, quelques jours auparavant, Fandor avait, depuis quelque temps, une existence aussi mystérieuse qu'occupée.

Certes, le journaliste, depuis qu'il avait retrouvé Hélène et qu'il était à même de la voir assez souvent, se considérait comme obligé de dissimuler bien des détails de son existence pour ne point donner l'éveil à son implacable adversaire, Fantômas [1] !

Toutefois, Fandor ne négligeait pas de poursuivre la recherche du bandit, bien au contraire.

En réalité, si le journaliste était ce jour-là dans le train de ceinture conduisant à Auteuil, et s'il était allé prendre ce train à la gare de Belleville, c'était parce qu'il suivait une piste qu'il jugeait intéressante.

Fandor, malgré lui — et en cela il pensait comme Juve —, faisait involontairement un rapprochement entre la mort mystérieuse de René Baudry pendu à Saint-Germain, le monde des courses fréquentant Auteuil et les hippodromes, et aussi Fantômas !

Rien cependant n'indiquait que Fantômas pût être mêlé à cette aventure tragique qui avait récemment préoccupé l'opinion ; Fandor, cependant, avait le pressentiment que Fantômas devait y être pour quelque chose...

Le journaliste avait d'ailleurs une raison de penser ainsi. A deux ou trois reprises, se rendant à Auteuil, il avait aperçu aux champs de courses, soit sur la pelouse, soit rôdant autour, des gaillards aux allures suspectes, que Fandor connaissait bien pour être ou avoir été au nombre des individus qui, jadis, constituaient la bande de Fantômas !

C'est ainsi que Fandor avait aperçu trois jours auparavant un certain

---

1. Voir dans le présent volume : *Les Amours d'un prince, Le Bouquet tragique.*

Mort-Subite, rôdant autour de la gare de Passy, quelques journaux à la main, semblant faire métier de les vendre, et, en réalité, ne se préoccupant nullement d'effectuer ce commerce...

Fandor l'avait observé, et il le voyait, à un moment donné, traverser les jardins du Ranelagh, aller à l'entrée du bois et causer longuement avec le cocher d'une voiture de maître attelée de deux beaux chevaux alezans, que Fandor supposait appartenir à quelque riche personnage.

Fandor voyait, sur le coupé, une couronne de comte, et comme initiale une lettre qu'il n'avait pas retenue dans son souvenir.

Fandor, ce même jour, avait entrevu un trio célèbre dans les bouges de la Chapelle et de Ménilmontant. Trio composé de deux hommes et d'une femme, ménage connu à trois, et reconnu, dans la pègre des boulevards extérieurs.

Fandor avait vu Bec-de-Gaz et Œil-de-Bœuf avec leur femme, Adèle !

Ils étaient tous trois nippés de neuf, avaient presque des allures de bourgeois ; les hommes fumaient des cigares et Adèle avait pris un chapeau à panache ; tout cela semblait bien extraordinaire, et Fandor s'était dit que ces somptueuses allures cachaient évidemment quelque chose de louche.

Le journaliste n'avait pas poussé plus avant ces enquêtes cette fois-là ; mais désormais, il revenait aux champs de courses avec l'intention d'y étudier minutieusement la foule de la pelouse, et de s'efforcer de retrouver les divers éléments de l'ancienne bande de Fantômas, qui, peut-être désormais, se réunissait lors des réunions sur le célèbre hippodrome d'Auteuil.

Si Fandor était monté dans le circulaire à la gare de Belleville, il avait eu une raison pour cela.

Fandor était en surveillance dans le quartier lorsqu'il avait vu un redoutable apache de sa connaissance, un homme qui avait eu son heure de célébrité, et qui conservait une réputation de férocité farouche, se diriger vers la gare et prendre un billet d'Auteuil.

Cet homme, c'était le Bedeau que l'on avait ainsi surnommé eu égard à sa façon tragique d'assommer, avec les mouvements d'un sonneur de cloches, sur le bord du trottoir, le passant attardé qu'il dévalisait.

Le Bedeau allait donc, lui aussi, à Auteuil ?... Évidemment cela devait être de nature à intéresser Fandor !...

Le trajet dans le train de ceinture s'achevait en silence.

Depuis la gare de Courcelles, jusqu'à Auteuil, nul ne souffla mot, les uns s'applaudissaient d'avoir échappé aux joueurs de bonneteau, les autres étaient navrés de s'y être laissés prendre.

Lorsque Fandor arriva sur la pelouse, on sonnait pour annoncer la première course.

Toutefois, une vingtaine de minutes allaient encore s'écouler avant le départ, afin de permettre aux joueurs d'apporter leur argent au Pari mutuel.

C'était, sur la pelouse, des allées et venues et un vacarme assourdissant.

Des gens couraient, affairés, poussant des cris rauques, cependant que des marchands de crayons et de programmes s'époumonaient à proposer leur marchandise.

— L'officiel, la carte. Qui n'a pas son crayon, à deux sous le crayon, pour marquer le gagnant !

Puis, c'étaient des marchands de journaux spéciaux qui, avec des airs mystérieux, vous suggéraient :

— Prenez-le, c'est la fortune assurée... un bon tuyau dans la troisième...

Cependant, on s'attroupait autour d'un gros personnage qui venait d'installer devant lui, au pied d'un arbre, une sorte de petite tablette sur laquelle il posait en équilibre des tranches de pain entre lesquelles était placé un léger, un maigre morceau de viande.

Et, d'une voix tonitruante, l'homme articulait :

— Approchez-vous, messieurs... mesdames... la table est mise, à quatre sous les sandwichs !... à quatre sous ces gros-là !...

Des gens passaient, dédaigneux, distraits, mais l'homme ne semblait guère s'en étonner, pas plus qu'il ne désespérait.

Lorsqu'il avait suffisamment répété : « A quatre sous les sandwichs... à quatre sous, ces gros-là !... » il enlevait son installation et il allait ailleurs.

Fandor, cependant, qui, d'un œil amusé et d'une oreille curieuse, suivit le mouvement pittoresque qui régnait sur la pelouse, ne put s'empêcher d'accourir aux boniments extraordinaires que faisait, à quelque distance de lui, un camelot dont l'apparence seule déterminait l'hilarité.

Celui-là faisait certainement plus de recettes que son ventripotent collègue, débitant de sandwichs.

Il était affublé, sur le dos, d'un grand cylindre métallique dont le couvercle en cuivre brillait aux lueurs du soleil.

Et il hurlait d'une voix distincte et nasillarde :

— Et comment qu'y se balade dans la première, le petit cheval du marchand de coco... Le gagnant à tous mes clients... Meilleur que du champagne... J'ai du rhum, j'ai du kirsch, j'ai du marc, j'ai du rhum à quatre-vingt-dix degrés !...

Fandor, cependant, s'était approché du camelot, et celui-ci, qui reprenait sa phrase traditionnelle : « ... Comment qu'y se balade... » s'arrêta soudain.

— Ah ! par exemple ! s'écria le camelot, voilà qui est plus fort que de jouer au bouchon ou que de toucher six gagnants dans une journée de cinq courses... Monsieur Fandor, vous ici ?...

C'était Bouzille, en effet, devant lequel venait de s'arrêter le journaliste. Bouzille, le vieux chemineau qui, en de si nombreuses circonstances, avait été mêlé directement ou indirectement aux extraordinaires aventures de Fandor, de Juve et de Fantômas !... Bouzille, dont la conduite équivoque frôlait sans cesse la police correctionnelle ; Bouzille, qui était toujours au courant de tout ce qui se manigançait dans la pègre, et qui conservait toujours d'excellentes relations aussi bien avec la police et ses représentants qu'avec les plus farouches des bandits.

Bouzille, au surplus, s'il était capable de quelques petites escroqueries, et aussi d'innombrables indélicatesses, n'était pas un homme à commettre de graves méfaits.

On le savait ; on avait, en conséquence, de l'indulgence pour lui, d'autant qu'il se rachetait en payant volontiers ses incartades par des bavardages importants et des renseignements précieux.

Fandor ne pouvait s'empêcher de considérer Bouzille avec stupéfaction :

— Te voilà devenu marchand de coco, maintenant ?... interrogeait-il en voyant l'attirail métallique, le cylindre de cuivre attaché dans le dos du vieux chemineau.

— Mon Dieu ! pourquoi pas ?... répliquait celui-ci. Ne trouvez-vous pas, monsieur Fandor, que ce commerce-là convient à mon genre de beauté ?... Ne rien faire pour ainsi dire, à part des boniments de femme saoule à la graisse d'oie... Ça, c'est bien dans ma note... et puis, d'ailleurs, tout en envoyant mes boniments à la foule, j'ouvre les oreilles et je me renseigne sur ce qui se passe.

Fandor prenait Bouzille par le bras, le tirait à l'écart.

— Viens causer avec moi, lui dit-il.

Mais Bouzille se défendait :

— Et mon commerce ?... et ma clientèle ?... Il désignait d'un geste large la foule répandue sur la pelouse. Tout cela m'attend pour jouer, monsieur Fandor, et pour se rafraîchir aussi.

Pour ne point en perdre l'habitude, Bouzille criait à tue-tête :

— Et comment qu'y se balade dans les premières, le p'tit cheval du marchand de coco... le gagnant à tous mes clients... meilleur que du champagne... j'ai du rhum à quatre-vingt-dix degrés !...

— Laisse donc toutes ces sornettes..., interrompit Fandor, et viens avec moi.

Bouzille grogna :

— C'est cent sous que je perds à l'heure, si vous me détournez de mon travail.

Le journaliste comprenait et mit cinq francs dans la main du camelot ; dès lors, celui-ci sourit à Fandor :

— A la bonne heure, je vous retrouve, monsieur Fandor, toujours aimable et gracieux... Une complaisance en vaut une autre, vous n'avez qu'à questionner le père Bouzille, il vous dira tout ce que vous voudrez... car, ajoutait en baissant la voix l'ancien chemineau, car je pense bien, monsieur Fandor, que ce n'est pas pour mettre une thune sur Bilboquet II que vous êtes venu ici aujourd'hui...

A ce moment, Fandor voyait passer, à quelque distance des baraques du Pari mutuel, le fameux trio qu'il avait déjà vu aux courses, trois jours auparavant.

Et il le désignait du geste à Bouzille.

— Eh bien ? fit le camelot en suivant du regard le doigt de Fandor, c'est Œil-de-Bœuf, Bec-de-Gaz et Adèle !..

— Je sais, fit Fandor, mais que viennent-ils faire ici ?

— Les poches..., articula Bouzille d'un air méprisant.

— Est-ce tout ? demanda le journaliste.

— C'est à rechercher, mais ça pourrait se savoir... Merci bien, monsieur Fandor.

Une autre pièce de cinq francs venait de tomber dans la main de l'ex-chemineau.

Et dès lors, il articula :

— Échange de bons procédés, monsieur Fandor ! Si vous me faites faire des affaires, moi je peux vous mettre à même de gagner de l'argent. Je suis chargé d'acheter quelque chose pour le compte d'un de mes clients, des fois que vous l'auriez sur vous, on pourrait s'entendre.

— De quoi s'agit-il ? demanda Fandor.

— D'une bête féroce.

— Quoi ? interrogea le journaliste.

Et Bouzille précisait :

— J'ai comme ça une commande pour une bête féroce, un lion... un tigre... n'importe quoi, un serpent à sonnettes, ce sera bien payé et on ne risque pas d'ennuis.

Fandor était abasourdi.

— Qui t'a fait cette commande ? demanda-t-il.

Nettement, Bouzille rétorqua :

— Je ne peux pas vous le dire.

— Pourquoi ? demanda Fandor.

— Parce que, articula Bouzille, ma mémoire est endormie, et elle ne pourrait se réveiller qu'en entendant sonner à côté de mon oreille le bruit d'une pièce d'or.

— Crapule, grogna Fandor, qui, cependant, glissait encore dix francs dans la main de Bouzille.

Le visage du chemineau s'illumina.

— Décidément, monsieur Fandor, vous êtes un brave cœur, vous avez assez raqué pour aujourd'hui, et je m'en vais vous vider mon sac. D'abord, un verre de coco.

Fandor protestait du geste, mais il n'y avait pas moyen de refuser, Bouzille, d'un air majestueux n'avait-il pas dit :

— C'est moi qui paye.

Puis le camelot ajoutait d'un air malin :

— A la santé de... de quoi donc, monsieur Fandor... de vos amours peut-être ?...

Le journaliste souriait.

— Merci, répondit-il simplement.

Et il vida le verre que lui tendait Bouzille.

Celui-ci, cependant, ayant observé autour de lui, pour s'assurer que l'on ne l'écoutait pas, articula enfin :

— Voilà, monsieur Fandor, je vais vous vider mon sac jusqu'au fond. Donc, il se passe des choses pas ordinaires en ce moment. Toute la bande est là, la bande de qui vous savez. Mort-Subite, Bec-de-Gaz, Adèle et Œil-de-Bœuf, ça rôde et ça travaille sur le champ de courses, mais pas uniquement pour faire les porte-monnaie ou jouer au zanzibar ; il y a quelque chose de plus, assurément.. On m'en a causé, d'ailleurs, même que le Bedeau, vous savez bien, le Bedeau, est aussi dans la combinaison.

Puis, Bouzille baissant la voix continuait :

« Il s'agirait, paraît-il, de trouver, soit chez les forains, soit dans les ménageries, de méchantes bêtes que l'on veut acheter... Pour quoi faire ?... je n'en sais rien. Mais toujours qu'il qu'il est sûr et certain que le Bedeau, depuis huit jours, est plein aux as, et que si jamais un copain lui trouve ce qu'il veut, en échange de la bestiole, le pèze tombera raide comme balle dans sa profonde. Voilà l'affaire, monsieur Fandor...

Le journaliste avait écouté Bouzille avec la plus grande attention, et il s'applaudissait d'avoir fait la rencontre de l'ancien chemineau, convaincu que celui-ci le mettrait sur une piste intéressante.

Il interrogea :

— Pour le compte de qui travaille le Bedeau ?

Bouzille mit un doigt sur ses lèvres :

— Chut ! fit-il, ce n'est pas des choses à raconter...

Cependant Fandor menaçait de se fâcher.

— J'ai suffisamment arrosé ta babillarde, Bouzille, pour que tu puisses jacter...

Le chemineau eut un air confus :

— Si je ne dis rien, fit-il, ce n'est pas de ma faute ni par mauvaise volonté, c'est rapport à ce que je ne sais pas. On dit pourtant que le Bedeau travaille...

Fandor l'interrompait :

— Le Bedeau travaille sans doute pour Fantômas, fit-il.

Mais Bouzille secouait la tête :

— Non, monseigneur, il n'est pas question de Fantômas dans tout ce fourbi-là, ce serait plutôt le propriétaire d'un cheval de course, d'après du moins ce qu'on m'a dit.

— Comment s'appelle-t-il ? demandait Fandor.

— Ça, fit Bouzille, je n'en sais fichtre rien... Ne trouvez-vous pas que je vous en ai raconté pour votre argent ?... Vous voilà au courant de l'affaire. La bande à Fantômas, dirigée par le Bedeau, cherche des bêtes féroces pour les vendre à un propriétaire de chevaux de course, voilà ce qu'on sait, le reste vous regarde.

Et, cependant que Fandor demeurait perplexe et soucieux, Bouzille, agitant une sonnette, commençait encore de sa voix tonitruante :

— Et comment qu'il se balade dans la première, le p'tit cheval du marchand de coco !

XIII

Le mystère de la rue Lalo

Hélène et Fandor étaient l'un en face de l'autre.

Dans le petit appartement occupé par la jeune fille, boulevard Saint-Germain, ils étaient seuls, ils s'étreignaient les mains longuement.

— Enfin ! articula Fandor d'une voix émue, je réussis à vous joindre, Hélène, mais que de difficultés pour y parvenir... et combien j'ai d'inquiétude, chaque jour, en m'apercevant que vous êtes sans cesse absente, que vous n'êtes jamais là.

Cependant qu'Hélène baissait la tête sans répondre, Fandor insista, interrogeant nettement :

— Vous n'habitez pas cet appartement pour ainsi dire ?... Vous ne faites qu'y venir à de rares intervalles, uniquement pour m'y rencontrer et encore ne suis-je pas toujours certain de vous y voir ?... Pourquoi ?

Hélène, cette fois, levait la tête et plongeait son joli regard franc et sincère dans les yeux de Fandor.

— Douteriez-vous de moi ? demanda-t-elle.

— Non, répliqua nettement le journaliste, je sais que notre amour est au-dessus des vulgaires soupçons et des basses jalousies qui animent les cœurs des êtres ordinaires. Nous avons trop vécu l'un et l'autre, trop souffert, trop risqué l'un pour l'autre pour que nous soyons autorisés à douter de la sincérité de nos sentiments respectifs. Mais ce qui m'inquiète, Hélène, ce que je redoute pour vous, c'est ce mystère perpétuel dont s'entoure votre existence, existence que je sais, hélas ! hérissée de dangers.

Hélène souriait :

— La vôtre, Fandor, est-elle donc plus paisible et moins redoutable ? N'êtes-vous pas, comme moi, le voyageur qui, perpétuellement, marche sur un sentier étroit côtoyant un précipice ?

Fandor répliquait à son tour :

— Pour moi je n'ai aucune crainte, j'ai su me défendre jusqu'à présent, je saurai continuer.

— Ai-je donc fait preuve, interrogeait Hélène, de maladresse ou de pusillanimité ?

— Je ne veux pas dire cela, répliqua Fandor. Mais vous êtes une femme, une jeune fille, et mon âme souffre à l'idée que je ne puis être constamment à côté de vous, que je ne puis vous faire sans cesse de mon corps un rempart, pour vous protéger.

La jeune fille se laissait attendrir aux paroles du journaliste, elle se rapprocha de lui, appuya sa jolie tête sur son épaule, et cependant que Fandor l'effleurait d'un baiser, Hélène articula doucement :

— Ayez confiance, ayons courage... un jour viendra, j'en suis certaine, où nous serons pleinement heureux.

Elle se dégageait cependant de l'étreinte passionnée de Fandor.

Hélène consultait une petite pendule.

— Il va falloir, fit-elle d'un ton attristé, que je vous quitte.

Fandor dissimula son dépit :

— Et quand nous reverrons-nous ? interrogea-t-il.

— Demain ou après-demain. Je ne puis, hélas ! vous donner de précision exacte.

Fandor réfléchit une seconde. Puis, après un silence, considérant Hélène fixement, il interrogea :

— Voyons, soyez franche... toutes ces absences, tous ces mystères dissimulent quelque chose de grave. J'ai noté que votre attitude s'était modifiée depuis le jour où l'on a découvert l'assassinat de René Baudry.

— C'est exact ! reconnut Hélène, j'ajouterai même, Fandor, que depuis cette époque, vous avez vous-même modifié votre façon d'agir, votre conduite... Vous me reprochez d'être souvent absente, vous-même n'êtes jamais là. Et s'il vous apparaît que vous ne connaissez qu'une partie de mon existence, j'ai l'impression que vous vivez deux vies.

Fandor, à son tour, souriait et s'embarrassait :

— N'insistons pas..., conclut-il, je sais que vous me comprenez, et vous savez qu'il m'est impossible de ne point poursuivre la recherche du mystère qui recouvre ce crime, d'autant que j'ai l'intime persuasion que Fantômas y est mêlé.

Hélène se rapprochait de lui. Elle articula d'une façon catégorique :

— Moi aussi, Fandor, je le crois.

Le journaliste l'interrogeait à nouveau :

— Savez-vous quelque chose en ce qui concerne Fantômas ? Où est-il ? En quel milieu ? Sous quelle personnalité dissimule-t-il actuellement son effroyable identité ?

— Je voudrais le savoir, fit lentement Hélène, et je vous prie de croire que si, de votre côté, vous procédez à des enquêtes, je ne reste pas, pour ma part, inactive. Il est dans l'entourage de ce malheureux être, qui est mort pendu comme vous le savez, des gens qui me paraissent suspects. Il importe de les connaître, je m'y efforce... Et je dois prendre pour cela les plus grandes précautions, précautions poussées à un point tel, que vous-même, Fandor, devez ignorer ce que je fais... N'essayez pas de me suivre et de me découvrir, vous me retrouverez comme je vous retrouverai lorsque le moment sera venu.

Et comme le journaliste voulait protester, la jeune fille, impérativement, proféra :

— Croyez-moi, Fandor, restons-en là !

Qu'était cependant devenue Georgette Simonot ?

Georgette Simonot, lorsqu'elle avait fait la rencontre de l'aimable vieillard qui répondait au nom gracieux de Florestan d'Orgelès, ne s'était pas méprise un seul instant sur les intentions du personnage.

Celui-ci, au surplus, avait été d'une netteté éminemment catégorique.

Lorsqu'il avait fait la rencontre pour la première fois de la jeune femme, au coin du boulevard Malesherbes et de l'église de la Madeleine, il lui avait exposé son plan.

— Il me faut, avait dit Florestan d'Orgelès, une jolie perle à mettre dans un écrin que je possède. L'écrin, c'est un petit hôtel de la rue Lalo, la perle ce sera vous, si vous y consentez...

Et, pour activer les choses, Florestan d'Orgelès avait immédiatement proposé à « la perle » d'aller visiter son écrin.

Le couple y pénétrait à six heures du soir et n'en sortait plus.

L'offre de Florestan d'Orgelès était évidemment arrivée à point nommé. Elle avait touché Georgette au moment où la jeune bourgeoise vivait une des heures les plus désemparées de son existence.

Elle venait d'être indirectement l'héroïne, dont tous les journaux avaient parlé, d'un drame aussi affreux que rempli de mystère.

En l'espace de quelques heures, son existence intime avait été racontée à tout le monde.

On avait su que la petite bourgeoise de la rue des Batignolles, mariée à un modeste fonctionnaire de l'administration, avait pour amant un certain René Baudry, puis un autre, Max de Vernais. On lui avait prêté des ambitions dévergondées, et l'on avait fait des gorges chaudes de la naïveté aveugle de son époux.

L'affaire n'avait pas été, d'ailleurs, sans sa note dramatique, car, si l'on apprenait tous ces détails, c'était parce que l'un des amants de la jeune femme était mort assassiné, et que, d'autre part, on soupçonnait du crime soit le nouvel amant, soit le mari qui, vraisemblablement, aurait pu, tout d'un coup, apprendre qu'il était trahi, et vouloir se venger.

Faute de preuves, on avait dû remettre en liberté provisoire Paul Simonot et Max de Vernais.

Mais ni l'un ni l'autre n'avaient cherché à revoir Georgette : au surplus, ils avaient été obligés d'obéir aux instructions de la police, et de s'installer en l'appartement de la rue Tardieu, sous la surveillance de Juve.

Georgette alors se trouvant seule, montrée au doigt dans son quartier, s'était rendu compte que ses tragiques aventures mettaient le point final à son existence de bourgeoise.

Il lui fallait changer de manières, changer d'esprit, faire absolument peau neuve.

Aussi bien Georgette ne demandait-elle pas mieux.

Depuis longtemps, elle en avait assez de son mari, homme peu séduisant d'ailleurs, nullement fait pour comprendre une âme ambitieuse, délicate et sentimentale à la fois comme celle de sa femme.

Et si Georgette avait pris un amant, puis un autre, c'était surtout, dans l'espoir mal défini mais spontané, de connaître dans sa vie autre chose que l'existence banale et étroite qu'elle menait dans son petit appartement de la rue des Batignolles en tête-à-tête avec son lourdaud de mari.

Et Georgette, dont la conscience était très large et la morale fort élastique, avait depuis longtemps désiré en rêve devenir une demi-mondaine et avoir, comme les autres, sa voiture au mois.

Georgette avait cru tout d'abord qu'après le scandale occasionné par l'affaire de Saint-Germain, c'en était fait de ses espérances et de l'avenir de luxe qu'elle escomptait. Or, tout le contraire s'était produit !

D'une heure à l'autre, Georgette était devenue célèbre, on avait publié son portrait dans les journaux, et sa petite personne très quelconque avait immédiatement paru attrayante et désirable à tous ceux qui cherchaient à connaître une femme sortant de l'ordinaire, et ayant dans son existence quelque aventure sensationnelle lui donnant un panache quelconque.

L'un de ces hommes n'avait pas tardé d'ailleurs à se manifester et c'est comme cela que Georgette Simonot, deux ou trois jours après avoir été relâchée par le juge d'instruction, avait fait la connaissance de Florestan d'Orgelès et avait été conduite par ce dernier à son petit hôtel de la rue Lalo.

C'était un aimable vieillard que ce Florestan d'Orgelès, un homme extraordinaire aussi.

En dépit de sa chevelure blanche et de sa longue barbe de neige, si minutieusement entretenue, il avait un teint d'une fraîcheur extrême et des yeux superbement beaux et expressifs. Sa voix même était vibrante, claire, jeune au possible.

Il avait une silhouette assez bizarre toutefois, et, bien que vêtu avec une élégance raffinée, il portait sans cesse des vêtements amples, des grandes pèlerines, des chapeaux à larges bords, de feutre de préférence.

On eût dit à le voir quelque vieil artiste, que le talent et les succès auraient rendu très riche.

Quelques instants après avoir amené Georgette Simonot à l'hôtel de la rue Lalo, Florestan d'Orgelès avait eu une parole qui plongeait la jeune femme dans le ravissement :

— Vous êtes chez vous, lui avait-il dit.

Et dès lors, lui baisant la main respectueusement, il avait ajouté :

— Une grande différence d'âge nous sépare, ma chère enfant, et j'éprouve pour vous une réelle affection, ne l'interprétez point autrement que je vous l'exprime. Chaque âge a ses plaisirs, le mien sera de vivre constamment à vos côtés, de vous regarder, car vous êtes jolie, et de satisfaire vos moindres désirs... N'interprétez point mes attitudes pour de la froideur, si la tendresse que je vous manifeste n'excède pas les limites d'une honnête galanterie, rappelez-vous que, si je vous aime, c'est beaucoup plus pour vous que pour moi...

Puis Florestan d'Orgelès, avec un enjouement délicieux avait fait visiter à la jeune femme l'hôtel, de fond en comble.

En la conduisant aux appartements du premier étage, il lui avait déclaré :

— Voici les pièces qui vous sont réservées.

Puis il informait ensuite Georgette que lui-même, lorsqu'il viendrait la voir et demeurer rue Lalo, ce qu'il ne ferait pas tous les jours, s'installerait à l'étage au-dessus.

— De la sorte, assurait-il, vous ne serez point dérangée.

Et, pour la première nuit d'ailleurs qu'ils passaient sous le même toit, ce couple qui devait être considéré comme un couple d'amants se divisait après le dîner, et chacun faisait chambre à part.

Les jours suivants n'amenaient point de rapprochement.

Toutefois, comme l'avait expliqué Florestan d'Orgelès, on ne pouvait croire à de la froideur de sa part en le jugeant par son attitude vis-à-vis de Georgette.

Il était de plus en plus empressé auprès de la jeune femme, sans cesse aimable, prévenant ses moindres désirs, ne manquant jamais de lui envoyer des fleurs, qu'elle recevait avec toujours une nouvelle surprise, chaque matin à son réveil.

Et, peu à peu, Georgette se mettait à aimer cet aimable personnage qui l'entourait de tant de respectueuse tendresse.

A deux ou trois reprises toutefois, Georgette, lorsqu'elle se mettait au lit, seule, avait étouffé un soupir et s'était dit :

— Quel dommage qu'il me respecte tant ! Il est vrai, avait-elle conclu, que ce n'est plus un jeune homme.

Et elle se disait, rassurée dès lors :

— Au moins, il ne se lassera pas de moi, et je puis être certaine de n'être point trompée.

Georgette, cependant, devait avoir dès le quatrième jour de son installation dans l'hôtel de la rue Lalo une poignante émotion.

Il était environ neuf heures du soir ; une demi-heure auparavant, Florestan d'Orgelès, qui avait dîné avec elle et s'était montré plus aimable peut-être que de coutume encore, joyeux, spirituel, pétillant d'esprit avec celle qu'il appelait avec une pointe d'ironie « sa charmante maîtresse », lui avait déclaré :

— Je remonte dans mes appartements, ma chère, toutefois il se peut que je n'y passe pas la nuit.

Et il avait ajouté cependant qu'une ombre de tristesse passait sur son visage :

— On ne fait pas toujours ce que l'on veut.

Georgette avait pris congé de Florestan qui lui déposait sur le front un baiser paternel, puis elle était, elle aussi, rentrée dans sa chambre.

Pensive, la jeune femme, avant de se coucher, était restée dans une sorte de petit boudoir attenant à son cabinet de toilette, et, dès lors, plongée dans l'obscurité, elle s'était installée dans une confortable bergère.

Mais, à un moment donné, elle avait été arrachée à sa rêverie par des bruits de pas furtifs et légers qui retentissaient dans l'escalier.

Ce n'était pas le pas du valet de chambre, ni de la grosse cuisinière assurément. Georgette, légèrement intriguée, s'était levée de sa bergère, et se disposait à passer sur le palier, pour voir qui était là, lorsqu'elle entendit la porte de l'hôtel donnant sur la rue s'ouvrir puis se refermer sur quelqu'un qui sortait.

Aussitôt Georgette se précipitait à la fenêtre, écartait les rideaux, regardait dans la rue.

Elle avait tout juste le temps d'apercevoir la silhouette de quelqu'un qui, d'un pas rapide et léger, sortait de l'hôtel et se dirigeait vers l'extrémité de la rue.

Or, ce quelqu'un c'était une femme. Une femme jeune à n'en pas douter, une femme élégante, à la taille bien prise, et dont la chevelure d'or fauve apparaissait sous le coquet chapeau.

Pendant une bonne demi-heure, Georgette, intriguée, surprise, demeurait immobile, dans ce petit boudoir, ne sachant que faire, que penser.

A maintes reprises, elle avait voulu consulter son généreux protecteur et ami sur son existence privée. Elle aurait aimé savoir ce qu'il faisait dans cet appartement du second étage de l'hôtel toujours fermé à clé et dans lequel ne pénétrait nul domestique.

Elle aurait voulu connaître son existence antérieure et aussi les détails de son existence présente qui lui échappaient.

Soudain, une idée germa dans le cerveau de Georgette, idée qui la fit tressaillir.

— Mon Dieu ! se demanda-t-elle, aurait-il déjà une maîtresse ?

Et dès lors, en son for intérieur, du moment qu'elle admettait cette hypothèse, il lui semblait que bien des choses s'expliquaient, notamment la froideur de Florestan à son égard.

S'il avait une maîtresse, et s'il aimait cette femme, pourquoi avait-il demandé à Georgette de venir chez lui, d'accepter le don de cet hôtel et de passer aux yeux de tous comme étant son amie ?...

Car Florestan d'Orgelès ne cachait point Georgette aux yeux du monde, bien au contraire ; depuis quatre jours qu'ils vivaient ensemble, il l'avait fièrement affichée dans les restaurants à la mode, au pesage, au théâtre.

Georgette passait une mauvaise nuit à réfléchir à toutes ces choses, le lendemain Florestan d'Orgelès venait déjeuner avec elle et elle l'interrogeait :

— Quelle était donc cette personne que j'ai vue sortir d'ici, hier soir ? demanda la jeune femme d'un air indifférent et calme qu'elle s'efforçait de conserver pour dissimuler son émotion.

Mais Florestan lui avait répondu d'une façon toute naturelle, bien que vague :

— Une jeune personne, dit-il, à laquelle je m'intéresse et qui vient me voir de temps en temps.

Il avait ajouté en baisant galamment la main de Georgette :

— Elle est peut-être moins heureuse que vous... l'existence est plus dure pour elle... je l'aide de quelques secours discrets...

— Vraiment ? avait fait Georgette feignant de s'intéresser vivement au sort de cette personne, parlez-moi d'elle...

Mais Florestan d'Orgelès avait eu un sourire mystérieux.

Et coupant court aux questions de sa curieuse compagne, il avait répondu, sur un ton qui n'admettait point de réplique :

— Parlons de vous, au contraire, car vous seule occupez mon cœur.

Et Georgette, depuis lors, non seulement n'avait pas revu la jeune femme, mais n'avait rien appris de nouveau sur elle.

A quelques jours de là, Georgette, traversant son salon et passant dans la galerie du premier étage pour gagner le rez-de-chaussée, s'arrêtait net, étouffait un cri de surprise.

Elle venait de voir une ombre se profiler rapidement, et disparaître, puis elle entendait la porte d'un petit fumoir du rez-de-chaussée, réservé à Florestan d'Orgelès, se refermer brusquement.

Or, Georgette avait reconnu dans cette ombre une silhouette féminine.

Inquiète, troublée, Georgette descendait vivement l'escalier.

Elle courut jusqu'à la porte du couloir, elle allait l'ouvrir, elle s'arrêta hésitante.

Était-ce correct d'agir comme elle allait le faire ?

En réalité, elle avait peur de commettre une indiscrétion.

Peut-être Florestan serait-il mécontent qu'elle cherchât à surprendre un secret qu'il paraissait vouloir garder pour lui ?...

Georgette était bien troublée, mais en réalité, sa curiosité était plus forte que sa volonté, et l'aventure singulière de cette femme qui semblait aller et venir dans l'hôtel de la rue Lalo, comme si elle était aussi chez elle, la troublait considérablement.

Georgette prêta l'oreille, espérant surprendre quelque bribe de conversation.

Il n'en fut rien !... le petit fumoir était évidemment plongé dans le plus grand silence, nul bruit n'en provenait.

Georgette pensa :

— Cette femme est seule, Florestan n'est pas avec elle.

Et dès lors, elle hésitait encore sur ce qu'elle devait faire, mais brusquement, n'y tenant plus, Georgette ouvrit la porte, entra dans le fumoir.

La pièce était éclairée ; les ampoules électriques y répandaient une lueur discrète.

La jeune femme ne s'était pas trompée, elle voyait désormais, en face d'elle, assise dans un fauteuil, une autre femme jeune comme elle, jolie également.

Cette personne avait des yeux très expressifs, une lourde chevelure d'or fauve, qui étincelait sous le velours noir de son chapeau.

Elle était mise avec élégance, bien que très simplement.

A l'arrivée de Georgette elle se leva, s'inclina légèrement, ne prononçant point une parole, paraissant attendre.

Georgette, interdite, la considérait, ne sachant que lui dire.

Instinctivement cependant elle proféra :

— Restez assise, madame.

La personne obtempérait et, sans la moindre gêne, reprenait sa place dans le fauteuil qu'elle venait de quitter.

— Madame ? ou mademoiselle ?... reprit Georgette qui posait cette question pour savoir, espérant qu'elle allait décider l'étrange visiteuse à se nommer.

Georgette n'avait aucun doute en la voyant ; c'était bien la femme qui, quelques jours auparavant, était sortie de l'hôtel de la rue Lalo vers dix heures du soir.

L'interlocutrice de Georgette, cependant, reprit :

— Mademoiselle, en effet...

Cependant, Georgette s'enhardissait :

— A qui ai-je l'honneur de parler, mademoiselle ?... demanda-t-elle.

Puis elle se présentait à son tour :

— Moi, je suis madame Georgette Simonot et je suis la propriétaire de cet hôtel.

— Je le sais, madame, fit en s'inclinant la jeune fille qui ajoutait d'un air grave :

« Et je vous en fais tout mon compliment. L'ameublement de cet hôtel est tout à fait charmant, et il est heureux qu'il soit habité par une femme de goût, comme vous l'êtes, madame...

Georgette ne savait que répondre, elle interrogea après un nouveau silence :

— Vous attendez M. Florestan d'Orgelès ?

— En effet, madame. A moins toutefois que cela ne vous dérange...

Georgette, perplexe, eut, un instant, l'idée de répondre très franchement :

— Ma foi, j'aimerais beaucoup mieux, mademoiselle, que vous espaciez vos visites. Vous êtes ici chez moi, et j'entends n'y recevoir que les personnes que je connais.

Mais Georgette se souvenait aussi que, si elle était également chez elle, depuis que Florestan lui avait fait don de cet hôtel, elle était en réalité chez son protecteur et que celui-ci, dans sa conduite, n'avait rien qui pût permettre à Georgette de traiter impoliment les personnes qui venaient le voir, fussent même d'aussi jolies femmes que la visiteuse.

Georgette ne répondit donc point franchement comme elle en avait l'intention.

Elle se contenta d'articuler d'une voix peu sûre :

— Je ne sais pas du tout à quelle heure rentrera M. d'Orgelès... Si vous avez quelque chose de pressé à lui dire, mais que vous n'ayez pas le temps de l'attendre, mieux vaudrait peut-être me faire la commission ou tout au moins lui laisser un mot.

La jeune fille souriait :

— Je ne suis pas pressée, madame, déclarait-elle, j'attendrai.

Georgette dès lors, tout à fait décontenancée, ne songeait plus qu'à une chose, c'était à se retirer.

Elle se rendait parfaitement compte qu'elle venait d'être sotte et maladroite, et que mieux aurait valu pour elle s'abstenir de toute question puisqu'en réalité elle n'avait obtenu aucune réponse satisfaisante.

Georgette saluait d'un petit coup sec de la tête l'importune visiteuse, puis elle se retirait.

La jeune femme remonta dans sa chambre, très énervée, très troublée.

Malgré tous les efforts qu'elle faisait pour se persuader que la visite de cette personne, à laquelle sans doute Florestan d'Orgelès faisait la charité, n'avait rien d'extraordinaire, c'était en vain !

Instinctivement, elle se disait qu'il y avait là un mystère, un secret qu'elle ne comprenait pas.

Et puis, quelque chose l'avait bouleversée aussi, quelque chose qui faisait que, maintenant, elle se reprochait d'avoir été froide et hautaine avec cette jolie personne.

Le regard, l'expression des yeux de cette jeune fille l'avaient frappée étrangement.

Au premier abord, elle ne s'était pas rendu compte, désormais elle s'en souvenait.

Chose curieuse, instinctivement, Georgette fit un rapprochement entre l'expression douce et charmeuse de la jeune fille et le regard éloquent et spirituel de Florestan d'Orgelès.

Y avait-il donc entre ces deux êtres quelque rapport, quelque parenté ?

Agacée, énervée au plus haut point, Georgette était rentrée dans son petit boudoir, se laissa tomber sur sa bergère et, brusquement, éclata en sanglots.

Elle pleurait encore une heure après, lorsqu'un coup discret fut frappé à sa porte.

— Entrez, balbutia-t-elle, au milieu de ses larmes.

Florestan d'Orgelès apparut :

— Mon Dieu ! s'écria-t-il en apercevant le visage bouleversé de la jeune femme. Se peut-il qu'une aussi délicieuse personne ait de semblables chagrins...

Florestan s'approchait d'elle, lui prenait les mains :

— Voyons, voyons, Georgette, contez-moi vos peines de cœur et que puis-je faire pour les dissiper ?... Voulez-vous que nous allions dîner au cabaret et finir la soirée au théâtre ? Préférez-vous une promenade en automobile ? Croyez bien que je suis à vos pieds, respectueusement soumis, et que le moindre de vos désirs je le considère comme le plus impérieux des ordres.

Cependant que le vieillard s'efforçait de consoler la jeune femme, celle-ci, qui avait soudainement surpris dans son regard la même expression charmeuse que celle qui l'avait frappée, lorsque l'énigmatique personne du petit fumoir avait levé les yeux sur elle, songeait à ce moment :

— Le doute n'est plus possible, cette jeune fille est assurément la fille de Florestan d'Orgelès.

Qui pouvait être cependant cette énigmatique personne dont l'identité préoccupait tellement Georgette Simonot et sur laquelle Florestan d'Orgelès semblait ne point vouloir fournir de renseignements ?

Quiconque se serait préoccupé de la suivre, lorsque d'aventure elle quittait l'hôtel de la rue Lalo où elle venait fort souvent, n'aurait pas été peu surpris, sans doute, de la voir, après mille détours, entrer dans une maison du boulevard Saint-Germain et y monter à un appartement du deuxième étage.

Quiconque l'aurait suivie dans cet appartement, quiconque aurait épié ses faits et gestes, se serait rendu compte que cette personne, parfois, recevait, boulevard Saint-Germain, un jeune homme pour lequel elle éprouvait assurément de tendres sentiments, jeune homme d'ailleurs qui n'était autre que Jérôme Fandor.

La mystérieuse jeune fille qui venait rue Lalo, c'était donc Hélène ? Hélène à laquelle Fandor reprochait précisément d'être si souvent absente de chez elle ?...

XIV

L'entraîneur Bridge

— Scott ?
— Monsieur ?
— Venez ici, mon garçon.
— Voilà, monsieur.

Dans la grande cour sablée de son écurie d'entraînement, Bridge, ce matin-là, à huit heures, à la rentrée des poulains de deux ans qui venaient d'aller prendre leur trot dans les allées de la forêt, se promenait de long en large, la cravache sous le bras droit, le chapeau en arrière, les mains frémissantes.

Scott arrivait en pantalon de course, en guêtres jaunes, la chemise déboutonnée sur la poitrine malgré la température assez fraîche.

L'entraîneur toisa le lad :
— Alors, demandait-il, vous n'êtes pas mort ?
— Pas encore.
— Il ne vous a donc pas rué dans la figure ?
— Non, patron.
— Il mord aussi... vous n'êtes pas mordu ?
— Non, patron.
— Aucun coup de pied ?
— Non, patron.
— Vous m'étonnez, mon garçon.

Bridge regardait toujours des pieds à la tête le lad, il eut un claquement satisfait.
— Votre poids ? demanda-t-il encore.

Mais Scott lui répondit exactement comme il lui avait répondu lors de leur première entrevue :
— Mon poids est celui qu'il faut...
— A merveille ! riposta l'entraîneur qui, claquant de la langue, ajoutait :

— Aux balances alors.

Scott ne se fit pas répéter l'invitation.

Sur son visage glabre, peinturluré de teinture d'iode, car il souffrait, disait-il, d'une terrible rage de dents et s'imbibait chaque soir les joues du liquide, ce qui lui composait un visage extraordinaire, Scott tressaillit d'aise et suivit le patron.

Le lad, depuis qu'il était engagé à l'écurie de Bridge, n'avait pas encore revu l'entraîneur.

Il s'était acquitté de la mission qu'on lui avait confiée, avait scrupuleusement soigné la bête la plus mauvaise de toute l'écurie, s'en était tiré à son honneur et voici qu'on le menait aux balances.

Il y avait de quoi être fier !

La vie d'un lad, en effet, comporte des espoirs, des ambitions souvent irréalisables, toujours passionnément chéries.

Le lad n'a qu'un désir, ne conçoit qu'un seul rêve : devenir jockey.

Il lui faut pour cela s'atrophier volontairement, s'empêcher de grandir, ne point dépasser le poids exigu qui est le poids des jockeys, mais il n'est aucune privation qui lui coûte pour arriver à endosser quelque jour la casquette de soie, la casaque aux couleurs éclatantes, la culotte collante, qui font si bien sur le vert de la pelouse, pendant les grandes journées de courses.

Les étapes de lad, situation équivalente à celle de valet d'écurie à la situation honorifique de jockey appointé pourvu d'une licence, sont toujours les mêmes cependant.

— Te rappelles-tu, disent les anciens, quand un tel est monté aux balances, il avait huit kilos de trop... en trois mois, il les avait perdus... Ah ! c'était un homme. Et quelle pince !

— Parbleu ! mon cher, en vérité, il aurait coupé une bête en deux.

« Monter aux balances » est le pas décisif, qui marque dans la carrière d'un lad l'accession aux plus hautes dignités. « Monter aux balances », c'est, en somme, la preuve que le patron vous a remarqué, qu'il désire s'assurer de votre poids, qu'il va vous autoriser à prendre part aux séances d'entraînement et que, par conséquent, on a chance d'arriver quelque jour au poste si envié de jockey.

Le lad, en effet, ne doit en principe jamais quitter l'écurie.

Sa besogne consiste à soigner les chevaux, à les veiller, mais non pas à les monter. Il y a, dans chaque écurie, spécialisés dans l'entraînement des chevaux de course, des jockeys qui se chargent de faire trotter les chevaux matin et soir suivant des règles bien précises pour arriver à les mettre en forme.

Ensuite, ces jockeys d'entraînement « montent aux ordres ».

« Monter aux ordres » consiste à prendre part à une course sur un hippodrome, mais à y prendre part dans des conditions qui sont jugées peu glorieuses par les fines cravaches.

« Monter aux ordres », c'est s'engager scrupuleusement à conduire sa propre course suivant les indications précises données par l'entraîneur, et non pas suivant sa propre inspiration.

Un jockey qui monte aux ordres doit se laisser mener jusqu'à tel tournant, passer la banquette hollandaise de telle façon, sauter la rivière d'une autre, tirer son cheval en tel point, le pousser en avant en tel autre...

Il est réduit, en somme, au rôle d'une machine, il doit obéissance et, s'il gagne, le mérite en revient plus à celui qui a donné les ordres qu'à celui qui les a exécutés.

« Monter aux ordres », c'est cependant monter, c'est faire acte de jockey, c'est avoir une occasion de se signaler, et cela suffit pour constituer la dernière étape qui mène le lad à la casaque triomphante...

Tout lad désire devenir jockey d'entraînement, puis jockey aux ordres, puis enfin grand jockey...

Or, Bridge, à l'improviste, neuf jours après son arrivée à l'écurie, appelait le lad Scott et l'invitait à monter aux balances. Il y avait de quoi griser d'orgueil le débutant, de quoi aussi affoler de jalousie les autres lads, qui suivaient d'un œil d'envie leur collègue se dirigeant vers les balances.

Il n'y a pas une écurie de course, bien entendu, qui ne possède un bâtiment spécial affecté aux balances.

Ces balances servent à peser non seulement les hommes, mais encore les bêtes. Le poids est un des gros éléments des courses hippiques, c'est avec lui qu'on handicape les chevaux, c'est grâce à lui que l'on apprécie les chances de succès de certaines montes...

Scott et Bridge, l'un marchant derrière l'autre, entrèrent dans le bâtiment des balances.

— Va..., ordonna Bridge.

Scott entra, tremblant, sur le plateau de la bascule.

Bridge manœuvrait alors quelques poids, faisait coulisser des indicateurs, hochait la tête, haussait les épaules, finissait par envoyer une bourrade amicale à son lad :

— Damné Scott, faisait-il, tu as onze kilos à perdre, cela m'a l'air impossible... dommage !...

Scott ne tressaillit même pas.

— Onze kilos, en vérité ? En combien de temps dois-je les perdre ?

— En deux mois. C'est impossible !

— Rien n'est impossible, patron... en quatre semaines, je perdrai douze kilos.

Bridge recula de surprise.

Il savait que les lads, pour arriver à atteindre le poids réglementaire, font des tours de force ; mais, cependant, il ne croyait pas que l'on pût tenter avec une aussi parfaite assurance un tel amaigrissement.

— Scott, mon garçon, déclara Bridge d'un ton bourru, si tu perds douze kilos, tu monteras... Mais j'ai bien peur qu'en perdant douze kilos, tu ne tournes la bride vers le cimetière.

Il y avait une hésitation dans la voix de l'entraîneur, une interrogation anxieuse.

Le lad, lui, impassible, souriait.

— Je n'ai point envie de mourir, se contenta-t-il d'affirmer, je perdrai ce qu'il faut perdre...

Deux minutes plus tard, Bridge et Scott se retrouvaient dans la cour de l'écurie.

— Parfait, mon garçon, approuvait l'entraîneur, écoutant les projets de Scott qui lui confiait quel régime il allait désormais s'astreindre à suivre pour atteindre le poids voulu... Parfait... si tu perds tes douze kilos, je te mettrai une bête entre les jambes qui te fera comprendre ce que c'est qu'une victoire.

Bridge n'était plus bourru.

Ce diable d'homme, quand il parlait courses, semblait changer de caractère ; cela le passionnait, l'enfiévrait, on le sentait épris de son métier, tout comme s'il eût pratiqué depuis plus de vingt ans.

Brusquement, mais amicalement, il posait la main sur l'épaule de Scott.

— Désormais, tu ne t'occuperas plus de cette maudite jument pisseuse. Je te confierai la meilleure bête de la maison. Viens voir...

Bridge guidait Scott vers une écurie soigneusement installée où l'on n'enfermait d'ordinaire que les chevaux de grande valeur, les véritables cracks, les gagnants des grandes épreuves, ceux dont les stalles s'ornaient d'une longue suite d'écussons, relatant les prix gagnés.

— Un pur-sang ? demanda Scott.

— Une bête volante..., affirma froidement Bridge.

Mais bientôt, il s'enthousiasmait :

— La tête détachée, l'œil vif, l'encolure souple et bien ramassée... Une avant-main bâtie en force, l'arrière-train plus haut... des membres sains et nets et des tendons et des aplombs... d'abord, ce n'est pas une bête, c'est une machine, c'est... et puis, tu vas voir...

Scott n'ignorait pas que, depuis trois jours, un nouveau cheval était arrivé chez l'entraîneur.

Bridge lui-même, aidé seulement de l'un de ses premiers jockeys, l'avait fait descendre du van qui l'avait conduit à Maisons-Laffitte. Il l'avait installé, semblait-il, avec des précautions extrêmes, dans le meilleur box de l'écurie des pur-sang.

L'entraîneur, évidemment, le considérait comme un sujet hors ligne ; et voilà que c'était ce cheval, ce cheval qui méritait des soins particuliers, qu'on allait lui confier, qui serait son pensionnaire de tous les jours, qui serait sa monture s'il perdait les douze kilos nécessaires !

Les yeux de Scott exprimèrent un regard ardent, une joie affolante ; le lad, cependant, suivait toujours Bridge.

Il voyait son étrange patron trottiner rapidement vers le box des pur-sang, et sortir de sa poche une jolie clef de coffre-fort, clef qu'il était seul à posséder et qui ouvrait la stalle que l'on appelait « la stalle du grand prix ».

Nul n'ignorait, en effet, que c'était dans cette stalle spécialement aménagée, merveilleusement édifiée, pourvue de tout le confort que l'on a pu inventer pour les chevaux de course, que devait prendre place la bête qui serait députée pour défendre les couleurs de l'entraîneur au grand steeple d'Auteuil.

Était-ce donc dans cette stalle que la bête de prix était enfermée ?

Scott trembla de tous ses membres, prenant une figure sérieuse, émue, tandis que Bridge ouvrait la porte.

— Tu vas voir..., répétait l'entraîneur.

Et Scott vit, en effet.

Mais ce qu'il vit le surprit au plus haut point !...

Tandis que Bridge, en effet, s'extasiait : « Regarde cette croupe, regarde ce flanc. Hein ?... et la robe ? » Scott était ébahi.

Dans la stalle se trouvait un cheval qui était, évidemment, un cheval de course, mais qui ne méritait, à son avis, aucune autre épithète louangeuse.

La tête n'était nullement expressive, les flancs étaient maigres et non point nerveux ; si les jambes étaient fines, des éparvins défiguraient les jarrets ; l'un des tendons présentait un commencement de molette, la queue elle-même, écourtée, n'indiquait point la race, le sang, l'allure.

— Voilà, disait Bridge avec orgueil cependant, voilà mon acquisition... Avec cela, nous aurons le steeple ou je brise ma cravache...

Et il ajoutait :

— C'est un second Le Sancy.

Mais, vraiment, cet enthousiasme surprenait Scott !

Derrière le patron, il était entré dans la stalle et maintenant il passait sa main sur le garrot de la bête.

— Oui, oui, faisait-il, évidemment.

Mais Scott n'avait aucune conviction.

Son enthousiasme était tombé d'un coup.

— Un second Le Sancy, pensait-il, cette bête-là ! allons donc ! C'est une rosse... c'est une carne... c'est un toquard !...

Et mentalement, il se rappelait les descriptions enthousiastes dont les auteurs hippiques avaient prôné ce fameux cheval, ce Le Sancy dont Bridge rappelait le nom en tremblant.

Ah ! certes, il n'y avait aucun point commun entre cette bête nerveuse, fine, ardente, aux naseaux frémissants, et ce cheval très ordinaire, qui le regardait d'un œil doux, éteint presque, qui ne paraissait même pas avoir cette continuelle nervosité qui fait les champions de la race chevaline.

Non, vraiment, plus Scott regardait la bête, et moins il comprenait la comparaison du patron.

Il n'y avait véritablement entre cette bête et Le Sancy qu'un seul rapport à faire :

Le Sancy était un cheval gris pommelé, couleur de robe assez rare chez les pur-sang, et celui-ci aussi était gris pommelé.

Mais la couleur des robes influe bien peu sur la valeur des chevaux, et ce n'était point ce gris pommelé qui semblait jamais devoir renouveler les prouesses restées fameuses du célèbre triomphateur.

Scott, sans le moindre enthousiasme, demanda :

— Comment s'appelle-t-il ?

Bridge sourit avec complaisance :

— Cascadeur... il s'appelle Cascadeur, Scott, et si tu veux travailler, je te garantis, moi, Bridge, que Cascadeur te mènera à la victoire et qu'ensemble son nom et le tien deviendront célèbres.

De plus en plus étonné, Scott ne répondit rien.

A partir de ce jour-là, toutefois, un profond changement se manifestait dans la vie du lad.

Élevé à la dignité de jockey d'entraînement — car Bridge, pour mettre son homme en selle, n'avait point voulu attendre son amaigrissement — Scott ne dormait plus dans la chambre des lads.

Il partageait avec un autre jockey un étroit réduit décoré du nom de chambre...

Le matin, il était autorisé à monter un vieux cheval qui ne courait plus, mais qui, possédant des allures régulières, servait de tête de file et réglait la fougue des jeunes poulains supportant difficilement encore la contrainte du mors et de la bride.

Scott, l'après-midi, était régulièrement appelé par Bridge et les deux hommes allaient voir ensemble Cascadeur dans son box.

Pour ce cheval, il n'y avait rien de trop beau. Aucune précaution, aucun soin de trop excessifs.

Bridge l'eût nourri au biberon, se fût monté un lit de camp près de la litière de la bête pour dormir à ses côtés et veiller sur son sommeil.

Bridge et Scott sortaient la bête, l'équipaient d'un surfaix, d'une longe, la conduisaient sur la piste circulaire et la faisaient trotter, lentement, minutieusement, savamment.

Bridge s'enthousiasmait de plus en plus.

— Tu le verras, mon gris pommelé, Scott.. tu le verras. Quand il s'agira de sauter la rivière, quels jarrets, quels boulets !...

Pour Scott, il n'y comprenait plus rien du tout.

Plus il examinait le cheval et plus il lui semblait très ordinaire, incapable de la moindre prouesse.

Les autres lads d'ailleurs, les jockeys réputés qui avaient eu l'occasion d'examiner le pur-sang, n'avaient point caché à leur collègue leurs sentiments personnels.

— Rien à faire avec cette bête..., disaient-ils. Elle est à moitié poussive, elle tombera cornarde un de ces jours, l'avant-train est empâté, je ne sais point même si ce n'est pas un dérobeur...

Mais Bridge s'enthousiasmait toujours, Scott ne le contredisait point.

Et Scott, en lui-même, pensait :

— Ah çà ! est-ce que Bridge perd la tête ou bien est-ce que ?... est-ce que ?... est-ce que c'est moi qui suis le dernier des imbéciles ?...

Un beau jour, Bridge quitta, vers les trois heures de l'après-midi, l'écurie de Maisons-Laffitte.

Il venait d'annoncer à Scott que Cascadeur était très en progrès.

La chose était d'autant plus extraordinaire que, le matin même, par malchance, le gris pommelé s'était blessé en prenant une foulée au cours d'un écart, sur une plate-bande pierreuse.

La bête boitait. N'importe ! Bridge était satisfait.

— Tu verras, garçon, tu verras.

Il n'avait rien dit de plus, mais sa figure avait exprimé un parfait contentement.

Bridge, en sortant de chez lui, sautait dans une automobile et grommelait une adresse, que Scott, qui rôdait par là, cherchait vainement à entendre.

Où allait donc l'entraîneur ?

L'auto qui emportait Bridge roulait longtemps, fort vite, coupant la forêt de Saint-Germain, gagnant Versailles, se perdant dans la direction de Chevreuse...

Elle stoppa brusquement à la porte d'une ferme, à Jouy-en-Josas.

Or, la voiture avait à peine stoppé que Bridge dégringolait de son siège, et, nerveux, anxieux à l'extrême, se précipitait vers la ferme.

Bridge n'avait plus en cet instant sa figure joyeuse et tranquille, son air de contentement et d'assurance.

On n'eût certes pas reconnu l'homme qui faisait trotter, le matin même, Cascadeur, et pronostiquait la victoire du gris pommelé.

Bridge, le pas nerveux, la tête basse, un rictus au coin de la lèvre, repoussait la porte d'une salle, entrait dans les locaux de la ferme :

— Fabre, appelait-il, père Fabre.

Au coin de l'âtre éteint, sur un grand fauteuil, fumant benoîtement une énorme pipe, un vieux paysan se trouvait étendu.

Il tressaillit en entendant l'appel, se leva pesamment, fixant l'arrivant :

— Ah ! c'est vous, monsieur Bridge ?

— C'est moi.

— Et que venez-vous faire ?

Bridge eut un soupir :

— Vous devez bien vous en douter...

— Non pas.

— Vous n'avez donc point reçu ma lettre ?

— Si fait.

— Eh bien alors ?

— Alors... rien.

Le père Fabre, debout, une main appuyée sur le dossier de sa chaise, contemplait fixement Bridge, qui se mordait les lèvres.

L'entraîneur parut faire effort pour contenir sa colère :

— Comment va-t-il ? questionnait-il, avec une angoisse, qui se trahissait malgré tout.

Le père Fabre haussa les épaules :

— Très bien, merci, monsieur Bridge... Ce matin, la séance a été parfaite, nous gagnons un peu tous les jours, mais j'évite le surentraînement.

— Vous avez raison..., approuva Bridge, qui demandait presque timidement...

— On peut le voir ?

— Si vous voulez.

Fabre quittait la salle de la ferme, et, précédant Bridge, conduisait l'entraîneur vers un bâtiment à l'aspect délabré, qui était son écurie.

Le bâtiment n'était en ruine qu'en apparence.

La porte à peine franchie, en effet, on se trouvait dans une merveilleuse installation, comportant trois boxes de luxe, aussi parfaitement installés que pouvaient être installés les boxes de Bridge à Maisons-Laffitte.

L'entraîneur devait connaître l'endroit, car il ne manifestait aucune surprise.

En entrant dans l'écurie, cependant, ses yeux vifs lançaient un regard ardent.

Deux des boxes étaient vides.

Mais, dans le troisième, se trouvait attaché un superbe animal, un cheval gris pommelé, un pur-sang nerveux, merveilleusement bâti, incomparablement beau, à la tête vive, à l'encolure puissante, aux jambes fines, aux flancs palpitants.

Bridge, maintenant, s'était introduit dans le box.

— Mazette ! s'exclamait-il simplement.

Et il avait un rire satisfait :

— Décidément je gagnerai...

En prenant des précautions extrêmes, pour ne point effaroucher la bête, il passait la main sur son flanc, la flattait à l'épaule, l'examinait d'un air ravi.

— C'est le gagnant !... dit Bridge.

— Ce sera le gagnant..., répéta Fabre.

Bridge sortit du boxe et marcha vers le paysan.

— Mon cher, déclarait-il, Baudry n'était pas un sot, lorsqu'il vous chargeait de l'entraînement... vous faites mieux que moi, mes félicitations. La bête est bien... vous aurez un huitième.

— De quoi ?

— Du premier prix.

Bridge parlait avec assurance, il semblait pourtant redouter quelque chose.

A peine, en effet, avait-il formulé cette offre, destinée dans son esprit sans doute à récompenser de ses soins le père Fabre, qui avait évidemment entraîné et préparé la merveilleuse bête, que le vieux paysan se reculait, et, allant s'appuyer à la muraille, se mettait à ricaner.

— Un huitième du prix ? répétait-il, vous êtes bien bon, mais j'aime mieux garder le tout...

Ces paroles étaient évidemment attendues par Bridge.

L'entraîneur devint très pâle :

— Garder le tout, Fabre ?... Vous préférez garder le tout... Ah çà ! que voulez-vous dire ?

— Vous m'entendez fort bien...

Bridge serra les poings, devint livide :

— Je vous entends, mais je ne vous comprends pas.

Et, plongeant ses yeux dans les yeux du bonhomme, il articula nettement :

— Ce cheval est à moi.

— Non, répondit le père Fabre.

Mais Bridge continuait :

— Aujourd'hui, il ne faut plus faire l'imbécile, Fabre, j'ai acheté ce cheval, je l'ai payé, je viens le prendre, vous ne pouvez pas vous y opposer.

Le père Fabre avait toujours le dos à la muraille, il répondit tranquillement :

— Si...

Alors, il sembla qu'une rage épouvantable s'emparait de l'entraîneur Bridge.

Les bras croisés, la tête jetée en arrière, il tonna :

— Et pourquoi ? De quel droit me le refusez-vous ?

Fabre haussa les épaules.

— Vous savez bien que j'ai payé les trente mille francs.

— Je sais d'autres choses aussi.

— Ah ! taisez-vous !

Cette fois, Bridge venait d'avancer d'un pas, le bras levé, prêt à frapper.
Le vieux paysan ne bougea point.

Flegmatique, impassible, il semblait n'éprouver nulle crainte. Lentement, il répondit :

— Me taire ?... pourquoi ? Je n'ai rien à cacher, moi.

— Moi non plus.

— Allons donc !

Cette fois, le père Fabre abandonnait sa pose de feinte indifférence. Il se redressait, il marchait sur Bridge, qui, machinalement, reculait.

— Écoutez-moi, dit-il, le cheval est ici, dans mon écurie, chez moi... Aux yeux de tous, il est à moi. Je n'ai pas à prouver qu'il m'appartient... C'est une chose que tout le monde croit, et dont tout le monde témoignerait ; vous savez bien que Baudry, ce pauvre Baudry, ne voulait pas que l'on connût qu'il en était propriétaire, donc...

Bridge l'interrompit :

— Soit ! On croit que le cheval est à vous, mais en fait, il est à moi. Baudry me l'a vendu, je l'ai payé, j'ai un contrat de lui, je pourrai prouver...

Mais il s'arrêta, car le paysan venait d'éclater d'un grand rire.

— Allons ! trêve de sottises..., disait le père Fabre.

Il agitait ses grands bras aux os noueux, aux poings serrés.

— Soyez raisonnable, monsieur Bridge, et ne faites pas l'enfant. Vous pouvez prouver que le cheval vous appartient, dites-vous ? Je vous en défie... Vous ne pouvez pas produire le contrat de René Baudry... parbleu ! vous n'ignorez pas que la police a trouvé le buvard qui a séché l'encre de votre papier. Oh ! je lis les journaux, voyez-vous, et je sais tout... J'ai compris.

Il parlait avec assurance, Bridge se troublait au contraire.

— Quoi ? demandait-il encore, qu'avez-vous compris ? Vous êtes fou !...

Mais le père Fabre ne se troublait point.

Il ricanait tranquillement en reprenant :

— Fou ? Non je ne crois pas, et ce que j'ai compris, je vais vous le dire : c'est que, si l'on a retrouvé sa montre et son porte-monnaie sur René Baudry, on n'a pas retrouvé les trente mille francs qui avaient payé le cheval. Monsieur Bridge, vous êtes un malin, mais je ne suis pas bête, le coup que vous avez fait, je le sais... Vous avez payé trente mille francs la bête, mais vous avez tué René Baudry pour reprendre l'argent, empêcher que personne connaisse votre combinaison et...

— Misérable ! rugit Bridge, qui, devenu livide en entendant parler le vieux, s'élançait vers lui le poing tendu.

Bridge cependant ne pouvait frapper.

La main du père Fabre s'emboîtait, en effet, à son poignet, comme se fût emboîté un étau. Paralysé, Bridge dut s'arrêter. Il râlait toujours :

— Vous osez m'accuser de crime ?... Je vous punirai, je vous dénoncerai, je...

Les mots s'étranglèrent dans sa gorge.

— Assassin ! ripostait le père Fabre, vous êtes un assassin ! Oh ! parbleu ! j'en doutais encore hier, mais maintenant j'en suis sûr. Ah !

vous parlez de me dénoncer, me dénoncer pourquoi ?... en quoi ? J'élève des chevaux de course secrètement, c'est mon droit, ça... la police n'y peut rien ; si quelquefois j'ai fait des combinaisons, si j'ai rendu service à ce pauvre Baudry, vous n'en avez pas la preuve. Moi, au contraire, je peux prouver que vous êtes un assassin et je vais le faire.

Le père Fabre toussa pour s'éclaircir la voix.

Il reprit, implacable, toisant Bridge qui tremblait maintenant :

— Vous êtes maladroit... D'abord, votre paletot est resté dans la salle de la ferme, cela me fait rire.

Et comme Bridge avait fait un mouvement de terreur, le vieux paysan continuait, ironique :

— Oh ! je suis rusé, moi, voyez-vous, j'ai remarqué que votre portefeuille était dans la poche, c'est tant mieux !... Ah ! vous voulez faire le méchant et prendre le cheval !... Ça ne se passera pas comme ça, voyez-vous. Monsieur Bridge, je vais vous enfermer ici, dans la sellerie, et puis, je vais courir à la gendarmerie, et puis l'on vous prendra. Dans votre portefeuille, il y a le contrat, n'est-ce pas ?... On vous demandera à son sujet des explications que vous ne pouvez pas donner.

« Tiens ! tiens ! dira la justice, c'était donc Bridge, le grand Bridge, qui accompagnait René Baudry une heure avant son assassinat ? »

Le père Fabre, fou de colère, parlait désormais d'une voix sifflante ; d'une brusque saccade, avec une force herculéenne que l'on n'eût pas attendue de son vieux grand corps à l'aspect noueux, il envoyait rouler sur le sol Bridge, épouvanté.

— Moi aussi, disait le vieux paysan, je veux être riche, à la fin ! J'en ai assez de toujours être votre serviteur à vous autres, les beaux messieurs des champs de courses... Moi aussi, je veux de l'or ; le cheval est à moi, je le garde, et quant à vous, vous irez à la guillotine. Voilà, c'est la justice du vieil entraîneur qui finit par vous pincer... c'est bien fait !

Bridge, pâle, se traînait sur les genoux. Une rage folle l'étouffait.

Il était sans armes.

Il avait eu l'imprudence de laisser son pardessus dans la salle basse de la ferme, et c'était dans son pardessus que se trouvait son revolver.

Que faire dès lors ?

Se jeter sur Fabre ?

Mais Fabre était plus puissant, plus robuste, plus courageux aussi.

Bridge se sentit perdu.

L'assassin comprit qu'il n'avait plus rien à espérer et que ce vieil homme farouche, qui prétendait le livrer, le livrerait en effet.

— Qu'est-ce que cela me fait, clamait à ce moment le paysan, que vous montiez à la guillotine ?... On me reprendra le cheval, croyez-vous ?... Non, on ne me le reprendra pas... Moi aussi, j'ai des trucs pour faire fortune, voyez-vous... Le cheval, eh bien, le vétérinaire le fera tomber boiteux et je l'aurai à pas cher, voilà !...

« Et maintenant adieu !... à tout à l'heure, monsieur Bridge... Il y a trop longtemps, voyez-vous, que vous commandez comme une brute, et puis, vous avez tué René Baudry, je le venge, et je vous condamne à mort.

Le père Fabre se reculait, il allait fermer la porte de la sellerie, partir, comme il le disait, à la gendarmerie.

Il tressaillit brusquement.

Une main venait de se poser sur son épaule, quelqu'un survenu derrière lui ricanait en disant :

— Eh bien, moi, Fabre, je venge Bridge... Peut-être ne m'attendiez-vous pas ?... tant pis ! chacun son tour. Vous condamniez Bridge à mort, je vous condamne à mort moi aussi... et je n'ai pas besoin des bourreaux pour vous exécuter...

XV

Il pleut du sang

— Vous condamniez Bridge à mort, je vous condamne à mort moi aussi... et je n'ai pas besoin des bourreaux pour vous exécuter.

Cette extraordinaire phrase, prononcée d'une voix sarcastique, mauvaise, furieuse, avait à peine retenti que le père Fabre se retournait, devenu livide, cependant qu'avec une exclamation de joie, Bridge, un instant avant désespéré, se relevait en bondissant.

Le père Fabre, d'un coup d'œil, aperçut l'arrivant.

Il ne put point discerner le visage de celui qui intervenait si à propos pour arracher à sa vindicative colère l'entraîneur de Maisons-Laffitte.

L'arrivant, debout à la porte de la sellerie, se trouvait en effet à contre-jour. Fabre ne pouvait apercevoir de lui que sa silhouette qui se découpait en noire, fine, puissante, musclée.

Le paysan, cependant, à la vue de cet étranger, pâlissait. Un tressaillement le faisait frissonner, cependant que la voix devenue haute, il interrogeait :

— Qui êtes-vous ? Que me voulez-vous ?

Le père Fabre entendit cete réponse implacable :

— Qui je suis ? Mon Dieu ! je n'ai pas à dire mon nom. Je suis celui qui tue, voilà tout. Cela doit te suffire. Quant à ce que je veux, c'est excessivement simple. C'est ta mort... et cela ne va pas être long.

L'inconnu avait fait un pas, il quittait le seuil de la porte, il avançait dans la direction du paysan, qui, les mains jointes, reculait :

— Grâce, suppliait le père Fabre. Pourquoi vous attaquez-vous à moi ?... Je ne vous connais pas, je ne vous veux point de mal.

Les supplications étranglées dans sa gorge, il se tut, impressionné par un accès de folle gaieté qui secouait l'étranger.

— Tu ne me connais pas, père Fabre ? disait-il, qu'est-ce que cela prouve ?... Tu connais Bridge, tu voulais livrer Bridge à la gendarmerie ; il n'y a pas besoin d'autre chose pour que tu mérites la mort. Bridge m'est sacré, Bridge est mon serviteur. Bridge est...

L'inconnu s'interrompit brusquement lui aussi :

— Et puis assez parlé, faisait-il... Passons aux actes. Père Fabre, tu as deux minutes pour bien comprendre que tu vas mourir et te repentir de la trahison que tu projetais.

L'inconnu avait froidement tiré sa montre ; silencieux, il suivait la marche des aiguilles sur le cadran. Le père Fabre tomba à genoux :

— Que faire ? Que tenter ? Comment se défendre ?

Le vieux paysan se rendait parfaitement compte que toute lutte était vaine.

Un instant plus tôt, il triomphait, aisément, en somme de Bridge, mais il était maintenant vaincu à son tour, définitivement vaincu, vaincu sans espoir de revanche, seul contre deux, acculé dans le fond de l'écurie, désarmé, à quelques secondes de l'irréparable.

— Grâce ! bégaya-t-il simplement.

Nul ne lui répondit.

L'étranger considérait toujours sa montre, il articula lentement :

— Père Fabre, tu as encore une minute à vivre.

Alors, une terreur affreuse s'empara du paysan. Il se jeta la face contre le sol, il voulut se traîner aux pieds de son bourreau, il sanglota des mots sans suite.

— Ayez pitié de moi, prenez le cheval... laissez-moi vivre.

Ce fut Bridge qui lui répondit :

— Tu n'es qu'un imbécile..., raillait l'entraîneur. Tu devrais comprendre que nous ne pouvons pas laisser derrière nous un bavard comme toi.

— Plus qu'une demi-minute, scanda l'inconnu.

Le père Fabre se tordit les mains.

— Je serai votre esclave, disait-il, je vous aiderai à maquiller vos chevaux, je connais des trucs, allez... il y a vingt-cinq ans que je suis maquignon.

— Trente secondes ! hurla l'inconnu.

Plus mort que vif, le père Fabre maintenant se taisait. Ses yeux, agrandis par l'horreur, étaient hagards, ils annonçaient la folie voisine, ses mains tremblantes battaient l'air, ses doigts cherchaient à étreindre, il ne trouva que cela à répéter :

— Je sais des trucs, je sais des trucs.

Mais Bridge, une fois encore, raillait :

— Et nous aussi, disait-il, nous en savons. Tiens ! parbleu, tu voulais me vendre, à ton tour, vieil homme, de trembler.

L'inconnu, brutalement, annonça :

— C'est l'heure.

Et il avait à peine prononcé ces paroles, qui équivalaient à la funèbre sonnerie d'un glas, qu'avec une surprenante vivacité, repoussant Bridge, il se jetait à la gorge du père Fabre, l'étouffant à moitié.

Dans l'écurie de la ferme, alors, une scène affreuse commença.

— Pas de sang ! avait dit l'étranger repoussant Bridge qui, s'armant d'une faux traînant dans un coin de la cour, se préparait à frapper. Il y a bien plus simple que cela, continuait le mystérieux criminel qui venait de sauver son complice, l'entraîneur assassin... Aide-moi à le porter jusqu'à l'abreuvoir.

En quelques instants, le mystérieux inconnu avait réussi à ficeler les chevilles du paysan, à lui attacher les poignets.

Un bâillon fait d'un foulard étouffait ses cris...

L'homme, d'ailleurs, ne se débattait point, car le père Fabre paraissait incapable de tenter la moindre chose, d'essayer la plus petite lutte, c'était une véritable loque humaine, un cadavre presque que Bridge portait jusqu'à une auge de pierre qui servait à faire boire le bétail.

— Verse de l'eau ! commanda l'inconnu.

Bridge pompa à la pompe. La manivelle, mal graissée, grinçait lugubrement. L'eau jaillissait, elle finit par remplir l'abreuvoir.

— Maintenant, railla l'inconnu, donnons-lui un bon shampooing.

Il était horrible de plaisanter en cette minute où les deux assassins allaient faire preuve d'une effroyable férocité.

— Tu comprends ce que je veux ? demandait l'inconnu à Bridge.

Bridge souriait.

— Vous avez une idée admirable..., répétait-il.

Puis il interrogeait :

— Mais que ferons-nous du corps ?

— Tu le verras bien. Aide-moi maintenant.

Bridge souleva le malheureux père Fabre de façon à ce que ses épaules fussent de niveau avec l'abreuvoir.

L'inconnu, alors, prenant la tête du malheureux, pesa sur la nuque de toutes ses forces. Il enfonçait la tête du père Fabre dans l'abreuvoir, il le noya.

Le vieux paysan, cependant, se débattait malgré tout.

L'horrible mort à laquelle on le destinait lui redonnait, par son affolante cruauté, un renouveau d'énergie.

Son corps s'arquait, ses reins faisaient effort ; trois fois sa tête disparut sous l'eau, trois fois il parvint à se redresser, heurtant la pierre, aspirant à chaque coup une large bouffée d'air, étouffé déjà, se débattant toujours, défendant sa vie âprement.

L'inconnu alors s'impatienta.

— Maudit vieux ! hurla-t-il. Il faut en finir, je ne tiens pas à perdre mon temps ici.

Et il jeta à son acolyte un ordre suprême.

— Tiens-le, Bridge, d'un coup de poing je vais l'étourdir, nous le noyerons ensuite.

Il s'apprêtait à frapper, soudain il eut un sourire.

L'inconnu se pencha vers le corps roidi du malheureux Fabre.

Il lui soufflait à l'oreille :

— Je t'accorde avant de mourir, père Fabre, une dernière consolation. Tu me demandais, il y a quelques instants, qui j'étais, eh bien, sois satisfait, apprends-le : celui qui te tue, c'est Fantômas !

— Fantômas ?

Le nom lugubre, le nom tragique, le nom d'effroi, le nom qui devait faire frissonner les plus intrépides, le nom du Génie du crime, son nom n'avait point retenti, que Fantômas — car c'était bien le terrifiant Fantômas qui se faisait le complice de Bridge — s'armait d'une énorme pierre, et, brutalement, frappait à la tempe le malheureux paysan [1].

Le coup était violent, il assomma l'homme tout net.

---

1. Voir dans le présent volume : *Les Amours d'un prince, Le Bouquet tragique.*

Le père Fabre, certes, vivait encore ; mais il était inconscient, évanoui aux trois quarts, incapable désormais d'opposer la moindre résistance à ses assassins.

Et, dès lors, la noyade affreuse s'achevait facilement. Bridge soutenait le corps, Fantômas plongeait la tête dans l'eau.

Puis, tandis que la mort inévitable faisait son œuvre, tandis qu'elle venait lentement, Fantômas expliquait à Bridge :

— Vraiment, il était temps que j'arrive. Tu te trouvais en fâcheuse posture. Un peu plus, j'imagine, et toute cette affaire était manquée.

Sur un ton de gronderie, comme s'il eût fait un reproche ordinaire à un enfant, Fantômas ajoutait :

— C'est à se demander si jamais tu profiteras de mes leçons.

« Dans la forêt de Saint-Germain, l'autre jour, quand je t'ai prié d'expédier cet imbécile de René Baudry, tu as commis la maladresse de laisser derrière toi des indices que, naturellement, Fandor a retrouvés. Le buvard qui a bu les lignes du contrat et qui a permis à la police de se méfier est une stupidité sans nom. Aujourd'hui, tu fais mieux encore. Si j'avais été en retard de quelques minutes, non seulement nous perdions le cheval, mais encore tu te faisais arrêter. Je ne suis point content de toi.

Avec un ah ! d'homme fatigué, Fantômas retirait le cadavre de l'abreuvoir. Il se penchait un instant sur le corps du père Fabre, tâtait de la main la poitrine du malheureux, cherchant les battements du cœur.

— Mort ! constata-t-il simplement, ne témoignant aucune émotion. Cela n'a pas été long. J'aurais cru à plus de résistance.

Puis, il ajoutait encore :

— Enfin, tout est bien qui finit bien... Nous sommes débarrassés de Baudry, et Fabre ne nous gênera pas davantage... Une question cependant : Que crois-tu qu'il convienne de faire, Bridge, de ce cadavre ?...

L'entraîneur de Maisons-Laffitte était un peu pâle. Bien qu'il eût tué lui-même René Baudry avec un horrible sang-froid, bien qu'il eût prouvé dans l'assassinat du malheureux qu'il n'était point homme à redouter un crime, il tremblait.

Bridge n'avait évidemment pas une maîtrise de ses nerfs aussi parfaite que celle de Fantômas.

Le Génie du crime s'aperçut de son émotion.

— Enfant, dit-il en haussant les épaules, tu es décidément par trop impressionnable. Bah ! cela te passera. Réponds... Que proposes-tu ?

Bridge répondit d'une voix mal assurée :

— Je crois, Fantômas, qu'il suffit de laisser le cadavre ici près de l'abreuvoir, la police croira à un accident et...

Fantômas haussa encore les épaules.

— Enfant ! répéta-t-il... et si la police ne croit pas à un accident, et si l'on cherche des traces de notre passage, et si quelque part, ce maudit Juve trouve moyen de relever une empreinte qui nous dénonce toi ou moi...

Fantômas faisait une pause, semblait jouir de la terreur où ses suppositions venaient de jeter Bridge.

Il reprit bientôt :

— Il y a mieux à faire, vois-tu, et je connais une façon de procéder qui compliquera singulièrement les choses. A quelle distance sommes-nous du village ?

— A deux kilomètres, déclara Bridge.

— Parfait ! approuva Fantômas en souriant. C'est une excellente distance ; l'on ne pourra pas soupçonner notre intervention.

Il réfléchissait quelques instants et demandait encore :

— Bridge, va me chercher une brouette et prends-moi dans le grenier une simple botte de paille.

Jouy-en-Josas est beaucoup trop près de Paris pour présenter l'aspect tranquille de certains villages de pleine campagne et beaucoup trop loin de la capitale pour garder l'aspect équivoque des bourgades de la banlieue.

C'est une proprette commune qui, par certains côtés, a des allures de cité ; elle s'enorgueillit de l'éclairage électrique fort bien organisé, mais, en d'autres points, ressemble à un simple bourg.

La rue principale qui s'appelle naturellement la « Grand-Rue » s'élargit en son milieu pour former la place du Marché, nommée ainsi par caprice, car il ne s'y tient jamais, en réalité, de marché.

A peine, de temps à autre, y voit-on, sur des tréteaux recouverts d'andrinople rouge, le déballage d'une voiture de colporteur, ou encore le tourniquet d'une loterie où l'on peut gagner au choix des réveille-matin, des pipes, ou des couvertures de lits.

Cette grande place, large d'une cinquantaine de mètres au moins, est bordée par les principaux monuments de Jouy-en-Josas.

A l'angle de la Grand-Rue se trouve la mairie, pompeusement étiquetée du nom d'hôtel de ville ; après la mairie se trouve l'église, qui tombe en ruine.

L'autre rang de la place est occupé par une pharmacie fort bien tenue, où sont de multicolores bocaux, et surtout, ce qui lui donne un air de luxe, trois grandes glaces où les dévotes en passant ne manquent pas de jeter un regard furtif.

L'autre côté de la place est entièrement bordé par un énorme mur, très haut, fait de pierres crénelées qui limitent le parcours d'une superbe propriété que les habitants de Jouy-en-Josas désignent sous le nom du « château ».

C'est une vaste habitation, sans aucune prétention architecturale, une grande bâtisse carrée, recouverte de toits d'ardoise, elle comporte deux étages et n'a de seigneurial que son perron très large descendant par les marches toutes moussues à un parc superbe qui s'étend pendant deux hectares le long de Jouy-en-Josas d'abord, le long de la Grand-Rue ensuite.

De l'autre côté de l'église enfin, où les habitants de Jouy-en-Josas ne manquent pas de la signaler, se trouve l'usine électrique. Elle a été bâtie par la municipalité, en un jour de munificence.

Jouy-en-Josas s'est payé une usine électrique par coquetterie et parce que M. le maire tenait à pouvoir organiser, avec l'aide d'un ministre, une inauguration officielle de quelques bâtiments modernes.

Or, ce jour-là, précisément, sur la grande place du Marché, il y avait foule, ce qui, à Jouy-en-Josas, signifie que six personnes au moins s'étaient réunies.

Événement d'importance en effet : on devait essayer une nouvelle arroseuse publique, ce qui naturellement avait conduit les conseillers municipaux à se grouper sur la place, non sans avoir prévenu tous leurs amis de la solennité du jour.

M. Mathirieux, le maire, pérorait sur le bord d'un trottoir :

— Mes chers concitoyens, disait ce magistrat, vous devez tous comprendre l'importance des essais que nous allons effectuer sous vos yeux... Une arroseuse municipale, ce n'est point seulement, comme le croiraient les vulgaires, une machine à répandre de l'eau, c'est surtout et avant tout un instrument d'hygiène et un instrument de fortune...

M. le maire, après cette déclaration, promenait des regards satisfaits sur son auditoire et continuait son improvisation :

— C'est un instrument d'hygiène, disait-il, parce que, en abaissant la poussière par des projections d'eau, il est incontestable que l'on sauvegarde la santé publique, c'est un instrument de fortune parce que, en faisant la route meilleure, on attire dans la contrée les passagers, les automobilistes, les bicyclistes, tous les touristes en un mot, qui sont, naturellement, pour le commerce local, des clients supplémentaires, inattendus et avantageux.

Tout cela n'était pas mal raisonné, et les conseillers municipaux approuvaient d'un air convaincu, avec des hochements de tête satisfaits, cependant que le public applaudissait discrètement, lorsque précisément à l'autre bout de la place, la nouvelle arroseuse, peinte en vert criard, traînée par un cheval unique, conduite par un bonhomme qui cumulait toutes les infirmités, étant à la fois manchot, borgne et sourd, fit son apparition.

— Avancez, cria le maire.

Puis, comme il savait très bien que le sourd ne pouvait l'entendre, il fit un grand geste qui appelait l'équipage.

L'arroseuse vint se ranger contre le trottoir.

— Voici la machine que nous avons achetée, déclara le maire avec satisfaction. Elle est simple et robuste. Le maniement en est facile, puisqu'il suffit, après l'avoir remplie d'eau, d'ouvrir ce robinet, pour arroser parfaitement.

En parlant, le maire faisait des gestes avec sa canne et lançait des coups d'œil si éloquents que le sourd croyait comprendre.

Très fier de sa mission d'arroseur municipal, il voulait prouver sa bonne volonté, et manœuvrait immédiatement le robinet.

Le résultat naturel se produisit. L'arroseuse arrosa, elle arrosa même si bien que tous les conseillers municipaux et le public même qui se pressait derrière les autorités furent largement mouillés, trempés par les éclaboussures.

Il y avait de quoi causer un léger tumulte et, de fait, les exclamations fusèrent. Toutefois, alors que l'incident venait de se produire, ce n'était point à son sujet que les membres du Conseil municipal, tout comme les habitants plus modestes de Jouy-en-Josas, hurlèrent d'effroi.

Non, au moment même où le sourd, croyant bien faire, vidait son réservoir à la face des autorités, il venait de se produire un événement étrange, incompréhensible, extraordinaire, affolant.

Et, si tous se regardaient maintenant, tremblants, joignant les mains, effarés, c'était bien parce que tous avaient été témoins de la chose, l'avaient vue au même moment, l'avaient ressentie au même instant.

Que s'était-il donc passé ?

Le maire, d'une voix tremblante, voulut l'expliquer :

— On dirait…, commença-t-il…

Mais il fut interrompu par un cri de femme ; l'épouse du premier adjoint, devenue livide, hurlait :

— Du sang… Du sang… c'est du sang…

Elle étendait sa main, une main blanche dont elle était fière, sur laquelle, en effet, se voyait une tache rouge, qui pouvait bien être du sang.

Alors une panique folle s'empara du Conseil municipal.

Tandis que le sourd, désespéré de sa bévue, s'acharnait à ouvrir et à refermer son robinet, perdant un peu conscience de ses mouvements, des exclamations d'effroi retentirent de toutes parts.

— C'était en l'air ! hurlait l'adjoint.

Le maire répliquait :

— J'ai entendu du bruit.

Au même instant, à quatre pattes, le pharmacien se traînait sur le trottoir. Il gémissait, lui aussi :

— Du sang… c'est du sang… regardez donc… Mon Dieu ! que vient-il de se passer ?

Bientôt ce fut une chose que tout le monde connut à Jouy-en-Josas, depuis Mme Bouyral, qui était la femme du percepteur, jusqu'à la grosse Julie, qui tenait l'épicerie de la rue Haute, un phénomène tragique, fantastique, inouï, s'était produit, un phénomène que personne ne s'expliquait et ne songeait même à expliquer, mais qui, cependant, glaçait d'effroi les plus courageux.

Pendant que le Conseil municipal expérimentait la nouvelle arroseuse, quelque chose avait traversé en l'air toute la Grand-Rue.

Au même instant, sur le sol tombait, en crépitant, une pluie de gouttes de sang, une pluie rouge, une pluie horrible.

Le curé, averti l'un des premiers du fait, par une vieille femme dont il dirigeait la conscience, émit une hypothèse qui fit fortune.

— Assurément, assurait le pauvre homme, ce doit être un aviateur blessé qui tombait de très haut, passait très vite, et a dû toucher terre très loin.

Ce même jour, à trois heures de l'après-midi, Marjac, le garde champêtre, un luron que redoutaient les garnements à trois lieues à la ronde, tapait du poing sur le comptoir de zinc terni du petit café, qui se trouve tout au bout du pays.

— Et voilà, déclarait-il. Il a plu du sang. Personne ne peut savoir comment ça s'est fait, mais tout le monde croit que c'est un aviateur. Moi, ça m'est égal, je ne connais que mon devoir, je ferai une enquête, et je déposerai un rapport.

Ces paroles, naturellement, produisaient une sensation profonde.

Depuis dix ans qu'il exerçait à Jouy-en-Josas, Marjac avait réussi à faire considérer par tout le monde qu'il dressait de multiples contraventions et rédigeait de nombreux procès-verbaux.

C'était d'ailleurs absolument faux, car le garde champêtre, ignorant les premiers principes de l'écriture, eût été bien embarrassé de rédiger une seule ligne.

Il se contentait toujours de parler très fort, de menacer les gens d'arrestations, puis il arrangeait lui-même les affaires, afin d'éviter des complications administratives, dont il se souciait moins que personne.

Marjac, cependant, en annonçant qu'il allait faire un rapport, avait vidé le petit verre de cordial qu'un admirateur lui avait offert. Il ajoutait maintenant :

— Pour commencer mon enquête, je vais me rendre dans le château. Dame ! la pluie de sang a traversé la Grand-Rue. Rien ne prouve que je ne trouverai pas du sang encore dans le parc...

Cette hypothèse était impressionnante, on l'accueillit avec admiration :

— Comme il a du flair ! constata le cabaretier.

Puis, des propositions affluèrent.

— Marjac, voulez-vous que l'on vous accompagne ?...

— Marjac, voulez-vous des témoins ?

— Marjac, voulez-vous un secrétaire ?

Le garde champêtre, très digne, accepta ces concours, si spontanément offerts.

— Venez tous !... disait-il. Et le képi en bataille, suivi de cinq gars, très fiers d'être admis à l'accompagner, le garde champêtre se dirigea vers l'entrée du château, dont il avait toujours la clef :

« N'est-ce pas, recommandait Marjac, en homme qui connaît toutes les minutes des enquêtes judiciaires, n'est-ce pas, vous autres, tenez-vous bien et ne faites pas d'observations... Votre rôle, à vous, c'est de me regarder faire, et non pas de me questionner.

Tout bas, il ajoutait, et c'était peut-être, désormais, ce qu'il espérait avec le plus d'ardeur :

— Par crainte de complications, toujours possibles, d'ailleurs, il est probable que nous ne trouverons rien du tout...

La serrure de la porte cochère, rouillée par les pluies de l'automne, fonctionnait mal. Marjac, toutefois, après une série d'efforts, finissait par l'ouvrir. Il repoussa les battants vermoulus, invita ses compagnons.

— Entrez...

Et, comme si personne n'avait connu le château, tout à son rôle de personnage officiel, le garde champêtre expliqua :

— Ici, nous sommes dans le parc ; les futaies sont à gauche, la pelouse centrale est au milieu, la maison est plus loin, et devant la maison, il y a la cour d'honneur.

Il allait fournir d'autres explications, continuer son discours, lorsqu'au même instant, dix cris, dix hurlements lui répondaient.

Marjac tournait le dos à la cour d'honneur pour regarder son auditoire. Il vit les témoins effroyablement pâles, il les vit tremblants, impressionnés, défaillant presque.

— Bon Dieu ! qu'est-ce qu'il y a ? cria le garde champêtre.

Des mains se tendaient, des bouches convulsées lui répondaient :

— Là !... là !...

Marjac se retourna, et ce fut un cri d'effroi qui s'échappait encore de ses lèvres.

Au pied du château, étendu sur les marches de pierre, saignant, écrasé, en bouillie, n'ayant plus qu'une forme horrible et indistincte, un corps, un cadavre se trouvait là, baignant dans une mare de sang, horrible, épouvantable.

Le garde champêtre, joignant les mains, eut un cri affolé :

— Mon Dieu !... Mon Dieu !... Mais comment donc est-il entré ici ?... et qui est-ce qui a pu le tuer ?...

XVI

Crime mystérieux

— Enfin, monsieur le maire, vous ne pouvez point me donner d'autres détails que ceux-ci : vous vous trouviez sur la place, occupé à examiner, avec le Conseil municipal, l'arroseuse dont vous venez de faire l'acquisition, lorsque, soudain, vous voyiez sur votre main une tache de sang, tout comme vous découvriez sur le trottoir d'autres taches de sang ?... Quelques instants plus tard, enfin, votre garde champêtre Marjac entrait dans le château et relevait un cadavre étendu au bas du perron. C'est alors que vous avez téléphoné à la Sûreté ?...

— Permettez, interrompait M. Mathirieux, qui semblait soucieux d'une parfaite exactitude, permettez, ce n'est pas moi qui ai eu la main tachée de sang, et enfin on n'a pas relevé le cadavre... il est toujours au même endroit, d'après mon ordre, car je n'ai pas voulu m'exposer à gêner les enquêtes de la police.

Cette discussion avait lieu trois heures après la scène épouvantable qui avait marqué l'entrée du garde champêtre et de ses acolytes dans le parc du château de Jouy-en-Josas.

Naturellement, une grande confusion avait succédé à la découverte du corps, on avait été chercher le maire, qui était accouru, affolé ; d'un commun accord enfin, on avait décidé de prévenir la Sûreté parisienne.

Mais ce n'était point un représentant de la police qui s'entretenait avec le premier magistrat de Jouy-en-Josas.

Comme toujours, la police était en retard !

Les formalités administratives, des signatures à donner, dont personne ne voulait prendre la responsabilité, avaient fait remettre le départ des inspecteurs, et c'était tout bonnement Fandor qui, prévenu par un coup de téléphone de Juve, lui-même empêtré dans les formalités officielles, arrivait bon premier à Jouy-en-Josas.

Fandor commençait d'ailleurs son enquête avec lassitude, semblait-il. Le jeune homme avait le teint jaune, terreux des personnes qui se surmènent ; il avait beaucoup maigri, ses yeux brillaient d'un éclat fiévreux, mais tout cela n'empêchait point qu'avec son ardeur ordinaire, il suppliait le maire d'agir promptement.

— Ah ! le cadavre est toujours au bas du château ? disait-il. Eh bien ! allons le voir...

M. Mathirieux fit la grimace. Cet homme paisible, qui n'avait de courage que pour les guerres de calomnies qui se livraient autour de son mandat, répugnait évidemment à retourner contempler l'horrible cadavre qu'il avait déjà été conduit à voir une première fois.

— C'est que..., commença le maire.

Fandor coupa court à son hésitation.

— Oh ! ma foi, déclara-t-il, je réfléchis à quelque chose. Il est bien inutile que vous vous dérangiez, voulez-vous m'autoriser à enquêter tout seul ?

Rien ne pouvait faire plus plaisir au magistrat.

— Mais certainement, dit-il, allez donc, allez donc... d'ailleurs, j'attends l'arrivée de la police, et je crois qu'il vaut mieux que je ne quitte point la mairie.

— C'est bien possible..., approuva Fandor.

Dix minutes plus tard, le journaliste faisait une entrée furtive dans le parc du château.

Il avait soigneusement évité de se faire voir, il s'était fait remettre par le maire, qui avait déjà réquisitionné le garde champêtre, les clefs d'une entrée secrète, il se dirigeait maintenant à grands pas vers le château, dont la toiture, dépassant les arbres de la futaie, lui indiquait la situation.

Fandor fut rapidement au pied du perron.

Certes, le jeune homme, au cours de sa vie aventureuse, avait été, maintes fois, amené à contempler de tragiques spectacles.

Il ne pouvait, toutefois, se défendre d'une vive émotion en apercevant le corps du malheureux qui gisait là, écrasé, réduit à un paquet de chairs sanguinolentes, en un tel état qu'il semblait presque impossible de chercher seulement à le reconnaître.

Fandor, d'abord, s'absorbait, immobile devant le cadavre, dans une contemplation qu'il voulait irraisonnée. Il cherchait à ne rien inventer, à ne rien deviner, à voir seulement avec ses yeux, et non pas avec son intelligence pour graver dans sa mémoire tous les détails, toutes les particularités, qui, ultérieurement, pouvaient aider l'enquête.

— Voyons, se dit Fandor, qui avait dompté son émoi, et désormais considérait sans frémir le corps de l'assassiné, voyons quelle idée de crime cela donne-t-il ? et quel genre d'individu peut bien avoir été tué de cette façon ?...

Fandor, par malheur, avait beau réfléchir maintenant, beau chercher à comprendre le mystère, il devait vite s'avouer qu'il était devant une horreur, réellement inexplicable.

— Je ne devine pas, s'avouait-il à lui-même, comment cet homme peut être ainsi en bouillie, surtout comment on l'a tué là, et enfin, qui cela peut être ?...

Le journaliste, cependant, s'entêtait à continuer son enquête.

— Procédons méthodiquement, se dit-il, devinons quel est le mort, nous verrons comment il a été tué ensuite...

Il n'était pas aisé cependant, de reconstituer même par approximation l'identité de la victime. Fandor, se penchant sur les chairs saignantes, commençait par vouloir reconnaître quelques détails du vêtement.

S'agissait-il d'habits luxueux ? d'habits de travail ?... était-ce un citadin, ou un paysan qui se trouvait là ?

A genoux à côté du mort, Fandor nota les bottines.

— Oh ! oh ! dit-il en souriant, des bottines de bottier, et non pas de simple cordonnier. C'est un homme chic.

Le pantalon tout recouvert de sang, déchiré, traîné dans la boue, était difficile à juger. Fandor, toutefois, notait que les boutons, des boutons qui portaient l'adresse d'un tailleur, n'étaient point faits de corne vulgaire.

— Cela me confirme dans ma première hypothèse, murmura-t-il. Ce mort était un homme élégant.

Pourtant, brusquement, le jeune homme poussait une exclamation d'étonnement :

— Tiens, c'est curieux, pas de faux col. Ah çà ! comment diable un homme chic peut-il ne pas avoir de faux col ?

Il relevait d'infimes détails, en vérité, il les relevait patiemment, avec cette minutie qui est la minutie de tous les policiers habiles, qui savent fort bien que rien ne doit être négligé dans les recherches, parce que le plus faible indice peut, à l'improviste, donner une piste, fournir un éclaircissement.

Intrigué par l'absence de faux col, Fandor recommença son examen :

— Pourtant, disait-il, les bottines sont chics ; il n'y a pas à dire, ce sont des souliers de gandin.

Mais comme il monologuait ainsi, il s'interrompit lui-même pour hausser les épaules.

— Pristi ! que je suis bête...

Et il lui venait soudain à l'idée qu'il était peut-être victime d'une mise en scène préparée.

N'était-ce pas admissible que l'on eût revêtu le mort, après l'avoir assassiné, de vêtements luxueux afin de détourner les recherches ?

Fandor se pencha sur le cadavre. Il eut une exclamation de joie :

— Parbleu ! c'est évident ; la victime a été habillée exprès de vêtements apportés par les assassins pour retarder un peu l'enquête. Les bottines sont boutonnées trop justes pour avoir la dimension du pied. La patte du pantalon, de plus, n'est pas serrée. Pour le passer plus facilement au mort, les assassins l'avaient défaite, ils ont ensuite oublié de la remettre. Ah ! voilà qui est mieux encore, le veston est bien boutonné, mais le gilet est attaché tout de travers... Allons !... allons ! il s'agit d'un crime truqué ; et tout prouve que cet homme, à qui l'on a donné des apparences de gentleman, doit être en réalité quelque pauvre bougre.

« Le détail du faux col le prouve d'ailleurs. Les tragiques metteurs en scène ont dû oublier d'en apporter un. Voilà le petit indice qui détruit tous leurs efforts.

Fandor était encore penché sur le cadavre, il continuait à l'interroger des yeux, comme pour lui arracher son secret, lorsque des pas derrière lui se faisaient entendre.

— Voyez-vous, disait une voix, c'est une chose abominable, j'en suis tout retourné...

C'était Marjac, le garde champêtre, qui, maintenant, légèrement gris, car chacun avait voulu lui offrir quelques petits verres, pour écouter les récits de ses exploits, faisait son apparition.

Fandor pensa intérieurement :

— Au diable l'importun !

Mais, à la même minute, une réflexion le rendait plus aimable.

— Après tout ce bonhomme va peut-être m'aider, et il répondit :
« Vous avez raison, c'est un crime horrible, c'est une chose abominable.

Marjac approuvait de la tête, les mains derrière le dos, le front penché, très intrigué par la personnalité de Fandor.

Quel était ce monsieur ?

Pourquoi M. le maire l'avait-il reçu de suite ?

Comment l'avait-on autorisé à pénétrer auprès du cadavre ?

Prenant un air fin, le garde champêtre commença :

— Sans doute, vous êtes de la police ? demanda-t-il.

— Non, fit Fandor.

— Alors, vous êtes médecin ?

— Pas davantage.

Marjac fit la grimace. Il n'était pas au bout de ses suppositions, cependant, il interrogea encore :

— Peut-être bien que vous êtes de la politique ? comme qui dirait...

Fandor se retourna :

— Je suis journaliste, mon ami. Mais qu'est-ce que cela peut vous fiche ?

Or, cela faisait beaucoup au garde champêtre.

Marjac joignit les mains, pénétré d'admiration.

— Alors comme ça, répondait-il, vous écrivez sur les journaux. Ah bien, dites donc, je pense que vous allez mettre que c'est moi qui ai trouvé la chose et que vous direz aussi que j'ai fait un rapport et que je n'ai pas la croix et qu'il y a dix ans que je suis de la commune et...

Comme une écluse ouverte, l'imagination de Marjac filait toute une série de détails qui lui semblaient très importants, sur sa propre personnalité.

Dans toute autre occasion, Fandor, qui n'aimait point les bavards, les fâcheux et les imbéciles, eût interrompu le brave homme ; mais ce jour-là, il avait besoin de ses services.

Fandor n'hésita pas à ruser :

— Assurément, affirma-t-il ! Je mettrai tout cela, surtout... et bien d'autres choses encore. Ce sera même imprimé en gros caractères, avec votre nom au-dessous de votre portrait, seulement ce n'est pas encore de cela qu'il s'agit, il faut tout d'abord que nous puissions reconstituer le crime.

Marjac, qui se gonflait d'orgueil, répéta en approuvant :

— Oui, il faut reconstituer le crime.

Fandor continuait :

— Et pour cela il faut que j'achève mon enquête. Dites-moi, mon ami, vous n'avez aucune idée sur la personnalité du mort ?

Fandor se livrait alors à un minutieux interrogatoire du garde champêtre.

Il lui faisait confesser tout ce qu'il savait sur les propriétaires du château. Il l'interviewait sur la domesticité qui y avait été en service. Il le questionnait enfin sur les commérages du village.

Mais toutes les réponses que faisait Marjac n'apportaient aucun éclaircissement à la ténébreuse affaire dont s'occupait le journaliste.

Plus Fandor étudiait le crime, puis il fouillait son horreur, plus il scrutait son mystère, et plus l'ami de Juve devait s'avouer qu'il ne devinait rien, qu'il ne comprenait rien, qu'il lui fallait, en apparence, renoncer à formuler ne fût-ce qu'une hypothèse...

Marjac, très fier du rôle qu'il jouait, ne tarissait plus de renseignements. Il finissait par dire :

— Moi, voyez-vous, monsieur le journaliste, ce que je ne comprends pas surtout, c'est comment on a pu tuer cet individu ici. D'abord il n'y a personne dans le château et, par conséquent, il n'y a pas d'assassins, ensuite ce pauvre mort n'avait aucune raison de s'y trouver.

Et avec orgueil, Marjac précisait :

— Enfin, n'est-ce pas, il y a encore autre chose, c'est que, fichtre de bon sang ! les portes étaient fermées, que j'avais les clefs dans ma poche, et qu'à moins d'avoir sauté le mur, personne n'a pu rentrer dans le parc.

A cet instant, Fandor qui, jusque-là, était demeuré agenouillé à côté du mort se releva :

— Vous avez raison, confirmait-il, la situation du cadavre est très intrigante ; rien n'explique comment il est là...

Et, tout bas, Fandor ajoutait :

— Rien n'explique surtout l'état du corps, cette horrible bouillie qu'il forme, cet écrasement des chairs, des os, que l'on ne relève en général que sur le corps des individus qui sont tombés de très haut, ou ont été jetés sur le sol avec une très grande force.

Or, comme Fandor murmurait, Marjac intervenait encore :

— Comme ça, monsieur le journaliste, on disait que peut-être bien il s'agissait du cadavre d'un aviateur qui aurait dégringolé d'un aéroplane, mais n'est-ce pas...

Fandor haussa les épaules.

— L'hypothèse ne tient pas debout, déclarait le jeune homme, d'abord on ne se promène pas en aéroplane ainsi vêtu, ensuite, cet aéroplane, on l'aurait bien vu ; enfin, si le pilote était venu s'écraser sur le sol, il est au moins probable que l'appareil serait tombé à peu de distance. Je ne vois pas très bien un aéroplane continuant tout seul, sans guide, à fendre les airs.

Le mystère de ce cadavre qui gisait ainsi étendu dans ce parc, au milieu de sa mare de sang, si profondément écrasé qu'il était méconnaissable, avait quelque chose d'affreux.

Fandor, d'abord, était resté calme, mais désormais il devenait nerveux.

— Autre chose ! dit-il, en se retournant vers Marjac. Puisque nous ne trouvons rien ici, cherchons ailleurs... Par rapport à l'endroit où nous nous trouvons, dites-moi, mon ami, où se trouve exactement la place sur laquelle il a plu du sang.

Pour renseigner le journaliste, Marjac étendit le bras, montra la clôture du parc.

— C'est là, monsieur, juste de l'autre côté du mur.

Fandor ne répondit point à cela. Il regardait des yeux, il inspectait le sol.

Du cadavre au mur, il y avait bien une quinzaine de mètres ; le mur lui-même avait environ six mètres de hauteur.

Entre le mur et le corps, se trouvaient deux corbeilles de fleurs actuellement incultes et sur lesquelles se dressaient mélancoliquement séchés par l'automne de frêles arbustes aux branches rabougries.

Fandor vit tout cela en un clin d'œil. Il demeurait hésitant, perplexe, il ronchonna quelque chose comme un juron, puis soudain éclata :

— Enfin, nom d'un chien, s'il y a un mort ici, si l'on a reçu du sang sur la place, c'est que le mort est venu de la place à l'endroit où nous le retrouvons. Ça, c'est certain, fichtre de bon sang !...

Mais, à ce moment, Marjac ouvrait des yeux ronds.

— Comment diable voulez-vous, monsieur, que le mort ait passé par-dessus le mur ?

Fandor ne répondit point à la question, simplement il ordonnait :

— Voulez-vous m'apporter une échelle ?

— Pour quoi faire, monsieur ?

— Eh ! vous le verrez bien...

Marjac ne discuta point.

Il commençait déjà à ressentir l'effet de l'ascendant mystérieux que Fandor exerçait toujours sur ceux qui s'entretenaient avec lui.

Sans mot dire, le garde champêtre s'éloigna, allant chercher une échelle.

Lorsqu'il revenait, toutefois, quelques minutes plus tard, il avait peine à retenir un cri de surprise.

Le journaliste, qu'il avait laissé à côté du cadavre, était maintenant à quatre pattes au milieu d'une plate-bande.

Fandor, sans souci de ses vêtements, se traînait à genoux sur le sol, examinant chaque caillou, inspectant chaque brin d'herbe.

— Mettez l'échelle contre le mur ! cria Fandor.

Il se relevait, il avait un visage joyeux.

— C'est parfaitement vrai, disait le journaliste à Marjac, qui commençait à s'inquiéter sérieusement des allures étranges du jeune homme, c'est parfaitement vrai, qu'il y a du sang sur le sol...

Et lestement Fandor, ayant mis l'échelle contre le mur, en escalada les degrés, sautant à califourchon sur les tuiles.

— Faut-il venir ? demanda Marjac.

— Si cela vous semble bon, affirma Fandor, qui semblait depuis quelques instants goûter la joie d'une découverte certaine.

A cheval sur son mur, Fandor laissait à Marjac le temps de grimper à côté de lui, puis il demandait brusquement :

— Hein, quand on prend une éponge mouillée et qu'on la lance devant soi, il tombe des gouttes d'eau ?...

Mais cette question, Marjac ne la comprenait pas.

— Certainement, ripostait le garde champêtre... Seulement, que voulez-vous dire ?...

Fandor se frotta les mains, fit cette réplique incohérente :

— D'ailleurs, il y a l'éclairage électrique ici.

Et comme Marjac se demandait si ce soi-disant journaliste n'était pas plutôt quelque fou échappé d'un asile, Fandor sautait à terre, réussissant un bond formidable, avec cette souplesse de gymnaste qui lui était particulière.

Sur la place de Jouy-en-Josas, cependant, des groupes stationnaient toujours. La brusque apparition de Fandor sur la crête du mur avait naturellement suscité l'attention et, d'autre part, l'attitude de Marjac, également à cheval sur la crête de la muraille, semblait de nature à provoquer les plus extraordinaires commentaires.

Fandor, désormais debout sur la place publique, la traversait rapidement. Il n'avait aucune pitié pour le pauvre Marjac, qui demeurait à cheval sur le mur et, n'osant pas sauter, le suppliait à haute voix :

— Attendez-moi, monsieur, attendez-moi...

Le garde champêtre fit le tour de la propriété, sortit par la grande porte, arriva tout essoufflé sur la place publique et trouva Fandor le nez en l'air devant l'église.

— Eh bien ? interrogea le garde champêtre.

Fandor sourit :

— Eh bien ? j'imagine qu'on doit pouvoir monter sur ce toit ?...

La demande était singulière, Marjac soupira :

— Oui, mais que voulez-vous y voir ?

Énigmatique, Fandor répondit encore :

— Quand on jette une éponge mouillée devant soi, il tombe des gouttes d'eau.

Puis il ajoutait, ce qui stupéfiait encore plus Marjac :

— Au fait, derrière l'église, il y a l'usine électrique, n'est-il pas vrai ?...

— Oui, monsieur.

— Allons-y...

Le garde champêtre y conduisit le jeune homme.

Or, Fandor n'était pas entré dans l'usine, qui naturellement à cette heure de la journée ne fonctionnait pas, que le journaliste, d'un mouvement nerveux, violent, empoignait la main du garde champêtre, la serrait à la broyer.

— Quand je vous le disais ! murmurait-il.

Et il tendait l'index en avant.

Le garde champêtre, une fois encore, s'étonna :

— Qu'est-ce que vous me disiez ?

Et, regardant dans la direction que lui indiquait Fandor, Marjac ne voyant rien, absolument rien d'extraordinaire, puisqu'il y avait là, seulement, le gazogène alimentant le grand moteur qui actionnait les dynamos, puis, derrière, le volant énorme de ce même moteur, c'est-à-dire des choses fort naturelles, fort ordinaires.

Mais Fandor, lui, voyait.

Et maintenant, brusquement, avec un soupir de soulagement, en homme qui tient la vérité et qui s'applaudit de l'avoir trouvée, Fandor disait :

— Quand on jette une éponge mouillée devant soi, il tombe des gouttes d'eau... Quand on jette un cadavre tout sanglant devant soi, il tombe des gouttes de sang...

C'était simple, évident, mais cela ne disait encore rien !...

— Monsieur, supplia Marjac, parlez plus clairement... Vous avez l'air de croire qu'on a pu jeter, d'ici, le cadavre du mort dans le parc du château. Nous sommes à plus de cent mètres de distance. Il y a l'église, la place, le mur, entre le cadavre et nous... Comment voulez-vous qu'on ait pu... ?

Fandor interrompit le brave homme :

— Mon ami, disait le journaliste, qui s'était approché du volant, énorme, gigantesque, qu'il considérait attentivement, mon ami, vous dites des bêtises ou vous allez en dire. L'explication du tout est certaine... regardez...

Et fermant les yeux, comme pour mieux concentrer sa pensée, Fandor expliquait :

— On tue un homme, on se demande comment le défigurer et comment le porter dans un endroit où sa présence soit inexplicable, où personne ne puisse deviner comment il est entré ? Parbleu, l'invention est ingénieuse. On apporte le mort ici, on l'attache au volant, on fait tourner le volant en mettant le moteur en marche ; puis, quand la vitesse est suffisante, en s'approchant de ce volant qui tourne, on coupe les cordes qui ligotent le cadavre.

« La force centrifuge fait le reste... Le cadavre lié au volant est lancé par lui comme par une fronde : il passe par-dessus l'église, par-dessus la place publique, par-dessus le mur, et va s'abattre sur le sol, dans le parc où il s'écrase, où il se réduit en bouillie, et cela après avoir arrosé d'une pluie rouge, d'une pluie de sang, toute sa sinistre trajectoire.

Le garde champêtre était encore muet de stupéfaction que Fandor, déjà, quittait la salle des machines de l'usine électrique.

— Bien, disait-il... Voici comment le corps est sorti d'ici. Voyons comment il y est entré... Car ce n'est pas dans l'usine que l'on a dû assassiner.

Fandor était véritablement lancé sur une piste extraordinaire. La merveilleuse découverte qu'il venait de faire de la façon dont le crime avait été terminé l'aiguillonnait d'un désir plus ardent encore de connaître la vérité tout entière.

— Ah çà ! ronchonnait-il, il faudra que je découvre quel est le mort et où on l'a tué, maintenant...

Dans la cour de l'usine électrique, Fandor tombait vite en arrêt devant une brouette remplie de paille.

Le jeune homme bouleversa le fond de la brouette.

Bientôt, il claquait la langue, satisfait.

— Oh ! oh ! des traces de sang... Est-ce que par hasard cette malheureuse brouette aurait servi à un funèbre transport ?

L'instrument était au pied des murailles. Fandor examina la crête du mur. Elle portait des traces de passage.

— C'est ici, déclara Fandor, que l'on a fait l'escalade... Par exemple, je me demande pourquoi on a apporté la brouette à l'intérieur de l'usine.

Il réfléchissait quelques instants, puis, haussant les épaules :

— Voilà que je dis des bêtises... Les assassins ne pouvaient pas agir autrement. S'ils avaient laissé la brouette à l'extérieur, ils risquaient qu'on la remarque ; en la jetant dans l'usine, parmi toutes les ferrailles qui encombrent la cour, elle devait passer inaperçue.

Toujours suivi de Marjac, Fandor dégringolait de son mur, tombait dans un grand champ de terre à moitié labourée.

Le journaliste, de suite, eut une exclamation satisfaite.

— Ah ! cela par exemple, c'est parfait...

Devant lui, Jérôme Fandor voyait, nettement imprimé sur le sol, un sillon qui indiquait de façon certaine le passage de la brouette.

Fandor entreprit de le suivre...

Chemin faisant il monologuait encore :

— Décidément les assassins, ou l'assassin, qui ont opéré sont excessivement forts et plus audacieux encore. J'imagine qu'étant absolument persuadés qu'on n'éventerait pas le truc du volant, et qu'en conséquence, l'enquête perdrait du temps, ils n'ont pris aucune précaution pour dissimuler leur piste de l'usine au lieu du crime.

Les événements devaient donner raison à Fandor.

Vingt minutes d'une marche rapide conduisaient, en effet, le journaliste à l'entrée d'une ferme dont Marjac lui nommait tout de suite le propriétaire.

— C'est le père Fabre, disait le garde champêtre.

Et le brave homme ajoutait :

— Faut-il l'appeler ?...

— Certainement, approuva Fandor.

A ce moment, le garde champêtre courait vers les bâtiments de l'habitation de la ferme, cependant que Fandor, au hasard, jetait un coup d'œil dans les hangars les écuries.

Or, Fandor avait à peine commencé à se promener ainsi qu'à l'improviste il poussait un cri stupéfait.

— Ah ! nom d'un chien... Cascadeur !...

Puis il ajoutait :

— Mais, sapristi, non... ce n'est pas lui... Pourtant ?...

Fandor, à ce moment, tremblait de tous ses membres. Une pâleur livide s'était répandue sur ses traits ; pour ne pas choir, il lui fallait s'appuyer à la muraille...

— Qu'est-ce que cela signifie ? murmurait-il. Pourquoi, diable, a-t-on aménagé une si somptueuse écurie dans cette ferme aux apparences modestes ?... Comment se fait-il que je retrouve là une bête de sang, un cheval merveilleux, un animal hors ligne qui, précisément, ressemble à cet infect Cascadeur, dont Bridge dit tant de bien ?

Fandor, les yeux écarquillés, les sourcils froncés, réfléchissait avec angoisse.

Soudain, il murmurait :

— Mon Dieu ! est-ce que je deviens fou ?... Est-ce que je déraisonne ?... Ce crime extraordinaire, ce truc du volant... ce cheval qui ressemble à cette rosse... Voilà, je pense, du Fantômas...

Et puis, Fandor sursautait ; une expression d'inquiétude contractait ses traits.

— Fichtre ! on dirait que...

Le journaliste recula vivement dans le fond de l'écurie.

Marjac, cependant, appelant le père Fabre, et ne trouvant pas, hélas ! le malheureux paysan rencontrait à l'entrée de la ferme un homme fort correctement habillé, qui l'apostrophait :

— Vous êtes valet ici, mon ami ?...

Marjac répondit dignement :

— Je suis le garde champêtre...

— Ah ! très bien, pardon...

L'inconnu s'avançait ; Marjac demanda, méfiant :

— Qu'est-ce que vous voulez ?

— Je viens chercher un cheval qui m'appartient.

— Je ne trouve pas le propriétaire de la ferme, monsieur.

L'inconnu ne se troubla nullement :

— Cela n'a pas d'importance, fit-il ; il sait que je dois venir et je connais l'écurie où se trouve ma bête.

Soupçonneux alors, Marjac insista :

— C'est que rien ne me prouve que le cheval soit à vous...

Mais l'inconnu avait une belle assurance :

— Allons ! allons ! disait-il en gouaillant.

Et, précédant le garde champêtre dans l'écurie du superbe gris pommelé :

— Ne vous faites pas de mauvais sang, je ne suis pas un voleur, que diable ! je suis bien connu, je suis l'entraîneur Bridge...

A ce moment, Marjac cherchait désespérément des yeux ce qu'était devenu Fandor.

Le brave garde champêtre eût été, à coup sûr, bouleversé s'il s'était douté que le jeune homme avait tout bonnement sauté dans le râtelier, qu'il s'était caché sous les bottes de foin, s'il avait pu l'entendre murmurer ces étranges paroles :

— Bon ! voilà Bridge qui vient chercher le gris pommelé... Ah ! nom d'un chien !... Pourvu qu'il ne me trouve pas. C'en serait fait de tous mes espoirs... car enfin, j'aurais quelque peine à expliquer comment le garde champêtre me croit journaliste, alors que mon patron ne me connaît qu'en tant que Scott...

Et Fandor, avec un petit rire, pensait à l'émotion qui s'emparerait à coup sûr de Bridge, si l'entraîneur pouvait deviner qu'il venait chercher le gris pommelé sous les yeux de son lad Scott, de ce Scott qui était, en effet, tout simplement Jérôme Fandor.

XVII

Un après-midi au pesage

C'était à la fin de la journée, mais la route, un peu clairsemée au début, était devenue beaucoup plus nombreuse vers le milieu de la réunion.

Les élégantes s'étaient donné rendez-vous, sans doute, au pesage d'Auteuil, car, vers quatre heures, il y avait un fourmillement gracieux, un chatoiement admirable de chapeaux à grand panache, et de fourrures de prix.

Au milieu d'une multitude de jolies femmes, allaient et venaient des hommes élégants eux aussi, de mise irréprochable, la plupart coiffés de chapeaux hauts de forme aux reflets étincelants.

La journée avait été bonne pour les parieurs, comme pour les propriétaires, et, la plupart des victoires avaient été remportées par les favoris.

Le parc de courses était très nourri de concurrents, de telle sorte que les parieurs, tout en jouant un jeu prudent, avaient pu réaliser d'honorables bénéfices.

Il semblait qu'une vague de contentement et de gaieté eût passé sur l'immense hippodrome où, depuis les tribunes de pesage jusqu'aux emplacements de la pelouse, s'étageait une foule nombreuse aux rangs pressés.

Cependant, la quatrième course allait avoir lieu.

Un par un, au tableau d'affichage apparaissaient les numéros des chevaux concurrents, à côté desquels on faisait figurer le nom des jockeys qui devaient les monter, puis venait l'indication du poids que comportait chaque compétiteur.

Et dès lors, après les quelques minutes d'arrêt qui s'étaient produites, les baraques du Pari mutuel recommençaient à vivre avec activité.

Ces ruches frémissantes s'animaient, une foule empressée venait échanger son argent contre des tickets multicolores qui, pendant vingt minutes, allaient lui donner de l'espoir, et lui permettre d'élaborer des rêves d'or.

Il y avait dans la course onze concurrents, ce qui constituait un lot magnifique.

L'épreuve, en effet, était intéressante, réservée aux bêtes de trois ans n'ayant pas encore gagné les grandes courses.

Néanmoins, il y avait là des concurrents réellement qualifiés pour triompher de cette épreuve.

Ils étaient quatre ou cinq auxquels les distances, les obstacles, le terrain et les poids convenaient à merveille.

Le dernier renseignement venu de l'entraînement ne permettait guère de dégager un favori du lot des chevaux qui, vraisemblablement, devaient rester en tête.

Et de ce fait, l'attrait de l'épreuve s'augmentait.

S'appuyant au bras d'un vieillard, une jolie femme manifestait l'intention d'aller risquer quelques louis, son compagnon approuvait aussitôt cette idée et tous deux, joyeusement, se rendaient au bureau des paris à vingt francs.

Ces deux personnes n'étaient autres que Florestan d'Orgelès et sa nouvelle amie, Georgette Simonot.

Soudain, le couple s'arrêta net.

Et, cependant que Georgette pâlissait, il semblait qu'en même temps, Florestan d'Orgelès éprouvait une certaine émotion.

Leurs regards à tous deux allaient subitement se fixer sur un homme qu'ils venaient d'entrevoir et qui marchait avec une certaine difficulté. Cet homme d'ailleurs s'éclipsait aussitôt, disparaissait dans la foule.

Toutefois, Florestan d'Orgelès et Georgette, en même temps, murmuraient un même nom :

— Juve !

C'était bien, en effet, le policier qu'ils venaient d'apercevoir.

Georgette, cependant, se pinçait la lèvre, ennuyée d'avoir poussé cette exclamation.

Depuis qu'elle était l'amie honoraire — car Florestan d'Orgelès l'avait toujours respectée — du vieillard qui lui avait offert l'hôtel de la rue Lalo, elle n'avait jamais parlé de son passé avec son protecteur.

Sans doute, celui-ci observait-il à ce sujet une délicate discrétion, mais il était bien évident qu'un jour ou l'autre la conversation viendrait sur ce sujet, au surplus, d'ailleurs, Georgette se rendait compte que, si Florestan ne commençait pas, ce serait à elle qu'il appartiendrait de fournir à son ami quelques explications sur ce qui s'était passé et de lui faire connaître aussi ses projets d'avenir !...

Que Georgette connût Juve, cela n'avait en somme rien d'extraordinaire puisque le policier avait été mêlé aux aventures de la jeune femme, lors des arrestations faites au sujet du crime de Saint-Germain.

Mais, que Florestan d'Orgelès, en apercevant Juve, ait légèrement pâli, cela était pour le moins bizarre !

Encore que l'inspecteur de police fût un homme célèbre, son visage, sa silhouette étaient peu familiers à la foule.

Cela était d'ailleurs dans l'ordre des choses car il est nécessaire qu'un policier, s'il a un nom connu, ait une tournure et un aspect ignorés...

Georgette Simonot, en voyant soudain devant elle la silhouette distinguée de Juve, ne pouvait s'empêcher de songer que c'était précisément chez cet homme que depuis quelques jours déjà, son mari et son amant Max de Vernais, bien que mis en liberté provisoire par la justice, étaient en quelque sorte prisonniers.

Oui, vraiment, elle était fort logique, l'instinctive émotion de Georgette, mais Florestan d'Orgelès avait fait un mouvement de recul, en désignant dans la foule l'inspecteur de la Sûreté !

Cela pouvait surprendre, car un homme comme Florestan d'Orgelès ne devait pas avoir lieu de redouter une rencontre avec Juve !...

Et cependant, de même que Georgette venait d'éprouver un sentiment d'émotion inquiète, Florestan d'Orgelès, pressant instinctivement le pas, avait attiré son amie dans une autre direction.

Elle se hasarda cependant après un silence à interroger Florestan :

— Vous connaissez cet homme ?

Mais sa première émotion passée, Florestan d'Orgelès avait repris tout son aplomb.

— Et comment ne connaîtrait-on pas Juve ? demanda-t-il d'un air enjoué. Juve, le célèbre policier...

Et Florestan d'Orgelès ajoutait, non sans un léger tremblement dans la voix :

— Juve, l'implacable adversaire de Fantômas !...

Georgette, cependant, rétorquait, curieuse :

— Il me semblait que vous n'étiez pas satisfait de le voir, vous avez tressailli, mon ami ?

Florestan se penchait affectueusement vers sa compagne :

— J'ai tressailli, murmura-t-il à son oreille, par sympathie pour vous, je sais les heures cruelles que vous avez vécues à l'occasion de la douloureuse affaire de Saint-Germain. Je n'ignore pas que Juve, indépendamment de sa volonté, assurément, a été pour beaucoup dans les épreuves qui vous ont été imposées.

— Oui, fit Georgette, c'est exact !...

Et dès lors, elle comprenait, ou tout au moins croyait comprendre, l'attitude que Florestan d'Orgelès venait d'avoir quelques instants auparavant.

Ce dernier, toutefois, trouvant sans doute l'occasion opportune et constatant que Georgette n'était pas autrement émue par le souvenir qu'il venait d'évoquer, questionna doucement :

— Vous qui l'avez beaucoup connu, Georgette, ce malheureux Baudry, vous qui saviez sur son existence des détails intimes, et qui, d'autre part, connaissez mieux que personne votre mari et Max de Vernais, avez-vous songé quelquefois à la façon mystérieuse dont est mort l'homme aux quatre personnalités ?

Georgette rougit imperceptiblement.

— Nous y voilà !... pensa-t-elle, il va falloir que je m'explique.

Et, en songeant à cela, Georgette n'imaginait pas un instant que Florestan d'Orgelès pouvait vouloir l'interroger pour se documenter sur les circonstances bizarres qui avaient accompagné le crime.

Georgette ne voyait dans les questions de son protecteur qu'un souci malsain, qu'une mauvaise curiosité de savoir des détails sur le caractère, sur la personne même qui l'avait précédé dans le cœur de Georgette.

Et, dès lors, celle-ci, avec une sincérité nullement feinte d'ailleurs, commençait pour Florestan d'Orgelès le récit de ses bourgeoises amours avec René Baudry.

— Je le connaissais sous ce nom, déclarait-elle, et j'ai été profondément surprise lorsqu'on m'a dit que d'autres gens le prenaient pour, soit un gérant de propriétés, soit un bookmaker, soit un courtier d'usurier. Toutes ces choses-là m'ont beaucoup étonnée, et c'est alors que René Baudry m'apparut devoir être un personnage suspect.

— Il est mort, articula Florestan d'Orgelès, l'important serait de savoir qui l'a tué...

Georgette considéra son amant avec une certaine surprise.

— Qu'est-ce que cela peut bien vous faire ? demanda-t-elle nettement.

Florestan d'Orgelès se rendait compte que, peut-être, il avait été trop loin et qu'il avait questionné trop franchement.

— Oh ! fit-il, je vous parle de cela, Georgette, parce que les circonstances nous ont amenés sur ce terrain de conversation.

Mais il changeait brusquement de sujet.

— Vous vouliez jouer, dit-il, je crois, dans cette course ; il n'est que temps, les chevaux sont déjà sur la piste.

Mais au moment où Georgette s'approchait des guichets du Pari mutuel, Florestan d'Orgelès la quittait brusquement et se perdit dans la foule.

Il avait juste eu le temps de murmurer à l'oreille de la jeune femme :

— Un de mes amis me fait un signe.. vous me rejoindrez aux tribunes.

Georgette était encore si interdite de ce brusque départ qu'elle ne faisait point attention à l'employé du Pari mutuel devant lequel elle se trouvait et qui lui disait :

— De quel numéro, madame... et combien ?...

Il fallut que l'homme répétât deux fois sa question et, dès lors, la jeune femme, machinalement, déclara :

— Donnez m'en deux du cinq.

Elle déposa quarante francs, emporta les tickets qu'on lui avait donnés, puis quitta la baraque du Mutuel pour se rapprocher des tribunes.

— Que peut bien avoir Florestan ? se demandait-elle.

A ce moment, quelqu'un s'inclinait devant elle, la saluant respectueusement.

Georgette tendit sa main gantée au personnage qui s'approchait d'elle.

— Bonjour, comte, fit-elle avec un aimable sourire.

Puis, cependant que son interlocuteur lui baisait la main, elle demanda :

— Avez-vous un bon tuyau à me donner... quelques gagnants certains ?

Le personnage qui venait de l'aborder la fixait dans les yeux, hardiment.

Il rétorqua d'un air singulier :

— Il me semble que c'est déjà fait, madame, et que vous avez gagné la plus belle course qu'on puisse imaginer : lorsqu'on possède un favori comme M. Florestan d'Orgelès, on n'a pas à souhaiter d'autres victoires.

Cependant que Georgette souriait, confuse, son interlocuteur s'éclipsa brusquement.

C'était le comte Mauban qui, quelques jours auparavant, avait été présenté à Georgette aux courses de Longchamp.

La petite bourgeoise, qui, jadis, fréquentait la pelouse et n'allait aux places à cinq francs que lorsqu'elle ou son amant d'alors, René Baudry, avait touché quelque cheval à grosse cote dans le début de la journée, venait désormais régulièrement au pesage.

Georgette, en compagnie de Florestan d'Orgelès, qui tenait évidemment à faire croire à tous qu'elle était sa maîtresse, avait de la sorte ébauché de nombreuses relations.

C'est ainsi qu'elle connaissait le comte Mauban.

Celui-ci avait quitté la jeune femme avec une certaine précipitation.

L'important personnage se hâtait désormais vers la baraque du Mutuel réservé aux paris à cinq cents francs.

La foule y était peu nombreuse ; toutefois, à en juger par les souches des tickets, on avait joué la plupart des chevaux.

Le comte Mauban s'approcha du donneur.

— Je voudrais mettre, articula-t-il, deux cent cinquante louis sur le 9...

— Dix du neuf ! cria l'homme à son collègue qui détachait les coupons.

Le comte Mauban passait un certain temps à régler son pari, puis à ramasser ses tickets ; il semblait qu'il voulût rester à dessein devant ces guichets du Mutuel.

D'autre part, une sonnerie avait retenti, annonçant que le départ de la course était imminent ; d'un instant à l'autre, le nouveau signal allait avoir lieu, et dès lors il serait impossible de faire le moindre pari, d'apporter un centime de plus au guichet du Mutuel.

La seconde sonnerie prévient, en effet, du départ de la course !...

Au moment, cependant, où celle-ci allait retentir, quelqu'un bondissait au bureau des paris à cinq cents francs, et, jetant une liasse de billets de banque par le petit guichet ouvert de la baraque, ce personnage, qui arrivait très tard et semblait essoufflé, cria à l'employé :

— Donnez-m'en pour dix mille francs du numéro 9...

Le comte Mauban, qui achevait à peine son règlement, se retourna, surpris.

Qui donc jouait le même cheval que lui, et qui donc mettait une somme aussi forte sur un concurrent qui, aux dires de tout le monde, n'avait que fort peu de chance ?...

Mauban se retourna ; derrière lui, venant de faire enregistrer son pari, et recevant, en échange, les tickets correspondant à chaque unité de vingt-cinq louis, était le milliardaire Maxon...

— Encore vous !... grogna le comte Mauban qui s'écartait.

Mais Maxon se rapprocha de lui.

— Qu'entendez-vous par là ? demanda-t-il.

— Par quoi ? fit Mauban bourru.

— Par cette expression... encore vous ?...

Il y eut un instant de silence.

Désormais, la course commençait, les tribunes s'étaient garnies et, sur le petit terre-plein où étaient installées les baraques du Mutuel, il n'y avait plus personne.

Mauban et Maxon se trouvaient seuls l'un en face de l'autre !

Ils se toisèrent du regard, semblant se menacer.

De sombres éclairs jaillissaient sous les prunelles du comte Mauban, cependant que, sur les lèvres rasées de Maxon, errait un ironique sourire...

Brusquement, Mauban questionna :

— Finissons-en, Maxon, et expliquons-nous. Pourquoi avez-vous joué ce cheval, le même que moi ?...

— Je ne suis pas obligé de vous répondre, fit l'Américain, néanmoins, je ne demande pas mieux que de vous renseigner. Le cheval que vous avez joué, le 9, n'est autre que Arlequine, une jument de premier ordre à mon avis, qui, d'ailleurs fut merveilleusement mise au point par l'entraîneur Bridge.

— Ce n'est peut-être pas l'avis du public, articula le comte Mauban... Arlequine n'était pas favorite, loin de là... J'ai attendu pour la jouer le dernier moment et, lorsque je me suis présenté au guichet à cinq cents francs, il n'y avait pas, sur elle, une seule mise.

— Je le sais, fit Maxon, et comme vous je crois à sa chance.

Mauban esquissa un ironique sourire :

— Soyez franc, Maxon, jusqu'à présent vous ne vous doutiez pas qu'Arlequine pouvait avoir une chance, et, si vous l'avez jouée, c'est uniquement parce que vous m'avez vu le faire ?

— Quand cela serait, n'en ai-je pas le droit ?

— Maxon ! s'écria le comte Mauban, il ne s'agit pas de savoir si vous en avez le droit, il s'agit de me dire pourquoi, depuis plus de huit jours, vous vous acharnez, Maxon, à perpétuellement jouer le même jeu que moi, lorsqu'il m'arrive de parier au Mutuel et à contrecarrer en somme, d'une façon systématique, les combinaisons que je fais...

Maxon affectait un air extrêmement étonné.

— Je contrecarre vos combinaisons ?... interrogeait-il. En quoi donc ?...

— Vous le savez très bien, fit durement Mauban, pour ne citer qu'un exemple. Je viens de mettre deux cent cinquante louis sur Arlequine ; étant le seul à l'avoir jouée, j'obtenais à la répartition, dans le cas où Arlequine gagnerait, un beau rapport. Mais vous êtes venu derrière moi, vous avez mis je ne sais combien... une somme considérable...

Maxon précisait froidement :

— Dix mille francs, mon cher comte.

— Eh bien oui, fit Mauban, dix mille francs... c'est-à-dire que si le cheval gagne, il sera véritablement favori au Mutuel et, de la sorte, nous ne toucherons que peu de chose l'un et l'autre.

— Que voulez-vous que j'y fasse ? articula Maxon. C'est là un fait qui se produit à maintes reprises, et contre lequel vous ne pouvez rien.

— Je ne peux pas vous empêcher de jouer..., précisa le comte Mauban, c'est une affaire entendue, mais je peux vous prier de cesser à l'avenir, de faire exactement le même jeu que moi.

— Le Mutuel est à tout le monde, et, si cela ne vous convient pas que l'on sache le jeu que vous faites, adressez-vous aux bookmakers.

A ces mots, le comte Mauban crispait les poings :

— C'est la même chose avec les books, cria-t-il, vous les avez ensorcelés, Maxon, et, dès que je leur demande un cheval, je puis être certain que, tôt ou tard, je le prenne longtemps avant la course ou au dernier moment, je ne l'obtiendrai qu'à une cote ridiculement basse parce que vous l'aurez déjà vous-même joué. Ah çà ! quel but poursuivez-vous et où voulez-vous en venir ?...

Maxon avait conservé un visage impassible tout le temps que lui parlait le comte Mauban.

Au lieu de répondre à ses questions, il l'attira vers les tribunes.

Le peloton des chevaux de tête approchait du poteau.

Un instant, Maxon considéra la poste, avec sa lorgnette. Puis, il déclara sur un ton froid, légèrement railleur :

— Nous avions bien tort l'un et l'autre de nous préoccuper de ce que rapporterait Arlequine au Mutuel, c'est Miroir qui gagne, les mains basses.

Cependant que Maxon s'écartait de Mauban, celui-ci, l'œil mauvais, la bouche crispée, articulait sourdement :

— Cela ne peut pas durer, et il va falloir en finir plus tôt que je ne le pensais...

Sous les tribunes, se trouvent quelques petites salles généralement inoccupées. Elles sont réservées au personnel de l'administration des courses, aux starters, on y dépose des drapeaux, ce sont en vérité des lieux de débarras plutôt qu'autre chose.

Après la course, et cependant que la foule, enchantée de la victoire de Miroir, poussait de joyeuses exclamations, le milliardaire Maxon, ayant quitté le comte Mauban, contournait les tribunes et venait frapper à la porte de l'une de ces petites salles qu'éclairait une seule fenêtre, aux vitres en verre dépoli.

La porte s'ouvrit, Maxon pénétra dans la pièce.

Il dut d'abord traverser un nuage de fumée de tabac si opaque, si épais qu'il se sentit presque suffoquer.

— Mon Dieu ! articula-t-il, mon cher monsieur, quelle fumée !

Une voix lui répondait :

— Que voulez-vous qu'on fasse dans un réduit semblable, à moins que l'on ne fume ; je vous assure, en outre, qu'il y faisait fort humide et que cela sentait le moisi. J'ai assaini.

— En empoisonnant..., continua Maxon qui ne fumait pas, lui.

Cependant, en face du milliardaire, se précisait peu à peu la silhouette d'un homme de robuste carrure, à la tête énergique, au visage glabre, aux cheveux grisonnants sur les tempes.

C'était Juve !

Dès lors, cessant de plaisanter, Juve s'approchait de Maxon.

Au préalable, toutefois, le policier avait refermé la porte par laquelle venait d'entrer l'Américain, puis, se sachant désormais seul avec lui, il interrogea :

— Eh bien ?

— Eh bien ! fit Maxon, j'ai suivi vos conseils et j'ai joué... j'ai même perdu dix mille francs une fois de plus...

— Dieu vous les rendra, fit Juve.

— En attendant, déclara Maxon, les courses commencent à me coûter joliment cher... Perpétuellement, vous exigez de moi que je fasse des paris stupides et que, dès que j'apprends que le comte Mauban risque un coup, j'aille l'empêcher de le réussir en rendant favori par l'importance de mon pari le cheval à grosse cote sur lequel il a joué. En m'associant ainsi à son jeu, en faisant exactement les mêmes combinaisons que celles qu'il fait, non seulement nous pouvons perdre de grosses sommes, mais nous sommes également certains de ne jamais gagner que des bénéfices insignifiants, si parfois nous rentrons dans notre argent.

— Il ne s'agit pas, interrompit Juve, de jouer en ce moment pour gagner, vous n'en êtes pas là, mon cher monsieur Maxon, mais il s'agit de vider, si je puis m'exprimer ainsi, les poches du comte Mauban... Il faut que nous sachions exactement quelles sont les ressources de cet homme et jusqu'où il peut aller... Tant qu'il aura de l'argent, il m'est impossible d'intervenir et de découvrir ce que je veux savoir. Mais un vieux proverbe dit : « La faim fait sortir le loup du bois », et lorsque Mauban n'aura plus rien, alors nous apprendrons des choses...

Les mystérieuses paroles de Juve intéressaient, malgré tout, l'Américain.

— Des choses... à quel sujet ? demanda-t-il.

— Je vous l'ai déjà dit..., fit nettement le policier. Et je n'hésite pas à parler devant vous, car je sais que je puis avoir confiance en votre discrétion. Il se passe depuis quelque temps, dans le monde des courses et des hippodromes, des choses mystérieuses, extraordinaires... Elles ont commencé par l'assassinat de cet énigmatique personnage connu sous le nom de René Baudry, connu sous d'autres sobriquets encore...

« Ensuite, on a découvert dans le monde des entraîneurs, voire même des propriétaires, des choses louches, des truquages inattendus... Nous avons vu la mort singulière et tragique de ce vieux père Fabre et cet assassinat a certainement un lien avec le crime de Saint-Germain. Je passe, monsieur Maxon, sur mille détails, notamment sur la présence remarquée à de fréquentes reprises de toute une bande d'apaches, qui fréquentent désormais les champs de courses et qui, jadis, se fit connaître à nous par ses exploits et son obéissance à un certain personnage que je n'ai pas besoin de nommer pour que vous sachiez qui je veux dire...

Les lèvres de Maxon, instinctivement, articulèrent :

— Fantômas !

Juve poursuivit :

— Mes soupçons se sont précisés et j'aime à croire que, d'ici peu, nous allons avoir du nouveau. Continuez, monsieur Maxon, aidez-moi de votre fortune en la dilapidant pour contrecarrer les projets du comte Mauban... C'est un homme qui m'est suspect et sur lequel je ne puis encore rien dire.

Juve s'arrêtait un instant, puis il ajoutait, poussant un soupir de satisfaction :

— Je suis plus avancé en ce qui concerne Bridge, l'entraîneur...

— Ah ! interrogea Maxon, et que va-t-il se passer ?...

Juve eut un sourire énigmatique.

— Vous le verrez, monsieur Maxon, vous le verrez bientôt... Jusqu'à présent, je ne puis rien vous dire, mais j'espère vous apprendre d'ici peu qu'à force de creuser autour de cette citadelle mystérieuse, je finirai bien par en faire sortir ceux qui s'y cachent et, au nombre de ceux-là, j'aime à croire que Fantômas apparaîtra...

Il était dix heures du soir et, dans les salons du Jockey-Club, brillamment illuminés, les membres de l'aristocratique et puissante association discutaient avec des airs de sérieux et de gravité qui n'étaient point dans les usages habituels !...

Il s'agissait, en effet, d'un événement prochain qui ne manquait pas d'importance. Les élections à la présidence du club allaient avoir lieu et les listes de candidatures officielles s'ouvraient ce soir-là.

Certes, on connaissait déjà, à titre officieux, le nom de ceux qui se présentaient à ce poste important, mais aucun des candidats n'avait pu faire connaître catégoriquement ses intentions, la succession du président sortant n'était pas encore ouverte !

Un des secrétaires du club se tenait dans la grande salle en rotonde, à côté d'une table sur laquelle était ouvert un registre.

Il y avait une plume à côté, trempée dans un encrier, car le protocole du cercle voulait que les candidats à la présidence vinssent tour à tour s'inscrire sur ce livre.

L'émotion était grande dans les salons, on supputait les chances des candidats, on formait de mystérieux conciliabules.

Les plus vieux des membres du club, qui avaient déjà vu des élections semblables, ne se dissimulaient pas qu'il allait y avoir une belle lutte entre les deux candidats, les deux seuls d'ailleurs qui, vraisemblablement, allaient prétendre réunir les suffrages de leurs collègues.

Il y avait, d'une part, en effet, le comte Mauban, qui représentait l'aristocratie conservatrice du cercle, et, d'autre part, le milliardaire Maxon, qui synthétisait au contraire les idées modernes et les conceptions les plus avancées.

L'un et l'autre avaient de chauds partisans, d'ardents défenseurs, il était impossible de pronostiquer qui des deux triompherait.

Cependant, deux hommes venaient de passer dans la salle en rotonde.

Ils venaient l'un vers l'autre, se dirigeant tous les deux vers la table verte, qui désormais les séparait.

Le secrétaire les aperçut ; il prit la plume pour l'offrir au premier arrivant, car il avait reconnu les deux membres du cercle qui, assurément, venaient s'inscrire pour annoncer officiellement qu'ils étaient candidats à la présidence.

Toutefois, le secrétaire restait quelques secondes interdit et perplexe ; les deux membres étaient à égale distance de lui : auquel fallait-il donner la plume en premier lieu ?

Tandis qu'il hésitait, les futurs candidats s'étaient aperçus :

— Comte Mauban ! articula le premier, d'une voix sèche et ironique.

— Nous sommes décidément destinés à sans cesse nous rencontrer, monsieur Maxon !

Toujours impassible et froid, Maxon rétorquait :

— Le hasard a de ces coïncidences contre lesquelles on ne peut rien.

Cependant il ajoutait sourdement :

— Il faudra bien que, dans cette circonstance, l'un de nous cède la place à l'autre.

Mauban redressa la tête.

— Nous verrons qui ce sera, monsieur...

— Nous le verrons, en effet, sourit aimablement Maxon.

L'employé, toujours perplexe, après n'avoir pu décider dans son esprit à qui il remettrait la plume en premier lieu, allait, pour ne pas froisser personne, la retremper dans l'encrier, afin qu'il n'y ait point de préférence à manifester, lorsqu'il s'arrêta net, gardant le porte-plume entre ses doigts.

Maxon et le comte Mauban avaient évidemment eu la même idée que l'employé.

Sans doute c'était là un enfantillage, mais les deux hommes s'y laissaient volontiers prendre, il leur semblait que celui qui signerait le premier sur le livre aurait un avantage sur l'autre.

Mauban ne voulait pas être après Maxon, Maxon ne voulait pas s'inscrire après Mauban.

Mais si de tels petits incidents pouvaient avoir une influence quelconque sur l'élection d'un président, une solution amusante survint, et les membres du club qui, ayant remarqué ce petit manège, le suivaient des yeux, amusés, virent, à un moment donné, Maxon et Mauban sortir ensemble chacun un stylographe de leur poche, et signer en même temps chacun en tête d'une page du livre ouvert devant eux.

Décidément, cela commençait bien ! Quelqu'un dans l'assistance murmura le mot de la fin qui fit fortune :

— Ils viennent de faire dead-heat.

XVIII

A l'entraînement

A quatre heures du matin, la sonnerie stridente et prolongée d'un réveil résonnait dans la petite chambrette qu'occupait Scott, ou plutôt qu'occupait Fandor, puisque Fandor n'était autre que Scott, dans les greniers de l'écurie que possédait Bridge à Maisons-Laffitte.

Le jeune homme, en entendant la sonnerie, s'asseyait brusquement sur son lit, grommelait quelque chose qui ressemblait fort à un juron :

— Maudit réveil ! saloperie d'existence ! c'est à peine si je viens de me mettre dans mes toiles... Se lever si matin pour aller grimper sur des canassons qui ne rêvent qu'une chose, vous flanquer par terre... Ça n'a pas de bon sens...

Fandor se frottait les yeux, il avait toujours le réveil désagréable, ne dormant jamais assez, pestant continuellement contre la nécessité où son nouveau métier le mettait de se lever de si bonne heure.

Quand il eut bien juré, toutefois, envoyé au diable Bridge, les chevaux et les courses, Fandor, dont les idées devenaient nettes, sautait à bas de son lit, en grommelant :

— La douche, maintenant ! c'est ce qu'il y a de plus précieux.

Dans un angle de la soupente, se trouvait une toilette très petite, encombrée d'une énorme cuvette, que dominait un pot à eau recouvert d'une serviette-éponge.

Fandor, dont les yeux se fermaient malgré lui, qui titubait encore, qui, suivant son expression, « crevait de sommeil », prit son courage à deux mains pour répéter :

— La douche ! la douche !...

D'un geste tragique alors et décidé à la fois, il vidait le grand pot d'eau froide dans la cuvette, puis, fermant les yeux, faisant une moue déplorable, il se plongeait résolument la tête dans l'eau froide, s'aspergeant les cheveux, trempant le col de sa chemise de nuit, mais évidemment se rafraîchissant les pensées.

Fandor, chaque matin, usait d'un moyen semblable pour arriver à s'éveiller.

Il sortait de sa cuvette trempé, grelottant, claquant des dents, mais il avait l'esprit net, prêt à agir, ce qui, chez lui, signifiait prêt à travailler.

Ce matin-là toutefois, comme il faisait plus froid que de coutume, Fandor grommelait encore en s'essuyant vigoureusement avec la serviette-éponge.

— Bon Dieu, ça manque de chauffage central...

Séché un peu, il hésitait désormais, debout, pieds nus sur le carreau de sa chambrette.

— Ah ! puis, tant pis, déclarait-il.

Et, cédant à la paresse, il se rejetait sur son lit, se recouchait, ricanant :

— Ma foi, je me remets dans le portefeuille pour deux minutes...

Fandor, un peu réchauffé, prenait une cigarette qu'il fumait dévotement avec tout le plaisir qu'éprouve un enragé amateur de tabac qui regrettait presque de n'avoir pu fumer en dormant.

Tout en tirant des bouffées bleuâtres du mince rouleau, Fandor cependant réfléchissait.

Ses réflexions ne devaient pas être joyeuses car, bientôt, il grognait encore :

— Avec tout ça, c'est ce matin, ou ce soir, que je vais me casser la figure.

Il ajoutait quelques instants après :

— Car c'est rond comme une galette, visible comme une puce dans une soupe au lait, certain comme la bêtise d'un parlementaire, je me casserai la figure un de ces jours...

Jérôme Fandor, toutefois, et bien qu'il fît de si sombres pronostics, n'était pas homme à s'attrister, à se désespérer ou moins encore à s'effrayer.

— Ah ! zut, après tout..., concluait-il.

Et comme, dans les chambres voisines, habitées par les autres jockeys, il entendait un remue-ménage, il se décida à se lever.

— Debout, gibier de pompes funèbres ! se commanda-t-il.

Une fois debout, il ne mettait pas grand temps à sa toilette, dix minutes lui suffisaient pour être complètement prêt, c'est-à-dire pour avoir revêtu un chandail de laine, un veston, une culotte courte, des jambières de cuir, pris sa cravache, coiffé sa casquette.

Si vite qu'il eût été cependant, Jérôme Fandor descendait le dernier dans la grande écurie.

Les lads, éveillés une heure plus tôt, étaient déjà à leur besogne. Pareillement, les jockeys d'entraînement, collègues de Fandor, se mettaient en selle ; Bridge lui-même, campé sur le petit poney noir qu'il galopait volontiers le matin, en allant surveiller le travail des poulains de deux ans, se trouvait prêt à partir.

Fandor fit la grimace.

— Hum ! je vais me faire brosser à rebrousse-poil.

C'était une expression technique dont Fandor avait éprouvé plusieurs fois la piquante exactitude.

Être brossé à rebrousse-poil, dans l'argot des lads, cela signifiait recevoir quelque bonne attrapade du patron.

Et de fait, Bridge, rassemblant son poney, fonçait vers Fandor ;

— Eh bien, Scott, déclarait-il, quand vous voudrez, mon garçon !... ne vous pressez pas, il n'y a que nous à vous attendre, et puis les chevaux peuvent travailler seuls, n'est-ce pas ?...

Fandor, bien entendu, ne répondait rien.

Il s'était dirigé vers l'écurie du mauvais gris pommelé dont Bridge s'entêtait à vouloir faire un cheval extraordinaire.

L'entraîneur le rappela :

— Non, garçon... pas celui-là, prenez la jument pisseuse. Tiens, parbleu !... je vous secouerai les côtes, moi, mon gaillard... Les « feignants » comme vous, je les redresse et rapidement. Pas d'étriers au trot... et tâchez d'avoir la main douce !...

Cette fois, Fandor fit la grimace. Il ne répliquait toujours rien à Bridge, mais, tout de même, il grommelait encore quelque chose :

— Ventrebleu ! jurait le soi-disant Scott... la jument pisseuse sans étriers, ah ! bien c'est ce matin que je vais ramasser la bûche...

Il n'y avait pas, en effet, dans toute l'écurie de courses, une bête plus mauvaise et plus dangereuse que celle qu'il devait monter ce matin-là.

C'était une jument noire, qui aurait pu revendiquer tous les vices possibles et imaginables.

Elle ruait pour rien. Un papier sur la route la faisait se cabrer.

C'était à chaque instant des écarts, des sauts de mouton, des feintes, qui désarçonnaient les meilleurs écuyers.

La bête, avec cela, avait une bouche extraordinaire : délicate par moments, elle ne supportait point l'appui du mors ; enragée en d'autres, elle ruait terriblement, puis, prenant le mors aux dents, partait droit devant elle, comme une folle, au risque de se jeter contre un mur...

— Je suis frais, songeait Fandor en tâchant de flatter l'animal qui, par surcroît, était tiqueur au montoir... bien sûr, ce matin cela finira mal...

Au même instant, comme il s'enlevait sur la selle et tombait en position, un lad lui gouaillait à l'oreille la plaisanterie classique :

— Dites donc, Scott, mon vieux, si vous montez la jument, souvenez-vous que la civière est en forme de boîte... Donc, n'ayez pas peur, numérotez vos abattis, on tâchera toujours de vous recoudre...

Une fois en selle, Fandor commençait à « piler du poivre ».

— Maudite carne ! murmurait-il, en tâchant, avec la pince de main, de tenir la rosse qui se cabrait terriblement.

Mais, à ce moment, une phrase furibonde de Bridge lui arrivait aux oreilles :

— Dites donc, vous là-bas, Scott, tâchez voir à ne pas vous fiche du monde. J'ai dit de relever et de croiser les étriers, vous comprenez le français, j'imagine ?...

Il fallut bien que Fandor exécutât l'ordre, qu'il abandonnât le léger appui des étriers, qu'il se livrât presque sans défense à la mauvaise bête qui le menait.

— Sacré Bridge, va !... grogna Fandor. On dirait qu'il veut que je me casse les reins.

L'entraîneur, cependant, venait de donner le signal du départ.

Chaque jour, la promenade s'effectuait dans un ordre rigoureux, avec une précision extrême.

Bridge, monté sur son poney noir, une petite bête corse qui n'avait que peu de sang, mais possédait un fond extraordinaire, trottinait en tête des seize jockeys d'entraînement qui montaient les poulains de deux ans.

Il menait le cortège jusqu'à une grande route de la forêt et, là, sur une ligne droite de deux kilomètres, les jockeys devaient prendre un temps de trot suivant des règles techniques auxquelles Bridge portait une extrême attention.

Ce n'était point ce temps de trot qu'appréciaient le plus les jockeys, d'ailleurs.

Pour des raisons scientifiques en effet, Bridge tenait à ce que ses chevaux fussent accoutumés au sol dur. Il imposait donc un galop de deux kilomètres sur le sol ferme de la route avant d'autoriser l'entraînement proprement dit, qu'il dirigeait ensuite sur une piste cavalière.

Or, les jockeys, bien entendu, craignaient avant tout le trot sur la route. Il y avait là chance d'accidents. Le chemin de Maisons-Laffitte est très fréquenté de nombreuses automobiles, les bêtes n'y étaient pas à leur aise, toujours nerveuses, souvent rétives, l'accident était à craindre.

Fandor, ce matin-là, plus que personne, faisait la grimace.

— Avec la jolie carne que j'ai entre les jambes, pensait-il, ça va être du beau que le trot sur la route !...

Mais il se trouva que, par une fantaisie inexplicable, la jument, comme brusquement matée par son cavalier, se conduisait très sagement.

Fandor montait véritablement bien. Souple et audacieux comme il l'était, il n'avait pas été long à acquérir cette attitude toute spéciale qu'adoptent en général les jockeys et qui les porte à monter l'étrier court, le poids du corps déplacé et rejeté sur l'avant-main.

Fandor avait de l'assiette !

Nerveux et vigoureux, il savait tenir un cheval. Intelligent, il aimait étudier sa bête, la dresser, lui imposer ses volontés, faire rendre au mieux ce merveilleux organisme conscient qu'est la bête de course, le cheval de sang.

Par malheur, si l'équitation plaisait à Fandor, elle ne devait lui plaire et n'aurait plu à personne alors qu'il s'agissait de monter la jument noire.

Le jeune homme dut s'en rendre compte dix minutes plus tard.

Brusquement, en effet, comme il passait au trot maintenu, son cheval bien rassemblé, devant Bridge marchand au pas sur l'un des bas-côtés de la route, l'entraîneur l'apostrophait :

— Qu'est-ce que c'est que cette tenue de rênes ?... Vous fatiguez la bouche... de la légèreté !...

Et en même temps, sans doute pour appuyer ses dires, Bridge cinglait d'un coup de cravache la croupe de l'animal.

Peu accoutumée naturellement à de pareils traitements, la jument frémissait, ruait, faisait un formidable écart.

— Nom d'un chien ! jura Fandor.

Il avait repris la bête des jambes, il la maintenait toute frémissante, il esquivait la chute.

Mais le coup avait été si brusque que Fandor perdait patience ! Sur sa selle à demi, il se retourna vers Bridge.

Un instant les deux hommes se toisèrent.

Fandor, depuis quelque temps, n'avait plus guère d'illusions au sujet de l'honnêteté de Bridge.

L'entraîneur de son côté s'était-il aperçu de la surveillance dont il était l'objet de la part de son jockey ?

Il y eut en tout cas, dans l'échange de leurs regards, comme une étincelle de lutte, comme une menace implicite...

— Eh bien ?... demanda Bridge.

Fandor, froidement, bien que d'une voix tremblante de colère, répliqua :

— Prenez garde !

Bridge pâlit un peu, poussa son poney vers le jockey :

— Qu'est-ce qui vous prend, Scott ? à quoi dois-je faire attention ?

Il narguait ouvertement.

Peut-être désirait-il pousser Scott à quelque insulte, peut-être espérait-il exaspérer le jeune homme et, s'il avait des soupçons à son égard, le contraindre à se démasquer...

Bridge, en ce cas, se trompait étrangement sur le faux Scott !

Le journaliste en effet s'était repris, il avait dompté sa colère, impassible et froid, il répliqua simplement :

— C'est à la jument, monsieur Bridge, qu'il faut prendre garde, si vous la maltraitez ainsi, vous allez l'énerver...

— Et après ?

— Et après, j'ai bien peur, monsieur Bridge, qu'il n'arrive un malheur.

A ce moment, au trot, les jockeys repassaient devant l'entraîneur.

Bridge, lui aussi, se contint.

Devant le regard pénétrant de Fandor, l'assassin de René Baudry baissa les yeux.

— Je sais ce que j'ai à faire, Scott, répondit-il, et je n'ai point d'ordres à recevoir de vous.

Puis il cria :

— Changement de mains. Conversion complète vers l'allée cavalière.

Le trot sur la route était fini ; on allait maintenant conduire les bêtes à la véritable piste d'entraînement, les mener vers les obstacles que, petit à petit, on les habituait à franchir.

Bridge avait repris la tête du cortège, Fandor venait en serre-file.

Mais décidément, la bonne entente qui s'était un instant établie entre le cavalier et sa monture était désormais rompue.

Le coup de cravache cruellement appliqué sur le flanc de la bête l'avait énervée à l'extrême. Fandor devait se rendre compte qu'il n'avait point trop de toute sa force pour la retenir.

Il tenait les rênes à pleines mains, il luttait continuellement, pourtant il ne mettait point son cheval au pas, incapable de maîtriser ses bonds nerveux.

— Sûrement, décida Fandor, je vais me casser la figure tout à l'heure, si je dois franchir l'obstacle.

Et intérieurement il se félicita.

— Enfin ! je n'ai pas d'étriers, si je boule, si je fais panache, je tâcherai de tomber de côté.

Il fallait véritablement au jeune homme une extraordinaire audace pour continuer à jouer son rôle de jockey.

Certes, Fandor était brave, et maintes fois déjà il avait donné des preuves de son audace, et puis il était, il est vrai, un cavalier consommé. Fandor, jadis, avait vécu quelque temps au Natal, sans doute ce séjour dans ces plaines immenses dresse un homme, les chevaux sauvages rendent vite un simple cavalier aussi habile qu'un véritable cow-boy [1].

Toutefois, l'aventure où il était engagé semblait tout de même fort périlleuse.

Et il se rendait nettement compte que l'entraîneur ne désirait qu'une chose, que son jockey tombât, qu'il se blessât grièvement.

— Fichue situation ! estima Fandor. Bah ! l'on s'en tirera tout de même...

La petite troupe de jockeys arrivait à ce moment tout juste à l'entrée de l'allée cavalière.

Il y avait là deux pistes parallèles, que fréquentaient assidûment tous les élèves de Maisons-Laffitte.

Bridge commanda :

— Tout le monde sur l'obstacle. Un par un, à trois distances, je veux de l'ensemble.

---

1. Voir dans la série « Fantômas » : *La Fille de Fantômas, Le Fiacre de nuit* et *La Main coupée*, etc.

Il avait poussé lui-même son cheval jusqu'à la hauteur de la haie, il commanda encore :

— Vous, Scott, chaussez-moi les étriers, et profond ! Il faut que vous preniez l'habitude du steeple, mon garçon...

Fandor fit naturellement la grimace.

Il savait que la jument noire sautait mal, qu'elle butait souvent en franchissant les haies, lorsqu'elle ne se dérobait point d'un brusque écart.

Il se dit :

— Pas d'étriers tout à l'heure au moment où il excitait ma bête, les étriers maintenant qu'il faut sauter, décidément, c'est clair ! il veut me fiche à bas !...

A tour de rôle, cependant, les jockeys s'élançaient.

Les bêtes de Bridge, à l'exception de celle que montait Fandor, étaient vraiment de merveilleux animaux.

L'entraîneur, habile comme pas un, les dressait parfaitement.

C'était plaisir de les voir partir, franchement, prendre sous la main les cavaliers qui les montaient, s'enlever à l'obstacle, passer aisément, galoper à nouveau, disparaître dans le lointain, au tournant d'une allée.

Ce fut enfin le tour de Fandor.

— Eh bien, Scott, quand vous voudrez !

La voix de Bridge, impérative, fit tressaillir le jeune homme.

— L'animal ! Il médite encore quelque chose, pensa Fandor.

Mais il fallait sauter ou trahir son identité. Il fallait passer l'obstacle ou renoncer à cette enquête passionnante.

Fandor n'hésita pas.

Il rassemblait son cheval, rendait la main, partait.

La jument, nerveuse, fonça droit devant elle sur la haie.

— Tiens, pensa Fandor, elle ne se dérobe pas...

Il tenait sa bête, prenait garde.

A trois mètres de la haie, instinctivement Fandor pensa :

— Tout marche bien, elle saute...

Mais à ce moment, Bridge, qui était près de l'obstacle, tranquillement tirait de sa poche un grand mouchoir qu'il déployait d'un geste vif.

Naturellement, la jument bronchait. Un brusque écart la jetait de côté.

Fandor se vit perdu.

C'était la culbute certaine.

Mais, vif, impétueux, il redressait sa bête.

La cravache de Fandor cingla dans l'air. Il se pendit à la rêne. Il ne portait pas d'éperons, mais il heurta du talon le flanc en sueur de l'animal...

Et ce fut l'affaire d'une seconde.

Domptée, se sentant maîtrisée, la bête coupa son écart, sauta, trébucha, se releva sous le cinglement de la cravache, fila droit !...

Fandor, un instant plus tard, revenait au pas vers Bridge.

— Pas mal passé ? demanda-t-il.

L'entraîneur mordait sa moustache.

— Vous ne trouvez pas ? insista Fandor.

Bridge haussa les épaules :

— Vous, dit-il, je vous dresserai...

Et de sa voix de commandement, il ordonnait :

— Un quart de pas pour tout le monde. Vous, Scott, suivez-moi. C'est un galop de cent mètres que je veux.

Que se préparait-il encore ?

Fandor, toujours maîtrisant son abominable monture, dut accompagner l'entraîneur.

Bridge le menait vers la seconde allée cavalière, qui ne comportait pas d'obstacle.

— Vous m'entendez ? demandait alors l'assassin de René Baudry à son soi-disant jockey, je veux voir décidément ce que vous valez. Faites-moi droit devant vous un cent mètres. Je prends les temps. Si le cheval va bien, si vous menez net, vous monterez à une prochaine réunion. Allez !

Fandor ne répondit pas.

Une fois encore il lançait sa monture. Il lui venait à l'idée que si Bridge lui imposait cette dernière épreuve, c'était sans doute qu'il espérait que la jument allait s'emballer.

Sur le plat, toutefois, Fandor se sentait beaucoup plus rassuré qu'en piste d'obstacle. Une émulation d'ailleurs le gagnait.

Il lui semblait qu'il jouait sa vie contre Bridge, que l'entraîneur s'acharnait à vouloir un accident, et cela l'amusait de se défendre, de sauver, par son habileté, cette vie qu'un autre décidait froidement de lui ravir.

— Allez ! répétait Bridge.

La jument partit.

La bête vicieuse, bientôt, s'énervait elle-même au bruit de sa course détendue en un galop fou, elle rasait le sol, réellement ventre à terre. Fandor qui d'abord l'avait poussée, comprit qu'il devait la retenir désormais. C'était, sans cela, une galopade à la mort.

Mais il était trop tard pour agir !

Énervée par tous les incidents de la matinée, la jument, enfin lâchée, avait pris le mors aux dents.

— Vouloir la retenir, c'était tenter l'impossible !

— Bien, se dit Fandor dans un éclair de pensée, je suis parfaitement emballé... Eh bien ! du sang-froid ! et l'on verra qui de nous deux, Bridge ou moi, sortira vainqueur de l'affaire.

Campé sur sa selle, le corps en avant, Fandor tenta la seule manœuvre qu'il pouvait à ce moment essayer.

Retenir la bête était impossible, il la poussa.

Ses talons martelèrent le flanc de la jument. Sa cravache cingla l'épaule.

Parbleu ! l'on verrait bien si la bête ne s'épuiserait pas avant d'arriver au bout de l'allée cavalière, avant le virage, où sans cela, immanquablement elle allait se jeter contre les arbres.

Mais l'animal, malheureusement, ne semblait point s'épuiser.

Ses foulées se faisaient au contraire plus rapides, plus larges.

Les rênes lâches, abandonnée à la folie, elle fendait l'espace à une allure folle.

— Je suis fichu ! pensa Fandor.

Le virage était à cent mètres.

Et, brusquement, alors, une scène effroyable se passait.

Comme Fandor sur son cheval, longeant l'allée, passait au triple galop, le jeune homme eut la vision très nette d'un obstacle surgissant à l'improviste.

Une corde qui était tendue au travers de l'allée, qui reposait à plat sur le sol, s'était relevée brusquement...

De tout son élan, le cheval se jetait contre elle, butait du poitrail dans cette barrière imprévue.

Bête et cavalier roulèrent dans un panache formidable.

Il y avait vingt chances pour une que Fandor fût assommé !...

Mais le hasard devait protéger l'extraordinaire jockey...

Tandis que la jument vicieuse demeurait immobile, les reins cassés, agonisant déjà, Fandor se relevait, étourdi certes, contusionné, mais indemne !...

Et, tandis qu'il faisait machinalement quelques pas en trébuchant, tandis qu'il apercevait au lointain la silhouette de Bridge qui trottinait à cheval, sur son paisible poney, dans sa direction, Fandor voyait fuyant à travers les bois la silhouette noire d'un homme, d'un homme qu'il reconnaissait et qui, sur un ton de rage inexprimable, venait de crier :

— Manqué !

Fandor, alors, serra les poings.

Il voulut s'élancer, mais ses jambes chancelaient :

— Fantômas ! hurla-t-il, Fantômas !

Bridge était, quelques secondes plus tard, aux côtés de son jockey.

— Maudit Scott ! jurait-il, m'avoir tué un cheval !...

Puis, comme d'autres jockeys arrivaient, émus de l'accident, heureux de la mort de cette bête mauvaise, qu'ils craignaient tous, Bridge demandait :

— Mais bon sang, qu'est-ce qui vous est donc arrivé ?

Fandor haussa les épaules.

— Rien, absolument rien !... La bête a manqué des quatre fers, voilà tout...

Il cherchait du regard la corde qui avait occasionné sa chute, mais elle ne traînait plus sur le sol, il n'y avait plus de preuve de l'attentat...

Fantômas, car c'était bien Fantômas qu'il avait reconnu, avait fait disparaître ce seul indice du crime qu'il venait de tenter, et auquel Fandor, si miraculeusement, venait d'échapper !...

XIX

Qui est Bridge ?

— Aux courses d'Auteuil ! Entendu, patron... et où faut-il vous mener ? Au pavillon ? à la pelouse ?

Le conducteur de taxi, qui venait de recevoir l'ordre de conduire ses voyageurs au champ de courses, s'entendit admonester vertement siôt après avoir posé cette question :

— Non... mais penses-tu, faisait l'un des clients qui venait de s'installer dans le landaulet... On voit bien, mon vieux, que tu ne nous a pas regardés. Au pesage, sapristi... Est-ce que nous avons des têtes à aller ailleurs qu'au pesage ?...

— Je vous demande bien pardon, patron... j'étais occupé après mon moteur, c'est pour cela que je ne me suis pas rendu compte de suite, mais c'est sûr en effet, que vous avez des têtes à payer un louis votre entrée...

Le voyageur n'avait rien rétorqué, il rentrait à l'intérieur du véhicule, son compagnon l'admonesta :

— Vraiment, Fandor, je ne te comprends pas. Non seulement tu deviens d'une hilarité digne de Bouzille ou des camelots de son espèce, mais encore, tu sembles d'une joie véritablement extraordinaire. Depuis une heure tu ne tiens pas en place.

C'était Fandor en effet, auquel s'adressaient ces reproches ; le journaliste, à coup sûr, les méritait !... Assurément, il s'était exprimé en s'adressant au mécanicien avec une familiarité peu distinguée ; mais encore, il était, depuis le matin même, d'une exubérante gaieté.

Le journaliste rétorqua à son compagnon :

— Que voulez-vous, mon brave Juve, il y a des jours dans la vie où on se sent plus en train que d'autres... J'ai comme une vague idée que nous allons faire aujourd'hui de la bonne besogne et que ce soir, nos enquêtes auront avancé d'un grand pas.

Fandor serrait la main du policier, qui murmurait entre ses dents :

— Puisses-tu avoir raison...

Puis le journaliste se reprenait :

— Notre homme est mûr pour être cueilli... si, d'une part, il ne se doute de rien, de l'autre, il éprouvera une confusion si grande, une surprise si extraordinaire, lorsqu'il se verra découvert, arrêté, qu'il sera incapable de conserver son sang-froid et qu'il parlera. Oui, vous verrez, Juve, qu'il parlera.

L'inspecteur de la Sûreté hocha la tête évasivement :

— Mais ne se doute-t-il de rien ?... c'est ce que je me demande...

— Pourquoi ? fit Fandor.

— Voici, continua Juve. A deux reprises différentes, nous avons essayé, tu le sais, de nous en emparer. Lorsque les agents ont reçu des ordres, lundi dernier, pour le mettre en état d'arrestation, le personnage a soudainement disparu au moment où tous mes hommes s'approchaient de lui ; peut-être a-t-il la conscience moins tranquille que tu ne te l'imagines, ou au contraire, se méfie-t-il de quelque chose !

Fandor haussa les épaules.

— Vous êtes bien toujours le même, Juve, sans cesse inquiet, sans cesse préoccupé, et toujours coupeur de cheveux en quatre. Non, je vous assure que si le gaillard s'est dérobé aux recherches de nos agents, lundi dernier, c'est uniquement parce que vos braves policiers ont manqué de flair et de prévoyance, ou alors qu'une circonstance fortuite a permis au poursuivi de disparaître sans se douter pour cela de la surveillance dont il était l'objet.

Juve ne répondait pas à Fandor, mais malgré lui, il se rappelait les propos que lui avaient tenus les inspecteurs, chargés de cette arrestation.

— Nous avions pris l'individu, déclaraient ceux-ci, en filature au pesage. Nous l'avons nettement suivi lorsqu'il s'est rendu au paddock, puis tout d'un coup, plus personne... nous étions, à ce moment-là, arrivés à côté de ces voitures automobiles qu'on appelle les vans, et qui servent à transporter les chevaux de course, depuis les parcs d'entraînement jusqu'à l'hippodrome...

Or, cette déclaration avait frappé Juve, et le policier s'était dit :

— Lorsqu'il s'agira d'effectuer à nouveau cette arrestation, on aura l'œil sur les vans automobiles...

Juve supposait, en effet, que le personnage poursuivi avait dû, à un moment donné, monter dans une de ces voitures et s'enfuir avec.

Le taxi-automobile, cependant, qui emmenait Juve et Fandor, parcourait à toute vitesse les grandes artères de l'ouest de Paris. Il avait monté l'avenue des Champs-Élysées et désormais, par l'avenue Victor-Hugo, gagnait le bois de Boulogne.

Il n'était pas loin de deux heures de l'après-midi, et de nombreux véhicules automobiles ou attelés menaient, à grande allure, les retardataires au champ de courses.

Lorsque Juve et Fandor, arrivés au pesage, eurent, d'un royal pourboire, déterminé les salutations de leur mécanicien, ils se trouvèrent mêlés à une foule considérable.

La saison d'Auteuil battait son plein, et bien qu'on fût un jour de la semaine, un mercredi, la population était venue immensément nombreuse assister à cette réunion.

Juve déclarait à Fandor :

— Désormais, quittons-nous. Et que chacun surveille ce qu'il doit surveiller.

— Avez-vous vos hommes ? demandait le journaliste.

Juve sourit :

— Tu peux en être certain.

Il désignait, à côté d'un kiosque à journaux, un élégant vieillard, qui semblait faire la cour à une marchande de fleurs.

— Voici Léon, déclara-t-il.

Puis, montrant un gros personnage à la figure joviale de cocher anglais, qui passait non loin des tribunes, il ajouta :

— Et voici Michel.

En vérité Fandor, bien qu'il fût habitué aux gens qui se grimaient, ne pouvait retenir un murmure d'admiration :

— C'est épatant..., disait-il à l'oreille de Juve, ce qu'ils sont bien maquillés... Moi qui les connais bien, je m'y trompais...

Cependant les tribunes se garnissaient de femmes élégantes et superbement empanachées.

Comme un rayon de soleil avait lui vers une heure, la plupart des femmes bien qu'on fût encore à la fin de l'hiver avaient arboré des toilettes printanières.

Le coup d'œil était superbe, pittoresque, attrayant. A un moment donné, on fit cercle autour de deux jolies filles, deux mannequins d'un couturier de la rue de la Paix qui exhibaient des toilettes sensationnelles.

Elles étaient portées d'ailleurs par des femmes qui savaient les faire valoir, et dont les silhouettes gracieuses, les tournures charmantes, avantageaient énormément le modèle produit...

Un murmure flatteur accompagnait leur passage, murmure émanant plutôt des hommes que des femmes, qui, avec une pointe de jalousie, ne pouvaient s'empêcher de reconnaître que ces mannequins étaient véritablement deux rêves de grâce et de beauté.

Quelqu'un soupira :

— C'est égal ! j'aime à croire que si je me faisais faire une robe pareille tous mes amis me la reprocheraient... Les hommes sont des imbéciles !...

C'était une vieille dame au visage maquillé, aux cheveux teints, qui s'exprimait ainsi.

On la connaissait aux courses, c'était une des habituées, une des plus vieilles habituées, comme disait le marquis de Serviac, commissaire des courses et mauvaise langue réputée.

Cette dame n'était autre que Zouzou, l'ancienne demi-mondaine, Zouzou, qui, toutefois, malgré certaines amertumes qu'elle laissait échapper, était radieuse depuis quelques jours.

Sa soirée avait parfaitement réussi, il y était venu des gens du monde et des artistes qui n'avaient pas craint de se produire chez la demi-mondaine.

En réalité, la fête avait été assommante, mais correcte au suprême degré, on devait cela à la présence officielle, au bal de Zouzou, dont il conduisait le cotillon, du prince de Crécy-Melin.

Or, depuis le lendemain du bal, le prince de Crécy-Melin semblait être devenu le cavalier servant de la vieille Zouzou. Il venait aux courses avec elle, dans sa voiture, on les avait vus se glisser un certain soir, vers minuit, à l'étage des cabinets particuliers, dans un restaurant élégant, et cela avait défrayé la chronique scandaleuse et mondaine.

Il paraissait inadmissible que le prince de Crécy-Melin se fût épris de l'ancienne beauté professionnelle, et l'on estimait qu'il y avait tout lieu de croire que c'était le contraire et que le prince, qui ne roulait pas sur l'or, y avait trouvé son avantage.

Ces opinions s'exprimaient dans un petit groupe de femmes à quelques pas du couple formé par Zouzou et le prince.

Dans ce groupe se trouvait Georgette. La jolie amie honoraire de Florestan d'Orgelès devenait, de plus en plus, une assidue du pesage. Elle était sans cesse vêtue de toilettes nouvelles, elle était arrivée ce jour-là en automobile, elle menait assurément grand train, et, si dans le groupe où elle se trouvait, nul ne faisait à ce sujet de commentaires, par ailleurs on commençait à s'intéresser vivement à cette gracieuse personne que nul ne connaissait quinze jours auparavant, et aussi à son amant, l'aimable vieillard aux cheveux blancs et au teint frais et rose dont on n'avait jamais entrevu la silhouette avant l'apparition de Georgette.

Celle-ci, cependant, venait de recevoir, toute souriante, les hommages respectueux du prince de Crécy-Melin, lorsque soudain elle devint toute pâle.

Cependant que le prince s'étonnait, elle lui désigna d'une main tremblante une jeune femme qui se glissait le long des tribunes.

— Là ! là !... fit-elle, qui est-ce ? Connaissez-vous cette dame ?

Le prince de Crécy-Melin suivait l'indication de Georgette.

— Il me semble, dit-il, l'avoir entrevue ici. Mais je ne la connais pas...

Cependant, le prince s'éloignait aussitôt, il ne perdait pas de vue la personne désignée par Georgette.

— Sapristi ! qu'elle est bien..., articulait-il, il faudra absolument que je me fasse présenter.

Or, la personne que voulait connaître le prince, et que lui avait désignée Georgette, n'était autre qu'Hélène, qui, si mystérieusement, à plusieurs reprises, était venue à l'hôtel de la rue Lalo.

Tandis que les papotages mondains faisaient fureur devant les tribunes, et que les parieurs s'empressaient au guichet du Mutuel, tandis que les premières courses avaient lieu, et que la foule soulignait les victoires ou les défaites de hurlements satisfaits ou furieux, par le souterrain qui réunit la pelouse au pesage, trois hommes en entraînant un quatrième se frayaient un passage dans la multitude.

A les considérer, à voir leurs grosses moustaches noires, et les énormes souliers dont étaient chaussés leurs pieds, à observer leurs vêtements, simples et modestes, faits de drap solide mais mal coupé, on se rendait compte immédiatement qu'il s'agissait là d'agents de la Sûreté.

Ces trois hommes entraînaient avec eux, vers le petit local du commissariat spécial dissimulé dans un coin désert du pesage, un maigre individu au teint pâle, aux yeux clairs, qui se débattait faiblement.

Il avait une tête tragique cet homme, l'air à la fois souffreteux et méchant.

Lorsqu'il fut arrivé au commissariat spécial, cependant que les agents s'efforçaient de lui faire décliner ses noms et qualités, Juve, qui rôdait dans le voisinage, et qui était accouru aussitôt, le dévisageait.

Puis, tout d'un coup, le policier proférait :

— Ah par exemple, te voilà, Mort-Subite ?...

C'était en effet le sinistre apache, camarade de Bec-de-Gaz et d'Œil-de-Bœuf, lieutenant du Bedeau, que les policiers avaient amené [1]...

Mort-Subite reconnaissait Juve.

— Salut, monsieur l'inspecteur, fit-il. C'est bien de l'honneur pour moi que de comparaître devant vous !

Le policier n'avait pas pour habitude de maltraiter les gens qu'il considérait comme des vaincus, à dater de l'instant où ils étaient pris.

Cordialement, il posa la main sur l'épaule de Mort-Subite et articula :

— Alors comme ça, tu viens de te faire coffrer ?... Qu'as-tu fait ?

Mort-Subite commençait des explications confuses, longues, incompréhensibles. Juve l'interrompit :

— Ça ne va pas, mon vieux, du moment que tu veux te payer ma tête, je te retire la parole... Les agents vont m'expliquer pourquoi ils t'ont fait.

L'un des hommes qui avaient arrêté Mort-Subite expliquait alors clairement au célèbre inspecteur :

— Voilà, monsieur Juve, c'est bien simple : l'homme ici présent, et que vous avez reconnu pour être un nommé Mort-Subite, a été surpris par nous, vendant de faux journaux officiels, sur la pelouse.

---

1. Voir dans le présent volume : *Les Amours d'un prince* et *Le Bouquet tragique*.

— Qu'entendez-vous par là ? fit Juve. Comment peut-on vendre de faux journaux officiels ?

Un deuxième agent intervenait :

— Monsieur l'Inspecteur, vous savez bien que la Société des courses fait éditer un programme, un programme officiel sur lequel figurent les numéros correspondant aux chevaux affichés au tableau des départs. On ne peut se procurer ce programme qu'une fois sur le champ de courses. Sa vente constitue, car le prix en est fort élevé, un des bénéfices importants de la Société. L'officiel et la carte cela coûte cinq sous...

— Je sais..., fit vivement Juve.

— Eh bien, monsieur, ce gaillard-là s'arrangeait pour arriver de très bonne heure au champ de courses, avec une liasse de journaux que nous avons saisis et que voici...

« A côté du nom des chevaux, imprimé d'avance, on a laissé une colonne en blanc ; or, notre gaillard, pour cinq sous, achète le programme officiel, puis, au crayon, hâtivement, il reporte sur sa feuille les numéros du programme. Dès lors, il a fait une véritable contrefaçon du programme officiel et il vend, dès lors, son papier quinze centimes alors que l'officiel est vendu vingt-cinq. Voilà déjà quelques jours que la Société des courses s'était plainte à nous de ses agissements... nous avons pincé l'individu sur le fait et le voilà !...

Mort-Subite avait écouté avec attention le récit que venait de faire l'agent. Voyant que Juve restait silencieux, il hasarda :

— Croyez-vous, monsieur l'inspecteur, que c'est trouvé ce truc-là ! C'est bête comme l'œuf de Christophe Colomb ou comme le fil à couper le beurre, mais voilà... il fallait y penser...

— Évidemment, évidemment, reconnut Juve, qui, à ce moment, en réalité, pensait à tout autre chose.

Il venait d'apercevoir, dans la foule qui allait et venait des baraques du Mutuel aux tribunes, Fandor, marchant à pas pressés, Fandor qui semblait chercher quelqu'un.

Le journaliste cherchait Juve évidemment.

Dès lors, le policier cessait de s'intéresser au cas de Mort-Subite. Il l'abandonnait à son triste sort et s'empressait de rejoindre le journaliste aussi vite que le lui permettait son état de santé.

Juve, en effet, commençait à peine à se rétablir et il avait fallu qu'il insistât auprès de son médecin, qu'il le menaçât de ne plus prendre la moindre précaution, pour obtenir du docteur l'autorisation de se réserver trois fois par semaine quelques heures de liberté pour venir aux courses.

Juve, cependant, avait rejoint Fandor ; lorsque le journaliste l'aperçut, il vint à lui, l'air bouleversé.

— Cette fois, Juve, articula Fandor, je vais vous dire quelque chose d'extraordinaire qui va vous remplir de joie : mais attention... mon vieux Juve, cramponnez-vous, car ce que je vais vous apprendre est tellement inattendu que vous allez sûrement tomber à la renverse si vous n'êtes pas appuyé sur quelque chose de solide...

Juve, sans prendre la précaution recommandée par Fandor, levait sur lui des yeux interrogateurs.

— Voilà, commença le journaliste. Depuis longtemps je m'en doutais et je viens d'en avoir la preuve formelle... Juve, le fils de Fantômas, ce fameux Vladimir qui marche si terriblement sur les traces de son père, je l'ai découvert, démasqué...

Le journaliste n'en disait pas plus : encore que l'information qu'il apportait au policier fût réellement sensationnelle, celui-ci n'avait pas continué à écouter Fandor.

Juve, cependant, n'était pas tombé à la renverse, comme l'avait prédit son ami, il avait simplement disparu dans la foule, il avait brusquement lâché Fandor, sur un signe du personnage aux allures de cocher anglais qui n'était autre que Michel.

Alors que Juve s'approchait de Michel, celui-ci lui murmurait à l'oreille :

— C'est la même histoire que l'autre jour, nous l'avons filé au moment où il revenait de la tribune réservée des entraîneurs... après avoir fait le tour des tribunes du public, il a traversé en biais les hémicycles des cabines du Mutuel, puis il est entré dans le paddock. Que faut-il faire ?

Juve, sans hésitation, renseignait Michel :

— Il faut intervenir cette fois et l'arrêter ; mais pas de scandale, du tact... Où est Léon ?

Voyant que l'heure devenait grave, Michel affectait une attitude sérieuse.

— Léon, fit-il, est installé à côté du pesage des jockeys.

— C'est bien, poursuivit Juve, qu'il y reste et qu'il ouvre l'œil. Vous allez faire cerner le paddock par vos agents, puis vous vous introduirez vous-même à l'intérieur... vous aborderez notre homme sous un prétexte quelconque, dès lors, vous l'amènerez insensiblement dans la direction des vans automobiles. Je me trouverai là, et vous me laisserez faire.

— Bien patron !

Dans le paddock, entraîneurs, jockeys, lads d'écuries devisaient en se promenant, allant et venant sur la pelouse de gazon, écartant d'un geste du pied les cailloux, les pierres, les obstacles qui pouvaient se trouver sur le passage éventuel des chevaux.

On entourait l'entrée de Bridge qui pérorait selon sa coutume.

Il venait de faire, disait-on, un gros pari sur un cheval qui n'avait que fort peu de chance ; toutefois, ceux qui l'entendaient tant parler hochaient la tête d'un air entendu.

Bridge avait beau être un blagueur et sans cesse vanter les chevaux qu'il avait entraînés, il fallait reconnaître, malgré tout, que le cheval sur lequel il avait fortement misé, Soleil III, avait réellement sa chance.

— Il part à douze contre un..., observait un lad.

Celui-ci se penchait à l'oreille d'un de ses voisins, et les deux jeunes gens, après avoir fouillé leurs poches d'un air mystérieux, quittaient le groupe, enjambaient la balustrade du paddock et se rendaient au Mutuel pour jouer sur le cheval que recommandait Bridge.

Celui-ci, cependant, s'arrêta de bavarder. On venait de sonner la cloche du départ.

— Allons voir la course..., cria-t-il.

Le groupe s'éparpilla, lorsqu'un gros homme à la face réjouie s'approcha de Bridge.

— Pardon, monsieur, lui dit-il en anglais, je suis entraîneur moi-même à Liverpool et je désirerais avoir un entretien avec vous. Mon associé, d'ailleurs, qui n'est pas loin, voudrait bien faire votre connaissance.

Bridge regardait d'un air méfiant l'individu qui lui adressait la parole.

— Je serais très volontiers à vos ordres, fit-il, mais dans un instant, car je veux voir la course.

Il allait s'éclipser, le gros Anglais à la face joviale le retint par le bras.

— Minute, fit-il sèchement, il est indispensable que nous puissions causer à l'instant même...

Bridge considéra son interlocuteur, puis ses traits se crispèrent l'espace d'un instant, il pâlit légèrement.

Le gros Anglais ou soi-disant tel, car cet entraîneur de Liverpool n'était autre que Michel, eut l'impression que Bridge allait lui échapper.

Michel pensait :

— Il n'ira pas loin, car, comme me l'a recommandé le patron, j'ai l'œil...

Soudainement, Bridge parut se résigner.

— Soit, dit-il, je ne verrai pas la course, allons causer au bar... Mais auparavant, permettez que je passe près de mon van, il faut que je regarde quelque chose. Il s'agit d'une pouliche qui est blessée et que l'on n'a pas pu descendre.

— Parfait ! pensa Michel, notre homme ne se doute pas que Juve l'attend près de son van automobile, il va se jeter dans la gueule du loup.

Bridge, ayant tourné les talons, se rendait lentement dans la direction des vans.

Michel le suivait à distance.

Cependant, Fandor était resté complètement abasourdi du brusque départ de Juve. Le journaliste poussa un sourd juron :

— Non d'un chien ! pour dire qu'il est curieux, il ne l'est pas. Comment ? je viens lui apprendre quelque chose d'absolument ahurissant, je l'en préviens, et il ne daigne même pas écouter.

Fandor, cependant, fronçait les sourcils.

— Juve a eu tort. Juve n'est pas sérieux. Il croit que c'est une baliverne quelconque que je vais lui raconter, or, il est indispensable qu'il sache, et qu'il sache de suite, où peut-il bien être passé ?...

Fandor fit quelques pas dans la foule, celle-ci, à ce moment, descendant du Mutuel et du paddock, se dirigeait vers les tribunes. Fandor avait peine à en remonter le courant.

Il s'arrêta soudain face à face avec une jeune femme qui poussa un cri en l'apercevant.

Fandor, lui aussi, ne pouvait retenir une exclamation de surprise.

— Hélène ? articula-t-il.

C'était, en effet, la mystérieuse fiancée du journaliste. Elle venait de se jeter pour ainsi dire sur lui, marchant d'un pas pressé. Fandor s'était arrêté ; Hélène continuait son chemin. Elle avait le temps cependant de murmurer au journaliste ces quelques mots que Fandor retenait :

— Ce soir, huit heures... besoin de vous parler, ne me suivez pas... à tout à l'heure...

— Décidément, articulait Fandor, je n'ai pas de chance aujourd'hui, tout le monde me plaque...

Obéissant à Hélène, ne cherchant pas à la suivre, le journaliste allait repartir dans la direction du paddock, où il pensait trouver Juve, lorsqu'une main se posa sur son bras, en même temps qu'une voix angoissée murmurait à son oreille :

— Monsieur, je vous en prie, un instant...

Le journaliste tourna la tête, la personne qui l'arrêtait au passage était Georgette Simonot.

La jolie femme avait un air très ému qui n'échappait point à Fandor.

Celui-ci la salua très aimablement. Il avait continué avec elle les relations ébauchées dans de si tragiques circonstances, lors de l'assassinat de René Baudry.

Précisément le matin même, il avait reçu de Georgette une invitation pour une soirée que la jeune femme donnait le surlendemain dans son hôtel de la rue Lalo...

Et Fandor commençait à la remercier, à lui dire qu'il acceptait volontiers de s'y rendre, lorsque Georgette l'interrompant lui demanda :

— Monsieur Fandor, la personne avec qui vous parliez à l'instant, la jeune fille qui vient de vous croiser... la connaissez-vous ? comment s'appelle-t-elle ?

Fandor demeura interloqué.

Pourquoi Georgette s'intéressait-elle à Hélène ?... que dissimulait cette question ?

Et Fandor hésitait à répondre, Georgette était trop troublée pour s'apercevoir de l'attitude du jeune homme et suivant sa propre pensée, elle interrogea :

— De grâce, monsieur, dites-le-moi !... Cette personne ne serait-elle pas la fille de Florestan d'Orgelès ?...

L'idée parut si bizarre, si comique à Fandor, que le journaliste éclata de rire.

Mais, en même temps, il se disait :

— Je voudrais bien m'en aller. Cette Georgette va me poser des questions sans doute auxquelles il ne me plairait pas de répondre sans avoir au préalable prévenu Hélène de la curiosité de cette Mme Simonot... Comment s'en débarrasser ?

Georgette, en effet, interrogeait.

— De grâce, monsieur, dites-le-moi...

— Ma foi, pensa Fandor, jusqu'à présent, depuis une demi-heure, chaque fois que je commence une conversation avec quelqu'un, ce quelqu'un disparaît brusquement. C'est une façon pratique d'éluder les questions indiscrètes... Pourquoi ne ferais-je pas de même ?...

Et dès lors, profitant d'un remous de la foule, Fandor disparaissait, laissant Georgette Simonot seule, absolument stupéfiée.

— Eh bien, patron ?

Deux hommes interrogeaient Juve.

C'était Léon et Michel. Les deux inspecteurs de police venaient de filer Bridge pendant quelques instants. Puis brusquement au moment où l'entraîneur tournait autour d'un van, ils le perdaient de vue.

Michel faisait le tour du véhicule et, dès lors, tombait sur Juve placé de l'autre côté en observation.

Ces interrogations avaient été proférées à voix basse, pour ainsi dire, à l'instant même où Bridge avait disparu.

Juve ne répondit rien, mais faisant un geste imperceptible du doigt, il désigna un certain van automobile dont la porte était fermée et dans lequel se trouvait un cheval.

— Là, articula-t-il enfin, vous allez y rentrer par un bout et en sortir par l'autre.

Juve donnait ses ordres à Michel, il prescrivait d'autre part à Léon :

— Allez vous mettre à la tête de la voiture et s'il en sort, bouclez, est-ce compris...

— Compris, patron...

Les deux inspecteurs interrogeaient encore :

— Et s'il n'y a personne dans le véhicule ?

— Ne manifestez aucun étonnement, en ayant l'air de bavarder comme si rien ne venait de se passer.

Michel, cependant que Léon allait rapidement rejoindre son poste en tête du camion automobile, pénétrait par l'arrière de la voiture.

Le policier se trouva d'abord dans l'obscurité, puis, ses yeux s'étant habitués, il aperçut, couché dans un angle de la voiture, un cheval qui remuait la tête en le voyant arriver.

En quelques monosyllabes, Michel calmait la bête, et celle-ci, ne s'effarouchant point, demeurait tranquille.

Au bout d'un instant, le policier sortit sa lampe électrique de poche et éclaira l'intérieur du van.

A part le cheval couché, malade sans doute, qui en occupait une bonne moitié, il n'y avait personne dans la voiture...

Comme l'avait prescrit Juve, Michel sortit par l'avant, et le camion fermé se replongea dans le noir.

Puis ce fut, à l'intérieur de la voiture, le silence le plus absolu. Quelqu'un, toutefois, veillait dans l'ombre, quelqu'un qui était entré sur les talons de Michel, et qui n'était pas sorti.

Ce quelqu'un c'était Juve !

Le policier pensa :

— Bridge est entré là tout à l'heure, et il n'en est pas sorti. C'est donc qu'il s'y trouve encore, Michel est un imbécile de ne pas l'avoir découvert.

Le temps passait, cependant, et Juve, loin de s'impatienter, s'amusait prodigieusement.

Dans son for intérieur, le policier monologuait :

— Tel père, tel fils, a dit Fandor... Fandor se trompe ! Jamais le père n'aurait employé de si grossiers procédés... quand je pense que son cheval remue peut-être la tête, mais qu'il ne respire pas... c'est enfantin !

Quiconque aurait su ce que pensait Juve, à ce moment, se serait demandé si le policier n'était pas fou...

Que pouvait vouloir bien dire, en effet, la réflexion qu'il se faisait ?

Quelques instants après, cependant, un léger bruit semblait provenir de l'intérieur du van automobile. Les yeux de Juve voyaient à peu près clair, grâce au jour qui pénétrait par les interstices des planches constituant les parois du van, et par une ouverture pratiquée dans le plafond.

Une chose extraordinaire se produisait.

Le flanc du cheval couché venait de se soulever lentement, le ventre de la bête s'ouvrait, et du ventre sortait un homme à la tournure misérable et sordide, un homme aux allures de mendiant, enveloppé dans une houppelande sale et portant au menton une barbe hirsute.

Cet homme, en sortant avec précaution de son extraordinaire cachette, tournait le dos à Juve et ne pouvait l'apercevoir.

Le policier ricanait en lui-même.

— Il n'y a pas à dire, c'est un enfant, mais je l'aurais cru plus fort que cela !... L'idée, quoique peu neuve, n'est pas trop mauvaise... Notre homme a fait construire un cheval artificiel qui remue la tête à l'occasion et qui, couché, a une pose très naturelle, le ventre de cette bête lui sert de cachette, c'est évidemment très bien... La preuve en est que mes hommes avant-hier ne l'ont pas découvert... mais il suffit de réfléchir un instant, et lorsqu'on réfléchit on se rend compte qu'à force d'être ingénieuse, cette cachette est tout bonnement enfantine.

Juve, cependant, cessait de penser pour agir ; avec une agilité qu'on n'aurait pu soupçonner, eu égard à son état de santé, avec une vigueur que décuplait en lui l'ardeur de la chasse à laquelle il se livrait, Juve bondissait soudain sur le sordide personnage qui venait de s'extraire des flancs du faux cheval.

En même temps, l'inspecteur de la Sûreté appelait :

— A moi, Michel !... à moi, Léon !

Quelques secondes après, les trois policiers ligotaient étroitement l'homme que Juve venait d'appréhender.

Celui-ci n'avait pas proféré un mot, pas fait un geste. Toutefois il s'était débattu avec une folle énergie. Désormais, il se sentait pris, irrémédiablement, et, résigné sans doute, ne bougeait plus.

Michel avait allumé sa lampe électrique, il en projetait le faisceau lumineux sur le visage de l'homme.

Juve, dès lors, avec une brusquerie rapide, arrachait de ses mains nerveuses la barbe et les cheveux postiches du sordide personnage, un visage glabre apparut.

Michel proféra :

— Eh bien, monsieur Bridge, nous vous tenons cette fois !

Mais Juve interrompait son subordonné.

— Bridge ? articula-t-il, peut-être... C'est Bridge, en effet, que nous venons de découvrir sous cette fausse barbe, la tête affublée de cette perruque ; mais savez-vous, mes enfants, qui est Bridge ?

XX

Le fils de Fantômas

La voix impérative, le ton catégorique, Juve répétait son interrogation qui n'était pas sans surprendre quelque peu les dévoués inspecteurs qui, une fois de plus, venaient de lui prêter main-forte et de lui faciliter une opération réellement difficile.

— Savez-vous qui vous venez d'arrêter ? demandait Juve.

Interdit, Michel riposta :

— Mais... sans doute... C'est l'entraîneur Bridge ?

Juve sourit : il toisait en ce moment le prisonnier d'une façon extraordinaire. Il semblait, lui qui d'ordinaire était modeste, et n'affectait jamais une attitude de triomphe à l'égard des pauvres bougres qu'il mettait en état d'arrestation, il semblait, tout au contraire, satisfait... et haineux.

Vraiment, oui, dans l'attitude de Juve, il y avait comme une extraordinaire satisfaction, comme une haine réelle, aussi, à l'égard de ce prisonnier que Léon et Michel maintenaient solidement.

— L'entraîneur Bridge ? repartit Juve. Oui ! c'est l'entraîneur Bridge... mais c'est encore quelqu'un d'autre ; quelqu'un de bien plus intéressant à prendre, quelqu'un que la police recherche depuis longtemps et que tous les honnêtes gens seront heureux de voir mettre en prison !

Juve faisait un pas qui le rapprochait de l'homme arrêté, et lui demandait brusquement :

— Bridge, voulez-vous reconnaître votre identité ?

Or, le prisonnier, à cette question, avait un extraordinaire sourire, un sourire goguenard et amusé. Il semblait parfaitement comprendre les mystérieuses paroles de Juve, mais il semblait aussi n'en concevoir aucune inquiétude, et regardait le policier en homme qui s'apprête à soutenir une lutte difficile mais dans laquelle il est cependant certain de triompher facilement.

— Je ne sais pas ce que vous voulez dire ! riposta le prisonnier, ayant l'air de narguer Juve. Si vous demandez à ce que je reconnaisse mon identité de Bridge, soit, je ne ferai pas de difficulté !...

Il raillait encore :

— Vous m'arrêtez, sans doute, monsieur Juve, pour quelque insignifiante irrégularité, relevée dans ma conduite d'entraîneur ? Suis-je accusé d'avoir dopé un cheval ? Suis-je poursuivi pour avoir couru sans une licence régulière ? Que me reproche-t-on ?

Il y avait tant de froideur, tant d'autorité, tant de moquerie aussi dans les paroles du prisonnier qu'un instant Juve, le bon Juve, le maître policier qui, d'ordinaire, ne se départait jamais de son tranquille sang-froid, semblait perdre la tête.

Juve frémit. Un frisson le secouait des pieds à la tête, son regard lança des éclairs ; il se rapprocha encore d'un pas du prisonnier :

— Trêve de plaisanterie ! fit Juve durement ; l'entraîneur Bridge n'a point en ce moment motif à railler !... Bridge ? allons donc ! ce n'est pas Bridge que je fais arrêter ; Bridge importe peu en vérité !

— Qui est-ce alors ? demanda le prisonnier, cependant que Léon et Michel, de plus en plus surpris, commençaient à se demander ce que signifiait cette étrange scène.

Juve, d'un mot, les renseigna.

— Ce n'est pas Bridge que j'arrête, répétait Juve avec force ; c'est le plus lâche des assassins, c'est le plus monstrueux des criminels !

— C'est Fantômas, alors ? railla le prisonnier.

Juve haussa les épaules.

— Vous n'êtes pas Fantômas, articulait-il avec force ; mais vous êtes son âme damnée, vous êtes son fils, vous êtes le prince Vladimir, vous êtes le misérable qui vous vantez d'imiter ce bandit et de marcher sur ses brisées !

Juve venait de parler avec force, presque avec rage. Une colère contenue faisait trembler sa voix ; on sentait, rien qu'à son ton, toute la joie qu'il avait de s'être enfin emparé du prince Vladimir, si réellement il ne se trompait point, si Bridge était l'identité fausse sous laquelle se cachait, en effet, le fils de Fantômas...

Bridge, cependant, après avoir écouté Juve, avec une très grande attention, mais après avoir un peu pâli, changeait brusquement d'attitude.

Juve n'était pas encore calmé que le misérable renversait la tête en arrière, et soudain, de la plus naturelle façon, éclatait d'un grand rire !

— Ah ! par exemple ! faisait-il.

Et quand il eut fini de rire, quand il fut redevenu sérieux, en apparence avec beaucoup de peine, il protestait encore :

— Monsieur Juve, vous avez une imagination de tous les instants et de toutes les minutes ! Vraiment vous me prenez pour le fils de Fantômas ? Ah ! cela, je ne m'y attendais pas ! Et qu'est-ce qui me vaut cet honneur ?

Juve, un instant, devant ces railleries continuelles, se sentait envahi de rage. Il se serait volontiers jeté sur cet homme, qui le narguait ainsi et qui, digne descendant du Génie du crime, digne fils de Fantômas, gardait dans de si tragiques circonstances un sang-froid si parfait.

Juve se tut, cependant. Il se contentait de toiser encore du regard son adversaire ; il haussait les épaules.

Bridge, alors, devant cette attitude dédaigneuse, se troublait à son tour quelque peu.

— Tout cela est enfantin ! faisait-il sèchement ; et j'ai hâte d'en finir. Si vous avez des preuves contre moi, je vous somme de me les fournir, si vous n'en avez point, relâchez-moi... et rapidement !

« D'ailleurs, vous ne m'avez toujours pas dit pourquoi vous m'arrêtiez ?

Mais Bridge, cette fois, dépassait véritablement les limites de l'impudence.

Jusqu'alors, Juve s'était dominé avec peine, désormais, il se contentait à son tour de se moquer du prisonnier :

— Je n'ai point d'ordres à recevoir de vous, et j'ai des instructions précises, tout au contraire, à vous fournir, prince Vladimir ! répondit Juve : vous demandez pourquoi je vous arrête ; soit, apprenez-le !

« Je vous arrête, Bridge-Vladimir, à l'occasion de votre dernier crime. C'est vous qui avez assassiné le malheureux paysan Fabre qui gardait le véritable Cascadeur !... comme c'est vous encore qui avez tué le pauvre René Baudry pour lui voler les trente mille francs qu'il vous avez contraint de lui donner pour la vente de son cheval...

— Bien imaginé ! riposta toujours souriant Bridge-Vladimir.

Juve continua :

— Et si vous voulez savoir, j'ajouterai encore un mot. C'est que de tout cela j'ai des preuves, des preuves formelles, précises, que vous ne pourrez pas réfuter...

Juve allait continuer à parler, mais le prisonnier s'emporta :

— C'est enfantin ! ripostait-il encore ; j'ai été patient jusqu'ici, mais la plaisanterie passe les bornes !

« Juve, ordonnez qu'on me relâche, ou, ma première parole, devant le juge d'instruction, sera pour porter plainte contre vous ! »

Le fils de Fantômas, si Bridge était bien le fils de Fantômas, payait superbement d'audace. Juve, par malheur pour lui, n'était nullement homme à se laisser intimider. Aux menaces du bandit, le policier se contentait de répondre, cette fois, par un dédaigneux haussement d'épaules.

— Vous êtes vous-même un enfant, faisait-il, si vous vous imaginez vraiment m'impressionner moi, Juve !

Et changeant de ton, le maître policier s'adressait à Léon et Michel :

— En voilà assez ! déclarait-il, conduisez cet homme à la voiture pénitencière ; je vais me rendre directement au petit Parquet.

Toute cette scène avait eu lieu fort rapidement dans un des endroits les plus déserts du paddock, là où l'on rangeait, à l'abandon presque, pendant que se disputaient les courses, les grands vans automobiles qui servent au transport des chevaux.

Nul ne s'était aperçu de cette arrestation. Juve, Léon et Michel, une fois encore, venaient de réussir à éviter un scandale qui, étant donné les personnalités en cause, n'eût pas manqué d'être formidable.

Juve cessait de parler, Léon et Michel, qui maintenant ne perdaient pas de vue leur prisonnier, stupides d'émotion tous les deux, à la pensée que si Juve ne faisait point erreur, c'était bien le fils de Fantômas qu'ils emmenaient, entraînèrent Bridge-Vladimir vers la voiture cellulaire qui, ainsi qu'à toutes les réunions, se trouvait là, à la disposition des forces de police qui d'ordinaire, d'ailleurs, n'avaient à y conduire que de simples voleurs à la tire ou de maladroits joueurs de bonneteau.

Vladimir-Bridge ne faisait aucune résistance.

— C'est de la folie ! avait-il murmuré, en entendant les dernières paroles de Juve.

Et, désormais, superbe d'audace, en homme qui sait ou qui croit que l'impunité la plus complète lui est à coup sûr réservée, il accompagnait docilement Léon et Michel.

Cette attitude tranquille, toutefois, ne passait pas inaperçue. Juve, qui avait fait deux pas pour s'éloigner, laissant son prisonnier à la garde de Léon et Michel, se ravisa brusquement :

— On n'arrête pas ainsi le fils de Fantômas, pensait Juve, on ne le conduit pas si tranquillement en prison, ce qui est un peu le conduire à l'échafaud ! Fantômas doit être près de nous épiant mes faits et gestes, surveillant l'arrestation de son fils : ce serait une folie que de m'éloigner.

La main dans la poche de son veston, tenant son browning, et prêt aux pires catastrophes, Juve accompagna les deux hommes qui entraînaient le prince Vladimir.

Juve, en dépit de son tranquille sang-froid, se sentait à ce moment-là horriblement nerveux.

Fantômas n'allait-il pas surgir, au moment le plus inattendu, pour tenter de lui arracher son fils ?

Fantômas n'allait-il pas essayer l'un de ces extraordinaires coups d'audace dont il était coutumier, pour faire évader Vladimir ?

Le calme de Vladimir lui-même n'était-il pas une menace ? N'était-ce pas une ruse préparée à l'avance pour endormir les soupçons, faciliter une évasion ?

Un gendarme, en compagnie d'un garde municipal, se trouvait à l'intérieur de la voiture, il ouvrit la porte toute grande.

— Tiens, voilà du gibier ! faisait-il.

Et apercevant Juve il rectifiait la position, faisait le salut militaire.

Juve, cependant, surveillait toujours les abords de la voiture, où des badauds, maintenant, ne se doutant nullement de la gravité des circonstances, s'attroupaient, considérant l'embarquement de Bridge-Vladimir avec une curiosité amusée.

— Mettez-le dans la cellule du fond ! commanda Juve.

Léon et Michel y poussèrent le prince.

— Vous, ordonnait alors Juve, en considérant Michel, vous allez rester, mon bon, debout dans le couloir, le browning à la main, surveillant la porte de la cellule. Vous, Léon, vous vous assoierez sur le toit même de la voiture, à côté du cocher, et vous ferez bonne garde. Quant à moi...

Juve s'interrompait :

— Quant à vous, monsieur l'inspecteur ? demanda le gendarme, qui commençait à être fort troublé par la minutie des ordres que donnait devant lui le policier, quant à vous, monsieur l'inspecteur ?

— Moi, répondit Juve, c'est bien simple : je suivrai la voiture en taxi-auto, et je ne la perdrai pas de vue. Léon empêchera Vladimir de s'évader par le toit, Michel gardera la porte, je surveillerai le plancher, en surveillant le dessous de la voiture. Il ne faut pas qu'il s'évade !

Or, Juve n'avait pas fini de parler que le garde municipal, un Corse aux yeux superbes, riait d'un rire silencieux.

Juve remarqua sa gaieté :

— Vous me trouvez bien sot ? demanda-t-il.

Le garde, à cette question, rougissait violemment.

— Oh ! monsieur l'inspecteur ! je ne me permettrais pas !... seulement...

— Seulement quoi ?

— Seulement, monsieur l'inspecteur, je me dis comme ça, que c'est bien des précautions ; en somme, on ne s'évade pas d'une voiture cellulaire...

A ce garde simpliste, Juve répondait, en haussant les épaules :

— Mon pauvre ami, c'est avec de pareilles pensées que la police se fait ordinairement berner par des individus semblables à celui que nous conduisons ! J'admets à la rigueur que vous ne le sachiez point ; mais, tout de même, il y a déjà eu des évasions de cette nature et, notamment, dans l'affaire Dollon...

— L'affaire Dollon ! tressaillit le gardien. Mais c'est une affaire où il y avait du Fantômas [1] ?...

Juve ne crut pas bon de continuer ses explications.

— C'est bien possible, déclarait-il cette fois simplement... et il pivotait sur ses talons, criant :

« En route !...

Or, comme Juve donnait cet ordre, le cocher de la voiture cellulaire à son tour s'étonnait :

---

1. Voir dans la série « Fantômas » : *Le Mort qui tue.*

— Comment ! on n'attend pas la fin de la réunion ? Faut partir maintenant ?

— Oui, commanda Juve.

— Mais les ordres.

Juve se fit impératif :

— Les ordres ? c'est moi qui vous les donne !

Et telle était l'autorité de Juve, telle était sa renommée, que le cocher de la voiture cellulaire, sans plus résister désormais, fouettait ses chevaux, démarrait.

En était-ce véritablement fait du prince Vladimir, du fils de Fantômas ?

Était-il réellement arrêté ?

Était-il surtout démasqué ?

Trois quarts d'heure plus tard la voiture cellulaire entrait avec un grand bruit sous les voûtes sonores qui donnent accès à la cour du Dépôt dans les bâtiments du Palais de Justice.

Aucun incident n'avait marqué le trajet. Le prince Vladimir n'avait nullement bougé à l'intérieur de son étroite cellule, tandis que la voiture traversait Paris.

— Ouvrez-lui la porte, ordonna Juve. Je vais immédiatement le mener au petit Parquet.

Une loi veut, en effet, que tout homme arrêté, même pris en flagrant délit, soit interrogé dans les vingt-quatre heures de son arrestation par un juge d'instruction qui, de permanence au Palais de Justice, a précisément pour mission de vérifier la légalité et la raison d'être des arrestations opérées, d'empêcher les arrestations arbitraires, de transformer, enfin, en mandat de dépôt les mandats d'amener, qui sont le plus ordinairement en possession des fonctionnaires de la police.

Le prince Vladimir allait donc, comme tout autre condamné, passer au petit Parquet, c'est-à-dire subir l'interrogatoire du juge qui se trouvait, ce jour-là, installé à la permanence.

Juve, cependant, au moment où le misérable descendait, au moment où Léon et Michel, sur un clin d'œil de leur chef, lui passaient les menottes, se dirigeait rapidement, suivi de deux inspecteurs et de leur prisonnier, vers les bâtiments du Dépôt.

Une fois encore, sa grande autorité, sa renommée facilitaient les choses.

Juve obtenait, sans peine, qu'on hâtât les formalités du greffe, et qu'enfin le prisonnier fût amené en présence du juge.

Le magistrat qui recevait ainsi, quelques instants plus tard, Juve, Bridge-Vladimir, Léon et Michel, était précisément un vieux magistrat arrivé au poste de juge d'instruction à Paris à la suite d'une longue carrière faite en province, carrière où il avait surtout appris à fuir les responsabilités, à craindre les scandales, à éviter toutes les occasions d'ennuis et de complications !

Il s'appelait M. Mantois, il était intègre, il était avant tout timide !

Juve, en entrant dans la petite salle où le juge d'instruction attendait, fronça les sourcils en le reconnaissant.

— Sapristi ! se disait en lui-même le policier, cela ne va pas être commode de le convaincre !

Le juge, cependant, lisait attentivement les papiers qu'un employé venait de lui monter du greffe. Il n'avait pas eu un regard pour Juve, et pour le prisonnier, il ânonnait, avec respect, les formules sacramentelles et déjà très anxieux de savoir s'il n'y avait pas, dans tout cela, quelque erreur qui pût dans l'avenir lui occasionner une réprimande.

Ayant enfin terminé l'examen des papiers le juge, d'un geste, désignait à Juve une chaise. Cela fait, il fixait le prisonnier.

— Vous vous nommez ? demanda-t-il.

Le prince Vladimir avec un grand sang-froid répondit :

— Je me nomme Bridge. Mon prénom est Thomas. Je suis entraîneur à Maisons-Laffitte, honnête homme, et je proteste, de toutes mes forces, contre les allégations fausses de l'infâme policier qui a osé m'arrêter !

A ces mots le juge sursauta.

Dès lors qu'un prisonnier protestait, et protestait avec sang-froid, il s'affolait !

Ce jour-là il s'affolait plus encore que d'ordinaire, car la paperasserie qu'il venait de lire lui avait révélé des choses formidables.

— Monsieur Juve, demanda le juge d'instruction, vous entendez ?...

— J'entends ! répondit Juve avec un sourire.

Le juge d'instruction n'ayant pas réussi à troubler Juve, et lui-même fort émotionné, comprit que l'instant était grave. Il essaya de se faire une physionomie impassible et fixa Bridge :

— Je prends note de votre protestation ! déclarait-il. Mais une protestation n'a pas d'importance si elle n'est pas étayée sur des preuves... Vous savez de quoi l'on vous accuse ?

Bridge haussa les épaules et répondit avec douceur :

— Assurément, monsieur le magistrat, on m'accuse de choses extraordinaires !

Bridge désignait du doigt Juve, il continuait sur un ton gouailleur :

— Ce monsieur prétend que je suis le fils de Fantômas ! Il veut, à toute fin, que je m'appelle le prince Vladimir ! Ce sont là des enfantillages stupides, des inventions de policier aux abois, et que je ne prendrais pas la peine de réfuter, si elles n'avaient pour conséquence de me faire accuser de crime !

Bridge haussait les épaules ; il continuait encore :

— Car, monsieur le juge d'instruction, c'est là le plus amusant de cette aventure : ce policier, après avoir affirmé que moi qui suis Bridge, je suis en réalité le prince Vladimir — que, bien entendu, je ne connais même pas —, ne craint pas de prétendre que je suis encore coupable d'avoir assassiné deux hommes : mon ami Baudry d'abord, à qui, précisément, j'achetais un cheval le jour de sa mort ; le malheureux paysan Fabre, enfin, dont le nom, tout à l'heure, a été prononcé devant moi pour la première fois... et que je ne connais nullement !... Monsieur le juge d'instruction, vous me demandez des preuves de mon innocence ?... On ne prouve pas son innocence ! On prouve une culpabilité ; or, je ne vous cache pas que je serais très curieux de voir les preuves que pourra mettre en avant le policier Juve !

Bridge-Vladimir parlait toujours, avec un calme déconcertant, un calme si déconcertant même, que le juge d'instruction perdait de plus en plus la tête !

Le digne magistrat se tourna vers Juve et, sur un ton plus sévère peut-être que celui qu'il avait employé vis-à-vis de Bridge, il demanda encore :

— Vous entendez, Juve ? L'inculpé prétend que c'est à vous de fournir des preuves !

. Or, si Bridge manifestait un parfait sang-froid, Juve, de son côté, ne se troublait aucunement.

— Je ne refuse point la charge de la preuve ! affirma le policier tranquillement. Je suis prêt à soutenir mes dires et à en établir la véracité sans aucune contradiction possible.

Juve, qui était assis, se leva. Il marcha jusqu'à Bridge, il le regarda dans les yeux.

— Voulez-vous avouer ? demandait-il. Un aveu franc — je dois vous en prévenir — peut vous concilier les bonnes grâces de la magistrature. Il est honnête, de ma part, de ne pas chercher à vous priver de ce bénéfice... Reconnaissez-vous être le prince Vladimir ?

— Assurément non !

— Reconnaissez-vous avoir tué René Baudry et le paysan Fabre ?

— Vous voulez plaisanter ?

Juve retourna s'asseoir.

— Monsieur le juge d'instruction, déclarait-il, vous venez d'entendre les dénégations de l'inculpé. Soit ! Puisqu'il veut se taire, je parlerai !

« J'ai la preuve formelle de l'assassinat de René Baudry, par la suite rigoureuse des faits... J'établirai cela devant le jury lorsqu'il en sera besoin.

« J'ai la preuve formelle, d'autre part, de l'assassinat du paysan Fabre, grâce à une enquête merveilleusement faite par mon ami et collaborateur Jérôme Fandor, dont le nom vous est certainement connu. Sa confrontation avec Bridge serait à ce sujet parfaitement nette, rigoureusement probante. Enfin, il y a mieux : Bridge soutient n'être pas Vladimir ? Monsieur le juge d'instruction, je requiers qu'il vous plaise d'ordonner de conduire ce prisonnier à l'anthropométrie ! M. Bertillon fera très facilement justice de ses prétentions, et je me fais fort, en quelques minutes, d'établir, par la plus indiscutable des fiches, que je ne me trompe nullement en affirmant que le prétendu Bridge est en réalité le prince Vladimir !

Juve n'avait pas fini de parler que le magistrat souriait, très soulagé.

— Il est incontestable, commençait-il, que s'il y a réellement une fiche capable d'établir que l'entraîneur Bridge est le prince Vladimir...

Le magistrat s'interrompit. Il regardait maintenant Bridge, il demanda :

— Ce n'est pas la peine, vraiment, de perdre du temps en recherches inutiles. Je ne peux pas refuser à Juve la vérification qu'il me demande. Si vous avez jamais été mensuré, Bridge, vous serez reconnu dans quelques instants. Inutile de nier, par conséquent... Voulez-vous avouer votre identité ?

Bridge ne se départit nullement de son calme :

— Je vous répète, monsieur le juge d'instruction, que je suis victime d'aventures fantastiques ! Je ne suis pas le fils de Fantômas, je ne peux donc pas l'avouer ! Cette déclaration faite, ma foi, ordonnez tout ce qu'il vous plaira !

Tant de calme, à ce moment, impressionnait très fort le juge d'instruction.

— Vous entendez, Juve ? demandait-il encore...

Juve entendait, mais, aussi obstiné que paraissait l'être le prince Vladimir, il était loin de se tenir pour battu !

— Monsieur le juge d'instruction, insista Juve, je vous demande de faire conduire Bridge au service de M. le docteur Bertillon !

Juve parlait avec une telle autorité, une si tranquille assurance, que le juge d'instruction n'osa point ne pas lui donner satisfaction.

— Soit ! accorda-t-il brusquement, allez, Juve... je vous attends !

Juve ne désirait pas d'autre permission. Brusquement il se levait, il empoignait par le bras Bridge, il ordonnait à son tour :

— Allons ! venez ! Vous allez voir, prince Vladimir, qu'il ne sert à rien de nier, devant la justice française !

Bridge s'était levé, un sourire ironique aux lèvres. Il suivit Juve.

— Monsieur, je vous accompagne, mais je vous assure que vous vous trompez !

— Vous allez voir que non !

Les deux hommes quittèrent la petite salle où Léon et Michel demeuraient en compagnie du juge d'instruction afin de signer les pièces administratives. Juve, qui connaissait à merveille tous les détours du Palais de Justice, guidait Bridge vers le service de l'anthropométrie.

Or, tandis qu'ils cheminaient tous deux, le long d'un corridor désert, Bridge brusquement s'arrêta :

— Juve ? demanda le prisonnier, c'est absolument stupide ce que vous allez faire ! que prouvera ma mensuration ? Vous allez prendre les empreintes de mes mains, de mon pouce, les dimensions de mon oreille... très bien ! Qu'est-ce que cela prouvera ? rien du tout ! Vous obtiendrez, en somme, un signalement exacte de Bridge, mais ce signalement ne vous avancera à rien. Pour qu'il ait un intérêt, il faudrait que vous puissiez le comparer à celui du fils de Fantômas. Or, il n'y a pas de fiche établie pour ce misérable.

Bridge parlait sur un ton sérieux, un peu d'angoisse semblait faire trembler sa voix...

Juve, pour toute réponse, commençait, d'abord, par entraîner son prisonnier.

— Allons !... ripostait-il ; hâtons-nous !

Mais comme il fallait forcer Bridge à se remettre en marche, Juve froidement reprenait :

— Vous vous trompez... Bridge-Vladimir ! ou votre mémoire est mauvaise ! Il n'y a pas de fiche établie pour le fils de Fantômas, dites-vous ? Allons donc ! oubliez vous qu'à la suite des affaires du train de Barzum, le fils de Fantômas fut arrêté, arrêté par moi, alors qu'il venait de commettre une lâcheté ?... et qu'à la suite de cette arrestation, je l'ai précisément fait mensurer [1] ?...

Juve pressait le pas, Bridge qui l'accompagnait fronçait les sourcils.

— Je ne savais pas cela ! disait-il encore.

---

1. Voir dans le présent volume : *Le Train perdu.*

Et soudain un peu d'assurance lui revenait.

— Je ne savais pas... et d'ailleurs cela n'a pas d'importance. Si ce que vous avancez est véritable, monsieur Juve, cette fiche en somme a été dressée dans un petit village... très loin... sur les confins de Hesse-Weimar et par conséquent j'imagine qu'elle n'a pas été transmise à la police française, je vous dis que la comparaison est impossible !

Bridge attendait une réponse de Juve, mais le policier demeurait silencieux.

— La comparaison est impossible ! répéta alors Bridge avec plus de force.

Juve arrivait à ce moment en bas d'un escalier qu'il montra du doigt à son prisonnier.

— Et moi ! déclara froidement le policier, je vous dis que vous vous trompez, Bridge ! La fiche dont je vous parle a été transmise par mes soins au service du docteur Bertillon. Je sais même son numéro ! Elle est à la case 732, elle porte le chiffre 24-630 C-W. Vous serez identifié, Vladimir, dans trois minutes !...

Juve faisait monter son prisonnier tout en feignant de ne pas le regarder. Bridge, cependant, eût été intéressant à contempler ! Aux dernières paroles de Juve, il avait terriblement pâli...

Et brusquement, comme le policier arrivait à un palier, Bridge à nouveau s'arrêta :

— C'est bon ! déclarait l'entraîneur d'un ton sourd, d'une voix brusquement changée. C'est bon ! j'avoue ! Reconduisez-moi devant le juge d'instruction ! J'ai horreur de l'anthropométrie, puisque la fiche de là-bas a été transmise, je ne peux nier plus longtemps ! J'avoue ! je suis bien le prince Vladimir ! le fils de Fantômas !...

... Le cœur de Juve, à cet instant, battait à grands coups dans sa poitrine. Ce qu'il avait prévu venait de se produire.

Bridge avait nié être Vladimir jusqu'à l'escalier qui mène à l'anthropométrie.

Une fois arrivé là, toute force d'âme l'avait abandonné !

Devant l'inévitable, il se résignait, et reconnaissait qu'on allait le mettre dans l'impossibilité de cacher !

Et Juve, tout en reconduisant son prisonnier devant le juge d'instruction, songeait à part lui :

— Décidément, le prince Vladimir, le fils de Fantômas, n'a point la valeur de son père ! Il avoue trop tôt ! il avoue... comme tous ceux qui se décident à avouer au même endroit... dans cet escalier fatal, où tant de criminels, jusque-là superbes d'arrogance, abandonnent toute défense !... L'imbécile !...

Juve, en même temps qu'il s'étonnait de voir le prince Vladimir succomber à l'émotion classique qui fait que quatre-vingt-dix criminels sur cent reconnaissent leur identité, lorsqu'on les fait monter à l'anthropométrie, Juve se disait encore :

— Le plus curieux, c'est que je ne suis pas certain que la fiche de Hesse-Weimar ait été transmise à Paris ! j'ai écrit, il y a quatre jours, pour la réclamer, je ne sais pas si elle est arrivée !... Bridge aurait dû nier encore.

Une heure plus tard, comme le prince Vladimir définitivement identifié par ses aveux, pour être le fils de Fantômas, était écroué au Dépôt, jusqu'à son départ pour la prison de la Santé, Juve montait par curiosité au service du docteur Bertillon...

Le policier ne s'était pas trompé !

Le prince Vladimir avait eu tort de faire des aveux.

Juve avait eu raison de l'y contraindre.

La fiche de Hesse-Weimar n'était pas dans les classeurs du docteur Bertillon !

XXI

La lampe qui parle

Bridge, ou, plutôt, le prince Vladimir, avait à peine, d'une voix maussade, répété ses aveux au juge d'instruction que Juve, peu soucieux de perdre son temps, moins soucieux encore de demeurer plus longtemps en face d'un magistrat qui lui faisait l'effet d'un parfait imbécile, et qui, pour tout dire, lui portait un peu sur les nerfs, se hâtait de s'éclipser.

Juve n'avait pas refermé la porte que le prince Vladimir, puisqu'il avait réellement reconnu qu'il était le fils de Fantômas, baissant la tête, accablé, demandait au juge d'instruction :

— Qu'allez-vous faire de moi, monsieur ?

Le magistrat, documenté par Juve, avait changé d'attitude.

Jusqu'alors la belle audace du prisonnier lui en avait imposé, il s'était montré à son égard courtois, presque déférent. Désormais, tout au contraire, il devenait impérieux, cassant, autoritaire !

M. Mantois appartenait à la race des timides, et comme tous les timides, dès lors qu'il n'avait plus rien à craindre, il se montrait plus impérieux, plus autoritaire qu'un autre, à l'instar des moutons qui, dit-on, deviennent terribles lorsqu'ils sont enragés !

— Je n'ai pas à vous répondre ! riposta le juge. Taisez-vous ! Vous parlerez quand je vous questionnerai !

Le magistrat s'était levé, avait été prendre dans une armoire toute une série de formules, dont il remplissait les blancs d'une écriture appliquée, moulant ses lettres, ajoutant des fioritures à ses majuscules.

Cela prit un certain temps pendant lequel Vladimir, immobile, la face terreuse, l'œil trouble, fixait d'un regard affolé le sol, semblant avoir perdu son assurance, semblant épouvanté...

M. Mantois rompit le silence :

— Voici, dit-il, faisant signe à son greffier, et se tournant vers le prince Vladimir : Signez ce procès-verbal d'interrogatoire !...

Le fils de Fantômas s'exécuta. Il lui était aussi bien totalement impossible de résister à l'ordre qu'on lui donnait...

— Et maintenant, reprit le magistrat, je vous informe que je vous inculpe définitivement d'assassinat... qu'en conséquence, vous allez être mis au secret jusqu'à ce qu'un juge d'instruction ait été désigné par le Parquet.

Et, par habitude, M. Mantois, ajoutait :

— Gardes, vous pouvez reconduire le prisonnier !

Il n'y avait pas de gardes dans la pièce, mais Léon et Michel s'empressaient à obéir.

La figure de Léon resplendissait, d'ailleurs, à ce moment, d'une véritable joie. L'agent, en se levant, échangeait un rapide coup d'œil avec Michel.

— Ça y est ! soufflait-il. Nous en tenons un !...

Michel de son côté, tout aussi satisfait, avait pris le prince Vladimir par le bras.

— C'est une belle victoire, pour Juve ! répondait-il.

Mais les deux agents, peut-être, s'applaudissaient trop tôt de la réussite de leur opération policière. Comme Michel prenait Vladimir par le bras, celui-ci avait eu un sursaut : il semblait retrouver une énergie nouvelle, nettement il articula à voix haute :

— Tout beau ! messieurs de la police ! J'ai reconnu que j'étais le fils de Fantômas, soit, je n'ai rien reconnu d'autre !...

Il continuait avec un sourire de menace :

— Et cela ne devrait pas vous donner tant de joie et tant de confiance ! Vous avez « pris » le fils de Fantômas, croyez-vous ? eh ! ce n'est pas certain ! Je suis comme mon père, je suis de ceux que l'on n'arrête pas, ou plus exactement que l'on ne tient pas longtemps arrêté ! Évidemment je suis dans vos mains, mais, croyez-le bien, ma tête est encore solide sur mes épaules ; vous ne pouvez pas encore être assurés de jamais pousser mon cou dans la machine du sinistre Deibler !

Le fils de Fantômas proférait-il, alors, une simple bravade ?

Y avait-il, au contraire, dans ses paroles, une menace imprécise, un secret défi ?

Le juge d'instruction, le greffier, Léon et Michel, eux-mêmes, furent troublés par l'apostrophe...

Pour un instant, en vérité, le fils de Fantômas, ce prince Vladimir qui venait, si sottement, d'avouer ce qu'il aurait pu cacher longtemps, son identité, s'était montré digne de son père.

Il avait eu un peu de l'insolence du légendaire bandit — il montrait beaucoup de son assurance, il semblait sûr, en tout cas, de ce qu'il disait. Tout effroi paraissait l'avoir abandonné.

Michel, seul, osa répondre :

— Vous n'êtes pas encore à la guillotine, rétorquait-il, d'accord prince Vladimir, mais vous êtes tout de même sur le chemin qui y conduit ! Vous nous dites de prendre garde ? Tranquillisez-vous ! Cet avertissement était inutile, nous tenons trop à gagner votre tête, pour ne pas veiller à ce qu'il ne vous arrive rien... de fâcheux !

Michel avait un instant pensé que le fils de Fantômas songeait à leur échapper par quelque suicide...

Michel, peut-être, oubliait que si le prince Vladimir pouvait avoir un peu de l'audace de son père, il n'avait pas certainement son courage !

Fantômas était bien homme à se tuer, si d'aventure il tombait aux mains de la police, le prince Vladimir, lui, n'était pas de ceux qui aiment mieux être morts que vaincus !

Michel d'ailleurs ne voulait pas s'attarder à discuter avec le prisonnier, il venait de tirer de son portefeuille le mandat d'arrestation, ainsi que l'ordre de mise en secret paraphés par M. Mantois, il ne restait plus qu'à entraîner l'inculpé.

Michel se hâta, en effet, de l'emmener.

— Venez ! commanda-t-il. Dans une heure, prince Vladimir, vous pourrez tout à loisir mettre vos menaces à exécution, et vous évader, si bon vous semble, de la prison de la Santé !

C'était en effet à la prison de la Santé que le prince Vladimir était conduit sous l'escorte vigilante de Léon et Michel, très flattés, tous les deux, que pareille mission leur eût été confiée par Juve...

Les deux inspecteurs eussent été beaucoup moins satisfaits s'ils avaient pu se douter que Juve, en réalité, ne les perdait pas de vue !

Juve en effet, sachant la longueur des formalités à remplir, avait couru, au sortir du cabinet du juge d'instruction, jusqu'au service du docteur Bertillon.

Ayant acquis, là, la certitude que la fiche de Hesse-Weimar n'était pas encore arrivée, Juve s'était hâté d'aller arrêter un taxi-auto et de le faire stationner devant le Palais de Justice, à l'endroit où, infailliblement, devait passer la voiture cellulaire qui emmènerait à la prison le fils de Fantômas.

Juve s'était fait un très simple raisonnement :

— Du champ de courses au Palais de Justice, j'ai ostensiblement suivi le panier à salade. Et Fantômas ne s'est point manifesté. Je vais, cette fois-ci, me dissimuler, cela, peut-être, lui donnera la tentation d'intervenir directement, et, par Dieu, s'il se présente, je n'hésiterai pas à lui sauter au collet !

Trompant Michel et Léon, Juve accompagnait donc la voiture cellulaire.

Juve avait dû cependant former de fausses suppositions.

Fantômas se désintéressait peut-être de son fils, ou peut-être encore estimait que le moment n'était pas opportun pour tenter de le secourir. En tout cas le trajet du Palais de Justice à la prison de la Santé s'effectuait de la plus paisible façon.

La voiture cellulaire entrait alors dans la cour de la maison d'arrêt, tournait vers les bâtiments du greffe, où le fils de Fantômas était immédiatement conduit par Léon et Michel.

Naturellement il y avait lieu, alors, à de nouvelles et multiples formalités !...

L'inscription de l'« écrou » prenait une bonne demi-heure, puis quatre gardiens étaient commandés auxquels Léon et Michel remettaient définitivement le prisonnier contre la délivrance d'un reçu, exactement comme s'il se fût agi, non pas d'un homme, mais d'un ordinaire colis !

En passant cependant la porte du greffe, le fils de Fantômas qui, depuis le Palais de Justice, n'avait dit une parole, grinçait des dents !

Le bandit comprenait, évidemment, qu'il était désormais pris dans un formidable engrenage.

On ne s'évade pas de la Santé, et si par hasard une évasion était possible à un prisonnier, elle ne le serait pas certainement à lui, que l'on allait mettre au secret, et qui serait, de plus, l'objet, il s'en rendait bien compte, d'une surveillance toute particulière !

Le fils de Fantômas, pourtant, en franchissant les portes de la prison se retournait, une dernière fois, en dépit des gardiens qui le tenaient par le bras, pour apercevoir Léon et Michel qui, debout au milieu du greffe, le suivaient du regard.

— Messsieurs, criait le prince Vladimir, je ne vous dis pas adieu, mais au revoir !

Léon haussa les épaules :

— Au revoir, disait l'agent, nous nous retrouverons en effet, d'abord à la cour d'assises !

— Et ensuite boulevard Arago ! ponctua Michel, qui faisait ainsi allusion au nouvel emplacement où se dresse la guillotine...

Le fils de Fantômas haussa les épaules :

— Vous êtes trop aimables, souriait-il, mais en vous disant au revoir je ne pensais pas à ces lieux de rendez-vous... nous nous reverrons face à face auparavant !

Il voulait avoir le dernier mot...

Léon, qui était entêté, ne lui en laissa pas le loisir.

— Assurément ! reprit l'agent, nous nous reverrons à l'instruction — vous y reverrez même Juve !

Le fils de Fantômas, un instant, parut alors étouffer de rage. Mais il se dominait une dernière fois :

— Non, disait-il, je n'y reverrai pas Juve à l'instruction !

— Et pourquoi cela ?

Le fils de Fantômas éclata de rire :

— C'est mon secret !

Cette scène, toutefois, avait trop duré. Léon et Michel allaient encore une fois répondre lorsque, d'un signe, le greffier chef les priait de n'en rien faire.

— Emmenez le prisonnier ! commandait-il.

Les gardiens, qui s'étaient arrêtés, intéressés par l'échange rapide des menaces qui venaient d'être dites, reprirent par le bras le prince Vladimir et, brusquement, le poussèrent en avant.

Derrière le fils de Fantômas, la porte du greffe, avec un bruit sourd, se refermait. Le prince Vladimir, désormais, était bien retranché du monde, était bien définitivement muré dans cette tombe où l'on vous enterre tout vif et qui s'appelle : une prison.

Le misérable, sous la conduite des gardiens, avança à grands pas ; il entendait encore résonner à ses oreilles le bruit sourd de la porte du greffe se refermant sur lui — ce bruit que ne peut oublier aucun de ceux qui ont été conduits dans les prisons de l'État — que les gardiens s'arrêtaient à la porte solide d'une sorte de cellule, d'un véritable cachot assez sombre dans lequel ils l'introduisaient.

Le gardien chef, un brigadier qui avait été jadis un excellent soldat, qui portait encore sur sa poitrine la médaille militaire, lui expliqua d'une voix rude :

— Voilà votre cachot. L'ordre de mise en cellule indique que vous êtes au secret ; par conséquent, vous ne verrez personne... et personne ne doit vous parler... pas même moi ! pas même les gardiens !... à part, bien entendu, le cas où vous vous décideriez à faire des aveux ! Mes paroles sont les dernières que vous entendez. Faites-y attention. L'ordre de la prison est de se coucher à sept heures et de se lever à trois heures du matin. On vous apportera vos repas. Si vous aviez besoin de quelque chose pour un motif grave, une maladie, une blessure, etc., vous n'avez qu'à sonner. Il y a un bouton ici. Si vous appelez sans cause, vous encourrez une punition qui est fixée par M. le directeur !... Ah ! inutile de crier pour faire du scandale. Les murs sont épais et solides, vos voisins de cellule eux-mêmes ne pourraient vous entendre !... Autre chose : la fenêtre que vous voyez peut s'ouvrir. Pour l'ouvrir, il faut tourner cette poignée que voici... Maintenant, déshabillez-vous, je vais vous fouiller...

Sans mot dire, le prince Vladimir s'exécutait. Il quittait ses vêtements que, minutieusement, le gardien chef examinait. Tout ce qui pouvait être matière à quelque tentative funeste, les lacets de souliers, la cravate, avec laquelle on peut s'étrangler, un canif, qui peut permettre de s'ouvrir les veines, une montre, dont le verre brisé peut former le rudiment d'une arme, était enlevé au prisonnier !

Le gardien chef ne repassait les vêtements au prince Vladimir qu'après s'être assuré, en outre, qu'ils ne renfermaient aucune cachette, que rien n'y était dissimulé.

Et c'était seulement lorsque la fouille était terminée que le gardien se préparait à se retirer.

— Bonsoir ! disait le brigadier, qui avait repoussé ses hommes jusqu'à la porte de la cellule ; je ne vous donne qu'un conseil : réfléchissez et voyez si vous n'auriez pas intérêt à avouer... Bonsoir !

Le prince Vladimir, que l'on avait délivré de ses menottes, vit la porte de sa cellule se refermer, entendit le craquement sec des verrous pénétrant dans leurs gâches, se sentit seul, irrémédiablement seul...

— Ils m'ont traité, pensait-il, avec la dernière des sévérités !

Le prince Vladimir s'était levé. Il commença l'interminable promenade qu'effectuent le plus souvent les prisonniers en cellule — et par laquelle ils essayent de tromper ce besoin de mouvement, cette soif de liberté qui est si profondément ancrée dans le cœur de tout homme qu'il semble qu'il soit réellement impossible de vivre en prison...

Il allait, à grands pas, de la porte aux murs qui formaient le fond de son cachot. En même temps, il examinait les dispositions de celui-ci.

Le cachot du prince Vladimir était d'ailleurs analogue à tous les cachots de la Santé. C'était une petite pièce, assez étroite, large tout au plus de 2 m 50, assez longue, mesurant 4 mètres au moins, assez élevée de plafond, ayant tout prêt de 3 m 80. Elle prenait jour par un vasistas fort petit, situé tout au ras du plafond, un vasistas dont la vitre était dépolie, ce qui empêchait de voir un coin du ciel, et derrière laquelle cependant on devinait six gros barreaux, probablement scellés dans la muraille.

L'ameublement de ce cachot était infiniment sommaire.

Il y avait, tout juste, appuyé à la muraille, une sorte de lit de camp, sur lequel étaient pliées trois couvertures de laine. Au pied du lit, scellée dans une tablette, se trouvait une cuvette, au-dessus de laquelle un robinet permettait de puiser de l'eau. Il y avait encore un tabouret de bois, et ce tabouret, de forme ronde, était fixé à la muraille par une chaîne qui empêchait de le transporter, qui empêchait surtout de le brandir, à la façon d'une massue.

Il n'y avait rien d'autre.

Le lit, la tablette, le tabouret représentaient les trois meubles indispensables qui devaient suffire au détenu.

Le prince Vladimir embrassa en quelques regards tout ce sommaire ameublement. Il eut le geste naturel du prisonnier qui heurte les murs, qui appuie les épaules contre le battant de la porte, pour s'assurer de sa solidité.

Hélas ! les murs ne sonnaient pas le creux, et la porte du cachot était inébranlable.

Alors le fils de Fantômas baissa le front. Il venait de s'asseoir, de se jeter plutôt sur le lit de camp, il y demeura immobile, prostré, si accablé qu'il paraissait privé de sentiments !

Certes il n'avait plus rien désormais, du bravache qui menaçait, il y avait encore quelques instants, Léon et Michel, et qui osait des paroles de défi à l'endroit de Juve. Déjà, la solitude de la prison domptait son âme, et mâtait en lui tout esprit de révolte.

— Je suis perdu ! gémit-il.

Et il répéta mentalement la parole entendue : « On ne s'évade pas de la Santé, je suis sur la route qui mène à la guillotine ! »

Le prince Vladimir demeura de longs instants affaissé.

— Je suis perdu ! répétait-il de temps à autre.

Mais, soudain, comme il y avait près de deux heures qu'il était ainsi, il se releva brusquement.

Le fils de Fantômas bondissait loin de son lit, il croisait les bras, ses yeux devenaient fixes, jetaient un regard de flamme.

— Eh bien ! non ! eh bien, non ! murmurait le prince Vladimir ; il ne sera pas dit que j'aurai désespéré ; je suis le fils de Fantômas — le fils de Fantômas ne doit douter de rien — ne doit pas, surtout, douter de son père ! Je ne veux pas avoir peur, je ne veux pas me croire perdu, je ne veux pas croire que Fantômas ne me sauvera pas !...

Ce même jour, à dix heures du soir, dans un cabaret sordide, aux allures de bouge, qui se trouvait dans l'infâme quartier qui s'étend aux environs de la place Saint-Michel, derrière le Petit-Pont, qui comprend les rues de la Harpe et de la Huchette, et tant d'autres ruelles, qui rappellent à merveille les anciens quartiers du vieux Paris — un homme enveloppé d'un manteau sombre commandait avec énervement une consommation à un garçon de café endormi.

— Donne-moi de la chartreuse ! ordonnait-il.

Et comme le garçon à ce nom de consommation extraordinairement riche, en pareil bouge, ouvrait des yeux étonnés, l'homme reprenait :

— Tu n'en as pas ? Tant pis ! donne-moi du rhum !

Le garçon apporta un petit verre, mais l'inconnu le prit avec violence, le jeta sur le sol, où il s'écrasa en mille miettes...

— Tu te moques de moi ? demanda-t-il. Donne-moi du rhum... dans un grand verre !

Or, à cette phrase — si simple — le garçon semblait brusquement sortir de son stupide hébétement.

— Oh ! pardon ! faisait-il, je ne savais point, Maître... il y a si longtemps que vous êtes venu... il y a si longtemps que personne n'est venu...

C'étaient là des paroles étranges, bredouillées, sans suite ; l'inconnu ne parut pas en tenir compte. Il se levait brusquement, posait ses mains sur les épaules du serviteur.

— Tu vas fermer la boutique, ordonnait-il, tu ne laisseras entrer personne, personne, tu m'entends, sauf le Bedeau !...

A cet ordre le garçon se résigna :

— Seigneur Dieu, murmurait-il, le Bedeau va venir ici ? Il n'est donc plus en prison ?

— Il n'est pas en prison ! il n'a jamais été en prison ! ripostait l'inconnu...

Un instant plus tard, le garçon avait clos la devanture à l'aide des volets de bois qui n'étaient apposés, d'ordinaire, que très tard dans la nuit, sur les vitres de l'établissement.

A peine avait-il clos ces volets, d'ailleurs, que deux coups discrets étaient frappés à la porte.

Le garçon interrogea du regard l'inconnu :

— Ouvre ! commanda celui-ci.

L'homme ouvrit...

— Qui est là ?

Une réponse inintelligible fut bredouillée. Du dehors, il ventait furieusement et la pluie tombait en rafales, il semblait que la tempête s'engouffrait, par moments, en larges bouffées qui renouvelaient, avec peine, l'air étouffant du cabaret.

Le garçon, cependant, s'était reculé.

— Entrez ! commandait-il, le Maître vous attend...

Quel était donc ce bouge ?

Évidemment ce cabaret, aux allures louches, qui, dans la journée, offrait déjà une apparence inquiétante, qui, la nuit, demeurait étrangement désert, ce cabaret devait être le lieu de réunion d'une bande de malfaiteurs, d'une bande d'apaches...

C'était l'un d'eux sans doute qui s'était présenté plus tôt, et qui, en commandant une chartreuse, en commandant du rhum ensuite, en brisant le verre, s'était fait reconnaître pour le Maître...

C'était l'un des complices, l'un des affiliés enfin, qui devait maintenant se présenter qui se glissait par la porte, la refermait sur lui...

Le nouvel arrivant courut droit à l'inconnu qui n'avait point bougé, qui l'attendait immobile.

— Me voici...

— Je le vois bien, riposta l'homme sombre.

Et en même temps il appelait le garçon :

— Toi, va-t'en ! ordonna-t-il, je ne veux pas de bavards ici ; j'ai à causer avec mon lieutenant...

C'était bien, décidément, le maître d'une bande qui se trouvait dans l'infâme bouge. Le garçon, sans répliquer, sans même paraître s'étonner, déféra aux ordres qu'on lui donnait...

Il disparut comme par enchantement.

Seuls restèrent en présence l'homme au manteau sombre et l'individu qui avait mystérieusement frappé à la devanture.

Alors, tandis que l'homme au manteau se levait, le nouvel arrivant se débarrassait brusquement d'un grand chapeau mou qu'il portait et qui dissimulait à moitié ses traits.

— Je suis à tes ordres, Fantômas..., déclarait-il.

Et l'inconnu, l'homme au manteau sombre, le Maître, se rassit brusquement.

— Parle, Bedeau, commandait-il, je t'écoute ! As-tu réussi ?

... Étaient-ce donc Fantômas et le Bedeau, le terrible Bedeau, qui se trouvaient réunis dans ce cabaret infecte ?

Quelle besogne sinistre ces deux hommes, dont l'un était le Génie du crime, dont l'autre était son plus fidèle lieutenant — allaient-ils encore préparer ensemble ?

Le Bedeau à l'interrogation de Fantômas avait brusquement baissé la tête.

— J'ai réussi, Maître... au moins sur deux points.

— Lesquels ?

— Je sais où il est, je sais comment correspondre avec lui...

Fantômas, car c'était bien Fantômas, s'accouda sur la table, toute poissée de liqueurs. On eût dit qu'il tremblait :

— Parle ! répétait-il.

Le Bedeau s'exécuta.

— Maître, sitôt que tu m'as eu prévenu de l'arrestation de ton fils, je me suis arrangé pour me faire arrêter, comme voleur à la tire, par l'un des agents du champ de courses. J'étais déjà dans la voiture cellulaire quand Juve y a conduit son prisonnier ; je sais, en conséquence, qu'on l'a mené tout de suite au Dépôt...

— Je le sais aussi ! dit Fantômas. J'ai vu la voiture cellulaire arriver à la souricière...

Le Bedeau reprit :

— Conduit, moi-même, à la salle commune, je me suis immédiatement fait interroger par l'un des magistrats de la permanence : bien entendu, j'avais pris mes dispositions pour qu'aucune charge réelle ne pût être relevée contre moi. On m'a donc relâché. Une fois relâché, j'ai rôdé dans le Palais et c'est ainsi que j'ai eu la certitude que Juve faisait conduire ton fils à l'anthropométrie.

A ce moment le Bedeau fit une pause, étonné de l'attitude de Fantômas.

— Pourquoi hausses-tu les épaules ? demandait-il.

Le Génie du crime ricana :

— Parce qu'à l'anthropométrie on n'a rien pu trouver ! affirma-t-il ; j'ai moi-même détruit la fiche de mon fils, qui y était depuis hier. Juve a dû être furieux...

Fantômas parlait avec assurance, il blêmit en entendant la réponse du Bedeau :

— Ton fils s'est refusé à se faire bertilloner. Il a avoué dans l'escalier...

Or, à ces mots, Fantômas se levait, réellement furieux.

— Le niais ! grommela-t-il ; il ne faut jamais avouer...

Fantômas, cependant, maîtrisait vite sa colère.

— Et depuis, interrogeait-il, qu'est-il devenu ?

Le Bedeau fit la grimace :

— Depuis... c'est mauvais. Léon et Michel l'ont mené à la Santé...

— Tu ne sais point le numéro de son cachot ?

Le Bedeau eut un sourire :

— C'est la première chose que j'ai voulu savoir ! Un verre pris avec un gardien m'a permis de me documenter. Ton fils est au secret, à la cellule 422, dans la division E...

Le renseignement était précis. Fantômas, qui était un peu pâle, qui était nerveux, remercia son complice :

— C'est bien, Bedeau ! ajoutait-il. Ton enquête est bonne. Je saurai t'en récompenser...

Puis, faisant toujours preuve de ce grand calme qui était la caractéristique de son indomptable caractère, il interrogea à nouveau :

— Et tu sais comment correspondre avec lui ?

Le Bedeau n'hésita pas :

— Oui, affirma-t-il.

— Comment ?

— De la plus simple façon.

Le Bedeau se pencha, bredouilla quelques mots à l'oreille de Fantômas...

Il ajoutait enfin, tendant au Génie du crime une sorte de carte d'identité, une carte administrative :

— J'ai volé cette « passe » dans la poche du compagnon. Avec cela, Fantômas, tu peux parfaitement, cette nuit même, si tu le veux, te rendre à la prison. Il y a cinquante ouvriers occupés, jour et nuit, à réparer les fils électriques qui commandent les lampes placées dans les cachots. Tu n'auras donc pas de peine...

Fantômas interrompit :

— C'est bon ! murmurait-il. Le Bedeau, tu viens de me rendre deux services... je te dis deux fois merci !

La voix de Fantômas tremblait un peu, mais le Bedeau surtout paraissait émotionné au plus haut point.

Il n'était pas évidemment ordinaire d'être remercié par Fantômas !...

Cette nuit-là encore, vers quatre heures du matin, le prince Vladimir se promenait de long en large dans son cachot.

Pourquoi le prince ne dormait-il pas ?

Lentement il monologuait :

— Mon père m'a dit : « Si par hasard une arrestation avait lieu, si par hasard il t'arrivait d'être incarcéré, rappelle-toi que tu devras continuellement être prêt à observer ma correspondance secrète ; rappelle-toi surtout que tu ne dois pas fermer l'œil jusqu'à ce que tu aies reçu de moi une communication importante... »

Et le prince songeait encore :

— Je suivrai les conseils de mon père... j'obéirai à Fantômas, j'attendrai qu'il trouve le moyen de s'entretenir avec moi...

Les heures se traînaient, cependant, monotones et semblables.

A l'intérieur de la prison, il n'y avait plus nul bruit.

Plus que jamais le prince Vladimir se sentait séparé de tous et de tout, isolé, prisonnier, enterré vif !...

Par moments, il se répétait que son père, que Fantômas, trouverait moyen de correspondre avec lui... et d'autres, il se rendait compte que toute correspondance était en quelque sorte impossible, et qu'il fallait abandonner tout espoir...

Comme une heure du matin sonnait à la grande horloge, située au centre des bâtiments, le prince Vladimir, cependant, frissonna des pieds à la tête...

Que se passait-il donc ?

Tout simplement, la lampe électrique, scellée au plafond de son cachot, venait de s'allumer puis de s'éteindre...

Le prince gémit sourdement une exclamation d'angoisse.

— Mon Dieu ! mon Dieu ! Est-ce lui ?...

La lampe, qui s'était éteinte, se ralluma brusquement. Elle s'éteignait alors de nouveau...

— Mon Dieu ! gémit encore le prince Vladimir.

Mais une joie, désormais, le transfigurait...

La lampe, en s'éteignant et en s'allumant, marquait tantôt de brefs éclairs, tantôt de longues périodes d'éclairage...

Le prince, tremblant d'émotion, bégaya un mot d'espoir :

— On dirait...

Et soudain il comprit :

Oh ! ce n'était pas en vain, assurément, que la lampe s'allumait et s'éteignait, suivant des fractions de temps irrégulières. Elle traçait ainsi tout un code de signaux que le prince Vladimir n'avait pas de peine à reconnaître...

— Ceci est de la télégraphie Morse ! pensait-il. Les grandes périodes de lumière sont équivalentes à des traits, les courts éclairages valent des points... c'est mon père, c'est mon père qui me télégraphie ainsi !

Le prince Vladimir, auquel Fantômas avait fait apprendre bien des choses, bien des ruses, nota scrupuleusement les éclairs de lumière.

Il ne s'était pas trompé. C'était bien Fantômas qui, aidé par le Bedeau, se servait de cet étrange moyen pour correspondre avec son fils...

Et ce que Fantômas transmettait à celui-ci — ce que le prince Vladimir lisait dans ces signaux optiques d'un nouveau genre — c'était une phrase qui devait lui redonner confiance, qui devait lui donner courage.

Il ne faut jamais avouer, télégraphiait Fantômas, *il ne faut jamais désespérer non plus ! Sois patient, attends et espère. Au moment où tu croiras tout perdu, je te promets que je te sauverai !*

La lampe, brusquement, s'éteignait, elle s'éteignait après avoir transmis une signature qui affolait le prince Vladimir, la signature de cet extraordinaire télégramme, la signature de Fantômas !

XXII

Course de Cascadeur

Il était dix heures du soir, une animation inaccoutumée régnait au Betting-Bar en dépit de l'heure tardive.

La paisible et pittoresque cité de Maisons-Laffitte était déjà profondément endormie, les magasins fermés depuis longtemps, et même les cafés et les restaurants avaient éteint leur lumière, amoncelé les chaises et les tables des terrasses devant leurs façades.

Le Betting-Bar, toutefois, restait ouvert et animé.

Cependant, on n'y buvait pas avec l'abondance habituelle et les consommateurs qui s'y attardaient avec des allures d'habitués s'étaient groupés dans l'arrière-boutique autour d'une table, ils devisaient mystérieusement, tandis que le patron et les garçons du bar, voyant qu'ils n'avaient plus rien à servir à ces consommateurs, rangeaient leurs fioles et leurs verres.

Les clients attablés étaient six, la moitié d'entre eux, seulement, parlaient, les trois autres écoutaient religieusement.

C'étaient tous des hommes de l'entraîneur Bridge !

Il y avait Tilliem, chef d'écurie, le premier lad Willy, puis un employé aux écritures et le commis comptable Merleret.

La conversation roulait naturellement sur la toute récente arrestation du patron qui avait eu lieu l'avant-veille, aux courses d'Auteuil.

— Tout de même, grognait Tilliem, si jamais on s'était douté que Bridge n'était autre que Vladimir, le fils de Fantômas... nous aurions fait les uns et les autres une rude bobine !...

Le premier lad intervenait :

— Assurément... je ne le pensais pas, fit-il, mais j'avais, depuis longtemps déjà, l'idée que cet homme-là n'était pas naturel. Il avait une façon de diriger son entraînement qui sort de l'ordinaire.

Merleret et le commis aux écritures ajoutaient :

— Et les comptes donc ! Si vous aviez vu dans quel état ils se trouvaient, heureusement que la galette rentrait dans la tôle, pour ainsi dire, malgré les gens, sans quoi, c'était la faillite depuis longtemps.

L'arrestation de Bridge avait produit, en effet, une émotion formidable dans tout Paris, et plus particulièrement dans le milieu du monde des courses.

La révélation que cet homme n'était autre que le fils du sinistre Fantômas n'avait d'abord trouvé aucun crédit auprès des gens.

Toutefois, il avait bien fallu se rendre à l'évidence et admettre que la découverte de Juve était parfaitement exacte.

Il y avait, au surplus, des témoins de cette arrestation qui avaient entendu Bridge s'écrier d'un air narquois :

— Eh bien, oui, je suis Vladimir, le fils de Fantômas, mais désormais que vous savez cela, vous ne saurez plus jamais rien d'autre.

Or, la déclaration de Bridge-Vladimir avait été rapidement démentie.

Dès le lendemain de son incarcération à la prison de la Santé, on avait appris que Juve avait réussi, sinon à le faire parler, du moins à confondre ce terrible malfaiteur et à prouver de la façon la plus évidente que c'était le seul et unique assassin de l'infortuné René Baudry.

Cette découverte, d'ailleurs, avait eu pour conséquence de faire immédiatement relâcher les deux malheureux individus que, par précaution, Juve gardait en surveillance dans l'appartement voisin du sien : Max de Vernais et Paul Simonot !...

On avait annoncé, dès lors, de la façon la plus formelle, que ces deux inculpés étaient définitivement mis hors de cause.

Les gens de l'entraînement Bridge s'entretenaient donc de tous ces détails et commentaient l'avenir de l'entreprise lorsque, soudain, la porte du bar s'ouvrit, et quelqu'un pénétra, dont l'arrivée provoqua aussitôt l'arrêt immédiat de toutes les conversations.

— Chut ! avait articulé Tilliem, le chef d'écurie, voilà le nouveau patron...

Or le personnage que l'on désignait ainsi et qui s'introduisait dans le bar n'était autre que l'étrange et mystérieux jockey Scott, c'est-à-dire Fandor !...

Le journaliste, depuis qu'il était lui aussi à l'entraînement, avait merveilleusement adopté la tournure et la silhouette nécessaires à un professionnel du cheval.

Il était bien le jockey tel qu'on le conçoit, avec cette seule différence peut-être qu'il était un peu âgé, et un peu grand pour exercer cette profession.

Malgré son amaigrissement obtenu à l'aide de massages et de sudations nombreux, Fandor était encore dans les poids lourds.

Fandor arrivait, le col de son pardessus relevé et une vieille casquette à carreaux sur la tête enfoncée jusqu'aux yeux.

D'un air bref et sec, s'adressant à Willy, il ordonna :

— Demain, Cascadeur court dans le prix de Seine-et-Oise, faites-le conduire dans la matinée à Auteuil avec l'automobile. Et pour qu'il n'attrape pas froid, on le laissera dans le véhicule jusqu'au dernier moment...

Willy touchait du doigt sa casquette :

— Entendu, patron !

Puis, il ajoutait, essayant de bavarder, mais d'une façon ironique également, car la réponse ne pouvait être douteuse :

— Des fois tout arrive ; si Cascadeur était le gagnant ?...

A sa grande surprise, toutefois, Fandor lui répliquait :

— Pourquoi pas ?

Puis le journaliste, tournant les talons, sortait du bar, raide comme un piquet.

Fandor était-il donc désormais le patron de l'entraînement Bridge ?

Si étrange que pût paraître la chose, elle était réelle néanmoins.

Le lendemain du jour où Bridge avait été arrêté, on apprenait à Maisons-Laffitte que l'entraînement passait dans d'autres mains, que l'affaire appartenait, désormais, à un propriétaire qui ne se nommait pas, et que ce propriétaire accréditait, en qualité de directeur auquel tout le monde devrait obéir, le jockey Scott !

Nul n'avait protesté bien entendu, mais les commentaires étaient allés leur train.

Fandor, cependant, quittant le bar enfumé dans lequel il venait d'entrer, se retrouvait dans la rue sombre, en tête à tête avec Juve.

— Eh bien ? lui demanda le policier, d'un air anxieux, est-ce arrangé ?

— Tout ira bien, fit Fandor, je suis sûr que ces gaillards-là ne se doutent de rien, et j'aime à croire que la victoire est assurée. Nous empêcherons du même coup la combinaison préparée par Bridge pour le compte évidemment de Fantômas, et nous permettrons en même temps, à Maxon, de ponter ferme sur le cheval, de gagner, et par suite de rentrer dans ses fonds...

« ... Car, concluait Fandor avec un sourire, tout milliardaire qu'il est, Maxon commence à trouver que nous lui coûtons joliment cher...

— C'est juste, reconnut Juve qui demandait au journaliste :

« Que vas-tu faire maintenant ?

— Me coucher, répondit Fandor simplement, afin d'être frais et dispos demain matin.

Les deux hommes faisaient ensemble quelques pas, silencieux, préoccupés sans doute, car ils n'échangeaient pas une parole.

Ils se dirigeaient vers la gare, un train sifflait au lointain sur le quai, les employés appelaient à tue-tête :

— Les voyageurs pour Paris !

Juve quitta Fandor :

— Adieu ! lui dit-il, à demain !

Puis, le considérant d'un air de profonde affectation, le policier ajouta :

— Tâche au moins de ne pas te casser la figure.

Les deux premières courses de la journée venaient déjà d'avoir lieu et l'on avait dégarni le tableau d'affichage des résultats de la dernière épreuve disputée, pour commencer à y inscrire les numéros des chevaux partants, de la troisième course, et les noms des jockeys qui allaient les monter...

Cascadeur portait le numéro 5 ; lorsqu'on afficha qu'il allait se présenter au départ, ce fut un long murmure dans la foule qui courut comme une vague houleuse, depuis l'extrémité des tribunes jusqu'aux groupes les plus éloignés de la pelouse.

Ce n'était pas le fait que Cascadeur partait qui intéressait.

Le cheval, de notabilité publique, était médiocre, voire même mauvais, nul ne le considérait comme un gagnant possible, encore moins songeait-on qu'il pût être un concurrent de nature à se placer.

Mais, ce qui occasionnait ce remous, c'était uniquement le fait que Cascadeur provenait de l'écurie d'entraînement Bridge et que, désormais pour la première fois, on allait le voir courir sous les nouvelles couleurs de son propriétaire.

Ce dernier était, officiellement du moins, le comte Mauban. Mauban qui n'avait pas retiré son cheval de l'écurie Bridge depuis que celle-ci était dirigée par le jockey Scott.

Quelques Parisiens facétieux jouaient cependant Cascadeur.

— Après tout..., disaient-ils, on ne sait pas...

En fait, sur la pelouse, Bouzille, l'éternel camelot, avait conseillé à certains de ses clients de prendre ce cheval.

Mais comme il indiquait tous les partants les uns après les autres, on ne pouvait considérer ce renseignement comme étant un tuyau.

Cependant, la course se préparait et les jockeys ayant passé sur la balance se mettaient en selle.

Ils défilaient les uns derrière les autres, au grand pas allongé et rapide de leurs bêtes de sang qui s'acheminaient, frémissantes, vers la piste.

Sitôt que de leurs sabots légers les chevaux frôlaient le gazon ils prenaient le galop puis s'orientaient, guidés par leurs cavaliers, vers le départ qui allait se donner tout à l'extrémité du champ de courses à proximité de la route de Passy...

Dans la bousculade des derniers moments, au paddock était arrivé un cheval que menait un homme vêtu d'un long manteau et dont le col relevé jusqu'aux yeux et la casquette abaissée sur les sourcils dissimulaient le visage.

Si le conducteur du cheval passait de la sorte inaperçu, le cheval lui-même n'était guère facile à reconnaître.

Il avait les jambes bandées de flanelle et une longue couverture jetée sur son dos dissimulait la plus grande partie de sa robe.

Toutefois, les rares personnes qui le remarquaient ne pouvaient s'y méprendre à voir ainsi son poitrail gris pommelé et sa tête presque blanche, c'était Cascadeur...

Quant à l'homme qui le conduisait par la bride et qui paraissait l'avoir amené du dehors depuis quelques instants seulement, c'était le jockey Scott, autrement dit Fandor !...

Quel était donc le plan du journaliste ?

Quelle était la décision qu'il avait prise, d'accord avec Juve ?

Rien n'était plus simple à comprendre !...

Fandor, lorsqu'il avait découvert l'existence des deux chevaux aux couleurs identiques, et qui se ressemblaient tant par la forme extérieure que les plus exercés pouvaient, devaient même les confondre, avait compris le but poursuivi par le faux Bridge.

Bridge montrait à son entraînement un cheval du nom de Cascadeur et ne cachait pas sa médiocrité, son incapacité.

De la sorte, le cheval, lorsqu'il était engagé dans une course, atteignait de très belles cotes. On escomptait si peu sa victoire que les parieurs téméraires qui le jouaient pouvaient l'obtenir sans difficultés à quarante ou cinquante contre un.

Or, l'idée de Bridge était certainement la suivante :

Discréditer de plus en plus Cascadeur en faisant courir à la mauvaise bête quelques épreuves, dans lesquelles il arriverait le dernier ou tout comme.

Puis, le jour où l'on courrait le Grand Prix du Conseil municipal, doté de quatre-vingt mille francs de prix, Bridge aurait fait courir à sa place le cheval gris pommelé qu'il avait acheté à René Baudry et repris ou plutôt essayé de reprendre chez le père Fabre.

Ce cheval-là alors, vu sa qualité et sa forme, gagnerait certainement le prix du Conseil municipal et, dès lors, les initiés qui auraient été au courant de la combinaison auraient pu le jouer en toute certitude, et réaliser sur lui une fortune, car, assurément, on donnerait, pour le Prix municipal, Cascadeur à cent contre un...

Fandor voulait déjouer cette combinaison qui, croyait-il intimement, devait profiter à Fantômas !

C'est pour cela qu'il avait ordonné qu'on emmenât Cascadeur dans un van automobile, et qu'on l'y laissât jusqu'à nouvel ordre.

Puis lui-même était allé chercher le cheval gris pommelé au haras de Suresnes où Fandor le conservait mystérieusement dissimulé aux yeux de tous, et dont il ne le sortait qu'une heure et demie avant la course, course dans laquelle assurément Cascadeur se classerait de telle sorte que sa cote remonterait aussitôt et que le pari éventuel de Fantômas serait complètement anéanti...

C'est pour cela que Fandor venait de se mettre en selle, et qu'il faisait entrer sur la piste, aux lieu et place du mauvais cheval nommé Cascadeur, son excellent sosie aux remarquables performances...

Un premier tintement de cloches venait de retentir annonçant au public que le départ allait être donné d'un instant à l'autre.

Depuis quelques minutes déjà, le gros du peloton de concurrents était rendu à l'extrémité de l'hippodrome du côté de la porte de Passy où devait se donner le départ.

On ne les voyait point des tribunes du pesage, car un petit bouquet d'arbres dissimulait la vue de la ligne du départ.

Le cloche venait à peine de retentir que le prince de Crécy-Melin qui, naturellement une fois encore, était aux courses en compagnie de la vieille Zouzou, articula cependant qu'il ajustait sa lorgnette :

— Tiens, voilà Cascadeur qui se décide à sortir du paddock.

Et, en effet, on voyait un cheval gris pommelé que son jockey actionnait de la jambe pour l'obliger à prendre le galop au sortir du pesage, et à gagner rapidement le point de départ.

Zouzou ne regardait pas dans cette direction et ne pouvait contrôler la déclaration du prince.

La vieille demi-mondaine, toutefois, haussait les épaules.

— Ce n'est pas possible, grommela-t-elle... Cascadeur est sorti un des premiers et voilà longtemps qu'il doit être au départ !...

Cependant le prince reprenait :

— Je sais ce que je dis, que diable ! je n'ai pas la berlue et Cascadeur est assez facilement reconnaissable à sa robe gris pommelé.

Le prince ajoutait :

— Le voilà qui s'approche du départ, je reconnais très bien aussi les couleurs de l'écurie Mauban...

Zouzou n'insistait pas, elle était convaincue que le prince se trompait, ayant vu, bien vu, sortir Cascadeur pas mal de temps avant l'apparition du cheval que lui signalait le jeune homme.

Mais Zouzou n'était pas contrariante et, au surplus, elle se moquait de ce détail, car elle n'avait pas joué Cascadeur mais bien Moulin à Vent, dont la chance était très grande dans cette épreuve.

Au départ cependant, quelqu'un se disputait terriblement avec son cheval.

Et ce quelqu'un n'était autre que Fandor !

Depuis le moment où le jeune homme avait quitté le paddock, il éprouvait émotion sur émotion, surprise après surprise.

Au moment même où il faisait prendre le galop d'essai à son cheval, Fandor remarquait combien le fameux gris pommelé galopait mou, avançait sur place, semblait prêt à s'essouffler, incapable de faire un bon parcours.

— Il va s'y mettre, pensait Fandor.

Mais au bout de quelques centaines de mètres, il devait se rendre à l'évidence.

Qu'est-ce que cela signifiait ?

Est-ce que par hasard cette merveilleuse bête, dont l'entraînement, dissimulé aux yeux de tous, avait était si parfait, allait perdre tous ses moyens, du fait qu'elle était en piste ?

Non, c'était impossible !

Le gris pommelé était d'une essence bien supérieure à celle de tous ses concurrents, et cependant, Fandor ne pouvait s'empêcher de constater qu'il montait une carne aussi mauvaise que le véritable Cascadeur lui-même.

Et, tout d'un coup, comme il approchait du peloton de la ligne de départ, Fandor poussa un terrible juron que les gens de la pelouse entendirent tant il était proféré avec énergie :

— Nom de Dieu ! jurait Fandor, je suis roulé... abominablement roulé.

Le journaliste devenait tout pâle, car, brusquement, la lumière se faisait dans son esprit.

Parbleu ! la chose était certaine désormais.

Malgré toutes les précautions qu'il avait prises, quelque mystérieux complice de Bridge-Vladimir avait découvert les intentions de Fandor et les avait contrecarrées.

Assurément depuis trois ou quatre jours déjà, on avait enlevé du haras de Suresnes, sans que Fandor le sache, l'excellent gris pommelé et on avait mis à sa place le mauvais Cascadeur, la carne irréductible, invétérée. C'était donc cette carne que Fandor, dans le plus grand mystère et avec les plus grandes précautions, avait amenée une heure avant du haras de Suresnes, c'était cette carne sur laquelle il se trouvait, c'était le vrai Cascadeur, c'est-à-dire le mauvais cheval, qui tenait désormais la ligne de départ !

— Je suis roulé, je suis roulé, grognait Fandor, qui, nerveusement, labourait de ses éperons les flancs de sa bête déjà essoufflée par ce simple galop d'essai.

Le journaliste, toutefois, ne pouvait plus reculer !

Il fallait faire contre fortune bon cœur, il fallait courir la course quitte à arriver dernier, et surtout avoir l'air de ne s'être aperçu de rien... L'on s'expliquerait lorsqu'il reviendrait au paddock, dès lors on saurait ce qui s'était passé.

Le lot des chevaux engagés dans le prix de Seine-et-Oise était considérable.

Les starter avait une peine infinie à les grouper sur la ligne de départ, à deux ou trois reprises il avait failli abaisser son drapeau rouge, puis il ne l'avait pas fait, l'alignement n'étant pas encore suffisant, puis il arrivait aussi un lot de retardataires que Fandor d'ailleurs ne remarquait pas, tant il était abasourdi, ennuyé, préoccupé aussi de sa bête.

Des tribunes, on vit le départ, et un long soupir de soulagement s'échappa de toutes les poitrines.

Enfin on avait pu les faire partir ! Ça n'était pas trop tôt !

Quelqu'un qui se plaignait dans la foule se fit relever vertement par un commissaire qui traversait les tribunes du pesage :

L'irascible personnage avait grommelé entre ses dents :

— Ce starter est un maladroit.

Et le commissaire des courses lui rétorquait alors :

— Si vous croyez que c'est commode de donner le départ à dix-sept chevaux !

Il s'en allait sur cette remarque, une dame pourtant ajoutait :

— Ce commissaire se trompe, ils sont dix-huit, je les ai comptés comme ils sortaient du pesage.

Un voisin intervenait :

— Non, madame, ils sont dix-sept... Voyez plutôt le tableau d'affichage.

Quelques yeux consultaient le tableau, mais alors, un bon nombre de personnes protestaient :

— Pas du tout, le tableau se trompe et madame a raison, nous avons, nous aussi, compté dix-huit partants.

Que signifiait cette discussion ?... avait-elle de l'importance ? ou fallait-il croire que, certainement, quelqu'un s'était trompé ?... Nul n'eut le temps d'élucider ce problème.

Une rumeur montait de la foule à l'extrémité du grand tournant.

Chose extraordinaire, dès la première haie il y avait eu une bousculade, trois ou quatre chevaux étaient tombés, quelques cavaliers se trouvaient désarçonnés.

Puis, de la foule toute proche de ce tournant, montait un cri qui dominait les autres :

— Cascadeur est dérobé ! Cascadeur est dérobé !...

Les gens du pesage, armés de lorgnettes, ne voyaient pas bien ce qui se passait au tournant, mais d'autre part, ils distinguaient nettement les chevaux du peloton de tête qui s'avançaient dans la ligne droite.

Et dès lors, à la clameur de la foule, de la pelouse, répondaient les cris des gens du pesage :

— Cascadeur mène le train, Cascadeur mène le train...

Quelques instants auparavant, cependant, Fandor, au moment d'aborder la haie, avait l'impression que tout d'un coup le sol manquait sous les pieds de sa bête.

Puis les rênes lui échappaient des mains, il lui semblait que son corps se détachait de la selle, il eut l'impression de planer un instant, puis de tomber dans un trou noir.

Fandor perdait les sens, quelques instants après, cependant, il ouvrait les yeux, agitait les membres, se redressait sur ses pieds.

Fandor venait dêtre désarçonné, il avait fait une chute extraordinaire, décrit une parabole, mais il n'avait aucun mal.

Le soi-disant jockey, pour ses débuts en course, pouvait s'estimer heureux de n'être pas autrement démoli !

Fandor demeurait au milieu de la piste, hésitant, la tête un peu lourde, et le regard vague.

— Il n'y a pas de doute, conclut-il, cette sale carne m'a fichu par terre...

Puis, philosophe, il concluait :

— Ma foi, après tout, mieux vaut que ce soit fini... j'aurais pu aller me fracasser la tête sur le mur en pierres, ou piquer un plongeon dans la rivière des tribunes.

Quelques valets d'écurie couraient après les chevaux dérobés.

Il y en avait quatre ou cinq qui s'en étaient allés sur une piste qui ne suivait point le lot des concurrents et qui remontaient vers le talus des fortifications.

On devinait des chevaux dissimulés derrière les arbres et errant un peu au hasard.

Fandor pensa :

— Cette carne de Cascadeur doit être parmi ceux qui font l'école buissonnière.

Et dès lors, le journaliste, dont la belle casaque était toute saturée de boue et la culotte considérablement verdie par l'herbe grasse, dans laquelle il était tombé, s'acheminait en trottinant le long de la piste pour regagner les tribunes au plus vite.

— Je m'en vais tirer toutes ces affaires-là au clair..., grognait Fandor, furieux de s'être laissé rouler, furieux d'avoir été jeté par terre.

Un instant, il s'arrêtait abasourdi.

Nul dans la foule contenue de l'autre côté des barrières ne le regardait passer, ne se préoccupait de lui.

Tous les gens avaient la tête tournée du côté de l'arrivée, la fin de la course, en effet, était imminente. Le peloton de tête se rapprochait du poteau, les concurrents étaient en groupe compact, il y avait au moins cinq ou six chevaux qui, à trois cents mètres du but, pouvaient encore prétendre à la première place !

Or, ce qui avait déterminé l'arrêt brusque de Fandor, c'était la clameur que poussait désormais toute la foule réunie sur le champ de courses.

Soudain, à deux cents mètres du poteau, un cheval s'était détaché, ses foulées de galop superbes lui permettaient de distancer sans la moindre difficulté les autres concurrents.

Au pesage, on s'émerveillait de voir un cheval dans une forme aussi splendide, son nom retentissait de tous côtés.

— Cascadeur ! Cascadeur ! c'est Cascadeur qui gagne, et comme il veut !... les mains basses !... Cascadeur les doigts dans le nez... Cascadeur dans un fauteuil !

Après un instant de stupeur, Fandor repartait en courant :

— Ils sont tous fous, pensait-il, qu'est-ce que cela signifie !... Cascadeur gagnant !... Non, ça, jamais de la vie, sapristi !... je suis payé ou plutôt j'ai payé pour savoir qu'il s'est dérobé et qu'il a flanqué son jockey par terre, dès la première haie. Ils confondent tout, ces animaux-là ou alors j'entends de travers.

Mais Fandor, qui était désormais à cinquante mètres du passage réservé aux chevaux revenant de la piste et rentrant au paddock, manquait tomber par terre tant la commotion qu'il éprouvait était violente.

La course était finie depuis quelques instants, la foule acclamait encore le nom de Cascadeur gagnant le tableau d'affichage, le donnait comme premier, mais cela n'était rien encore.

Devant les yeux mêmes de Fandor, apparaissait la silhouette élégante et nerveuse du cheval gris pommelé qui, repassant en toute hâte devant les tribunes, faisait une volte rapide pour tourner à gauche dans le petit passage et, dès lors, allait se perdre dans le paddock.

Il n'y avait pas de doute ! C'était bien le cheval gris pommelé, il était monté par un jockey dont Fandor ne distinguait pas les traits.

— Ça ! par exemple, hurla le journaliste, qui entendait crier autour de lui :

— Bravo ! Scott, vive Cascadeur !

— Ah !... par exemple, c'est plus fort que tout...

Absolument affolé, Fandor se précipitait à l'entrée du paddock, mais, brusquement, deux mains s'abattirent sur ses épaules, deux mains qui lui jetaient un grand manteau sur le dos, lequel l'enveloppait des pieds à la tête.

Fandor n'avait pas le temps de faire la moindre résistance ; au surplus, cela se passait au milieu d'une foule hurlante, et une voix murmurait à son oreille :

— Fous le camp ! fous le camp... il ne faut pas qu'on soupçonne ce qui s'est passé, et surtout si l'on te rattrape, n'oublie pas de soutenir mordicus que c'est toi qui as monté Cascadeur !...

Fandor jetait un regard abasourdi sur l'homme qui lui parlait ainsi en l'entraînant et reconnaissait Juve.

— Ah çà !... commençait le journaliste.

Mais Juve ne lui laissait pas le temps de parler.

— Fous le camp, te dis-je.

Puis il le poussait jusqu'à la sortie du paddock où stationnait une automobile qui paraissait attendre.

Fandor s'engouffra dans la voiture, résigné désormais à tout, ne sachant pas ce qu'on lui voulait, il s'attendait à voir Juve monter.

Cependant, les secondes passaient, la voiture ne démarrait pas.

Fandor se pencha à la portière, mais à ce moment il reculait.

Quelqu'un ouvrait, bondissait prestement à l'intérieur du véhicule et cette fois-ci démarrait.

Le journaliste, pourtant, avait poussé un cri en voyant entrer ce compagnon de route inattendu...

C'était un jockey, enveloppé comme lui d'un grand manteau, mais aisément reconnaissable à sa toque et à ses bottes.

— Cette toque, articula Fandor.

Par l'entrebâillement du pardessus, il apercevait aussi la casaque.

— Ah çà !... commença-t-il, les couleurs que moi-même !...

Mais il s'arrêtait encore, et, son visage s'étant contracté sous l'émotion d'une commotion violente, Fandor, d'une voix rauque, articula :

— Hélène ? est-ce possible ? Hélène, est-ce vous ?...

Un sourire lui répondait puis, comme le journaliste devenait tout pâle et qu'il sentait son cœur s'arrêter de battre, une petite main tremblante se mit dans la sienne, son voisin lui murmura :

— C'est moi, n'ayez pas peur.

Et dès lors, Fandor ne pouvait en douter ! le jockey qu'il avait à côté de lui dans la voiture automobile, c'était la femme qu'il aimait, c'était sa fiancée, c'était Hélène.

Au bout d'une seconde cependant, le journaliste retrouvait l'usage de la parole.

— Hélène ! Hélène, supplia-t-il, expliquez-moi ce qui s'est passé... ce qui se passe ? Que signifie ce costume ?... d'où venez-vous ?...

La jeune fille se rapprochait du journaliste, sa petite main serra nerveusement les doigts tremblants de Fandor.

— Je viens de faire une chose folle, insensée, avoua-t-elle, mais qui s'est bien passée...

— Que voulez-vous dire ? demandait Fandor.

— Voici, fit Hélène qui haletait. J'ai monté Cascadeur, et j'ai gagné la course.

— Cascadeur ! s'écria Fandor, Cascadeur s'est dérobé et a jeté son jockey par terre... je le sais mieux que personne puisque c'était moi.

Cependant Hélène insistait :

— Cascadeur a gagné... superbement gagné. Trois longueurs d'avance, n'avez-vous pas entendu la foule qui criait : « Cascadeur, comme il veut !... Cascadeur les mains basses... dans un fauteuil... Cascadeur ! »

Dès lors, la lumière se faisait dans l'esprit de Fandor et il comprenait pourquoi il avait vu, cependant qu'il revenait à pied après sa chute à !a première haie, rentrer au pesage en tête des concurrents et dans leur ordre d'arrivée, le cheval gris pommelé dont il n'avait pas reconnu alors le jockey.

Parbleu ! si lui Fandor avait monté le vrai Cascadeur, c'est-à-dire le mauvais cheval de l'entraînement de Maisons-Laffitte, Hélène avait conduit le bon gris pommelé, le merveilleux cheval, à la victoire !

Cela était indiscutable ! il y avait eu un moment sur piste deux chevaux gris pommelé, les deux Cascadeur !...

Toutefois, comment Hélène avait-elle eu l'idée de monter la bête et comment s'y était-elle prise pour y parvenir ?... la jeune fille l'expliquait en deux mots à Fandor !...

— Je savais votre projet, fit-elle... quelqu'un me renseignait. C'était Juve !... Et, en même temps, j'étais mise au courant de la supercherie dont vous alliez être victime. Fandor, au moment où j'arrivais pour vous prévenir, je vous voyais partir en piste montant Cascadeur, le vrai, c'est-à-dire allant à la défaite certaine, alors que vous croyiez être sur le bon cheval qui vous ferait gagner.

« Il fallait à toute force que Cascadeur eût la victoire, car les paris engagés par Maxon sur la chance de ce cheval étaient considérables, et puis, il fallait aussi contrecarrer les intentions de Fantômas ! Oh ! j'avais tout prévu, Fandor, vous savez que mon existence aventureuse m'a permis de devenir une écuyère émérite, je le dis sans vanité... Depuis longtemps je pensais que peut-être j'aurais à intervenir quelque jour dans une semblable circonstance, et, depuis ce matin, j'avais décidé de me tenir prête à tout événement. Sous mes vêtements de femme, j'avais revêtu cette tenue de jockey. Au dernier moment, voyant que vous ne reveniez pas, et supposant que vous ne vous étiez pas encore aperçu de la substitution du mauvais cheval au bon, j'ai été chercher ce dernier, je l'ai fait sortir du van automobile malgré vos hommes, malgré vos lads qui vraisemblablement sont les complices de Vladimir et de Fantômas. Et puis, je suis sortie du paddock la dernière, considérablement émue, à l'idée que peut-être j'arriverais trop tard pour prendre le départ, j'eus la chance toutefois d'arriver à temps.

« Et dès lors, la course s'est disputée, Fandor, le gris pommelé qui a couru avec moi sous le nom de Cascadeur, est une bête hors ligne, merveilleuse. Dès le départ, nous nous sommes maintenus dans le peloton de tête, je n'ai eu qu'à lui rendre la main aux cinq cents derniers mètres pour qu'il gagnât avec la plus grande facilité.

Fandor, abasourdi, considérait Hélène avec des yeux arrondis de surprise...

— C'est plus fort que tout !... balbutiait-il, c'est inimaginable, inouï. Je comprends maintenant pourquoi Juve a voulu me faire partir à toute force du champ de courses, c'est bien assez de penser qu'on va retrouver deux chevaux gris pommelé ; il n'aurait plus manqué qu'on retrouvât les deux jockeys et surtout que l'on découvrît votre véritable identité.

L'automobile qui les emmenait quittait désormais le Bois de Boulogne et s'engageait dans l'avenue Dauphine, remontant vers l'Étoile.

Les deux amoureux se considéraient désormais avec inquiétude et stupéfaction.

Enfin Fandor articula :

— Mais comment tout cela va-t-il finir ?... et que se passe-t-il en ce moment à Auteuil ?...

XXIII

Volé !

Comme une mer en furie, sur le champ de courses, la foule des parieurs déferlait.

Une clameur immense, formidable, faite des cris de cent mille poitrines, avait salué la victoire de Cascadeur, le triomphe du jockey Scott.

Et tandis qu'au bout de la pelouse, du côté de Boulogne, le public, étonné d'apprendre cette victoire, après la dérobade du favori dont il avait été témoin, se renseignait devant la ligne d'arrivée, les noms de Cascadeur et de Scott étaient hurlés à pleins poumons, cependant que tous ceux qui avaient parié sur le cheval se précipitaient avec des mines épanouies vers les guichets du Pari mutuel pour toucher leur gain.

L'enthousiasme, cependant, ne durait que quelques instants.

Aucune caisse n'avait encore payé, les guichets du Pari mutuel demeuraient encore fermés que, brusquement, cependant que tous les yeux interrogeaient l'affichage, une sonnerie stridente retentissait.

Une nouvelle clameur, alors, monta vers le ciel.

— Réclamation ! réclamation ! Il y a une réclamation !

Et l'émotion n'était pas moins grande au pesage, au pavillon, qu'à la pelouse.

C'était partout des gens affairés, qui couraient aux nouvelles, des discussions passionnées qui naissaient entre parieurs ne se connaissant point une minute auparavant, des affirmations contradictoires, que chacun hurlait, avec l'énergie des convictions absolues...

— Parbleu ! Cascadeur se sera distancé, disait un gros homme, je sais qu'il a évité une barrière...

Une maigre petite vieille femme, la figure toute ridée, les doigts recouverts de mitaines, l'apparence si frêle qu'on ne comprenait point qu'elle s'exposât en une pareille cohue, ripostait avec exaltation :

— Assurément, Cascadeur se sera distancé, c'est Finasseur, Finasseur qui est le gagnant.

Autour d'elle, on haussait les épaules :

— Finasseur ! un beau tocard !... Il était arrivé troisième de deux encolures ; qu'est-ce qu'elle avait à prétendre que Finasseur était le gagnant ?... Finasseur n'avait pas figuré, non... parole d'honneur, pas un instant il n'avait été en balance... c'était Cabochon qui devait être placé en tête !...

Mais la petite vieille s'entêtait.

— C'est Finasseur !... d'abord, c'est certain qu'il va gagner ; c'est le garçon de mon bouillon qui me l'a donné, et il connaît un gabelou de Maisons-Laffitte qui voit tous les jours les chevaux à l'entraînement.

Au pavillon, dans un enthousiasme pareil, on discutait semblablement.

Mais c'était surtout au pesage et dans la tribune des sociétaires que les querelles prenaient de l'âpreté, que les phrases acerbes s'échangeaient le plus impérieusement entre voisins.

Là, une arrivée avait de l'importance. Ce n'étaient pas quelques pièces de cent sous qui étaient en jeu, mais des sommes formidables.

Et puis, il y avait encore d'autres raisons, des raisons secrètes, qui influaient sur cette victoire.

— Vous savez, chuchotait un membre du Jockey-Club, Maxon avait misé très gros sur Cascadeur !...

La personne interviewée haussait les épaules :

— Mauban n'avait rien pris du tout, affirmait-elle.

L'un des membres du comité, descendant des gradins, mettait ses deux mains dans ses poches, haussait les épaules, d'un air profondément attristé :

— Ma parole ! c'est à tenir son portefeuille continuellement dans la main, ici, ça tient du vol !... Finasseur classé premier, voilà ce qu'on dit... Ah ! bien... ce serait du propre ! l'arrivée de Cascadeur, que diable, est indiscutable !...

Mais on rétorquait :

— Vous êtes fou, mon ami. Cascadeur a dérobé, Cascadeur n'était plus en course.

Quelqu'un demanda :

— Où est Mauban ?

Cent voix crièrent :

— Avec le commissaire !... on juge la réclamation...

La sonnerie grelottait toujours, car tout cela se passait très vite.

C'était très vite, en effet, qu'à l'instant précis de l'arrivée, comme on affichait le classement, le comte Mauban avait, dans un grand énervement, quitté sa place, se précipitant vers la tribune des juges.

La réclamation que l'on appréciait en ce moment émanait de lui, c'était lui qui l'avait posée, et il l'avait posée sur un ton de colère folle, dans un émoi indicible :

— Réclamation ! avait hurlé le comte Mauban. Ce n'est point mon cheval qui a gagné...

Des officiels avaient immédiatement accueilli le propriétaire, on l'avait entraîné, il était maintenant dans la salle de délibération, très pâle, le front en sueur, comme énervé à l'extrême :

— Messieurs, précisait Mauban, vous ne pouvez pas maintenir ce classement. Je proteste formellement contre ma propre victoire et vous comprendrez, j'imagine, que l'honneur sportif m'en fait un devoir impérieux... Ce n'est point Cascadeur, ce n'est point mon cheval qui a gagné, c'est une autre bête... il devait y avoir dix-sept partants, il y a eu, en fait, dix-huit chevaux en course.

Les autorités officielles, en entendant cette réclamation, que mille voix, déjà, avaient formulée, se sentaient fort embarrassées.

S'il y avait eu réellement dix-huit chevaux en course, un scandale formidable devait éclater !

Mais comment cela était-il possible ? Qui s'était permis de faire partir un cheval en plus ?...

Et c'était, dans la petite salle des délibérations, des coups de téléphone affolés, des serviteurs envoyés aux renseignements en toute hâte, une mobilisation générale de tous les commissaires des courses, car il fallait se hâter, rendre au plus vite la décision suprême, affirmer un classement définitif.

Le public, sans cela, allait se fâcher, le public des parieurs, ce public toujours nerveux, toujours prêt à croire qu'on le vole, toujours enclin à admettre les plus monstrueuses combinaisons !

Il n'y avait plus au paddock que dix-sept chevaux. Les dix-sept chevaux régulièrement inscrits ; Cascadeur était bien parmi eux et Cascadeur, les surveillants du pesage le garantissaient, avait été reconduit dans l'enceinte par les employés du turf, bien avant l'arrivée de la course, c'est-à-dire n'avait pas pu gagner, n'avait pas matériellement pu prendre part à la lutte finale.

Le président du jury, ce renseignement définitif obtenu, se recouvrait :

— L'affaire est entendue, déclarait-il nettement. Il vient de se passer un truquage sur lequel la commission des courses aura certainement une minutieuse enquête à mener. Il est certain que votre cheval, comte Mauban, n'est point le gagnant... Nous allons annuler l'épreuve, rendre les mises.

Une sonnerie, à nouveau, retentissait ; en quelques instants, le tableau d'affichage était changé, indiquant au public l'annulation de la course, annulation qui était accueillie par de formidables vociférations, par des clameurs sans fin.

Le public que l'on remboursait protestait.

Les gagnants de Cascadeur n'admettaient point ne pas toucher leur mise, ceux qui avaient ponté sur Finasseur ne comprenaient pas qu'il ne fût point considéré comme le gagnant.

Chacun avait son mot à dire, il semblait que le public de l'hippodrome n'eût qu'une seule âme, et que cette âme fût secouée de colère.

Qu'importaient, cependant, les récriminations de la foule ?

Les membres du jury avaient, à coup sûr, bien trop l'habitude de diriger les réunions hippiques pour se soucier d'un mécontentement général que l'honneur les avait obligés à braver !

— Vite ! vite ! hurla le président du club, affichez la suivante...

Et, comme par miracle, au moment précis où une nouvelle sonnerie annonçait la clôture de l'incident, les programmes s'agitaient de nouveau dans les mains des parieurs, on oubliait la course qui venait d'être annulée, pour songer à la course qui allait suivre ; déjà l'or affluait dans les caisses des donneurs...

Si l'émotion, toutefois, se calmait relativement vite à la pelouse, voire même au pavillon, il n'en était point de même au pesage.

Là, on avait eu tous les renseignements possibles, on avait connu, ou du moins flairé, le scandale, et naturellement on en parlait avec une émotion qui n'était point prête à disparaître.

En sortant de la salle de délibérations du jury, le comte Mauban, très pâle, mais sanglé dans sa jaquette, bombant le torse, portant beau, jetant des regards de défi, prêt à braver en un mot l'orage qui le menaçait, était accueilli par une ovation toute chaleureuse, véhémente bien que spontanée.

— Bravo ! criait-on, bravo ! très bien !

Et des voix précisaient l'éloge :

— C'est admirable de réclamer contre soi-même.

Or, comme il descendait les marches du perron, soudain, sous la voûte, souriant, le comte Mauban se contentait de répondre :

— Mais, ne me félicitez pas, messieurs... je n'ai fait que mon devoir... on a truqué, j'ai protesté contre le truquage ; je ne pouvais pourtant pas accepter une victoire qu'en conscience je n'avais pas gagnée.

C'était la seule réponse à faire, la réponse digne d'un honnête homme. Une voix murmura :

— Très bien, le comte Mauban !... Décidément, c'est le président futur du Jockey...

Quelqu'un répondit :

— A moins que ce ne soit Maxon.

Le comte Mauban avait-il entendu ?... Sans doute.

Un sourire méprisant passa sur ses traits.

— Au fait, murmurait le nouveau propriétaire de Cascadeur, Maxon doit être désespéré... Je crois qu'il avait ponté gros sur Cascadeur, il doit perdre la forte somme !

— Vraiment, cher ami, demandait l'un des plus gros propriétaires de courses au gentleman, vraiment vous affirmez que Maxon avait de fortes sommes sur Cascadeur ?... C'est bien extraordinaire !

Le comte Mauban eut un sourire.

— Je le trouve comme vous..., murmurait-il.

Le propriétaire entraîna à l'écart le comte Mauban :

— Entre nous, quel effet cela vous fait-il, cette aventure ?...

— Un pitoyable effet.

Les deux hommes se regardèrent, demeurant silencieux une minute ; le comte Mauban reprit :

— Car enfin, moi-même, je n'avais point parié sur mon cheval, je savais que Cascadeur n'avait aucune chance, et, par conséquent, je ne l'avais point pris... Comment se fait-il que Maxon se soit si lourdement trompé ?...

L'interlocuteur du comte Mauban appuya :

— C'est en effet étrange, une telle erreur de la part d'un homme qui est candidat à la présidence du Jockey...

Le propriétaire avait une petite toux discrète, il finit par poser sa main, d'un geste familier et cordial, sur l'épaule du comte Mauban :

— Hein ! qu'en dites-vous ?... demandait-il d'une voix basse... toute cette aventure ne vous fait-elle pas penser à quelque chose ?... à quelque chose... de pas très propre ?...

— Ma foi !...

Et, de plus en plus acharné, le propriétaire précisait :

— En somme, vous, Mauban, et nous tous, nous savions que Cascadeur était un toquard, personne de nous n'en aurait fait son favori. Or, Maxon le prend, il le prend gros, et précisément il se trouve qu'un truquage a lieu, qui, sans votre honnête réclamation, sans votre clairvoyance, aurait pu amener Cascadeur à gagner... Savez-vous que Maxon avait bigrement intérêt à la réussite de ce truquage ?...

Le comte Mauban tirait de sa poche un élégant étui d'or, offrait une cigarette à son interlocuteur :

— Mon cher, disait-il avec un sourire lassé, le sourire d'un homme qui souffre d'une confidence qu'il fait à regret, mon cher, voyez-vous, les courses ne sont plus ce qu'elles étaient autrefois : sous prétexte de moderniser le Jockey, nous avons laissé s'introduire parmi nous des individus qui, peut-être, n'ont point nos sentiments sur les rigoureux devoirs de l'homme qui fait courir...

Il faisait une petite pause, se reprenait très vite :

— Mais vous comprenez aussi, mon bon, que je ne veux rien dire, rien insinuer, ma position est trop délicate, parbleu !... Non seulement je suis propriétaire de Cascadeur, mais encore je me trouve être le concurrent, à la présidence du Jockey, de Maxon. Je ne voudrais pas avoir l'air...

L'interlocuteur du comte Mauban lui coupa la parole :

— Vous plaisantez !... Maxon n'est pas un concurrent sérieux ; après ce qui vient de se passer, sa candidature ne peut même plus être discutée...

Cependant que ces perfides paroles s'échangeaient, paroles qui résumaient un peu l'opinion générale, à l'autre bout du pesage, derrière les tribunes, en un coin d'ombre, deux hommes conversaient avec désespoir.

C'étaient Juve et Maxon !...

— Je suis navré, disait le policier au milliardaire. Ce qui vient de se produire est inouï, il était impossible aussi de le prévoir. Monsieur Maxon, je suis navré...

L'émotion de Juve, en effet, apparaissait considérable.

Juve s'était méfié, lui aussi, d'un coup de Fantômas !

Il avait prié Maxon d'appuyer fortement les chances de Cascadeur, espérant qu'ainsi Fantômas le ferait gagner. Il savait que Maxon se moquait pas mal de perdre son pari ; mais il savait aussi que ce n'était point une simple question de jeu qui venait d'être réglée, c'était une question politique d'une bien autre importance.

Le monstrueux truquage qui venait d'être réalisé tournait, en effet, complètement à la confusion du policier.

Il avait pour résultat de faire peser sur Maxon un soupçon de malhonnêteté. Tout le monde croyait comprendre ce qui s'était passé.

C'était, aux dires du public, Maxon qui avait dû mettre en course le véritable bon cheval qui ressemblait à Cascadeur le toquard.

Maxon, ayant ponté gros sur un cheval auquel personne ne croyait, avait évidemment, jugeait-on, voulu s'assurer la victoire à toute force. Pour y réussir, il avait fait partir, en même temps que Cascadeur le toquard, un bon cheval ; un instant, sa ruse avait failli réussir, et c'était l'honnêteté seule du comte Mauban réclamant contre sa propre bête qui avait empêché le succès de cette véritable escroquerie.

— Je suis déshonoré..., répétait Maxon.

Il n'accusait d'ailleurs point Juve, il ne lui faisait aucun reproche, sachant bien que le policier n'avait point eu de mauvaises intentions, comprenant même que Juve succombait sous le poids de coïncidences impossibles à prévoir, il n'en était pas moins navré.

Juve, toutefois, après avoir un instant perdu courage, se reprenait déjà.

Il serrait les poings avec rage, il se redressait.

Le policier tendit la main au milliardaire :

— Monsieur Maxon, disait Juve d'une voix qui criait son émotion, je vous demande pardon de ce qui vient d'arriver, mon imprudence est la cause de votre malheur. Mais, foi d'honnête homme, tout n'est pas désespéré. Nous venons de perdre la première partie, nous aurons la revanche, et la belle ; je ne m'avoue pas vaincu, je lutterai...

Maxon rendit cordialement son étreinte à l'excellent homme.

— Je n'ai point de pardon à vous donner, dit-il. Et vous n'avez pas à regretter ce qui vient de se passer. Vous et moi, Juve, nous sommes victimes d'une fatalité déplorable, mais, comme vous le dites, rien n'est définitif. Parbleu ! c'est évident, il y a des malhonnêtes gens qui nous font la guerre. Fantômas est parmi eux peut-être, eh bien, il faut les braver !...

En tout cas, Maxon ajoutait, trahissant ainsi sa grande préoccupation :

— Certes, je n'ai plus grande chance d'arriver à la présidence du Jockey, mais si cependant j'obtenais cet honneur, je vous jure que je tenterais tout au monde pour réaliser une œuvre d'assainissement qui s'impose... Si par hasard il y a un filou qui s'est glissé dans ce cercle dont l'honneur est de tradition, il faut que ce filou soit démasqué, qu'il soit chassé, qu'on affiche son nom au pilori de la honte !

Redressé, lui aussi, dans une superbe indignation, Maxon avait un mouvement d'épaules puissant.

Toute son énergie de lutteur qui, maintes fois, à la course, avait stupéfié les plus audacieux, se révélait dans ce mouvement.

— Il ne faut pas perdre courage, disait Maxon, assurément on n'abandonne pas une lutte qui commence...

Il serrait encore une fois à les broyer les mains de Juve.

— Aujourd'hui battu et demain victorieux !... Voilà quelle a toujours été ma devise... elle est bonne... je n'en change pas...

Maxon avait un petit rire discret, il disait :

— Mon cher Juve, cherchez encore, cherchez toujours, plus que jamais je suivrai vos conseils, plus que jamais je suis à vos ordres...

Or, comme le propriétaire finissait de parler, brusquement il tressaillit :

— Tiens ! au fait, voici mon bookmaker.

A quelque distance, en effet, se tenait un monsieur fort correct, très entouré, que chacun connaissait au pavillon pour être l'un des plus gros bookmakers, l'un des plus solvables aussi de ces donneurs de paris.

Quittant Juve, Maxon se dirigea vers lui.

— Parbleu ! commença le milliardaire, je crois que je vous dois la forte somme.

Maxon avait mis vingt mille francs sur Cascadeur.

Il fouilla sa poche pour prendre son portefeuille et solder son dû.

Or, comme le milliardaire mettait la main à la poche, il pâlit brusquement :

— Mon Dieu ! fit-il

Et, se retournant, d'un geste il appelait Juve.

— Qu'est-ce qu'il y a ? questionna le policier.

Maxon avoua :

— Un vol extraordinaire !... décidément, je n'ai point de chance... mon portefeuille a disparu...

Il ouvrait, en parlant, son vêtement, montrait sa poche :

— La doublure fendue d'un coup de rasoir, je suis la victime d'un pickpocket.

Mais Juve, déjà, avait froncé le sourcil :

— Je ne vous ai point quitté, disait le policier, je savais que vous aviez une forte somme sur vous et, machinalement, depuis le début de la réunion, je vous ai surveillé... Où avez-vous déjeuné ?

Maxon réfléchissait :

— Au Cercle, dit-il, au Jockey...

— Alors c'est au Jockey qu'on vous a volé.

— Mais au Jockey il n'y a que des gens honnêtes !

— Non, fit froidement Juve. Au Jockey il y a Fantômas, j'en jurerais !...

Maxon, en entendant cette affirmation, avait, lui aussi, brusquement pâli.

XXIV

L'identité de Fantômas ?

La situation se compliquait singulièrement.

Les aventures les plus tragiques succédaient aux événements les plus inattendus et, depuis quelques jours, Juve et Fandor, malgré leur accoutumance aux choses invraisemblables, commençaient à se demander si jamais ils sortiraient de tout cet imbroglio et s'ils parviendraient à mettre la main sur le coupable qui, assurément, était à la tête d'une bande mystérieuse à laquelle on devait la série complète et variée des événements qui se produisaient.

Ah ! certes, dans l'esprit du policier et du journaliste il n'y avait aucun doute sur la personnalité de l'auteur responsable de tous ces incidents qui bouleversaient Paris et le monde des courses !...

Ce ne pouvait être que Fantômas ! Fantômas qui, encore une fois, avait découvert un nouveau milieu à exploiter. Fantômas qui, certainement, avait échafaudé toute une combinaison extraordinaire dans le monde des courses, pour arriver à commettre des vols et des escroqueries qu'il facilitait, en exécutant les crimes les plus sanguinaires sans la moindre vergogne !...

Fantômas, il est vrai, avait remporté un formidable échec du fait de l'arrestation de son fils Vladimir. Celui-ci était désormais sous les verrous et guère prêt de sortir de prison.

Toutefois, on pouvait redouter, étant donné l'âme vindicative de Fantômas, qu'il ne voulût, à titre de représailles, s'assurer une éclatante vengeance, et d'un moment à l'autre le policier Juve, particulièrement, et Fandor redoutaient une intervention nouvelle du terrible Génie du crime.

Toutefois, les deux amis divergeaient d'opinions sur un point. Ce point se trouvait être le suivant :

Qui était Fantômas ?

Sous quelle personnalité se dissimulait-il ?

Mieux qu'à l'ordinaire encore, Fantômas était invisible !

Juve et Fandor avaient la conviction très nette que le Bandit se trouvait auprès d'eux. Il agissait dans un très proche voisinage, devait être assurément l'une quelconque de ces têtes familières et connues que l'on voyait aux courses, mais sur qui arrêter son choix ?

Ils avaient trouvé dans le monde des professionnels et du pesage le fils de Fantômas !

Fallait-il chercher le père dans la pègre, et en arrêtant successivement les Bec-de-Gaz, les Œil-de-Bœuf et autres gens suspects, chercher de ce côté une filière permettant d'arriver jusqu'au Maître ?

Juve et Fandor exprimaient que c'était plutôt dans le monde élégant que se dissimulait le Bandit. Toutefois, s'ils étaient d'accord sur ce point, ils l'étaient moins sur la personnalité qui devait masquer Fantômas.

Juve avait tendance à rechercher le Bandit dans le monde des propriétaires et du Jockey-Club. A deux ou trois reprises, il y avait de cela pas mal de semaines, il avait lancé le nom du comte Mauban, puis ne s'y était pas arrêté, il avait cherché ailleurs ; désormais sa conviction semblait s'affermir, et, grâce à l'appui précieux que lui prêtait le milliardaire Maxon, qui, pour une cause mystérieuse et encore tenue secrète, s'intéressait vivement aux recherches de Juve, il avait sans cesse contrecarré les projets du comte Mauban...

Évidemment, celui-ci avait des façons de faire assez équivoques. Toutefois, on ne pouvait en induire qu'il fût pour cela un complice de Fantômas, ou Fantômas lui-même !...

Le fait d'être propriétaire de chevaux entraînés chez Bridge ou de parier sur certaines bêtes à grosses cotes, dans l'espoir de réaliser de gros profits, n'impliquait point forcément que l'on fût pour cela un homme affilié à la bande sinistre, ou même le Génie du crime.

Néanmoins, Juve avait le pressentiment que c'était dans l'entourage très voisin du comte Mauban qu'il importait de pousser ses enquêtes.

Quant à Fandor, il avait une autre opinion.

Et c'est pourquoi, ce matin-là vers onze heures et demie, le journaliste se rendait rue Lalo, sonnait à la porte du petit hôtel offert par Florestan d'Orgelès à Georgette Simonot, et demandait à voir cette dernière.

On introduisait Fandor dans le petit salon d'attente du rez-de-chaussée. Le journaliste donnait sa carte, et quelques instants après le domestique revenait l'informer que madame allait le recevoir.

En réalité, Fandor n'avait pas grand-chose à dire à Georgette ; s'il venait lui rendre visite, cette visite n'était certainement pas préméditée et, d'autre part, le journaliste n'avait nullement prévu ce qu'il dirait à la jeune femme pour expliquer sa venue.

Fandor ne se préoccupait d'ailleurs pas de cela, comptant sur le hasard, sur l'occasion, pour trouver un motif. Ce qu'il voulait surtout, c'était s'introduire dans l'intimité de la jeune femme.

Il désirait connaître tout particulièrement son amant Florestan d'Orgelès, qu'il avait à peine entrevu, à deux ou trois reprises et dont la physionomie bizarre avait retenu son attention, intrigué son esprit.

Puis, Fandor se souvenait de la question que lui avait posée Georgette il y avait de cela une huitaine de jours lorsque tous deux s'étaient rencontrés au pesage d'Auteuil.

Georgette avait paru très désireuse de savoir, par Fandor, le nom d'une certaine personne avec qui Fandor venait de s'entretenir quelques instants auparavant. Cette personne n'était autre qu'Hélène, Fandor n'avait pas cru devoir le dire à Georgette à ce moment-là.

— Quel est le nom de cette jeune fille ?... Elle ressemble tant à mon mari, que je me demande si celui-ci n'est pas son père...

Et ces paroles avaient éveillé en Fandor toute une série de suppositions... il y avait évidemment là un problème qu'il convenait d'éclaircir.

C'est pourquoi le journaliste attendait désormais dans le petit salon du rez-de-chaussée de l'hôtel de la rue Lalo.

Au bout d'une demi-heure, un pas léger se fit entendre dans le couloir. Puis, la porte s'ouvrit, Georgette Simonot parut.

Elle était décidément charmante et tout à fait désirable, cette petite bourgeoise qui, par suite d'événements plus ou moins tragiques, était désormais lancée dans la grande vie et promettait de devenir une demi-mondaine des plus huppées.

Elle était vêtue d'une robe d'intérieur de lingerie qui lui seyait à ravir et son opulente chevelure faisait à l'ovale parfait de son visage un cadre délicat et charmant.

En voyant Fandor, Georgette, cordialement, lui tendit la main :

— Enchantée, monsieur, lui dit-elle, de vous voir... ou, pour mieux dire, de vous revoir...

Puis elle ajoutait, malicieuse :

—, Venez-vous m'apporter la réponse à la question que je vous ai posée l'autre jour, aux courses d'Auteuil ?

Fandor sursauta !

Ainsi donc, Georgette se souvenait et était préoccupée de savoir quelle était la personnalité d'Hélène !

— Mon Dieu, rétorqua le journaliste, il me semble, chère madame, que vous attachez bien de l'importance à un fait qui ne le mérite pas. Je connais en effet la personne dont vous me parlez.

— Elle est bien jolie..., soupira Georgette.

— Qu'est-ce que cela peut vous faire ?... demandait Fandor, en seriez-vous jalouse par hasard ?

Georgette, qui jusqu'alors avait conservé une physionomie souriante, devint sérieuse et ses traits se contractèrent. Elle s'approcha du journaliste et articula nettement :

— Comment s'appelle-t-elle ? Dites-moi son nom ?...

Évasivement, Fandor répliquait :

— Je ne sais pas au juste... c'est une des nombreuses personnes que l'on voit aux courses.

Mais Georgette l'interrompit :

— C'est bien... je comprends que vous ne voulez pas me la nommer, et je n'insiste pas. Par contre, je ne suis pas dupe de votre ignorance feinte. Vous savez parfaitement bien qui est cette personne, et vous avez même avec elle des relations que je qualifierais de bien cordiales, pour ne pas dire plus.

Fandor, malgré lui, tressaillit.

— Que voulez-vous dire ? interrogea-t-il.

Georgette insinua brièvement :

— Je vous ai rencontrés un soir tous les deux... vous vous promeniez boulevard Saint-Germain, l'un près de l'autre, comme des amoureux...

— Soit ! reconnut Fandor, dès lors où vous vouliez en venir ?

— A ceci, rétorqua Georgette : il se peut, monsieur Fandor, que cette personne soit votre fiancée, votre maîtresse, je ne sais... excusez-moi de faire de semblables suppositions, mais j'imagine que vous l'aimez ?... Eh bien, dans votre intérêt, prenez garde...

— Pourquoi ? fit Fandor de plus en plus intrigué.

— Parce que, poursuivit Georgette, elle est perpétuellement fourrée ici ; si par hasard j'entre dans une pièce, je la trouve attendant, écoutant, espionnant, me semble-t-il.

Fandor, à ce moment, interrogea :

— Elle vient voir votre amant ?

Georgette avait un petit rire nerveux :

— Mon amant ? si on le veut... C'est une façon de parler... car mes relations avec Florestan d'Orgelès sont limitées à une camaraderie toute platonique ; mais c'est précisément cela qui m'inquiète... Oui, monsieur Fandor, votre amie, cette jolie personne aux cheveux d'or fauve, est sans cesse chez moi, et perpétuellement attend Florestan d'Orgelès. Je ne sais pas ce qu'ils peuvent avoir à se dire. Je vous avoue que malgré ma surveillance, je n'ai jamais pu les surprendre ensemble... Eh bien ! je vous le demande, qu'est-ce que cela signifie ?

Fandor, lentement, répliqua ;

— Je ne puis vous le dire pour le moment, mais il est probable que je ne tarderai pas à vous renseigner...

Fandor était perplexe.

Assurément, il n'adoptait en rien les conclusions formées par son interlocutrice. Fandor n'imaginait pas un seul instant, comme le redoutait Georgette, qu'Hélène pût venir rue Lalo dans le but de se faire courtiser par Florestan d'Orgelès !

Toutefois, le journaliste devait reconnaître que la présence de la jeune fille dans cet hôtel, en dépit de la volonté de celle qui y habitait, était assez étrange.

D'autre part, si Fandor rapprochait ce fait des absences mystérieuses d'Hélène, qui n'était presque jamais chez elle, boulevard Saint-Germain, il y avait certainement là quelque chose qui lui permettait d'être troublé !...

Fandor se demandait si Hélène, à un titre quelconque, n'était pas encore sous la domination redoutable du terrible Génie du crime, et si celui qui si longtemps avait passé par son père, Fantômas, n'était pas encore pour beaucoup dans l'attitude de sa fiancée [1]...

Et, dès lors, les soupçons qu'avait formulés Fandor, les craintes qu'il éprouvait et qui d'ailleurs l'avaient déterminé à venir rue Lalo, les suppositions qu'il formait à l'égard de l'amant de Georgette se précisaient et s'affirmaient.

Florestan d'Orgelès n'était-il pas Fantômas ? Évidemment, c'était là l'hypothèse la plus vraisemblable qu'il pouvait formuler...

Il fut arraché de ces réflexions par Georgette qui lui demanda :

— Monsieur Fandor, puis-je compter sur vous ?

— Oui, madame, pourquoi ?

— Voilà, fit Georgette. Vous aimez cette femme et moi je tiens à conserver mon amant ou, pour mieux dire, mon protecteur. Il se passe entre eux des choses mystérieuses, que nous ne comprenons ni l'un ni l'autre... mais que notre instinct nous dit être fâcheuses pour chacun de nous... Eh bien, voulez-vous que nous unissions nos efforts, que nous écartions Florestan d'Orgelès de cette jeune fille, et réciproquement ?...

Fandor s'était levé :

— C'est une affaire entendue, madame, avant ce soir, j'aurai eu une explication avec M. Florestan d'Orgelès...

---

1. Voir dans la série « Fantômas » : *La Fille de Fantômas*.

Georgette le reconduisait jusqu'à la porte.

— Nous serons à Auteuil cet après-midi, lui et moi, annonçait-elle.

Depuis une demi-heure le journaliste errait dans les tribunes du pesage. Il allait et venait, nerveux, presque farouche, de la pointe de sa canne, il balayait le sol avec nervosité.

Fandor, bien qu'il n'en eût rien montré le matin même à Georgette, était excessivement troublé. L'attitude d'Hélène le surprenait au plus haut point.

— Que vient-elle faire sans cesse rue Lalo ? se demandait-il, quel est le secret que dissimulent ces mystérieuses visites à Florestan d'Orgelès ?... pourquoi ne m'a-t-elle jamais parlé de tout cela ?

Le journaliste estimait qu'il ne fallait pas attendre au lendemain pour tirer au clair cette affaire. Plus il y réfléchissait, plus il avait la persuasion que Florestan d'Orgelès devait être Fantômas.

Et alors, malgré lui, quoique il éprouvât pour Hélène un amour tel que jamais il ne se serait permis de critiquer ses actes, il ressentait néanmoins, à l'égard de la jeune fille, une certaine tristesse !

— Si Florestan d'Orgelès, pensait-il, est Fantômas, pourquoi donc Hélène consent-elle à le revoir ?... quel sortilège le bandit a-t-il jeté sur cette malheureuse, pour la diriger, elle si hautaine et si volontaire, absolument à son gré ?...

Fandor dévisageait un par un les élégants et les mondaines qui arrivaient au pesage. La journée était claire, on venait en foule assister à la réunion ; on exhibait les plus belles toilettes.

Fandor se mêlait à la foule, se tenait de préférence à l'entrée du pesage. Il évitait tout particulièrement d'aller du côté du paddock, où il avait peur d'être vu par ceux qui le connaissaient sous les traits du jockey Scott...

Soudain, le cœur de Fandor battit violemment. D'une superbe limousine automobile, descendait un couple. Une femme passait la première, Fandor la reconnut aussitôt, c'était Georgette.

Derrière elle venait Florestan d'Orgelès, plus élégant, plus soigné que jamais. Il portait avec crânerie, sur sa tête toute blanche, un chapeau haut de forme aux reflets luisants. Il était vêtu avec élégance et, sur ses épaules, il avait jeté négligemment cette sorte de grand manteau noir doublé de soie qu'il portait perpétuellement et qui lui donnait la silhouette, l'allure d'un homme du monde très chic et aussi d'un artiste cossu.

Georgette n'avait pas aperçu Fandor, que celui-ci s'approchait d'elle, la saluait ; puis passait à côté de Florestan d'Orgelès et, imperceptiblement, le heurtait de son épaule.

Florestan d'Orgelès s'arrêta, considéra Fandor avec stupéfaction ; le journaliste, lui aussi, s'était arrêté et il ne s'excusait pas.

Fandor avait employé ce moyen brutal pour avoir, coûte que coûte, une explication avec Florestan d'Orgelès ! Le journaliste était énervé au plus haut point, et, encore que son procédé fût peu correct, il avait tout au moins l'avantage d'aller droit au but, et de permettre qu'une solution intervienne rapidement !...

Au lieu de s'excuser, Fandor articula :

— Vous auriez pu faire attention, monsieur, si ce n'était votre âge, je ne souffrirais pas que la chose se passe de la sorte...

Fandor avait parlé violemment, quelques têtes se retournaient, cependant Florestan d'Orgelès n'insista pas.

Il regarda Fandor d'un air singulier, puis, tournant les talons, se mit à suivre Georgette.

Celle-ci cependant qui avait entendu l'altercation, était devenue toute rouge. Certes, elle souhaitait une explication entre Fandor et d'Orgelès, mais elle n'imaginait point qu'elle pourrait être brutale, et, au lieu d'engager son ami à répliquer à Fandor, elle lui prenait le bras :

— Venez, soupira-t-elle.

Mais Fandor, exaspéré, les rattrapait aussitôt :

— Monsieur, fit-il, en mettant la main sur l'épaule de Florestan d'Orgelès, je vous ai fait l'honneur de vous adresser la parole, vous pourriez me faire l'honneur de me répondre, surtout lorsqu'il s'agit d'excuses que vous me devez...

Le journaliste affectait une allure provocante et, comme il avait parlé encore plus fort que l'instant précédent, quelques personnes qui passaient s'arrêtèrent curieusement, se demandant comment l'altercation allait se terminer.

Fandor s'était rapproché de Florestan d'Orgelès, et celui-ci lâchant le bras de Georgette venait se mettre en face de Fandor. Il le fixa longuement dans les yeux, puis l'aimable vieillard au teint frais, comme celui d'une rose, laissa errer sur ses lèvres un étrange sourire.

Au bout d'un silence pendant lequel Fandor roulait des yeux furieux cependant que Florestan d'Orgelès demeurait éminemment calme, la foule s'était amassée, on faisait cercle autour d'eux, on chuchotait.

— C'est une affaire... ils vont se donner leurs cartes tout à l'heure... il va pleuvoir des gifles !...

Florestan d'Orgelès cependant, de sa voix claire si charmeuse, articulait, avec une intonation très spéciale, ces simples mots :

— Voyons, Jérôme Fandor, êtes-vous donc aveugle ?... Comment se fait-il que vous me traitiez de la sorte ?

Au fur et à mesure que parlait Florestan d'Orgelès, le journaliste écarquillait les yeux ; il blêmissait.

Le vieillard se rapprocha de lui, il mit sa main gantée sur celle du journaliste.

— Je me tiendrai à vos ordres, monsieur, quand il vous plaira, poursuivait Florestan d'Orgelès qui parlait, semblait-il, pour la foule. Vous êtes un enfant, un maladroit, vous savez où me rencontrer désormais, je vous attendrai quand il vous plaira...

Fandor, cependant, n'articulait pas une parole. Il baissait les yeux comme un écolier pris en faute, et après être devenu tout pâle, il rougissait jusqu'à la racine des cheveux.

Florestan d'Orgelès lui faisait dès lors de la main un petit signe amical et protecteur, puis il s'éloigna.

Fandor, cependant, demeurait abasourdi, hébété, là où le vieillard l'avait quitté. Il entendit que, vaguement, dans la foule on commentait avec une certaine dureté son attitude.

— Ce n'était guère la peine, chuchotait-on, de prendre des airs de matamore pour se faire de la sorte remettre à sa place.

— Ce journaliste est un arrogant personnage, mais il file doux lorsqu'on se regimbe.

Et Fandor qui entendait toutes ces choses ne protestait point, ne relevait pas les insinuations désagréables que l'on formulait à son égard.

Entendait-il seulement ?

Le journaliste était si troublé, si préoccupé, que rien de ce qui se passait autour de lui ne semblait l'affecter.

Soudain, Fandor, qui jusqu'alors était resté immobile, partit droit devant lui, comme lancé par un ressort.

—, Où diable sont-elles passées ? articula-t-il simplement.

Que pouvait donc signifier ce propos de Fandor ?

A qui le journaliste pensait-il ?

Il n'y avait pas de doute, Fandor cherchait des yeux le couple qu'il venait de quitter, il voulait retrouver à toute force Georgette et Florestan d'Orgelès, cependant pourquoi avait-il dit...

— Où diable sont-elles ?...

XXV

Florestan d'Orgelès

Il était six heures du soir et, depuis quatre heures et demie, Fandor, nerveusement, attendait dans le petit salon de l'hôtel de la rue Lalo le retour de Georgette et de son amant.

En vain les avait-il cherchés aux courses après l'altercation bizarre qui s'était achevée par l'attitude étrange de Fandor, il ne les avait plus revus...

Le journaliste alors avait couru jusqu'à la rue Lalo et les domestiques, lui ayant assuré que madame et monsieur rentreraient certainement avant l'heure du dîner, il avait décidé de les attendre !

Il y avait une heure et demie qu'il était là, nul n'était encore de retour !... Toutefois, la patience du journaliste devait être récompensée...

Soudain, dans la rue paisible, un ronflement d'automobile se faisait entendre, une voiture s'arrêtait à la porte de l'hôtel, celle-ci s'ouvrit, on entendit des voix, c'était Georgette et Florestan d'Orgelès qui rentraient.

Une seconde après, Georgette était dans le salon en face de Fandor.

— Eh bien ?... commença-t-elle.

Mais le journaliste l'interrompait :

— Où est ?...

Il hésitait, semblait-il, à prononcer un nom, il reprit :

— Où est Florestan d'Orgelès ?

— Monté, fit Georgette, monté dans ses appartements.

Et elle ajoutait sur un ton sarcastique :

— Dans ses mystérieux appartements où il ne laisse entrer personne, pas même moi...

Fandor eut l'air satisfait de cette réponse, son regard brillait, sur ses lèvres errait un sourire de triomphe.

— Allons le voir, je vous en prie...

— Il sera furieux..., fit Georgette qui redoutait au suprême degré de contrarier son mystérieux protecteur qui, par ailleurs, lui assurait une existence si large et si facile.

Mais Fandor, avec une audace incorrecte au dernier degré, gravissait les étages et frappait à la porte de l'appartement dans lequel s'était retiré Florestan d'Orgelès.

Comme il n'obtenait pas de réponse, il cria à tue-tête ces phrases étranges qui surprirent au plus haut point Georgette :

— Hélène !... je vous en prie, ne me faites pas attendre plus longtemps... il faut que je vous parle, que nous avisions, et aussi que je m'excuse... car maintenant je sais ce qu'il en est...

Georgette entendait ces mots au moment où elle rejoignait Fandor sur le palier du deuxième étage.

— Que faites-vous donc ?... interrogea-t-elle. Qui appelez-vous ? Hélène ?...

Cependant, une voix répondait de l'autre côté de la porte :

— Une seconde, mon ami, le temps de me vêtir, et j'ouvre...

Fandor exultait désormais, Georgette était abasourdie.

— Ah ça !... fit-elle, à qui donc parlez-vous ? Ce n'est pas Florestan d'Orgelès qui est là.

— Au contraire...

A ce moment la porte s'ouvrait, une silhouette féminine apparut, et, cependant que Fandor se précipitait vers cette personne, et lui prenait les deux mains qu'il étreignait, Georgette abasourdie articula :

— Encore vous ?... encore la jeune fille qui vient voir Florestan d'Orgelès ?... Ah ça ! voyons, m'expliquerez-vous ?...

C'était Hélène, en effet, qui venait d'apparaître !

Elle entendit les exclamations stupéfaites de Georgette, elle s'avança vers elle.

— Entrez..., lui dit-elle, vous allez tout savoir...

Pour la première fois, depuis qu'elle habitait cet hôtel de la rue Lalo, la confiante Georgette pénétrait dans les appartements du second étage.

Elle vit, dans une première pièce, des vêtements jetés au hasard sur les meubles. Et, à sa grande stupéfaction, il y avait, en même temps que des robes et des corsages, des vêtements d'homme, qu'elle reconnaissait nettement, des vêtements appartenant à Florestan d'Orgelès, particulièrement son grand manteau doublé de soie noire.

Cependant, guidée par la mystérieuse jeune fille, Georgette suivait Fandor, entrait alors dans un cabinet de toilette et apercevait, posées sur un guéridon, une perruque blanche, une grande barbe de neige, cependant que, sur le lavabo, elle voyait quantité de flacons et de fioles de pâtes et de poudres comme il s'en trouve dans les loges d'artiste.

Georgette était devenue toute pâle.

Et, d'une voix haletante, elle interrogea :

— Qu'est-ce que cela signifie ? Je viens de voir monter Florestan d'Orgelès, et je vous trouve, mademoiselle... madame...

Hélène, dès lors, se rapprochait de Georgette.

— Pardonnez-moi, fit-elle, de vous avoir dupée, vous avez raison en disant que Florestan d'Orgelès vient d'entrer dans cette pièce, mais Florestan d'Orgelès n'en est pas sorti. Il est devant vous, le reconnaissez-vous ? C'est moi...

— Vous ? s'écria Georgette qui n'en croyait pas ses yeux et craignait de devenir folle.

— Oui, moi, insista Hélène... voyez plutôt cette perruque... cette fausse barbe, ces vêtements que j'ai portés dans de si fréquentes occasions.

— Qu'est-ce que cela signifie ?... balbutia la soi-disant maîtresse de Florestan d'Orgelès...

Hélène redevint sérieuse.

— Pardonnez-moi d'avoir agi de la sorte à votre égard, fit-elle. Vous pouvez être assurée que si j'ai pris la personnalité d'un certain Florestan d'Orgelès, et si j'ai voulu vivre à côté de vous comme j'ai vécu, c'est parce que j'avais mes raisons...

Georgette frémissait :

— C'est une odieuse plaisanterie !... Vous m'avez indignement dupée et moi qui ai quitté mon mari, ma famille, croyant suivre un homme qui m'aimait, et qui allait m'assurer mon existence, voilà que je me trouve en présence d'une femme déguisée, d'une jeune fille qui s'est moquée de moi, ah !... ça c'est méchant, c'est honteux ce que vous avez fait là...

Et Georgette, s'effondrant dans un fauteuil, éclatait en sanglots.

Hélène en prenait pitié !

— Je vous assure, faisait-elle, à la fois attristée et prise d'une violente envie de rire, que vous n'y perdrez rien...

« ...Voyons, Georgette, convenez que Florestan d'Orgelès a été pour vous le plus aimable des protecteurs...

— Je crois bien, fit Georgette à travers ses larmes, et je comprends maintenant pourquoi mon amant n'en était pas un...

Cependant la jeune femme se désespérait.

— Qu'est-ce que je vais devenir maintenant ?... On va savoir cette histoire... Je vais paraître ridicule...

Hélène et Fandor, cependant, s'étaient rapprochés l'un de l'autre. Ils avaient énormément de choses à se dire. Si Georgette avait été abasourdie en apprenant que Florestan d'Orgelès, cet aimable vieillard au teint rose, et la jolie jeune fille aux cheveux d'or fauve ne faisaient qu'un, Fandor avait découvert la double personnalité d'Hélène, depuis quelques heures déjà...

Ses yeux s'étaient dessillés soudain l'après-midi même, au pesage.

Fandor, depuis quelques jours, trouvait suspecte la personnalité de Florestan d'Orgelès ; il l'avait d'abord soupçonné comme étant le Génie du crime, mais quand le faux vieillard, quelques heures auparavant, avait articulé une simple phrase sur un ton équivoque et spécial, le journaliste avait reconnu la voix de sa fiancée, d'Hélène.

Et c'est pourquoi il avait accepté sans broncher les observations de Florestan d'Orgelès !

Que lui importait alors tout ce que l'on pouvait dire et penser de son attitude vis-à-vis d'un homme qu'il venait de provoquer et en présence duquel il faisait soudain une reculade ?

Toutefois, pour quel motif Hélène avait-elle adopté cet extraordinaire déguisement, cet invraisemblable personnalité, c'était ce qu'il voulait savoir.

Les deux fiancés s'étaient compris, ils se rendaient compte qu'ils avaient à se parler ; ils n'osaient commencer.

La présence de la larmoyante Georgette Simonot les gênait.

Soudain, on frappa à la porte de l'appartement.

— Entrez, fit Hélène.

Un domestique se présenta qui ne parut point étonné de la présence des trois personnages dans cette pièce.

— Quelque serviteur dévoué à Hélène..., pensa Fandor, ce en quoi il ne se trompait pas !

Le domestique, cependant, apportait sur un plateau d'argent deux cartes de visite qu'il tendait à Georgette.

Celle-ci, curieusement, lut les noms.

Puis, brusquement, elle interrogea :

— Ces messieurs m'attendent ?...

Respectueusement, le domestique articula :

— Ces messieurs attendent madame dans le grand salon...

— Tous les deux ? fit Georgette surprise.

— Tous les deux, oui, madame..., articula le domestique.

— Est-ce possible !... poursuivait la jeune femme, et ils sont ensemble ?

Le domestique hochait la tête affirmativement.

— Ils sont ensemble ?... répéta Georgette machinalement.

Puis, relisant les cartes à haute voix, elle articula les noms gravés sur le bristol :

— Paul Simonot, mon mari ; Max de Vernais, mon amant...

Georgette cependant était descendue, extraordinairement intriguée par la visite des deux hommes et se demandant ce qu'ils pouvaient avoir à lui dire...

Hélène et Fandor, eux, étaient restés en tête à tête ; le journaliste, tout d'abord, s'excusait de la maladroite altercation qu'il avait provoquée au pesage d'Auteuil.

Hélène ne lui en voulait pas.

— Je vous ai pardonné, Fandor, depuis longtemps ; cela n'a aucune importance, d'ailleurs, moi aussi, j'ai à m'excuser de ma mystérieuse attitude à votre égard... Vous comprenez maintenant pourquoi j'avais, en réalité, une double existence...

— Je comprends, fit Fandor, que vous étiez Florestan d'Orgelès, mais je ne puis savoir pourquoi...

La jeune fille baissait la voix :

— Je poursuivais, fit-elle, un double but. J'avais des raisons, de sérieuses raisons pour considérer Georgette Simonot comme très suspecte, je la prenais pour une des complices de l'assassinat de René Baudry... et j'imaginais, qu'au nombre de ses amants, cette aimable femme comptait Fantômas !... Il me fallait m'en assurer...

— Eh bien ? interrogea Fandor.

— Eh bien, je me suis trompée.

— Mais, poursuivit le journaliste, ne pouviez-vous faire l'enquête qui vous préoccupait, sans adopter un semblable déguisement et sans prendre une personnalité telle que celle de ce Florestan d'Orgelès ?...

— Sans doute, fit Hélène, mais cette personnalité avait le double avantage de m'attirer peut-être les confidences de Georgette et aussi, de détourner de moi les soupçons, la haine et peut-être même les représailles du terrible Fantômas, dont j'ai peur, oui, Fandor, je vous l'avoue, dont j'ai parfois bien peur...

Le journaliste attirait Hélène auprès de lui. Il la serra tendrement sur son cœur.

—, Peur ? répéta-t-il. Ne suis-je donc pas là ?...

— Précisément, poursuivit Hélène, c'est pour vous aussi que j'ai peur... Ah ! que ne sommes-nous loin de tout... loin particulièrement de Fantômas. Nous pourrions être heureux l'un et l'autre, nous aimer.

Fandor étreignit chaleureusement Hélène.

— Courage ! articula-t-il, il me semble que nos efforts finiront par triompher, et que nous parviendrons à nous débarrasser de Fantômas. Vladimir est déjà sous les verrous, son effroyable père ne tardera pas à l'y rejoindre...

Mais soudain le journaliste s'interrompait.

— Hélène ?... demanda-t-il, Florestan d'Orgelès entretenait Georgette Simonot sur un pied considérable qui laisse supposer qu'il possédait une immense fortune... Cet argent, d'où vient-il ?...

La jeune femme mettait un doigt sur ses lèvres et souriant mystérieusement :

— Vous le saurez bientôt, Fandor, et vous bénirez la main généreuse qui m'a mise à même d'adopter cette personnalité, qui me dissimulait à Fantômas, sans cesse à ma recherche... Vous bénirez l'homme, car c'est un homme, Fandor, qui met à la disposition de la bonne cause de la justice une fortune inestimable, qui donne sans compter, pour que l'on parvienne à s'emparer de Fantômas.

— Qui est-ce ? interrogeait Fandor.

Mais Hélène lui fermait la bouche en appuyant tendrement un doigt sur ses lèvres.

— C'est encore un secret... Ne soyez pas curieux !...

XXVI

Juve et Fandor

Juve et Fandor dînaient ensemble...

Dans la petite salle à manger de la rue Tardieu, un gai soleil d'automne mettait une note joyeuse. Au travers des vitres, le ciel apparaissait bleu et, le long des multiples escaliers qui s'accotent au dernier contrefort de la butte Montmartre, toute une fourmilière humaine montait, descendait, dans un flamboiement de lumière, avec des notes criardes, des couleurs éclatantes, celles que choisissent souvent les promeneurs endimanchés.

Il faisait vraiment beau !

L'été s'attardait et trouvait de derniers sourires pour parer cette journée de repos ! Il y avait dans l'air quelque chose qui sentait le printemps, comme une odeur de fête, comme un refrain de chanson, comme un dernier écho de gaieté avant l'hiver proche.

Juve, en se mettant à table, avait fermé les fenêtres, garnies de vitraux, mais tout de même, à travers les vitres coloriées le jour pénétrait en vainqueur.

Sur la nappe damassée, des reflets bleus, rouges, jaunes, scintillaient, le cristal de la verrerie papillotait en volutes éclatantes et chaudes, l'atmosphère de la pièce semblait teinte en notes joyeuses, en couleurs gaies...

Juve, brusquement, sortit du silence où il était, pour interpeller Fandor.

— Reprends-tu de l'omelette ? demandait-il.

— Non, refusa le journaliste.

— Tu ne la trouves pas bonne ?

— Si.

— Alors ?...

— Je n'ai pas très faim...

A cette réponse de Fandor, Juve, d'un mouvement saccadé, se levait, repoussant sa chaise d'un geste si brusque qu'elle trébuchait, accrochée aux franges du tapis.

— Crétin ! hurlait Juve, en envoyant sa serviette sur le coin de la table...

Il se croisait les bras, il regardait son ami, avec une colère nuancée d'une amicale sympathie.

— Crétin !... répéta Juve. Idiot !... buse !... abruti !... Après douze ans de lutte, en arriver là [1] !...

Juve paraissait au comble de la colère, Fandor haussa les épaules, il interrogea simplement :

— Qu'est-ce qui vous prend, Juve ? Pourquoi ces reproches ?...

Mais le calme de Fandor n'apaisait nullement le policier.

— Ce qui me prend ? répétait Juve, imitant l'intonation du journaliste, il me prend que je suis furieux, que tu ne fais pas honneur à mon déjeuner... Il me prend que j'en ai assez... que j'en ai de trop, qu'il faut absolument en finir !...

— De quoi, Seigneur ?

— De tout.

Juve avait un geste excédé, il attrapait sa chaise par le dossier, il la secouait fortement.

— Car enfin, ce n'est plus tenable cette existence, déclarait Juve, toi, tu te ronges le sang, tu te conduis directement au cimetière, et grand train encore, en te désespérant à cause de la situation fausse où tu te trouves vis-à-vis d'Hélène.

— Moi ?

1. Voir dans le présent volume : *Le Bouquet tragique.*

Juve se taisait. Fandor questionna :

— Et vous, Juves ?

— Eh bien ! moi... moi, je deviens fou, tout simplement ; dans quinze jours, si cela continue, on me mènera à Sainte-Anne. Ah ! nous sommes trop bêtes, parbleu !...

Juve, maintenant, se promenait de long en large dans la salle à manger, les bras croisés, le front soucieux, les sourcils hérissés.

— Oui, nous sommes trop bêtes..., répétait-il avec force, et tu es plus bête que moi encore... Reprends-tu de l'omelette, Fandor ?

Le journaliste secoua la tête.

— J'attends des excuses, ou des explications.

Mais Juve haussait les épaules.

— Est-ce que tu ne me comprends pas, par hasard ?... Allons donc, ne fais pas ton imbécile !... Parbleu, ce qui nous affole tous les deux, toi et moi, moi et toi, ce qui fait que tu ne veux pas de l'omelette, que tu n'as pas faim, et que moi, chaque nuit, je ne peux pas fermer l'œil, c'est que nous sommes sous le coup d'une terrible hantise. Parbleu ! tu sens comme moi, nous sentons, nous devinons, nous croyons deviner, du moins, que Fantômas rôde autour de nous, qu'il prépare quelque chose, qu'il médite un de ces crimes extraordinaires dont il est seul capable. Et ce qui nous fait, tous les deux, anxieux, ce n'est pas la peur, c'est l'impuissance où nous nous trouvons. Ah ! Fantômas ! ah ! Fantômas ! ah ! Fantômas !

Juve se promenait, il revint s'appuyer contre la table, la frappant d'un coup de poing.

— Car nous sommes impuissants, en somme, concluait-il. Nous ne savons pas ce que Fantômas médite, et il faut attendre... Attendre, c'est une chose abominable.

— Ah ! Dieu, oui ! soupira Fandor.

Mais, de plus en plus monté, Juve reprenait :

— Attendre sans savoir ce que l'on attend, quel supplice !...

Le policier se remettait à marcher, il monologuait encore :

— Et pourtant nous venons de remporter des victoires. Tu as pu me donner des indications précises qui m'ont permis d'arrêter Bridge... ce Bridge qui n'était autre que Vladimir, le propre fils de Fantômas !... ce Bridge qui passera aux assises à la session prochaine. C'est un succès, cela !... Hélas ! il ne nous sert à rien.

Fandor, à son tour, prit la parole :

— Un succès isolé ! s'exclama le journaliste, ça n'est pas grand-chose ; nous tenons Vladimir... très bien... A quoi cela nous mène-t-il ? à rien... Ce n'est pas Vladimir qu'il faudrait prendre, c'est Fantômas !... Vladimir n'est qu'un manœuvre, qu'un outil dans les mains de Fantômas !... On ne tue pas la poulpe géante quand on tranche seulement l'un de ses tentacules !... C'est au cerveau qu'il faut viser et Fantômas, c'est le cerveau !...

Fandor soupirait, écrasant nerveusement entre ses mains une boulette de mie de pain qu'il avait machinalement roulée ; il reprit avec plus de force :

— Nous remportons des victoires, Juve, peut-être, mais nous subissons des défaites aussi. Avoir arrêté Bridge, cela était utile... mais avoir entraîné

Maxon, l'autre jour, dans cette sotte aventure, où Cascadeur s'est trouvé, c'est déplorable. Si Maxon n'est point président du Jockey, c'est nous deux qui en serons responsables...

— Je le sais, riposta Juve.

Les deux hommes, maintenant, se taisaient. Les yeux fixes, l'air absorbé, ils revivaient par la pensée les événements des dernières semaines : l'assassinat de ce René Baudry, par Bridge, qui s'acquérait ainsi la propriété du merveilleux Cascadeur ; la préparation dans l'écurie de courses de Maisons-Laffitte de cet autre cheval, ce toquard, qui se traînait lamentablement sur les champs de courses, ramassant toujours les casquettes, arrivant toujours bon dernier, persuadant aux sportsmen que Cascadeur n'était jamais un cheval à jouer !...

Mais Fandor, à son tour, se levait.

Ah ! vraiment, il s'agissait bien de déjeuner ! Les deux hommes ne se sentaient guère en appétit, les évocations formidables qu'ils faisaient des criminels projets de Fantômas leur coupaient toute envie de faire bonne chère.

Un rage les prenait, au contraire, leur serrait la gorge, leur faisait crisper les poings.

— Fantômas !... Fantômas !... est-ce qu'ils n'en viendraient jamais à bout ?...

Fandor avait été jusqu'à la fenêtre ; les yeux perdus dans le ciel, il tambourinait contre les vitres une marche endiablée. Subitement, il s'arrêta. Le jeune homme posait à Juve cette extraordinaire question :

— Enfin, sapristi... qui donc est-il en ce moment, Fantômas ?

Et Juve, qui comprenait à merveille ce que demandait le journaliste, haussait les épaules, découragé, anéanti.

— Hélas ! Fandor, je ne sais pas...

Qui donc était Fantômas ?

C'était bien là l'effarante question que Fandor et Juve se posaient continuellement avec une angoisse folle.

Certes, ils n'avaient aucune illusion à conserver. Ils avaient été trop de fois témoins des transformations fantastiques du monstre pour ne point se douter que Fantômas, une fois encore, devait avoir pris une personnalité fausse, devait se cacher, grimé, méconnaissable, insoupçonnable, sous un nom d'honneur, sous un masque d'honorabilité, sous une apparence respectable...

Qui ?... qui était Fantômas ?...

Mentalement, les deux hommes repassaient dans leur esprit les différentes personnalités qui gravitaient autour d'eux dans le monde des courses, ce monde où ils devinaient que Fantômas tramait quelque formidable projet...

— Tiens, déclarait Juve, je me demande par moments, si ce Florestan d'Orgelès ?...

Mais le policier s'arrêtait, stupéfait, car Fandor éclatait de rire :

— Eh bien ! demanda Juve, qu'est-ce que tu as ?

Fandor se contentait de hausser les épaules :

— Non, affirmait-il. Ne soupçonnez pas Florestan d'Orgelès, j'ai de très sérieuses raisons pour savoir de façon absolument certaine qu'il n'est pas, qu'il ne peut pas être Fantômas !...

Il ne révélait pas à Juve, le brave Fandor, l'extraordinaire supercherie à laquelle s'était livrée Hélène. Il ne lui disait pas que la blonde jeune fille, sa charmante fiancée, ne faisait qu'un avec le vieux beau, mais, en revanche, il insinuait, redevenu sérieux :

— Il y a des moments, Juve, où je me demande si Maxon...

Ce fut au tour de Juve de protester :

— Maxon ?... ah ! non. Tu deviens fou, Fandor... Maxon est un honnête homme, c'est incontestable !... C'est indiscutable même. Maxon ne peut pas être Fantômas...

— Mauban, alors ?

Un instant, Juve demeurait le front soucieux :

— Mauban ? J'y ai pensé, répondit-il. Mauban, somme toute, confiait ses chevaux à Bridge... C'est un indice cela.

Mais il reprenait bientôt :

— Hélas ! ce n'est pas un indice suffisant... Je pourrais te citer tant d'autres propriétaires qui donnaient des bêtes à entraîner à Bridge-Vladimir. Tous ne sont pas Fantômas cependant.

Et Juve, de mémoire, citait quarante noms de propriétaires, de sportsmen, faisant partie du Jockey-Club, ayant fréquenté Bridge, et par conséquent pouvant être soupçonnés...

— Je t'ai dit, continuait le policier, qu'on ne peut pas s'y retrouver... Oh ! parbleu, avoir des soupçons, supposer à l'aide de raisonnements logiques, ou soi-disant tels, que Fantômas doit être M. X... ou M. Y..., cela c'est facile... mais ce n'est pas suffisant ; une supposition n'est pas une preuve... croire qu'un tel est coupable, ce n'est pas l'établir !... et c'est quelque chose de définitif, de net, d'évident qu'il nous faudrait, pour enfin appréhender le monstre !...

Juve parlait avec une émotion profonde, il sursauta en entendant soudain derrière lui une voix calme qui protestait :

— L'omelette va être mauvaise, monsieur... Je l'avais faite bien baveuse, il faudrait que ces messieurs la mangent...

Qui donc parlait ainsi ?

Juve, en se retournant, s'étonna :

— Tiens, c'est vous, Jean ?... Je ne vous avais pas entendu entrer...

Et, pour faire plaisir au vieux serviteur, qui, bien qu'habitué aux manières de Juve, trouvait que le déjeuner s'éternisait et rappelait son maître aux nécessités de la vie pratique, l'excellent ami de Fandor reprenait place à la table.

— Allons, viens manger !...

Mais Fandor n'avait décidément pas faim ! S'étant assis à nouveau lui aussi, il demeurait devant son assiette vide, buvant, coup sur coup, d'énormes verres d'eau, en homme que la fièvre ronge et qui a besoin de se calmer.

Juve, cependant, venait de se servir une large tranche de bifteck :

— Mange, répétait-il. Ma parole !... tu ne vas pas compliquer la situation en te rendant malade...

Mais Fandor, d'un geste, repoussait le plat.

— C'est idiot, avouait-il, mais aujourd'hui je ne pourrai pas avaler une bouchée.

Sérieusement inquiet, cette fois, Juve interrogea :

— Pourquoi ? Qu'est-ce que tu as ?

Et brusquement, Fandor, alors, éclata :

— Ce que j'ai ! Juve, eh bien, voilà... J'ai peur...

Et les yeux fous, Fandor, le brave entre les braves, ce héros dont le nom était synonyme d'intrépide, avouait :

— J'ai peur, oui, j'ai terriblement peur...

— De quoi ? précisait Juve.

— De rien, de tout... Cela m'a pris ce matin en ouvrant les yeux. Oh ! ne souriez pas, Juve... vous savez que je n'ai pas grande confiance dans les pressentiments... vous savez que je ne suis pas superstitieux, eh bien, cela ne fait rien, j'ai peur, j'ai peur pour aujourd'hui... Il me semble qu'un malheur va se produire... que Fantômas, une fois encore, va se manifester... Tenez, quand j'ai appris, hier soir à l'écurie, que je n'aurais point de bête à monter, à la réunion d'Auteuil, cela m'a fait un drôle d'effet : je me suis dit tout de suite qu'il allait se passer quelque chose dans cette réunion ; j'avais presque envie d'y aller ; et puis je me suis moqué de moi-même, et je suis venu vous voir... Voilà ce que j'ai.

Il y avait assurément dans tout cela de quoi sourire, et Juve, suivant toute probabilité, n'aurait pas manqué en effet de plaisanter quelque peu son ami sur son impressionnabilité ; si, depuis quelque temps, le policier, tout comme Fandor, n'avait vécu une étrange vie, troublée, continuellement énervante à l'extrême, angoissante au possible !

Juve, loin de railler Fandor, frissonnait presque en l'écoutant. Il demeurait silencieux, préoccupé, puis brusquement il tirait sa montre :

— Deux heures un quart..., déclara-t-il. Diable !...

Il hésitait, il proposa enfin, se levant :

— Veux-tu que nous y allions, à Auteuil ?

Déjà Fandor était debout. Une hâte prenait le jeune homme. Il semblait véritablement qu'il était sous l'empire d'une extraordinaire crise nerveuse.

— Ah ! certes oui, dit-il. Allons là-bas... Allons-y tout de suite, je ne tiens plus en place...

Trois minutes suffirent aux deux amis pour enfiler leur paletot, se coiffer, être prêts à partir.

— Jean, appelait Juve. Nous filons. Nous dînerons ici ce soir...

Jean accourait, l'air désolé.

— Et déjeuner ?... demandait-il. Ces messieurs ne déjeunent pas ? Ces messieurs partent tout de suite ?

Le brave serviteur était navré, Juve le consola d'un mot :

— Bah ! nous dînerons de meilleur cœur... ne vous désolez pas, mon pauvre Jean...

La porte de l'appartement claqua ; les deux hommes descendirent en courant jusqu'à la rue. Un taxi passait, ils le hélèrent.

— A Auteuil, cria Juve.

— Et rondement, insista Fandor.

Déjà, le taxi-auto démarrait, les deux amis se taisaient, préoccupés, anxieux au possible.

Juve et Fandor ne disaient pas un mot d'ailleurs, tant qu'ils roulaient dans Paris. La voiture avait pris par les boulevards extérieurs, elle franchissait la place Clichy, dépassait le parc Monceau, tournait à l'Étoile, filait par l'avenue Victor-Hugo et la rue de la Pompe dans la direction de l'hippodrome.

Juve rompit le silence comme ils arrivaient au Ranelagh :

— Tu sais, questionnait Juve, que les élections au Jockey doivent avoir lieu dans la huitaine ?...

— Je sais, opina Fandor.

— Tu te doutes de l'angoisse de Maxon ?...

— Oui, fit encore le journaliste.

Mais l'esprit de Fandor était ailleurs !

Vraiment le journaliste trépignait d'impatience dans la voiture, trouvant que le chauffeur conduisait horriblement mal, que la course n'en finissait pas, qu'on ne serait jamais arrivé.

Cet événement était justifié ; toutefois, en entrant dans la pelouse avant de se diriger au pesage, Juve et Fandor, d'un coup d'œil, examinaient la mer houleuse du public s'agitant là.

Plus que jamais peut-être il y avait foule !...

Tandis que, dans les enceintes élégantes, au pavillon, à la tribune des dames, au pesage, un public ultra-snob allait et venait, s'agitant, potinant, causant de choses et d'autres, ou pontant ferme aux guichets du Mutuel, sur la pelouse, un peuple fou du plaisir, de la fièvre du jeu, prenait d'assaut les guichets de paris, risquant à chaque course le gain de toute une semaine, parfois de tout un mois.

— Ah ! les joueurs ! les joueurs ! soupira Juve... Quels pauvres imbéciles ! quels malheureux malades !...

Fandor, cependant, ayant examiné l'étendue du champ de courses, paraissait soulagé d'une inquiétude formidable.

— Il n'y a rien, disait-il... Tout est normal, tout se passe bien...

XXVII

Les fauves !

Tandis que Juve et Fandor arrivaient ainsi à l'hippodrome, conduits là, semblait-il, par un pressentiment, des personnages allaient et venaient sur la pelouse et dans l'enceinte du paddock, des personnages que, sans doute, le journaliste et le policier eussent été fort curieux d'entendre !...

Œil-de-Bœuf et Bec-de-Gaz, appuyés contre la barrière qui sépare la piste de la pelouse, étaient d'abord mystérieusement abordés par un grand gaillard qui leur posait la main sur l'épaule :

— Eh ! par là !... radinez voir !...

Œil-de-Bœuf et Bec-de-Gaz, qui, phénomène curieux, n'étaient point en compagnie d'Adèle, leur commune maîtresse, obéissaient sans protester.

Ils abandonnaient la première place qu'ils s'étaient acquise à grands coups de poing et de bourrades pour suivre très vite et très docilement l'homme qui les appelait.

— Quoi qu'il y a ?... interrogea Bec-de-Gaz.

Œil-de-Bœuf, devenu livide, demandait lui aussi :

— Ça colle toujours la combine, dis voir, Bedeau ?...

Le Bedeau, car c'était bien en effet le terrible apache qui se trouvait là, hochait la tête :

— Et comment que ça colle ! Même que v'là l'instant, la minute et le moment !... Fantômas, comme ça, vient de m'envoyer vous prévenir, tous les poteaux sont là, quarante-deux si qu'on se compte... et chacun a sa consigne... Moi, je fais du cent au cent quatre, vous ?... quel est votre numéro ?

Œil-de-Bœuf cligna de l'œil en annonçant :

— Trente-deux à trente-cinq...

— Et moi, confessa Bec-de-Gaz, j'ai rien que le neuf et le dix, mais c'est des caisses à cent balles.

Le Bedeau, hochant la tête, semblait approuver :

— Bon ! disait-il, j'vois que ça va coller. Eh bien, les aminches, v'là le moment de s'ramener en douce vers l'endroit des opérations.

— Ah ! ça me fait rigoler, vrai de Dieu, c'qu'on va s'amuser tout à l'heure !...

Tout en parlant, les trois hommes s'éloignaient de la barrière de la piste, revenaient vers les baraques du Mutuel. Elles portaient toutes un numéro ; et, devant chacune d'elles, un homme stationnait, mêlé à la foule, ayant l'air d'un badaud quelconque, qui, cependant, échangeait un clin d'œil, au passage, avec le trio des apaches.

— Je vous dis, répéta le Bedeau, qu'on va pas s'embêter... Ah ! c'est du chouette travail...

Derrière les trois individus, à ce moment, une voix retentissait, hurlant un boniment familier.

— Et comment qu'y se balade dans la première, le petit cheval du marchand de coco.

A l'instant, le Bedeau se retourna, interrompant le camelot :

— Tiens ! Bouzille ?

Il paraissait hésiter, puis, après un rire dédaigneux, il marchait vers l'ancien chemineau :

— C'est toi, Bouzille ?

— C'est moi, Bedeau. Il te faut un verre ?

Le Bedeau pouffa :

— Plus souvent que j'boirai du doux ; ta drogue, ça ne me va pas.

— Alors, qu'est-ce que tu veux ?

Le Bedeau était devenu sérieux.

— Bouzille, commença-t-il, fous le camp !

Et cet extraordinaire ordre était dit d'un ton si sérieux que Bouzille ne s'y trompait point.

Le chemineau ne marquait aucune surprise. Il ne questionnait pas indiscrètement, seulement il demandait :

— Vrai, le Bedeau, faut foutre le camp ?...

Et le Bedeau répéta très furieusement :

— Faut foutre le camp, ma vieille... tout droit, et ferme encore !... Il y a du vilain dans l'air, va pleuvoir !... vaut mieux que tu te tires ; comme t'es un zigue... je t'avertis, à toi de profiter de l'avenir !...

Et le Bedeau pivotait sur ses talons, revenait vers les baraques du Mutuel, tandis qu'en hâte Bouzille, qui peut-être savait à quoi s'en tenir, trottinait en courant vers la sortie du champ de courses.

Que se préparait-il donc ?

Au pesage, à ce moment-là, chacun était attentionné.

La deuxième course allait commencer, déjà les chevaux prenaient un galop d'essai sur la piste, avant d'aller se ranger à la ligne du départ, devant le starter qui allait avoir la difficile mission de les lancer tous ensemble sur la piste.

Juve et Fandor, quittant le pavillon où ils avaient été faire un tour, venaient d'arriver précisément au pesage. Ils avaient serré la main à différents membres du Jockey, aimablement venus à leur rencontre ; Maxon seul s'était joint à eux, tandis que le comte Mauban, toujours correct, un peu précieux, les gratifiait d'un coup de chapeau à la mousquetaire.

— Quoi de nouveau, Juve ? demandait Maxon, qui ajoutait d'une voix triste :

« Vous savez qu'au Jockey, ma candidature ne fait presque plus question. Le scandale de l'autre jour s'est accrédité ; mes collègues du cercle sont maintenant presque tous persuadés que c'est moi qui avais engagé le bon cheval. Ah ! c'est bien désolant ! »

Il y avait un peu d'amertume dans le ton de Maxon, mais cependant il témoignait toujours une grande cordialité à Juve, qui, en raison de sa scrupuleuse susceptibilité, n'était pas loin de se désoler en trouvant que tout ce qui arrivait était de sa faute.

— Bah ! laissons cela…, disait Maxon. C'est bien fait pour moi… Un Américain ne devrait pas ambitionner un honneur aussi parisien que celui d'être président du Jockey-Club.

Il plaisantait ; pour parler d'autre chose, il répétait :

— Quoi de neuf ?

— Rien, répondait Juve.

— Qu'est-ce qui se passe ? interrompit Fandor, regardez donc.

Le journaliste, du bout de sa canne, désignait la piste. Maxon, qui avait une jumelle en bandoulière, le renseigna sur ce point.

— Il y a un cheval tombé. Tiens… il a dû se blesser… je vois qu'on s'agite et que l'on court vers le paddock… j'imagine qu'on va amener un van pour l'emporter.

Philosophiquement, l'Américain ajoutait :

— Cela va retarder la course de dix minutes, et pendant dix minutes, le Mutuel prendra encore des paris, voilà tout…

Maxon ne se trompait pas. Un cheval, en effet, venait brusquement de choir. Il était tombé si malencontreusement qu'il s'était à moitié démis la cheville ; la pauvre bête ruait ; on courait chercher un van.

Tous les yeux, naturellement, se fixaient vers cet endroit du champ de courses où l'accident s'était produit.

On vit nettement alors descendre une de ces grandes voitures basses qui servent au transport des chevaux de courses, elle entra sur la piste, se rangea au milieu, à côté de la bête blessée.

— Comment vont-ils faire pour la hisser là-dedans ? questionna Fandor, elle va ruer, cette pauvre jument !

Maxon ouvrait la bouche pour expliquer la façon dont on opérait d'ordinaire en pareil cas, mais il n'articula pas un son.

Maxon demeurait muet. Fandor et Juve, eux aussi, se taisaient. Et, soudain, c'était avec une stupeur épouvantable, un émoi indicible, qu'ils assistaient à la plus étrange, à la plus inouïe des scènes.

A peine le van s'était-il rangé sur la piste, en effet, que les hommes qui l'accompagnaient s'étaient avancés vers les portes qui en clôturaient l'arrière.

Ces hommes, toutefois, avaient une étrange attitude.

Que préparaient-ils donc ?

On le sut en une seconde !...

La main sur la poignée de la porte, ils venaient, en effet, de bondir, ouvrant celle-ci toute grande, puis ils se rejetaient en arrière, sautant sur les roues, bondissant sur le toit de la voiture.

Au même instant, un hurlement, un grondement formidable, épouvantable, qui s'enflait sans répit, qui se répercutait à tous les échos du Bois, emplissait le champ de courses, cependant que les cent mille poitrines de ceux qui assistaient à cet incident hurlaient d'épouvante.

Du van, en deux bonds, un animal venait de bondir !

Et c'était cet animal dont le rauque grondement faisait passer un frisson de peur sur tous les visages !...

Cet animal, c'était un lion ; un lion superbe, l'un de ces lions qui sont réputés pour leur férocité, pour leur taille, pour leur robustesse extraordinaire.

L'animal n'était point seul. Derrière lui, deux autres lions sortaient, puis une lionne encore, et désormais ce quator de bêtes féroces bondissait, sautait sur la piste, fonçait vers le public, les griffes sorties, la queue fouettant l'air, rugissant, assoiffées de sang, affamées de chair fraîche.

Alors, la panique, en un instant, se déchaîna. Tandis que des femmes se trouvaient mal, tandis que des hommes, perdant tout respect d'eux-mêmes, se frayaient un passage à coups de poing, à coups de canne, pour s'enfuir plus vite, une formidable clameur d'épouvante monta vers le ciel.

Les bêtes féroces, excitées plus encore, étaient déjà sur la foule. Elles mordaient, elles griffaient dans la mer humaine, affolées par ce tourbillon, par ces cris aigus, par ces râles désespérés.

L'immense arène, tout à l'heure noire de monde, se vidait en un instant. Emportés par le flot, les gardiens de la paix, les municipaux n'avaient point même essayé d'endiguer le torrent des fuyards.

Que faire d'ailleurs contre la panique ? Que faire contre la peur ? Car tout le monde, devant la mort horrible, avait peur, galopait au hasard, droit devant soi, croyant toujours, à chaque pas, tomber le crâne fracassé sous l'une des griffes redoutables !...

Seuls, quatre personnages, cependant, loin de fuir, s'étaient jetés en avant.

— Ah ! c'est horrible ! avait juré Juve...

Fandor avait crié :

— Malédiction !

Maxon, très pâle, n'avait rien dit...

Et tous trois, sans se concerter, parce que c'était leur devoir, parce que cela s'imposait, se jetaient au-devant des bêtes féroces.

— A toi, celui de droite ! hurla Juve... Je me charge de celui de gauche...

Fandor, le browning au poing, répondait :

— C'est entendu.

Et, bientôt, le journaliste hurlait :

— Bon, bravo, touché... Très bien !...

Et il criait encore à Juve qui courait devant lui :

— Maxon vient d'en tuer un...

La scène alors se précipitait. Fandor et Maxon se trouvaient en même temps face à face avec l'un des lions. L'animal, ivre de sang, les babines rouges, les griffes frémissantes, s'était allongé sur le sol. Il présentait son crâne énorme à Fandor, ses yeux brillants luisaient étrangement.

Le journaliste qui courait à la bête s'arrêta net.

— Diable ! disait Fandor qui n'avait que son petit browning pour arme ; ce n'est pas commode de tirer comme cela !...

Maxon le rejoignait en un instant.

— Je vais lui faire tourner la tête !... clama l'Américain.

Il s'était saisi d'une chaise, il la lançait sur la bête féroce.

Sous l'insulte, le roi des animaux se redressait, campé sur ses jarrets, prêt à bondir sur Maxon. Mais Fandor saisissait la minute propice.

— Pan ! dans l'œil !... criait-il, avec son incorrigible accent gavroche.

Et, téméraire jusqu'à la folie, avant que le lion ait eu le temps de s'élancer, Fandor, presque à bout portant, abattait l'animal.

Le lion se roulait encore, en des convulsions dernières d'agonie, que Fandor déjà se retournait.

— Et Juve ? demandait-il.

Cent mètres plus loin, Juve s'avançait vers le second lion.

Il n'était point seul. A côté de lui, à moins de dix mètres, se trouvait un autre personnage.

— Le comte Mauban ! cria Fandor.

Et le jeune homme s'élançait pour rejoindre Juve.

Fandor, toutefois, devait arriver trop tard. Juve venait de tirer. Sa balle, malheureusement, devait s'aplatir vainement contre la boîte crânienne du félin ! Fandor vit le lion frissonner, rugir, puis s'élancer en avant.

— Juve ! Juve ! sanglota Fandor.

Il pensait que Juve était perdu ; il s'arrêtait, glacé d'horreur.

Mais Juve, d'un bond, s'était jeté de côté...

Et un autre combattant intervenait alors.

Par-derrière, le comte Mauban s'approchait de la bête. Il avait tiré sa canne à épée, il réussissait, merveilleux de sang-froid, lui aussi, à la plonger dans le flanc de l'animal.

Le lion ne s'était point retourné que Juve faisait feu à nouveau, et, cette fois, ne manquait point son but !...

Dix minutes plus tard, le champ de courses prenait un aspect terrible. Les quatre lions venaient d'être mis à mort !...

Un garde républicain, d'un coup de mousqueton, avait abattu le dernier...

La panique toutefois n'était pas calmée...

Sur l'hippodrome, il ne restait plus personne. Seuls, Juve, Fandor, Maxon et le comte Mauban demeuraient dans l'enceinte du pesage.

Si la pelouse était déserte, en revanche, tous les arbres du champ de courses, tous les arbres bordant l'hippodrome étaient garnis de grappes humaines.

Les pavillons étaient noirs de monde, tous les abris avaient été utilisés.

Partout, des bouches convulsées par la peur hurlaient encore des appels :

— Juve ! Juve ! vous n'êtes pas blessé ?

— Non, Fandor, mais quelle horreur !...

Juve, du doigt, désignait, piétinés par la foule, une dizaine de cadavres qui jonchaient l'herbe, malheureuses victimes des lions, victimes de la panique aussi !...

— Assurément Fantômas..., commença Juve.

Maxon, qui avait quitté les trois hommes, revenait vers eux très pâle.

— Quoi ? qu'il y a-t-il encore ?...

L'Américain haleta :

— Je reviens de la salle du Mutuel... Un scandale inouï !... il paraît que, profitant de la panique, des bandits ont dévalisé toutes les caisses du Mutuel, installées sur la pelouse... On a volé plus de trois millions de francs !...

Le comte Mauban, entendant cela, passait sur son front un mouchoir de fine batiste.

Ce courageux gentleman, qui venait d'affronter si vaillamment les lions, avait un sourire de dédain pour l'accablement que manifestaient Juve, Fandor et Maxon !...

— Ah ! disait-il froidement... on a volé trois millions de francs ?... eh bien !... cela n'a pas d'importance !... La Société des courses paiera... le Jockey-Club lui aidera au besoin... Ces sont ces morts qu'il faut déplorer !...

Juve eut un étrange regard, cependant qu'il répondait :

— Évidemment, les pertes d'argent ne sont pas irréparables, ce sont les morts qui demandent vengeance !... je les vengerai !...

XXVIII

Le jockey masqué

— Je tiens cinq cent mille francs !...

Maxon venait de proférer cette déclaration qui faisait sensation. Cela se passait au Jockey-Club vers dix heures du soir où les membres du cercle étaient venus nombreux, car le lendemain, se disputait, à Auteuil, le fameux prix du Conseil municipal.

Les membres du Jockey, tous, pour la plupart, gros propriétaires ou importants parieurs, n'avaient pas manqué de venir passer la soirée au cercle, afin de savoir les dernières nouvelles, afin d'être documentés de première main et en dernière heure sur le résultat éventuel de la grande réunion au cours de laquelle allait se disputer cette sensationnelle épreuve.

Sensationnelle d'ailleurs à un double titre ! Non seulement il s'agissait d'un prix fort important, mais encore dans la course étaient engagés deux chevaux dont l'un, tout au moins, avait fait parler de lui, de la façon la plus inattendue et la plus extraordinaire ; il y avait de cela une huitaine de jours.

Il s'agissait, en effet, du fameux Cascadeur, le cheval gris pommelé qui avait disputé le prix de Seine-et-Oise dans des conditions si étranges.

A part quelques initiés qui observaient un silence prudent, on était mal renseigné, au Jockey-Club, sur ce qu'il était advenu de Cascadeur, ou pour mieux dire des deux chevaux qui s'étaient disputés l'extraordinaire course à l'issue de laquelle le vainqueur de fait avait d'ailleurs été disqualifié...

On savait bien qu'il y avait un vrai et un faux Cascadeur, que les commissaires spéciaux et les juges de la course avaient éliminé l'un des deux chevaux et condamné le successeur de l'entraîneur Bridge à une grosse amende, mais on ne savait plus désormais quelle était la bête qui courait sous le nom de Cascadeur, si c'était la bonne ou la mauvaise...

Or, Cascadeur avait le droit de continuer à courir et il était engagé dans le prix du Conseil municipal, les dernières nouvelles de Maisons-Laffitte parvenues au Jockey-Club le donnaient comme partant certain pour le lendemain !...

Or, encore une fois, dans les somptueux salons du cercle, deux hommes, deux parieurs, s'étaient trouvés en présence, opposés l'un à l'autre.

Maxon ayant dit qu'il ne croyait pas à la victoire de Cascadeur mais qu'au contraire, il estimait que Primevère était toute désignée pour arriver gagnante, le comte Mauban était intervenu, et il avait nettement, sur un ton persifleur, déclaré que M. Maxon n'y entendait rien et que lui, le propriétaire de la bête, il croyait formellement à son succès.

Or, en réalité, Maxon aurait bien pu s'abstenir de continuer la discussion et de faire à ce sujet le moindre commentaire ; mais il semblait que l'Américain recherchât perpétuellement depuis quelque temps des motifs d'avoir, avec le comte Mauban, de perpétuelles altercations.

Il devenait même agressif, Maxon, et, chaque fois que Mauban disait blanc, on pouvait être sûr que le milliardaire américain ne manquerait pas de dire noir...

Les membres du cercle qui assistaient fréquemment à ces sortes de petites disputes s'imaginaient qu'elles étaient inspirées par la jalousie qui animait les deux hommes, concurrents tous les deux, tous deux candidats à la présidence du club !...

En tout cas, leur énervement devait être arrivé à son apogée car la nomination du président du Jockey-Club devait avoir lieu le lendemain même de ce soir-là, dans la fin de la journée au cours de laquelle allait être couru le prix du Conseil municipal.

Il était ce soir-là dix heures environ ; dans vingt-quatre heures le Jockey-Club aurait un nouveau président, et ce président serait ou l'Américain Maxon ou le comte Mauban !...

Cependant, lorsqu'ils avaient tous les deux discuté les chances

respectives de Cascadeur et de Primevère, Maxon, pour conclure, avait
déclaré au comte Mauban :

— Je parie cinq cent mille francs que votre cheval ne gagnera pas...

C'était là une proposition extraordinaire, presque anormale. Il est
d'usage, lorsque l'on fait un pari en matière de courses, de s'adresser à
un bookmaker qui accepte ou refuse l'opération que vous lui proposez.

Il est rare que deux propriétaires fassent entre eux un pari dont la
solution fera fatalement perdre l'un et gagner l'autre. C'était presque une
provocation d'homme à homme et, en l'entendant formuler par Maxon,
les membres du club se considérèrent stupéfaits.

Le comte Mauban, toutefois, ne répondit pas de suite à la proposition
de son interlocuteur.

On observait autour d'eux un religieux silence que le propriétaire de
Cascadeur rompit enfin pour déclarer :

— Cinq cent mille francs, ce n'est pas assez !... Mais si vous le voulez,
monsieur Maxon, je tiens contre vous un million, payable immédiatement
et en espèces à l'issue de la course, que mon cheval Cascadeur gagnera !...

Maxon ne sourcilla point.

— Quelle est la monte ? demanda-t-il simplement.

— Il n'y a rien de décidé, fit le comte Mauban, au surplus peu
importe !... le cheval est de taille à gagner avec n'importe quel jockey...

— Vous avez raison, articula Maxon, peu importe le jockey en effet.

Puis il ajouta :

— Je tiens votre pari.

Dès lors, les deux hommes s'écartaient l'un de l'autre et se perdaient
dans les salons. On formait autour d'eux des groupes animés.

— Quelle mouche vous a piqué ? demandait-on à Maxon. C'est de
l'argent perdu, tout porte à croire que Cascadeur a une chance excellente.

D'autres, toutefois, intervenaient :

— Vous voulez donc la ruine de Mauban ? demandait-on à
l'Américain, la course est gagnée d'avance par Primevère et si vous coûtez
un million à Mauban il est plus que certain qu'il ne s'en relèvera pas.

Maxon ne répondait ni oui ni non, en fait, il était fort troublé.

Certes, le richissime Américain n'en était pas à une somme d'argent
près, même à une grosse somme. Toutefois, le moment était mal choisi
pour lui de risquer un semblable capital.

Les milliardaires eux-mêmes sont quelquefois à court d'argent liquide,
et c'était là le cas de Maxon !... Il attendait de grosses sommes qui lui
étaient annoncées d'Amérique pour le courant de la semaine suivante,
mais, à l'heure actuelle, s'il avait cinquante ou soixante mille francs
disponibles en plus du million qu'il venait d'engager, c'était le
maximum !...

Maxon cependant, n'en montra rien, et on aurait été fort étonné non
seulement d'apprendre qu'en jouant de la sorte, vu la modicité de ses
ressources, à l'heure actuelle, il commettait une imprudence, mais encore
au surplus on aurait été stupéfait de savoir que ce n'était pas de sa propre
initiative que Maxon décidait de faire ce pari.

Quelqu'un lui avait dit dans l'après-midi même :

— Nous touchons au but... et pour que nous puissions prendre le loup, il s'agit de le faire sortir du bois... Or, le loup ne se montre que lorsqu'il est affamé et puisque nous sommes incapables de le découvrir caché dans les fourrés épais du mystère, il faut l'obliger à se montrer. Nous l'y obligerons en le ruinant. Maxon, risquez donc le pari le plus formidable qu'il vous soit possible, à la condition que ce pari, si vous le gagnez, soit perdu par le comte Mauban.

Telles avaient été les paroles mystérieuses et solennelles que quelqu'un avait soufflées à l'oreille de Maxon.

L'Américain avait d'abord hésité à suivre semblable conseil ; mais l'homme qui lui avait parlé ainsi n'était autre que Juve, et le policier avait ajouté :

— Souvenez-vous que c'est le seul moyen à notre disposition pour savoir ce que vous avez tant à cœur de connaître.

Et dès lors, Maxon avait répondu :

— J'irai jusqu'au million.

A deux heures et quart, au pesage d'Auteuil, le lendemain, jour de course, dans laquelle devait se mesurer Cascadeur et Primevère, Juve qui, d'un œil distrait et préoccupé, venait de suivre les péripéties des courses précédentes, vit surgir soudain Maxon devant lui.

L'Américain n'avait plus son visage tranquille, sa physionomie calme et froide. Il était blafard et ravagé... en l'apercevant, Juve s'émut :

— Que vous arrive-t-il donc ? demanda le policier.

Maxon l'attira à l'écart, et lorsqu'ils furent tous deux derrière les tribunes, dans un endroit désert, Maxon, d'une voix toute changée par l'émotion, articula :

— Vous êtes au courant, Juve, du pari que j'ai fait hier soir avec le comte Mauban ?

— Oui, fit le policier, vous jouez un million contre lui, payable immédiatement après la course...

A ces derniers mots, Maxon blêmissait encore.

— Payable immédiatement après la course, reprit-il, telles sont, en effet, les conditions du pari... c'est-à-dire que de deux choses l'une, ou, dans un quart d'heure désormais Cascadeur sera battu et dès lors, Mauban me versera un million, ou Cascadeur triomphera, auquel cas je devrai verser un million au comte Mauban.

— Eh bien oui, je sais, fit Juve, il n'y a rien de changé aux conditions d'hier.

Maxon parut faire un effort, il s'y reprit à deux ou trois fois pour parler. Les mots s'étranglaient dans sa gorge, enfin il articula sourdement :

— Il n'y a rien de changé, en effet, si ce n'est que je n'ai pas sur moi pour payer, en cas de perte, le million que j'ai parié...

Juve sursauta :

— Quelle imprudence !... Pourquoi n'avoir pas apporté ?...

Mais Juve avait un éclair de lucidité et, d'avance, il devinait ce que lui disait Maxon.

L'Américain venait d'entrouvrir son pardessus et montrait à Juve, sous son vêtement, son veston tailladé sur le côté gauche, comme par un rasoir.

— Vous saisissez ? articula-t-il.

Et comme Juve ne répondait rien, Maxon, bien que ce fût inutile à préciser, lui annonçait :

— J'avais cet argent dans mon portefeuille, je l'avais il y a dix minutes encore, et voici huit minutes que je ne l'ai plus.

— Volé !... murmura Juve accablé ; on vous a encore volé, mais qui ?...

Maxon réfléchissait :

— Je n'en sais rien... je ne puis comprendre, il faut que le voleur ait été d'une habileté extraordinaire.

Juve l'interrompit :

— Ne cherchez pas plus loin, fit-il, seul un homme est capable de vous avoir dépouillé avec une semblable dextérité. Cet homme, croyez-moi, Maxon, n'est autre que Fantômas.

— Fantômas ?... répéta l'Américain ! hélas !.. comment jamais le retrouver ?...

— Ce vol me confirme de plus en plus dans mes soupçons.

Puis, changeant de sujet, il interrogeait :

— Avez-vous vu le comte Mauban, depuis que vous êtes aux courses ?

— Nous nous sommes heurtés l'un dans l'autre il y a quelques instants.

Un éclair de joie traversa le regard de Juve, qui pour rassurer sans doute son interlocuteur lui déclarait :

— Faites contre mauvaise fortune bon cœur... Au surplus, il n'est pas certain que l'on s'apercevra que votre million vous a été volé, et si vous gagnez, comme je l'espère, comme j'en suis convaincu, Mauban devra vous payer immédiatement un million.

— C'est juste, reconnut Maxon, mais j'ai de moins en moins confiance dans le pari que j'ai tenu.

— Pourquoi ? demanda le policier, anxieusement.

— Pourquoi ? répéta Maxon. Venez voir...

Dès lors, l'Américain entraînait avec lui Juve jusqu'à l'entrée du paddock. On se préparait pour la course et les concurrents du Grand Prix municipal, l'un derrière l'autre, de leurs grands pas allongés, s'avançaient par l'étroit passage qui réunit le pesage à la piste.

A un moment donné, Maxon et Juve voyaient passer le fameux cheval gris pommelé sur lequel son jockey n'était pas d'ailleurs monté.

Maxon, serrant le bras de Juve, articula nerveusement :

— Voyez, la bête est en pleine forme et c'est assurément le Cascadeur de la semaine dernière qui gagna si bien que nous avons sous les yeux... Parbleu ! le vrai cheval, le mauvais a été éliminé, l'autre est resté, nous ignorions cela. Nous supposions même le contraire, mais le comte Mauban devait le savoir et c'est pour cela qu'il a parié un million...

Juve, dès lors, se mordait la lèvre ; il se rendait compte que les appréhensions de Maxon étaient fondées et il était fort ennuyé.

Oh ! l'affaire était bien combinée par le mystérieux adversaire qui, de la sorte, si la victoire revenait à Cascadeur, comme on pouvait le prévoir, allait, non seulement gagner un million au lieu de le perdre, mais allait encore discréditer Maxon dans l'esprit de ses collègues du Jockey-Club, car l'Américain serait obligé de demander un délai pour se libérer...

Somme toute, la journée menaçait de tourner entièrement à la confusion du milliardaire américain, et par contre à l'avantage du comte Mauban !...

Ah ! ce comte Mauban qui se dissimulait sans cesse, s'éclipsait lorsque Juve cherchait à le joindre, ce comte Mauban !... contre lequel le policier luttait en secret, Juve aurait voulu désormais le tenir, face à face avec lui, pouvoir le regarder les yeux dans les yeux et lui dire :

— Misérable ! je crois savoir qui vous êtes, bas les masques.

Juve, toutefois, n'osait, même en pensée, envisager la réalisation d'un tel projet, il ne pouvait encore être logiquement sûr de ce qu'il soupçonnait, il lui fallait au préalable avoir connaissance du résultat d'une enquête mystérieuse à laquelle s'était livré Fandor le matin même, et dont le journaliste devait lui apporter le résultat aux tribunes d'Auteuil !...

Or, Juve en vain avait attendu, et Fandor ne s'était pas montré.

De la tribune du Jockey-Club, les propriétaires regardaient avec intérêt sortir les chevaux qui se rendaient au départ pour disputer le Prix municipal.

Il y avait un lot de concurrents merveilleux et l'épreuve promettait d'être superbe. Parmi ceux qui attiraient l'attention et la retenaient tout particulièrement, se trouvait être Primevère, que montait l'ancien premier lad de l'écurie Bridge, un certain Willy.

En dépit du tapage fait autour de Cascadeur, et malgré son extraordinaire victoire de la semaine précédente, le public, qui n'avait compris qu'à moitié les événements survenus, s'était méfié et n'avait pas joué la chance de ce cheval.

Par contre, on avait considérablement parié pour Primevère et la jolie pouliche alezane partait favorite...

— C'est Lucien Bélard !!!...

La clameur populaire retentissant soudain, on venait d'apprendre que le départ était donné. Et les chevaux disputant l'épreuve menaient dès le début un formidable train.

C'était un groupe compact de concurrents aux robes et aux casaques multicolores qui bondissaient par-dessus les tribunes !...

Et on applaudissait à tout rompre le magnifique spectacle des douze chevaux franchissant presque ensemble l'obstacle lorsque soudain, une clameur stupéfaite s'élevait de la foule, échappée de mille poitrines, clameur qui provenait aussi bien de la pelouse que des tribunes du pesage...

Que se passait-il donc ?

Comme une traînée de poudre, cette nouvelle se répandait dans le champ de courses.

— Qui monte Cascadeur ? Ce n'est pas Lucien Bélard ?... C'est un jockey masqué.

En effet, le cheval appartenant au comte Mauban était affiché depuis le début de l'après-midi comme devant être monté par le jockey Lucien Bélard.

Or, un fait apparaissait soudain, rapide et bizarre : le gris pommelé était monté par un homme mince, beaucoup plus grand que le jockey inscrit sur les affiches du Mutuel et chose extraordinaire, le jockey qui montait Cascadeur était masqué !

Cependant que cette découverte plongeait les assistants dans le plus grand désarroi, des incidents de toutes sortes se produisaient sur la piste.

Il y avait d'abord, au passage d'une simple haie, une véritable capilotade de concurrents. Après le passage de Cascadeur qui prenait le train, on avait eu l'impression que la haie s'était extraordinairement soulevée et que les chevaux, inaccoutumés à sa hauteur insolite, étaient venus buter dedans au lieu de passer par-dessus.

Au milieu des chevaux qui avaient roulé dans l'air, et des jockeys projetés à droite et à gauche, surgissaient alors, comme s'ils provenaient de sous la haie, quatre ou cinq individus aux allures sordides, couverts de boue. Ces hommes profitant de la stupéfaction générale quittaient la piste, pénétraient dans les rangs de la foule.

On s'efforçait de les empêcher de passer, mais ils sortaient des revolvers et les déchargeaient au hasard.

Cette agression si inattendue déterminait une panique, des cris d'affolement retentissaient, des femmes tombaient évanouies, profitant du désordre, ces hommes disparaissaient mais on avait alors l'impression qu'ils venaient de se livrer à un audacieux attentat.

Assurément ces gens avaient voulu causer un accident, ils y avaient réussi, cinq chevaux, cinq jockeys étaient hors de course !

Parmi ceux qui continuaient derrière Cascadeur, se trouvait Primevère. Mais la bête, par deux fois, s'était dérobée ; elle avait franchi sans encombre la haie fatale aux cinq autres concurrents, toutefois, désormais, depuis lors, elle s'était refusée par deux fois à franchir le mur de pierre. Elle y parvenait enfin, mais dès lors le grand favori était derrière Cascadeur.

Et Cascadeur gagnait toujours de la distance, trois chevaux se disputaient la seconde place. Mais, à un moment donné, ces trois chevaux se dérobaient brusquement, l'un d'eux faisait panache, un des grands mâts portant des oriflammes venait de s'abattre sur cette majestueuse bête.

— Cette course est ensorcelée..., proféra quelqu'un.

Et c'était, en effet, pour le public abasourdi, la vision incontestable d'une effroyable débandade.

Sur douze chevaux partis, il en restait deux en course : Cascadeur et Primevère, mais si loin l'un de l'autre que la victoire de Cascadeur était absolument certaine !

Le cheval gris pommelé arrivait aux derniers cinq cents mètres et il était accueilli par une bordée de huées, et puis on s'effarait de voir ce jockey masqué, on se demandait ce qu'il allait advenir, sur la pelouse ; des gens criaient à la révolution, la police s'affolait — elle aussi se sentait impuissante à maintenir l'ordre si jamais une panique ou une révolte éclatait !...

Les agents venaient d'arrêter trois individus exaspérés qui s'apprêtaient à mettre le feu aux baraquements du Pari mutuel.

Seul, dans la tribune des membres du Jockey-Club, le comte Mauban laissait errer sur ses lèvres un machiavélique sourire. Quiconque l'aurait observé à ce moment aurait été frappé de la transformation qui s'opérait dans son visage.

L'homme se redressait, semblait plus grand, plus majestueux, il apparaissait ainsi, farouche, presque terrible. Ses yeux lançaient des éclairs et, malgré sa chevelure grisonnante, ses favoris blancs, le comte Mauban avait une silhouette de jeunesse et d'énergie.

Il était pâle cependant qu'il toisait du regard Maxon, toujours impassible, et qu'il semblait regarder tout autour de lui comme dans l'éventualité d'une fuite soudaine qu'il aurait méditée.

Mais, aux injures que la foule prodiguait quelques secondes auparavant au jockey masqué qui montait Cascadeur, succédaient des hurlements de joie et des applaudissements.

Un fait extraordinaire se produisait.

De la façon la plus évidente et la plus formelle, le jockey masqué qui montait Cascadeur penchait en arrière, tirant de toute la force de ses bras sur ses rênes, arrêtant presque son cheval, lui sciant la bouche, démolissant son allure, l'empêchant d'avancer.

Et c'était au pas, réellement au pas que le jockey masqué mettait sa bête, pour finir les deux cents mètres qui lui restaient à parcourir avant de gagner !...

La foule cependant menaçait d'envahir la piste. Les soldats qui la gardaient devaient porter leurs baïonnettes sur les poitrines des gens pour les empêcher d'avancer.

Cependant, Primevère avait repris sa belle allure, gagnait à chaque foulée de galop sur Cascadeur à moitié arrêté. Le grand favori, à cinquante mètres du poteau, dépassait l'extraordinaire gris pommelé dont les courses véritablement étaient de plus en plus sensationnelles.

Puis, quelques secondes après, c'était la ligne d'arrivée que franchissait Primevère.

— Primevère gagne... Primevère va gagner ! telle était l'exclamation formidable qui s'échappait de toutes les poitrines.

Maxon avait bondi à côté du comte Mauban :

— Vous avez perdu, articula-t-il, avec une froideur sèche mais autoritaire, vous me devez un million.

Les membres du Jockey-Club s'étaient retournés, ils faisaient cercle autour des deux hommes, se demandant si Maxon allait exiger de son partenaire le payement d'un pari engagé dans de si étranges conditions.

On se demandait également si le comte Mauban allait consentir à verser l'argent avant que la course ne fût homologuée !...

Il y eut un instant de silence qui contrastait étrangement avec l'épouvantable vacarme qui régnait à la pelouse et même aux tribunes du pavillon du pesage...

Tout d'un coup, comme s'il prenait une résolution subite, le comte Mauban articula d'une voix sifflante :

— Prenez-le donc votre argent, puisque vous prétendez avoir gagné... après tout, peu m'importe, il ne me coûte rien.. et, ce que je puis vous dire, c'est qu'il me reviendra lorsque je le voudrai...

En sortant de sa poche une liasse de billets de banque, le comte Mauban les tendait à Maxon.

A peine celui-ci avait-il jeté les yeux sur cette liasse de billets qu'il poussait un hurlement :

— Mon argent !... ce sont les billets que l'on m'a volés.

Et il regardait le comte Mauban, mais celui-ci, avec une agilité extraordinaire, venait de sauter par-dessus la balustrade des tribunes et de se perdre dans la foule.

Un cri venait de retentir. A ce moment précis, forçant l'entrée de la tribune du Jockey-Club interdite à tous ceux qui n'étaient pas membres du cercle, un homme se précipitait, c'était Juve !...

Juve venait de crier, au moment où disparaissait le comte Mauban :

— Fantômas ! c'est Fantômas ! Le comte Mauban n'est autre que Fantômas !

Cependant, au pesage, la foule se ruait sur le jockey de Cascadeur. Celui-ci venait de rentrer avec son cheval ; il conservait obstinément son masque sur son visage.

La foule hurlait, le menaçait, l'acclamait en même temps, les uns disaient :

— Bravo, vous avez bien fait de tirer Cascadeur... la première place revenait sincèrement à Primevère !...

D'autres, au contraire, invectivaient le jockey, hurlaient :

— Disqualification, on n'a pas le droit de retenir son cheval, c'est monstrueux !... abominable.

Puis les clameurs reprenaient :

— Enlève donc ton masque... fais donc voir ta figure ; dis-nous qui tu es...

Cependant, rentrant au pesage, à toute allure, le jockey masqué avait empêché la foule qui avait envahi le paddock de foncer sur lui.

Ayant distancé ses poursuivants et profitant d'un instant où il était seul, le jockey sautait alors à bas de sa bête, qu'il abandonnait au hasard dans le paddock puis, s'enfuyant, sautait par-dessus les balustrades et allait se jeter dans une automobile dont on lui ouvrait la portière. La voiture démarrait aussitôt.

Le jockey ne s'y attendait évidemment pas. Il demeura stupéfait un instant puis se pencha par la portière. En même temps le jockey arrachait le masque qui dissimulait son visage ; quiconque l'aurait aperçu alors aurait reconnu le jockey Scott, et quiconque aurait su qui était en réalité le jockey Scott se serait écrié :

— Jérôme Fandor !...

XXIX

Le coffre-fort meurtrier

Cependant, au pesage, Juve qui avait vu fuir Fantômas — car le policier n'avait pas hésité à reconnaître de la façon la plus certaine, sous l'aspect du comte Mauban, le sinistre bandit — ne s'était pas élancé à sa poursuite.

Juve, en effet, prévoyait cette attitude de Fantômas, et depuis le matin même il avait pris ses précautions.

Le pesage, le paddock et même tout l'entourage du champ de courses étaient sillonnés d'agents qui avaient pour mission de s'emparer de tout individu suspect et qui semblerait s'enfuir. En réalité, c'était au pesage que la surveillance la plus active devait s'effectuer.

Au cours de la réunion on avait cependant décidé de la simplifier énormément, pour ce fait que, derrière le paddock, une voiture automobile était venue se ranger, semblant attendre quelqu'un.

Or, Léon et Michel, qui se trouvaient dans le voisinage de cette voiture, avaient reconnu la silhouette du mécanicien qui la pilotait ; et ils avaient acquis la certitude rapidement que ce mécanicien n'était autre qu'un homme au service du comte Mauban, c'est-à-dire de l'homme suspect.

Cette voiture était là, un peu à l'écart, comme dissimulée. D'autre part, devant le rond-point des tribunes, on voyait ostensiblement arrêté le coupé à deux chevaux du comte Mauban.

Ce double équipage convainquait Léon et Michel que certainement l'homme suspecté par Juve, s'il cherchait à s'enfuir, viendrait rejoindre la mystérieuse automobile à laquelle il avait certainement donné rendez-vous, et que dès lors il suffirait d'arrêter la voiture en question pour s'emparer de son voyageur !

Juve avait été mis au courant, pendant la réunion, de la découverte faite par Léon et Michel.

Donc, en voyant Fantômas s'enfuir, il éprouvait une certaine satisfaction, car le policier était convaincu que le pseudo-comte Mauban allait de la sorte tomber dans le piège qui lui était tendu, qu'il allait de lui-même venir s'enfermer dans la voiture automobile si bien surveillée.

Juve, cependant, se dérobait aux questions qui lui étaient posées, car le cri qu'il venait de pousser dans la tribune du Jockey avait déterminé une stupéfaction profonde.

Le policier se préparait à traverser le paddock, lorsque Michel, tout essoufflé, se présenta devant lui.

Il avait l'air si bouleversé que Juve éprouva une violente inquiétude.

— Eh bien ? questionna-t-il.

— Eh bien, articula Michel, voici ce qui s'est passé : il y a quelques instants, un homme surgissait du paddock, se précipitait en courant hors de l'enclos du champ de courses et bondissait dans l'automobile, dont la portière s'ouvrait et se refermait sur lui.

— Bien, fit Juve, qui comprenait. C'est ce que nous avions prévu... Fantômas...

— Hélas non, interrompit Michel, ce n'était pas Fantômas.

Juve pâlissait, Michel continua :

— Je vous le donne en mille... Sitôt notre homme installé dans le véhicule, l'automobile démarre... mais nous intervenons pour l'empêcher de continuer sa route... on finit par obliger le conducteur à se mettre dans le fossé, nous ouvrons alors la portière, et qui trouvons-nous... Juve, enlevant le masque qui lui couvre la figure, nous apparaissant vêtu en jockey, je vous ai dit que je vous le donnais en mille ?... c'était Fandor... oui, Fandor...

Dès lors, Juve, atterré, serrait les poings, mais ne faisait aucun reproche à son subordonné.

— Eh bien, demanda Michel, au bout d'un silence, que pensez-vous ?...

— Je pense, fit Juve d'un air impassible, que la malchance seule nous a empêchés de prendre Fantômas, et que s'il s'est échappé, ce n'est point par suite de son habileté, mais eu égard à un concours fortuit de circonstances.

« Ceci me donne du courage ; et au surplus, je n'escomptais guère, je vous l'avoue, son arrestation immédiate... qu'importe, le confondre c'est presque le prendre ! D'ores et déjà Fantômas est démasqué, il ne peut plus réapparaître en comte Mauban...

Juve et Michel revenaient à ce moment dans la direction du pesage. Les paroles qu'avait prononcées le policier avaient été répétées de tous côtés, et les membres du Jockey qui, malgré tout, depuis quelques jours trouvaient l'attitude du comte Mauban de plus en plus étrange, semblaient enchantés d'avoir échappé au ridicule ou au danger qu'il y avait pour eux d'avoir Fantômas pour collègue.

Or, leurs sympathies allaient spontanément désormais à Maxon et ils ne manquaient pas de lui exprimer.

— Bravo, Maxon, vive Maxon, criait-on dans la tribune du Jockey.

Donc, lorsque Juve s'approcha de l'Américain, il trouva celui-ci un peu pâle, stupéfait et ravi à la fois.

— Bravo, articula à son tour le policier, vous voilà certain d'être nommé président du Jockey.

Maxon rétorquait :

— C'est vrai, je le crois, mais cela n'a qu'une importance secondaire, l'essentiel c'est que je vous dois plus que la vie, Juve... je vous dois l'honneur !...

Maxon interrogeait encore :

— Mais au fait, Juve, et Fantômas ?

Le policier ne répondit pas à Maxon, car, soudain, quelqu'un l'apostropha d'un ton gouailleur.

C'était Fandor.

Fandor que les policiers Léon et Michel avaient arrêté quelques instants auparavant ; Fandor encore tout interloqué de la coïncidence qui l'avait fait sauter dans l'automobile évidemment préparée pour emmener Fantômas, Fandor qui, bien involontairement en somme, était la cause que le bandit s'était échappé.

Le journaliste, néanmoins, avait le visage épanoui, qui contrastait singulièrement avec l'air préoccupé du policier.

Il le remarqua :

— Peste, Juve, grogna-t-il, vous n'avez pas l'air bien satisfait. Qu'est-ce qu'il vous faut pourtant ?...

Et comme Juve ne répondait rien, Fandor poursuivit :

— Dame ! je vous ai aidé tant que j'ai pu en retenant cet animal de Cascadeur qui ne demandait qu'à gagner. Hélène, de son côté, avec son intrépidité coutumière, vous a singulièrement facilité la tâche. Mais, tout de même, c'est à vous qu'en revient la victoire... Si Maxon est fêté, c'est à vous qu'il le doit, si Fantômas, encore une fois, est en fuite, c'est vous qui l'avez chassé... Quelle victoire, Juve !

Le policier se retourna.

Son regard froid, impérieux, se vrillait dans les yeux de Fandor.

On eût dit qu'il contemplait son ami pour la première fois. On eût dit surtout qu'il cherchait à lire dans ses pensées.

Et Juve brusquement demandait :

— Ah çà ! Fandor, tu es sincère, quand tu parles de victoire ?

Fandor recula d'un pas, surpris.

— Dame ! s'étonnait-il... oui.

— Tu trouves que c'est une victoire..., répéta Juve, que d'avoir forcé Fantômas à fuir ?

Cette fois, le visage mobile de Fandor exprima une hésitation, un doute. Juve reprit :

— Tu parles de victoire ? Est-ce que ce ne serait pas plutôt d'une trêve qu'il faudrait s'entretenir ?...

Mâchant ses mots, eût-on cru, les mêlant de bile et d'amertume, Juve, sourdement, ajoutait :

— Non, Fandor, ce n'est pas une victoire, c'est une escarmouche heureuse, voilà tout... Fantômas est libre, Fantômas m'a échappé, tandis qu'il m'échappe, c'est moi qui suis le vaincu...

— Vous exagérez, Juve !...

Et Fandor qui, maintenant, semblait moins joyeux qu'une minute avant — il venait sans doute de faire de terribles réflexions — fronçait les sourcils, puis continuait, posant sa main sur l'épaule de Juve :

— Ah çà, venez-vous ?

— Non, répondit Juve.

— Pourquoi ? Vous ne laissez pas Maxon à son triomphe ?

Juve haussa les épaules et répliqua :

— Tu sais bien que c'est impossible.

Et Fandor, comme accablé, baissait la tête.

— Impossible ? vous avez raison !

On ne se lassait pas, cependant, de fêter Maxon. Un groupe de membres du Jockey l'entouraient toujours, toujours on le félicitait, toujours on l'accablait de compliments.

Quelqu'un cria :

— Et puis, avec tout cela, vous ne vous êtes pas embêté... un million que vous venez de mettre dans votre poche, mon cher !

Mais, à ce dernier argument, Maxon ne semblait guère prêter attention.

Ce milliardaire, que l'on se figurait communément être un homme d'argent, avait, en réalité, le profond mépris de la richesse.

L'argent n'était pour lui qu'un motif de lutte, un sujet de bataille, c'était le puissant outil, l'instrument merveilleux qui permet de réaliser les plans les plus gigantesques, de tenter des entreprises folles en escomptant le succès possible, mais en n'en faisant point pour cela une condition primordiale et indispensable.

Maxon haussait les épaules, lui aussi.

— Oui, j'ai touché un million, répondait-il, sans doute, mais ce n'est qu'un rendu, je ne fais que rentrer dans mes fonds...

Le milliardaire, se retournant, cherchait le regard de Juve pour lui adresser un sourire railleur.

Maxon n'avait rien gagné, en effet, en touchant le pari formidable dont Fandor et Juve venaient de lui assurer la possession.

Maxon avait été dépouillé, le jour même, d'une somme égale et, par conséquent, son gain n'était que virtuel, n'existait pas en fait.

Or, en se retournant pour chercher Juve, Maxon tressaillit violemment.

Il apercevait bien, en effet, le policier derrière lui, mais il surprenait le regard de Juve et ce regard l'effrayait.

Juve, qui aurait dû partager sa joie, Juve qui aurait dû sourire de satisfaction, était en réalité de plus en plus sombre, de plus en plus triste.

Le milliardaire marcha vers lui.

— Ah çà, mon cher, qu'avez-vous donc ? Vous êtes morose encore ?

— Peut-être, répondait Juve.

— Quelque chose vous préoccupe ?

— Énormément, oui.

— Quoi donc ?

On avait fait silence, on écoutait les paroles de Juve, le policier en parut gêné.

— Je vous le dirai tout à l'heure, monsieur Maxon. Vous rentrez chez vous ?

— Certainement.

— Eh bien ! je vous demanderai de nous ramener, Fandor et moi...

Maxon ne sourcillait point. Il devinait cependant, à la façon dont parlait Juve, que le policier ne lui adressait pas cette demande au hasard.

Elle devait être motivée. Est-ce qu'elle cachait un plan secret ? une intention mystérieuse ?

— Parbleu ! répondit Maxon, cela va de soi que nous rentrons ensemble, vous me ferez même l'amitié de dîner avec moi ?...

Un pâle sourire égayait alors le visage de Juve.

— Oh ! notre dîner..., commençait-il.

Mais le policier s'interrompait :

— Nous partons, monsieur Maxon ?

— A l'instant.

Suivis encore de membres du Jockey, qui s'obstinaient à leur faire cortège, les trois hommes, Maxon, Juve et Fandor, quittaient l'hippodrome, se dirigeaient vers la somptueuse automobile du milliardaire.

— A la maison ! ordonnait Maxon.

Mais Juve secouait la tête :

— Pardon... 142, rue de Vaugirard...

Maxon, encore une fois, ne s'étonnait point.

— Ah ! c'est vrai... 142, rue de Vaugirard !...

Il serra encore trois ou quatre mains qui se tendaient, montait dans sa voiture, claquait la portière.

Comme l'auto démarrait cependant, Maxon interrogea :

— Ah çà, Juve, qu'avez-vous donc ?... et qu'allons-nous faire 142, rue de Vaugirard ?...

Juve, toujours sérieux, répondit :

— Monsieur Maxon, nous allons tâcher de ne point nous faire tuer.

— De ne point nous faire tuer ? Je ne vous comprends pas...

— Vous allez me comprendre.

Juve se renversait sur les coussins, acceptait une cigarette turque que lui offrait Maxon, cependant que Fandor, dédaigneux du tabac d'Orient, puisait dans un simple paquet de Caporal ordinaire, c'était là le seul tabac qu'il affectionnait, et, après quelques instants de méditation, expliquait :

— Monsieur Maxon, quelle est exactement la situation ?

Le milliardaire eut un éclat de rire :

— Elle est claire... elle est simple, elle est bonne, si je ne m'abuse...

— Vous trouvez ?

— Mais... sans doute, le comte Mauban est démasqué, Fantômas est en déroute, je viens de récupérer le million volé... quoi de mieux ?...

Alors Juve, brusquement, en phrases hachées, avec une précipitation nerveuse, interrompit le milliardaire :

— Eh bien, monsieur Maxon, vous vous trompez lourdement... la situation n'est pas bonne du tout, elle est même déplorable... elle est dangereuse... elle est terrible...

Puis, sur un ton un peu agacé, Juve continuait :

— Ah ça, mais vous ne raisonnez donc pas ?... Le comte Mauban est démasqué ?... soit !... c'est une raison pour qu'il soit furieux. Fantômas est en fuite ?... très bien. C'est un motif pour qu'il veuille à toute force se venger, c'est une certitude qu'il va encore changer de personnalité, que, dans l'ombre, il va nous guetter, pour prendre sa revanche... Vous avez empoché un million ?... mieux encore. Voilà un appât qui va faire que Fantômas vous pistera sans trêve ni merci, et ne prendra de repos qu'après s'être emparé à nouveau de cette somme dont il estime que vous venez de le dépouiller... Tenez, monsieur Maxon, vous avez mal résumé la situation, il ne fallait pas dire : « Fantômas est en fuite, je viens d'empocher un million », il fallait dire tout simplement : « Il y a désormais la mort entre Fantômas et moi ! »

— Fichtre ! répondit simplement Maxon.

Le milliardaire, en écoutant Juve, avait un peu pâli, il se rendait compte en effet que le policier ne parlait point au hasard, que ce qu'il disait était au contraire rigoureusement certain, matériellement indiscutable.

Fantômas venait d'être battu, c'était exact !...

Mais une défaite n'implique pas toujours la paix...

Il y a des déroutes qui présagent de sinistres revanches. Et Fantômas n'était pas homme à abandonner une partie si terrible, si passionnante.

Oui, sans doute !... c'était un duel à mort qui commençait entre lui, Maxon et Fantômas !

Le Génie du crime, celui qui se disait le Maître de tous et de tout, ne se résignerait sans doute pas facilement à laisser Juve triompher !

Fantômas venait de payer un million, il le reprendrait !...

Fantômas venait de manquer la présidence du Jockey-Club, il tenterait tout au monde pour empêcher qu'elle ne pût échoir à son adversaire, à Maxon...

La lutte, un instant indécise entre eux, venait de tourner à l'avantage de Maxon, mais cet avantage n'était pas définitif, Juve, un instant avant, l'avait nettement qualifié, il ne marquait qu'une trêve, une courte trêve et les hostilités plus âpres, plus cruelles, n'allaient sans doute pas manquer de reprendre entre les deux ennemis !...

— Très bien, approuva Maxon, j'étais en effet un imbécile de considérer les choses comme terminées. Vous m'annoncez une nouvelle lutte, je vous crois, Juve. Je l'accepte même de grand cœur... Seulement, je ne vois pas...

Et Maxon, en disant cela, semblait avoir retrouvé toute son ordinaire tranquillité d'âme !...

— Je ne vois pas, en vérité, pourquoi vous avez donné l'adresse de la rue de Vaugirard. Qu'y a-t-il là-bas ?...

Juve haussa les épaules :

— Là-bas ?... il n'y a rien, déclarait-il.

Et c'était Fandor qui continuait la phrase.

— Mais tout à l'heure devant votre voiture il y avait cent personnes.

— Alors ? interrogea Maxon qui ne comprenait pas.

— Alors, reprit le policier avec un sourire, il était inutile d'annoncer que nous retournions directement chez vous...

Juve continuait d'un ton froid, précis, en homme qui ne parle point à la légère.

— Monsieur Maxon, Fantômas est capable de tout : vous ne le connaissez point encore comme nous le connaissons, Fandor et moi. Vous ne savez point qu'à la minute, son génie, car Fantômas a du génie, est capable d'inventer les choses les plus inouïes, les plus formidables et de les réussir. Qui pouvait nous prouver que pendant le trajet jusqu'à votre maison, une automobile n'allait pas croiser la vôtre, qui l'accrocherait, la renverserait ?... Qui pouvait me prouver que, d'une fenêtre, un coup de fusil ne vous frapperait pas au cœur ?... Qui pouvait me prouver qu'une bombe, traîtreusement jetée au passage, ne vous réduirait pas, et nous avec vous, en une bouillie humaine ?...

Juve s'arrêtait un instant de parler, puis, d'une voix frémissante, il reprenait :

— Ah ! vous ne connaissez pas Fantômas, monsieur Maxon ! pour oser, à l'instant même où vous venez de le vaincre, donner tranquillement votre adresse et annoncer ainsi que votre voiture, par le plus court chemin, vous ramènera chez vous [1]...

Maxon n'avait point interrompu Juve.

Simplement, il répéta :

— Fichtre !

Puis il haussait les épaules.

— Eh bien, c'est gai tout ce que vous m'annoncez là !

Et, prenant un petit temps pour réfléchir, Maxon posait la main sur l'épaule de Juve.

— En somme, d'après vous, je suis un condamné à mort ?... Oui, c'est bien cela ? Fantômas ne me fera point quartier... et, tôt ou tard, je dois m'attendre à être assassiné ; donc, je le répète, je suis un condamné à mort ?...

Sourdement, Juve répondit :

— Non. Ce n'est pas vous, Maxon, qui allez mourir...

— Qui donc alors ?

La figure de Juve devint grave, tandis qu'il affirmait :

_____

1. Voir dans le présent volume : *Le Bouquet tragique.*

— C'est Fantômas, et c'est moi, moi... Juve, qui serai son bourreau.

La voiture du milliardaire débouchait à ce moment du Bois de Boulogne, allait s'engager sur la place de l'Étoile.

Juve fit un signe à Fandor.

— Donne l'adresse, 1, rue Tardieu.

Maxon, cette fois, demanda :

— Nous allons chez vous ?

— Oui, prendre une clé...

— Quelle clé ?

— Vous le verrez bien.

Juve, en ce moment, était livide. Des gouttes de sueur perlaient à son front. Il tenait les yeux fixés à terre, il avait l'air de fuir le regard de ses compagnons de route.

Fandor, de son côté, après avoir docilement donné l'adresse de la rue Tardieu au chauffeur, s'était assis.

Le jeune homme réféchissait, il finit par interroger :

— Juve, je ne comprends point ce que vous voulez dire... Vous avez condamné Fantômas à mort ?... vous prétendez le tuer ?...

L'émotion faisait trembler la voix du jeune homme.

Il devinait bien que Juve, pour avoir parlé comme il venait de le faire, méditait de sombres projets, avait arrêté une suprême décision.

Et Juve, en effet, ripostait de sa voix grave, de sa voix sourde qui faisait tressaillir Fandor :

— Écoute, disait Juve, j'ai longuement réfléchi. Il faut choisir entre deux vies : celle de Maxon et celle de Fantômas... Tu connais mes sentiments et mes théories, Fandor... tu sais qu'ami de la légalité, depuis plus de dix ans, je rêve de livrer Fantômas au couperet de Deibler !... La guillotine... voilà ce que le monstre méritait... Voilà où devait s'arrêter son destin fantastique. Ah !... j'aurais donné beaucoup, Fandor, pour quelque jour le livrer aux mains du bourreau... Mais cela n'est pas possible, le danger presse ; désormais, il faut agir, il faut le tuer...

« Oui sur mon honneur, reprenait solennellement Juve, lisant un étonnement dans le regard de Fandor, je vais tâcher de tuer Fantômas ce soir, parce que dans la plénitude de mon libre arbitre, dans toute la force de ma conscience, j'ai jugé que le monstre méritait la mort, et que, pour sauvegarder Maxon, j'avais le droit d'être sans pitié, j'avais le devoir d'être sans miséricorde.

Désormais, Maxon se taisait.

Il remarquait l'émotion profonde de Juve, l'angoisse de Fandor.

Il comprenait qu'en parlant devant lui, les deux amis oubliaient presque sa présence. Il comprenait surtout que Juve, pour le sauver, se faisait une terrible violence en se transformant en bourreau.

Juve, quelques minutes avant, le lui avait dit.

Un duel à mort s'était engagé désormais avec Fantômas... Ce serait... lui, Maxon, ou ce serait Fantômas qui tomberait, il fallait que ce soit l'un ou l'autre.

Et Juve avait dû inventer quelque chose de formidable, recourir à une ruse suprême, découvrir un plan de bataille fantastique !

Juve l'affirmait, c'était Fantômas qui serait tué, ce serait lui qui tomberait !... sa vie rachèterait la vie de Maxon !

Et le milliardaire, ému malgré lui, avait cependant la force d'âme de garder le silence. Il épiait les paroles de Juve, il guettait le tremblement du policier, il se demandait :

— Cet homme me sauvera-t-il réellement ?... pourra-t-il me sauver ?

La voiture, cependant, stoppait bientôt à la porte de Juve.

— Inutile que vous descendiez..., cria le policier.

Il montait, en effet, très vite à son appartement, en redescendait, tenant une lettre, la figure épanouie.

— Qu'est-ce qu'il y a ?... demanda Maxon...

— Quelque chose de fort important..., répondit Juve. Voici une lettre qui m'avertit que l'on a exécuté mes ordres. Monsieur Maxon, je me suis permis de faire livrer un paquet chez vous, vous m'excuserez ?...

— Certainement... de quoi s'agit-il ?...

Fandor et le milliardaire étaient aussi interloqués l'un que l'autre.

Juve, cependant, donnait l'adresse de Maxon au chauffeur, remontait en voiture.

— Oh ! faisait-il, il s'agit de quelque chose de bien simple, mais auparavant, il faut que je vous affirme un petit détail, une légère nouvelle, monsieur Maxon, il est sept heures un quart, je parierais, moi aussi, un million, que l'on a pris, depuis les courses, l'empreinte de vos serrures.

Et comme à ces mots Maxon tressaillait malgré lui, Juve avait un éclat de rire nerveux :

— Quoi ? cela vous surprend ? Mais voyons ! c'est évident. Fantômas va venir chez vous cette nuit, au moins pour vous voler le million qu'il a été obligé de vous payer. Bah ! il en sera pour sa peine, soyez tranquille... Non seulement Fantômas ne vous volera pas, mais encore, il mourra...

Juve répétait toujours que Fantômas était condamné à mort, il paraissait certain du trépas du monstre, Fandor nerveusement demanda :

— Mais enfin, Juve, que voulez-vous dire ?... Assez d'énigmes, morbleu !... Parlez clairement ! Qu'avez-vous fait livrer chez M. Maxon ?... Comment prétendez-vous tuer Fantômas ? Êtes-vous donc sûr qu'un coup de revolver ?...

Juve haussa les épaules :

— On ne tue pas Fantômas à coup de revolver ou à coup de couteau, répondait-il. Fantômas est trop habile pour se laisser abattre ainsi, peut-être d'ailleurs porte-t-il une cuirasse ; non, j'ai trouvé mieux...

Et, se tournant vers Maxon, Juve précisait :

— Cher monsieur, j'ai pensé ce matin, oh ! tenez, non, pour être franc, j'ai pensé il y a huit jours que votre coffre-fort était de mauvaise qualité, je vous en ai commandé un autre, c'est cela qu'on a livré aujourd'hui même... Votre million y sera en sûreté.

Maxon n'eut pas le temps de répondre.

La voiture venait de stopper devant sa porte, il entraîna rapidement Juve et Fandor jusqu'à son fumoir.

Le valet de pied, d'ailleurs, qui leur avait ouvert, murmurait quelques mots :

— Le coffre-fort que monsieur a commandé a été livré cet après-midi. Suivant les instructions de monsieur, je l'ai fait descendre dans la cave, monsieur n'a pas d'autre ordre à me donner ?

— Non, fit Maxon.

Le milliardaire avait hâte d'être seul avec Juve et Fandor. A peine le valet de pied avait-il disparu, en effet, que Maxon se précipitait vers Juve.

— Je dirai comme votre ami, faisait-il, assez d'énigme, morbleu ! que veut dire la livraison de ce coffre-fort ? Que signifie cet envoi ?... Vous savez bien, je pense, que j'ai ici un coffre-fort, et que, par conséquent ?...

Juve, tranquillement, s'était débarrassé de son paletot :

— Monsieur Maxon, je sais que vous avez un coffre-fort et Fantômas le sait aussi... Comme Fantômas n'est pas un imbécile, j'imagine qu'il devinera fort bien que je vous donnerai le conseil de ne point enfermer le million que vous portez sur vous dans votre coffre-fort ordinaire, Fantômas aurait trop bon jeu évidemment pour vous cambrioler...

— Mais mon coffre-fort est solide ! protesta Maxon.

Juve haussait les épaules.

— Il n'y a pas de coffre-fort solide, faisait-il nettement, pour des cambrioleurs habiles... Avec un chalumeau grand comme la main et une bouteille d'oxygène, que l'on transporte facilement, on perce les blindages les plus épais... D'ailleurs ne m'interrompez pas.

Juve toussait, puis expliquait encore :

— Donc, monsieur Maxon, je me suis dit ceci : Fantômas saura que Maxon n'a point serré son argent dans son coffre-fort ordinaire ; sachant cela, il ne sera point long à deviner que vous l'aurez caché ailleurs. Où, par exemple ?... Vous pensez bien que Fantômas, apprenant que vous avez un second coffre-fort installé dans vos caves, à demi dissimulé sous un tas de charbon, devinera que là est la cachette, que là doit se trouver en réalité votre argent. C'est ce coffre que Fantômas attaquera !...

Maxon éclata de rire :

— Ah ! je comprends, murmurait-il, Fantômas se croyant malin cambriolera le coffre de la cave, tandis qu'en réalité, le million dormira dans mon coffre ordinaire... c'est bien cela ? Et comme vous vous embusquerez à l'entrée de l'escalier, dans le calorifère, peut-être, n'importe où... vous tuerez Fantômas ?... j'ai deviné, hein !

Juve secoua la tête :

— Vous n'avez pas deviné. Vous mettrez, monsieur Maxon, votre million dans le coffre-fort de la cave.

— Dans celui que Fantômas attaquera ?

— Oui.

— Mais alors il le volera ?

— Non, fit nettement Juve.

— Pourquoi ?

— Parce qu'il sera mort !

L'extraordinaire policier parlait toujours avec une assurance déconcertante.

Maxon, stupéfait, parut renoncer à comprendre.

— Ah ! fit-il simplement. Puis-je savoir cependant, si c'est pendant le cambriolage que vous prétendez tuer Fantômas ?...

Juve haussa les épaules :

— Non point... monsieur Maxon. Non point... Pendant le cambriolage, nous serons tous, si vous le voulez bien, vous, Fandor et moi, à l'autre bout de votre jardin... dans votre serre, où vous nous ferez servir quelque bonne liqueur. Vous voyez que j'abuse de votre hospitalité...

Les paroles de Juve étaient de plus en plus incompréhensibles.

Maxon, en s'énervant, précisait :

— Si ce n'est pas l'un de nous trois qui doit tuer Fantômas, qui est-ce donc alors ?... Vous allez charger l'un de vos policiers de cette besogne ?...

Juve secoua encore la tête, négativement :

— Ce n'est pas un policier qui tuera Fantômas. Ce n'est pas un homme...

— Qui alors, mon Dieu ?

— Le coffre !

— Comment ?... le coffre !...

— Le coffre-fort de la cave.

Les paroles de Juve étaient ahurissantes, Maxon, en les écoutant, commençait à se demander si le policier ne se moquait pas de lui.

— Ah çà ! fit-il stupéfait, que diable voulez-vous dire ?

— Quelque chose de très simple, articula Juve. Menez-moi à votre cave, et vous allez comprendre...

Sous la conduite de Maxon, Juve et Fandor descendirent dans les sous-sols de l'hôtel.

Ainsi que l'avait annoncé le valet de pied, adossé contre une muraille, au fond de la cave où s'entassaient les provisions de charbon du calorifère, un superbe coffre-fort s'apercevait.

Juve le considéra avec une visible émotion.

— Voilà, disait-il à Fandor, voilà de quoi tuer Fantômas ce soir.

Et soudain, avec une précipitation extrême, Juve ajoutait :

— Oh ! c'est certain, c'est indiscutable, c'est mathématique, Fantômas mourra, il ne peut pas ne pas mourir.

Puis Juve courait au coffre, prenait une petite clef dans sa poche, faisait jouer la serrure, ouvrait la lourde porte aux battants épais.

— Monsieur Maxon, expliquait le policier, écoutez-moi bien et comprenez-moi. Vous allez voir que la chose est simple et rigoureusement infaillible.

« Ce coffre est muni d'une serrure de sûreté, d'une serrure à chiffre, d'une serrure inforçable en un mot. Fantômas venant ici pour cambrioler, pour voler le million qu'il a dû vous payer, n'essaiera pas, vous le pensez bien, de violer cette serrure. Fantômas, aussi bien que vous, aussi bien que moi, sait que cette serrure est inviolable. Il ne s'acharnera pas contre elle, il aura, je vous l'ai dit, un chalumeau. Il dirigera contre l'épaisseur de cet acier la flamme ardente, susceptible de fondre le métal, et par conséquent de lui permettre de réaliser son vol. C'est à ce moment que Fantômas mourra.

— Pourquoi ? dit Fandor haletant.

— Parce que, répondit simplement Juve, ce coffre-fort a été fait sur mes plans. Oh ! j'ai réalisé une invention ingénieuse, si j'ose le dire, regarde, Fandor. Ces portes sont épaisses, ces parois d'acier sont triples, ce coffre-fort résisterait, tu vois, aux outils les plus puissants, seule la flamme du chalumeau est capable de le vaincre, eh bien, la flamme du chalumeau sera mortellement dangereuse pour qui l'emploiera.

Et avec un sourire, Juve ajoutait :

— Mon cher, entre les différentes parois du coffre, entre les plaques d'acier qui le composent, j'ai simplement fait placer une épaisse, une terrible couche de dynamite. Quand Fantômas approchera son chalumeau du coffre-fort, quand le métal en fusion deviendra rouge, quand il sentira la victoire toute proche, quand il pensera s'emparer du million qu'il sera venu chercher là, le coffre-fort sautera, et Fantômas sera tué, infailliblement tué, écrasé, broyé, déchiqueté. Oui, il mourra au moment même où il commettra l'un de ses plus fantastiques exploits.

La voix brisée, Juve ajoutait :

— J'ai condamné Fantômas à mort, et je l'ai condamné à s'exécuter lui-même.

Fandor tremblait, Maxon était livide.

Était-ce vraiment possible ?

Le légendaire bandit, le Maître de l'épouvante, le Génie du crime, le monstrueux criminel allait-il bien mourir de la mort que lui avait assignée le formidable Juve ?

— Il n'y a plus qu'à attendre, disait le policier.

Ils attendirent.

Dans la serre chaude, où, suivant le désir de Juve, Maxon avait fait servir des liqueurs, le policier, le milliardaire et Fandor passaient une nuit blanche.

Les trois hommes, depuis dix heures du soir, n'avaient pas échangé un seul mot.

Ils avaient écarté, sous des prétextes divers, tous les domestiques.

L'hôtel était complètement désert.

Dans la cave, le coffre-fort meurtrier attendait son nocturne visiteur, et Fandor, Maxon et Juve, immobiles, figés dans une angoisse mortelle, comptaient les minutes, voyaient passer les secondes, si terrifiés, si angoissés, qu'ils pensaient vivre un cauchemar.

Fantômas viendrait-il ?

Fantômas attaquerait-il de la flamme d'un chalumeau le coffre-fort truqué ?

Fantômas allait-il mourir ?

Juve, qui avait mis sa montre devant lui et ne quittait point des yeux la marche des aiguilles, annonça soudain :

— Une heure ! Fantômas ne doit pas être loin.

Or, comme si le policier avait pu deviner l'instant tragique, par une sorte de pressentiment, à la même minute, une explosion formidable retentissait, secouant tout l'hôtel, éventrant les murailles, arrachant les vitres.

— Le coffre-fort saute ! hurla Maxon.

— Mon Dieu ! gémit Fandor.

Juve se jetait en avant.

— Ah ! la victoire ! la victoire ! clamait-il. Fantômas est-il mort ? Fantômas est-il mort ?

DOCUMENTS

ROBERT DESNOS

Complainte de Fantômas [1]

1

Écoutez... Faites silence
La triste énumération
De tous les forfaits sans nom,
Des tortures, des violences
Toujours impunis, hélas !
Du criminel Fantômas.

2

Lady Beltham, sa maîtresse,
Le vit tuer son mari
Car il les avait surpris
Au milieu de leurs caresses.
Il coula le paquebot
Lancaster au fond des flots.

3

Cent personnes il assassine
Mais Juve aidé de Fandor
Va lui faire subir son sort
Enfin sur la guillotine...
Mais un acteur très bien grimé
A sa place est exécuté.

---

1. Donnée en audition le 3 novembre 1933 à Radio-Paris, Radio-Luxembourg, Radio-Toulouse, Radio-Normandie, Radio-Agen, Radio-Lyon et Nice-Juan-les-Pins (musique de Kurt Weil), au cours de « Fantômas », réalisation radiophonique de Paul de Harme.

4

Un phare dans la tempête
Croule, et les pauvres bateaux
Font naufrage au fond de l'eau
Mais surgissent quatre têtes :
Lady Beltham aux yeux d'or,
Fantômas, Juve et Fandor.

5

Le monstre avait une fille
Aussi jolie qu'une fleur.
La douce Hélène au grand cœur
Ne tenait pas de sa famille,
Car elle sauva Fandor
Qu'était condamné à mort.

6

En consigne d'une gare
Un colis ensanglanté !
Un escroc est arrêté !
Qu'est devenu le cadavre ?
Le cadavre est bien vivant
C'est Fantômas, mes enfants !

7

Prisonnier dans une cloche
Sonnant un enterrement
Ainsi mourut son lieutenant.
Le sang de sa pauv'caboche
Avec saphirs et diamants
Pleuvait sur les assistants.

8

Un beau jour des fontaines
Soudain chantèr'nt à Paris.
Le monde était surpris,
Ignorant que ces sirènes
De la Concorde enfermaient
Un roi captif qui pleurait.

9

Certain secret d'importance
Allait être dit au tzar.
Fantômas, lui, le reçut car
Ayant pris sa ressemblance
Il remplaçait l'empereur
Quand Juv' l'arrêta sans peur.

10

Il fit tuer par la Toulouche,
Vieillarde aux yeux dégoûtants
Un Anglais à grands coups de dents
Et le sang remplit sa bouche.
Puis il cacha un trésor
Dans les entrailles du mort.

11

Cette grande catastrophe
De l'autobus qui rentra
Dans la banque qu'on pilla
Dont on éventra les coffres...
Vous vous souvenez de ça...
Ce fut lui qui l'agença.

12

La peste en épidémie
Ravage un grand paquebot
Tout seul au milieu des flots.
Quel spectacle de folie !
Agonies et morts hélas !
Qui a fait ça ? Fantômas.

13

Il tua un cocher de fiacre.
Au siège il le ficela
Et roulant cahin-caha,
Malgré les clients qui sacrent,
Il ne s'arrêtait jamais
L'fiacre qu'un mort conduisait.

14

Méfiez-vous des roses noires,
Il en sort une langueur
Épuisante et l'on en meurt.
C'est une bien sombre histoire
Encore un triste forfait
De Fantômas en effet !

15

Il assassina la mère
De l'héroïque Fandor.
Quelle injustice du sort
Douleur poignante et amère...
Il n'avait donc pas de cœur,
Cet infâme malfaiteur.

16

Du Dôme des Invalides
On volait l'or chaque nuit.
Qui c'était ? Mais c'était lui,
L'auteur de ce plan cupide.
User aussi mal son temps
Quand on est intelligent !

17

A la Reine de Hollande
Même, il osa s'attaquer.
Juve le fit prisonnier
Ainsi que toute sa bande.
Mais il échappa pourtant
A un juste châtiment.

18

Pour effacer sa trace
Il se fit tailler des gants
Dans la peau d'un trophée sanglant,
Dans d'la peau de mains d'cadavre
Et c'était ce mort qu'accusaient
Les empreintes qu'on trouvait.

19

A Valmondois un fantôme
Sur la rivière marchait.
En vain Juve le cherchait.
Effrayant vieillards et mômes,
C'était Fantômas qui fuyait
Après l'coup qu'il avait fait.

20

La police d'Angleterre
Par lui fut mystifiée.
Mais, à la fin, arrêté,
Fut pendu et mis en terre.
Devinez ce qui arriva :
Le bandit en réchappa.

21

Dans la nuit, sinistre et sombre
A travers la Tour Eiffel,
Juv' poursuit le criminel.
En vain guette-t-il son ombre.
Faisant un suprême effort
Fantômas échappe encor.

22

D'vant le casino d' Monte-Carlo
Un cuirassé évoluait.
Son commandant qui perdait
Voulait bombarder la rade.
Fantômas, c'est évident
Était donc ce commandant.

23

Dans la mer un bateau sombre
Avec Fantômas à bord,
Hélène, Juve et Fandor
Et des passagers sans nombre.
On ne sait s'ils sont tous morts,
Nul n'a retrouvé leurs corps.

24

Ceux de sa bande, Beaumôme,
Bec-de-Gaz et le Bedeau,
Le rempart du Montparno,
Ont fait trembler, Paris, Rome
Et Londres par leurs exploits.
Se sont-ils soumis aux lois ?

25

Pour ceux du peuple et du monde,
J'ai écrit cette chanson
Sur Fantômas, dont le nom
Fait tout trembler à la ronde.
Maintenant vivez longtemps
Je le souhaite en partant.

FINAL

Allongeant son ombre immense
Sur le monde et sur Paris,
Quel est ce spectre aux yeux gris
Qui surgit dans le silence ?
Fantômas, serait-ce toi
Qui te dresses sur les toits ?

(In *Fortunes,* Gallimard, 1953)

JEAN COCTEAU

Fantômas

Fantômas représente le type parfait d'un degré transcendant de la littérature naïve. Ses auteurs le tenaient en petite estime. Ayant appris que Guillaume Apollinaire, Max Jacob et moi-même admirions cette saga parisienne, ils voulurent nous communiquer d'autres œuvres qu'ils jugeaient plus dignes de notre enthousiasme, ne devinant pas la chance mystérieuse qui coulait de leur plume et le prestige d'un désordre où se meuvent des personnages dont une étude généalogique serait fort étrange, puisque, par exemple, les origines du jeune Fandor sont aussi confuses que celles qui permettent à Juve d'apprendre à Gurn-Fantômas qu'il est son frère, pendant un naufrage qui ressemble à celui de Philéas Fogg sur la scène du Châtelet de mon enfance et qui termine le dernier des innombrables volumes (...).

Fantômas nous enchante d'un bout à l'autre par sa désobéissance aux règles et par le courage instinctif avec lequel il survole l'intelligence si dangereuse par le contrôle qu'elle oppose à l'audace et par son frein qui paralyse le cours vertigineux du génie.

Fantômas ne s'encombre d'aucun contrôle, aucun scrupule ne le freine, bref il relève de ces héroïsmes qui portent le médiocre au-dessus de lui-même, sans la crainte de se rompre le cou.

Bien sûr que le phénomène joue parfois chez des hommes lucides et porte brusquement au-dessus d'eux-mêmes des artistes qui, au premier abord, paraissent n'avoir besoin d'aucune aide. Mais il arrive que Balzac ou Hugo se survolent et, par quelque distraction sublime, laissent grande ouverte la porte derrière laquelle se dissimule le schizophrène que nous hébergeons tous, que la plupart des génies redoutent et que leur orgueil les pousse à ne pas admettre qu'ils n'en sont que la main-d'œuvre. Car ce dangereux étranger n'est qu'un moi obscur, mais peu d'hommes consentent à reconnaître qu'il est supérieur à leur moi de surface et leur cartésianisme suspecte une progéniture résultant des noces incestueuses du conscient et de l'inconscient.

En ce qui me concerne, je n'éprouve aucune gêne à le servir de mon mieux, malgré l'incrédulité des hommes de contrôle qui s'imaginent qu'une nouvelle force d'orgueil consiste à se faire gloire d'un rôle de médium ou de pythonisse.

Notre époque éprouve, dirait-on, les angoisses de la vieillesse qui se retourne vers son passé. Un cerveau fatigué par l'âge ne se souvient pas des choses récentes, mais se rappelle à merveille le moindre détail de ses premières années. La radio se retourne vers ce 1900 qu'on croit être la Belle Époque alors que c'était celle de la mort de Nietzsche et de l'affaire Dreyfus. Bref, on réédite les fables modernes : Arsène Lupin, Rouletabille, Chéri-Bibi sortent de leur tombe. L'un avec sa gouaille sportive, l'autre avec sa mélancolie de Gavroche, le troisième avec son menton de Scarface.

Mais Fantômas les surclasse sous le masque et la cape que Rastignac eût aimé porter pour vaincre ce Paris que le monstre légendaire tient sous son pied comme un dragon qui terrasserait saint Georges.

(*Le Figaro littéraire*, 22 juillet 1961)

MAX JACOB

Fantômas

Sur le marteau de la porte en argent bruni, sali par le temps, sali par la poussière du temps, une espèce de Bouddha ciselé au front trop haut, aux oreilles pendantes, aux allures de marin ou de gorille : c'était Fantômas. Il tirait sur deux cordes pour faire venir là-haut je ne sais quoi. Son pied glisse ; la vie en dépend ; il faut atteindre la pomme d'appel, la pomme en caoutchouc avant le rat qui va la trôner. Or tout cela n'est que de l'argent ciselé pour un marteau de porte.

Encore Fantômas

Ils étaient aussi gourmets que gourmés, le monsieur et la dame. La première fois que le chef de cuisine vint, un bonnet à la main, leur dire : « Excusez-moi, est-ce que Monsieur et Madame sont contents », on lui répondit : « Nous vous le ferons savoir par le maître d'hôtel. » La seconde fois, ils ne répondirent pas. La troisième fois, ils songèrent à le mettre dehors, mais ils ne purent s'y résoudre, car c'était un chef unique. La quatrième fois (Mon Dieu, ils habitaient aux portes de Paris, ils étaient seuls toujours, ils s'ennuyaient tant !), la quatrième fois, ils commencèrent : « La sauce aux câpres est épatante, mais le canapé de la perdrix était un peu dur. » On en arriva à parler sport, politique, religion. C'est ce que voulait le chef des cuisines, qui n'était autre que Fantômas.

(In *Le Cornet à dés*, Gallimard, 1916)

BLAISE CENDRARS

Fantômas

Tu as étudié le grand-siècle dans l'*Histoire de Marine française*
par Eugène
Sue
« Paris, au Dépôt de la Librairie », 1835,

« 4 vol. in-16 jésus »
Fine fleur des pois du catholicisme pur
Moraliste
Plutarque
Le simultanéisme est passéiste

Tu m'as mené au Cap chez le père Moche au Mexique
Et tu m'as ramené à Saint-Pétersbourg où j'avais déjà été
C'est bien par là
On tourne à droite pour aller prendre le tramway
Ton argot est vivant ainsi que la niaiserie sentimentale de ton cœur
    qui beugle
Alma mater Humanité Vache
Mais tout ce qui est machinerie mise en scène changement de décors, etc.,
    etc.
Est directement plagié de Homère, ce châtelet

Il y a aussi une jolie page
    « ... Vous vous imaginiez, monsieur Barzum, que j'allais tranquillement
    vous permettre de ruiner mes projets, de livrer ma fille à la justice, vous
    aviez pensé cela ? ... allons ! sous votre apparence d'homme intelligent,
    vous n'étiez qu'un imbécile... »

Et ce n'est pas mon moindre mérite que de citer le roi des voleurs
« Vol. 21, *Le Train perdu*, p. 367. »
Nous avons encore beaucoup de traits communs
J'ai été en prison
J'ai dépensé des fortunes mal acquises
Je connais plus de 120 000 timbres-poste tous différents et plus joyeux
    que les N° N° du Louvre
Et
comme toi
Héraldiste industriel
J'ai étudié les marques de fabrique enregistrées à l'Office international
    des Patentes internationales.

Il y a encore de jolis coups à faire
Tous les matins de 9 à 11.

                                                        Mars 1914

(In *Dix-Neuf Poèmes élastiques*, « Poésies complètes », Éditions Denoël)

PABLO NERUDA

Mémorial de l'Ile Noire

Les femmes Pacheco lisaient
dans la nuit *Fantômas*
à haute voix
tendant l'oreille
autour du feu, dans la cuisine,
et je dormais en entendant
les prouesses,
les mots du poignard, les agonies,
tandis que pour la première fois
le tonnerre du Pacifique
lançait au galop ses tonneaux
sur mon sommeil...

(1960-1963)

ERNEST MŒRMAN

Fantômas

Aujourd'hui Fantômas n'est plus qu'un orage qui s'éloigne
Ses yeux sont fermés pour cause de décès.
Criminel dissimulé dans sa propre ombre,
Fantômas est mort avant d'avoir pu être rejoint.

Néanmoins
Son vieil ennemi le policier Juve veillait.
Soigneusement grimé, il s'était fait la tête
De l'Éternité ; ce n'était pas trop pour vaincre
Enfin l'Inconnaissable, l'Insaisissable,
Le Roi de l'Épouvante, la Silhouette du crime.
Fantômas revint un jour dans le boudoir
Où se brûlant les mains, il dérobe
Le diadème de Sonia Danidoff.
Juve depuis trente ans l'y attendait.
Ses cheveux avaient à peine blanchi.
Seules ses tempes grisonnaient.
Minute solennelle : le Temps Perdu
Rencontrait enfin le Roi du Crime.
« Arrêtez-le, cria Fantômas, je suis Juve »
« C'est lui Fantômas » et Juve-Fantômas

Fut arrêté, emprisonné, jugé, exécuté.
Pendant que Fantômas-Juve ricanait
Et disparaissait une fois de plus dans les ténèbres.

Fatigué des hommes que le sommeil aveugle,
Fantômas s'en prit aux astres, aux fleurs, à la nuit.
Il brouilla tout dans le Ciel, offrit la Croix du Sud
A la Reine des Poisons qui s'en fit un cerf-volant.
Il était à l'aise dans l'azur,
Car Fantômas placé sur un nuage
Subit une poussée de bas en haut
Égale au volume du soleil déplacé.
La Mer du Nord pour échapper à sa poursuite
Dut se déguiser en brouillard.
Elle se fit passer pour la Tamise,
Et Fantômas se trompa de Londres.
Pour avoir osé lui mentir sur les marées,
Le soleil périt sur un bûcher.

Les étoiles privées de dessert,
Ne purent communiquer que par signes.
La cime du grand canyon du Colorado,
Invitée à une surprise-party
Ne retrouva plus sa tête au vestiaire.

Il eut tort de croire une toile d'araignée,
Et mourut noyé dans le Ciel.

Fantômas, monde perdu dans l'espace,
Baiser de forçat, mystère du diamant,
Ventre sournois des violes,
Capitale de la fausse barbe,
Pavé poussé entre les herbes,
Cuivre blanc des carrousels salons,
Chapeau haut de forme braqué sur l'infini,
Image perpendiculaire à notre jeunesse,
Parricide mort au champ d'honneur,
Fantômas qui êtes aux Cieux
Sauvez la Poésie.

(*Fantômas*, 1933)

CLAUDE VEILLOT

A Fantômas

D'autres, provoquant ta puissance,
Dans l'Herne diront tes exploits.
Moi, je n'ai pas les connaissances,
Je ne puis disserter sur toi.

Je n'aurai jamais l'imprudence,
Fantômas, de parler de toi.
J'ai trop peur de ton ombre immense
Se dressant sur mon propre toit.

RENÉ CLAIR

On ne peut détacher FANTÔMAS de son époque. Louis Feuillade était
de cette époque et il serait difficile de traiter ce sujet avec l'honnêteté,
certains diront sans irrespect la naïveté, qui se montre dans son œuvre.

J'y ai cependant pensé. J'ai même ébauché un début d'adaptation. Mais
je n'ai pas été plus loin. Reconstituer le Paris du temps de FANTÔMAS
serait aussi coûteux que reconstruire le Paris de Louis XIV. Projet à
reprendre dans un monde où l'action sera la sœur du rêve.

(Lettre à Marcel Allain, Neuilly-sur-Seine, le 21 mai 1969)

JEAN COCTEAU

Sous la fontaine...

L'obélisque dormait de sa base à sa pointe
Car la nuit c'est debout qu'un obélisque dort
Son silence était fait de bavardages d'or.

C'est là que Fantômas roi de 1911
Garde un roi prisonnier sous l'ondine de Bronze
Où vibrent doucement les orgues de Mennon.
C'est là de son palais que la lune au bras long
Pousse le jeu d'échecs de ses dames de pierre
Là que l'Égypte fait grimper comme le lierre
L'avenir qui se cache en ces chiffres dorés
Ses yeux ouverts la nuit ses oiseaux adorés.

(In Léone)

par Marcel Allain

... Vous me demandez quel souvenir j'ai conservé de Feuillade, de l'homme, de son travail ? J'ai plus qu'un plaisir à vous répondre. J'ai tout simplement le sentiment de payer une dette. Car je lui dois beaucoup : une bonne part du succès des premiers volumes de *Fantômas*, et encore ce que je puis savoir de la mise en scène — de la mise à l'écran — plutôt — d'un roman.

Si d'autres feignent d'oublier qu'il fut un précurseur génial, j'ai moi une très vive émotion à m'en souvenir ! Et je m'en souviens avec reconnaissance...

Feuillade ! Il nous accueillit, Souvestre et moi, bien jeunes romanciers, dans le studio vitré — mais oui ! — où il régnait en maître, quelques jours après que, par téléphone — mais oui, encore ! —, nous avions confié le destin de notre héros à la puissante firme qui signait ses films d'une marguerite.

Grand, solide, parlant d'une voix où chantait l'accent méridional, il s'avançait vers nous les deux mains tendues :

— Je suis enchanté de tourner *Fantômas* ! Nous allons faire du bon travail ! vous verrez !

Nous avons vu. Nous avons appris les secrets naissants de la caméra d'alors. Feuillade disait :

— A vous de me donner des idées ! si elles me plaisent, je me charge de les traduire en images...

De les traduire. Pas de les trahir ! — il a été, je crois bien, le premier à raconter une histoire à l'écran, à la raconter telle que les auteurs l'avaient inventée...

Faut-il écrire que l'on a changé cela ? Faut-il oser penser que, peut-être, un beau jour, on reviendra à cette technique qui ne faisait jamais d'un scénario une suite d'énigmes où les personnages se confondent, où l'intrigue ignore le clair suspense ?

Pas docile, pourtant, Feuillade ! Sachant ce qu'il voulait et ce qu'il n'acceptait pas ! Prompt, même, à de rapides emportements. Mais plus rapide encore à saisir, puis à perfectionner, une suggestion qu'il jugeait bonne.

— A refaire ! tonnait-il soudain. Les auteurs disent...

Et l'explication de la scène changée était nette, définitive, toujours faite en fonction de la sorte de talent qu'il reconnaissait à tel ou tel interprète. Il n'imposait pas un jeu. Il l'inspirait. C'était à croire qu'il jouait lui-même tous les rôles et qu'il laissait entièrement libres ses acteurs ! Cela, je suis bien certain, cependant, que Navarre, Bréon, Melchior, Mme Renée Carl en avaient à peine conscience.

C'est que sur le plateau, la diplomatie de Feuillade était particulière : courtoisie réelle et suprême autorité s'y mêlaient.

Nous étions, Souvestre et moi, bien souvent à ses côtés. Faisions-nous donc un travail d'équipe ? Sûrement pas ! De loin en loin, nous nous permettions une remarque, une question. Jamais il ne s'en formalisait. Parfois il riait franchement et l'aveu spontané montait à ses lèvres :

— Mais vous avez raison ! J'allais faire une sottise ! On reprend ! On reprend !

Il n'ignorait certes pas son talent. Il savait ce qu'il valait. Mais bien faire lui était naturel. Personne n'a jamais été moins « poseur ». Mais une critique non fondée le mettait hors de lui. Alors il tenait bon, refusait tout changement. Parfois il jetait, très rogue :

— Les auteurs sont d'accord !

Après quoi toute discussion s'arrêtait !

C'est que la mise en scène n'était guère facile à l'époque...

Fantômas est un roman d'action. Les incidents se multiplient. Les poursuites se suivent. Cela remue ! cela — que l'on me passe l'expression — cela grouille ! Et il fallait rendre ce mouvement, ces enchaînements, intriguer et expliquer à la fois ! Feuillade y réussissait sans paraître peiner. Pourtant, toute cette vie, que reconstituait l'image, il fallait la capter dans des bouquins de 400 pages et l'enfermer dans le « champ » étroit que limitaient les ficelles tendues devant la caméra alors rigoureusement immobile !

De cette sorte de gymnase qu'était, à l'époque, un studio, j'ai vu Feuillade sortir un peu essoufflé des acrobaties intellectuelles qu'il avait réalisées toute une matinée pour diriger son plateau. Mais il rayonnait de joie, cinq minutes plus tard, quand nous allions, lui, Souvestre et moi, déjeuner, le plus souvent au restaurant des Buttes-Chaumont. Parfois il emmenait Bout de Zan, alors en pleine gloire. Et, pour s'occuper de l'acteur-enfant, l'homme changeait, devenait infiniment patient, paternel, amical...

Nous causions, alors, à cœur ouvert. Projets, espoirs, craintes s'avouaient. Il avait la modestie ordinaire de ceux qui veulent bien faire :

— Dites, vraiment, vous trouvez bon le découpage ? Cela vous va ? Rien à reprendre ?

Oui ! en écrivant ces lignes, je paye une dette — celle de l'amitié qui naît de l'admiration...

La guerre de 1914 ayant sinistrement arrêté *Fantômas*, le « parlant », plus tard, étant venu compléter — et compliquer — les jeux de l'écran, Fantômas a connu — ou subi — d'autres metteurs en scène. Aujourd'hui encore, Gaumont ayant racheté les droits d'adaptation, le Maître de l'épouvante est à la veille d'une nouvelle apparition à l'écran...

Me pardonnera-t-on, si, terminant ce rapide portrait que je viens de tenter de mon très regretté ami Louis Feuillade, j'avoue souhaiter ardemment retrouver sur le plateau la même cordialité, le même enthousiasme, en un mot le même parfait talent qui fut l'âme des premiers *Fantômas* que l'écran vulgarisa... ?

(Témoignage extrait de *Louis Feuillade*,
par Francis Lacassin, Seghers, 1964)

FANTÔMAS EN BANDES DESSINÉES

par Marcel Allain

C'est à l'intention de l'artiste chargé de mettre en images la bande dessinée de 1958 que M. Allain a composé sous le titre Indications pour typer les personnages principaux *ce portrait photographique... et théâtral de Fantômas et de son entourage.*

I. PERSONNAGE DE FANTÔMAS

Ce personnage doit être traité de bien des manières en se souvenant que par définition c'est un « As » du grimage. Dans ses incarnations successives, il doit être impossible à reconnaître : de gros il devient maigre, de jeune vieux, de barbu glabre, etc. Le dessinateur a donc toute latitude pour le représenter comme il l'entendra dans ses incarnations successives.

En revanche il y a deux aspects de Fantômas qui sont invariables : 1° : quand il est en cagoule. 2° : quand il se manifeste « en Fantômas » à ses complices ou à sa maîtresse — Lady Beltham — ou à sa fille Hélène.

Généralités : Fantômas est en réalité un homme de 35-40 ans. Il est grand, mince, souple, sportif. C'est assurément un homme du monde. Il est « chic ». Il fait peu de gestes et parle laconiquement. Son attitude préférée est empreinte d'un immense dédain : bras croisés, il dédaigne tout danger, toute menace. C'est un audacieux, qui ne doute de rien — et qui sait qu'il fait peur...

Fantômas en cagoule

Fantômas en cagoule est légendaire. Sa silhouette est immuable. Contrairement à ce que l'on a vu dans les films français, Fantômas en cagoule est essentiellement vêtu de vêtements collants (et jamais de cape ou autres vêtements flottants). Il porte, en somme, la tenue du rat d'hôtel.

La tête entière, visage et cou, disparaît sous une étoffe noire qui colle aux traits (pratiquement les artistes se servent pour la cagoule d'un bas de femme dans lequel ils enfoncent le visage). Deux trous seulement permettent de voir le flamboiement des yeux.

Le buste est vêtu d'une chemise, noire aussi, assez collante, qui se raccorde à la cagoule et ne laisse voir aucun linge, aucune chair.

Comme pantalon un collant noir, sans aucun pli, qui moule les cuisses, les jambes (pratiquement les interprètes se servent d'un caleçon Rasurel).

Les mains sont gantées de noir et joignent avec les manches de chemise.

Les pieds sont chaussés de chaussons montants, noirs, que l'on devine souples et quasi sans semelles (chaussons des trapézistes).

Tel que, et une fois la silhouette adoptée, Fantômas doit être invariable. Il faut qu'on le reconnaisse au premier coup d'œil.

Fantômas en gentleman

Fantômas, évidemment, ne passe pas sa vie en cagoule. Il faut donc le typer très nettement en ce que nous appellerons ses tenues civiles. Ces tenues pouvant être différentes — habit, smoking, veston, vêtements de sport — il est essentiel de le typer en se servant du visage qui doit être caractéristique.

On le voit complètement glabre, avec un visage long et distingué, l'air autoritaire, les traits un peu américains. On s'efforcera, par quelque artifice, de faire ressortir ses yeux, qui sont ardents, menaçants, impérieux.

Bien noter en tout cas que Fantômas est un homme du monde, chic, riche, que le meilleur des tailleurs habille, que le plus habile des coiffeurs soigne. Ce n'est pas du tout un type du milieu, ou un apache. C'est un millionnaire, fils de famille, qui a mal tourné !

En habit, en smoking, ne pas hésiter à le présenter comme suprêmement élégant. Il sait saluer, se présenter dans un salon, baiser la main d'une jolie femme, etc. Il est infiniment galant, d'ailleurs, et plaît aux femmes. Il tue, torture, etc., mais s'efface pour laisser une femme passer devant lui…

Fantômas en gentleman coupable

Pour commettre ses forfaits, Fantômas ne se met pas toujours en grand uniforme de cagoule ! Souvent, il demeure le personnage « Fantômas gentleman » ci-dessus décrit ; mais alors, pour éviter d'être reconnu ou plus exactement pour être reconnu comme étant Fantômas, sans, toutefois, laisser voir son vrai visage, il porte, simplement, un loup de velours noir…

Fantômas en ses incarnations

Fantômas, roi de l'art de se grimer, incarne tous les personnages qu'il lui plaît d'incarner. Il peut être par exemple ou un infâme voyou, ou un gros négociant, ou un riche banquier protestant, etc. Dans chacune de ces incarnations il doit être dessiné sans aucune hésitation sous la forme typique du personnage représenté. Il sera donc un voyou type, le banquier type, le négociant type, etc.

Dans ses incarnations le lecteur doit être trompé et ne pas reconnaître Fantômas : donc ne rappeler en rien sa silhouette légendaire, ne pas même conserver les yeux flamboyants, et modifier sans aucun scrupule les traits du visage.

II. PERSONNAGE DE JUVE

C'est, après Fantômas, le principal personnage.

Juve est aussi bien l'antithèse du bandit.

Juve a quarante-cinq ans. C'est un modeste. C'est un fonctionnaire, et un fonctionnaire qui ne touche pas de gros appointements.

Inspecteur de la Sûreté, Juve est avant tout un brave homme et un homme brave. Mais il ne fait aucune épate !

Habillé correctement, sans doute, ne portant pas assurément les souliers à grosses semelles légendaires pour les argousins, mais n'usant pas, cependant, de l'art du bottier ! Juve doit s'habiller à la Belle Jardinière... Il est « classe moyenne ». C'est un fumeur enragé, mais il n'aime que les Gauloises...

La stature est moyenne. Pas aussi grand ni aussi mince que Fantômas, sans cependant être petit ou gros. On dirait qu'il est un peu « lourd ».

Le visage respire la volonté et l'énergie. Mais cette volonté et cette énergie se teintent de bonhomie. C'est un homme de cœur : il adore Fandor et le considère comme un fils chéri.

Juve, aussi bien, si modeste qu'il soit, a conscience de sa valeur et de sa célébrité, car il est le roi des policiers. Il n'est donc jamais humble, jamais servile... Avec ses chefs et surtout avec Havard, il est déférent, mais a son franc-parler. Il fume dans le bureau directorial. Il s'assoit sur le bord d'une table. C'est quelqu'un, qui ne s'en fait pas accroire, mais qui ne se laisse pas marcher sur le pied.

Incarnations

Juve, lui aussi, pour le besoin de ses enquêtes, se camoufle et se grime. Il est aussi habile que Fantômas, mais le plus souvent le lecteur est dans la confidence, ou, en tout cas, y est mis rapidement. On peut donc, dans ses incarnations, le reconnaître, tout en ne le reconnaissant pas !

III. PERSONNAGE DE FANDOR

Jérôme Fandor, reporter au journal *La Capitale*, a vingt-deux, vingt-trois ans.

C'est un garçon sympathique en tous points, séduisant même.

— Il est fort bien de sa personne — un peu plus grand que Juve, mince de la minceur des très jeunes, costaud quand même. C'est un risque-tout, un casse-cou, un impulsif, un enthousiaste, un bavard à l'occasion. (Serait à merveille incarné par Roland Toutain.)

C'est un sportif, capable des pires acrobaties... Garçon, cependant fort comme il faut, très bien élevé. Il est un peu plus « chic » que Juve, mais il n'a rien d'un snob. Habillé correctement, bien, même.

C'est Fandor qui incarne le jeune premier de la série. Il doit plaire aux jeunes filles et aux femmes...

Fandor aime Juve comme son père. Fandor, dans la suite de la série, devient l'amoureux d'Hélène, fille de Fantômas...

Fandor lui aussi se grime, mais il n'est pas toujours reconnaissable tant que Juve n'a pas rectifié son camouflage !

Fandor doit faire « gai ».

Naturellement, n'a à aucun titre la bosse du respect. Blague n'importe qui. Envoie promener les plus hauts personnages.

IV. LES POLICIERS

M. Havard

Ce haut et puissant chef de la Sûreté — le grand chef de Juve — incarne en tous points le fonctionnaire redoutant les « histoires » et fuyant les dangereuses responsabilités...

Cette peur de se compromettre définit l'homme. C'est un personnage étriqué, un peu solennel, arriéré, protocolaire — et dépourvu de toute élégance réelle, encore qu'il y prétende volontiers — 55 ans.

M. Hennion

Sous-chef de la Sûreté. C'est une pâle copie de M. Havard. Plus timoré encore. Mais plus jeune, 40 ans.

Les inspecteurs Léon, Michel, etc.

De braves types, dévoués à Juve comme des caniches. Des policiers quelconques et typés : pas riches, gros souliers, etc.

V. PERSONNAGE DE LADY BELTHAM

Lady Beltham est, avec Fantômas, Juve et Fandor, un des principaux personnages. Elle a une très grande importance et doit être très soigneusement étudiée.

C'est une Anglaise, apparentée au roi d'Angleterre, faisant partie de la Cour...

Elle a vingt-cinq ans. Elle est blonde comme les blés, divinement jolie, suprêmement distinguée et élégante, habillée par les plus grandissimes couturiers, ce que lui permet son immense fortune.

Lady Beltham, grande, mince, souple, est caractérisée dans le roman par cette phrase-rengaine répétée à satiété : « Elle avait un port de reine... »

Lady Beltham est extrêmement sympathique. C'est une héroïne dont on pardonne les égarements...

Elle apparaît dans l'histoire sous les traits de « Lady Beltham », femme de Lord Beltham, vieux et riche fonctionnaire colonial. Elle devient alors amoureuse d'un certain caporal Gurn... sans soupçonner que Gurn et Fantômas ne font qu'un.

Plus tard, devenue veuve, à la suite de l'assassinat de Lord Beltham, elle découvre que le Gurn qu'elle aime n'est autre que le terrifiant Fantômas. Mais il est alors trop tard pour qu'elle reprenne son cœur et elle continue d'aimer le monstre, tout en s'efforçant toujours de l'empêcher de commettre de nouveaux forfaits.

La liaison de Lady Beltham est naturellement secrète. Juve, la police la connaissent. Mais nul n'oserait y faire allusion. Aussi bien, Lady Beltham ne reculerait devant rien pour empêcher une arrestation de Fantômas, mais en revanche met tout en œuvre pour sauver ceux que le misérable menace.

Donc, la faire jolie, élégante, blonde et *sympathique*.

VI. HÉLÈNE, FILLE DE FANTÔMAS

La fille de Fantômas et la douce et perpétuelle fiancée de Fandor est une jolie brune, très sportive, assez délurée, mais cependant très « jeune fille ».

C'est un grand premier rôle, mais Hélène n'apparaît que bien plus tard. On la décrira en son temps.

VII. LA PRINCESSE SONIA DANIDOFF

La princesse Sonia Danidoff apparaît dans les premiers épisodes puis disparaît assez vite.

C'est une authentique grande dame du centre européen. Elle est riche, jolie, mais un peu rastaquouère.

Sa servante, Nadia, doit être typée en petite étrangère, un peu sauvageonne, moricaude au besoin...

VIII. PERSONNAGE DE BOUZILLE

Bouzille, qui apparaît très vite, est un personnage essentiel, bien qu'épisodique.

Bouzille est un comique sympathique.

C'est un vieux vagabond et un ivrogne accompli. Il exerce successivement tous les métiers : chemineau, mendiant, colporteur, repêcheur de noyés, etc.

Il a largement la soixantaine. Il est toujours vêtu d'extraordinaire façon : bottines dépareillées, chapeaux volés à des épouvantails, habit avec un pantalon de cheval, jaquettes de suisses d'église avec pantalon de soldat, etc.

Mais, toujours une bouteille sort de sa poche !

Des traits sympathiques, hilares, un sourire où se devine l'ivresse...

Avec cela, malin, rusé, menteur, poltron — et bon enfant...

A-t-il plus peur de Fantômas ou de Juve ? On ne sait pas ! Il est aux ordres de qui le paye ! Il trahit Juve et vend Fantômas. Copain avec Jérôme Fandor, il a des ruses savantes pour se faire payer à boire par le jeune homme. Pas un comme lui pour feindre la candeur la plus désarmante...

Les autres personnages — au moins dans les premières bandes — ont moins d'importance.

Aussi bien, au fur et à mesure qu'ils apparaîtront, leur signalement sera donné, avec des textes correspondants...

BIBLIOGRAPHIE

BIBLIOGRAPHIE DE FANTÔMAS

AVERTISSEMENT. En dépit du soin dont elle a bénéficié, la présente bibliographie ne prétend pas à l'exhaustivité quant aux éditions étrangères, et aux publications pré-originales pour lesquelles seuls des renseignements fragmentaires ont pu être retrouvés.

La lettre *a)* indique les publications pré-originales et *b)* les éditions originales. Traductions et réimpressions sont indiquées ensuite par ordre de parution.

I. PAR PIERRE SOUVESTRE ET MARCEL ALLAIN

1. Fantômas

a) Pas de publication pré-originale.

b) Fantômas, 1 vol. *in-12*, 414 p., couv. en couleurs illustrée par X..., Paris, Arthème Fayard, 10 février 1911 ; septembre 1911 et avril 1926.

c) Fantômas (trad. italienne), « Biblioteca Salani Illustrata », Florence, Adriano Salani, 1912 et 1924.

d) El genio del crimen et *Mistériosas fechorias* (trad. espagnole par Eusebio Heras), « Hazanas de Fantômas », 1 et 2, Barcelone, E.H. Hernandez (Casa Editorial Gallach, 1912).

e) Fantômas (trad. anglaise par Cranstoun Metcalfe), Londres, Stanley Paul and Co, 1915 ; New York, Brentano's, 1915.

f) Fantômas (trad. flamande), fascicules bi-hebdomadaires, « de Roman van den Dag », Liège, H. Sengier, Moïse et Cie, 1923.

g) Fantômas (trad. tchèque par Vladimir Zahorik), 1 vol. *in-8*, 323 p., Prague, Jan Fromek, 1929.

h) Fantômas, 1 vol. *in-12*, couv. photographique, Paris, Fayard, avril 1932.

i) Fantômas (trad. allemande par Bruno Vogel), 1 vol. *in-12* cartonné avec jaquette illustrée, Leipzig, Gunther Schulz Verlag, s.d. En réalité : Vienne, Schneider und Co Verlag, janvier 1933.

j) Feuilleton quotidien dans *Marseille Matin*, Marseille, 12 mai-2 août 1934.

k) Fantômas, 1 vol. *in-12*, couv. en couleurs par Ph. D., Paris, Fayard, juin 1949.

l) Fantômas (trad. portugaise de Antonio Feio), Porto, Editorial Dois Continentes, 1952 et 1955 ; Livraria Civilização, mars 1956. Texte très abrégé.

m) Fantômas (trad. italienne par Aldo Albani), 1 vol. *in-8*, 160 p., « Grandi Azzuri », 18, Milan, Societa Editrice Pagotto, 15 janvier 1954.

n) Fantômas, 1 vol. *in-8*, 126 p., couv. en couleurs par Gourdon, Nouvelle Collection « Rex », 1, Paris, Publications Georges Ventillard, juin 1956. Texte très abrégé.

o) 1re partie de *Fantômas*, Recueil I, 1 fort vol. *in-8*, 680 p. relié pleine toile rouge décorée, Paris, Robert Laffont, avril 1961. Texte écourté.

p) Il terrore mascherato (trad. italienne de la série par Sarah Santoni), 1 vol. *in-16* carré, 172 p., couv. de la série ill. en couleurs par Karel Thole, Milan, Arnoldo Mondadori, mars 1963. Texte très abrégé.

q) Fantômas (trad. espagnole par José Ros Lavin), 1re partie du recueil *Fantômas*, 1 vol. *in-12*, 1129 p. relié pleine toile rouge, Madrid, Aguilar, 1965.

r) Fantomasovi Zlacini (trad. serbe par Melita Wolf), Zagreb, Nakladni Zavod Matice Hrvatske, 1965.

s) Fantômas, 1 vol. *in-16*, couv. en couleurs, « Le Livre de Poche », n°s 1631/1632, Paris, Librairie Générale Française, 1966. Texte écourté.

t) Fantômas, 1 vol. *in-8*, 348 p. relié plein cuir, préface de Pierre Mazars, lithographies en couleurs de Bernard Buffet, Monte-Carlo, André Sauret, 15 décembre 1968.

u) 2 vol., *El asesino invencible* et *A las puertas de la muerte* (trad. espagnole), 1 vol. *in-12*, couv. illustrée, Buenos Aires, Editorial Tor, s.d. Édition non autorisée.

v) Fantômas (trad. par Félix Nejeschleba), Tatran, Zenit, 1970.

w) Fantômas (trad. tchèque de Siri Sramek) suivi de *Fiakr Noci* et *Cervena Vosa*, Prague, Odeon, 1971.

x) Fantômas, « Presses-Pocket », n° 1526, Paris, Presses-Pocket, novembre 1977.

2. Juve contre Fantômas

a) Pas de publication pré-originale.

b) Juve contre Fantômas, couv. en couleurs par Gino Starace, Paris, Fayard, 1er mars 1911, septembre 1911 et mai 1926.

c) Juve contra Fantômas (trad. italienne), Florence, Salani, 1912 et 1925.

d) Horrible Estratagema et *Cadaver que habla*, « Hazanas de Fantômas », 3 et 4 (trad. espagnole de Eusebio Heras), Barcelone, Gallach, 1913.

e) The Exploits of Juve (trad. anglaise), Londres, Stanley Paul and Co, 1916 ; New York, Brentano's, 1917.

f) (trad. flamande), fascicules bi-hebdomadaires, « De Roman van den Dag », Liège, H. Sengier, Moïse et Cie, 1923.

g) Juve contra Fantomas (trad. tchèque par Vl. Zahorik), 414 p., Prague, Jan Fromek, 1929.

h) Juve contre Fantômas, couv. photographique, Fayard, mai 1932.

i) Jagd auf Menschen (trad. allemande par J.C. Schlegel), Leipzig, Schulz, s.d. En réalité : Vienne, Schneider, décembre 1932.

j) Feuilleton quotidien dans *Marseille-Matin*, Marseille, 2 août-28 octobre 1934.

k) Juve contra Fantômas (trad. portugaise de Antonio Feio), Porto, Editorial Dois Continentes, 1952 et 1955. Texte très abrégé.

l) Juve contra Fantômas (trad. italienne par Aldo Albani), « Grandi Azzuri », 19, Milan, Pagotto, 15 février 1954.

m) Juve contre Fantômas, couv. par Gourdon, « Rex », 3, Paris, Ventillard, juillet 1956. Texte très abrégé.

n) Juve contre Fantômas, 2e partie de « Fantômas II », Paris, Laffont, avril 1961. Texte écourté.

o) Il sicario che striscia (trad. italienne), Milan, Mondadori, avril 1963. Texte très abrégé.

p) Juve contra Fantômas (trad. espagnole par Ines Navarro), 2ᵉ partie du recueil Fantômas, Madrid, Aguilar, 1965.

q) Inspektor Juve protiv Fantomasa (trad. serbe par Melita Wolf), Zagreb, Nakladni Zavod Matice Hrvatske, 1965.

r) Juve contre Fantômas, couv. par Faucheux, « Le Livre de Poche » n° 2215, Paris, Librairie Générale Française, 1967. Texte écourté.

s) Una lucha de titanes (trad. espagnole), Buenos Aires, Editorial Tor, s.d. Édition non autorisée. Texte abrégé.

t) Juve kontra Fantomas (trad. Felix Kostolansky), Tatran, Zenit, 1971.

u) Juve contre Fantômas, « Presses-Pocket », n° 1527, Paris, Presses-Pocket, novembre 1977. Texte abrégé.

3. Le Mort qui tue

a) Pas de publication pré-originale.

b) Le Mort qui tue, couv. par Starace, Paris, Fayard, 20 avril 1911.

c) Il morto che uccide (trad. italienne), Florence, Salani, 1912 et 1925.

d) « Hazanas de Fantômas », 5 et 6 (trad. espagnole de Eusebio Heras), Barcelone, Gallach, 1913.

e) Messengers of Evil (trad. anglaise par B.J.), Londres, Stanley Paul and Co, 1917 ; New York, Brentano's, 1917.

f) (trad. flamande), fascicules bi-hebdomadaires, « De Roman van den Dag », Liège, H. Sengier, Moïse et Cie, 1923.

g) Mrtvy jenz Zabiji (trad. tchèque par A. Hirsch), 348 p., Prague, Jan Fromek, 1929.

h) Fantômas se venge, couv. photographique, Paris, Fayard, juin 1932.

i) Ein Toter mordet (trad. allemande par Walter Eberl), Leipzig, Schulz, s.d. En réalité : Vienne, Schneider, janvier 1933.

j) O morto que mata (trad. portugaise de Antonio Feio), Porto, Editorial Dois Continentes, 1952 et 1956. Texte très abrégé.

k) Il morto che uccide (trad. italienne par Aldo Albani), « Grandi Azzuri », 20, Milan, Pagotto, 15 mars 1955.

l) Le Mort qui tue, couv. par Gourdon, « Rex », 5, Paris, Ventillard, août 1956. Texte très abrégé.

m) Fantômas se venge in *Fantômas II*, Paris, Laffont, juillet 1961. Texte écourté.

n) L'impiccato senza volto (trad. italienne), Milan, Mondadori, mai 1963. Texte très abrégé.

o) Fantômas se venga (trad. espagnole par Antonio Gomez), in recueil « Fantômas », Madrid, Aguilar, 1965.

p) Mrtvac napada (trad. serbe par Ivan Kusan), Zagreb, Nakladni Zavod Matice Hrvatske, 1965.

q) Fantômas se venge, couv. par Faucheux, « Le Livre de Poche » n° 2342, Paris, Librairie Générale Française, 1968. Texte écourté.

r) Macabro hallazgo (trad. espagnole), Buenos Aires, Editorial Tor, s.d. Édition non autorisée. Texte abrégé.

4. L'Agent secret

a) Pas de publication pré-originale.

b) L'Agent secret, couv. par Starace, Paris, Fayard, 20 mai 1911.

c) L'agente segreto (trad. italienne), Florence, Salani, 1912 et 1925.

d) « Hazanas de Fantômas », 7 et 8 (trad. espagnole de Eusebio Heras), Barcelone, Gallach, 1913.

e) A Nest of Spies (trad. anglaise de B.J.), Londres, Stanley Paul and Co, 1917 ; New York, Brentano's, 1917.

f) De geheine agent (trad. flamande), fascicules bi-hebdomadaires, « De Roman van den Dag », Liège, H. Sengier, Moïse et Cie, 1924.

g) Tajemny agent (trad. tchèque par Z. Maresova), 397 p., Prague, Jan Fromek, 1929.

h) Une ruse de Fantômas, couv. photographique, Paris, Fayard, juillet 1932. Texte écourté.

i) Der Geheimagent (trad. allemande par Luise Peter), Leipzig, Schulz, s.d. En réalité : Vienne, Schneider, janvier 1933.

j) O agente segreto (trad. portugaise de Joaquim Morais), Porto, Editorial Dois Continentes, 1952.

k) L'agente segreto (trad. italienne par Aldo Albani), « Grandi Azzuri », 21, Milan, Pagotto, 15 avril 1954. Texte très abrégé.

l) L'Agent secret, couv. par Gourdon, « Rex », 7, Paris, Ventillard, septembre 1956. Texte très abrégé.

m) Une ruse de Fantômas in *Fantômas II*, Paris, Laffont, juillet 1961. Texte écourté.

n) Il delitto dell'Etoile (trad. italienne), Milan, Mondadori, juin 1963. Texte très abrégé.

o) Bijeg iz Zamke (trad. serbe par Agica Curcic), Zagreb, Nakladni Zavod Matice Hrvatske, 1965.

p) Rey o criminal ! (trad. espagnole), Buenos Aires, Editorial Tor, s.d. Édition non autorisée. Texte abrégé.

5. Un roi prisonnier de Fantômas

a) Pas de publication pré-originale.

b) Un roi prisonnier de Fantômas, couv. par Starace, Paris, Fayard, 20 juin 1911.

c) Un re prigioniero di Fantômas (trad. italienne), Florence, Salani, 1913 et 1925.

d) « Hazanas de Fantomas », 9 et 10 (trad. espagnole), Barcelone, Gallach, 1913.

e) A Royal Prisoner (trad. anglaise), Londres, Stanley Paul and Co, 1919 ; New York, Brentano's, 1920.

f) De Verdere lotgevallen van Fantômas (trad. flamande), fascicules bi-hebdomadaires, « De Roman van den Dag », Liège, H. Sengier, Moïse et Cie, 1924.

g) Kral zajtcem Fantomasovym (trad. tchèque par Z. Maresova), 431 p., Prague, Jan Fromek, 1929.

h) Un roi prisonnier de Fantômas, couv. photographique, Fayard, août 1932.

i) Der Diamant der gross Herzogs (trad. allemande par Walter Eberl), Leipzig, Schulz, s.d. En réalité : Vienne, Schneider, janvier 1933.

j) Nas garras de Fantômas (trad. portugaise de Mario Domingues), Porto, Editorial Dois Continentes, 1952 et Livraria Civilizaçâo, 1957. Texte très abrégé.

k) Un re prigioniero di Fantômas (trad. italienne par Aldo Albani), « Grandi Azzuri », 22, Milan, Pagotto, 15 mai 1954.

l) Un roi prisonnier de Fantômas, couv. Gourdon, « Rex », 9, Paris, Ventillard, octobre 1956. Texte très abrégé.

m) Un roi prisonnier de Fantômas in *Fantômas III*, Paris, Laffont, novembre 1961. Texte écourté.

n) Il diamante rosso (trad. italienne), Milan, Mondadori, juillet 1963. Texte très abrégé.

o) Krada Crvenog Dijamanta (trad. serbe par Mira Zunec), Zagreb, Nakladni Zavod Matice Hrvatske, 1965.

p) Un drame siniestro (trad. espagnole par Carlos Z. Giménez), Buenos Aires, Editorial Tor, s.d. Édition non autorisée. Texte abrégé.

q) Un roi prisonnier de Fantômas, « Presses-Pocket », n° 901, Paris, Presses-Pocket, février 1972. Texte intégral.

6. Le Policier apache

a) Pas de publication pré-originale.

b) Le Policier apache, couv. par Starace, Paris, Fayard, 20 juillet 1911.

c) Il poliziotto apache (trad. italienne), Florence, Salani, 1913 et 1925.

d) « Hazanas de Fantômas », 11 et 12 (trad. espagnole), Barcelone, Gallach.

e) Slippery as sin (trad. anglaise par B.J.), Londres, Stanley Paul and Co, 1920.

f) Eerste deel policiespeurder en apache (trad. flamande), fascicules bi-hebdomadaires, « De Roman van den Dag », Liège, H. Sengier, Moïse et Cie, 1924.

g) Policista apàc (trad. tchèque par A. Jancova), 421 p., Prague, Jan Fromek, 1929.

h) Le Policier... Fantômas !, couv. photographique, Paris, Fayard, septembre 1932.

i) O Policia apache (trad. portugaise de Mario Domingues), Porto, Editorial Dois Continentes, 1952 et Livraria Civilização, 1959. Texte très abrégé.

j) Le Policier apache, couv. par Gourdon, « Rex », 11, Paris, Ventillard, novembre 1956. Texte très abrégé.

k) Le Policier apache in *Fantômas III*, Paris, Laffont, novembre 1961. Texte écourté.

l) La banda degli apaches (trad. italienne), Milan, Mondadori, août 1963. Texte très abrégé.

m) Inspektor razboinik (trad. serbe par Milivoj Telecan), Zagreb, Nakladni Zavod Matice Hrvatske, 1965.

n) Le Policier apache, « Presses-Pocket », n° 1024, Paris, Presses-Pocket, octobre 1973.

7. Le Pendu de Londres

a) Pas de publication pré-originale.

b) Le Pendu de Londres, couv. par Starace, Paris, Fayard, 20 août 1911.

c) L'appicatto di Londra (trad. italienne), Florence, Salani, 1913 et 1925.

d) « Hazanas de Fantomas », 13 et 14 (trad. espagnole), Barcelone, Gallach, 1914.

e) Twelde deel de gehangene van Londen (trad. flamande), fascicules bi-hebdomadaires, « De Roman van den Dag », Liège, H. Sengier, Moïse et Cie, 1924.

f) Obesenec z Londyna (trad. tchèque par Z. Maresova), 351 p., Prague, Jan Fromek, 1930.

g) Aux mains de Fantômas ! couv. photographique, Paris, Fayard, octobre 1932.

h) O enforcado de Londres (trad. portugaise de Mario Domingues), Porto, Editorial Dois Continentes, 1952 et Livraria Civilização, 1959. Texte très abrégé.

i) Le Pendu de Londres, couv. par Gourdon, « Rex », 13, Paris, Ventillard, décembre 1956. Texte très abrégé.

j) Le Pendu de Londres in *Fantômas IV*, Paris, Laffont, février 1962. Texte écourté.

k) Il prigioniero di Londra (trad. italienne), Milan, Mondadori, septembre 1963. Texte très abrégé.

l) Le Pendu de Londres, « Presses-Pocket », n° 1524, Paris, Presses-Pocket, juin 1977. Texte abrégé par Léo Malet.

8. La Fille de Fantômas

a) Pas de publication pré-originale.

b) La Fille de Fantômas, couv. par Starace, Paris, Fayard, 20 septembre 1911.

c) La figlia di Fantômas (trad. italienne), Florence, Salani, 1913 et 1925.

d) « Hazanas de Fantômas », 15 et 16 (trad. espagnole), Barcelone, Gallach, 1914.

e) De dochter van Fantômas (trad. flamande), fascicules bi-hebdomadaires, « De Roman van den Dag », Liège, H. Sengier, Moïse et Cie, 1925.

f) Dcera Fantomasova (trad. tchèque par F. Zdenek), 414 p., Prague, Jan Fromek, 1930.

g) La Fille de Fantômas, couv. photographique, Paris, Fayard, novembre 1932.

h) A filha de Fantômas (trad. portugaise de Mario Domingues), Porto, Editorial Dois Continentes, 1953 et Livraria Civilizaçâo, 1960. Texte très abrégé.

i) La Fille de Fantômas, couv. par Gourdon, « Rex », 15, Paris, Ventillard, janvier 1957. Texte très abrégé.

j) La Fille de Fantômas in *Fantômas IV*, Paris, Laffont, février 1962. Texte écourté.

k) Il teschio del Transvaal (trad. italienne), Milan, Mondadori, octobre 1963. Texte très abrégé.

l) La Fille de Fantômas, « Presses-Pocket », n° 927, Paris, Presses-Pocket, juin 1972. Texte intégral.

9. Le Fiacre de nuit

a) Pas de publication pré-originale.

b) Le Fiacre de nuit, couv. par Starace, Paris, Fayard, 20 octobre 1911.

c) Il fiacchero di notte (trad. italienne), Florence, Salani, 1913 et 1925.

d) Fiakr noci (trad. tchèque par O. Dostal), 355 p., Prague, Jan Fromek, 1930.

e) Le Fiacre de Fantômas, couv. photographique, Paris, Fayard, décembre 1932.

f) O Fiacre da morte (trad. portugaise de Mario Domingues), Porto, Editorial Dois Continentes, 1953 et Livraria Civilizaçâo, 1961. Texte très abrégé.

g) Le Fiacre de nuit, couv. par Gourdon, « Rex », 17, Paris, Ventillard, février 1957. Texte très abrégé.

h) Le Fiacre de nuit in *Fantômas IV*, Paris, Laffont, juillet 1962. Texte écourté.

i) Un fiacre della notte (trad. italienne), Milan, Mondadori, novembre 1963. Texte très abrégé.

j) Fiakr noci (trad. tchèque par Siri Sramek), précédé de *Fantômas* et suivi de *Cervena Vosa*, Prague, Odeon, 1971.

k) Le Fiacre de nuit, « Presses-Pocket », n° 945, Paris, Presses-Pocket, octobre 1972. Texte intégral.

10. La Main coupée

a) Pas de publication pré-originale.

b) La Main coupée, couv. par Starace, Paris, Fayard, 20 novembre 1911.

c) La mano troncata (trad. italienne), Florence, Salani, 1913 et 1925.

d) The Limb of Satan (trad. anglaise par Alfred R. Allinson), Londres, Stanley Paul and Co, 1924 ; *The Long Arm of Fantômas*, New York, The Macaulay Company, 1924.

e) Ruka bez tela (trad. tchèque), Prague, Jan Fromek, 1930.

f) Fantômas à Monaco, couv. photographique, Paris, Fayard, janvier 1933.

g) A mâo decepada (trad. portugaise de Mario Domingues), Porto, Editorial Dois Continentes, mai 1953 et Livraria Civilizaçâo, 1959 et 1962. Texte très abrégé.

h) La Main coupée, couv. par Gourdon, « Rex », 19, Paris, Ventillard, mars 1957. Texte très abrégé.

i) La Main coupée in *Fantômas V*, Paris, Laffont, juillet 1962. Texte écourté.

j) La mano tagliata (trad. italienne), Milan, Mondadori, décembre 1963. Texte très abrégé.

k) La Main coupée, « Presses-Pocket », n° 970, Paris, Presses-Pocket, février 1979. Texte intégral.

11. L'Arrestation de Fantômas
a) Pas de publication pré-originale.
b) L'Arrestation de Fantômas, couv. par Starace, Paris, Fayard, 17 décembre 1911.
c) L'arresto di Fantômas (trad. italienne), Florence, Salani, 1913 et 1925.
d) L'Arrestation de Fantômas, couv. photographique, Paris, Fayard, février 1933.
e) A prisão de Fantômas (trad. portugaise de Mario Domingues), Porto, Editorial Dois Continentes, 1953. Texte abrégé.
f) L'Arrestation de Fantômas, couv. Gourdon, « Rex », 21, Paris, Ventillard, avril 1957. Texte très abrégé.
g) L'Arrestation de Fantômas in *Fantômas VI*, Paris, Laffont, novembre 1962. Texte écourté.
h) Il portafoglio di marocchino (trad. italienne), Milan, Mondadori, janvier 1964. Texte très abrégé.
i) L'Arrestation de Fantômas, « Presses-Pocket », n° 1525, Paris, Presses-Pocket, juin 1977. Texte abrégé par Léo Malet.

12. Le Magistrat cambrioleur
a) Pas de publication pré-originale.
b) Le Magistrat cambrioleur, couv. par Starace, Paris, Fayard, 17 janvier 1912.
c) Il magistrato ladro (trad. italienne), Florence, Salani, 1913 et 1925.
d) Le Juge Fantômas, couv. photographique, Paris, Fayard, mars 1933.
e) O rei dos ladroes (trad. portugaise de Mario Domingues), Porto, Editorial Dois Continentes, 1953 ; Livraria Civilização, 1959. Texte très abrégé.
f) Le Magistrat cambrioleur, couv. Gourdon, « Rex », 23, Paris, Ventillard, mai 1957. Texte très abrégé.
g) Le Magistrat cambrioleur in *Fantômas VI*, Paris, Laffont, novembre 1962. Texte écourté.
h) La campana di sangue (trad. italienne), Milan, Mondadori, février 1964. Texte très abrégé.

13. La Livrée du crime
a) Pas de publication pré-originale.
b) La Livrée du crime, couv. par Starace, Paris, Fayard, 20 février 1912.
c) La livrea del delitto (trad. italienne), Florence, Salani, 1913 et 1925.
d) La Livrée de Fantômas, couv. photographique, Paris, Fayard, avril 1933.
e) Os serventuarios do crime (trad. portugaise de Mario Domingues), Porto, Editorial Dois Continentes, 1953 et Livraria Civilização, 1960. Texte très abrégé.
f) La Livrée du crime, couv. par Gourdon, « Rex », 25, Paris, Ventillard, juin 1957. Texte très abrégé.
g) La Livrée du crime in *Fantômas VII*, Paris, Laffont, mars 1963. Texte écourté.
h) L'agenzia del delitto (trad. italienne), Milan, Mondadori, mars 1964. Texte très abrégé.

14. La Mort de Juve
a) Pas de publication pré-originale.
b) La Mort de Juve, couv. par Starace, Paris, Fayard, 1er mars 1912.
c) La morte di Juve (trad. italienne), Florence, Salani, 1913 et 1926.
d) Fantômas tue Juve, couv. photographique, Paris, Fayard, mai 1933.
e) A morte de Juve (trad. portugaise de Mario Domingues), Porto, Editorial Dois Continentes, 1954. Texte très abrégé.
f) La Mort de Juve, couv. par Gourdon, « Rex », 27, Paris, Ventillard, juillet 1957. Texte très abrégé.

g) Fantômas tue Juve in *Fantômas VII*, Paris, Laffont, mars 1963. Texte écourté.

h) La notte delle belve (trad. italienne), Milan, Mondadori, avril 1964. Texte très abrégé.

15. L'Évadée de Saint-Lazare

a) Pas de publication pré-originale.

b) L'Évadée de Saint-Lazare, couv. par Starace, Paris, Fayard, 20 avril 1912.

c) L'evasa di San Lazzaro (trad. italienne), Florence, Salani, 1914 et 1926.

d) Fantômas roi du crime, couv. photographique, Paris, Fayard, juin 1933.

e) A evadida de Saint Lazare (trad. portugaise de Mario Domingues), Porto, Editorial Dois Continentes, 1954 et Livraria Civilização, 1961. Texte très abrégé.

f) L'Évadée de Saint-Lazare, couv. par Gourdon, « Rex », 29, Paris, Ventillard, août 1957. Texte très abrégé.

g) L'Évadée de Saint-Lazare in *Fantômas VIII*, Paris, Laffont, août 1963. Texte écourté.

h) L'evasa di Saint Lazare (trad. italienne), Milan, Mondadori, mai 1964. Texte très abrégé.

16. La Disparition de Fandor

a) Pas de publication pré-originale.

b) La Disparition de Fandor, couv. par Starace, Paris, Fayard, 20 mai 1912.

c) La sparizione di Fandor (trad. italienne), Florence, Salani, 1914 et 1926.

d) Fandor contre Fantômas, couv. photographique, Paris, Fayard, juillet 1933.

e) A desapariçao de Fandor (trad. portugaise de Mario Domingues), Porto, Editorial Dois Continentes, 1954 et Livraria Civilização, 1964. Texte très abrégé.

f) La Disparition de Fandor, couv. par Gourdon, « Rex », 31, Paris, Ventillard, septembre 1957. Texte très abrégé.

g) La Disparition de Fandor in *Fantômas VIII*, Paris, Laffont, août 1963. Texte écourté.

h) Il prigioniero del faro (trad. italienne), Milan Mondadori, juin 1964. Texte très abrégé.

17. Le Mariage de Fantômas

a) Pas de publication pré-originale.

b) Le Mariage de Fantômas, couv. par Starace, Paris, Fayard, 6 juin 1912.

c) Il matrimonio di Fantômas (trad. italienne), Florence, Salani, 1914 et 1926.

d) Le Mariage de Fantômas, couv. photographique, Paris, Fayard, août 1933.

e) Abenteuer in Spanien (trad. allemande de Rudolf Brettschneider), 1 vol. 231 p., Leipzig, Concordia, s.d., vers 1940.

f) O casamento de Fantômas (trad. portugaise de Mario Domingues), Porto, Editorial Dois Continentes, 1954 et Livraria Civilização, 1964. Texte très abrégé.

g) Le Mariage de Fantômas, couv. par Gourdon, « Rex », 33, Paris, Ventillard, octobre 1957. Texte très abrégé.

h) Le Mariage de Fantômas in *Fantômas IX*, Paris, Laffont, mai 1964. Texte écourté.

i) Lo spettro di Montmartre (trad. italienne), Milan, Mondadori, juillet 1964. Texte très abrégé.

18. L'Assassin de Lady Beltham

a) Pas de publication pré-originale.

b) L'Assassin de Lady Beltham, couv. par Starace, Paris, Fayard, 20 juillet 1912.

c) L'assassinio di Fantômas (trad. italienne), Florence, Salani, 1914 et 1926.

d) Les Amours de Fantômas, couv. photographique, Paris, Fayard, septembre 1933. Texte écourté de 1 380 lignes.

e) O assassino de Lady Beltham (trad. portugaise de Mario Domingues), Porto, Editorial Dois Continentes, 1954. Texte très abrégé.

f) L'Assassin de Lady Beltham, couv. par Gourdon, « Rex », 35, Paris, Ventillard, novembre 1957. Texte très abrégé.

g) L'Assassin de Lady Beltham in *Fantômas IX*, Paris, Laffont, mai 1964. Texte écourté.

h) Una bara per Lady Beltham (trad. italienne), Milan, Mondadori, août 1964. Texte très abrégé.

19. La Guêpe rouge
a) Pas de publication pré-originale.

b) La Guêpe rouge, couv. par Starace, Paris, Fayard, 20 août 1912.

c) La vespa rossa (trad. italienne), Florence, Salani, 1914 et 1926.

d) Un défi de Fantômas, couv. photographique, Paris, Fayard, octobre 1933.

e) A vespa vermelha (trad. portugaise de Mario Domingues), Porto, Editorial Dois Continentes, 1955 et Livraria Civilizaçâo, 1960. Texte très abrégé.

f) La Guêpe rouge, couv. par Gourdon, « Rex », 37, Paris, Ventillard, décembre 1957. Texte très abrégé.

g) La Guêpe rouge in *Fantômas X*, Paris, Laffont, juin 1964. Texte écourté.

h) La testa del falsario (trad. italienne), Milan, Mondadori, septembre 1964. Texte très abrégé.

i) Cervena vosa (trad. tchèque de Alena Novotna) précédé de *Fantômas* et *Fiakr noci*, Prague, Odeon, 1971.

20. Les Souliers du mort
a) Pas de publication pré-originale.

b) Les Souliers du mort, couv. par Starace, Paris, Fayard, 20 septembre 1912.

c) Le scarpe del morto (trad. italienne), Florence, Salani, 1914 et 1926.

d) Fantômas rôde, couv. photographique, Paris, Fayard, novembre 1933.

e) Sapatos de defunto (trad. portugaise de Mario Domingues), Porto, Editorial Dois Continentes, 1955 et Livraria Civilizaçao, 1960. Texte très abrégé.

f) Les Souliers du mort, couv. par Gourdon, « Rex », 39, Paris, Ventillard, janvier 1958. Texte très abrégé.

g) Les Souliers du mort in *Fantômas X*, Paris, Laffont, juin 1964. Texte écourté.

h) Le scarpe del morto (trad. italienne), Milan, Mondadori, octobre 1964. Texte très abrégé.

21. Le Train perdu
a) Pas de publication pré-originale.

b) Le Train perdu, couv. par Starace, Paris, Fayard, 20 octobre 1912.

c) Il treno perduto (trad. italienne), Florence, Salani, 1914 et 1926.

d) Le Train de Fantômas, couv. photographique, Paris, Fayard, décembre 1933.

e) O comboio perdido (trad. portugaise de Mario Domingues), Porto, Editorial Dois Continentes, 1955 et Livraria Civilizaçâo, 1958. Texte très abrégé.

f) Le Train perdu, couv. par Gourdon, « Rex », 41, Paris, Ventillard, février 1958. Texte très abrégé.

g) Le Train perdu in *Fantômas XI*, Paris, Laffont, février 1966. Texte écourté.

h) 2 vol., *Il delitto di Anverze* et *Il treno scomparso* (trad. italienne), Milan, Mondadori, novembre et décembre 1964. Texte écourté.

22. Les Amours d'un prince
a) Pas de publication pré-originale.

b) Les Amours d'un prince, couv. par Starace, Paris, Fayard, 20 novembre 1912.

c) Gli amori di un principe (trad. italienne), Florence, Salani, 1914 et 1926.

d) Fantômas s'amuse, couv. photographique, Paris, Fayard, janvier 1934.

e) Amores de principe (trad. portugaise de Mario Domingues), Porto, Editorial Dois Continentes, 1956 et 1958 ; Livraria Civilizaçâo, 1960. Texte très abrégé.

f) Les Amours d'un prince, couv. par Gourdon, « Rex », 43, Paris, Ventillard, mars 1958. Texte très abrégé.

g) Les Amours d'un prince in *Fantômas XI*, Paris, Laffont, février 1966. Texte écourté.

h) L'ombra dietro il sudario (trad. italienne), Mondadori, janvier 1965. Texte très abrégé.

23. Le Bouquet tragique
a) Pas de publication pré-originale.

b) Le Bouquet tragique, couv. par Starace, Paris, Fayard, 20 décembre 1912.

c) Fiori della morte (trad. italienne), Florence, Salani, 1914 et 1926.

d) Le Bouquet de Fantômas, couv. photographique, Paris, Fayard, février 1934.

e) As flores tragicas (trad. portugaise de Mario Domingues), Porto, Livraria Civilizaçâo, 1957. Texte très abrégé.

f) Le Bouquet tragique, couv. par Gourdon, « Rex », 45, Paris, Ventillard, avril 1958. Texte très abrégé.

g) 2 vol., *La casa della rue Girardon* et *L'uomo detto Jap* (trad. italienne), Milan, Mondadori, février et mars 1965. Texte écourté.

24. Le Jockey masqué
a) Pas de publication pré-originale.

b) Le Jockey masqué, couv. par Starace, Paris, Fayard, 20 janvier 1913.

c) Il fantino mascherato (trad. italienne), Florence, Salani, 1914 et 1926.

d) Fantômas roi du Turf, couv. photographique, Paris, Fayard, mars 1934.

e) O jockey mascarado (trad. portugaise de Mario Domingues), Porto, Livraria Civilizaçâo, 1956 et 1958. Texte très abrégé.

f) Le Jockey masqué, couv. par Gourdon, « Rex », 47, Paris, Ventillard, mai 1958. Texte très abrégé.

g) Il re delle corse (trad. italienne), Milan, Mondadori, avril 1965. Texte très abrégé.

25. Le Cercueil vide
a) Pas de publication préo-originale.

b) Le Cercueil vide, couv. par Starace, Paris, Fayard, 20 février 1913.

c) La bara vuota (trad. italienne), Florence, Salani, 1914 et 1926.

d) Le Cercueil de Fantômas, couv. photographique, Paris, Fayard, avril 1934. Texte écourté de 650 lignes.

e) O caixao vazio (trad. portugaise de Mario Domingues), Porto, Livraria Civilizaçâo, 1957. Texte très abrégé.

f) La bara vuota (trad. italienne), Milan, Mondadori, mai 1965. Texte très abrégé.

26. Le Faiseur de reines
a) Pas de publication pré-originale.

b) Le Faiseur de reines, couv. par Starace, Paris, Fayard, 20 mars 1913.

c) La caccia al trono (trad. italienne), Florence, Salani, 1914 et 1927.

d) Fantômas contre l'amour, couv. photographique, Paris, Fayard, mai 1934. Texte écourté de 150 lignes.

e) O fabricante de rainhas (trad. portugaise), Porto, Livraria Civilizaçâo, 1957. Texte très abrégé.

f) 2 vol., *I clandestini dell'incrocciatore* et *La reclusa della palude* (trad. italienne), Milan, Mondadori, juin et juillet 1965. Texte écourté.

27. Le Cadavre géant

a) Pas de publication pré-originale.

b) Le Cadavre géant, couv. par Starace, Paris, Fayard, 20 avril 1913.

c) Il cadavere gigante (trad. italienne), Florence, Salani, 1914 et 1927.

d) Le Spectre de Fantômas, couv. photographique, Paris, Fayard, juin 1934. Texte écourté de 800 lignes.

e) O cadaver gigante (trad. portugaise de Mario Domingues), Porto, Livraria Civilizaçâo, 1957. Texte très abrégé.

f) Il cadavere gigante (trad. italienne), Milan, Mondadori, août 1965. Texte très abrégé.

28. Le Voleur d'or

a) Pas de publication pré-originale.

b) Le Voleur d'or, couv. par Starace, Paris, Fayard, 20 mai 1913.

c) Il mistero della zecca (trad. italienne), Florence, Salani, 1914 et 1927.

d) Prisonniers de Fantômas !, couv. photographique, Paris, Fayard, juillet 1934. Texte écourté de 450 lignes.

e) O ladraô do ouro (trad. portugaise de Mario Domingues), Porto, Livraria Civilizaçâo, 1957. Texte très abrégé.

f) Il ladro d'oro (trad. italienne), Milan, Mondadori, septembre 1965. Texte très abrégé.

29. La Série rouge

a) Pas de publication pré-originale.

b) La Série rouge, couv. par Starace, Paris, Fayard, 20 juin 1913.

c) Il tesoro di Fantômas (trad. italienne), Florence, Salani, 1914 et 1927.

d) (trad. grecque). Éditeur non identifié, 1923.

e) Fantômas s'évade..., couv. photographique, Paris, Fayard, août 1934.

f) A serie vermelha (trad. portugaise de Mario Domingues), Porto, Livraria Civilizaçâo, 1957. Texte très abrégé.

g) Il tesoro nel fiume (trad. italienne), Milan, Mondadori, octobre 1965. Texte très abrégé.

30. L'Hôtel du crime

a) Pas de publication pré-originale.

b) L'Hôtel du crime, couv. par Starace, Paris, Fayard, 20 juillet 1913.

c) L'albergo dei delitti (trad. italienne), Florence, Salani, 1915 et 1927.

d) Fantômas accuse !, couv. photographique, Paris, Fayard, septembre 1934.

e) O hôtel do crime (trad. portugaise de Mario Domingues), Porto, Livraria Civilizaçâo, 1957. Texte très abrégé.

f) L'albergo del crimine (trad. italienne), Milan, Mondadori, novembre 1965. Texte très abrégé.

31. La Cravate de chanvre

a) Pas de publication pré-originale.

b) La Cravate de chanvre, couv. par Starace, Paris, Fayard, 20 août 1913.

c) La cravatta di Canapa (trad. italienne), Florence, Salani, 1915 et 1927.

d) Le Domestique de Fantômas, couv. photographique, Paris, Fayard, octobre 1934.

e) Cravata de Cânhamo (trad. portugaise de Mario Domingues), Porto, Livraria Civilizaçâo, 1957. Texte très abrégé.

f) I sotteranei di Pietroburgo (trad. italienne), Milan, Mondadori, décembre 1965. Texte très abrégé.

32. La Fin de Fantômas

a) Pas de publication pré-originale.

b) La Fin de Fantômas, couv. par Starace, Paris, Fayard, 20 septembre 1913.

c) La fine di Fantômas (trad. italienne), Florence, Salani, 1915 et 1927.

d) (trad. grecque). Éditeur non identifié, 1924.

e) Fantômas est-il mort ?, couv. photographique, Paris, Fayard, novembre 1934.

f) Fantômas est-il mort ?, feuilleton quotidien dans *Marseille-Matin*, Marseille, 29 octobre au 22 décembre 1934.

g) Ha muerto Fantômas ? (trad. espagnole), Madrid, Técnica, 1945.

h) O fim de Fantômas (trad. portugaise de Mario Domingues), Porto, Livraria Civilização, 1958. Texte très abrégé.

i) La fine di Fantômas (trad. italienne), Milano, Mondadori, janvier 1966. Texte très abrégé.

II. PAR MARCEL ALLAIN SEUL

32 *bis*. Fantômas of Berlin. The Yellow Document

a) Pas de publication pré-originale.

b) 1 vol. *in-12*, 334 p., édition originale, New York, Brentano's, 1919 ; Londres, Stanley Paul and Co, 1920. Ouvrage inédit en français.

33. Fantômas est-il ressuscité ?

a) 7 fascicules hebdomadaires illustrés, couv. en couleurs, chacun de 16 pages, grand *in-8* (1. *Est-il ressuscité ?* — 2. *Des Preuves qui ne prouvent rien !* — 3. *A nous deux Fantômas !* — 4. *Service de la Sûreté !* — 5. *Face à la mort !* — 6. *Allô ! c'est moi Fantômas !* — 7. *Le Cinéma tragique*), Paris, Société Parisienne d'Édition, avril-mai 1926.

b) The Lord of the Terror (traduit et adapté en anglais par Alfred R. Allinson), Londres, Stanley Paul and Co, 1925 ; Philadelphie, David Mac Kay Co, 1925.

c) (trad. italienne), feuilleton quotidien dans *Il Mattino*, Naples.

d) 1re partie *(Fantômas ritorna)* de *Nuove Avventure di Fantômas*, 1 vol. *in-4*, 515 p., 65 illustrations de A. Mainardi, Milano, Sonzogno, 1928, 1930 et 1936.

e) Fantômas est-il ressuscité ?, 1 vol. *in-12*, couv. photographique, Paris, Fayard, décembre 1934.

f) Fantômas est-il ressuscité ?, feuilleton quotidien dans *Marseille-Matin*, Marseille, 22 décembre 1934-27 février 1935.

g) Fantômas est-il ressuscité ? (Éd. canadienne), 7 fascicules hebdomadaires *in-12* (1. *Est-il ressuscité ?* — 2. *Des Preuves qui ne prouvent rien !* — 3. *A nous deux Fantômas !* — 4. *Service de la Sûreté* — 5. *Face à la mort* — 6. *Allô ! c'est moi Fantômas !* — 7. *Le Cinéma tragique*), « Collection Parisienne », Montréal, Éd. Ray, s.d., vers 1950.

34. Fantômas roi des receleurs

a) 7 fascicules grand *in-8* (8. *Qui perd gagne !* — 9. *Le Coffre-fort aérien* — 10. *Le Péché d'audace* — 11. *La Malle sinistre* — 12. *Homme contre homme* — 13. *Fantômas rends-toi !* — 14. *L'Audience rouge*), Paris, Société Parisienne d'Édition, mai-juillet 1926.

b) Juve in the Dock (trad. et adaptation anglaise par A.R. Allinson), Londres, Stanley Paul and Co, 1925 ; Philadelphie, David Mac Kay Co, 1926.

c) 2e partie *(Scacco al re)* de *Nuove Avventure di Fantômas*, Milano, Sonzogno, 1928, 1930 et 1936.

d) *Fantômas roi des receleurs*, 1 vol. *in-12*, couv. photographique, Paris, Fayard, décembre 1934.

e) *Fantômas roi des receleurs*, feuilleton quotidien dans *La Dépêche de Brest et de l'Ouest*, Brest, 24 février-15 avril 1935 ; *L'Express*, Liège, 7 avril- 20 juillet 1935 ; *La Tribune Républicaine*, Saint-Étienne, 8 juillet-25 septembre 1935.

f) *Fantômas roi des receleurs*, (éd. canadienne), 7 fascicules hebdomadaires *in-12* (8. *Qui perd gagne* — 9. *Le Coffre-fort aérien* — 10. *Le Péché d'audace* — 11. *La Malle sinistre* — 12. *Homme contre homme* — 13. *Rends-toi Fantômas !* — 14. *L'Audience rouge*), « Collection Parisienne », Montréal, Éditions Ray, s.d., vers 1950.

35. Fantômas en danger

a) 7 fascicules grand *in-8* (15. *Face à face !* — 16. *Le Visiteur imprévu* — 17. *La Rôdeuse de nuit* — 18. *Les Malheurs de Bouzille* — 19. *Enterré vif* — 20. *Trahison de femme* — 21. *La Dernière Cigarette*), Paris, Société Parisienne d'Édition, juillet-septembre 1926.

b) *Fantômas Captured* (trad. et adapt. anglaise par A.R. Allinson), Londres, Stanley Paul anc Co, 1926 ; Philadelphie, David Mac Kay Co, 1926.

c) 3ᵉ partie *(Il trionfo di Juve)* de *Nuove Avventure di Fantômas*, Milan, Sonzogno, 1928, 1930 et 1936.

d) *Fantômas en danger*, 1 vol. *in-12*, couv. photographique, Paris, Fayard, février 1935.

e) *Fantômas en danger*, feuilleton quotidien dans *L'Express*, Liège, 21 juillet-7 novembre 1935.

36. Fantômas prend sa revanche

a) 8 fascicules ill. grand *in-8* (22. *Victoire ?... Défaite ?...* — 23. *L'Impossible Disparition...* — 24. *Une parole d'honneur* — 25. *Destins tragiques* — 26. *Évadé* — 27. *Vite ! SOS* — 28. *L'Océan complice* — 29. *L'Audace de Juve*), Paris, Société Parisienne d'Édition, septembre-novembre 1926.

b) *The Revenge of Fantômas* (trad. anglaise par A.R. Allinson), Londres, Stanley Paul and Co, 1927 ; Philadelphie, David Mac Kay Co, 1927.

c) 4ᵉ partie *(La rivincita di Fantômas)* de *Nuove Avventure di Fantômas*, Milan, Sonzogno, 1928, 1930 et 1936.

d) *Fantômas prend sa revanche*, 1 vol. *in-12*, couv. photographique, Paris, Fayard, mars 1935.

37. Fantômas attaque Fandor

a) 5 fascicules ill. grand *in-8* (30. *Duel tragique* — 31. *Dévoré vif !* — 32. *Terrifiante Aventure* — 33. *L'Appel sinistre* — 34. *Vaincus ?*), Paris, Société Parisienne d'Édition, novembre-décembre 1926.

b) *Bulldog and Rats* (trad. anglaise par A.R. Allinson), Londres, Stanley Paul and Co, 1928.

c) 4ᵉ partie (suite) de *Nuove Avventure di Fantômas*, Milan, Sonzogno, 1928, 1930 et 1936.

d) *Fantômas attaque Fandor*, 1 vol. *in-12*, couv. photographique, Paris, Fayard, avril 1935. Texte augmenté de 3 000 lignes.

e) *Fantômas attaque Fandor*, feuilleton quotidien dans *Marseille-Matin*, Marseille.

38. Si c'était Fantômas ?

a) Feuilleton quotidien dans : *Le Petit Journal*, Paris, 4 novembre-29 décembre 1933 (36 parutions) ; *La Dépêche de Brest et de l'Ouest*, Brest, 7 septembre-12 octobre 1934 ; *Nord-Maritime*, Dunkerque, 9 septembre-31 octobre 1934 ; *La Tribune Républicaine*, Saint-Étienne, 19 septembre-12 novembre 1934 ;

L'Express, Liège, 1er octobre-29 novembre 1934 ; *L'Éclair*, Montpellier, 5 octobre-21 novembre 1934 ; *Le Petit Havre*, Le Havre, 7 octobre 1934-26 janvier 1935 ; *Le Salut Public*, Lyon, 31 octobre 1934-5 janvier 1935 ; *La Presse Libre*, Alger, 25 novembre 1934-3 janvier 1935 ; *La Nation Belge*, Bruxelles, 27 novembre 1934-20 janvier 1935 ; *Le Petit Jurassien*, Moutiers, 7 janvier-? ; *Le Régional de l'Ouest*, Le Mans, 3 février-31 mars 1935 ; *La Sarthe du Matin*, Le Mans, 3 février-31 mars 1935 ; *Le Journal d'Alsace-Lorraine*, Strasbourg, 1er avril-27 juin 1935 ; *La Dépêche de Rouen et de Normandie*, Rouen, 9 avril-25 mai 1935 ; *Le Sud-Est*, Valence, 2 septembre-16 décembre 1935 ; *L'Avenir du Pas-de-Calais*, Arras, 3 septembre-5 novembre 1935 ; *Le Midi Socialiste*, Toulouse, 21 septembre-26 novembre 1935 ; *La République du Var*, Toulon, 21 octobre-17 novembre 1935 ; *La Petite Gironde*, Bordeaux, 24 mai-2 juillet 1936 ; *Le Télégramme du Pas-de-Calais et de la Somme*, Boulogne, 7 octobre-23 novembre 1936 ; *Le Petit Niçois*, 22 novembre 1936-28 janvier 1937 ; *L'Avenir de la Vienne et de l'Ouest*, Poitiers, 18 décembre 1936-9 février 1937 ; *Lyon-Républicain*, Lyon, 25 février-8 mai 1938.

b) Si c'était Fantômas ?, 1 vol. *in-12*, couv. photographique, Paris, Fayard, mai 1935.

c) Se fuega Fantômas ? (trad. espagnole), feuilleton quotidien dans *La Prensa*, Buenos Aires, 15 mai-20 juin 1935.

39. Oui, c'est Fantômas

a) Feuilleton quotidien *Oui ! c'est bien Fantômas !* dans : *Le Petit Journal*, Paris, 29 décembre 1933-15 mars 1934 (77 parutions) ; *La Dépêche de Brest et de l'Ouest*, Brest, 12 octobre-25 novembre 1934 ; *Nord Maritime*, Dunkerque, 31 octobre 1934-8 janvier 1935 ; *La Tribune Républicaine*, Saint-Étienne, 12 novembre 1934-18 janvier 1935 ; *L'Express*, Liège, 30 novembre 1934-16 février 1935 ; *L'Éclair*, Montpellier, 21 novembre 1934-26 janvier 1935 ; *La Presse Libre*, Alger, 3 janvier-28 février 1935 ; *Le Salut Public*, Lyon, 5 janvier-2 avril 1935 ; *La Nation Belge*, Bruxelles, 21 janvier-5 avril 1935 ; *Le Petit Havre*, Le Havre, 27 janvier-9 avril 1935 ; *Le Petit Jurassien*, Moutiers [?], 17 août 1935 ; *Le Régional de l'Ouest*, Le Mans, 31 mars-13 juin 1935 ; *La Sarthe du Matin*, Le Mans, 31 mars-13 juin 1935 ; *La Dépêche de Rouen et de Normandie*, Rouen, 25 mai-24 juillet 1935 ; *Le Journal d'Alsace-Lorraine*, Strasbourg, 27 juin-10 octobre 1935 ; *L'Avenir du Pas-de-Calais*, Arras, 5 novembre 1935-28 janvier 1936 ; *La République du Var*, Toulon, 17 novembre 1935-5 mars 1936 ; *Le Midi Socialiste*, Toulouse, 26 novembre 1935-17 février 1936 ; *Le Sud-Est*, Valence, 16 décembre 1935-7 mai 1936 ; *La Petite Gironde*, Bordeaux, 2 juillet-21 août 1936 ; *Le Télégramme du Pas-de-Calais et de la Somme*, Boulogne, 23 novembre 1936-23 janvier 1937 ; *Le Petit Niçois*, 28 janvier-5 mai 1937 ; *L'Avenir de la Vienne et de l'Ouest*, Poitiers, 9 février-7 avril 1937 ; *Lyon-Républicain*, Lyon, 8 mai-29 juillet 1938.

b) Oui ! c'est Fantômas !, 1 vol. *in-12*, couv. photographique, Paris, Fayard, juin 1935.

c) Si ! Esta Fantômas ! (trad. espagnole), feuilleton quotidien dans *La Prensa*, Buenos-Aires, 21 juin-9 août 1935.

40. Fantômas joue et gagne

a) Feuilleton quotidien dans *La Dépêche de Brest et de l'Ouest*, Brest, 6 octobre-17 décembre 1935 ; *La France de l'Est*, Mulhouse, 30 octobre 1935-17 mars 1936 ; *L'Écho d'Oran*, Oran, 9 novembre 1935-16 avril 1936 ; *Le Phare de la Loire*, Nantes, 11 novembre 1935-29 février 1936 ; *L'Ouest*, Angers, 11 novembre 1935-29 février 1936 ; *Le Courrier de Bayonne*, Bayonne,

1er décembre 1935-19 mai 1936 ; *La Tribune Républicaine*, Saint-Étienne, 1er décembre 1935-19 mars 1936 ; *La Dépêche de Tours*, Tours, 8 décembre 1935-9 mars 1936 ; *Le Grand Écho du Nord*, Lille, 8 décembre 1935-7 mars 1936 ; *Le Messin*, Metz, 15 décembre 1935-20 mars 1936 ; *Le Courrier de Saône-et-Loire*, Chalon-sur-Saône, 15 novembre 1935-1er janvier 1936 ; *Le Courrier du Centre*, Limoges, 22 décembre 1935-9 mars 1936 ; *L'Écho du Nord*, Lille, 1er janvier-7 mars 1936 ; *L'Indépendant des Basses-Pyrénées*, Pau, 1er janvier-15 avril 1936 ; *La France du Centre*, Orléans, 15 janvier-19 juillet 1936 ; *Le Petit Ardennais*, Charleville, 10 février-14 mai 1936 ; *Le Matin Charentais*, Angoulême, 16 février-19 juin 1936 ; *Le Moniteur du Puy-de-Dôme*, Clermont-Ferrand, 21 février-13 juin 1936 ; *L'Express de l'Est*, 23 février-20 juin 1936 ; *Le Midi Socialiste*, Toulouse, 20 juillet 1937-5 janvier 1938.

b) 1 vol. *in-12*, jaquette et couverture illustrées, Paris, Fayard, avril 1947. Texte abrégé.

c) Fantômas juega... y gana (trad. espagnole), feuilleton quotidien dans *La Prensa*, Buenos Aires, 2 avril-18 juin 1936.

41. Fantômas [contre les nains]

Bande dessinée pour enfants. Scénario original et dialogues de M. Allain. Images de P. Santini.

a) Feuilleton hebdomadaire dans *Gavroche*, 24-30, Paris, Librairie Moderne, 10 avril-22 mai 1941.

b) Pas d'édition originale.

41 bis. Fantômas et l'enfer sous-marin

Bande dessinée pour enfants, suite de la précédente.
Scénario original et dialogues non publiés par suite de l'interdiction de la censure.
Le manuscrit est perdu.

42. Fantômas rencontre l'amour

a) Feuilleton quotidien dans *France-Soir*, Paris, 27 août-13 octobre 1946 (40 parutions) ; *Le Télégramme de Brest*, 7 décembre 1946-28 janvier 1947 ; *Les Informations Dieppoises*, Dieppe, les 16, 19, 23, 30 mars, 2, 6, 9, 13, 20, 27, 30 avril, 4, 11, 14, 18, 21, 28 mai, 4, 8, 11, 15, 18, 25, 29 juin, 6, 9, 16, 23, 27, 30 juillet, 6, 10, 13, 17 août ; *Liberté*, Lille, 4 avril-21 mai 1948 (40 feuilletons).

b) 1 vol. *in-12*, jaquette et couverture illustrées, Paris, Fayard, février 1947. Texte remanié et augmenté de chapitres empruntés à *Fantômas joue et gagne*.

c) Fantômas incontra l'amore (trad. italienne), feuilleton hebdomadaire dans *L'Illustrazione del Popolo*, Turin, à partir du 9 novembre 1947.

d) Fantômas [rencontre l'amour], feuilleton hebdomadaire illustré par Elsen dans *Le Hérisson*, Paris, Ventillard, 5 juillet-13 septembre 1956.

e) Fantômas rencontre l'amour, 1 vol. *in-12* relié, « Coll. du xxe siècle », Kapellen lez Anvers, W. Beckers éd., 1966.

f) Fantômas slaat toe (trad. néerlandaise de B.M. Lieveer), 1 vol. *in-12* relié, Coll. « Europa Selectie », Kapellen lez Anvers, W. Beckers éd., 1967.

43. Fantômas vole les blondes

a) Feuilleton quotidien dans *Ce Soir*, Paris, 7 octobre 1947-22 janvier 1948 ; *La Liberté*, Lille, 30 mai-2 septembre 1948 (80 feuilletons).

b) 1 vol. *in-12*, jaquette et couverture illustrées, Paris, Fayard, juin 1948.

44. Fantômas mène le bal

a) Feuilleton mensuel dans *Constellation*, 184-187, Paris, août-novembre 1963.

III. THÉÂTRE

1912. Fantômas
Adaptation de G. Castellano. Représentée à Naples par la Compagnie San Ferdinando. Pièce non autorisée par les auteurs et représentée à leur insu.

1921. Fantômas
Adaptation de Gabriel Timmory. Drame représenté pour la première fois à Lyon : Théâtre de l'Eldorado, du dimanche 27 mars 1921 au [?]. Représenté ensuite à Bordeaux : Théâtre de l'Apollo en mai 1921 ; et à Bruxelles. *Interprétation* : Galipaux (Fantômas), Mme Duluc (Lady Beltham), Maurice Poggi (Fandor), Van Daële (Juve).

1922. Fantômas
Adaptation italienne de la pièce de G. Timmory, par d'Arborio. Il n'est pas certain que la pièce ait été jouée, bien que ce texte en ait été traduit et les droits payés aux auteurs.

IV. BANDES DESSINÉES

1930. Fantômas
Bande diffusée par Opera Mundi Press.

1941. Fantômas [contre les nains]
Scénario original et dialogues : Marcel Allain. *Images* : P. Santini.
a) Feuilleton hebdomadaire en couleurs dans *Gavroche*, 24-30, Paris, Librairie Moderne, 10 avril-22 mai 1941.

1941. Fantômas et l'enfer sous-marin
Suite de l'épisode précédent. *Scénario original et dialogues* : Marcel Allain. N'a pas été publié en raison de l'interdiction par la censure. Le texte est perdu.

1953. Fantômas
Bande diffusée par Opera Mundi. *Images* : Pierre Tabary.
a) Feuilleton quotidien, 192 parutions dans *Paris-Journal*, Paris. (1. Fantômas. Bandes 1 à 103, du 18 novembre 1957 au 17 mars 1958 ; 2. Juve contre Fantômas. Bandes 104 à 192, du 18 mars au 30 juin 1958.)

1969. Fantômas
Bande diffusée par Opera Mundi. *Adaptation* : Agnès Guilloteau. *Images* : Jacques Taillefer.
a) Feuilleton hebdomadaire en couleurs dans *Jours de France*.

V. PHOTOS-ROMANS

Fantômas
Collection de 17 fascicules in-4, 82 p., Paris, Éd. Mondiales [Del Duca], vers 1962.
● FANTÔMAS I
1. L'Assassinat de la Marquise de Langrune (3e trimestre 1962) — 2. L'Affaire Beltham — 3. Le Prisonnier qui tue — 4. L'Abominable Trahison.
● JUVE CONTRE FANTÔMAS II
5. Le Mystérieux Docteur Chaleck (4e trimestre 1962) — 6. L'Attaque du train (1er trimestre 1963) — 7. Le Béguin du boxeur *(id.)* — 8. Le Guet-apens *(id.)*.

● LE MORT QUI TUE III

9. Le Drame de la rue Norvins (1er trimestre 1963) — **10.** Le Mort qui tue *(id.)* — **11.** Criminel ou victime — **12.** Le Pendu défiguré *(id.)*.

● UN ROI PRISONNIER DE FANTÔMAS IV

101. Les Fontaines chantantes (2e trimestre 1963) — **102.** L'Imposture *(id.)* — **103.** Le Vol du diamant *(id.)* — **104.** Le Drame du Nord-Sud *(id.)* — **105.** L'Arrestation de Fantômas *(id.)*.

BIBLIOGRAPHIE DE PIERRE SOUVESTRE
ET DE MARCEL ALLAIN [1]

1. Le Rour
Grand roman sportif et policier.
a) Feuilleton quotidien illustré par Mich dans *L'Auto*, 11 janvier-31 mars 1909.
b) 1 vol. *in-12*, illustré par Mich, Paris, Librairie de l'Auto, mai 1909.
c) 1 vol. *in-12*, préface de F. Lacassin, « 10/18 », n° 872, Paris, Union Générale d'Édition, 1974.

2. Le Four
Parodie du *Rour*, non signée.
a) Feuilleton quotidien dans *Le Vélo*, Paris, 1909. Le texte est perdu.

3. Le sol tremble !...
Drame en 1 acte et 2 tableaux représenté à Paris, au *Little Palace*, du 21 janvier au 15 février 1909. Interprété par Marcel Beauçay *(Pranto)*, Mme Maguera, Mlle Rézy, MM. Stecki, Poitel. Texte inédit en librairie.

4. Le sol tremble ! [épisode des désastres siciliens]
Scénario de film en 22 tableaux d'après la nouvelle de P. Souvestre *Pianto* et la pièce de Souvestre et Allain *Le sol tremble*. Manuscrit dactylographié de 5 pages, déposé à la Société cinématographique des Gens de Lettres le 10 août 1909. Non exécuté. Texte inédit.

5. La Traversée de la Manche en aéroplane 1875-1909, de Blanchard à Blériot
En collaboration avec Auguste Wimille (en réalité : Marcel Allain). Préface de Louis Blériot.
a) Pas de publication pré-originale.
b) 1 vol. *in-12*, Paris, Librairie Ernest Flammarion, 1909.

6. L'Empreinte
Grand roman de reportage policier.
a) Feuilleton quotidien illustré par Mich dans *L'Auto*, 2 janvier-25 février 1910.
b) Devenu après remaniements *Le Mort qui tue, Fantômas III*, Paris, Fayard, avril 1911.

---

1. Voir Avertissement, p. 1025.

7. As-tu la clef ?

Revue d'actualité en 1 prologue, 1 acte et 8 tableaux, représentée au Théâtre de la Gaîté Parisienne à partir du 9 avril 1910.

Mise en scène des auteurs. Danses réglées par Mlle Dumesnil. Musique de Paul Dub. Interprétée par Suzanne de Gernon (la Commère), Léo Karma (le Compère), Jane du Barry, Géo Bourtal, G. Volgrand, E. Réty, Arnold, Fernande Sart, Gilberte, Marsa, O. Manciny, Coraly, Samary, Roseray, Lydian-Hett, Renaldi, Brunet. Texte inédit en librairie.

8. La Royalda

Grand roman théâtral et policier.

a) Feuilleton quotidien (73 parutions) illustré de photographies dans *Comoedia*, Paris, 14 juillet-24 septembre 1910.

b) Pas d'édition originale.

9. En voulez-vous des chansons ?

Opérette en 1 acte et en vers représentée à Paris, au *Little Palace*, en 1910. Texte inédit en librairie.

10 à 41. Série « Fantômas »

32 volumes, voir *infra*.

42. Fiançailles tragiques

a) Qui tua ?, feuilleton mensuel illustré par A. Pécoud dans *Touche à tout*, 12 (IVe année) à 6 (Ve année), Paris, Fayard, décembre 1911-janvier 1912.

b) Fiançailles tragiques, 2 brochures *in-18* (1. *Fiançailles tragiques* — 2. *Quand l'Amour conseille*), coll. hebdomadaire « Le Livre de Poche », nouv. série, 6-7, Paris, Tallandier, décembre 1923.

c) Fiançailles tragiques (Éd. canadienne), 2 volumes *in-18*, « Coll. du Progrès », Rivière-des-Prairies, Éd. Paris-Tour Eiffel, s.d., vers 1948.

43 à 57. Série « Naz en l'air »

Roman d'espionnage.

a) Pas de publication pré-originale.

b) 15 volumes *in-12*, couv. illustrées en couleurs par Gino Starace, Paris, Arthème Fayard et Cie éditeurs. 1. *Naz en l'air* (octobre 1912) — 2. *Le Secret de Naz en l'air* (25 novembre) — 3. *L'Ongle cassé* (25 décembre 1912) — 4. *Les Tueuses d'hommes* (25 janvier 1913) — 5. *Traître et ministre* (25 février) — 6. L'Armoire de fer (25 mars) — 7. *Le Mystérieux Clubman* (25 avril) — 8. *Le Roi des flics* (25 mai) — 9. *Évadés du bagne* (25 juin) — 10. *Espions de l'air* (25 juillet) — 11. *Crimes d'empereur* (25 août) — 12. *Épouse de forçat* (25 septembre) — 13. *Haine de bandit* (25 octobre) — 14. *L'Échéance fatale* (25 novembre) — 15. *La Victoire de Naz en l'air* (25 décembre 1913).

c) (trad. italienne), Naples, Societa per Gestioni Giornalistiche, 1914. Indication non confirmée.

58. Gigolo

a) Feuilleton quotidien, 137 parutions dans *Le Journal*, Paris, 7 juin-21 octobre 1913.

b) 2 volumes (1. *Gigolo* — 2. *La Belle Viviane*), petit *in-16*, Paris, Ferenczi, juin 1922. Texte abrégé.

c) Gli Artifici dello Spavento : Gigolo (L'Amante del cuore) - (trad. italienne de Pietro Sottili), 3 fascicules de 48 p., Florence, Casa Editrice Nerbini, 1923.

59. Naz en l'air

Avec la collaboration anonyme de Emmanuel Clot.
Drame en 5 actes et 7 tableaux représenté à Paris au Théâtre de Grenelle du 20 septembre au 11 octobre 1913.
a) Pas de publication pré-originale.
b) 1 brochure *in-4*, 32 p., « Le Magasin Théâtral », Paris, F. Schaub-Barbré, s.d. En réalité chez les auteurs, 26 septembre 1913.

60 à 64. Série « Titi le Moblot »

Roman historique de la guerre de 1870-1871.
a) Pas de publication pré-originale.
b) 5 volumes *in-12*, couv. en couleurs par Gino Starace, Paris, Fayard. 1. *Titi le Moblot* (17 octobre 1913) — 2. *La Mission de Titi* (20 novembre 1913) — 3. *Voleur !* (20 décembre 1913) — 4. *Fils d'assassin !* (20 janvier 1914) — 5. *Patriote !* (20 février 1914).
c) *Titi il Valoroso* (trad. italienne), 5 volumes *in-16*, Florence, Adriano Salani éditeur. 1. *Titi il Valoroso* (1914) — 2. *La Lettera dell'Imperatore* (1915) — 3. *Ladro !* (1915) — 4. *Figlio d'Assassino !* (1915) — 5. *Pattriotta !* (1915).

65. Gigolo

Avec la collaboration anonyme de Emmanuel Clot. Drame en 5 actes et 13 tableaux représenté à Paris au Théâtre des Gobelins du 18 au 31 octobre 1913.
a) Pas de publication pré-originale.
b) 1 brochure, 32 p., *in-4*, « Le Magasin Théâtral », Paris, F. Schaub-Barbré, s.d. En réalité : chez les auteurs, 1913.

66. Revoltoso

Paru sous la seule signature de Marcel Allain en raison des difficultés entraînées par le règlement de la succession de Pierre Souvestre.
a) Feuilleton hebdomadaire dans *Nos Loisirs*, 28-32, Paris, 12 juillet-9 août 1914. Publication interrompue par la guerre.
b) Pas d'édition originale. Le manuscrit complet est perdu.

67. L'Auto K.6. Ô. 20.

Album humoristique illustré par O'Galop, Garnier frères, sans date. Le texte est de Souvestre et Allain, non crédités.

68. Le Chevalier panache

Roman historique entièrement rédigé avant le 18 janvier 1914 (cf. la lettre de Pierre Souvestre en date du même jour). Paru ultérieurement sous la seule signature de Marcel Allain.
a) Pas de publication pré-originale.
b) 1 vol. *in-16*, « Le Livre National », série rouge, 460, Paris, Tallandier, 1924.

69. Une garce

Une version remaniée et abrégée du manuscrit a été publiée ultérieurement sous la seule signature de Marcel Allain et sous le titre *L'Enjôleuse* (cf. ci-dessous).
a) Feuilleton quotidien dans *L'Éclair*, Paris, 6 septembre-29 décembre 1921.
b) Pas d'édition originale.

70. Darthula

Roman fantastique écrit avec la collaboration anonyme de Edmond Méry-Picard.
a) Feuilleton dans un périodique de la maison Fayard, non identifié.
b) 1 vol. *in-12*, sous la seule signature de Edmond Méry, Paris, 1924.

BIBLIOGRAPHIE DE PIERRE SOUVESTRE [1]

1. Pêle-Mêle
Recueil de contes publié sous le pseudonyme de Pierre de Breis.
a) Pas de publication pré-originale.
b) 1 vol. *in-12* carré, 112 p., couv. illustrée par J. Robaglia, Paris, « Au Mascarille » et Tours, Imprimerie Danjard-Kop, 1894.

2. En badinant
Recueil de poèmes publié sous le pseudonyme de Pierre de Breis.
a) Pas de publication pré-originale.
b) 1 vol. *in-16*, 32 p., Lorient, A. de la Morinière et Quimper, Le Bras, 1895.

3. Babylas Hervier (Nouvelle)
a) Feuilleton dans un quotidien de Paris, entre 1896 et 1898.

4. Mes fous
a) Feuilleton dans un quotidien de Paris, entre 1896 et 1898.

5. Les Malheurs de madame Rambaud
a) Feuilleton dans un quotidien de Paris, entre 1896 et 1898.

6. Dictionnaire franco-anglais des termes techniques de l'automobile, 1901.

7. Parfilons... Parfilons
Revue d'autrefois en un acte. En collaboration avec Louis Blondel. Représentée à Paris, au Cabaret Artistique d'Eugénie Buffet en 1902.

8. Silhouettes sportives
Portraits et reportages.
a) Pas de publication pré-originale.
b) 1 vol. *in-12*, Paris, Félix Juven, 1904.
c) Nouvelle édition, Paris, Librairie de L'Auto, s.d.

9. Histoire de l'automobile
a) Pas de publication pré-originale.
b) 1 vol. *in-4*, 800 p. illustrées, Paris, Dunot et Pinat, 1907.

---

1. Voir Avertissement, p. 1025.

10. La Mauvaise et la Bonne Façon de voler
Scénario de film en 14 tableaux d'après sa nouvelle *Le Caniveau*. Manuscrit de
4 pages dactylographiées déposé à la Société cinématographique des Auteurs et
Gens de Lettres le 10 août 1909. Non exécuté. Inédit.

11. Crime posthume ou Le bien mal acquis ne profite jamais
Scénario de film en 19 tableaux d'après sa nouvelle *Le Vieux Michou*. Manuscrit
de 4 pages dactylographiées déposé à la S.C.A.G.L. le 10 août 1909. Non exécuté.
Texte inédit.

12. L'ont-ils tué ?
Scénario de film en 13 tableaux d'après sa nouvelle *Un crime*. Manuscrit de
3 pages dactylographiées déposé à la S.C.A.G.L. le 10 août 1909. Non exécuté.
Texte inédit.

13. Jojo 1er roi de l'air
Roman humoristique. Illustrations de Lucien Métivet.
a) Pas de publication pré-originale.
b) 1 vol. *in-12* carré, Paris, Librairie Aéronautique, septembre 1910.
c) Nouvelle édition *Les Hommes oiseaux*, Paris, Éditions et Librairie, 1913.

14. Préface à « l'Auto »
Ouvrage de vulgarisation mécanique par Marcel Allain.
a) Pas de publication pré-originale.
b) 1 vol. *in-16*, Paris, Nilsson, 1913.
c) 1 vol. *in-12* carré, Genève, Payot, s.d.

15. Allô ! Allô ! Le commissariat ?
Pièce en 1 acte. Manuscrit dactylographié de 17 p., sans date. Texte inédit.

BIBLIOGRAPHIE DE MARCEL ALLAIN [1]

Pour définir les genres, les sigles suivants sont utilisés :
- (A) aventures dramatiques, maritimes, exotiques.
- (G) aventures militaires, patriotiques, espionnage.
- (C) aventures criminelles, policières.
- (S) aventures sentimentales, drames passionnels.
- (Cs) aventures criminelles à tendances sociales.
- (H) aventures historiques, « cape et épée ».
- (SF) anticipation, science-fiction.

1903. Le Roman d'un imbécile
Manuscrit calligraphié sous forme d'un petit cahier de 21 p. Inédit.

1905. Le Carnet d'une liaison (S)
Manuscrit calligraphié sous forme d'un petit cahier de 68 p., daté de décembre 1905. Inédit.

1909. Dénichons ! des femmes...
Revue en 1 acte et 3 tableaux représentée à Paris, au *Little Palace*, du 27 septembre au 19 novembre. Non publié.

1913. L'Auto.
a) Pas de publication pré-originale.
b) 1 vol. petit *in-16*, préface de P. Souvestre, Nilsson.

1915. Zizi dit « le tueur de boches » (G)
Roman inédit d'aventures militaires.
a) 35 fascicules hebdomadaires, *in-4*, Paris, Fayard et Cie, 4 mars-29 octobre 1915. (1. *Zizi dit « le tueur de boches »* — 2. *Sous la mitraille !...* — 3. *Enterré vif !...* — 4. *Une idée de Zizi* — 5. *Pour la reine !...* — 6. *En avant !* — 7. *Héroïque folie !...* — 8. *A la française !* — 9. *Vaincue d'abord !...* — 10. *Un bon truc !* — 11. *Des poilus !...* — 12. *A l'aventure* — 13. *Infamie d'espion* — 14. *Un supplice chinois* — 15. *Le Saut de la mort* — 16. *La Parole donnée* — 17. *Tombés du ciel !* — 18. *Pris au piège !* — 19. *Enjeu tragique...* — 20. *En*

---

1. Voir Avertissement, p. 1025.

défiant la mort ! — 21. A l'assaut ! — 22. Quand même ! — 23. Vampire ! — 24. La Marseillaise — 25. Face à l'ennemi ! — 26. Rosalie ! — 27. La Cuve infernale ! — 28. La Victoire de Zizi — 29. En sous-marin ! — 30. Vers la mort — 31. A l'abordage ! — 32. Un drame en mer — 33. Vengeance de lâche !... — 34. Mission secrète ! — 35. Cité à l'ordre !)

1915. L'amour est maître (A)
a) Pas de publication pré-originale.

b) 1 vol. grand *in-8*, « Les Maîtres du Roman Populaire », 31, Paris, Fayard, 15 novembre 1915.

c) Feuilleton quotidien dans *L'Impartial*, Saigon, 8 juillet-31 août 1936 ; *Le Petit Régional*, Auxerre, 30 août-15 octobre 1936 ; *La République des Travailleurs*, 14 février-24 octobre 1937 ; *Le Populaire de Nantes*, Nantes, 25 juin-18 août 1937 ; *La France du Centre*, Orléans, 21 juin-22 septembre 1938 ; *Maroc-Matin, Rabat, 4 août-27 septembre 1938*.

1916. Les Mystères du métro (C)
Sous le pseudonyme de Alain Darcel.
a) Pas de publication pré-originale.

b) 1 vol. grand *in-12*, coll. « Aventures », 3, Paris, Librairie Offenstadt, 9 mars 1916.

1916. Pour son amour (S)
a) Feuilleton quotidien, 30 parutions dans *Le Petit Journal*, Paris, 29 octobre-28 novembre.

b) 1 vol. grand *in-8*, « Les Maîtres du Roman Populaire », 75, Paris, Fayard, novembre 1916.

1916. L'Aviateur inconnu (G)
a) Feuilleton quotidien.

b) 2 brochures, petit *in-16*, « Le Livre de Poche », 131 et 132, Paris, Librairie du Livre National, [Tallandier], novembre 1916.

1917. Le Courrier de Washington (A.G)
Récit du film Pathé en 10 épisodes.
a) Feuilleton quotidien, 71 parutions dans *Le Petit Journal*, Paris, 29 septembre-8 décembre 1917.

b) 10 fascicules *in-8* de 24 p. illustrés de photographies, « Les Romans Cinéma », Paris, La Renaissance du Livre, Mignot éditeur, 1918. (1. *Mission secrète* — 2. *La Menace silencieuse* — 3. *Une épée brisée* — 4. *La Disparition du médaillon* — 5. *L'adversaire se démasque* — 6. *La Fleur fanée* — 7. *Coups d'audace !...* — 8. *« L'US - 27 »* — 9. *Le Drapeau noir* — 10. *Le Triomphe d'une patriote.*)

1918. Fauvette (S)
Récit du film *Éclair* en 5 épisodes écrit par J. Mandement et réalisé par G. Bourgeois.
a) Feuilleton quotidien dans *Le Petit Journal*, Paris, 19 avril-23 mai 1918.

b) Feuilleton quotidien dans *Le Petit Niçois*, 1918.

c) 1 vol. grand *in-8*, 67 p. « Les Maîtres du Roman Populaire », 104, Paris, Fayard, 1918.

1918. Cœur d'héroïne (G)
Récit du film américain en 11 épisodes.
a) Feuilleton quotidien dans *Le Petit Journal*, Paris, 8 juin-23 août 1918.

1919. Chagrin d'amour (S)

a) Feuilleton quotidien signé M.A. de Sira, 40 parutions dans *Le Petit Journal*, Paris, 21 décembre 1918-8 février 1919.

b) 1 vol. grand *in-8* signé Marcel Allain, « Les Maîtres du Roman Populaire », 125, Paris, Fayard, 1919.

c) (Éd. canadienne), « Coll. du Progrès » série Amour, 47-48, Rivière-des-Prairies, Éd. Paris-Tour Eiffel, 1951.

1919. Fantomas of Berlin — The Yellow Document (G)

a) Pas de publication pré-originale.

b) Publié en anglais. Texte inédit en français. 1 vol. *in-12*, New York, Brentano's, 1919.

1919. Par amour (C)

Récit du film américain en 12 épisodes.

a) Feuilleton quotidien dans *Le Petit Journal*, Paris, 25 juillet-18 octobre 1919.

1920. Le Roi du cirque (C)

Récit du film américain en 14 épisodes.

a) Feuilleton quotidien dans *L'intransigeant*, Paris, à partir du 3 décembre 1919.

1921. Série Femmes de proie (Cs)

● 1. FEMMES DE PROIE

a) Pas de publication pré-originale.

b) Femmes de proie, 1 vol. *in-12*, couv. en couleurs par Gino Starace, Paris, Librairie Contemporaine [Tallandier], 21 juin 1921.

c) Donna da prede (trad. italienne), Florence, Adriano Salani, 1927.

d) (trad. néerlandaise), fascicules hebdomadaires, Haarlem, N.V. Drukkerrij de Spaanerstad.

● 2. MENSONGE D'AMOUR

a) Pas de publication pré-originale.

b) Mensonge d'amour, Paris, Librairie Contemporaine [Tallandier], 21 juillet 1921.

c) Menzogna d'amore (trad. italienne), Florence, Salani, 1927.

d) (trad. néerlandaise), Haarlem, Drukkerrij de Spaanerstad.

● 3. HORRIBLES AMOURS

a) Pas de publication pré-originale.

b) Horribles amours, Paris, Librairie Contemporaine [Tallandier], 18 août 1921.

c) Tragici amori (trad. italienne), Florence, Salani, 1927.

d) (trad. néerlandaise), Haarlem, Drukkerrij de Spaanerstad.

● 4. LE VISAGE MORT

a) Pas de publication pré-originale.

b) Le Visage mort, Paris, Librairie Contemporaine [Tallandier], 22 septembre 1920.

c) Il viso morto (trad. italienne), Florence, Salani, 1927.

d) (trad. néerlandaise), Haarlem, Drukkerrij de Spaanerstad.

● 5. AUBE D'AMOUR

a) Pas de publication pré-originale.

b) Aube d'amour, Paris, Librairie Contemporaine [Tallandier], 27 octobre 1921.

c) Alba d'amore (trad. italienne), Florence, Salani, 1927.

d) (trad. néerlandaise), Haarlem, Drukkerrij de Spaanerstad.

1921. Série Fred Fatal (Cs)

Avec la collaboration anonyme de Frédéric Mauzens pour les n⁰ˢ 2, 3, 4, 5.

● 1. FRED FATAL

a) Pas de publication pré-originale.

b) 1 plaquette *in-12* carré, « Les Romanciers Populaires », 2, Paris, Fayard, octobre 1921.

c) Feuilleton dans *La Gazette de Péronne*, 22 août-14 novembre 1937.

● **2. LE RIVAL ROUGE**

a) Pas de publication pré-originale.

b) 1 plaquette *in-12* carré, « Les Romanciers Populaires », 5, Paris, Fayard, novembre 1921.

c) Feuilleton dans *La Gazette de Péronne*, 14 novembre 1937-3 février 1938 ; *Le Progrès agricole*, Amiens, 8 octobre-24 décembre 1939.

● **3. MOI ET LUI**

a) Pas de publication pré-originale.

b) « Les Romanciers Populaires », 8, Paris, Fayard, décembre 1921.

● **4. DÉFENSE D'AIMER**

a) Pas de publication pré-originale.

b) « Les Romanciers Populaires », 11, Paris, Fayard, janvier 1921.

● **5. CRUELLE ET TENDRE**

a) Pas de publication pré-originale.

b) « Les Romanciers Populaires », 18, Paris, Fayard, février 1922.

● **6. TENDRES AVEUX**

a) « Les Romanciers Populaires », 27, Paris, Fayard, mars 1922.

1921. L'Enjôleuse (S)

Version abrégée et remaniée de *Une garce* écrit en 1913 en collaboration avec Pierre Souvestre.

a) Feuilleton quotidien, 91 parutions dans *L'Éclair*, Paris, 6 septembre-29 décembre 1921.

b) Pas d'édition originale.

1922. Série Les Parias de l'amour (S)

D'après le film en 7 épisodes de Marcel Allain et Paul Garbagni.

● **1. DÉDAIGNÉE**

a) Pas de publication pré-originale.

b) Dédaignée, 1 vol. *in-8*, illustré de photos du film, « Cinéma Bibliothèque », 16, Paris, Tallandier, 19 janvier 1922.

c) A Desdenhada (trad. portugaise), feuilleton quotidien dans *O Seculo*, Lisbonne, à partir du 1er juin 1923.

d) I paria dell'amore : 1 Dispreggiata ! (trad. italienne), Florence, Salani, 1924.

● **2. LA DOULEUR D'AIMER**

a) Pas de publication pré-originale.

b) La Douleur d'aimer, « Cinéma Bibliothèque », 17, Paris, Tallandier, 2 février 1922.

c) A Dor de Amor (trad. portugaise), feuilleton dans *O Seculo*, Lisbonne, 1923.

d) Il dolore d'amore (trad. italienne), Florence, Salani, 1924.

● **3. LE RESPONSABLE**

a) Pas de publication pré-originale.

b) Le Responsable, « Cinéma Bibliothèque », 18, Paris, Tallandier, 16 février 1922.

c) Os Responsaners (trad. portugaise), feuilleton dans *O Seculo*, Lisbonne, 1923.

d) Il responsabile (trad. italienne), Florence, Salani, 1924.

● **4. L'AMOUR PEUT TUER**

a) Pas de publication pré-originale.

b) L'amour peut tuer, « Cinéma Bibliothèque », 19, Paris, Tallandier, 23 février 1922.

c) Amor Pode Matar (trad. portugaise), feuilleton dans *O Seculo*, Lisbonne, 1923.

d) L'amore puo uccidere (trad. italienne), Florence, Salani, 1924.

● 5. CENDRES D'AMOUR

a) Pas de publication pré-originale.

b) Cendres d'amour, « Cinéma Bibliothèque », 20, Paris, Tallandier, 2 mars 1922.

c) Cinzas de Amor (trad. portugaise), feuilleton dans *O Seculo*, Lisbonne, 1923.

d) Ceneri d'amore (trad. italienne), Florence, Salani, 1924.

● 6. LA JOIE D'AIMER

a) Pas de publication pré-originale.

b) La Joie d'aimer, « Cinéma Bibliothèque », 21, Paris, Tallandier, 16 mars 1922.

c) Alegria de Amor (trad. portugaise), feuilleton quotidien dans *O Seculo*, Lisbonne, publication achevée le 24 juillet 1923.

d) La gioia d'amare (trad. italienne), Florence, Salani, 1924.

1922. Fleur des Alpes (S)

Roman inédit de 495 p. dactylographiées. Acheté le 28 avril 1922 à Frédéric Mauzens ; après remaniements, devait paraître sous la seule signature de Marcel Allain.

1922. Un cœur qui bat (S)

a) Pas de publication pré-originale.

b) 1 plaquette *in-12* carré, « Les Romanciers Populaires », 24, Paris, Fayard, 25 juillet 1922.

1922. L'amour est aveugle (S)

a) Pas de publication pré-originale.

b) 1 plaquette *in-12* carré, « Les Romanciers Populaires », 41, Paris, Fayard, 10 novembre 1922.

1922. Mon p'tit (S)

Récit du film Gaumont réalisé par René Plaissetty.

a) In *Les Films chez soi*, 1, Paris, Fayard, 15 novembre 1922.

1922. La Terre qui flambe (signé A. de Sira)

Récit du film réalisé par Murnau.

a) In *Les Films chez soi*, 1, p. 54-95, Paris, Fayard, 15 novembre 1922.

1922. Le Porion (signé René Mantin)

Récit du film Phocéa réalisé par Georges Champavert.

a) In *Les Films chez soi*, 1, p. 97-128, Paris, Fayard, 15 novembre 1922.

1922. La Grande Découverte du professeur Bertold (signé René Mantin)

Récit du film Lombardo-Film réalisé par Charles Krauss.

a) In *Les Films chez soi*, 2, p. 102-128, Paris, Fayard, 15 décembre 1922.

1922. Les Mystères de Paris (C)

Récit du film Phocéa en 12 épisodes réalisé par Charles Burguet d'après le roman d'Eugène Sue.

a) Feuilleton quotidien dans *L'Éclaireur de l'Est*, Reims, 6 octobre-30 décembre 1922 ; *Havre-Éclair*, Le Havre, 12 octobre 1922-6 janvier 1923 ; *Le Petit Troyen*, Troyes, 13 octobre 1922-12 janvier 1923 ; *La Loire Républicaine*, Saint-Étienne, 13 octobre 1922-8 février 1923 ; *Le Progrès de Saône-et-Loire*, Chalon-sur-Saône, 19 octobre 1922-11 janvier 1923 ; *L'Est Républicain*, Nancy, 20 octobre 1922-11 janvier 1923 ; *Le Petit Provençal*, Marseille, 20 octobre 1922-28 février 1923 ; *La Dépêche Algérienne*, Alger, 22 octobre 1922-25 janvier 1923 ; *La Petite Gironde*, Bordeaux, 22 octobre-31 décembre 1922 ; *Le Réveil du Nord*, Lille,

28 octobre 1922-21 janvier 1923 ; *L'Égalité*, Tourcoing, 28 octobre 1922-21 janvier 1923 ; *L'Ouest*, Angers, 29 octobre 1922-28 janvier 1923 ; *Le Phare de la Loire*, Nantes, 30 octobre 1922-31 décembre 1922 ; *Nord Maritime*, Dunkerque, 2 novembre 1922-24 février 1923 ; *Le Petit Haut-Marnais*, Chaumont, 5 novembre 1922-1er février 1923 ; *L'Indépendant des Pyrénées-Orientales*, Perpignan, 5 novembre 1922-19 janvier 1923 ; *La Dépêche de Brest et de l'Ouest*, Brest, 14 novembre 1922-27 janvier 1923 ; *Le Moniteur du Puy-de-Dôme*, Clermont-Ferrand, 14 décembre 1922-25 mars 1923 ; *Le Petit Marocain*, Casablanca, 2 janvier-16 mars 1923 ; *L'Écho du Maroc*, Rabat, 2 janvier-21 mars 1923 ; *La Dépêche Dauphinoise*, Grenoble, 5 janvier-31 mars 1923 ; *Le Grand Écho de l'Aisne*, Saint-Quentin, 20 janvier-28 avril 1923 ; *L'Avenir de l'Yonne*, Sens, 17 février-31 mars 1923 ; *Le Progrès de l'Allier*, Moulins, 1er mars-30 avril 1923 ; ainsi que *L'Express*, Liège, 1923 ; *Midi*, Bruxelles, 1923 ; et *La Moselle Républicaine*, Metz.

b) Pas d'édition originale.

c) Feuilleton mensuel illustré de photos du film in *Les Films chez soi*, 2 à 4, Paris, Fayard, 15 décembre 1922-15 février 1923.

1922. Le Serment (signé du pseudonyme Pierre de Breiz)

Récit du film R.C. Pictures.

a) In *Les Films chez soi*, 2, Paris, Fayard, 15 décembre 1922.

1922/1926. Série Aventures extraordinaires de Riquet, Risquetout et Rirette (SF)

Roman en images pour enfants signé du pseudonyme Joël.

a) Feuilleton hebdomadaire dans *Les Belles Images*, Paris, Fayard. (1er épisode : nos 943-952, 12 octobre-14 décembre 1922 ; 2e épisode : nos 1009-1018, 17 janvier-20 mars 1924 ; 3e épisode : nos 1061-1070, 15 janvier-19 mars 1925 ; 4e épisode : nos 1121-1130, 11 mars-12 mai 1926.)

1923. La Maison du souvenir (signé René Mantin)

Récit d'un film américain non identifié.

a) In *Les Films chez soi*, 3, p. 105-127, Paris, Fayard, 15 janvier 1923.

1923. La Terre du diable (signé Maurice Gillat)

Récit du film français réalisé par Luitz Morat.

a) In *Les Films chez soi*, 4, Paris, Fayard, 15 février 1923. (Maurice Gillat fut jusqu'en février 1914 le chauffeur-mécanicien de P. Souvestre.)

1923. Pour son gosse (signé René Mantin)

Récit de film.

a) In *Les Films chez soi*, 4, p. 104-127, Paris, Fayard, 15 février 1923.

1923. Marie-blé-noir

a) Pas de publication pré-originale.

b) 1 plaquette *in-12*, « Les Romanciers Populaires », Paris, Fayard.

1923. Kid Roberts gentleman du ring (A)

Récit du film Universal en 6 épisodes.

a) Feuilleton quotidien, 25 parutions dans *L'Auto*, Paris, 10 mars-3 avril 1923.

1923. Midinette et nouvelle riche (S)

Avec la collaboration anonyme de Frédéric Mauzens.

a) Pas de publication pré-originale.

b) 1 vol. *in-12*, « Le Livre Populaire », 123, Paris, Fayard.

c) (trad. italienne), feuilleton quotidien dans *Il Mattino*, Naples, 1924.

1923. Vidocq (C) de Marc Mario et Louis Launay.
Édition refondue et abrégée par M. Allain avec la collaboration de Michel Nour.
a) Pas de publication pré-originale.
b) 1 vol. *in-12*, « Le Livre Populaire », 126, Paris, Fayard.

1923. P'tit gars (A)
a) Pas de publication pré-originale.
b) 1 vol. *in-16*, « Le Livre National », série rouge, Paris, Tallandier.

1923. Elle était trop jolie (S)
a) Pas de publication pré-originale.
b) 1 vol. *in-16*, « Le Livre National », série rouge, 389, Paris, Tallandier.

1923. Quand on cherche l'amour
a) Pas de publication pré-originale.
b) 1 vol. *in-16*, « Le Livre National », série rouge, Paris, Tallandier.
c) Quando si cerca l'amore (trad. italienne), Florence, Adriano Salani, 1926.
d) 1 vol. *in-8*, « Les beaux romans dramatiques », 38, Paris, Tallandier, octobre 1933.

1924. Nouvelles Aventures de Kid Roberts (A)
Récit du film Universal en 6 épisodes.
a) Feuilleton quotidien, 42 parutions dans *L'Auto*, Paris, 30 novembre 1923-10 janvier 1924.

1924. Aveugle Amour (S)
a) Pas de publication pré-originale.
b) 1 vol. *in-16*, « Le Livre National », série rouge, 412, Tallandier.

1924. Cœur rouge (S)
a) Pas de publication pré-originale.
b) 1 vol. *in-12*, « Le Livre Populaire », 141, Paris, Fayard.

1924. L'Attaque du courrier de Lyon (H)
a) Pas de publication pré-originale.
b) 1 vol. *in-16*, « Le Livre National », série rouge, 444, Paris, Tallandier.

1924. Le Chevalier Panache (H)
Avec la collaboration anonyme de Pierre Souvestre.
a) Pas de publication pré-originale.
b) 1 vol. *in-16*, « Le Livre National », série rouge, 460, Paris, Tallandier.
c) Feuilleton quotidien dans *L'Express de l'Est*, Épinal, 12 juillet-2 novembre 1934 ; *La Feuille d'Avis*, Neuchâtel, 2 janvier-19 mars 1936.

1924/1925. Série Les Cris de la misère humaine (Cs)
a) Pas de publication pré-originale.
b) 1 vol. grand *in-8*, Paris, Librairie Populaire, Ferenczi. 1. *Les Vaincus de la vie* (juillet 1924) — 2. *Une fille perdue* (août 1924) — 3. *Cœur de vagabond* (septembre 1924) — 4. *Un homme* (octobre 1924) — 5. *Les Sacrifiés* (novembre 1924) — 6. Les Rapaces (février 1924) — 7. *La Pente* (janvier 1925) — 8. *La Fange* (février 1925) — 9. *Une gueuse* (mars 1925) — 10. *La Rue...* (avril 1925) — 11. *Les Vadrouillards* (mai 1925) — 12. *L'Espoir* (juin 1925).
c) Los gritos de la miseria humana (trad. espagnole), fascicules *in-8*, hebdomadaires, Valence, Editorial Guerri, à partir du 22 mai 1926.

1925. Paradis d'amour (S)
a) Pas de publication pré-originale.
b) 1 vol. *in-12*, « Le Livre Populaire », 158, Paris, Fayard, novembre 1925.

1926. Série Fantômas (épisodes 33 à 37). Voir *supra*.

1926. La Surprenante Aventure (...)
a) Feuilleton hebdomadaire illustré par René Giffey dans *Le Pêle-Mêle*, nouvelle série 115-143, Paris, Société Parisienne d'Édition, 2 mai-14 novembre 1926.
b) 1 vol. *in-16*, « Le Livre National », série rouge, 629, Paris, Tallandier, mars 1928.

1926. Le Fils du Sheik (S)
Récit du film Paramount.
a) Feuilleton hebdomadaire dans *Ciné-Miroir*, 110-117, Paris, 15 novembre 1926-3 janvier 1927.

1927. La Soif de vivre (signé du pseudonyme Marcel Sergy)
Récit du film.
a) Feuilleton hebdomadaire dans *Ciné-Miroir*, 119-125, Paris, 1er avril-1er juillet 1927.

1927. Sunya
Récit d'après le film.
a) Feuilleton hebdomadaire dans *Ciné-Miroir*, 125-131, Paris, 1er juillet-1er octobre 1927.

1927. La Brune ou la Blonde ? (signé Marcel Sergy)
Récit du film Paramount.
a) Feuilleton hebdomadaire dans *Ciné-Miroir*, 131-137, Paris, 1er octobre-18 novembre 1927.

1927. Les Millions d'un excentrique
Feuilleton hebdomadaire illustré par Puyplat dans *L'Épatant*, 965-1020, Paris, Société Parisienne d'Édition, 29 janvier 1927-16 février 1928.

1928. Le Coup de foudre
Récit du film.
a) Feuilleton hebdomadaire dans *Ciné-Miroir*, 147-152, Paris, 27 janvier-2 mars 1928.

1928. L'Amour chemine (S)
a) Pas de publication pré-originale.
b) 1 vol. *in-16*, « Le Livre National », série rouge, 618, Paris, Tallandier, février 1928.

1928. La Confession (signé Marcel Sergy)
a) Feuilleton hebdomadaire dans *Ciné-Miroir*, 162-167, Paris, 11 mai-15 juin 1928.

1928. Monsieur Beaucaire
Récit du film Paramount.
a) Feuilleton hebdomadaire dans *Ciné-Miroir*, 172-182, Paris, 20 juillet-28 août 1928.

1928. Caprices (signé Marcel Sergy)
Récit du film.
a) Feuilleton hebdomadaire dans *Ciné-Miroir*, 190 à 196, Paris, 23 novembre 1928-4 janvier 1929.

1928/1949. Série Tigris
● 1. TIGRIS
a) Pas de publication pré-originale.
b) *Tigris*, 1 vol. *in-12*, Paris, Ferenczi, 15 juin 1928.

c) (trad. espagnole), 1 vol., Madrid, Prensa Moderna, novembre 1930.

d) Tigris (trad. allemande de la série par Alexandre Kinn), 1 vol. *in-12* cartonné, Mainz, Schöffer, Verlag, 1932.

e) Tigris (Éd. canadienne), 1 vol. *in-12*, Montmagny, Éditions Marquis, 1ᵉʳ décembre 1947.

f) L'amour pleure, 1ʳᵉ partie du recueil *Tigris,* 1 vol. *in-8,* « Bibliothèque Mystéria », Paris, Ferenczi, mai 1949.

g) Tigris, L'amour pleure, feuilleton hebdomadaire dans *Marius,* Paris, Ventillard, 23 juin-4 août 1956.

h) Tigris, 1 vol. *in-8,* « Rex », 26, Paris, Ventillard, juillet 1957.

● 2. CŒUR DE BANDIT

a) Pas de publication pré-originale.

b) Cœur de bandit, Paris, Ferenczi, 1ᵉʳ juillet 1928.

c) (trad. espagnole), 1 vol., Madrid, Prensa Moderna, novembre 1930.

d) Banditenherz (trad. allemande), Mainz, Schöffer, 1932.

e) Cœur de bandit (Éd. canadienne), Montmagny, Marquis, 15 décembre 1947.

f) Cœur de bandit, 2ᵉ partie du recueil *Tigris,* « Bibliothèque Mystéria », Paris, Ferenczi, mai 1949.

g) Tigris, Cœur de bandit, feuilleton hebdomadaire dans *Marius,* Paris, Ventillard, 11 août-8 septembre 1956.

● 3. AME D'AMOUREUSE

a) Pas de publication pré-originale.

b) Ame d'amoureuse, Paris, Ferenczi, 15 juillet 1928.

c) (trad. espagnole), 1 vol., Madrid, Prensa Moderna, décembre 1930.

d) Liebe und Verbrechen (trad. allemande), Mainz, Schöffer, 1932.

e) Ame d'amoureuse (Éd. canadienne), Montmagny, Marquis, 1ᵉʳ janvier 1948.

f) 1ʳᵉ partie du recueil *Ame d'amoureuse,* « Bibliothèque Mystéria », Paris, Ferenczi, juin 1949.

g) Ame d'amoureuse, « Rex », 28, Paris, Ventillard, août 1957.

● 4. L'AUDIENCE ROUGE

a) Pas de publication pré-originale.

b) L'Audience rouge, Paris, Ferenczi, 1ᵉʳ août 1928.

c) (trad. espagnole), 1 vol., Madrid, Prensa Moderna, décembre 1930.

d) Das rote Gericht (trad. allemande), Mainz, Schöffer, 1932.

e) L'Audience rouge (Éd. canadienne), Montmagny, Marquis, 1948.

f) L'Audience rouge, 1ʳᵉ partie du recueil *Ame d'amoureuse,* « Bibliothèque Mystéria », Paris, Ferenczi, juin 1949.

● 5. RUDE SE VENGE

a) Pas de publication pré-originale.

b) Rude se venge, Paris, Ferenczi, 15 août 1928.

c) (trad. espagnole), 1 vol., Madrid, Prensa Moderna, janvier 1931.

d) Er rächt sicht (trad. allemande), Mainz, Schöffer, 1932.

e) Rude se venge (Éd. canadienne), Montmagny, Marquis, 1948.

f) 1ʳᵉ partie du recueil *Vengeance de Rude,* « Bibliothèque Mystéria », Paris, Ferenczi, juillet 1949.

g) Rude se venge, « Rex », 30, Paris, Ventillard, septembre 1957.

● 6. L'IMPOSSIBLE ALLIANCE

a) Pas de publication pré-originale.

b) L'Impossible Alliance, Paris, Ferenczi, 1ᵉʳ septembre 1928.

c) L'Impossible Alliance (Éd. canadienne), Montmagny, Marquis, 1948.

d) L'Impossible Alliance, 2ᵉ partie du recueil *Vengeance de Rude,* « Bibliothèque Mystéria », Paris, Ferenczi, juillet 1949.

e) L'Impossible Alliance, « Rex », 32, Paris, Ventillard, octobre 1957.

● 7. LA DAME EN VIOLET

a) Pas de publication pré-originale.

b) La Dame en violet, Paris, Ferenczi, 15 septembre 1928.

c) La Dame en violet (Éd. canadienne), Montmagny, Marquis, 1948.

d) Le Valet de cœur, 2ᵉ partie du recueil *Le Valet de cœur*, « Bibliothèque Mystéria », Paris, Ferenczi, septembre 1949.

e) La Dame en violet, « Rex », 34, Paris, Ventillard, novembre 1957.

● 8. L'HOMME AU MASQUE DE VERRE

a) Pas de publication pré-originale.

b) L'Homme au masque de verre, Paris, Ferenczi, 1ᵉʳ octobre 1928.

c) L'Homme au masque de verre (Éd. canadienne), Montmagny, Marquis, 1948.

d) L'Homme au masque de verre, 2ᵉ partie du recueil *Le Valet de cœur*, « Bibliothèque Mystéria », Paris, Ferenczi, septembre 1949.

e) L'Homme au masque de verre, « Rex », 36, Paris, Ventillard, décembre 1957.

● 9. QUI ?

a) Pas de publication pré-originale.

b) Qui ?, Paris, Ferenczi, 15 octobre 1927.

c) Qui ? (Éd. canadienne), Montmagny, Marquis, 1948.

d) Qui ?, 1ʳᵉ partie du recueil *Une Sainte*, « Bibliothèque Mystéria », Paris, Ferenczi, octobre 1949.

e) Qui ?, « Rex », 38, Paris, Ventillard, janvier 1958.

● 10. UNE SAINTE

a) Pas de publication pré-originale.

b) Une sainte, Paris, Ferenczi, 1ᵉʳ novembre 1928.

c) Une sainte (Éd. canadienne), Montmagny, Marquis, 1948.

d) Une sainte, 2ᵉ partie du recueil *Une Sainte*, « Bibliothèque Mystéria », Paris, Ferenczi, octobre 1949.

e) Une sainte, « Rex », 40, Paris, Ventillard, février 1958.

● 11. CRIME DE FEMME

a) Pas de publication pré-originale.

b) Crime de femme, Paris, Ferenczi, 15 décembre 1928.

c) Crime de femme (Éd. canadienne), Montmagny, Marquis, 1948.

d) Crime de femme, 1ʳᵉ partie du recueil *Crime de femme*, « Bibliothèque Mystéria », Paris, Ferenczi, novembre 1949.

e) Crime de femme, « Rex », 42, Paris, Ventillard, mars 1958.

● 12. LE MARIAGE DE LÉON RUDE

a) Pas de publication pré-originale.

b) Le Mariage de Léon Rude, Paris, Ferenczi, 15 janvier 1929.

c) Le Mariage de Léon Rude (Éd. canadienne), Montmagny, Marquis, 1948.

d) Le Mariage de Léon Rude, 2ᵉ partie du recueil *Crime de femme*, « Bibliothèque Mystéria », Paris, Ferenczi, novembre 1949.

e) Crime de femme, « Rex », 44, Paris, Ventillard, avril 1958.

● 13. MATRICULE 227

a) Pas de publication pré-originale.

b) Matricule 227, Paris, Ferenczi, 15 février 1929.

c) Matricule 227 (Éd. canadienne), Montmagny, Marquis, 1948.

d) Matricule 227, 1ʳᵉ partie du recueil *Forçat de l'amour*, « Bibliothèque Mystéria », Paris, Ferenczi, décembre 1949.

e) Matricule 227, « Rex », 46, Paris, Ventillard, mai 1958.

● 14. HAUT ET COURT !
a) Pas de publication pré-originale.
b) Haut et court !, Paris, Ferenczi, 15 mars 1929.
c) Haut et court ! (Éd. canadienne), Montmagny, Marquis, 1948.
d) Haut et court !, « Rex », 48, Paris, Ventillard, juin 1958.

● 15. LE FANTÔME ROUGE
a) Pas de publication pré-originale.
b) Le Fantôme rouge, Paris, Ferenczi, 15 avril 1929.
c) Le Fantôme rouge (Éd. canadienne), Montmagny, Marquis, 1948.

● 16. LE TROISIÈME SQUELETTE
a) Pas de publication pré-originale.
b) Le Troisième Squelette, Paris, Ferenczi, 15 mai 1929.
c) Le Troisième Squelette (Éd. canadienne), Montmagny, Marquis, 1948.

● 17. LA ROULOTTE MAUDITE
a) Pas de publication pré-originale.
b) La Roulotte maudite, Paris, Ferenczi, 15 juin 1929.
c) La Roulotte maudite (Éd. canadienne), Montmagny, Marquis, 1948.

● 18. CRUCIFIÉE
a) Pas de publication pré-originale.
b) Crucifiée, Paris, Ferenczi, 15 juillet 1929.
c) Crucifiée (Éd. canadienne), Montmagny, Marquis, 1947.

● 19. VOLONTÉ D'ALTESSE
a) Pas de publication pré-originale.
b) Volonté d'altesse, Paris, Ferenczi, 15 août 1929.
c) Volonté d'altesse (Éd. canadienne), Montmagny, Marquis, 1948.

● 20. L'HOMME NOIR
a) Pas de publication pré-originale.
b) L'Homme noir, Paris, Ferenczi, 15 septembre 1929.
c) L'Homme noir (Éd. canadienne), Montmagny, Marquis, 1948.

● 21. VILLA DES GLYCINES
a) Pas de publication pré-originale.
b) Villa des Glycines, Paris, Ferenczi, 15 octobre 1929.
c) Villa des Glycines (Éd. canadienne), Montmagny, Marquis, 1948.

● 22. L'INSTANT TRAGIQUE
a) Pas de publication pré-originale.
b) L'Instant tragique, Paris, Ferenczi, 15 novembre 1929.
c) L'Instant tragique (Éd. canadienne), Montmagny, Marquis, 1948.

● 23. LE FOSSOYEUR DE MINUIT
a) Pas de publication pré-originale.
b) Le Fossoyeur de minuit, Paris, Ferenczi, 15 décembre 1929.
c) Le Fossoyeur de minuit (Éd. canadienne), Montmagny, Marquis, 1948.

● 24. LE GARAGE ROUGE
a) Pas de publication pré-originale.
b) Le Garage rouge, Paris, Ferenczi, 15 janvier 1930.
c) Le Garage rouge (Éd. canadienne), Montmagny, Marquis, 1948.
d) Le Garage rouge, 2e partie du recueil *Le Forçat de l'amour*, « Bibliothèque Mystéria », Paris, Ferenczi, décembre 1949.

● 25. TIGRIS VAINCU ?
a) Pas de publication pré-originale.
b) Tigris vaincu ?, Paris, Ferenczi, 15 février 1930.
c) Tigris vaincu ? (Éd. canadienne), Montmagny, Marquis, 1948.

d) Tigris vaincu ?, 1re partie du recueil *Si c'était Tigris ?*, « Bibliothèque Mystéria », Paris, Ferenczi, janvier 1950.

● **26. ... ET SI C'ÉTAIT TIGRIS ?**

a) ... Et si c'était Tigris ?, feuilleton quotidien dans *Ce soir*, Paris, 4 novembre 1948-9 janvier 1949.

b) Si c'était Tigris ?, 2e partie du recueil *Si c'était Tigris ?*, « Bibliothèque Mystéria », Paris, Ferenczi, janvier 1950.

1929. Quelle nuit !
Récit du film Paramount de Edward Sutherland.

a) Feuilleton hebdomadaire dans *Ciné-Miroir*, 225-234, Paris, 26 juillet-29 septembre 1929.

1929. Madame l'ambassadeur (signé Marcel Sergy)
Récit du film Société des Cinéromans.

a) Feuilleton hebdomadaire dans *Ciné-Miroir*, 235-242, Paris, 4 octobre-22 novembre 1929.

1930. L'Heure d'aimer (S)
a) Version écourtée in *Les Œuvres Libres*, 109, Paris, Fayard, juillet 1930.

b) 1 vol. *in-12*, « L'Épervier », 12, Paris, Éd. de la Nouvelle Revue Critique, 1931.

1930. L'Intruse (S)
Récit du film United Artists.

a) Feuilleton hebdomadaire dans *Ciné-Miroir*, 295-308, Paris, 28 novembre 1930-20 février 1931.

1930. Lambda 9 CM 48 (SF)
En collaboration avec Roger Darman.

a) Feuilleton dans un périodique non identifié.

1930-1931. Série Fatala
● 1. FATALA

a) Pas de publication pré-originale.

b) Fatala, 1 vol. *in-16*, Paris, Ferenczi, 15 avril 1930.

c) Fatala (trad. italienne), « I romanzi rossi », 1, Florence, R. Bemporad e figlio, 1933.

d) (trad. espagnole), Barcelone, Casa Editorial Vecchi, 1934.

e) Fatala (Éd. canadienne), 2 vol. *in-16*, « Coll. du Progrès », série Police, 19-20, Rivière des Prairies, Éd. Paris-Tour Eiffel, 1951.

● 2. LA GOULE AUX CHEVEUX D'OR

a) Pas de publication pré-originale.

b) Fatala, Paris, Ferenczi, 1er mai 1930.

c) Il vampiro ai cappelli d'oro (trad. italienne), « I romanzi rossi », 2, Florence, Bemporad, 1933.

d) (trad. espagnole), Barcelone, Vecchi, 1934.

e) La Goule aux cheveux d'or (Éd. canadienne), 2 vol., « Coll. du Progrès », série Amour, 50-51, Rivière des Prairies, Éd. Paris-Tour Eiffel, 1951.

● 3. BÉBERT LE COSTAUD

a) Pas de publication pré-originale.

b) Bébert le costaud, Paris, Ferenczi, 15 mai 1930.

c) Bébert il forte (trad. italienne), « I romanzi rossi », 3, Florence, Bemporad, 1933.

d) (trad. espagnole), Barcelone, Vecchi.

e) Bébert le costaud (Éd. canadienne), 2 vol., « Coll. du Progrès », série Police, 23-24, Rivière des Prairies, Éd. Paris-Tour Eiffel, 1951.

● 4. MEURTRIÈRE ?

a) Pas de publication pré-originale.

b) Meurtrière ?, Paris, Ferenczi, 1er juin 1930.

c) Assassina ? (trad. italienne), « I romanzi rossi », 4, Florence, Bemporad, 1933.

d) Meurtrière ? (Éd. canadienne), 2 vol., « Coll. du Progrès », série Police, 25-26, Rivière des Prairies, Éd. Paris-Tour Eiffel, 1951.

● 5. LES MORTS VIVANTS

a) Pas de publication pré-originale.

b) Les Morts vivants, Paris, Ferenczi, 15 juin 1930.

c) I morti viventi (trad. italienne), « I romanzi rossi », 5, Florence, Bemporad, 1933.

d) Les Morts vivants (Éd. canadienne), « Coll. du Progrès », série Police, 27-28, Rivière des Prairies, Éd. Paris-Tour Eiffel, 1951.

● 6. UN ANGE

a) Pas de publication pré-originale.

b) Un ange, Paris, Ferenczi, 1er juillet 1930.

c) Un angelo (trad. italienne), « I romanzi rossi », 6, Florence, Bemporad, 1933.

d) Un ange (Éd. canadienne), 2 vol., « Coll. du Progrès », série Police, 29-30, Rivière des Prairies, Éd. Paris-Tour Eiffel, 1951.

● 7. MASQUÉE

a) Pas de publication pré-originale.

b) Masquée !, Paris, Ferenczi, 15 juillet 1930.

c) La donna mascherata (trad. italienne), « I romanzi rossi », 7, Florence, Bemporad, 1933.

d) Masquée ! (Éd. canadienne), 2 vol., « Coll. du Progrès », série Police, 31-32, Rivière des Prairies, Éd. Paris-Tour Eiffel, 1951.

● 8. L'AUTRE

a) Pas de publication pré-originale.

b) L'Autre, Paris, Ferenczi, 1er août 1930.

c) L'Altra (trad. italienne), « I romanzi rossi », 8, Florence, Bemporad, 1934.

d) L'Autre (Éd. canadienne), 2 vol., « Coll. du Progrès », série Police, 33-34, Rivière des Prairies, Éd. Paris-Tour Eiffel, 1951.

● 9. L'ESCLAVE

a) Pas de publication pré-originale.

b) L'Esclave, Paris, Ferenczi, 15 août 1930.

c) Il braccialetto a schiava (trad. italienne), « I romanzi rossi », 9, Florence, Bemporad, 1934.

d) L'Esclave (Éd. canadienne), 2 vol., « Coll. du Progrès », série Police, 35-36, Rivière des Prairies, Éd. Paris-Tour Eiffel, 1951.

● 10. JÉSUS... BEAU GOSSE !...

a) Pas de publication pré-originale.

b) Jésus... beau gosse !, Paris, Ferenczi, 1er septembre 1930.

c) Il bel ragazzo (trad. italienne), « I romanzi rossi », 10, Florence, Bemporad, 1934.

d) Beau-gosse (Éd. canadienne), 2 vol., « Coll. du Progrès », série Police, 37-38, Rivière des Prairies, Éd. Paris-Tour Eiffel, 1951.

● 11. PARTIE !...

a) Pas de publication pré-originale.

b) Partie !..., Paris, Ferenczi, 15 septembre 1930.

c) Fuggita ! (trad. italienne), « I romanzi rossi », 11, Florence, Bemporad, 1934.

d) Partie ! (Éd. canadienne), 2 vol., « Coll. du Progrès », série Police, 39-40, Rivière des Prairies, Éd. Paris-Tour Eiffel, 27 octobre-3 novembre 1951.

● 12. ELLE !...
a) Pas de publication pré-originale.
b) Elle !... Paris, Ferenczi, 1ᵉʳ octobre 1930.
c) Lei ! (trad. italienne), « I romanzi rossi », 12, Florence, Bemporad, 1934.
d) Elle !... (Éd. canadienne), 2 vol., « Coll. du Progrès », série Police, 41-42, Rivière des Prairies, Éd. Paris-Tour Eiffel, 10 et 17 novembre 1951.

● 13. L'ŒILLET ROUGE
a) Pas de publication pré-originale.
b) L'Œillet rouge, Paris, Ferenczi, 15 octobre 1930.
c) Il garofano rosso (trad. italienne), « I romanzi rossi », 13, Florence, Bemporad, 1935.
d) L'Œillet rouge (Éd. canadienne), 2 vol., « Coll. du Progrès », série Police, 43-44, Rivière des Prairies, Éd. Paris-Tour Eiffel, 25 novembre et 2 décembre 1915.

● 14. MAUDITE !
a) Pas de publication pré-originale.
b) Maudite !, Paris, Ferenczi, 1ᵉʳ novembre 1930.
c) Maledetta ! (trad. italienne), « I romanzi rossi », 14, Florence, Bemporad, 1935.
d) Maudite ! (Éd. canadienne), 2 vol., « Coll. du Progrès », série Police, 45-46, Rivière des Prairies, Éd. Paris-Tour Eiffel, 8 et 15 décembre 1951.

● 15. BRELAN DE HAINES !
a) Pas de publication pré-originale.
b) Brelan de haines !, Paris, Ferenczi, 15 novembre 1930.
c) (trad. italienne), « I romanzi rossi », 15, Florence, Bemporad, 1935.
d) Brelan de haines ! (Éd. canadienne), 2 vol., « Coll. du Progrès », série Police, 47-48, Rivière des Prairies, Éd. Paris-Tour Eiffel.

● 16. POUPÉE D'AMOUR
a) Pas de publication pré-originale.
b) Poupée d'amour !, Paris, Ferenczi, 1ᵉʳ décembre 1930.
c) Bambola d'amore (trad. italienne), « I romanzi rossi », 16, Florence, Bemporad, 1935.
d) Poupée d'amour (Éd. canadienne), 2 vol., « Coll. du Progrès », série Police, 49-50, Rivière des Prairies, Éd. Paris-Tour Eiffel, 5 et 12 janvier 1952.

● 17. SECRET DE FEMME !
a) Pas de publication pré-originale.
b) Secret de femme !, Paris, Ferenczi, 15 décembre 1930.
c) Secret de femme ! (Éd. canadienne), 2 vol, « Coll. du Progrès », série Police, 51-52, Rivière des Prairies, Éd. Paris-Tour Eiffel, 19 et 26 janvier 1952.

● 18. PEUR !
a) Pas de publication pré-originale.
b) Peur !, Paris, Ferenczi, 1ᵉʳ janvier 1931.
c) Peur ! (Éd. canadienne), 2 vol., « Coll. du Progrès », série Police, 53-54, Rivière des Prairies, Éd. Paris-Tour Eiffel, 1952.

● 19. MIDINETTE ?...
a) Pas de publication pré-originale.
b) Midinette ?, Paris, Ferenczi, 15 janvier 1931.
c) Midinette ? (Éd. canadienne), 2 vol., « Coll. du Progrès », série Police, 55-56, Rivière des Prairies, Éd. Paris-Tour Eiffel, 1952.

- 20. COMPLICE !...
  a) Pas de publication pré-originale.
  b) *Complice !*, Paris, Ferenczi, 1er février 1931.
  c) *Complice !* (Éd. canadienne), 2 vol., « Coll. du Progrès », série Police, 57-58, Éd. Paris-Tour Eiffel, 1952.
- 21. ENFER D'AMOUR !
  a) Pas de publication pré-originale.
  b) *Enfer d'amour !*, Paris, Ferenczi, 15 février 1931.
  c) *Enfer d'amour !* (Éd. canadienne), 2 vol. « Coll. du Progrès », série Police, 59-60, Rivière des Prairies, Éd. Paris-Tour Eiffel, 1952.
- 22. NOTRE MAÎTRE !
  a) Pas de publication pré-originale.
  b) *Notre maître !*, Paris, Ferenczi, 1er mars 1931.
  c) *Notre maître !* (Éd. canadienne), 2 vol., « Coll. du Progrès », série Police, 61-62, Rivière des Prairies, Éd. Paris-Tour Eiffel, 1952.

1931. Série Miss Teria

- 1. MISS TERIA
  a) Pas de publication pré-originale.
  b) *Miss Teria*, 1 vol. *in-16*, Paris, Ferenczi, 15 mars 1931.
  c) *Miss Teria*, feuilleton quotidien dans *Marseille Libre*, Marseille, 25 novembre-28 décembre 1934.
  d) *Miss Teria* (Éd. canadienne), 1 vol. *in-12* carré, Montmagny, Éd. Marquis, février 1946.
- 2. DU SANG SUR UNE FLEUR
  a) Pas de publication pré-originale.
  b) *Du sang sur une fleur*, Paris, Ferenczi, 1er avril 1931.
  c) *Miss Teria*, 2e partie, feuilleton quotidien dans *Marseille Libre*, Marseille, 29 décembre 1934-1er février 1935.
  d) *Du sang sur une fleur* (Éd. canadienne), Montmagny, Marquis, mars 1946.
- 3. SON HOMME
  a) Pas de publication pré-originale.
  b) *Son homme*, Paris, Ferenczi, 15 avril 1931.
  c) *Son homme* (Éd. canadienne), Montmagny, Marquis, avril 1946.
- 4. GOSSE DE GOSSE !
  a) Pas de publication pré-originale.
  b) *Gosse de gosse !*, Paris, Ferenczi, 1er mai 1931.
  c) *Gosse de gosse !* (Éd. canadienne), Montmagny, Marquis, mai 1946.
- 5. UNE DU TROTTOIR
  a) Pas de publication pré-originale.
  b) *Une du trottoir*, Paris, Ferenczi, 15 mai 1931.
  c) *Une du trottoir* (Éd. canadienne), Montmagny, Marquis, juin 1946.
- 6. JE VOUS EN PRIE
  a) Pas de publication pré-originale.
  b) *Je vous en prie...*, Paris, Ferenczi, 1er juin 1931.
  c) *Je vous en prie...* (Éd. canadienne), Montmagny, Marquis, juillet 1946.
- 7. SON ALTESSE !
  a) Pas de publication pré-originale.
  b) *Son Altesse !*, Paris, Ferenczi, 15 juin 1931.
  c) *Son Altesse !* (Éd. canadienne), Montmagny, Marquis, août 1946.
- 8. SOUS L'OMBRELLE
  a) Pas de publication pré-originale.
  b) *Sous l'ombrelle*, Paris, Ferenczi, 1er juillet 1931.
  c) *Sous l'ombrelle* (Éd. canadienne), Montmagny, marquis, août 1946.

- 9. LE POISON DES LÈVRES
  a) Pas de publication pré-originale.
  b) Le Poison des lèvres, Paris, Ferenczi, 15 juillet 1931.
  c) Le Poison des lèvres (Éd. canadienne), Montmagny, Marquis, septembre 1946.
- 10. COQUETTE ?
  a) Pas de publication pré-originale.
  b) Coquette ?, Paris, Ferenczi, 1er août 1931.
  c) Coquette ? (Éd. canadienne), Montmagny, Marquis, septembre 1946.
- 11. VENDUE
  a) Pas de publication pré-originale.
  b) Vendue, Paris, Ferenczi, 15 août 1931.
  c) Vendue (Éd. canadienne), Montmagny, Marquis, octobre 1946.
- 12. LES YEUX QUI MEURENT
  a) Pas de publication pré-originale.
  b) Les Yeux qui meurent, Paris, Ferenczi, 1er septembre 1931.
  c) Les Yeux qui meurent, (Éd. canadienne), Montmagny, Marquis, octobre 1946.

1932. Cœur torturé (S)
a) Feuilleton quotidien, 75 parutions dans *Le Petit Journal*, Paris, 17 décembre 1932-2 mars 1933 ; *La Dépêche de l'Ouest*, Brest, 23 avril-6 juin 1933 ; et autres journaux non identifiés.
b) 1 vol. *in-12*, « Le Livre Populaire », 336, Paris, Fayard, décembre 1936.

1932/1933. Série Dix Heures d'angoisse (avec le détective Benoit Turpin.)
- 1. CRIME D'AMOUR
  a) Pas de publication pré-originale.
  b) Crime d'amour, 1 vol. *in-12* carré, couv. photographique, Paris, Ferenczi, 15 avril 1932.
  c) Crime d'amour, 1 vol. *in-18*, « Crime et Police », 61, Paris, Ferenczi, juin 1934.
  d) (trad. italienne), Florence, R. Bemporad e figlio.
- 2. LUI OU ELLE
  a) Pas de publication pré-originale.
  b) Lui ou elle, Paris, Ferenczi, 15 mai 1932.
  c) Lui ou elle, « Crime et Police », 57, Paris, Ferenczi, mai 1934.
  d) (trad. italienne), Florence, R. Bemporad.
- 3. DEUX BLONDES
  a) Pas de publication pré-originale.
  b) Deux Blondes, Paris, Ferenczi, 15 juin 1932.
  c) Deux Blondes, « Crime et Police », 38, Paris, Ferenczi, décembre 1933.
  d) Deux Blondes, « Le Verrou », 12, Paris, Ferenczi, 1951.
- 4. CE N'EST PAS LUI
  a) Pas de publication pré-originale.
  b) Ce n'est pas lui, Paris, Ferenczi, 15 juillet 1932.
  c) Ce n'est pas lui, « Crime et Police », 29, Paris, Ferenczi, octobre 1933.
  d) Ce n'est pas lui, « Le Verrou », 24, Paris, Ferenczi, 1951.
- 5. VILAINE HISTOIRE
  a) Pas de publication pré-originale.
  b) Vilaine Histoire, Paris, Ferenczi, 15 août 1932.
  c) Vilaine Histoire, « Crime et Police », 49, Paris, mars 1934.
  d) Vilaine Histoire, « Le Verrou », 5, Paris, Ferenczi, 1950.
- 6. LE CLIENT DU NUMÉRO 16
  a) Pas de publication pré-originale.
  b) Le Client du numéro 16, Paris, Ferenczi, 15 septembre 1932.

c) Le Client du numéro 16, « Crime et Police », 36, Paris, Ferenczi, novembre 1933.

- 7. TORTURE
  a) Pas de publication pré-originale.
  b) Torture, Paris, Ferenczi, 15 octobre 1932.
  c) Torture, « Crime et Police », 65, Paris, Ferenczi, juillet 1934.
  d) Torture, « Le Verrou », 4, Paris, Ferenczi, 1950.
- 8. L'ATROCE MENACE
  a) Pas de publication pré-originale.
  b) L'Atroce Menace, Paris, Ferenczi, 15 novembre 1932.
  c) L'Atroce Menace, « Crime et Police », 45, Paris, Ferenczi, février 1934.
- 9. L'EMPREINTE SANGLANTE
  a) Pas de publication pré-originale.
  b) L'Empreinte sanglante, Paris, Ferenczi, 15 décembre 1932.
  c) L'Empreinte sanglante, « Crime et Police », 42, Paris, Ferenczi, janvier 1934.
- 10. LE PIÈGE A HOMME
  a) Pas de publication pré-originale.
  b) Le Piège à homme, Paris, Ferenczi, 15 janvier 1933.
  c) Le Piège à homme, « Crime et Police », 73, Paris, Ferenczi, septembre 1934.
  d) Le Piège à homme (Éd. canadienne), « Coll. du Progrès », série Police, 9, Rivière des Prairies, Éd. Paris-Tour Eiffel, 23 octobre 1950.
- 11. UN CRIME DE MINUIT
  a) Pas de publication pré-originale.
  b) Un crime de minuit, Paris, Ferenczi, 15 février 1933.
  c) Un crime de minuit, « Crime et Police », 69, Paris, Ferenczi, août 1934.
- 12. PERFIDIE
  a) Pas de publication pré-originale.
  b) Perfidie, Paris, Ferenczi, 15 mars 1933.
  c) Perfidie, « Crime et Police », 53, Paris, Ferenczi, avril 1934.

1933. L'Affaire Lempoigne (C)
In *Police et Reportage* (hebdo), 16, Paris, Ferenczi, 1er juin 1933.

1933. Ferôcias (C)
a) 20 fascicules bi-hebdomadaires *in-4* (sans titres) illustrés de photos de Henri Manuel, Paris, Ferenczi, 20 juin-22 août 1933.
b) 2 vol. *in-16* (1. *Férôcias* — 2. *Le prix du sang*), Paris, Société d'Éditions Littéraires Françaises, 1946.

1933. Série Fantômas (épisode 38), cf. *supra*.

1934. Une femme tragique (C)
a) Pas de publication pré-originale.
b) 1 vol. *in-12*, Coll. « Les Rapaces », Paris, Librairie des Champs-Élysées, 1er février 1934.
c) Feuilleton quotidien dans *Le Populaire*, Nantes, 28 juillet-3 septembre 1938.

1934. Série Fantômas (épisode 39), cf. *supra*.

1935. Madame X... Femme honnête
Roman inédit de 166 pages dactylographiées achevé le 23 mars 1935. A été incorporé dans *Un enfer d'amour* [Ventillard, 1956] dont il forme les pages 19-93.

1935. Le Pêcheur d'âmes (S)
a) Feuilleton quotidien, 115 parutions dans *Le Petit Journal*, Paris, 29 septembre 1935-22 janvier 1936 ; *Le Petit Var*, Toulon, 17 mars-12 juillet 1936 ; *Le Petit Niçois*, Nice, 31 mai-29 septembre 1936 ; *Lyon-Républicain*, Lyon, 15 février-

31 juillet 1937 ; *L'Indépendant des Basses-Pyrénées*, Pau, 24 novembre 1937-26 mars 1938 ; *L'Est Républicain*, Nancy, 20 novembre 1937-19 février 1938.

1935. Série Fantômas (épisode 40), cf. *supra*.

1936. Monsieur Personne (C)

a) Feuilleton quotidien dans *Le Matin Charentais* [1], Angoulême, 1er octobre-12 décembre 1936 ; *Bastia-Journal*, Bastia, 1er octobre-22 novembre 1936, *Le Courrier de Bayonne* [1], Bayonne, 1er octobre-20 décembre 1936 ; *Cherbourg-Éclair*, Cherbourg, 2 octobre-26 novembre 1936 ; *Le Réveil de la Manche*, Cherbourg, 3 octobre-30 novembre 1936 ; *Le Républicain du Gard* [1], Nîmes, 3 octobre-18 décembre 1936 ; *Le Petit Havre*, Le Havre, 4 octobre-2 décembre 1936 ; *Le Courrier de Saône-et-Loire*, Chalon-sur-Saône, 4 octobre-1er décembre 1936 ; *L'Éclaireur de l'Est*, Reims, 4 octobre-28 novembre 1936 ; *Le Petit Courrier*, Angers, 4 octobre-2 décembre 1936 ; *Le Journal de l'Ouest et du Centre* [1], Poitiers, 5 octobre-21 décembre 1936 ; *La Dépêche de Brest et de l'Ouest*, Brest, 5 octobre-14 novembre 1936 ; *La Touraine Républicaine* [1], Tours, 7 octobre-15 décembre 1936 ; *La France du Centre*, Orléans, 8 octobre-30 novembre 1936 ; *Le Département de l'Indre*, Châteauroux, 10 octobre-30 novembre 1936 ; *L'Express de l'Est*, Épinal, 11 octobre-8 décembre 1936 ; *Le Populaire du Centre*, Limoges, 13 octobre-4 décembre 1936, *L'Indépendant des Basses-Pyrénées* [1], 16 octobre 1936-1er janvier 1937 ; *Le Journal...*, Caen, 16 octobre-4 décembre 1936 ; *Le Midi Socialiste* [1], Toulouse, 17 octobre 1936-16 janvier 1937 ; *L'Éclaireur de Nice et du Sud-Est*, Nice, 20 octobre-30 novembre 1937 ; *Lyon-Soir* [1], 20 octobre 1936-16 janvier 1937 ; *La France de l'Est* [1], Mulhouse, 20 octobre-28 décembre 1936 ; *Le Populaire de Nantes*, Nantes, 29 octobre-19 décembre 1936 ; *Le Nord Maritime*, Dunkerque, 1er novembre-22 décembre 1936 ; *Le Réveil du Nord*, Lille, 19 novembre-22 décembre 1936 ; *L'Égalité*, Tourcoing, 19 novembre-22 décembre 1936 ; *Le Petit Calaisien* [1], Calais, 25 novembre 1936-11 février 1937 ; *La Dépêche de Rouen et de Normandie*, Rouen, 30 novembre 1936-21 janvier 1937 ; *La République de l'Est*, Besançon, 3 décembre 1936-30 janvier 1937 ; *La Petite Gironde*, Bordeaux, 6 décembre 1936-17 janvier 1937 ; *Le Petit Marseillais*, Marseille, 7 décembre 1936-2 février 1937 ; *Le Régional de l'Ouest*, Le Mans, 10 décembre 1936-1er février 1937 ; *La Sarthe du Matin*, Le Mans, 10 décembre 1936-1er février 1937 ; *L'Indépendant des Pyrénées-Orientales*, Perpignan, 15 décembre 1936-28 janvier 1937 ; *La Loire Républicaine* [1], Saint-Étienne, 16 décembre 1936-17 mars 1937 ; *Le Progrès de la Somme*, Amiens, 26 décembre 1936-17 février 1937 ; *Le Moniteur du Puy-de-Dôme* [1], Clermont-Ferrand, 3 janvier-10 mars 1937 ; *Les Dernières Nouvelles d'Alsace*, Strasbourg, 13 janvier-10 mars 1937 ; *Paris-Centre*, Nevers, 15 janvier-3 mars 1937 ; *La Tribune de l'Aube* [1], 17 janvier-11 avril 1937 ; *Le Progrès de l'Allier*, Moulins, 20 janvier-13 mars 1937 ; *La Dépêche de Constantine*, Constantine, 26 janvier-18 mars 1937 ; *La Dépêche Algérienne*, Alger, 28 janvier-11 mars 1937 ; *La Dépêche Tunisienne*, Tunis, 28 janvier-21 mars 1937 ; *L'Impartial...*, Dieppe, 14 février-7 mars 1937 ; *Le Messin*, Metz, 27 février-1er avril 1937 ; *La Vigie Marocaine*, Casablanca, 3 mars-15 avril 1937 ; *Oran-Matin*, Oran, 7 mars-9 mai 1937 ; *Le Démocrate...*, Coulommiers, 3 avril-8 mai 1937 ; *La Presse de Montréal*, Montréal, 10 novembre-24 décembre 1937 ; *Le Petit Var*, Toulon, 10 décembre 1937-5 février 1938 ; *L'Avenir de la Vienne et de l'Ouest*, Poitiers, 6 janvier-6 mars 1939 ; ainsi que *La Dépêche d'Eure-et-Loir* ; *Le Sud-Est*, Valence ; *Le Petit Haut-Marnais*, Chaumont ; *La Mayenne*.

---

1. Journaux ayant publié une version longue (environ 77 feuilletons) au lieu de la version courte (environ 59 feuilletons).

b) 1 vol. *in-12*, « La Technique du livre », Baudinière, Paris, 1937.

c) Herr Niemand (trad. allemande), feuilleton quotidien dans *Mulhouser Tagblatt*, Belfort, 1937.

1937/1938. Série Les Drames ignorés (G)

● 1. LES DRAMES IGNORÉS
a) Pas de publication pré-originale.
b) 1 vol. *in-12*, coll. « Loisirs-Mystères », Paris, Éd. des Loisirs, 5 novembre 1937.

● 2. MARTYRE
a) Pas de publication pré-originale.
b) 1 vol. *in-12*, « Loisirs-Mystères », Paris, Éd. des Loisirs, 5 décembre 1937.

● 3. L'ENNEMI CHÉRI...
a) Pas de publication pré-originale.
b) 1 vol. *in-12*, « Loisirs-Mystères », Paris, Éd. des Loisirs, 5 janvier 1938.

● 4. VAMP !
a) Pas de publication pré-originale.
b) 1 vol. *in-12*, « Loisirs-Mystères », Paris, Éd. des Loisirs, 5 février 1938.
c) 1 vol. *in-12*, Éd. R. Simon, vers 1941.

● 5. L'HOMME A LA TÊTE COUPÉE
Roman adapté du feuilleton radiophonique du même auteur, diffusé par Radio-Cité du 28 décembre 1935 au 5 février 1936.
a) Pas de publication pré-originale.
b) 1 vol. *in-12*, « Loisirs-Mystères », Paris, Éd. des Loisirs, 5 mars 1938.

● 6. UNE FEMME PASSA
a) Pas de publication pré-originale.
b) 1 vol. *in-12*, « Loisirs-Mystères », Paris, Éd. des Loisirs, 15 avril 1938.

1938. Jusqu'à l'honneur (A)

a) Feuilleton quotidien, 75 parutions dans *Le Petit Journal*, Paris, 2 mars-16 mai 1938 ; *Le Petit Niçois*, Nice, 26 juin-23 septembre 1938 ; *La Sarthe*, Le Mans, 1er juillet-29 septembre 1938 ; *Le Petit Var*, Toulon, 20 août-2 novembre 1938 ; *Lyon-Républicain*, Lyon, 29 mai-31 juillet 1939 ; *La Loire Républicaine*, Saint-Étienne, 1er juin 1940-30 avril 1941.
b) 1 vol. *in-12*, « Loisirs-Aventures », Paris, Éd. des Loisirs, septembre 1938.

1938. Sur la piste (A)

a) Feuilleton quotidien, 44 parutions dans *Le Petit Journal*, Paris, 22 avril-4 juin 1938 ; *Le Petit Niçois*, Nice, 30 novembre 1938-15 février 1939 ; *La Sarthe*, Le Mans, 2 décembre 1938-4 février 1939 ; *Le Petit Var*, Toulon, 24 avril-8 juillet 1939 ; *Liberté du Sud-Ouest*, Bordeaux, novembre 1941-2 février 1942.
b) 1 vol. *in-12*, « Loisirs-Aventures », Paris, Éd. des Loisirs, février 1939.

1938. Une... qui l'aima !... (H)

a) Pas de publication pré-originale.
b) 1 vol. *in-16*, « Romans de cape et d'épée », nouvelle série, 8, Paris, Tallandier, 1938.
c) Feuilleton quotidien *Un amour secret de Napoléon* dans *L'Espoir*, Nice, à partir du 11 novembre 1955.

1938/1941. Série David Dare (C)

● 1. CINQ MORTS ASSIS !
a) Pas de publication pré-originale.
b) 1 vol. *in-8*, couv. photographique, « Rex », 4, Paris, Agence Parisienne de Distribution [Publications Ventillard], 15 octobre 1938.

c) Feuilleton dans les hebdomadaires canadiens *Le Courrier de Montmagny, Le Courrier de Belle-Chasse, La Voix de Gaspé, La Voix du peuple, Le Progrès de l'Islet, L'Écho de Lotbinière, L'Avenir de Montmorency Charlevoix*, Marquis éditeur, Montmagny, 1942.

d) 1 vol. *in-16* (Éd. canadienne), « Coll. du Progrès », série Police, 10, Rivière des Prairies, Éd. Paris-Tour Eiffel, s.d., 1950.

● 2. PAS DE BRUIT... LA MORT !

a) Pas de publication pré-originale.

b) 1 vol. *in-8*, « Rex », 6, Paris, Agence Parisienne de Distribution [Ventillard], 15 décembre 1938.

● 3. LES CINQ PARAVENTS DE LA MORT

a) Pas de publication pré-originale.

b) 1 vol. *in-8*, « Rex », 8, Paris, Agence Parisienne de Distribution [Ventillard], 15 février 1939.

● 4. LE PUZZLE TRAGIQUE

a) Pas de publication pré-originale.

b) 1 vol. *in-8*, « Rex », 10, Paris, Agence Parisienne de Distribution [Ventillard], 15 avril 1939.

c) 1 vol. *in-16* (Éd. canadienne), « Coll. du Progrès », série Police, 8, Rivière des Prairies, Éd. Paris-Tour Eiffel, novembre 1950.

● 5. LE MYSTÈRE DE LA CHAMBRE CLOSE

a) Pas de publication pré-originale.

b) 1 vol. *in-8*, « Rex », 12, Paris, Agence Parisienne de Distribution [Ventillard], 15 juin 1939.

● 6. VOUS MOURREZ LE...

a) Pas de publication pré-originale.

b) 1 vol. *in-8*, « Rex », 14, Paris, Agence Parisienne de Distribution [Ventillard], 15 août 1939.

● 7. DÉFENSE DE TUER

a) Pas de publication pré-originale.

b) 1 vol. *in-8*, « Rex », 16, Paris, Agence Parisienne de Distribution [Ventillard], 15 octobre 1939.

c) 1 vol. *in-16* (Éd. canadienne), « Coll. du Progrès », série Police, 11, Éd. Paris-Tour Eiffel, s.d., 1950.

● 8. UN MORT DÉMÉNAGE

a) Pas de publication pré-originale.

b) 1 vol. *in-8*, « Rex », 18, Paris, Agence Parisienne de Distribution [Ventillard], janvier 1940.

● 9. TROIS COUPABLES POSSIBLES

a) Pas de publication pré-originale.

b) 1 vol. *in-8*, « Rex », 20, Paris, Agence Parisienne de Distribution [Ventillard], mars 1940.

c) 1 vol. *in-16* (Éd. canadienne), « Coll. du Progrès », série Police, 12, Rivière des Prairies, Éd. Paris-Tour Eiffel, s.d., 1951.

● 10. LE MYSTÈRE DU QUAI DE PASSY

a) Pas de publication pré-originale.

b) 1 vol. *in-8*, « Rex », 22, Paris, Agence Parisienne de Distribution [Ventillard], avril 1940.

● 11. LE CRIME DE DAVID DARE

a) Pas de publication pré-originale.

b) 1 vol. *in-8*, « Rex », 26, Paris, Agence Parisienne de Distribution [Ventillard], novembre 1940 [?].